C000075843

UN GARÇON CONVENABLE

TOME 2

VIKRAM SETH

Un garçon convenable

2

ROMAN TRADUIT DE L'ANGLAIS PAR FRANÇOISE ADELSTAIN

Traduit avec le concours du Centre National du Livre

GRASSET

Titre original :

A SUITABLE BOY

Phœnix House, Orion House, Londres, 1993

© Vikram Seth, 1993.

© Éditions Grasset & Fasquelle, 1995, pour la traduction française.

ISBN : 978-2-253-14238-4 - 1re publication - LGF

Onzième partie

11.1

A dix heures sonnantes, dans la neuvième chambre de la Haute Cour de justice de Brahmpur, de derrière les tentures de velours écarlate passé situées sur la droite, surgirent les cinq huissiers, turban blanc, livrée rouge et galons dorés. Tout le monde se leva. Les cinq hommes se placèrent derrière la chaise à haut dossier de leur juge respectif et, sur un signe de tête de l'huissier du Président de la chambre – que son pectoral représentant deux massues croisées rendait encore plus magnifique –, tirèrent les chaises pour que les juges puissent s'asseoir.

Dans la salle d'audience bondée, tous les regards avaient suivi la procession des huissiers vers le banc de justice. Pour les causes ordinaires, un juge, deux au maximum suffisaient, on allait jusqu'à trois pour des affaires très importantes et complexes. Mais cinq juges, cela signifiait une audience exceptionnelle, que soulignait la présence des cinq hérauts dans leurs atours resplendissants.

Et voici que, triste contraste, les juges, dans leur robe noire, faisaient leur entrée. Ils ne portaient pas de perruque, deux d'entre eux semblaient marcher avec difficulté. Ils arrivèrent selon l'ordre hiérarchique : le président, d'abord, suivi des assesseurs qu'il avait nommés pour cette affaire. Le président, petit homme sec quasi chauve, se tint au centre ; à sa droite s'installa le juge assesseur le plus élevé en grade dans la hiérarchie, grand homme voûté, la main droite agitée d'un perpétuel tremblement ; à sa gau-

Les mots hindis figurent dans un glossaire complet en fin de volume, p.845

che, le premier juge du siège, un Anglais qui avait continué à exercer ses fonctions après l'Indépendance, seul de son espèce parmi les neuf juges constituant la Haute Cour de Brahmpur. Enfin, à chaque bout, les deux juges les plus récemment nommés.

Le président n'eut pas un regard pour la salle – les célèbres plaideurs, les éminents avocats, le public bavard, les journalistes sceptiques mais excités. Il considéra la table placée devant lui et ses collègues – les blocs de papier, les verres à eau filigranés, sur le tapis vert. Puis il jeta un coup d'œil prudent à sa droite et à sa gauche, comme s'il s'apprêtait à traverser une route à forte circulation, se propulsa légèrement vers l'avant, immédiatement imité par ses collègues, et les huissiers repoussèrent les lourdes chaises sous le banc de justice.

Le Nawab Sahib de Baitar fut favorablement impressionné par tout ce décorum. C'était la troisième fois, dans toute sa vie, qu'il se retrouvait en Haute Cour. La première, plaignant dans une histoire de propriété, il n'avait eu affaire qu'à un seul juge. La seconde fois, il avait décidé d'aller voir plaider son fils. Sachant quel après-midi Firoz officierait, il était entré, sans son escorte habituelle et peu avant l'ouverture des débats, dans la salle presque vide, et s'était assis juste derrière Firoz, de façon que celui-ci ne le remarque pas à moins d'exécuter une volte-face complète. Il ne voulait pas l'embarrasser. De fait, Firoz, qui n'avait pas remarqué la présence de son père, avait très bien plaidé et le Nawab Sahib était reparti satisfait.

Aujourd'hui, bien sûr, Firoz savait que son père se trouvait derrière lui, puisqu'on jugeait de la validité constitutionnelle de la Loi d'abolition des zamindars. Si la cour la déclarait inconstitutionnelle, ce serait comme si elle n'avait jamais été votée.

Environ deux douzaines de recours annexes avaient été déposés en sus du recours principal, sous le même chef, mais avec quelques différences. Certains émanaient de fondations religieuses, d'autres de latifundiaires qui tenaient leurs terres directement de la couronne, d'autres d'anciens chefs d'Etat – comme le Raja de Marh – qui pensaient que les dispositions de la Constitution les rendaient intouchables, même s'il fallait sacrifier le menu fretin. Firoz défendait deux de ces recours annexes.

« Plaise à Vos Seigneuries – »

L'attention du Nawab Sahib – qui avait quelque peu vagabondé pendant que le greffier appelait l'affaire (numéro tant), énumérait les différents recours, lisait le nom des parties en présence et celui des défenseurs – revint brusquement au débat. Le grand G.N. Bannerji s'était dressé à la table du premier rang, le plus proche de l'allée latérale. Appuyant sa longue et vieille silhouette contre un pupitre posé sur la table – sur laquelle il avait disposé sa serviette et un calepin à reliure rouge – il répéta la phrase d'ouverture, puis continua sans se presser, jetant de temps à autre un coup d'œil au banc des juges, notamment au président.

« Plaise à Vos Seigneuries, je requiers dans cette affaire au nom de tous les plaignants groupés. Vos Seigneuries apprécieront, cela va sans dire, la gravité de la cause. Il est probable que jamais une cause d'une telle signification pour la population de cet Etat n'a été portée devant cette cour, pas plus du temps marqué par l'emblème du lion d'Ashoka qu'à l'époque du lion et de la licorne. » Légère interruption, G.N. Bannerji jeta un bref regard vers la gauche du banc de justice. « Messeigneurs, le pouvoir exécutif de cet Etat entend bouleverser la vie entière de la population par le biais d'une loi en contradiction expresse autant qu'implicite avec la Constitution du pays. Cette loi, qui porte atteinte d'une façon définitive à la vie des citoyens du Purva Pradesh, est la Loi de 1951 instituant la réforme agraire et l'abolition des zamindars du Purva Pradesh, et j'affirme, ainsi que l'autre conseil des plaignants, que cette législation, non seulement cause un tort flagrant à la population, mais est inconstitutionnelle et donc nulle et non avenue. Nulle et non avenue. »

L'avocat général du Purva Pradesh, le petit et rondouillard Mr Shastri, eut un sourire entendu. Il avait déjà affronté G.N. Bannerji auparavant. Celui-ci aimait répéter des phrases significatives au début et à la fin de chaque paragraphe de son discours. Malgré sa stature imposante, il avait une voix plutôt haut perchée – d'ailleurs pas désagréable à entendre : plus argentine que métallique – et il répétait ces phrases comme on tape à deux reprises sur de petits clous pour mieux les enfoncer. Cela aurait pu passer pour une manie, quasi inconsciente, mais Bannerji avait la conviction qu'il fallait répéter. Il prenait un soin extrême à formuler ses propositions de trois ou quatre façons différentes et les introduisait en différents points de son argumentation pour s'assurer que, sans insulter à l'intelligence des juges, les graines de sa thèse prendraient racine, même si certaines tombaient sur un sol aride. « C'est bon pour nous, disait-il à ses cadets, en l'occurrence son fils lunetteux et son petit-fils, c'est bon pour nous ou pour la partie adverse d'énoncer une chose une fois. Nous baignons dans cette affaire depuis des semaines, et tant Shastri que moi connaissons bien le dossier. Mais pour ce qui concerne les juges, nous devons suivre la règle primordiale en matière de plaidoirie : répéter, répéter, répéter encore. C'est commettre une grande faute que de surestimer la connaissance des juges, même s'ils ont lu les dépositions des deux parties. Et une autre faute que de tabler sur leur connaissance détaillée de la loi. Après tout, la Constitution n'a qu'un an – et il y a fort à parier que l'un au moins de ces juges ignore en quoi consiste une Constitution. »

G.N. Bannerji faisait référence (très poliment) au dernier nommé des juges du siège, Mr Maheshwari, ex-magistrat de district et qui, on s'en était aperçu, ne disposait pas d'une intelligence suffisant à compenser son manque d'expérience en droit constitutionnel. G.N. Bannerji supportait mal les imbéciles, catégorie dans laquelle il rangeait le juge Maheshwari, de quinze ans son cadet.

Firoz (qui avait assisté à la conférence des défenseurs des zamindars dans la chambre d'hôtel de G.N. Bannerji et avait entendu le grand avocat proférer cette remarque) avait rapporté ce propos à son père, ce qui n'avait pas rendu le Nawab Sahib plus optimiste quant au résultat du procès. Il partageait en cela le sentiment de son ami et adversaire le ministre du Trésor : il espérait moins la victoire qu'il ne redoutait la défaite. Tant de choses dépendaient de cette affaire que l'appréhension dominait des deux côtés. Les seuls à paraître plutôt détachés – en dehors du Raja de Marh, qui ne pouvait croire à la violation de ses terres vierges – étaient les avocats des deux parties.

« Sixièmement, continuait G.N. Bannerji, on ne peut déclarer la Loi d'abolition loi d'intérêt public, dans le sens strict, ou devrais-je dire dans le vrai sens du terme. Obligation, Messeigneurs, qui découle de l'Article 31, paragraphe 2, de la Constitution concernant la dépossession de la propriété privée par la puissance publique. Je reviendrai en son temps sur cette proposition, quand j'aurai exposé les autres points qui font de la loi incriminée une mauvaise loi juridiquement parlant. »

G.N. Bannerji s'interrompit pour avaler une gorgée d'eau puis continua à énumérer ses arguments, mais sans entrer encore dans les détails. Il trouvait la Loi d'abolition inacceptable parce qu'elle prévoyait des compensations dérisoires et de ce fait « fraudait la Constitution » ; parce que, de surcroît, la compensation proposée créait une discrimination entre petits et gros propriétaires, violant ainsi l'Article 14 instituant l'« égalité de tous devant la loi » ; parce qu'elle contrevenait à l'Article 19 (1) (f) statuant que tout citoyen a le droit « d'acquérir, de posséder et de disposer de biens » ; parce que, en laissant à la discrétion de petits fonctionnaires de l'administration le soin de décider de l'ordre dans lequel se feraient les appropriations, le pouvoir législatif déléguait illégalement ses pouvoirs à une autre autorité ; et ainsi de suite. Ayant survolé, tel un faucon, pendant plus d'une heure l'ensemble de son dossier, Mr G.N. Bannerji s'abattit, toutes serres ouvertes, sur la loi elle-même pour en démonter, une par une et à coups de répétitions bien entendu, les faiblesses.

A peine venait-il de commencer que le juge anglais intervint :

« Y a-t-il une raison, Mr Bannerji, qui vous a fait choisir en premier l'argument de la délégation de pouvoirs ?

— Votre Honneur ?

— Eh bien, vous affirmez que la loi incriminée contrevient à certaines dispositions spécifiques de la Constitution. Pourquoi ne pas vous attaquer à ces points d'abord ? Il n'y a rien dans la Constitution concernant la délégation. Je présume que les législateurs ont pleins pouvoirs dans leur propre sphère. Ils peuvent déléguer des pouvoirs à qui leur chaut du moment qu'ils demeurent dans le cadre de la Constitution.

— Votre Honneur, si j'ai le droit de plaider comme je l'entends – »

Les juges prenant leur retraite à soixante ans, ils étaient tous, en l'occurrence, d'au moins dix ans plus jeunes que G.N. Bannerji.

« Oui, oui, Mr Bannerji. Cela va sans dire. » Le juge s'épongea le front. Il régnait une chaleur terrible dans la salle.

« Je prétends justement, c'est justement ce que je prétends, Votre Honneur, que le fait que les législateurs du Purva Pradesh ont choisi de déléguer leur autorité à l'exécutif en abdication de leur propre pouvoir est contraire à la claire intention de la Constitution et à notre propre loi et à notre jurisprudence, comme l'ont établi nombre de cas, dont tout récemment celui de Jatindra Nath Gupta. Dans ce cas, il a été décidé que le pouvoir législatif d'un Etat ne peut déléguer ses fonctions législatives à aucun autre corps ou autorité, décision qui nous lie puisqu'elle a été prise par la Cour fédérale, prédécesseur de la Cour suprême. »

Tête toujours penchée, le Président prit la parole : « Mr Bannerji, le jugement n'a-t-il pas été acquis par trois voix contre deux ?

— Peu importe, Votre Honneur, il a été acquis. Il est certainement possible, après tout, qu'un jugement soit proféré ici dans des proportions semblables – bien que ni moi ni mon savant adversaire et ami, j'en suis sûr, ne souhaitions une telle éventualité.

— Bon, poursuivez, Mr Bannerji. » C'était également la dernière chose que souhaitait le Président.

Lequel intervint de nouveau, peu après.

« Mais la Reine contre Burah, Mr Bannerji ? Ou Hodge contre la Reine ?

— J'y arrive, Votre Honneur, j'y arrive, à ma façon laborieuse. »

Ce qui aurait pu passer pour un sourire effleura le visage du Président ; il se tut.

Une demi-heure plus tard, G.N. Bannerji était reparti dans un flot d'éloquence :

« Or, notre Constitution, contraire à celle des Britanniques mais identique à celle des Américains, est une Constitution écrite, exprimant la volonté expresse du peuple. Et c'est précisément, mes Seigneurs, parce que les deux Constitutions investissent des mêmes fonctions les deux pouvoirs de l'Etat, le législatif et l'exécutif, que nous devons chercher guide et interprétation dans les jugements rendus par la Cour suprême des Etats-Unis.

— Nous devons, Mr Bannerji ? s'étonna le juge anglais.

— Nous devrions, Votre Honneur.

— Est-ce à dire que ces décisions ne nous lient pas ? Cette question ne peut admettre deux réponses.

— Une telle affirmation de ma part serait, comme Votre Honneur le perçoit à en juger par votre question, téméraire. Mais toute question comporte deux volets. Ce que je voulais dire c'est que, bien que ne nous liant pas au sens strict du terme, les précédents et les interprétations des juges américains constituent notre seul guide fiable dans des contrées relativement inexplorées. Et l'arrêt de la Cour américaine qui interdit à chaque organe de l'Etat de déléguer ses pouvoirs devrait nous servir de modèle.

— Soit. » Sa Seigneurie parut non pas convaincue mais accessible à la persuasion.

« C'est à Cooley, Messeigneurs, dans ses *Limites constitutionnelles*, volume I, page 224, que nous devons une exposition succincte des raisons de ne pas déléguer les pouvoirs.

— Juste une minute, Mr Bannerji, intervint le Président. Nous n'avons pas ce livre ici avec nous, et nous voudrions pouvoir nous référer à cette page. Voilà un des dangers que vous courez en allant chercher vos arguments outre-Atlantique.

— Je suppose que Votre Honneur veut dire outre-Pacifique. »

Des rires s'élevèrent du banc des juges et de la salle.

« Peut-être veux-je dire les deux. Comme vous l'avez remarqué, Mr Bannerji, chaque question a deux volets.

— Votre Honneur, j'ai fait faire des copies carbone de la page mentionnée. »

Mais le greffier sortit promptement le livre de dessous sa table, située en contrebas de l'estrade. Il était clair qu'il n'en existait qu'un exemplaire et non pas cinq, comme cela aurait été le cas des recueils de jurisprudence anglais et indiens et des textes administratifs.

« Mr. Bannerji, dit le Président, en ce qui me concerne je préfère le poids d'un livre dans mes mains. J'espère que nous possédons la même édition. Page 224. Apparemment, nous avons la même. Mes collègues peuvent disposer, s'ils le souhaitent, des copies carbone.

— Plaise à Vos Seigneuries. Bon, Cooley soulève la question en ces termes :

Là où le pouvoir souverain de l'Etat a placé l'autorité, là elle doit demeurer ; et c'est aux seuls agents constitutionnels que revient la tâche de faire les lois tant que la Constitution elle-même demeure inchangée. Le pouvoir au jugement, à la sagesse et au patriotisme duquel cette haute prérogative a été confiée ne peut se décharger de cette responsabilité en dévoluant son pouvoir à d'autres agents qu'il aura choisis, pas plus qu'il ne peut substituer le jugement, la sagesse et le patriotisme d'autres corps à ceux à qui le peuple et lui seul a cru bon de donner cette confiance souveraine.

C'est cette confiance souveraine, cette confiance souveraine, Messeigneurs, que le pouvoir législatif du Purva Pradesh a déléguée au pouvoir exécutif, dans le cas de la Loi d'abolition des zamindars. Sa date de mise en pratique, l'ordre dans lequel se ferait l'appropriation des biens, ces décisions (sujettes à l'arbitraire, au caprice, à la méchanceté) seraient prises dans de nombreux cas par de très petits fonctionnaires ; ainsi que le montant des obligations offertes à titre de compensation, et la répartition entre versements immédiats et obligations ; ainsi que bien d'autres points substantiels et non de détail. Il ne s'agit pas là, Messeigneurs, de simples points de détail mais d'une délégation illégale d'autorité et ces motifs seuls, en dehors de tous autres, suffiraient à invalider la loi. »

Le petit Mr Shastri, le jovial avocat général, se leva en souriant, le col blanc et raide cassé par la sueur. « Plaise à Vos Seigneuries. Une légère cor-rec-tion à mon savant ami. Date d'investiture découle au-to-ma-ti-que-ment de la promulgation par le Président. Donc loi entre vigueur immédia-te-ment. » Pour sa première interruption, Mr Shastri prenait un ton courtois et sans emphase. Son anglais manquait d'élégance (il prononçait par exemple « ka-thee bi-lan-chee » pour « carte blanche »), son style oratoire de fluidité. Mais à partir de principes essentiels (de prin-ci-pes, auraient dit ses cadets irrévérencieux), il usait d'une argumentation remarquable quoique simple et il existait peu d'avocats dans l'Etat, peut-être même dans le pays, capables de lui damer le pion.

« Je remercie mon savant ami pour sa clarification, dit G.N. Bannerji, s'appuyant de nouveau au pupitre. Ce n'est pas tant à la date d'investiture, immédiate, comme le souligne mon savant ami, qu'à celles d'accaparement des propriétés que je faisais référence.

— Vous n'attendez sûrement pas du gouvernement, Mr Bannerji, intervint le juge à la droite du Président, se frottant le pouce contre l'index, qu'il s'empare de tous les domaines simultanément ? Sur le plan administratif, ce serait irréalisable.

— Votre Honneur, il ne s'agit pas de simultanéité mais d'équité. Et c'est ce qui m'inquiète. On aurait pu donner des directives – recommandant d'agir, par exemple, en fonction du revenu ou de situations géographiques. Or la loi laisse à l'administration la bride sur le cou. Imaginons que l'administration décide demain qu'elle n'aime pas tel zamindar particulier, disons le Raja de Marh, parce qu'il soutient trop bruyamment un sujet contraire à la politique et aux intérêts du gouvernement, elle peut notifier la saisie immédiate de ses propriétés du Purva Pradesh. C'est la porte ouverte à la tyrannie, Messeigneurs, la porte ouverte à rien de moins que la tyrannie. »

En entendant prononcer son nom, le Raja de Marh, qui sous l'effet de la chaleur et de sa paresse d'esprit s'était assoupi, son corps penchant de plus en plus vers l'avant, soudain revint à la vie. Tiré brutalement de ses rêves sensuels, il lui fallut quelque temps pour comprendre où il se trouvait.

Il secoua la robe d'un jeune avocat assis devant lui.

« Qu'a-t-il dit ? Que dit-il à mon propos ? »

L'autre se retourna, main légèrement levée pour lui faire signe de se taire. Il murmura une explication. Le Raja de Marh le fixa, regard vide et obtus, puis, devinant que rien de ce qui avait été dit ne lésait ses intérêts, retomba dans sa somnolence.

Et les débats se poursuivirent sur ce mode. Ceux qui étaient venus avec l'espoir d'assister à un drame plus ou moins sanglant furent profondément déçus. Nombre de plaignants eux-mêmes étaient déroutés par ce qui se passait. Ils ignoraient que Bannerji s'exprimerait pendant cinq jours au nom des demandeurs, qu'il serait suivi de Shastri qui prendrait cinq jours pour parler au nom de l'Etat et deux pour réfuter Bannerji. Ils avaient espéré empoignades et explosions, le choc des épées contre les boucliers, ils obtenaient une fricassée œcuménique et soporifique de Hodge contre la Reine, Jatindra Nath Gupta contre la province du Bihar, et Poulaillers Schechter contre Etats-Unis.

En revanche les avocats – spécialement ceux qui, installés au fond de la salle, n'intervenaient pas dans l'affaire – goûtèrent chaque minute du procès. Eux entendirent le choc des épées contre les boucliers. Ils savaient que la façon dont Bannerji maniait l'argumentation constitutionnelle, très différente en l'occurrence des traditions britanniques de plaidoirie et donc indiennes, basées sur la jurisprudence, prenait de plus en plus de poids depuis que la Loi de 1935 sur le gouvernement de l'Inde avait créé le cadre dans lequel s'était insérée quinze ans plus tard la Constitution indienne. Mais ils n'avaient jamais entendu plaider un dossier avec des arguments d'aussi grandes conséquences, pendant un si long laps de temps et par un défenseur si célèbre.

Quand le tribunal leva la séance à une heure de l'après-midi, pour le déjeuner, tous ces avocats s'égaillèrent, battant de la robe comme des chauves-souris de leurs ailes, et rejoignirent le flot de leurs collègues sortis d'autres salles. Ils gagnèrent la partie du bâtiment occupée par l'Association des avocats, foncèrent droit sur les urinoirs qui, dans cette chaleur, dégageaient une odeur abominable. Puis ils se dirigèrent par petits groupes, qui vers leur bureau, qui vers leur bibliothèque, qui vers la cafétéria ou la cantine, et se mirent à discuter avec avidité des particularités de l'affaire et des manies stylistiques de l'éminent avocat.

11.3

Pendant la pause, le Nawab Sahib s'approcha de Mahesh Kapoor pour lui parler. Apprenant que celui-ci n'avait pas l'intention d'assister à la séance de l'après-midi, il l'invita à déjeuner à Baitar House, et Mahesh Kapoor accepta. Firoz lui aussi vint discuter quelques minutes avec l'ami de son père – ou avec le père de son ami – avant de retourner à ses livres de droit. C'était la plus importante affaire à laquelle il eût été jamais associé, et il travaillait jour et nuit sur la petite partie qu'il serait peut-être amené à plaider – ou du moins qu'il devrait exposer à son supérieur.

Le Nawab Sahib, le regardant avec fierté et affection, lui dit qu'il s'absenterait tout l'après-midi.

« Mais Abba, G.N. Bannerji va commencer son argumentation sur l'Article 14.

— Rappelle-moi – »

Firoz sourit, mais s'abstint d'expliquer à son père l'Article 14.

« Vous serez là demain ?

— Oui, oui, peut-être. En tout cas, je serai là quand ton tour viendra de plaider. » Le Nawab Sahib se caressa la barbe, une lueur d'amusement dans les yeux.

« C'est votre affaire aussi, Abba – des terres accordées directement par la couronne.

— Oui. Quoi qu'il en soit, aussi bien moi que l'homme qui veut me les prendre avons été assommés par tout ce clinquant et allons déjeuner. Mais dis-moi, pourquoi ne ferme-t-on pas les tribunaux à cette époque de l'année ? La chaleur est épouvantable. La Haute Cour de Patna ne prend-elle pas ses vacances en mai et juin ?

— Je suppose que nous suivons le modèle de Calcutta. Mais ne me demandez pas pourquoi. Bon, Abba, je m'en vais. »

Les deux vieux amis empruntèrent le corridor, où la chaleur les frappa de plein fouet, et gagnèrent la voiture du Nawab. Mahesh Kapoor ordonna à son chauffeur de les suivre jusqu'à Baitar House. Dans la voiture, les deux hommes évitèrent soigneusement de discuter de l'affaire et de ses implications. A un moment, cependant, Mahesh Kapoor ne put s'empêcher de dire :

« Faites-moi savoir quand ce sera à Firoz de plaider. Je viendrai l'écouter.

— Je n'y manquerai pas. C'est très amical de votre part. » Le Nawab Sahib sourit. Bien que telle ne fût pas son intention, sa remarque pouvait paraître ironique. Il fut rassuré quand son ami poursuivit :

« Eh bien – il est un peu comme mon neveu. Mais n'est-il pas l'assistant de Karlekar dans cette affaire ?

— Si, mais il se peut que Karlekar doive retourner à Bombay où son frère est très malade. Dans ce cas, Firoz plaidera à sa place.

— Ah. » Il y eut une pause.

« Des nouvelles de Maan ? demanda finalement le Nawab Sahib comme ils arrivaient à Baitar House. Nous mangerons dans la bibliothèque ; nous n'y serons pas dérangés. »

Le visage de Mahesh Kapoor s'assombrit.

« Ou je le connais mal, ou alors je suis convaincu qu'il est

20

toujours amoureux de cette maudite femme. Si seulement je ne l'avais pas invitée à chanter pour Holi. Tout est venu de cette soirée. »

Le Nawab Sahib ne dit rien, mais il parut se raidir légèrement en entendant ces mots.

« Ayez l'œil sur votre fils, vous aussi, fit Mahesh Kapoor avec un rire bref. Firoz, je veux dire. »

Le Nawab Sahib regarda son ami sans répondre, envahi d'une pâleur soudaine.

« Vous vous sentez bien ?

— Oui, oui, Kapoor Sahib, je vais bien. Que disiez-vous à propos de Firoz ?

— Il se rend dans cette maison, lui aussi, à ce qu'on raconte. Ce n'est pas grave s'il ne s'agit que d'une passade, pas comme si c'était une obsession –

— Non ! » Le cri que laissa échapper le Nawab renfermait une telle douleur, presque de l'horreur, que Mahesh Kapoor en fut stupéfait. Il savait que son ami s'était tourné vers la religion, mais il n'avait pas imaginé qu'il était devenu si puritain.

Il s'empressa de changer de sujet. Il parla de deux nouveaux projets de loi, des futures circonscriptions électorales dont on connaîtrait le découpage d'un jour à l'autre, des troubles incessants dans le parti du Congrès – à l'échelon de l'Etat entre lui et Agarwal, et au cœur du pays entre Nehru et l'aile droite.

« Si bien que moi, même moi, je commence à ne plus me trouver à mon aise dans ce parti. Un vieux professeur – un combattant pour la liberté – est venu me trouver récemment et m'a dit un certain nombre de choses qui m'ont fait réfléchir. Je devrais peut-être quitter le parti. Je crois que si l'on pouvait convaincre Nehru de quitter le parti et de faire campagne pour les prochaines élections sur son propre programme et avec un nouveau parti, il gagnerait. Je le suivrais, comme beaucoup d'autres. »

Mais même cette étonnante confidence ne suscita pas de réponse de la part du Nawab Sahib. Il se montra aussi absent pendant tout le déjeuner. Il parut avoir des difficultés non seulement à parler mais à avaler sa nourriture.

Deux soirs plus tard, tous les avocats des zamindars et deux de leurs clients se retrouvèrent dans la chambre d'hôtel de G.N. Bannerji. Il tenait ce genre de conférence tous les jours de dix-huit heures à vingt heures afin de préparer la plaidoirie du lendemain. Ce soir-là cependant, la réunion avait un double but. Premièrement, l'aider à organiser l'audience du matin au cours de laquelle il boucclerait son exposé de l'affaire. Deuxièmement, faire bénéficier de ses conseils les autres avocats qui, l'après-midi, monteraient au créneau chacun pour la partie le concernant. G.N. Bannerji était heureux de leur prêter assistance, mais encore plus désireux de les voir partir à vingt heures précises de façon à lui permettre de passer sa soirée avec la personne que les jeunes surnommaient sa « dame d'amour » : une certaine Mrs Chakravarti qu'il avait installée en grand tralala (et aux frais de ses clients) dans un wagon-salon sur une voie de garage de la gare de Brahmpur.

Tout le monde arriva à dix-huit heures sonnantes. Les avocats et leurs stagiaires apportèrent les livres de droit, un serveur apporta le thé. G.N. Bannerji se plaignit du mauvais fonctionnement des ventilateurs et de la mauvaise qualité du thé. Il attendait avec impatience l'heure de prendre son whisky.

« Monsieur, laissez-moi vous féliciter pour la force de votre argumentation sur l'intérêt public, cet après-midi. » Ainsi s'exprima un avocat local de renom.

Le grand G.N. Bannerji sourit. « Oui, vous avez vu comme le Président a apprécié le rapport entre la recherche de l'intérêt public et la réalité du bien public.

— Ce ne fut apparemment pas le cas du juge Maheshwari.

— Maheshwari ! » De ce seul mot, Bannerji balaya le dernier nommé des magistrats.

« Mais, Monsieur, il faudra bien répondre à son argument sur la Commission des revenus agricoles, claironna un avocat stagiaire.

— Ce qu'il dit n'a pas d'importance. Il n'ouvre pas la bouche pendant deux jours, puis pose coup sur coup deux questions stupides.

— Vous avez tout à fait raison, Monsieur, dit Firoz. Vous avez longuement traité le second point dans votre exposé d'hier.

— Il a lu tout le Ramayana, et ne sait toujours pas de qui Sita est le *père* ! » Cette sortie, classique plaisanterie, déclencha les rires, certains légèrement flagorneurs.

« Quoi qu'il en soit, poursuivit Bannerji, nous devrions nous concentrer sur les arguments du Président et du juge Bailey. Ce sont les meilleurs cerveaux de cette cour et ils feront pencher la balance. Y a-t-il quelque chose dans ce qu'ils ont dit dont nous pourrions nous emparer ?

— Si je peux me permettre, Monsieur, intervint Firoz avec hésitation. Il me semble, d'après les commentaires du juge Bailey, que vous ne l'avez pas convaincu par ce que vous avez dit des buts de l'Etat au sujet du paiement des dédommagements. Vous avez déclaré, Monsieur, que l'Etat, par un tour de passe-passe, avait divisé le paiement en deux – la compensation proprement dite et une prime de réhabilitation. Et ceci afin de circonvenir les conclusions des juges de la Haute Cour de Patna dans l'affaire des zamindars de Bihar. Mais n'aurions-nous pas avantage à accepter l'affirmation du gouvernement selon laquelle la prime et le versement compensatoire sont effectivement séparés ?

— Non, pourquoi ? Mais laissons d'abord parler l'avocat général. Je répondrai à tout cela plus tard.

— Pourtant, Monsieur, s'entêta Firoz, si l'on pouvait prouver que même un paiement de faveur comme la prime de réhabilitation tombe sous le coup de l'Article 14 – »

Ce fut le petit-fils de Bannerji, garçon plutôt pompeux, qui coupa la parole à Firoz : « Tout a été dit sur l'Article 14 dès le second jour. » Il s'efforçait de protéger son grand-père de ce qui lui paraissait un virage dangereux. Accepter les affirmations du gouvernement sur un point aussi important reviendrait sûrement à démolir leur position.

Mais G.N. Bannerji fit taire son petit-fils en lui disant en bengali : « Aachha, toomi choop thako ! », puis pointa le doigt sur Firoz : « Répétez-moi ça. Répétez ce que vous venez de dire. »

Firoz s'exécuta, en développant son opinion.

G.N. Bannerji écrivit quelque chose dans son carnet rouge. « Cherchez dans les annales américaines tous les cas comparables et venez m'en parler demain matin à huit heures.

— Bien Monsieur, dit Firoz, les yeux brillants de plaisir.

— C'est une arme dangereuse à manier, reprit Bannerji. Elle pourrait faire beaucoup de mal. Je me demande si à ce stade – quoi qu'il en soit, apportez-moi ce que vous aurez trouvé, et nous verrons. Laissez-moi apprécier l'humeur de la cour. Bon, rien d'autre sur l'Article 14 ? »

Personne ne broncha.

« Où est Karlekar ?

— Monsieur, son frère est mort et il a dû partir pour Bombay. Il a reçu le télégramme il y a quelques heures – pendant que vous étiez à la barre.

— Je vois. Et qui est son assistant pour les donations de la couronne ?

— Moi, Monsieur, dit Firoz.

— C'est un jour important qui vous attend, jeune homme. Je pense que vous vous en sortirez. » Firoz rayonna sous ce compliment inattendu.

« Si vous avez la moindre suggestion, Monsieur...

— Pas vraiment. Insistez simplement sur le fait que les terres données par la couronne confèrent au bénéficiaire un droit de propriété à perpétuité et que par conséquent ces bénéficiaires ne peuvent être mis sur le même plan que les autres plaignants. Mais tout ceci est évident. Si je pense à autre chose, je vous le dirai demain matin. Réflexion faite, venez dix minutes plus tôt.

— Merci, Monsieur. »

La conférence continua encore une heure et demie. Mais la nervosité commençait à gagner G.N. Bannerji et chacun sentait qu'il fallait le ménager. Il restait toutefois encore des questions à régler quand l'avocat, ôtant ses lunettes, leva deux doigts vers le ciel et dit : « Aachha. »

A ce mot, chacun rassembla ses papiers.

La nuit tombait. En gagnant la sortie, deux assistants,

inconscients du fait qu'ils étaient toujours à portée d'oreille du fils et du petit-fils de Bannerji, continuèrent à parler du grand avocat de Calcutta.

« As-tu déjà vu sa dame d'amour ? demanda l'un.

— Oh non, non.

— On raconte que c'est une véritable allumeuse. »

L'autre rit : « Plus de soixante-dix ans, et une maîtresse !

— Et Mrs Bannerji ? Qu'en pense-t-elle ? Le monde entier est au courant. »

Son camarade haussa les épaules, comme pour dire que ce que Mrs Bannerji pensait ou non ne l'intéressait ni ne le concernait.

Ces propos n'échappèrent pas au fils et au petit-fils du grand homme. Chacun réagit par-devers soi, mais d'un accord tacite ils évitèrent d'en parler et laissèrent le sujet s'évaporer dans l'air du soir.

11.5

Le lendemain, G.N. Bannerji boucla son exposé, laissant la barre à plusieurs défenseurs, chacun se battant sur un point précis. C'est ainsi que Firoz put intervenir.

Quelques instants avant de prendre la parole, il éprouva un sentiment de noir, de vide quasi absolu. Ses arguments lui apparaissaient clairement, mais il ne voyait pas l'utilité de tout ceci – le procès, sa carrière, les terres de son père, le schéma général dont ce tribunal et cette Constitution faisaient partie, sa propre existence, la vie humaine. La puissance démesurée des sentiments qu'il éprouvait – si peu en rapport avec l'affaire en cours – le bouleversa.

Il farfouilla dans ses papiers, son esprit s'éclaircit. Mais il était si nerveux, si troublé par l'incursion inopinée de telles pensées, qu'il dut cacher ses mains derrière le pupitre.

Il commença par la formule de rigueur : « Messeigneurs, je souscris à tous les arguments de Mr G.N. Bannerji sur les points principaux mais voudrais y ajouter les miens en ce qui concerne la question des terres accordées par la couronne. » Il développa ensuite son propos avec force et logique, arguant que ces terres constituaient une catégorie différente des autres, que le contrat et la renommée les garantissaient contre tout accaparement. La cour eut l'air d'apprécier ce qu'il disait, et posa des questions auxquelles il répondit de son mieux. Son stupéfiant sentiment d'incertitude avait disparu aussi soudainement qu'il était apparu.

Mahesh Kapoor avait pris sur son calendrier chargé pour venir écouter Firoz. Tout en l'entendant plaider avec plaisir, il se disait que ce serait un désastre si la cour reconnaissait le bien-fondé de son argumentation. Une proportion appréciable des terres du Purva Pradesh exploitées en fermage avaient été données par la couronne, après la Mutinerie, afin de rétablir l'ordre une fois de plus par l'intermédiaire des puissants de la région. Certains de ces hommes, comme l'ancêtre du Nawab Sahib, avaient combattu les Anglais ; mais ceux-ci avaient compris qu'ils ne pouvaient sans danger augmenter la vindicte de ces gens à leur égard. Les terres avaient donc été accordées en échange d'une bonne conduite – mais rien de plus.

Mahesh Kapoor s'intéressait aussi tout particulièrement à une autre assignation, émanant d'anciens chefs d'Etat sous la domination britannique, qui avaient accepté d'entrer dans l'Union indienne après l'Indépendance et obtenu en échange certaines garanties constitutionnelles. Au nombre de ceux-ci figurait l'abject Raja de Marh, dont Mahesh Kapoor aurait avec bonheur saisi tous les biens. Bien que l'Etat de Marh appartînt en réalité au Madhya Pradesh, les ancêtres du Raja avaient également obtenu des terres dans le Purva Pradesh – une des Provinces sous Protectorat, comme on disait alors. Ses terres des P.P. tombaient dans la catégorie des dons de la couronne, mais l'un des points avancés par ses avocats était que sa fortune personnelle avait été sous-estimée, compte tenu de ce que ses propriétés dans les P.P. dévolues à perpétuité devaient rapporter. Ces terres, le Raja les avait reçues à titre personnel, et (avançaient ses défenseurs) étaient protégées par deux articles de la Constitution. L'un disait sans ambiguïté que le gouvernement paierait conformément aux accords de fusion garantissant les droits personnels, privilèges et dignités des ex-chefs d'Etat ; l'autre article stipulait que les querelles pouvant surgir de ces accords n'étaient pas justiciables des tribunaux.

Les avocats du gouvernement, de leur côté, avaient insisté dans leur déposition sur le fait que « droits personnels, privilèges et dignités » n'incluaient pas les biens personnels ; sur ce chapitre, les ex-chefs d'Etat disposaient du même statut et des mêmes garanties que n'importe quel citoyen. Et ils contestaient le fait que ce sujet – tel qu'ils le voyaient – ne fût pas justiciable des tribunaux.

Si ça n'avait dépendu que de lui, Mahesh Kapoor aurait saisi non seulement les terres personnelles du Raja au Purva Pradesh mais toutes celles qu'il possédait à ce titre au Madhya Pradesh – sans compter ses propriétés de Brahmpur, dont le site du temple de Shiva, sur lequel on s'activait fort à présent en prévision des fêtes de Pul Mela. Hélas, cela était impossible. Y eût-il réfléchi, Mahesh Kapoor aurait découvert avec déplaisir, sans aucun doute, que cette idée ne différait pas en essence de celle du ministre L.N. Agarwal, quand il avait tenté de s'emparer de Baitar House.

En pénétrant dans la salle du tribunal peu après le début de l'audience de l'après-midi, le Nawab de Baitar aperçut Mahesh Kapoor ; assis de chaque côté de la travée centrale, ils échangèrent des salutations muettes.

Le cœur du Nawab se gonflait de fierté. Il avait écouté avec un bonheur extrême la plaidoirie de son fils, se répétant une fois de plus que Firoz avait hérité les plus beaux traits de sa mère. Et il savoura l'attention que les juges portaient à son fils plus que l'impétrant lui-même, trop occupé à parer les questions qui lui étaient posées pour apprécier le prix de cette attention.

Le chef de file de la défense n'aurait pas pu faire mieux, songeait le Nawab. Il se demanda ce que le *Brahmpur Chronicle* du lendemain reproduirait des propos de Firoz. Il alla même jusqu'à imaginer Cicéron apparaissant devant la Haute Cour de Brahmpur et faisant l'éloge de la plaidoirie de Firoz.

Mais en sortirait-il quelque chose de bien, au bout du

compte ? Cette pensée ne cessa de le tarauder au milieu de son bonheur. Quand un gouvernement est déterminé à obtenir ce qu'il veut, il l'obtient en général, d'une façon ou d'une autre. Et l'histoire ne va pas dans le sens de notre classe. Il regarda dans la direction où se tenaient le Raja et le Rajkumar de Marh. S'il ne s'agissait que de notre classe, continua-t-il à soliloquer, cela n'aurait sans doute pas d'importance. Mais il s'agit de tous les autres. Dans ces autres il incluait non seulement ses serviteurs et subordonnés mais les musiciens qui jouaient pour lui dans sa jeunesse, les poètes qu'il subventionnait, et Saeeda Bai.

Et ses yeux se fixèrent sur Firoz avec un renouveau d'inquiétude.

11.6

Il y avait chaque jour moins de monde pour assister aux débats, si bien qu'à la fin il ne resta plus guère dans la salle du tribunal que les journalistes, les avocats et un petit nombre de plaignants.

Si le temps et l'histoire jouaient ou non en faveur du Nawab Sahib et de sa classe, si la Loi propulsait la Société ou la Société la Loi, si le mécénat de la poésie contrebalançait les tourments des fermiers, ces questions amples et bivalentes échappaient aux préoccupations des cinq hommes dont dépendait l'issue de cette affaire. Ils ne s'intéressaient qu'aux Articles 14, 31 (2) et 31 (4) de la Constitution indienne, et ils pressaient l'aimable Mr Shastri de faire connaître son opinion sur ces articles et sur la loi soumise à leur sagacité.

Le Président était plongé dans son exemplaire de la Constitution, épluchant à la loupe pour la quatrième fois les termes des Articles 14 et 31.

Les autres magistrats (le juge Maheshwari excepté) avaient posé quelques questions à l'avocat général, que le président n'avait écouté que d'une oreille. Le Raja de Marh paraissait apprécier l'atmosphère du tribunal mais n'écoutait guère, inconscient de ce qui se passait. Son fils, le Rajkumar, n'osait pas le réveiller quand il s'affaissait sur son siège.

Les questions de la cour portaient sur l'ensemble de l'argumentation.

« Monsieur l'avocat général, que répondez-vous à l'allégation de Mr Bannerji selon laquelle la Loi sur les zamindars n'a pas pour but la défense de l'intérêt public mais n'est qu'un acte de pure politique de la part du parti qui détient actuellement le pouvoir ? »

« Pourriez-vous essayer, Monsieur l'avocat général, de concilier ces différentes sources américaines ? Je veux dire, en ce qui concerne l'intérêt public et l'égalité devant la loi ? »

« Monsieur l'avocat général, nous demandez-vous sérieusement de croire que "rien nonobstant dans cette Constitution" sont les mots clefs de l'Article 31 clause 4 et qu'en conséquence, en vertu de cet article, aucune loi ne peut être remise en question par l'Article 14 ou aucun autre ? Cette phrase, à l'évidence, ne protège que sur le terrain même de l'Article 31, clause 2. »

« Monsieur l'avocat général, qu'en est-il de l'affaire Yick Wo contre Hopkins sur le plan de l'Article 14 ? Ou du passage dans le texte sur l'affaire Willis, que le juge Fazl Ali, dans une récente décision de la Cour suprême, a dit être une interprétation correcte des principes sous-tendant l'Article 14 ? –

"La garantie de l'égalité devant la loi signifie la promulgation de lois égalitaires ? "Etc. Le savant défenseur des plaignants a tiré de cela toute une argumentation et je ne vois pas ce que vous pouvez lui opposer ? »

Plusieurs journalistes et quelques avocats eurent le sentiment que l'affaire commençait à mal tourner pour le gouvernement.

L'avocat général semblait ne pas en avoir conscience. Il continuait, avec flegme, à peser ses mots, même ses syllabes, avec tant de soin qu'il en prononçait un là où Bannerji en aurait sorti trois.

A la première question il répondit : « Prin-ci-pes di-recteurs, Messeigneurs. » Long silence, qu'il fit suivre de l'énumération des principes susdits. Puis courte pause, à laquelle succéda la déclaration suivante : « Ainsi Vos Seigneuries peuvent voir que c'est dans la Constitution elle-même et non pas simplement une affaire de politique de parti. »

A propos des différentes sources américaines, il dit simplement, avec un sourire : « Non, Messeigneurs. » Ce n'était pas à lui d'essayer de concilier l'inconciliable, d'autant que ce n'était pas lui qui cherchait de l'aide dans la jurisprudence américaine. Le Dr Cooley lui-même n'avait-il pas déclaré qu'il « nageait » lorsqu'il s'efforçait de déterminer le sens de l'« intérêt public » à la lumière de décisions judiciaires antagonistes ? Mais à quoi bon même mentionner cette histoire ? « Non, Messeigneurs » suffisait.

Depuis quelques minutes, le Président était un peu sur la touche. Il revint en lice. Après un nouveau coup d'œil aux articles cruciaux, griffonnant un poisson sur le carnet posé devant lui, il pencha la tête de côté et dit :

« Si je comprends bien, Monsieur l'avocat général, l'Etat affirme que les deux paiements, la compensation uniforme et le versement à titre de réhabilitation, variable et basé sur la richesse, sont de nature totalement différente. L'un est une compensation, l'autre pas. On ne peut donc pas les amalgamer, on ne peut pas prétendre que la compensation fonctionne selon une échelle mobile, on ne peut donc pas la prétendre discriminatoire ou injuste à l'égard des gros propriétaires.

— Oui, Votre Honneur. »

Le Président attendit en vain un complément d'explication. Il poursuivit donc :

« L'Etat prétend également que les deux paiements sont différents sous prétexte, par exemple, qu'il y est fait référence dans différentes sections de la Loi d'abolition ; que différents bureaux sont chargés de leur règlement – le Bureau des primes de réhabilitation, le Bureau des compensations ; et ainsi de suite.

— Oui, Votre Honneur.

— Mr Bannerji, de son côté, affirme que cette distinction n'est qu'un tour de passe-passe, d'autant que les fonds de compensation ne représentent qu'un tiers des fonds de réhabilitation.

— Non, Votre Honneur.

— Non ?

— Pas un tour de passe-passe, Votre Honneur.

— Et il déclare que, puisque la distinction n'est apparue dans les débats législatifs que tardivement, le gouvernement ne l'a mentionnée qu'à la suite du jugement prononcé par la Haute Cour de Patna, afin de tourner frauduleusement les protections érigées par la Constitution.

— La loi est la loi, Votre Honneur. Les débats sont les débats.

— Et qu'en est-il du préambule à la loi, Monsieur l'avocat général, qui ne mentionne absolument pas la réhabilitation comme un des objectifs de la législation ?

E-tour-de-rie, Votre Honneur. La loi est la loi. »

Le Président pencha la tête de l'autre côté. « Supposons que nous acceptions votre – c'est-à-dire celle de l'Etat – votre allégation selon laquelle la dénommée compensation est celle qui figure sous la mention de compensation réelle dans l'Article 31 clause 2, comment définiriez-vous la dénommée prime de réhabilitation ?

— Versement à titre de faveur, Votre Honneur, que l'Etat peut accorder librement à qui il veut selon le mode qui lui convient. »

Le Président, appuyant la tête sur ses deux mains, observa sa proie.

« Est-ce que la protection contre un recours en justice dont bénéficie la compensation au titre de l'Article 32 clause 4 s'étend aussi aux paiements à titre de faveur ? Ne pourrait-on, au nom de l'Article 14, qui institue l'égalité devant la loi, attaquer l'inégalité de ces paiements variables – selon une échelle mobile ? »

Firoz, qui avait écouté la discussion avec la plus grande attention, regarda G.N. Bannerji : c'est précisément ce dernier point qu'il avait tenté de soulever lors de la conférence de l'autre soir. L'éminent avocat avait enlevé ses lunettes et en nettoyait les verres très lentement. Il s'interrompit et, sans plus bouger un muscle, regarda fixement – comme tout le monde dans la salle – l'avocat général.

Le silence dura bien quinze secondes.

« Attaquer les paiements à titre de faveur, Votre Honneur ? » Mr Shastri semblait sincèrement choqué.

« Eh bien, poursuivit le Président, sourcils froncés, ils fonctionnent selon une échelle variable au détriment des plus gros zamindars. Les plus petits obtiennent une somme dix fois supérieure à l'estimation des loyers, pour les grands elle n'est que d'une fois et demie supérieure à cette estimation. Multiples différents, donc inégalité de traitement, ergo discrimination injuste.

— Messeigneurs, protesta Mr Shastri, les paiements à titre de faveur ne sont pas un droit légal. Ils sont un pri-vi-lège accordé par l'Etat. On ne peut donc les taxer de dis-cri-mi-na-tion in-jus-te. » Mais l'avocat général ne souriait plus aussi ouvertement. Les débats s'étaient transformés en un face à face, interrogatoire-contre-interrogatoire. Les autres magistrats n'intervenaient plus.

« Voyons, Monsieur l'avocat général, la Cour suprême des Etats-Unis a établi que le quatorzième amendement – auquel notre Article 14 correspond en esprit autant qu'en numérotation – s'applique non seulement aux obligations mais également aux privilèges. Cela ne concernerait-il pas nos paiements à titre de faveur ?

— Messeigneurs, la Constitution américaine est suc-cincte, et laisse donc place à l'in-ter-pré-ta-tion. La nôtre est prolixe, si bien qu'on en a moins besoin. »

Le Président sourit. Il avait à présent un air malin : une vieille tortue, chauve et sagace. L'avocat général fit une pause. Il savait qu'il allait devoir avancer un argument plus convaincant et moins général.

« Messeigneurs, reprit-il, en Inde l'Article 31 protège la loi de toute récusation au nom de la Constitution.

— Monsieur l'Avocat général, j'ai entendu votre réponse au juge Bailey sur ce point. Mais si cette cour ne trouvait pas l'argument convaincant et parvenait à la conclusion que les paiements à titre de faveur doivent se plier aux garanties octroyées par l'Article 14, où se tiendrait l'Etat ? »

L'avocat général se tut. Si la sincérité avait été de rigueur, il aurait dû dire : « L'Etat ne se tient pas, Votre Honneur, il tombe. » Au lieu de quoi, il rétorqua : « L'Etat devrait considérer sa position, Votre Honneur.

— Je pense que l'Etat ferait bien de considérer sa position en fonction de ce possible raisonnement. »

La tension régnant dans la salle était devenue si palpable qu'elle avait dû s'immiscer dans les rêves du Raja de Marh. Il se réveilla brusquement, en proie à une violente anxiété. Il se leva et fit quelques pas dans sa travée. Il s'était bien comporté durant l'exposé de son assignation. A présent que les choses semblaient mal tourner pour l'Etat sur un point qui ne s'appliquait pas spécifiquement à lui mais qui aurait pu l'arranger, il était en proie à une agitation désespérée.

« Ça n'est pas juste », dit-il.

Le Président se pencha en avant.

« Ça n'est pas juste. Nous aussi nous aimons notre pays. Qui sont-ils ? Qui sont-ils ? La terre – »

Stupeur dans la salle. Le Rajkumar se leva à son tour et fit mine de rejoindre son père. Lequel l'écarta d'un geste.

« Je ne vous entends pas, Votre Altesse », dit le président.

Le Raja de Marh ne fut pas dupe. « Je vais parler plus fort, Monsieur. »

Le Président répéta : « Je ne vous entends pas, Votre Altesse. Si vous avez quelque chose à dire, veuillez le faire par l'intermédiaire de votre défenseur. Et, s'il vous plaît, asseyez-vous au troisième rang. Les deux premiers sont réservés au membres du barreau.

— Non, Monsieur. Ma terre est en jeu ! Ma vie est en jeu ! » Ses yeux lançaient des éclairs, comme s'il allait charger les magistrats.

Après un regard à ses collègues, le Président s'adressa au greffier et aux huissiers, leur disant en hindi :

« Faites sortir cet homme. »

Les huissiers parurent frappés de stupeur. Ils n'avaient jamais imaginé qu'ils devraient un jour porter les mains sur Sa Majesté.

En anglais cette fois-ci, le Président dit au greffier : « Appelez le personnel de garde et de surveillance. » Et au défenseur du Raja : « Calmez votre client. Dites-lui de ne pas abuser de la patience de cette cour. Si votre client ne quitte pas la salle immédiatement, je le fais écrouer pour offense. »

Les cinq superbes huissiers, le greffier, plusieurs avocats, tout en s'excusant mais avec vigueur, se saisirent du Raja de Marh, toujours bredouillant, et le poussèrent hors de la salle d'audience numéro un avant qu'il n'ait pu porter plus gravement atteinte à ses intérêts et à la dignité du tribunal. Le Rajkumar, rouge de honte, le suivit lentement. Arrivé à la porte, il se retourna : tous les yeux étaient braqués sur le personnage gesticulant qui progressait vers la sortie. Firoz aussi le regardait, incrédule et méprisant. Le Rajkumar baissa les yeux et rejoignit son père dans le couloir.

11.7

Quelques jours après avoir subi cet affront, le Raja de Marh, turban à plumes et boutons de diamants, entouré d'une escorte rutilante de serviteurs, se dirigea vers le lieu où se déroulait le Pul Mela.

Son Altesse quitta au matin le temple de Shiva (où il se prosterna), traversa la vieille ville de Brahmpur et parvint au sommet de la colline boueuse d'où une grande rampe de terre descendait en pente douce jusqu'à la rive sud et sablonneuse du Gange. Tous les deux-trois pas un crieur annonçait la présence du Raja, et des pétales de rose étaient lancés en l'air pour sa plus grande gloire. C'était inepte.

Et pourtant conforme à l'image que le Raja se faisait de lui-même et de sa place dans le monde. Un monde qui attirait ses foudres, notamment le *Brahmpur Chronicle,* qui s'était complu à tracer le portrait du personnage vitupérant, éjecté de la salle du tribunal. Les débats avaient continué encore quatre jours (le jugement devait intervenir à une date ultérieure), fournissant autant d'occasions au journal de revenir sur le comportement inconvenant du Raja.

La procession s'arrêta au sommet de la rampe, à l'ombre du grand figuier. Le Raja regarda le spectacle qui s'offrait à sa vue, aussi loin que ses yeux pouvaient porter : un océan de tentes kaki, environnées de brume. Au lieu de l'unique ponton lancé sur le Gange, il y avait à présent cinq ponts de bateaux, barrant toute circulation sur le fleuve. Mais de nombreuses flottilles de petits bateaux faisaient le va-et-vient entre les deux rives afin de transporter les pèlerins à tel et tel endroits particulièrement propices pour le bain – ou simplement afin de procurer un moyen plus rapide et plus agréable de traverser que ces ponts improvisés surchargés de monde.

La rampe elle-même grouillait de pèlerins venus de l'Inde entière, notamment par les trains spéciaux mis à leur disposition pour cette occasion. Pendant quelques minutes, l'escorte du Raja réussit à contenir la foule, permettant ainsi à son maître de contempler, avec respect, le grand fleuve aux eaux brunes, le Gange beau et placide.

On était à la mi-juin et le niveau encore bas laissait à découvert de larges plages de sable. La mousson n'avait pas encore éclaté sur Brahmpur, ni la fonte des neiges gonflé les eaux. Dans deux jours aurait lieu pour Dussehra la grande baignade du Gange (quand, selon la tradition populaire, le fleuve se haussait d'une marche sur les ghats de Bénarès), et quatre jours plus tard la seconde grande baignade, à l'occasion de la pleine lune. C'est par la grâce du Seigneur Shiva, qui avait freiné la chute du Gange du haut du ciel en permettant à ses eaux de filtrer à travers ses cheveux, que le fleuve n'avait pas inondé la terre. C'est en l'honneur du Seigneur Shiva que le Raja faisait élever le temple de Chandrachur. Des larmes lui vinrent aux yeux, ému qu'il était par la vertu de ses actes et le spectacle du fleuve sacré.

Il se dirigeait vers un point de campement particulier : les tentes d'un saint homme connu sous le nom de Sanaki Baba. D'âge moyen, adorateur de Krishna, l'air toujours réjoui, le bonhomme passait son temps en prières et en méditations. Une foule de disciples séduisantes l'entourait, il avait la réputation de fournir énergie et apaisement. Le Raja voulait lui rendre visite avant même d'aller au campement des saints shivaïtes. Son aversion pour les musulmans l'avait poussé à adopter les aspirations et les cérémonies pan-hindoues : sa procession était partie d'un temple de Shiva, s'était frayé un chemin à travers la ville qui tenait son nom de Brahma, et se terminerait chez un adorateur de Krishna, le grand avatar de Vishnou. La trinité hindoue serait ainsi apaisée. Puis le Raja plongerait dans le Gange (l'immersion d'un de ses doigts couverts de bagues suffirait), lavant ainsi de leurs péchés sept générations y compris la sienne. C'était une matinée de travail utile. Se retournant en direction de Chowk, il garda les yeux rivés sur les minarets de la mosquée, que bientôt, songea-t-il, dominerait le trident placé au sommet de son temple. Le sang martial de ses ancêtres se mit à bouillir dans ses veines.

De ses ancêtres, sa pensée vogua vers ses descendants, et il jeta un regard impatient à son fils, le Rajkumar, qui traînait les pieds derrière son père. Quel garçon inutile ! se dit-il. Je dois le marier sans attendre. Peu m'importe le nombre de garçons avec qui il couche du moment qu'il me donne un petit-fils. Quelques jours auparavant, il l'avait emmené chez Saeeda Bai pour en faire un homme, et le Rajkumar avait failli s'enfuir, terrorisé ! Le Raja ignorait que son fils avait une certaine expérience des bordels de la vieille ville, où l'entraînaient parfois ses amis de l'université. Mais en cette occasion intime subir le parrainage de son grossier de père, cela était trop pour lui !

Le Raja avait reçu l'ordre de sa redoutable mère, la Rani douairière de Marh, de prêter plus d'attention à son fils. Ces temps derniers, il faisait de son mieux pour lui complaire. Il avait traîné son fils à la Haute Cour de façon qu'il découvre la Responsabilité, la Loi et la Propriété. Le résultat avait été un fiasco. La Procréation et la Vie d'un Homme dans ce Monde n'avaient pas non plus été un succès. Aujourd'hui, la leçon portait sur la Religion et l'Esprit martial. Echec sur toute la ligne. Alors qu'à chaque passage devant une mosquée le Raja rugissait des « Har har Mahadeva » de plus en plus vigoureux, le Rajkumar, baissant la tête, marmonnait les siens avec de plus en plus de réticence. Il ne restait plus que les Rites et l'Éducation. Le Raja était décidé à flanquer son fils dans le Gange. Puisqu'il achèverait ses études universitaires dans un an, le Rajkumar devait participer – même si c'était un peu prématuré – au rituel hindou de remise des diplômes – le bain ou snaan – qui en ferait un vrai diplômé ou snaatak. Et y avait-il meilleur lieu pour devenir snaatak que le Gange sacré durant le Pul Mela, celui de la sixième année, et à ce titre plus grand encore que de coutume ? Il l'y jetterait, salué par les vivats de son escorte. Et si la poule mouillée ne savait pas nager, devait être ramenée à terre crachant et suffoquant, ce n'en serait que plus drôle.

« Dépêche-toi, dépêche-toi ! cria le Raja, en dévalant la rampe. Où est ce camp de Sanaki Baba ? D'où viennent tous ces frères de putes de pèlerins ? N'y a-t-il donc pas la moindre organisation ? Allez me chercher ma voiture !

— Votre Altesse, les autorités ont interdit toutes les voitures à l'exception des véhicules de police et des VIP, murmura quelqu'un.

— Et je ne suis pas une VIP ? » La poitrine du Raja se soulevait d'indignation.

« Si, Votre Altesse, mais – »

Finalement, après avoir marché pendant une bonne demi-heure, au milieu des tentes, sur les plaques de tôle posées sur le sable, dont les ingénieurs de l'armée avaient fait des allées de fortune, ils arrivèrent en vue du campement de Sanaki Baba. Une centaine de mètres les en séparaient.

« Enfin ! » s'écria le Raja. La chaleur le taraudait, il transpirait comme un porc. « Allez dire au Baba de sortir. Je veux le voir. Et je veux du sorbet.

— Votre Altesse – »

Mais à peine le messager était-il parti en courant qu'une jeep de police, arrivant de l'autre côté, freinait devant l'entrée ; plusieurs hommes en descendirent, qui se frayèrent un chemin vers l'intérieur du campement.

Les yeux du Raja lui sortaient de la tête.

« Nous étions les premiers. Arrêtez-les ! Je veux voir le Baba immédiatement », hurla-t-il.

En vain. Les hommes avançaient déjà dans le camp.

11.8

Quand la jeep avait emprunté la descente menant à la rive située au-dessous du Fort, Dipankar Chatterji, un des passagers, avait été médusé par le spectacle.

Des masses de gens s'agglutinaient sur les allées sinuant à travers les tentes, transportant leurs nattes pour dormir, des ustensiles de cuisine, pots et poêles, des provisions, voire un enfant ou deux, coincés sous leur bras, accrochés à leur dos. Et puis des baluchons de vêtements, des seaux et des baquets, des bâtons, des bannières, des oriflammes, des guirlandes d'œillets d'Inde. Certains suffoquaient de chaleur et de fatigue, d'autres bavardaient comme s'ils se rendaient à un pique-nique ou chantaient des bhajans et autres chants sacrés, car l'enthousiasme qu'avait déclenché l'apparition sous leurs yeux de Mère Gange avait chassé en un instant l'épuisement du voyage. Hommes, femmes et enfants, jeunes et vieux, peau foncée ou teint clair, riches et pauvres, brahmanes et hors-castes, Tamouls et Kashmiris, sadhous aux haillons couleur safran et nagas nus, tous se bousculaient le long des rives sablonneuses. Les odeurs d'encens et de marijuana, de sueur et de nourriture cuisant pour le repas de midi, le bruit des enfants en pleurs, des haut-parleurs tonitruant, des femmes psalmodiant des kirtans et des policiers hurlant, la vue des eaux du Gange miroitant au soleil et des tourbillons de sable, aux rares endroits que ne piétinait pas la foule, tout cela avait plongé Dipankar dans une formidable exaltation. Ici, s'était-il dit, il allait trouver quelque chose de ce qu'il cherchait, ou ce Quelque Chose auquel il aspirait. C'était le microcosme de l'univers ; quelque part au milieu de son bouillonnement se trouvait la paix.

La jeep tressautait sur les plaques de tôle, se frayant un chemin à coups de klaxon. A un moment, le chauffeur sembla perdu. Ils parvinrent à un croisement où un jeune policier, s'égosillant et fendant l'air de son bâton, essayait de régler la circulation non pas des véhicules – il n'y en avait aucun excepté la jeep – mais du flot humain qui s'enroulait autour de lui. Mr Maitra, l'hôte de Dipankar à Brahmpur, ex-membre de la police indienne, qui avait réquisitionné la jeep, décida alors de prendre les choses en main.

« Arrête ! » ordonna-t-il en hindi au chauffeur.

Celui-ci obéit.

Le policier s'approcha de la jeep.

« Où est la tente de Sanaki Baba ? demanda Mr Maitra d'un ton impératif.

— Là-bas, Monsieur, sur votre gauche, à quatre cents mètres d'ici.

— Bien. » Pris d'une soudaine inspiration, Mr Maitra ajouta : « Savez-vous qui était Maitra ?

— Maitra ?

— R.K. Maitra.

— Oui, dit le jeune policier, plutôt, semblait-il, pour satisfaire la lubie de son étrange questionneur.

— Qui était-ce ?

— Un de nos premiers officiers de police indiens.

— C'est moi ! »

Le policier exécuta un salut impeccable. Le visage de Mr Maitra rayonna de plaisir.

« Partons ! » dit-il.

Ils arrivèrent bientôt au campement de Sanaki Baba. Ils étaient sur le point d'y entrer quand Dipankar remarqua, approchant par l'autre côté, répandant des fleurs sur son passage, une procession. Il n'y accorda cependant pas grande attention, et ils pénétrèrent dans la première tente du campement, qui faisait office de salle d'audience.

Les gens étaient assis à même le sol recouvert de tapis grossiers rouges et bleus : les hommes à gauche, les femmes à droite. A un bout s'élevait une estrade recouverte d'un tissu blanc. Sur l'estrade se tenait un homme jeune, mince et barbu, en longue robe blanche, qui prononçait un sermon d'une voix lente et rauque. Derrière lui pendait une photo de Sanaki Baba, rond et chauve, l'air épanoui, nu jusqu'à la taille, d'abondants poils frisés sur la poitrine, un short informe pour tout vêtement. Il posait sur fond de fleuve – probablement le Gange, mais peut-être, puisqu'il était adorateur de Krishna, la Yamuna.

Quand Dipankar et Mr Maitra entrèrent, le jeune homme en était à la moitié de son sermon. Les policiers qui les accompagnaient restèrent à l'extérieur. Mr Maitra, souriant à la pensée de rencontrer son saint homme favori, n'écouta pas un traître mot de ce que disait le jeune homme.

« Ecoutez, continua le prêcheur, de sa voix rauque.

Vous avez dû remarquer que lorsqu'il pleut ce sont les plantes inutiles, l'herbe, les mauvaises herbes, les arbustes, qui poussent.

Ils poussent sans effort.

Mais vous, pour cultiver une plante utile : une rose, un arbre fruitier, un pied de paan, vous avez besoin de faire des efforts.

Vous devez arroser, mettre de l'engrais, désherber, tailler.

Ce n'est pas simple.

Ainsi en est-il du monde. Il déteint sur nous. Il nous communique sa couleur sans effort. Tel est le monde, tels nous devenons.

Nous avançons dans le monde, aveugles comme l'est notre nature. C'est facile.

Mais pour connaître Dieu, pour connaître la vérité, nous devons faire un effort... »

C'est sur ces derniers mots qu'entrèrent le Raja de Marh et son escorte. Le messager qu'il avait dépêché quelques minutes auparavant n'avait pas eu l'audace d'interrompre le sermon, mais le Raja n'était pas homme à se laisser intimider par un sous-Baba. Il capta le regard du jeune prêcheur, lequel fit namasté, jeta un coup d'œil à sa montre et expédia un homme en kurta grise voir ce que désirait le Raja. Mr Maitra y vit une excellente occasion de se faire annoncer à Sanaki Baba, connu pour sa fantaisie en matière de respect des horaires et des lieux – et qui pouvait très bien ne pas se montrer avant des heures. L'homme à la kurta grise se dirigea vers une autre tente, plus petite, située plus avant dans le campement. Mr Maitra donnait des signes d'impatience, le Raja des signes d'impatience et d'extrême agitation, Dipankar ne montrait rien de tel. Il avait tout le temps du monde devant lui, et il se concentra sur le sermon. Il était venu au Pul Mela pour trouver une Réponse ou des Réponses, et cette Quête ne supportait pas la précipitation. Le jeune baba poursuivait :

« Qu'est-ce que l'envie ? C'est si banal. Nous regardons autour de nous, et nous aspirons à posséder des choses... »

Le Raja de Marh trépignait, n'ayant pas l'habitude qu'on le fasse attendre. C'était lui, d'ordinaire, le donneur d'audiences. Et qu'était-il advenu du verre de sorbet qu'il avait commandé ?

« Une flamme s'élève. Pourquoi ? Parce qu'elle languit après sa conformation maximale, le soleil.

Une motte de boue tombe. Pourquoi ? Parce qu'elle languit après sa conformation maximale, la terre.

L'air dans un ballon s'échappe s'il le peut. Pourquoi ? Pour rejoindre sa conformation maximale, l'air extérieur.

De la même façon, l'âme dans notre corps aspire à rejoindre la grande âme du monde.

A présent prononçons le nom de Dieu :

Haré Rama, haré Rama, Rama Rama, haré haré.
Haré Krishna, haré Krishna, Krishna Krishna, haré haré. »

Il se mit à psalmodier lentement et doucement. Quelques femmes se joignirent à lui, suivies par d'autres et par quelques hommes, et bientôt tout le monde ou presque entonna :

« *Haré Rama, haré Rama, Rama Rama, haré haré.*
Haré Krishna, haré Krishna, Krishna Krishna, haré haré. »

Toujours assis, les gens emportés par l'exaltation se balançaient d'un côté à l'autre, des cymbales vibraient, les voix extasiées passaient à l'aigu en prononçant certains mots. Les chanteurs produisaient un effet hypnotique qui, pourtant, n'atteignit pas Dipankar lorsque, surtout par politesse, il mêla sa voix à la leur. Le Raja de Marh resplendissait. Soudain le kirtan s'arrêta, remplacé par un hymne – un bhajan.

> « Gopala, Gopala, fais-moi tien –
> Je suis le pécheur, tu es le miséricordieux – »

Sur quoi Sanaki Baba, vêtu de son seul short, pénétra sous la tente, conversant avec l'homme à la kurta grise. « Oui, oui, disait Sanaki Baba, clignant ses petits yeux, tu ferais mieux d'y aller et de préparer quelques légumes : des potirons, des oignons, des pommes de terre. Où vas-tu trouver des carottes en cette saison ? Non, non, étale ça ici... Oui, dis à Maitra Sahib et au professeur... »

Il disparut aussi soudainement qu'il était apparu. Il n'avait même pas remarqué la présence du Raja de Marh.

L'homme à la kurta grise s'approcha de Mr Maitra et lui dit que Sanaki Baba les attendait dans sa tente. Un autre homme, d'une soixantaine d'années, probablement le professeur, fut prié de les accompagner. Le Raja de Marh faillit exploser de colère.

« Et moi ?

— Babaji va vous voir bientôt, Raja Sahib. Il vous réservera un moment particulier.

— J'exige de le voir maintenant ! Je me fiche de son moment particulier. »

Comprenant, semble-t-il, que le Raja risquait de faire des dégâts si on ne le maîtrisait pas, l'homme appela d'un signe l'un des plus proches disciples de Sanaki Baba, une femme prénommée Pushpa. Dont Dipankar nota, avec plaisir, la beauté et le sérieux et qui lui rappela instantanément sa Quête de l'Idéal. Elle pouvait certainement accompagner sa Quête de la Réponse. Il vit Pushpa parler au Raja et l'amadouer par son charme.

Les favorisés entrèrent dans la petite tente de Sanaki Baba. Mr Maitra lui présenta Dipankar :

« Son père est juge à la Haute Cour de Calcutta. Lui est en quête de la Vérité. »

Dipankar, sans mot dire, observait le visage radieux de Sanaki Baba. Un grand calme l'avait envahi.

Le maître parut impressionné. « Très bien, très bien », fit-il en souriant. Et se tournant vers le professeur : « Comment va votre femme ? »

Question qui équivalait à un compliment à l'adresse de l'épouse qui venait toujours le voir en compagnie de son mari. « Elle est en visite chez son gendre à Bareilly, dit le professeur. Elle est désolée de n'avoir pu venir.

— Ces améliorations apportées à mon campement sont parfaites. Il ne reste que le problème de l'eau. On est au bord du Gange, et ici – pas d'eau ! »

Le professeur appartenait au bureau consultatif de l'administration du Mela. « C'est grâce à votre bonté et à votre bienveillance, Babaji, répliqua-t-il d'un ton mi-doucereux, mi-confidentiel, que les choses se passent aussi bien. Je vais sur-le-champ voir ce que l'on peut faire dans ce domaine. » Il continua cependant à contempler Sanaki Baba avec adoration.

11.9

A présent, le maître s'adressait à Dipankar :

« Où demeurerez-vous pendant la semaine du Pul Mela ?

— Il habite chez moi à Brahmpur, dit Mr Maitra.

— Et il va parcourir une telle distance chaque jour ? Non, non, vous devez rester ici, dans le camp, et vous baigner dans le Gange trois fois par jour. Faites comme moi ! ajouta-t-il en riant. Vous voyez, je porte un costume de bain. C'est parce que je suis le champion de natation du Mela. Et quel Mela ! Il grandit d'année en année, et tous les six ans il explose. Il y a des milliers de babas. Un Ramjap Baba, un Tota Baba, même un Baba machiniste. Qui connaît la vérité ? Y a-t-il même quelqu'un qui la connaît ? Je vois que vous la cherchez. Vous la trouverez, mais quand ? » S'adressant à Mr Maitra, il dit : « Vous pouvez le laisser ici. Il y sera bien. Quel est son nom déjà – Divyakar ?

— Dipankar, Babaji.

— Dipankar. » Il prononça le mot avec beaucoup de tendresse, et Dipankar soudain se sentit heureux. « Dipankar, vous devez me parler en anglais, parce que je veux l'apprendre. Je n'en connais que quelques mots. Des étrangers sont venus écouter mes sermons, je veux donc apprendre à prêcher et à méditer en anglais. »

Mr Maitra ne put plus se retenir davantage, il éclata : « Baba, je ne trouve pas la paix. Que dois-je faire ? Indiquez-moi la voie. »

Sanaki Baba le regarda en souriant : « Je vous indiquerai une voie infaillible.

— Donnez-la-moi maintenant. »

Sanaki Baba dit : « C'est simple. Vous aurez la paix. » Il passa la main – ses doigts grattant la peau – de bas en haut sur le front de Mr Maitra, et demanda : « Comment vous sentez-vous ?

— Bien. » Puis il poursuivit d'un ton maussade : « Je prononce le nom de Rama et je dis mon chapelet, comme vous le conseillez. Alors je me sens calme, mais, après, les pensées reviennent m'assiéger. » Son cœur débordait et peu lui importait que le professeur pût l'entendre. « Mon fils – il ne veut pas vivre à Brahmpur. Il a prolongé son travail de trois ans, mais j'ignorais qu'il se faisait construire une maison à Calcutta. C'est là-bas qu'il habitera quand il prendra sa retraite. Puis-je vivre comme un pigeon, cloîtré à Calcutta ? Ce n'est plus le même garçon. Je souffre. »

Sanaki Baba parut content : « Ne vous ai-je pas dit qu'aucun de vos fils ne reviendrait ? Vous ne m'avez pas cru.

— Oui. Que dois-je faire ?

— Pourquoi avez-vous besoin d'eux ? Vous avez atteint le stade du sannyaas, du renoncement.

— Mais je ne trouve pas la paix.

— Le sannyaas lui-même est la paix. »

Mais ceci ne satisfit pas Mr Maitra. « Indiquez-moi une méthode, supplia-t-il.

— Je le ferai, je le ferai, dit le maître d'un ton apaisant. La prochaine fois que vous viendrez.

— Pourquoi pas aujourd'hui ? »

Sanaki Baba regarda autour de lui. « Un autre jour. Venez quand vous le voudrez.

— Vous serez là ?

— Je resterai ici jusqu'au 20.

— Pourquoi pas le 17 ? ou le 18 ?

— Ce sera le jour du bain de la pleine lune, et il y aura foule. Venez le matin du 19.

— Le matin. A quelle heure ?

— Le 19 au matin... à onze heures. »

Un large sourire éclaira la figure de Mr Maitra : il avait réussi à obtenir une heure exacte pour retrouver la Paix.

« Et maintenant où allez-vous ? demanda Sanaki Baba. Vous pouvez laisser Divyakar ici.

— Je vais rendre visite à Ramjap Baba, sur l'autre rive. J'ai une jeep et nous emprunterons le ponton numéro quatre. Quand je l'ai vu il y a deux ans, il se souvenait de moi – il se souvenait de ma visite vingt ans auparavant. A l'époque il avait un radeau sur le Gange et il fallait marcher dans l'eau pour le rejoindre.

— Son poitrine très sec, dit Sanaki Baba en anglais, s'adressant à Dipankar. Très très vieil homme. Comme un bâton.

— Bon, eh bien maintenant je m'en vais voir Sanaki Baba », conclut Mr Maitra en se levant.

Sanaki Baba en demeura bouche bée.

L'air fâché, Mr Maitra expliqua derechef : « De l'autre côté du Gange.

— Mais je suis Sanaki Baba.

— Oh oui, je voulais dire – comment s'appelle-t-il ?

— Ramjap Baba.

— C'est ça, Ramjap Baba. »

Mr Maitra s'en fut donc, et peu après la jolie Pushpa montra à Dipankar de la paille étalée sur le sol d'une des tentes : ce serait son lit pour la semaine à venir. Puis elle partit chercher le Raja de Marh pour le conduire à Sanaki Baba.

Dipankar s'assit et se mit à lire du Sri Aurobindo. Au bout d'une heure, ne tenant plus en place, il décida de suivre Sanaki Baba dans ses déplacements.

L'impression que donnait le maître était celle d'un

homme doué d'un grand sens pratique, très attentif aux autres : heureux, affairé, absolument pas dictatorial. Parfois, perdu dans ses réflexions, il fronçait ses petits sourcils. Un cou de taureau, une toison frisée sur la poitrine, un abdomen court, des cheveux poussant en touffe sur le devant et sur les côtés, sa tonsure ovale luisait au soleil de juin. Et sa bouche s'ouvrait quand il se concentrait pour écouter. Chaque fois qu'il croisait le regard de Dipankar, il lui souriait.

Lequel Dipankar, très séduit par Pushpa, s'aperçut que ses propres yeux clignaient quand il lui parlait. Mais elle, pour lui parler, prenait un ton et une mine des plus sérieux.

De temps en temps le Raja de Marh surgissait dans le campement, et rugissait de colère si Sanaki Baba ne s'y trouvait pas. Quelqu'un lui avait signalé le traitement spécial réservé à Dipankar, et durant les sermons, il dirigeait sur lui des regards meurtriers.

Dipankar avait le sentiment que le Raja voulait être aimé, mais qu'il lui était très difficile de se rendre aimable.

11.10

Dipankar avait pris place dans un bateau sur le Gange.

Un vieil homme, un brahmane, la marque sur le front, rythmait de ses commentaires le plongeon des rames dans l'eau. Il comparait Brahmpur à Bénarès, à Allahabad, le grand point de confluence, à Hardwar et à l'île de Sagar, où le Gange se jette dans la mer.

« A Allahabad, la rencontre entre les eaux bleues de la Yamuna et les eaux brunes du Gange est comparable à celle de Rama avec Bharat, dit-il.

— Mais que diriez-vous du troisième fleuve qui les rejoint ici ? demanda Dipankar. A quoi compareriez-vous la Saraswati ?

— D'où venez-vous ? s'enquit le vieil homme, mécontent.

— De Calcutta », fit Dipankar. Ayant posé sa question en toute innocence, il était navré que son interlocuteur la prît mal.

« Humm ! dit le vieil homme, la voix pleine de mépris.

— Et vous-même, d'où êtes-vous ?

— De Salimpur.

— Où est-ce ?

— Dans le district de Rudhia. » Courbé, l'homme examinait ses ongles de pieds abîmés.

« Et où c'est ça ? » insista Dipankar.

L'autre le regarda d'un air incrédule.

« Est-ce que c'est loin d'ici ? reprit Dipankar, comprenant que, s'il ne le poussait pas un peu, l'autre ne dirait rien de plus.

— C'est à sept roupies d'ici.

— Oh là, braila le batelier, nous y sommes. Maintenant braves gens baignez-vous tout votre soûl, et priez pour le bien de tous les hommes, y compris le mien. »

Mais le vieil homme ne voulut rien entendre. « Ce n'est pas le bon endroit, cria-t-il. Ça fait vingt ans que je viens ici chaque année et vous ne pouvez pas me rouler. C'est là-bas. » Du doigt il montra un point au milieu de la file de bateaux.

« Un policier sans uniforme », dit le batelier d'un ton dégoûté. A contrecœur, il reprit les rames et mena le bateau à l'endroit indiqué. Un certain nombre de baigneurs s'y trouvaient déjà, debout, car l'eau était peu profonde. Leurs incantations se mêlaient au tintement de la cloche d'un temple. Des œillets d'Inde et des pétales de rose flottaient sur l'eau boueuse, mêlés à des bouts de brochures détrempés, à des brins de paille, des enveloppes de boîtes d'allumettes rouge indigo, des paquets vides dans leur emballage végétal.

Le vieil homme se dénuda jusqu'à la taille, révélant le cordon sacré qui lui barrait le torse, de l'épaule gauche à la hanche droite. D'une voix encore plus forte qu'auparavant, il exhorta les pèlerins à se baigner. « Hana lo, hana lo », criait-il, engloutissant les syllabes dans son excitation. Dipankar se dévêtit, ne gardant que son caleçon, et plongea.

Malgré l'aspect peu engageant de l'eau, il pataugea quelques minutes : sans raison particulière, cet endroit, le plus saint de tous, l'attirait moins que celui où s'était arrêté le batelier. Là-bas, il avait vraiment eu envie de sauter. Le vieil homme, quant à lui, était au comble du bonheur. Il s'accroupit, s'immergeant complètement dans l'eau, en prit dans ses mains et la but, répétant « Hari Om » aussi intensément et aussi souvent que possible. Les autres pèlerins n'étaient pas moins extatiques. Hommes et femmes, ils éprouvaient le même bonheur à toucher le Gange qu'un bébé à toucher sa mère ; « Ganga Mata ki jai ! » chantaient-ils.

« O Ganga ! O Yamuna », s'exclama le vieil homme, élevant ses mains en coupe vers le soleil et psalmodiant en sanskrit :

> *« O Ganga ! O Yamuna !*
> *Godavari, Saraswati !*
> *Narmada, Indus, Kaveri,*
> *Montrez-vous dans ces eaux. »*

Sur le chemin du retour, il dit à Dipankar : « Ainsi c'était votre premier plongeon dans le Gange depuis votre arrivée à Brahmpur !

— Oui », reconnut Dipankar, se demandant comment il pouvait savoir cela.

« Je me baigne ici tous les jours – cinq à six fois par jour, continua le vieil homme, avec un certain orgueil. Cette fois-ci, ç'a été très bref. Je me baigne nuit et jour – parfois deux heures d'affilée. Notre Mère le Gange nous lave de tous nos péchés.

— Vous devez beaucoup pécher », répliqua Dipankar, repris par l'esprit Chatterji.

Le brahmane parut choqué par cet humour sacrilège.

« Vous ne vous baignez donc jamais chez vous ?

— Si, fit Dipankar en riant, mais pas pendant deux heures. Et pas dans un fleuve, ajouta-t-il, pensant à la baignoire de Kuku.

— Ne dites pas "fleuve", l'admonesta le vieil homme.

Dites "Gange" ou "Mère Gange". Ce n'est pas un simple fleuve. »

Dipankar acquiesça, abasourdi de voir des larmes dans les yeux du brahmane.

« Depuis la grotte gelée de Gaumukh sur le glacier jusqu'à l'île de Sagar environnée par l'océan, j'ai descendu la Mère Gange, dit le vieil homme. Yeux fermés, je savais toujours où je me trouvais.

— A cause des différentes langues qu'on parle le long du trajet ?

— Non ! A cause de l'air dans mes narines. L'air léger et piquant du glacier, la brise à l'odeur de pin dans les gorges, la senteur de Hardwar, la puanteur de Kanpur, les parfums reconnaissables de Prayag et de Bénarès... et ainsi de suite jusqu'à l'air humide et salé des Sundarbans et de Sagar. »

Yeux fermés, il rappelait à lui ses souvenirs. Ses narines s'ouvrirent encore davantage, sur son visage la paix recouvrit l'irritation.

« L'année prochaine, je ferai le voyage du retour, de Sagar dans le delta jusqu'aux neiges de l'Himalaya, le grand glacier de Gaumukh, l'ouverture de l'antre glacé, sous le grand pic du linga-Shiva... alors j'aurai accompli le circuit complet, un parikrama du Gange... de la glace au sel, du sel à la glace. L'an prochain, l'an prochain, à travers la glace et le sel, mon esprit sera sûrement sauvé. »

11.11

Le lendemain Dipankar, remarquant dans l'audience quelques jeunes étrangers à la mine perplexe, se demanda ce qu'ils pouvaient bien retirer de tout cela. Ils ne comprenaient probablement pas un seul mot du sermon ou des bhajans. Mais la belle Pushpa, au nez légèrement retroussé, accourut à la rescousse.

« Ecoutez, leur dit-elle en anglais, l'idée est simplement

ça : tout ce que nous avoir nous déposer au pied de lotus du Seigneur. »

Les étrangers, souriant, approuvèrent d'un vigoureux hochement de tête.

« Maintenant, je dois mentionner qu'il y aura méditation en anglais par Baba lui-même. »

Mais Sanaki Baba n'était pas d'humeur à méditer. Il bavardait de choses et d'autres avec le professeur et le jeune prêcheur qu'il avait fait asseoir à ses côtés sur l'estrade drapée de blanc. Pushpa prit un air mécontent.

S'en apercevant peut-être, Sanaki Baba céda et ouvrit une très courte séance de méditation. Fermant les yeux, il dit au public de faire de même. Puis, au bout de quelques minutes, il émit un long « Om ». Enfin, d'une voix pleine d'assurance, chaude et tranquille, dans un anglais à l'horrible accent, s'arrêtant longuement entre chaque phrase, il murmura :

« Le fleuve d'amour, le fleuve de félicité, la source du bien...

Absorbez par les narines ce qui vous entoure et l'existence suprême...

Maintenant, vous allez sentir anand et alok – félicité et légèreté. Sentez, ne pensez pas... »

Brusquement il se leva et se mit à chanter. Quelqu'un soutint le rythme au tabla, un autre en entrechoquant de petites cymbales. Puis il se mit à danser, disant à Dipankar : « Lève-toi Divyakar, lève-toi et danse. Et vous, mesdames, levez-vous. Lève-toi, lève-toi Mataji », dit-il en tirant par la main une vieille dame récalcitrante. Bientôt, elle dansa seule de son côté. D'autres femmes l'imitèrent. Puis les étrangers, avec allégresse. Tout le monde dansait, chacun pour soi et tous ensemble – souriant de joie et de contentement. Même Dipankar, qui détestait danser, se trémoussait au son du tabla et des cymbales et au nom mille fois invoqué de Krishna, Krishna, bien-aimé de Radha, Krishna.

Et brusquement tout s'arrêta.

Sanaki Baba, en sueur, offrait à la ronde son sourire bienveillant.

Pushpa, qui devait faire quelques annonces, observa le

public, se concentra, front plissé. Puis elle dit en anglais, sur un ton de reproche : « Vous avez maintenant danse et sermon et sankirtan et maditation. Et l'amour. Mais quand vous êtes dans les bureaux et les usines, alors quoi ? Alors Babaji n'est pas avec vous dans sa forme physique. Alors Babaji est avec vous, mais pas dans sa forme physique. Vous ne devez pas vous attacher à la danse et à la pratique. Si vous vous attachez, ça ne sert à rien. Vous devez avoir le saakshi bhaava, l'attitude du témoin, sinon à quoi ça sert ? »

Pushpa paraissait quelque peu mal à l'aise. Elle annonça l'heure du dîner et puis que Sanaki Baba s'adresserait à la foule à midi le lendemain. Elle indiqua avec précision comment se rendre à l'endroit où cela se passerait.

Le dîner fut simple mais bon : lait caillé, légumes verts, riz – et des rasmalais comme douceurs. Dipankar s'arrangea pour se retrouver assis à côté de Pushpa. Tout ce qu'elle disait lui semblait d'un charme inégalable, d'une vérité incontournable.

Elle lui parla en hindi. « J'étais dans l'enseignement. J'étais attachée à tant de choses. Mais alors c'est arrivé, et Baba m'a dit, maîtrise tout cela, et je me suis sentie aussi libre qu'un oiseau. Les jeunes ne sont pas stupides. La majorité des sadhous religieux ont détruit la religion. Ils aiment beaucoup d'argent, beaucoup de disciples, la domination totale. Babaji me laisse libre. Je n'ai pas de patron. Même les fonctionnaires ou les ministres ont un patron. Même le Premier ministre. Il doit répondre au peuple. »

Dipankar approuva sans réserve.

Soudain l'envie le prenait de renoncer à tout – Sri Aurobindo, la demeure des Chatterji, la possibilité d'un emploi dans une banque, sa cabane sous le cytise, tous les Chatterji y compris Cuddles – et de se retrouver libre – aussi libre et sans maître qu'un patron.

« Comme c'est vrai », dit-il, la regardant d'un air émerveillé.

Carte postale n° 1

Cher Amit Da,

Je t'écris allongé sur de la paille, dans une tente près du Gange. Il fait chaud et il y a beaucoup de bruit, car les haut-parleurs ne cessent de retransmettre des bhajans, des kirtans et toutes sortes d'annonces, et les trains, très fréquents, de siffler, mais je suis en paix. J'ai trouvé mon Idéal, Amit Da. J'ai eu le sentiment, dans le train qui m'amenait ici, que c'est à Brahmpur que je découvrirais qui je suis vraiment et à quoi doit tendre mon existence, j'ai même espéré trouver mon Idéal. Mais comme Lata était la seule fille de Brahmpur que je connaisse, je m'inquiétais à la pensée qu'elle se révélât être mon Idéal. C'est pourquoi j'ai évité jusqu'à présent d'aller rendre visite à sa famille, et ai reporté ma rencontre avec Savita et son mari à la fin du Pul Mela. Mais maintenant, je n'ai plus besoin de me faire de souci.

Elle s'appelle Pushpa, et c'est effectivement une fleur. Mais c'est une jeune fille sérieuse, si bien que notre pushpa-lila consistera à nous inonder réciproquement d'idées et de sentiments, même si je souhaite la couvrir de roses et de jasmin. Comme dit Robi Babu :

... c'est moi seul que ton amour attendait
Errant en éveil à travers les mondes et les âges,
    N'est-ce pas vrai ?
Que ma voix, mes yeux, mes lèvres t'ont apporté le soulagement,
En un instant, te tirant du cycle éternel de la vie,
    N'est-ce pas vrai ?
Que tu lis sur mon front tendre l'infinie Vérité,
Mon amie éternellement aimante,
    N'est-ce pas vrai ?

Mais il me suffit de la regarder, de l'écouter. Je crois être allé au-delà de la simple attirance physique. C'est le Principe Féminin que j'adore en elle.

Carte postale n° 2

Une souris joue à mes pieds, et elle m'a tenu éveillé la nuit dernière – mes pensées aussi bien entendu. Mais c'est cela la lila, le grand jeu de l'Univers, et je m'y suis plongé avec un grand bonheur. Je crains que la première carte postale n'ait disparu, je continue donc sur une des deux douzaines à l'adresse prérédigée que Ma a tenu à me faire emporter.

Excuse aussi ma mauvaise écriture. Celle de Pushpa est

merveilleuse. Je l'ai vue écrire mon nom en anglais dans le registre des inscriptions, elle a coiffé le « i » d'un point en forme de pleine lune.

Comment vont Ma, Baba, Meenakshi, Kuku, Tapan, Cuddles, comment vas-tu toi-même ? Jusqu'à présent vous ne me manquez pas, ni les uns ni les autres, et quand je pense à vous, j'essaie de le faire avec un amour désintéressé. Même ma cabane où je vais méditer – « maditer », comme dit Pushpa avec son délicieux accent et son chaleureux sourire – ne me manque pas. Elle affirme que nous devons être libres – libres comme des oiseaux – et j'ai décidé de voyager, après le Mela, partout où me porte mon esprit afin de pouvoir vraiment découvrir l'Intégralité de

Carte postale n° 3

mon âme et de l'Etre de l'Inde. Le seul fait d'errer ici et là, dans tout le Pul Mela, m'a aidé à comprendre que la Source spirituelle de l'Inde n'est ni le Zéro, ni l'Unité, la Dualité voire la Trinité, mais l'Infini. Si j'avais le sentiment qu'elle accepterait, je lui demanderais de voyager avec moi, mais c'est une disciple de Sanaki Baba, et elle a décidé de lui consacrer toute sa vie.

Je m'aperçois que je ne t'ai pas dit qui il est. C'est un saint homme, et c'est dans son campement que je réside, sur les rives sablonneuses du Gange. Mr Maitra m'a amené le voir, et Sanaki Baba a décidé que je devais rester. C'est un homme doué d'une grande sagesse, de douceur et d'humour. Mr Maitra lui a parlé du sentiment de malheur et d'inquiétude qui l'habite, et Sanaki Baba lui a procuré un certain soulagement, lui disant qu'il lui expliquerait plus tard comment méditer. Au départ de Mr Maitra, Sanaki Baba s'est tourné vers moi et m'a dit : « Divyakar – il aime, pour une raison que j'ignore, m'appeler parfois ainsi –, je me cogne contre une table dans le noir, pourtant ce n'est pas la table qui m'a fait mal, c'est l'absence de lumière. De même, l'âge venant, toutes ces petites choses font mal, parce qu'il manque la lumière de la méditation. – Mais la méditation, Baba, dis-je, n'est pas chose aisée. A vous entendre, ce serait très facile. – Est-il facile de dormir ? demanda-t-il. – Oui, répliquai-je. – Pas pour un insomniaque, fit-il. La méditation est chose facile, mais cette facilité doit s'acquérir. » J'ai donc décidé de trouver cette facilité, et décidé aussi que c'est sur la rive du Gange que je la trouverai. Hier j'ai fait la connaissance d'un vieil homme dans un bateau qui m'a raconté qu'il avait descendu tout le

Carte postale n° 4

cours du Gange, de Gaumukh à Sagar, et il m'a communiqué

le désir d'en faire autant. Peut-être me laisserai-je pousser les cheveux, renoncerai-je à toute chose et me ferai-je sannyaa-sin. Sanaki Baba a appris avec intérêt que Baba (quelle confu-sion, tous ces « Babas ») est juge à la Haute Cour, mais il a dit dans un de ses sermons que même ceux qui vivent dans de grandes demeures retournent à la poussière, dans quoi se roulent les ânes. Cela m'a permis de remettre les choses en place. En mon absence, Tapan prendra soin de Cuddles, sinon ce sera quelqu'un d'autre. Je me rappelle une chanson que nous chantions à l'école Jhee : « Akla Cholo Ré » de Robi Babu Tagore, qui déjà à l'époque me semblait absurde quand elle était braillée par 400 voix. Mais maintenant que j'ai décidé de « voyager seul » moi aussi, elle représente une sorte de phare et je la fredonne tout le temps (bien que parfois Pushpa me dise de m'arrêter).

Tout est si paisible ici, on n'y trouve pas cette acrimonie que la religion peut produire, et dont un exemple nous a été fourni ce soir à la conférence de la mission Ramakrishna. J'envisage de montrer à Pushpa certains de mes écrits sur divers sujets spirituels. Si tu vois Hemangini, demande-lui s'il te plaît de taper en trois exemplaires mes notes sur le Vide : les copies carbone salissent les doigts du lecteur, et mon écriture est trop mauvaise pour que je l'impose à Pushpa.

Carte postale n°5

On apprend tant de choses ici chaque jour, les horizons sont Infinis et s'ouvrent chaque jour davantage. J'imagine, pleu-vant sur les sables du Mela, le « Pul » des feuilles de figuier, comme un arc-en-ciel vert accroché à la rampe et enjambant le Gange, transportant les âmes de l'autre côté et régénérant de sa verdure notre terre polluée. Et quand je me baigne dans le Gange, ce que je fais plusieurs fois par jour (ne le dis pas à Ila Kaki, elle en aurait une attaque), je sens la grâce m'envahir jusqu'aux os. Tout le monde chante « Gange cha, Yamune cha aiva », le mantra que Mrs Ganguly nous a appris à la colère de Ma, et moi aussi je le chante !

Je me souviens, Amit Da, un jour tu m'as dit que le Gange était un modèle pour ton roman, avec ses affluents et ses nombreux bras, et je suis frappé de ce que l'analogie est encore plus complète que tu ne l'imaginais. Car, même si tu dois te charger désormais de la gérance des affaires familiales – puisqu'il me sera impossible de t'aider – et qu'il te faudra quelques années de plus pour achever ton roman, tu peux comparer le nouveau courant de ta vie à un Brahmaputra qui bien que coulant dans une direction apparemment différente finira, selon des voies inconnues de nous, par se jeter dans le vaste Gange de ton imagination. C'est du moins ce que j'espère, Dada. Je sais, bien sûr, ce que représente l'écriture pour toi, mais qu'est-ce qu'un roman comparé à la Quête de la Source ?

Carte postale n° 6

Me voici avec toute une pile de cartes postales remplies, et je ne sais comment les expédier. Si je les poste séparément ici – ils ont même un bureau de poste du Pul Mela ! l'organisation est stupéfiante – elles arriveront dans le désordre et je crains la confusion que cela ne manquerait pas de créer. Déjà, en l'état, on s'y perd avec le mélange d'anglais et de bengali, et mon écriture pire que d'habitude parce que je n'ai rien sur quoi m'appuyer pour écrire si ce n'est mon Sri Aurobindo. Et je redoute les tourments que je vais t'infliger en t'apprenant la direction que j'ai choisie, ou plutôt celle que je n'ai pas choisie. Je t'en prie, essaie de comprendre, Dada. Si tu peux prendre les choses en main à la maison pendant un an ou deux, peut-être reviendrai-je à ce moment-là pour t'en délivrer. Mais ne prends pas cela pour mon dernier mot car j'approfondis chaque jour mes connaissances. Comme dit Sanaki Baba : « Divyakar, ceci marque une ligne de partage dans ta vie. » Et tu n'imagines pas le charme de Pushpa quand elle dit : « Les Vibrations des vrais sentiments atteindront toujours le Point de Profondeur. » Mais peut-être, après avoir écrit tout ceci, n'ai-je pas besoin de l'expédier. Je prendrai ma décision plus tard dans la journée – ou elle sera prise pour moi.

Paix et Amour à tous, et bénédictions du Baba. Rassure Ma sur ma santé.

Garde le sourire !
DIPANKAR.

11.13

La nuit était tombée sur les rives. La cité de tentes brillait de milliers de lumières et des feux allumés pour la cuisine. Dipankar essaya de persuader Pushpa de l'accompagner dans tout le Mela.

« Qu'est-ce que je connais de ce monde ? dit-elle. Le camp de Baba est mon monde. Va, Dipankar, ajouta-t-elle presque avec tendresse, va dans le monde – vers les lumières qui attirent et fascinent. »

Voilà une façon bien théâtrale de présenter les choses, pensa-t-il. Néanmoins c'était sa deuxième nuit au Pul Mela et il voulait voir à quoi tout cela ressemblait. Il marcha, poussé ici et là par la foule, attiré ici et là par sa curiosité et son instinct. Il longea une rangée d'échoppes – sur le point de fermer pour la nuit – où l'on vendait aussi bien des vêtements tissés à la main, des bracelets de cheville, des colifichets, de la poudre vermillon, que des bonbons brillants, des gâteaux, des vivres et des livres saints. Il passa devant des pèlerins allongés sur leurs couvertures et leurs vêtements ou préparant le repas du soir sur des foyers improvisés, creusés dans le sable. Il vit une procession de cinq sadhous nus barbouillés de cendre – leur trident à la main – en route pour le bain dans le Gange. Il se joignit à la foule qui assistait à la représentation d'une pièce religieuse sur la vie de Krishna dans une tente voisine de l'échoppe de vêtements. Sorti de nulle part, un chiot blanc se précipita sur lui, queue en vrille, s'accrochant à son pantalon et essayant de lui mordiller les talons. Il n'était peut-être pas aussi teigneux que Cuddles mais sûrement aussi tenace. Plus Dipankar tournait sur lui-même pour essayer de se dégager, plus le chiot paraissait aimer ce jeu. Pour finir, deux sadhous, voyant ce qui se passait, lui jetèrent des poignées de sable, et il s'enfuit.

La nuit était tiède, la lune presque aux trois quarts pleine. Dipankar marcha à l'aventure, restant sur la rive sud qu'il longea pendant un long moment.

De vastes zones étaient attribuées à diverses sectes, ou ordres de sadhous. Certaines de ces communautés, dites akharas, s'étaient fait une réputation de discipline et d'esprit militant, et c'étaient leurs sadhous qui attiraient le plus l'attention lors de la procession traditionnelle du grand jour de bain, après la pleine lune. Ils se disputaient entre akharas les places dans le cortège, sur le bord du Gange, rivalisaient pour assurer la splendeur du spectacle. Ils tombaient parfois dans la violence.

Dipankar se risqua à pénétrer par la grille ouverte dans l'immense emplacement couvert réservé à l'un de ces akharas. Il y régnait une tension certaine. Mais d'autres personnes, qui n'avaient rien de sadhous, allaient et venaient, et il décida de rester.

C'était l'akhara d'un ordre shivaïte. Les sadhous formaient des petits groupes assis autour de maigres feux dont la file s'étirait jusqu'au fond enfumé du terrain. Leurs tridents fichés dans le sol à côté d'eux s'ornaient de guirlandes d'œillets d'Inde et, parfois, du petit tambour emblème du seigneur Shiva. Ils fumaient des pipes en terre, qu'ils se passaient à la ronde, une épaisse odeur de marijuana emplissait l'air. Dipankar s'aventura dans les profondeurs du camp et, soudain, s'arrêta net. Tout au bout, au plus épais de la fumée, plusieurs centaines de jeunes gens, vêtus de courts pagnes blancs, le crâne rasé, se tenaient autour d'énormes chaudrons de fer comme des abeilles autour d'une ruche. Dipankar ignorait ce qui se déroulait là, mais la même terreur l'envahit que s'il avait assisté à un rite d'initiation interdit aux étrangers.

Effectivement, avant qu'il n'ait pu faire marche arrière, un sadhou nu, le trident pointé vers son cœur, lui dit à voix basse :

« Va-t'en.

— Mais je –

— Va-t'en. » Avec son trident, le sadhou indiqua la partie du campement d'où arrivait Dipankar.

Celui-ci ne demanda pas son reste. Ses jambes semblaient avoir perdu toute leur force. Il finit par rejoindre l'entrée, secoué de quintes de toux causées par la fumée. Il se plia en deux et porta les mains à sa poitrine.

Soudain, il se retrouva par terre, poussé par une massue d'argent. Il se trouvait sur le trajet d'un cortège. Le temps de lever les yeux et de voir un éclair de soieries, de brocarts et de chaussures brodées, il l'avait dépassé.

Il n'était pas blessé, mais soufflé, bouleversé. Toujours assis sur le paillage qui recouvrait le sol, il regarda autour de lui et nota la présence de cinq ou six sadhous à quelques mètres de distance. Installés autour d'un feu de cendres, ils fumaient de la ganja, poussant des petits rires aigus chaque fois que leurs yeux se portaient sur lui.

« Il faut que je m'en aille, il faut que je m'en aille », murmura Dipankar, en bengali. Il se leva.

« Non, non, dirent les sadhous en hindi.

— Si. Je dois partir. Om Namah Shivaya, ajouta-t-il précipitamment.

— Tends la main droite », ordonna l'un d'eux.

Tremblant, Dipankar obéit.

Le sadhou lui étala un peu de cendre sur le front, en
emplit sa paume. « Maintenant mange-la », dit-il.

Dipankar fit un pas en arrière.

« Mange-la. Pourquoi clignes-tu les yeux ? Si j'étais un
tantrique c'est la chair d'un homme mort que je te donne-
rais à manger. Ou pire. »

Les autres gloussèrent.

« Mange-la, répéta le sadhou. C'est le prasad – l'offrande
– du seigneur Shiva. C'est sa vibhuti. »

Dipankar avala l'horrible poudre et fit la grimace. Les
sadhous trouvèrent cela irrésistible et se remirent à glousser de plus belle.

L'un d'eux lui demanda : « S'il pleuvait douze mois chaque année, pourquoi les cours d'eau seraient-il secs ? »

Un autre dit : « Si une échelle existait entre le ciel et la
terre, pourquoi la terre serait-elle peuplée ? »

Un troisième demanda : « S'il y avait le téléphone entre
Gokul et Dwaraka, pourquoi Radha se tracasserait-elle
toujours à propos de Krishna ? »

Sur quoi, ils éclatèrent tous de rire. Dipankar ne savait
quoi dire.

Ce fut au quatrième de parler : « Si le Gange s'écoule
toujours du chignon du seigneur Shiva, que faisons-nous
ici à Brahmpur ? »

Cette question leur fit oublier la présence de Dipankar,
lequel en profita pour quitter l'akhara, troublé et perplexe.

Peut-être, se dit-il, suis-je en quête d'une Question et pas
d'une Réponse.

A l'extérieur, le Mela continuait comme devant. Les foules se croisaient, qui allaient vers le Gange ou qui en sortaient, les haut-parleurs braillaient le nom des perdus et
des retrouvés, le son des bhajans et les cris se mêlaient aux
coups de sifflet des trains arrivant à la gare du Pul Mela, et
la lune avait gagné quelques degrés dans le ciel.

« Qu'est-ce que Ganga Dussehra a de si particulier ? »
demanda Pran tandis qu'ils longeaient la rive en direction
du ponton.

La vieille Mrs Tandon en appela à Mrs Mahesh Kapoor :
« Il ne le sait vraiment pas ?

— Je suis sûre de le lui avoir dit, mais tout cet Angreziyat
– cette anglomanie – lui a vidé l'esprit.

— Même Bhaskar le sait.

— C'est parce que vous lui racontez des histoires.

— Et parce qu'il écoute. La plupart des enfants ne s'y
intéressent pas.

— Eh bien ? dit Pran. Va-t-on éclairer ma lanterne ? Ou
est-ce une de ces arguties déguisées en science ?

— Comment peux-tu parler ainsi, dit sa mère, choquée.
Veena, ne marche pas si vite. »

Veena et Kedarnath s'arrêtèrent, attendirent que les
autres les rejoignent.

« C'est à cause du sage Jahnu, mon enfant, expliqua la
vieille Mrs Tandon. Quand le Gange sortant de l'oreille de
Jahnu est tombé sur le sol, ce fut le jour de la Dussehra du
Gange, que l'on n'a cessé de célébrer depuis.

— Mais tout le monde dit qu'il est sorti de la chevelure
de Shiva, protesta Pran.

— C'était avant. Ensuite il a inondé l'aire où l'on sacrifiait à Jahnu qui, furieux, l'a bu. Pour finir, Jahnu l'a laissé
s'échapper par son oreille, et le Gange est tombé sur la
terre. D'où le nom de Jaahnavi, né de Jahnu, qu'on lui
donne aussi. » A cette image de la colère du sage et de son
heureux résultat, Mrs Tandon sourit.

« Et, poursuivit-elle, trois ou quatre jours plus tard, la
nuit de la pleine lune du mois de Jeth, un autre sage, qui
s'était séparé de son ashram, l'a traversé sur le pipal-pul, le
pont de feuilles de figuier. C'est devenu le jour du bain le
plus sacré du Pul Mela. »

Mrs Mahesh Kapoor s'excusa d'avoir une opinion différente. Tout ceci n'était que pure légende, sans aucun fon-

dement. En trouvait-on la moindre mention dans les Puranas, les Epopées ou les Vedas ?

« Chacun sait que c'est la pure vérité », affirma la vieille Mrs Tandon.

Ils avaient atteint le pont de bateaux où se pressait une foule telle que la fendre exigeait un véritable effort.

« Mais où est-ce écrit ? demanda Mrs Mahesh Kapoor, suffoquant légèrement, mais continuant à s'exprimer avec vigueur. Comment peut-on dire qu'il s'agit d'un fait ? Je n'y crois pas. Et on ne me verra jamais au milieu de ces masses superstitieuses qui se baignent le jour de Jeth Purnima. Ça ne peut que porter la guigne. »

Mrs Mahesh Kapoor avait des idées définitives sur les fêtes. Elle ne croyait même pas à la fête de Rakhi, disant que la véritable célébration du lien unissant le frère et la sœur se faisait à Bhai-Duj.

Ne voulant pas se quereller avec sa samdhin, sa commère, surtout en présence de la famille, surtout en traversant le Gange, Mrs Tandon ne répliqua pas.

11.15

Sur la rive nord du Gange, la foule était moins nombreuse, on trouvait même des étendues vides de toute tente. Le vent se leva, projetant des tourbillons de sable sur les cinq visiteurs qui se dirigeaient, au milieu d'une longue file de pèlerins, vers l'estrade de Ramjap Baba.

Veena et les deux autres femmes se couvrirent la figure avec le pallu de leur sari, Pran et Kedernath se protégèrent la bouche et le nez de leur mouchoir. On ne pouvait imaginer pires conditions pour une personne souffrant d'asthme : Pran eut la chance que le sien ne se manifeste pas sur-le-champ. Ils arrivèrent finalement à l'endroit, de légères dunes de sable à une cinquantaine de mètres de la rive, où se dressait l'estrade de Ramjap Baba, sous son auvent de chaume, montée sur de hauts pilotis de bois et de bambous, ornée de feuilles et de guirlandes d'œillets d'Inde, assiégée par la masse des pèlerins. Et sur cette estrade Ramjap resterait, même quand, dans quelques semaines, elle deviendrait une île au milieu du Gange. Il y passerait ses journées à ne rien faire d'autre que psalmodier le nom de Dieu : « Rama, Rama, Rama, Rama », qu'il fût éveillé ou même, parfois, endormi. D'où le nom que le peuple lui avait donné.

Cette austérité et ce que les gens tenaient pour une bonté fondamentale lui avaient valu reconnaissance et pouvoir. Les pèlerins parcouraient des kilomètres dans le sable, la foi brillant dans leurs yeux, pour l'apercevoir. Ils ramaient jusqu'à lui, de juillet à septembre, quand les eaux léchaient les pilotis. Et cela durait depuis trente ans. Ramjap Baba arrivait à l'époque du Pul Mela, attendait que l'eau l'environne, repartait quatre mois plus tard, quand le Gange s'était retiré. Il faisait ainsi son propre chatur-maas, même si cela n'avait rien à voir au sens strict avec les quatre mois du sommeil traditionnel des dieux.

Difficile de dire précisément ce qu'il apportait aux gens. Tantôt il leur parlait, tantôt pas, parfois il les bénissait, parfois pas. Cet homme frêle, aussi sec qu'un épouvantail, la peau tannée comme le cuir sous l'effet du vent et du soleil, décharné, à bout de forces, accroupi sur son estrade, les genoux au niveau des oreilles, sa longue tête émergeant à peine de derrière le parapet. Une barbe blanche, une tignasse noire, et des yeux profondément enfoncés qui fixaient sans guère la voir la marée humaine, comme autant de grains de sable ou de gouttes d'eau.

Les pèlerins – dont beaucoup brandissaient un exemplaire à couverture jaune de la Shri Bhagvad Charit, que l'on vendait sur place – étaient maintenus à distance par de jeunes volontaires qui, à leur tour, obéissaient aux gestes d'un vieil homme, l'air d'un universitaire, portant lunettes à verres épais. Ancien fonctionnaire, il avait quitté la fonction publique pour se mettre au service de Ramjap Baba.

Un des bras noueux de Ramjap Baba reposait sur le rebord, et il le levait pour bénir les personnes qu'on poussait vers lui. Il leur murmurait quelques mots d'une voix faible ou demeurait le regard fixé au-delà d'elles. Les volontaires avaient beaucoup de mal à contenir la foule. Ils étaient enroués à force de crier :

« Reculez – reculez – s'il vous plaît ne présentez qu'un seul exemplaire du livre à la bénédiction de Babaji – »

Le saint homme y apposait le médium épuisé de sa main droite.

« Dans l'ordre, s'il vous plaît, dans l'ordre, oui je sais, vous et vos vingt-cinq compagnons êtes étudiants de l'université de Brahmpur – s'il vous plaît attendez votre tour – assis, assis – reculez, Mataji, reculez, ne nous rendez pas les choses plus difficiles – »

Mains tendues, larmes aux yeux, la foule se pressait vers l'avant. Certains voulaient sa bénédiction, d'autres simplement le voir de près, d'autres encore lui faire des offrandes : bols, sacs, livres, papier, grains de blé, friandises, fruits, argent.

« Mettez le prasad dans ce panier plat – mettez le prasad dans ce panier », criaient les volontaires. Ce que les gens avaient donné serait béni et ainsi sanctifié leur serait redistribué.

« Pourquoi est-il si célèbre ? » demanda Pran à un homme, à côté de lui. Il espéra que ses compagnons ne l'avaient pas entendu.

« Je ne sais pas, dit l'homme. Mais en son temps il a fait beaucoup de choses. Il est, tout simplement. » Et il s'efforça une fois de plus d'avancer de quelques pas.

« On dit qu'il prononce le nom de Rama toute la journée. Pourquoi fait-il cela ?

— Il faut frotter et frotter le bois jusqu'à ce qu'il brûle et vous donne la lumière que vous désirez. »

Pendant que Pran méditait cette réponse, l'homme aux épaisses lunettes, le grand organisateur, s'approcha de Mrs Mahesh Kapoor et s'inclina profondément.

« Vous êtes venue parmi nous ? dit-il, étonné et la voix empreinte d'un grand respect. Et votre mari ? » De son passage dans l'administration, il connaissait Mrs Mahesh Kapoor de vue.

« Eh bien, il – il a été retenu par le travail. Pouvons-nous ? – »

L'homme retourna à l'estrade, dit quelques mots, revint.

« Babaji a dit : c'est très aimable à vous d'être là.

— Mais pouvons-nous avancer ?

— Je vais demander. »

Quand il revint de nouveau, il portait trois goyaves et quatre bananes, qu'il donna à Mrs Mahesh Kapoor.

« Nous voulons être bénis, dit-elle.

— Oui, oui, je vais voir. »

Ils finirent par accéder au premier rang et furent présentés un par un au saint homme.

Un « merci, merci » sortit des lèvres minces dans le visage hagard.

« Mrs Tandon –

— Merci, merci –

— Kedarnath Tandon et sa femme Veena –

— Aah ?

— Kedarnath Tandon et sa femme.

— Aah, merci, merci, Rama, Rama, Rama...

— Babaji, voici Pran Kapoor, le fils du ministre du Trésor, Mahesh Kapoor. Et voici la femme du ministre. »

Le Baba dévisagea Pran tout en répétant sans se lasser : « Merci, merci. »

Il leva un doigt qu'il appuya sur le front de Pran.

Avant qu'on la force à s'éloigner, Mrs Mahesh Kapoor dit d'une voix suppliante :

« Baba, le garçon est très malade – il a de l'asthme depuis son enfance. Maintenant que vous l'avez touché –

— Merci, merci, coassa le fantôme, merci, merci.

— Baba, sera-t-il guéri ? »

Le Baba leva vers le ciel le doigt avec lequel il avait béni Pran.

« Et Baba, à propos de son travail ? Je suis si inquiète. »

Le Baba se pencha vers l'avant. Ses amis essayèrent d'entraîner Mrs Mahesh Kapoor.

« Le travail ? » La voix était très douce. « Le travail de Dieu ?

— Non, Baba, il cherche un emploi. L'obtiendra-t-il ?

— Ça dépendra. La mort fera toute la différence. » On aurait dit que l'esprit d'un autre s'exprimait par les lèvres ouvertes, sortant de la poitrine squelettique.

« La mort ? La mort de qui, Baba, la mort de qui ?

— Le Seigneur – votre Seigneur – notre Seigneur à tous – il était – il pensait qu'il était – »

Les mots étranges, ambigus glacèrent le sang de Mrs Mahesh Kapoor. Et s'il s'agissait de son mari ? D'une voix paniquée, elle implora : « Dites-moi, Baba, je vous en supplie – cette mort me sera-t-elle proche ? »

Le vieil homme sembla percevoir la terreur dans la voix de la femme. Quelque chose qui pouvait être de la compassion passa sur le visage au masque de squelette. « Même ainsi, ça ne ferait aucune différence pour vous... » dit-il. Ces quelques mots semblèrent lui coûter un immense effort.

C'était de sa mort à elle qu'il parlait, elle le sentait dans sa chair. Ses lèvres tremblantes purent à peine formuler la question suivante :

« Parlez-vous de ma mort ?

— Non... »

Ramjap Baba ferma les yeux. Soulagement et agitation se bousculaient dans le cœur de Mrs Mahesh Kapoor. Elle s'écarta. Derrière elle, la voix continuait à murmurer « Merci, merci ».

« Merci, merci... » murmurait toujours la voix, de plus en plus faiblement au fur et à mesure que Mrs Mahesh Kapoor, son fils, sa fille, son gendre et la mère de ce dernier – une chaîne d'amour et donc de peurs – s'éloignaient, émergeaient de la cohue à l'air libre, sur la rive sablonneuse.

11.16

Paupières closes, Sanaki Baba parlait.

« Om, Om, Om.

Le Seigneur est un océan de bénédictions, et je suis sa goutte.

Le Seigneur est un océan d'amour, dont je suis une part et une parcelle.

Je suis une part et une parcelle du Seigneur.

Inspirez les vibrations par les narines.

Inspirez et expirez.

Om alokam, Om anandam.

Le Seigneur est en vous et vous êtes une part du Seigneur.

Inspirez ce qui vous entoure et le maître divin.

Expirez les mauvais sentiments.

Sentez, ne pensez pas.

Ne sentez pas, ne pensez pas.

Ce corps n'est pas le vôtre... cet esprit n'est pas le vôtre... cet entendement n'est pas le vôtre.

Christ, Mahomet, Bouddha, Rama, Krishna, Shiva : le mantra est anjapa jaap, le Seigneur a tous les noms.

La musique, ce sont des vibrations que l'on n'entend pas. Laissez la musique ouvrir les cœurs comme une belle fleur de lotus.

Ne nagez pas, écoulez-vous.

Ou flottez comme la fleur de lotus.

Voilà. »

C'était fini. Sanaki Baba ferma la bouche et ouvrit les yeux. Lentement, à contrecœur, les méditants retournèrent au monde qu'ils avaient quitté. Dehors, la pluie tombait. Pendant vingt minutes ils avaient trouvé la paix et l'unicité dans un monde qui ne connaissait ni conflits ni efforts. Dipankar avait le sentiment que tous ceux qui avaient médité ensemble devaient n'éprouver que chaleur et affection à l'égard des autres. Il fut d'autant plus choqué par ce qui suivit.

La séance allait se clore quand le professeur dit : « Puis-je poser une question ?

— Pourquoi pas ? » répondit Sanaki Baba d'une voix rêveuse.

Le professeur s'éclaircit la gorge : « Cette question s'adresse à Madame. » La façon dont il insista sur le mot « Madame » annonçait un défi. « Dans l'inhalation et l'exhalaison dont vous parliez, l'effet est-il dû à l'oxydation ou à la méditation ? »

Dans le fond, quelqu'un dit : « Parlez en hindi. » Le professeur répéta sa question en hindi.

Mais c'était une étrange question, qui ne comportait aucune réponse – ou à laquelle on ne pouvait répondre que par : « Les deux. » Car il n'y avait pas nécessairement contradiction entre les deux possibilités, entre l'oxydation et la méditation, quelle que soit leur signification. A l'évidence, le professeur estimait que la femme qui avait pris trop de pouvoir auprès de Babaji avait besoin d'être remise à sa place, et que la question servirait à démontrer à la fois son ignorance et ses prétentions.

Pushpa se plaça à la droite de Sanaki Baba. Lequel avait de nouveau fermé les yeux et souriait d'un air béat, sourire qui ne le quitta pas pendant tout l'échange qui suivit.

Revenant à l'anglais, Pushpa s'exprima avec flamme et une colère froide :

« Je voudrais dire d'abord très clairement qu'ici les quastions ne s'adrassent pas à "Madame" ou à quiconque d'autre mais seulement au Maître. Si nous enseignons ici c'est par sa voix, et nous ne traduisons ou ne parlons que parce que ses vibrations parlent à travers nous. La "Madame" ne sait rien. Les quastions doivent donc être adrassées au Maître. C'est tout. »

Dipankar fut pétrifié par la sévérité de cette réponse. Il regarda le Baba qui, sortant de sa méditation souriante, dit simplement :

« Pushpa a raison, et je lui demande de parler par mes bivrations. »

Au mot « bivrations », un éclair déchira le ciel à l'extérieur, suivi d'un coup de tonnerre.

Le maître avait forcé Pushpa à répondre. Dans son embarras et son angoisse, elle se couvrit le visage d'un linge, puis reprit la parole, les yeux fixés sur le professeur :

« Une chose doit être dite, et c'est que nous sommes toutes des sadhikas, nous sommes tous des élèves, quel que soit notre âge, et nous ne devons poser que la quastion qui convient, pas n'importe laquelle pour le plaisir de poser une quastion, ni faire passer un examen à "Madame"ou au Maître ou à quiconque. Si une quastion vous trouble vraiment, alors vous pouvez la poser – sinon, la grâce du gourou ne viendra pas sur vous. Et maintenant que la chose est claire, je vais répondre à la quastion. Parce que nous aurons d'autres séances avec des questions et des réponses, et que tout doit être clair depuis le début – »

Le professeur essaya de l'interrompre, mais elle le foudroya du regard.

« Laissez-moi finir. Je réponds à la quastion du professeur Sahib, même s'il n'y a pas beaucoup d'esprit dedans, alors pourquoi le professeur Sahib doit-il m'interrompre ? Bon, je ne suis pas une savante de l'oxydation... l'oxydation est naturelle, mais elle est toujours là. Mais que se passet-il ? Vous voyez ou vous entendez, mais le mot ou l'image comme ceci : qu'est-ce que c'est ? Quel est l'affet ? Il peut être différent. Si vous voyez une image obscène, cela aura un affet sur vous, un gros affet – elle tordit le nez, plissa les yeux de dégoût – et une belle image, c'est différent. La musique aussi. La musique bhajan c'est de la musique, la musique de film aussi, mais dans l'une vous avez un affet, dans l'autre un autre. L'odeur c'est pareil. Ça peut brûler, mais l'encens qui brûle a une merveilleuse odeur, des chaussures qui brûlent ont une tarrible odeur. Prenez les proçassions d'akharas demain : certains ont un bon esprit, certains se battent. Ça dépend. C'est la même chose avec le sankirtan, comme ce soir : vous pouvez avoir un sankirtan avec des gens bons, ou avec des gens méchants. C'est pourquoi le saint Chaitanya n'a eu des sankirtans qu'avec des gens bons.

Alors laissez-moi dire au professeur Sahib, la quastion ce n'est pas : "Est-ce que c'est de la maditation ? Est-ce que c'est de l'oxydation ?" La vraie quastion c'est : "Quelle est votre dastination ? Où voulez-vous aller ?" »

Sur quoi, Sanaki Baba se mit à parler. La pluie tombait dru, et il avait la voix douce, mais on l'entendait sans difficulté. Il disait des mots apaisants, même s'ils visaient à établir des distinctions et à relever les erreurs. Mais Pushpa hochait la tête, un sourire radieux aux lèvres, en écoutant le Maître faire ses observations, observations qu'elle jugeait à l'évidence dirigées contre le professeur « vaincu ». Sur la défensive, elle paraissait en même temps si froide et si possessive que Dipankar trouva cela insupportable. Brusquement, il vit cette jolie femme sous un jour tout à fait différent. La jubilation qu'elle manifestait devant la déconfiture de son adversaire le rendit presque malade.

11.17

A présent le vent déferlait dans les ruelles du Vieux Brahmpur, secouait à le rompre le grand figuier situé au sommet de la rampe. Les pèlerins qui descendaient le chemin étaient trempés jusqu'aux os en arrivant au pied du Fort. La pluie dévalait les marches des ghats, se mêlait à l'eau du Gange, creusait des rigoles dans les sables du Pul Mela. On ne voyait presque plus la lune. Dans le ciel les nuages se bousculaient, sur la terre, les humains se bousculaient – s'efforçant de protéger leurs biens ; enfonçant plus profondément leurs piquets de tente dans le sol ; trottinant, au milieu des rafales de pluie et de vent chargé de sable, vers le Gange, car le moment le plus propice pour se baigner – qui durerait quinze heures, jusqu'à trois heures de l'après-midi le lendemain – venait juste de commencer.

La tempête fut assez violente pour souffler quelques tentes, inonder des ruelles de la vieille ville, arracher des tuiles aux toits et même déraciner un petit figuier planté à une centaine de mètres de la pente qui menait à la rive. La nuit et la peur amplifièrent encore ces incidents.

« Le grand figuier est tombé », cria quelqu'un. Et la fausse rumeur se répandit comme le vent lui-même parmi la foule des pèlerins frappés de terreur. Ils se regardaient et se demandaient ce que cela pouvait signifier. Si le grand figuier était vraiment tombé, qu'adviendrait-il du pont de feuilles, du Pul Mela lui-même, de l'ordre des choses ?

A la minuit, la tempête cessa. Les nuages disparurent, la pleine lune réapparut. Les pèlerins par centaines de milliers s'immergèrent, jusque bien avant dans la journée du lendemain.

Le matin marqua le début des processions des grands akharas. Chaque ordre de sadhous défila à son tour sur la principale route du Mela, qui courait parallèle au fleuve, à une centaine de mètres de distance. Le spectacle était magnifique : chars, orchestres, hommes à cheval, mahants portés sur des palanquins, bannières, étendards, tambours, fouets, nagas nus brandissant des piques à feu ou des tridents, une sorte de barbare monstrueux qui vociférait des versets sacrés tout en balançant une épée. La foule des spectateurs acclamait les sadhous. Des colporteurs vendaient des flûtes, de faux cheveux, des cordons sacrés, des bracelets de cheville, des boucles d'oreilles, des ballons, des sucreries, des cacahuètes. Des policiers à pied ou à cheval – on en vit même un à dos de chameau – assuraient l'ordre. Les processions s'échelonnaient de façon à éviter la confusion – ou des bagarres entre sectes, aussi agressives que militantes : les autorités avaient veillé à ce qu'elles défilent à un quart d'heure les unes des autres. Parvenus au bout de la route, les sadhous effectuaient un brutal demi-tour à gauche et fonçaient droit sur le Gange dans lequel – aux cris de « Jai Ganga ! » et « Ganga Maiya ki Jai ! » – ils plongeaient en chœur. Ils retournaient ensuite à leurs campements, par un chemin parallèle à celui de l'aller, mais plus étroit, chacun persuadé qu'aucun akhara ne le disputait en magnificence et en piété au sien.

Le grand figuier, tous pouvaient s'en rendre compte à présent, était intact et continuerait probablement à fleurir encore quelques centaines d'années. Les pèlerins, qui arrivaient toujours par troupeaux à la gare du Pul Mela, joignaient les mains en signe de respect et de prière en passant à côté de l'arbre, avant d'emprunter la rampe qui menait à la rive. Ce jour-là, la circulation sur la principale route du Pul Mela fut passablement congestionnée en raison des processions, et il y eut des embouteillages sur la rampe elle-même. Mais les gens le prenaient avec bonne humeur puisque cette immobilité forcée leur permettait d'avoir une vue d'ensemble du terrain couvert de tentes et de la rivière sacrée.

Parmi cette foule figuraient Veena Tandon, son amie Priya Goyal et quelques membres de leur proche famille. Notamment la vieille Mrs Tandon avec son petit-fils Bhaskar, avide de tout voir, de tout compter et calculer, avide de s'amuser. Etant donné le but sacré de cette sortie, Priya avait pu échapper à la réclusion où la tenait sa belle-famille dans leur maison du Vieux Brahmpur. Ses belles-sœurs et sa belle-mère avaient commencé par faire toute une histoire, mais son mari était intervenu et, pour finir, avait accepté de les accompagner, elle et Veena. Du côté de Veena, en revanche, il n'y avait aucun homme : Kedarnath était absent de la ville pour son travail, Maan se trouvait toujours à Rudhia, Pran avait refusé d'affronter à nouveau l'ignorance et la superstition, Mahesh Kapoor avait émis son reniflement le plus dédaigneux quand sa fille lui avait suggéré de venir avec eux. Mrs Kapoor elle-même n'était pas là. Elle ne parvenait pas à croire au mythe, que ne soutenait aucun texte sacré, du pont de feuilles de figuier qui ce jour-là aurait enjambé le Gange. L'oreille de Jahnu était une chose, le pont de feuilles une autre.

Veena et Priya jacassaient comme des écolières. Elles évoquaient des souvenirs de classe, de vieux amis, des histoires familiales, quand le mari de Priya n'était pas à portée de voix (notamment sa tendance à faire plus de bruit endormi qu'éveillé), les dernières bouffonneries des singes de Shahi Darvaza. Elles s'étaient vêtues de saris de couleur aussi criarde que le bon goût le permettait, Veena en rouge, Priya en vert. Bien que Priya eût l'intention, comme tout le monde, de se tremper dans le Gange, elle portait un épais collier d'or ouvragé, car pour une belle-fille de la maison du Rai Bahadur c'eût été se montrer nue que de sortir sans bijoux. Son mari, Prem Vilas Goyal, avait juché Bhaskar sur ses épaules pour qu'il pût mieux voir. Quand l'enfant avait des questions à poser, c'est à sa grand-mère qu'il s'adressait, et la vieille Mrs Tandon, que pourtant sa vue et sa taille empêchaient de bien distinguer, n'était que trop heureuse de lui répondre. La gaieté régnait aussi bien dans leur groupe que parmi les gens qui les entouraient, peuple des villes et des campagnes au milieu duquel on apercevait, ici et là, un policier ou un sadhou.

Il était environ dix heures du matin et, malgré la tempête de la nuit, il faisait déjà très chaud. Certains pèlerins portaient un parapluie pour se protéger du soleil – ou d'une averse. Pour la même raison – et parce que c'est un symbole d'autorité – dans les processions, les sadhous les plus importants s'abritaient sous des ombrelles que leurs adorateurs tenaient au-dessus de leur tête.

Les haut-parleurs continuaient sans fin d'aboyer leurs annonces, les tambours et les trompettes de battre et de sonner, la foule de murmurer ou de rugir. Les processions se suivaient, vague après vague : prêtres vêtus de jaune et turban orange, annoncés à son de tuba et de conque ; un palanquin sur lequel reposait un vieil homme endormi ressemblant à une perdrix empaillée, précédé d'une bannière de velours rouge proclamant qu'il s'agissait de *Sri 108 Swami Prabhananda Ji Maharaj*, *Vedantacharya*, député ; nagas à demi nus, une corde autour de la taille, un sac en tissu blanc abritant le sexe ; hommes aux cheveux longs portant des massues d'argent ; orchestres de toutes sortes, l'un dont les joueurs, tunique noire et épaulettes à galons dorés, soufflaient chacun pour soi dans leur clarinette, un autre (le *Diwana 786* – qui, en raison de ce chiffre porte-bonheur, ne pouvait être que musulman – mais que faisait-il dans cette procession ?), tuniques rouges et hautbois au son perçant. Sur un chariot tiré par un cheval, un homme farouche et édenté hurlait « Har, har » à la foule, qui rugissait « ... Mahadeva ! » en réponse. Un autre sage, gras, la peau noire, des seins de femme, assis benoîtement dans une carriole traînée par des hommes, lançait à la volée des soucis qui retombaient sur le sable mouillé, où les pèlerins se précipitaient pour les ramasser.

A présent, Veena et son groupe se trouvaient à mi-descente, toujours poussés vers l'avant par la masse qui ne cessait d'affluer, les fossés profonds qui bordaient le chemin de chaque côté empêchant toute autre forme de progression. Malheureusement pour eux, la procession qui se déroulait en ce moment avançait encore plus lentement qu'auparavant – soit en raison d'une obstruction quelconque, soit pour jouir plus longtemps de sa popularité auprès des spectateurs. Les gens commencèrent à s'inquiéter. Mrs Tandon suggéra de faire demi-tour, ce qui, à l'évidence, était impossible. Finalement, le cortège progressa, libérant un espace dans lequel s'engouffra la foule parvenue au bas de la rampe ; trébuchant, se bousculant, les gens vinrent grossir la masse de spectateurs qui s'agglutinait le long de la route. La police réussit à rétablir l'ordre, si bien que Bhaskar, toujours juché sur les épaules de Ram Vilas, et qui, avec sa famille, arrivait enfin au bas du chemin, put voir la nouvelle procession : plusieurs centaines d'ascètes, complètement nus, précédés et suivis de six immenses éléphants caparaçonnés d'or.

Le corps, décrépit ou robuste, enduit de cendre, les cheveux emmêlés, des œillets d'Inde aux oreilles ou autour du cou, le pénis totalement ou à demi flasque balançant au rythme de la marche, ils progressaient par rangées de quatre, trident ou épieu dans la main droite. Bhaskar était trop abasourdi pour demander à sa grand-mère ce que cela signifiait. Un grondement s'éleva de la foule, plusieurs femmes, jeunes et d'âge mur, se précipitèrent pour toucher le pied des nagas, ramasser la poussière qu'ils avaient soulevée.

Sans se laisser troubler, ils avançaient, trident brandi vers les femmes ; certaines, bloquées au pied de la rampe, réussirent à déborder les policiers, parvinrent à se prosterner devant les saints hommes. Brusquement, le cortège s'arrêta.

Nul ne savait pourquoi, et tout le monde s'attendait qu'il repartît aussitôt. Mais non. Les nagas commencèrent à s'impatienter. Une fois de plus, la cohue sur la rampe devint indescriptible, la masse poussant la masse, qui poussait la masse, et ainsi de suite jusqu'en bas. Un homme se retrouva pressé contre Veena qui, indignée, essaya de se retourner. Il n'y avait pas la place. Elle avait de plus en plus de mal à respirer. Les gens autour d'elle se mirent à hurler, certains enjoignant à la police de les laisser passer, d'autres demandant à ceux qui étaient massés en haut de leur dire ce qui se passait, lesquels s'ils voyaient mieux ne comprenaient pas davantage. Ils voyaient que les éléphants à l'avant du cortège s'étaient arrêtés parce que la procession qui les précédait avait elle-même fait halte, mais pour quelle raison, c'était impossible à dire. A cette distance, cortèges et spectateurs, tout se mélangeait. Quelques réponses fusèrent qui, au milieu des grondements de la foule, du bruit des tambours et des haut-parleurs, se perdirent.

Alors ce fut la panique. Elle toucha d'abord les derniers rangs au bas de la rampe, pour gagner de proche en proche, quand les gens du dessus découvrirent qu'un nouveau cortège venait de s'agglutiner au précédent, formant une barrière continue. La chaleur était suffocante, les policiers se retrouvaient avalés par la masse qu'ils tentaient de canaliser, tandis qu'à la gare débarquaient des flots ininterrompus de pèlerins enthousiastes qui se pressaient vers le grand figuier, couraient pour atteindre les bords du Gange sacré.

Veena vit Priya porter les mains à son collier. La bouche ouverte, elle haletait. S'en apercevant, Ram Vilas tenta de s'approcher d'elle, faisant tomber de son dos un Bhaskar terrorisé que sa mère réussit à récupérer. Mais la vieille Mrs Tandon avait disparu, engloutie par la foule. A présent, les gens hurlaient, s'accrochant les uns aux autres, marchant les uns sur les autres, cherchant qui son mari, qui sa femme, ou ses parents ou ses enfants, ou simplement essayant de survivre, de respirer et de ne pas se faire piétiner. Certains finirent par enfoncer les rangs des nagas qui, craignant de se retrouver écrasés entre ces gens et les spectateurs alignés de l'autre côté, se retournèrent contre eux, trident brandi, poussant des cris de colère. Des corps tombèrent, le sang coulant par leurs blessures. La vue du sang augmenta la terreur, on tenta de revenir sur ses pas, mais il n'y avait nulle part où aller.

Aux deux extrémités de la rampe, certains voulurent escalader les barrières de bambou et franchir les fossés, malheureusement les pluies de la nuit avaient rendu les bords très glissants et rempli les rigoles. Une centaine de mendiants, estropiés, aveugles, avaient trouvé refuge auprès d'un des fossés. Les pèlerins, blessés, asphyxiés, cherchant à s'agripper à la pente, s'effondrèrent sur eux. Des mendiants moururent écrasés, d'autres tombèrent à l'eau, crurent pouvoir s'enfuir par cette voie et se retrouvèrent ensevelis sous la masse des gens qui comprenaient que là était leur unique issue. L'eau se transforma en une bouillie sanguinolente.

En bas de la rampe, où le piège s'était refermé sur Veena et sa famille, la situation était aussi épouvantable. Les personnes âgées, les infirmes, incapables de résister à la poussée de la foule, gisaient à terre. Dans l'impossibilité de bouger, un jeune homme vit sa mère mourir piétinée non loin de lui. Les gens mouraient étouffés, côtes et thorax enfoncés. Tout à côté de Veena, une femme s'effondra brutalement, le sang jaillissant de sa bouche.

« Bhaskar – Bhaskar – ne lâche pas ma main », cria Veena, haletant chaque mot. Mais un corps s'effondra, pesant de tout son poids sur les deux mains accrochées l'une à l'autre. « Non – non – » hurla-t-elle, sanglotant de terreur. Inexorablement, la petite main, d'abord la paume, puis doigt après doigt, s'échappa de la sienne.

11.19

Plus d'un millier de personnes moururent en un quart d'heure.

Les forces de police réussirent enfin à prendre contact avec les responsables de la gare du Pul Mela et à faire stopper les trains. Ils dressèrent des barrages sur les routes menant à la rampe, nettoyèrent le terrain tout autour. Les haut-parleurs invitaient les gens à rebrousser chemin, à ne pas pénétrer sur le territoire même du pèlerinage, à ne pas assister au défilé des processions. Les derniers défilés avaient d'ailleurs été annulés.

On ne comprenait toujours pas très bien ce qui s'était passé.

Dipankar, qui se trouvait parmi les spectateurs alignés le long de la route principale, avait assisté épouvanté et impuissant – les nagas formant un barrage entre lui et le bas de la rampe – au carnage. D'ailleurs qu'aurait-il pu faire, sinon être tué ou blessé ? C'était un spectacle dantesque, celui d'une humanité devenue folle, tous les éléments confondus courant à une sorte de suicide collectif.

Il vit un des jeunes nagas poignarder un vieil homme qui tâchait de franchir la procession. L'homme tomba puis se releva, du sang coulant de ses blessures à l'épaule et au dos.

Anéanti, Dipankar reconnut le vieil homme du bateau, qui exigeait de se baigner à un endroit bien précis, sacré pour lui. Le flot humain le renversa, le piétina, ne laissant après son passage qu'un corps mutilé, des débris qu'aurait déposés la marée.

11.20

La scène avait eu aussi pour spectateurs médusés des officiers et des personnalités qui, du haut des remparts du Fort de Brahmpur, assistaient au défilé des processions. La panique se déclencha si soudainement et le tout se déroula si vite, que le nombre de corps gisant sur le sol quand l'affaire fut finie était incroyable. Que s'était-il passé ? Quels étaient les points défectueux de l'organisation ? Qui était responsable ?

Le commandant du Fort, sans attendre une demande officielle, dépêcha des soldats pour aider la police et les organisateurs du pèlerinage. Ils ramassèrent les corps, transportèrent les blessés dans les centres de première urgence, les cadavres au poste de police du Pul Mela. Le commandant suggéra aussi d'installer une cellule de crise qui, en regroupant l'ensemble des informations, permettrait de s'occuper des conséquences du désastre. Il réquisitionna à cet effet le standard téléphonique qui avait été mis à la disposition du Mela.

Les personnalités qui avaient choisi de se baigner en ce jour bénéfique se trouvaient sur une vedette au milieu du Gange quand le commandant, dans un état d'agitation extrême, s'approcha d'elles. Il y avait notamment, côte à côte, le Premier ministre et le ministre de l'Intérieur. Tendant ses jumelles au Premier ministre, le commandant lui dit : « Monsieur – j'ai l'impression qu'il se passe quelque chose de grave sur la rampe d'accès. Si vous voulez jeter un coup d'œil. » Sans un mot, S.S. Sharma prit les jumelles, les ajusta à sa vue : ce qui paraissait jusque-là être des troubles bénins lui apparut dans toute son horreur. Il balaya les hauteurs de la rampe, les fossés latéraux, les nagas, la police débordée. « Agarwal ! » dit-il simplement en passant les jumelles au ministre de l'Intérieur.

La première pensée de L.N. Agarwal fut de se dire qu'en dernière analyse on allait le tenir pour responsable de cette calamité. Pensée qu'on aurait tort de juger méprisable. Même au milieu des pires calamités, il y a toujours une partie de notre cerveau, souvent celle qui réagit le plus vite, qui s'efforce de se barricader contre les ondes de choc qui vont l'atteindre depuis l'épicentre. « Mais l'organisation était parfaite – j'ai moi-même passé une inspection en compagnie du responsable du Mela », était sur le point de dire le ministre, quand une seconde pensée l'arrêta.

Priya. Où était Priya ? Elle avait prévu de se rendre à la fête aujourd'hui, avec la fille de Mahesh Kapoor. Elle était sûrement en sécurité. Rien ne pouvait lui être arrivé. Déchiré entre son amour pour elle et la peur de ce qui avait pu se passer, il ne dit rien et rendit les jumelles au Premier ministre. Son collègue lui parlait, mais il n'entendait pas, ne comprenait pas les mots. Il se cacha la tête dans les mains.

Le brouillard qui obscurcissait son cerveau finit par se dissiper. Il se dit qu'il y avait des millions de gens au Mela aujourd'hui et que le risque que sa fille se trouvât au milieu de cette débandade était minime. Pourtant l'inquiétude demeurait. Pourvu qu'il ne lui soit rien arrivé. Faites, ô Dieu que rien ne lui soit arrivé.

Le Premier ministre continuait à lui parler, l'air sinistre, la voix lugubre, mais L.N. Agarwal ne comprenait toujours rien. Il regarda le Gange. Quelques pétales de rose et une noix de coco flottaient sur l'eau, à proximité de la vedette. Joignant les mains, il adressa une prière au fleuve sacré.

11.21

La vedette ayant un plus grand tirant d'eau qu'un simple bateau, il était difficile de l'amarrer à la rive. Le commandant trouva la solution qui consistait à l'amarrer à l'extrémité d'une chaîne de barques qu'il fit organiser à cet effet. Il fallut trois quarts d'heure pour achever la manœuvre. Sur la rive côté Brahmpur, presque plus personne ne se baignait. La nouvelle du désastre s'était répandue très vite. Les lieux d'immersion avec leurs enseignes colorées – perroquet, perruche, ours, ciseaux, montagne, trident etc. – étaient quasi déserts. Les rares personnes qui se baignaient encore le faisaient à la sauvette, et se dépêchaient de sortir.

Accompagnés des quelques autres personnalités qui se trouvaient avec eux sur le bateau, le Premier ministre, boitant légèrement, et le ministre de l'Intérieur, tremblant toujours d'anxiété, se rendirent au bas de la rampe. Le spectacle était surréaliste. Il n'y avait pas un être humain sur la longue étendue de sable, pas même un corps – juste des chaussures, des babouches, des parapluies, des débris de nourriture, des bouts de papier, des vêtements réduits à l'état de haillons, des sacs, des ustensiles de toute sorte. Des corbeaux picoraient la nourriture. Ici et là, des plaques de sable plus foncé. Rien d'autre n'indiquait l'ampleur du désastre qui venait d'avoir lieu.

Le commandant du Fort salua, ainsi que le responsable du Mela, un fonctionnaire de l'Etat. La presse, après avoir pu jeter un coup d'œil, était maintenue à distance.

« Où sont les morts ? demanda le Premier ministre. Vous les avez évacués plutôt vite.

« — Au poste de police.

— Lequel ?

— Celui du Pul Mela, Monsieur. »

La tête du Premier ministre branlait légèrement, comme parfois lorsqu'il était fatigué – à présent pour une autre raison.

« Nous nous y rendons sur-le-champ. Agarwal, ce – » Montrant d'un geste ce spectacle de désolation, le Premier ministre ne put terminer sa phrase.

L.N. Agarwal, qu'obsédait l'image de sa fille, fit un effort pour se reprendre. Il repensa à son héros, Sardar Vallabhbhai Patel, mort l'année précédente. On racontait que Patel se trouvait un jour en cour d'assises, à un moment crucial de sa plaidoirie pour la défense d'un client accusé de meurtre, quand on vint lui annoncer le décès de sa femme. Surmontant sa douleur, il poursuivit sa plaidoirie jusqu'au bout. Alors seulement, il s'autorisa à pleurer celle qui était morte, sans risque pour celui qui vivait toujours.

> *Quelles que soient les contrées*
> *où vacille son esprit troublé,*
> *il doit le dominer,*
> *et dûment le contrôler.*

Les paroles de Krishna dans la Bhagavad-Gita lui revinrent en mémoire. Mais suivies aussitôt par le cri plus humain d'Arjuna :

> *Krishna, l'esprit troublé,*
> *est violent, fort et entêté ;*
> *aussi difficile que le vent*
> *à maîtriser.*

Sur le chemin du poste de police, le ministre de l'Intérieur tenta d'apprécier la situation.

« Qu'avez-vous fait des blessés ? demanda-t-il.

— On les a transportés dans les centres de première urgence, Monsieur.

— Combien sont-ils ?

— Je l'ignore, Monsieur, mais à en juger par le nombre de morts –

— Ces centres sont mal équipés. Il faut transporter les blessés graves à l'hôpital.

— Bien Monsieur. » Mais l'officier savait que cela était impossible. Au risque d'encourir la colère du ministre, il insista : « Mais comment faire, Monsieur, alors que la rampe de sortie est encombrée par les pèlerins qui repartent. Nous les encourageons à partir le plus vite possible. »

L.N. Agarwal le regarda l'air fâché. Il s'était abstenu jusqu'à présent de toute récrimination à l'égard du fonctionnaire chargé de l'organisation du Mela. Il voulait, avant de décharger sa bile, être sûr de s'en prendre aux vrais responsables. A présent, il explosa :

« Vous arrive-t-il, tous tant que vous êtes, de faire marcher votre cerveau ? Je ne pense pas à la rampe de sortie. La rampe d'accès est déserte, entourée d'un cordon de police. Utilisez-la pour les véhicules. Elle est assez large. Prenez l'espace au bas de la rampe comme aire de stationnement. Et réquisitionnez tout véhicule dans le périmètre d'un kilomètre autour du figuier.

— Réquisitionner, Monsieur ?

— Oui. Vous m'avez bien entendu. Je mettrai cela par écrit plus tard. En attendant, donnez des ordres pour que les opérations commencent immédiatement. Et avertissez les hôpitaux de ce qui les attend.

— Oui, Monsieur.

— Prenez contact aussi avec l'université, la faculté de droit et la faculté de médecine. Nous aurons besoin du maximum de volontaires pour les prochains jours.

— Mais ils sont en vacances, Monsieur. » Captant le regard du ministre, il ajouta : « Bien, Monsieur. Je verrai ce que je peux faire », et il s'apprêta à partir.

« Et tant que vous y êtes, intervint le Premier ministre, sur un ton plus amène que son collègue, allez chercher l'Intendant de police et le Premier Secrétaire. »

Le poste de police présentait un spectacle des plus pénibles.

On avait allongé les morts en rang, pour identification, et au soleil, car il n'y avait pas de place ailleurs. Nombre de corps étaient horriblement distordus, nombre de visages écrasés. Certains paraissaient simplement endormis, mais ils ne chassaient pas les essaims de mouches qui se collaient à leurs plaies. Il régnait une chaleur torride. Sanglotant, des hommes et des femmes passaient de corps en corps, cherchant leurs proches parmi cette rangée de cadavres. Non loin, deux hommes s'enlaçaient en pleurant. C'étaient deux frères que la bousculade avait séparés, et qui étaient venus chacun de son côté, redoutant de trouver l'autre parmi les morts. Un homme étreignait le corps de sa femme, lui secouant les mains avec une sorte de rage comme s'il espérait que ce geste la ramènerait à la vie.

11.22

« Où est le téléphone ? s'enquit L.N. Agarwal.

— Je vais vous le passer, Monsieur, dit un officier de police.

— Je téléphonerai de l'intérieur.

— Mais l'appareil est déjà là. » On avait sorti un combiné prolongé par un long fil.

Le ministre de l'Intérieur appela chez son gendre. On lui apprit que sa fille et son mari s'étaient rendus ensemble au Mela et que, depuis, on était sans nouvelles d'eux.

« Et les enfants ?

— Ils sont à la maison.

— Dieu soit loué. Si vous avez des nouvelles, appelez immédiatement au poste de police. On me fera parvenir le message où que je sois. Dites au Rai Bahadur de ne pas s'inquiéter. Non, à la réflexion, si le Rai Bahadur ne sait pas ce qui s'est passé, ne lui dites rien du tout. » Mais L.N. Agarwal, qui savait à quelle vitesse circulent les nouvelles, était sûr que tout Brahmpur – en fait, la moitié de l'Inde – était au courant.

Le Premier ministre adressa un signe de tête compatissant à son collègue. « Agarwal, je n'avais pas compris – »

Les yeux d'Agarwal se remplirent de larmes, mais il ne dit rien.

« La presse est-elle déjà venue ici ? demanda-t-il au bout d'un moment.

— Pas ici, Monsieur. Les journalistes ont pris des photos des morts sur le lieu même du désastre.

— Amenez-les ici. Demandez-leur de se montrer coopératifs. Et faites venir aussi tous les photographes appointés par le gouvernement. Où sont les photographes de la police ? Je veux que tous ces corps soient photographiés avec soin. Un par un.

— Mais, Monsieur !

— Ils commencent à puer. Ils vont bientôt devenir une source d'infection. Laissez les familles emporter les leurs. Et brûlez les autres, ceux qui n'auront pas été réclamés, dès demain. Avec les autorités du Mela, installez un lieu de crémation sur la rive du Gange. Nous devons posséder des photos de tous les corps qui n'auront pas été identifiés par leurs proches ou par n'importe quel autre moyen. »

Le ministre de l'Intérieur passait et repassait devant la rangée de cadavres, craignant le pire. « Y en a-t-il d'autres ? demanda-t-il.

— Monsieur, ils continuent d'arriver, surtout des centres d'urgence.

— Et où sont installés ces centres ?

— Un peu partout, certains très loin d'ici. Mais le centre pour les enfants perdus et blessés est juste à côté. »

Le ministre de l'Intérieur savait que ses petits-enfants étaient sains et saufs. Ce qu'il voulait c'était inspecter tous les autres centres, avant que les blessés ne soient répartis dans les hôpitaux de la ville. Pourtant, quelque chose s'insurgea dans son cœur ; il soupira. « Oui, dit-il, je m'y rendrai en premier. »

Indisposé par la chaleur, le Premier ministre, S.S. Sharma, avait été obligé de partir. En chemin, L.N. Agarwal entendit les messages ininterrompus que déversait un haut-parleur à la voix rauque. « Ram Ratan Yadav du village de Makarganj du district de Ballia dans l'Uttar Pradesh, un enfant d'environ six ans, attend ses parents au centre d'accueil près du poste de police. » Mais nombre d'enfants – car les âges ici s'échelonnaient de trois mois à dix ans – ne connaissaient par leur nom ou celui de leur village ; et nombre de parents reposaient, morts, dans l'enceinte du poste de police.

Des femmes volontaires s'occupaient des enfants, les nourrissant et les consolant de leur mieux. Elles en avaient dressé la liste – autant que faire se pouvait – qu'elles avaient transmise au centre de contrôle général, de façon qu'on pût la comparer avec celle des personnes portées disparues. Il était évident, et le ministre de l'Intérieur s'en rendit compte, qu'il allait falloir disposer de photographies de ceux des enfants que personne ne serait venu réclamer.

Il commençait à dire « Envoyez un message au – » quand son cœur faillit s'arrêter de battre, de soulagement et de joie. « Papa », l'appelait une voix qu'il connaissait bien.

« Priya. » Jamais ce nom qui veut dire « bien-aimée » n'avait été plus justifié. Il l'enlaça et se mit à pleurer. Puis, remarquant la tristesse sur son visage, il demanda :

« Où est Vakil Sahib ? Il va bien ?

— Oui, Papa. Il est là-bas. » Elle indiqua l'extrémité du terrain. « Mais nous n'arrivons pas à trouver le fils de Veena. C'est pourquoi nous sommes ici.

— Avez-vous vérifié au poste de police ? Je n'ai pas fait attention aux enfants.

— Oui, Papa. Il n'y est pas. Veux-tu parler à Veena ? Elle et sa belle-mère sont folles d'inquiétude, d'autant que le mari de Veena est absent. »

Le premier mouvement de L.N. Agarwal fut de refuser. Il avait eu trop peur d'avoir perdu son enfant pour supporter d'affronter quelqu'un plongé dans la même angoisse. Mais il se reprit et se rendit auprès de la fille de Mahesh Kapoor qu'il s'efforça de réconforter tout en sachant que les mots, en pareille circonstance, ne servent à rien. Il allait, leur promit-il, faire le tour des centres d'urgence et il téléphonerait à Prem Nivas, chez le grand-père, en cas de nouvelle, bonne ou mauvaise.

Mais il n'y avait trace nulle part de la petite grenouille et, au fil des heures, Veena et la vieille Mrs Tandon, puis Mr et Mrs Mahesh Kapoor, Pran et Savita, Priya et Ram Vilas

Goyal (qui commençaient à se sentir responsables de ce qui s'était passé), tous s'enfoncèrent dans le plus profond désespoir.

11.23

Prenant sur lui, Mahesh Kapoor consolait Priya, lui affirmant qu'elle n'avait rien à se reprocher, que de tels événements échappaient à tout contrôle, et se gardant de lui dire que, au bout du compte, il tenait son père pour le véritable responsable. Il était le ministre de l'Intérieur. Et à ce titre, chargé de veiller à l'organisation générale du pèlerinage, à tout prévoir pour qu'une telle catastrophe ne se produise pas. Déjà une fois, à l'occasion de la fusillade de Chowk, L.N. Agarwal avait fait preuve d'imprévoyance ou d'un manque de jugement en déléguant son autorité à des subordonnés qui en étaient aussi dépourvus. Même s'il ne consacrait que peu de temps à sa famille, Mahesh Kapoor adorait son unique petit-fils ; sa détresse personnelle s'augmentait de celle de sa femme et de sa fille.

Tout le monde passa la nuit à Prem Nivas. On n'arriva pas à joindre Kedarnath ; il n'était pas à Kanpur, où Veena croyait que ses affaires l'avaient appelé, et de toute façon le téléphone interurbain marchait très mal. Veena et sa belle-mère étaient d'abord retournées chez elles, dans le fol espoir que Bhaskar y serait. Leur voisine de toit, la femme au sari rouge, leur promit de les prévenir si elle apprenait quoi que ce soit. Elles prirent donc le chemin de Prem Nivas, Veena reprochant dans son cœur à Kedarnath de se trouver, comme si souvent, loin de Brahmpur.

Comme mon père, à ma naissance, se dit-elle.

Personne ne put dormir. Mrs Mahesh Kapoor priait. Que pouvaient-ils faire de plus ? On avait exploré toutes les possibilités, vérifié auprès de tous les hôpitaux, dans l'espoir que Bhaskar, blessé, y avait été conduit directement par une personne compatissante, auprès des postes de police. En vain.

Ils étaient convaincus que, intelligent comme il l'était et (d'ordinaire) si maître de soi, Bhaskar, s'il en avait eu la possibilité, serait rentré chez lui ou aurait pris contact avec ses grands-parents. Son corps avait-il été confondu avec celui d'un autre, et emmené ? Avait-il été kidnappé dans la confusion ? Les idées les plus folles s'emparaient des esprits.

Comme un écho à leur douleur, et aussi insupportable, leur parvenait le bruit des réjouissances. Car on était en plein Ramadan. En raison du calendrier lunaire musulman, le mois de Ramadan coïncidait ces dernières années avec l'été. Les jours étaient longs et chauds – d'autant que pour un pratiquant strict, il est interdit de boire même une goutte d'eau. Le soulagement n'en était que plus grand au coucher du soleil – les fêtes se succédaient toute la nuit.

En apprenant le drame du Pul Mela, et le malheur qui frappait son ami, le Nawab Sahib, bien que très pratiquant, avait interdit toute réjouissance dans sa maison. Mais un tel sentiment n'était pas universellement partagé, et le bruit des fêtes, alors que toute la ville savait ce qui venait de se passer, avait de quoi plonger dans l'amertume même quelqu'un comme Mahesh Kapoor.

Le téléphone sonnait de temps en temps, ranimant espoirs et craintes. Mais ce n'étaient que des messages de sympathie ou des appels qui n'avaient rien à faire avec Bhaskar.

11.24

Cet après-midi-là, selon les instructions du ministre de l'Intérieur, un certain nombre de voitures avaient été réquisitionnées pour transporter les blessés à l'hôpital. L'une d'elles était la Buick du Dr Kishen Chand Seth.

Le Dr Seth s'était rendu au cinéma et avait garé sa voiture devant le Rialto. Quand il émergea, pleurant à chaudes larmes à l'issue de la projection, soutenu par sa jeune épouse Parvati, deux policiers s'appuyaient contre sa voiture.

Il devint aussitôt fou de rage. Brandissant sa canne, il en aurait certainement frappé les deux hommes, si Parvati ne s'était interposée. Connaissant la réputation du Dr Seth, les policiers se confondirent en excuses.

« Nous avons l'ordre de réquisitionner cette voiture, Monsieur.

— Vous – quoi ? » Le Dr Seth en bafouillait. « Fichez le camp, disparaissez de ma vue avant que –

— C'est à cause du Pul Mela.

— Superstition, superstition. Laissez-moi passer. » Il sortit sa clef.

D'un geste prompt, le sous-inspecteur s'en empara.

« Comment osez-vous, comment osez-vous ! éructa le Dr Seth, au bord de la crise cardiaque. Atrocité teutonne », ajouta-t-il en anglais.

« Monsieur, il y a eu un drame au Pul Mela, et nous –

— Ridicule ! S'il s'était passé quelque chose, j'en aurais certainement été prévenu. Je suis médecin – radiologue. Vous ne pouvez pas réquisitionner la voiture d'un médecin. Montrez-moi un ordre écrit.

— ... nous avons ordre de réquisitionner toute voiture dans un périmètre d'un kilomètre autour du grand figuier.

— Je suis là juste pour voir un film, et cette voiture – il montrait la Buick – n'est pas vraiment là. Rendez-moi ma clef.

— Kishy, ne crie pas, chéri, dit Parvati. Peut-être s'est-il passé réellement quelque chose. Cela fait trois heures que nous sommes au cinéma.

— Je vous assure, Monsieur, que c'est vrai. Il y a de nombreux morts et blessés. Je réquisitionne cette voiture sur instruction expresse du ministre de l'Intérieur du Purva Pradesh. Seules les voitures des médecins en exercice ne sont pas concernées. Nous en prendrons grand soin. »

Le Dr Seth ne se fit pas d'illusions. Surchargée et mal conduite, c'est une voiture en pitoyable état qu'on lui rendrait. Si cet imbécile disait vrai, il y aurait du sable dans le moteur, du sang sur les sièges en cuir. Un drame s'était-il véritablement produit ou bien n'était-ce qu'un nouvel exemple du pourrissement du pays depuis l'Indépendance ? Il régnait ces temps-ci un autoritarisme scandaleux.

« Vous ! » s'écria-t-il à l'adresse d'un passant.

Stupéfait, peu habitué à se faire héler de cette manière, l'homme, un respectable fonctionnaire, s'arrêta net, tourna un visage poli et interrogateur vers le Dr Seth.

« Moi ?

— Oui, vous. S'est-il produit une catastrophe au Pul Mela ? Des centaines de morts ? » Il prononça ce dernier mot avec une incrédulité méprisante.

« Oui, Sahib, c'est exact, dit l'homme. Après la rumeur, la nouvelle a été confirmée à la radio. Même les officiels parlent de centaines de victimes.

— Très bien – Prenez la clef. Mais attention – pas de sang sur les sièges – pas de sang sur les sièges. Je ne le supporterai pas. Vous m'entendez ?

— Oui, Monsieur. Soyez assuré que nous vous la rendrons dans moins d'une semaine. Votre adresse, Monsieur ?

— Tout le monde connaît mon adresse », dit le Dr Seth, d'un ton souverain. Et il s'éloigna, faisant tournoyer sa canne. Il allait réquisitionner un taxi – ou une autre voiture – pour le ramener chez lui.

11.25

Les étudiants de Brahmpur n'aimaient guère L.N. Agarwal. On lui reprochait ses manières autoritaires et la façon dont il manipulait le conseil exécutif de l'université. Sur le campus, les partis politiques faisaient des déclarations violemment anti-Agarwal.

Le ministre de l'Intérieur ne l'ignorait pas, aussi présenta-t-on son appel à des volontaires pour prêter main-forte aux secours après le drame comme émanant du Premier ministre. En raison des vacances, la plupart des étudiants avaient quitté la ville, mais nombre de ceux qui n'étaient pas partis répondirent à l'appel. Ils auraient d'ailleurs probablement fait de même si la requête avait été signée de L.N. Agarwal.

Fils d'un membre de l'université et, à ce titre, habitant près du campus, Kabir fut un des premiers à avoir vent de l'appel. Son jeune frère Hashim et lui se rendirent au centre de contrôle installé dans le Fort. Le soleil se couchait sur la cité de tentes. A côté de petits feux allumés pour la cuisine, de grands feux brûlaient çà et là pour la crémation des corps. Les haut-parleurs continuaient à égrener leur litanie de noms ; ils continueraient pendant toute la nuit.

On dépêcha les deux garçons dans différents centres de première urgence où ils purent relayer les premiers volontaires, épuisés. Ceux-ci allaient pouvoir s'alimenter et prendre quelques heures de repos avant de s'atteler de nouveau à la tâche.

Malgré les efforts déployés – les listes de noms, les centres de soins, la salle de contrôle central – la confusion l'emportait sur l'ordre. Personne ne savait que faire des femmes égarées – la plupart âgées et infirmes, sans argent et affamées – jusqu'à ce que la commission des femmes du parti du Congrès décide de s'en occuper. D'une manière générale, on ne savait comment répartir les personnes égarées, les morts, les blessés, ni où les trouver. Des gens couraient d'un bout à l'autre de la rive au sable surchauffé pour s'entendre dire que le lieu de regroupement des pèlerins de leur Etat d'origine se trouvait quelque part ailleurs. Des enfants, blessés ou morts, étaient transportés dans le terrain d'accueil des enfants perdus, ou dans les centres de première urgence, voire dans les postes de police. Les instructions fournies par les haut-parleurs semblaient changer en fonction de celui qui les proférait.

Au matin, après avoir travaillé toute la nuit, Kabir regardait devant lui d'un air hébété quand il vit arriver un gros homme à l'air mélancolique, portant tendrement dans ses bras un enfant apparemment endormi. Kabir reconnut Bhaskar, le petit compagnon mathématicien de son père.

« Je l'ai trouvé sur le sable, juste après la débandade, expliqua l'homme, posant le garçon sur le sol. C'était tout près de la rampe, et il a de la chance de ne pas s'être fait écraser. Je l'ai emmené dans notre campement, pensant qu'il allait se réveiller et que je pourrais le raccompagner chez lui. J'aime beaucoup les enfants, vous savez. Ma femme et moi n'en avons pas... Quoi qu'il en soit, il s'est réveillé à un moment, mais il n'a répondu à aucune de mes questions. Il ne sait même pas son nom. Et puis il s'est rendormi, et il dort toujours. Je n'ai rien pu lui faire avaler, ni eau ni nourriture. Je le secoue, mais il ne réagit pas. Heureusement, par la faveur de mon gourou, son pouls bat toujours.

— C'est une bonne chose que vous l'ayez amené ici. Je crois pouvoir trouver ses parents.

— Je voulais le conduire à l'hôpital et puis j'ai entendu cet abominable haut-parleur – il disait que si l'on avait recueilli un enfant perdu, il ne fallait pas le sortir du Mela, sinon on n'arriverait jamais à découvrir d'où il vient. Voilà pourquoi je l'ai amené.

— Très bien, très bien.

— S'il y a quelque chose que je peux faire – je crois que je vais repartir demain matin. » L'homme caressa le front de Bhaskar. « Il n'a rien sur lui qui permette de l'identifier, je me demande comment vous allez vous y prendre. Enfin, j'ai vu des choses encore plus étranges dans ma vie. Vous cherchez quelqu'un, sans même savoir qui il est, et soudain il est devant vous. Bon, eh bien, au revoir.

— Merci. Vous en avez déjà fait beaucoup. Tenez, si, encore une chose : voudriez-vous porter un mot à l'adresse que je vais vous donner ? C'est dans les parages de l'université.

— Bien sûr. »

Craignant de ne pouvoir joindre son père par téléphone, Kabir griffonna quelques lignes, plia le papier en quatre, le tendit à son interlocuteur.

« Le plus tôt sera le mieux », dit-il.

Sur un signe de tête, le gros homme s'en alla, chantonnant tristement entre ses lèvres.

Après avoir fait sa ronde, Kabir essaya quand même

d'appeler son père. Au bout de dix minutes – les lignes étaient encombrées – le standard lui passa le Dr Durrani. Kabir le mit au courant de la situation, et lui dit de ne pas tenir compte du petit mot qu'il allait recevoir.

« Je sais que ce Gauss en réduction est ton ami et qu'il s'appelle Bhaskar. Mais où habite-t-il ? »

Son père était dans une de ses pires périodes d'absence.

« Oh, hmm, heu – c'est très, heu, difficile à dire. Voyons, heu, quel est son nom de famille ?

— Je pensais que tu le saurais. » Il imaginait son père, les yeux plissés, tâchant de se concentrer.

« Voyons, heu, je ne suis pas tout à fait sûr, tu vois, il va et vient, différentes personnes, heu, le laissent ici, et puis nous parlons, et puis, heu, ils viennent le chercher. Il était ici la semaine dernière.

— Je sais –

— Et nous discutions de l'hypothèse de Fermat sur –

— Père –

— Ah oui, et d'une intéressante variante du lemme de Pergolesi. Quelque chose à propos de, heu, ce que mon jeune collègue, heu, j'ai une idée – pourquoi, heu, ne pas lui demander ?

— Demander à qui ?

— Sunil Patwardhan, peut-être qu'il saurait à propos du garçon ? C'était sa soirée, il me semble. Pauvre Bhaskar. Ses, heu, parents doivent être perplexes. »

Quoi que tout cela voulût dire, Kabir se rendit compte qu'il en apprendrait probablement davantage en suivant cette piste. Il prit contact avec Sunil Patwardhan, qui se rappela que Bhaskar était le fils de Kedarnath Tandon et donc le petit-fils de Mahesh Kapoor. Kabir téléphona à Prem Nivas.

« Ji ? fit Mahesh Kapoor, qui avait décroché tout de suite.

— Puis-je parler au ministre sahib ? dit Kabir en hindi.

— Lui-même à l'appareil.

— M. le ministre, j'appelle du centre d'urgence qui est situé juste sous l'extrémité est du Fort.

— Oui. » La voix était tendue comme un ressort.

« Nous avons ici votre petit-fils, Bhaskar –

— Vivant ?

— Oui. Nous venons juste –

— Alors transportez-le à Prem Nivas immédiatement. Qu'est-ce que vous attendez ?

— M. le ministre, je m'excuse, mais j'ai du travail ici. Il faudra que vous veniez le chercher vous-même.

. — Oui, oui, bien sûr –

— Et je dois vous conseiller –

— Oui, oui, quoi ?

— Il n'est peut-être pas prudent de le bouger pour le moment. Bon, je vous attends.

— Bien. Quel est votre nom ?

— Kabir Durrani.

— Durrani ? Comme le mathématicien ?

— Oui, je suis son fils aîné.

— Veuillez pardonner ma brusquerie. Nous avons subi une telle tension. J'arrive. Comment est-il ? Pourquoi ne peut-on pas le bouger ?

— Vous le verrez vous-même. » Se rendant compte de ce que ces mots pouvaient avoir d'affolant, Kabir ajouta : « Il n'a pas de blessure apparente.

— L'extrémité est du Fort ?

— Oui. »

Un quart d'heure plus tard, Veena tenait Bhaskar dans ses bras, si serré contre elle qu'ils semblaient ne former qu'une seule et même personne. L'enfant avait le visage calme mais était toujours inconscient. Son front contre le sien, elle ne cessait de murmurer son nom.

Quand son père lui présenta Kabir, Veena tendit les mains vers lui et le bénit.

11.26

Depuis ce drame absurde, la mort était le sujet essentiel de réflexion de Dipankar. « Est-ce que cela compte, Baba ?

— Oui. » L'aimable visage se pencha vers les deux rosaires, les petits yeux clignèrent, comme amusés.

Dipankar avait acheté ces rosaires, l'un pour lui-même, l'autre – pour une raison qu'il ne s'expliquait pas – pour Amit. Il avait demandé à Sanaki Baba de les bénir.

Plaçant les objets dans le creux de ses mains, Sanaki Baba avait demandé : « Quelle forme, quelle puissance t'attire le plus ? Rama ? Krishna ? Shiva ? Shakti ? Om soi-même ? »

Dipankar avait eu du mal à comprendre la question, obnubilé qu'il était encore par l'horreur de ce qu'il avait vu, ou plutôt vécu. Le corps déchiqueté du vieil homme à quelques pas de lui – les nagas qui s'acharnent sur lui, la foule qui le piétine – la confusion, la folie. Quel sens a donc la vie humaine ? Est-ce pour cela que nous sommes ici-bas ? Comme à présent son espoir de tout comprendre lui paraissait pathétique ! Il était plus effaré, horrifié, bouleversé qu'il ne l'avait jamais été.

Sanaki Baba posa la main sur son épaule. Sans qu'il eût besoin de répéter sa question, ce geste ramena Dipankar au présent, à la banalité, peut-être, des grands concepts et des grands dieux.

Sanaki Baba attendait sa réponse.

Dipankar réfléchissait : Om est trop abstrait pour moi ; Shakti trop mystérieuse, et il n'y en a que pour elle à Calcutta ; Shiva trop féroce ; Rama trop vertueux. Krishna est celui qui me convient.

« Krishna », dit-il.

La réponse parut plaire à Sanaki Baba, qui répéta le nom. Puis, prenant les deux mains de Dipankar dans les siennes : « Maintenant, dis après moi : O Dieu, aujourd'hui –

— O Dieu, aujourd'hui –

— sur la rive du Gange à Brahmpur –

— sur la rive du Gange à Brahmpur –

— à l'occasion propice du Pul Mela –

— à l'occasion du Pul Mela –

— à l'occasion propice du Pul Mela, corrigea Sanaki Baba.

— à l'occasion propice du Pul Mela –

— des mains de mon gourou –

— Mais êtes-vous mon gourou ? » demanda Dipankar, sceptique soudain.

Sanaki Baba éclata de rire. « Des mains de Sanaki Baba, alors.

— des mains de Sanaki Baba –

— je prends ceci, le symbole de tous tes noms –

— je prends ceci, le symbole de tous tes noms –

— par quoi, puissent tous mes soucis s'effacer.

— par quoi, puissent tous mes soucis s'effacer.

— Om Krishna, Om Krishna, Om Krishna. » Sanaki Baba se mit à tousser. « C'est l'encens, dit-il. Sortons.

« Maintenant, Divyakar, je vais t'expliquer comment t'en servir. Om c'est la semence, le son. Ça n'a pas de forme. Mais si tu veux un arbre, il te faut un germe, et c'est pourquoi les gens choisissent Krishna ou Rama. Prends le rosaire de cette manière – » Il en tendit un à Dipankar, qui imita ses gestes. « Ne te sers pas du deuxième et du cinquième doigts. Tiens-le entre ton pouce et l'annulaire et fais glisser les grains un par un avec ton majeur tout en disant "Om Krishna". Oui, c'est comme ça. Il y a 108 perles. Quand tu arrives au nœud, ne le franchis pas, recommence en sens inverse. Comme les vagues de l'océan, en avant, en arrière.

Dis "Om Krishna" en t'éveillant, en t'habillant, chaque fois que tu y penses... Maintenant, j'ai une question pour toi.

— Babaji, j'en ai une pour vous aussi. » Dipankar clignait des yeux.

« Oui, mais la mienne est légère, tandis que la tienne est profonde. Nous commencerons donc par la mienne. Pourquoi as-tu choisi Krishna ?

— Parce que j'admire Rama mais je trouve –

— Qu'il a trop couru après la gloire terrestre, dit Sanaki Baba, complétant sa phrase.

— Et la façon dont il a traité Sita –

— Il l'a broyée. Il devait choisir entre la royauté et Sita, et il a choisi la royauté. Il a eu une triste vie.

— Et il n'a pas varié du début à la fin – du moins en esprit. Alors que Krishna est passé par tant de stades. Et à la fin, quand il s'est retrouvé, vaincu, à Dwaraka – »

Sanaki Baba toussait toujours.

« Chacun connaît une tragédie, dit-il. Mais Krishna a connu la joie. Le secret de la vie est d'accepter. Accepter le bonheur, accepter les soucis ; accepter le succès, accepter les échecs ; la gloire et la disgrâce ; le doute et même la certitude. Bon, quand pars-tu ?

— Aujourd'hui.

— Et quelle est ta question ?

— Baba, comment expliquez-vous tout ceci ? » Dipankar indiqua la fumée qui montait d'un énorme bûcher funéraire, où brûlaient des centaines de corps non identifiés. « C'est le jeu de l'univers, le bon plaisir de Dieu ? Est-ce une chance pour eux d'être morts sur ce lieu propice durant cette fête bénéfique ?

— Mr Maitra vient demain, n'est-ce pas ?

— Il me semble.

— Quand il m'a demandé de lui donner la paix, je lui ai dit de revenir plus tard.

— Je vois. » Dipankar ne put dissimuler sa déception.

Une fois de plus, il pensa au vieil homme, piétiné à mort, qui parlait de glace et de sel, et de faire le voyage de retour jusqu'à la source du Gange, l'année prochaine. Lui-même, où serait-il l'année prochaine, se demanda-t-il. Où seraient tous les autres ?

« Je ne lui ai cependant pas refusé une réponse, dit Sanaki Baba.

— Non, c'est vrai, soupira Dipankar.

— Veux-tu une réponse provisoire ?

— Oui.

— Je crois, dit le gourou de son ton débonnaire, que l'administration a commis des erreurs d'organisation. »

Les journaux, qui n'avaient cessé de louer « le remarquable travail d'organisation de l'administration », s'en prirent violemment à ladite organisation et à la police. On avança une multitude d'explications à ce qui s'était passé. Selon l'une d'elles, une des voitures du cortège, sous l'effet de la chaleur, avait calé, ce qui avait déclenché une réaction en chaîne.

Pour d'autres, la voiture n'appartenait pas au cortège mais à une personnalité ; on n'aurait jamais dû l'autoriser à circuler sur ce terrain sablonneux, et surtout pas le jour de Jeth Purnima. La police ne se préoccupait pas des pèlerins, mais seulement des hauts dignitaires. Les hauts dignitaires, eux, ne s'intéressaient pas au peuple, mais seulement à l'équipement des bureaux. Certes, à la suite de cette tragédie, le Premier ministre d'Etat avait fait une déclaration émouvante à la presse, mais le banquet qui devait se tenir le soir même chez le gouverneur n'avait pas été annulé. Le gouverneur aurait dû au moins compenser par la discrétion son manque de compassion.

D'autres encore affirmaient que la police aurait dû veiller à laisser le terrain libre à l'avant des processions. A cause de cette imprévoyance, la foule était telle sur les différents lieux d'immersion que les sadhous n'avaient pu avancer. Il y avait eu mauvaise coordination, piètre communication et sous-effectifs de surveillance. Le maintien de l'ordre avait été confié à de jeunes officiers, aux méthodes dictatoriales mais inefficaces, commandant des policiers venus de plusieurs districts différents, un assemblage hétérogène d'hommes qu'ils connaissaient mal et qui n'obéissaient pas à leurs instructions. On ne comptait qu'une centaine d'hommes et deux officiers pour toute la rive, et ils n'étaient que sept à l'endroit crucial, au pied de la rampe. Quant au Surintendant de police du district, on ne l'avait jamais vu dans les parages du Pul Mela.

Une quatrième théorie imputait le grand nombre de morts, notamment parmi ceux qui se trouvaient dans le fossé longeant la rampe, à l'état du sol, rendu terriblement glissant par l'orage de la nuit précédente.

Avant toute chose, arguaient d'aucuns, l'administration aurait dû, afin d'éviter la surcharge prévisible de la rive sud, réquisitionner beaucoup plus de terrain sur la rive nord du Gange pour y installer des campements.

Une sixième théorie rendait les nagas entièrement responsables ; il fallait, disait-on, disloquer immédiatement ces bandes violentes et criminelles, en tout cas leur interdire à l'avenir l'accès au Pul Mela.

La faute, affirmaient les tenants d'une septième hypothèse, incombait au « manque d'entraînement » des volontaires ; ils avaient perdu leur sangfroid et accéléré ainsi la débandade.

Tout, claironnaient les partisans d'une huitième théorie, venait du caractère national.

Quelle que fût la vérité, si tant est qu'elle existât, ils exigeaient tous une Enquête. Le *Brahmpur Chronicle* réclama « la nomination d'une commission d'experts présidée par un juge de la Haute Cour, chargée d'enquêter sur les causes de cette épouvantable tragédie et d'empêcher qu'elle ne se reproduise ». L'Association des avocats et l'Association du district des avocats à la Cour critiquèrent le gouvernement, en particulier le ministre de l'Intérieur ; dans une résolution conjointe et en termes très fermes, ils concluaient : « La rapidité, voilà l'essentiel. Que la hache tombe où elle devra. »

Quelques jours plus tard, un *Communiqué spécial* annonça qu'une commission d'enquête, dotée de larges pouvoirs, avait été constituée et chargée de poursuivre ses investigations avec la promptitude requise.

Dans l'affaire des zamindars, les cinq juges maintinrent un secret absolu sur leurs délibérations. A partir du moment où les débats furent déclarés clos et le jugement mis en délibéré, leur mutisme excéda même les normes habituelles de la discrétion judiciaire. Se mouvant dans les mêmes cercles que nombre de ceux dont le sort et les biens dépendaient de l'issue de ce procès, ils savaient le poids que pouvait avoir le moindre de leurs commentaires. La dernière chose qu'ils voulaient c'était se retrouver au centre d'une tempête de spéculations.

Ce qui n'empêchait pas les spéculations de se déchaîner, à partir de rien, ou presque. Invité à un thé, le juge Maheshwari, inconscient du peu d'estime en lequel le tenait G.N. Bannerji, avait fait un grand éloge des talents de l'avocat. Il avait, confia-t-il, marqué des points. L'histoire se répandit, la confiance commença à renaître dans le camp des zamindars. Il ne fallait pas oublier, cependant, que c'était selon toute probabilité le Président et non le juge Maheshwari qui rédigerait la première ébauche du jugement.

Pourtant, c'était ce même Président qui avait donné tant de fil à retordre à l'avocat général. Shastri s'était rallié, avait refourbi ses arguments, reconnaissant que, s'il maintenait la position qui avait si bien réussi dans le cas du Bihar, il risquait de ruiner ses chances dans l'affaire du Purva Pradesh. Mais cette marche arrière avait-elle payé, personne n'en savait rien. Durant ses deux derniers jours de plaidoirie, G.N. Bannerji avait vilipendé ce qu'il appelait « la dérive opportuniste du radeau de mon savant ami, qui regarde où va le courant et modifie sa route en conséquence ». De l'avis général de ceux qui avaient assisté à ces ultimes débats, il avait réduit en miettes l'argumentation du gouvernement.

De son côté, le Raja de Marh, sur les terres de qui s'abattit soudainement un vol de criquets, prit cette calamité pour le signe d'un jugement défavorable. D'autres examinèrent le Premier amendement à la Constitution, ce qui leur fournit une raison d'inquiétude plus substantielle. Ce texte, qui à la mi-juin reçut l'assentiment du Président de l'Inde, le Dr Rajendra Prasad (dont le père, il est intéressant de le noter, avait exercé les fonctions de munshi chez un zamindar) visait à encore mieux protéger la législation concernant la réforme agraire des contestations émises au nom de certains articles de la Constitution. Pour certains zamindars, ce fut le dernier clou enfoncé dans leur cercueil. Il y en eut cependant quelques-uns pour croire que cet amendement lui-même pouvait être contesté – et que les lois de réforme agraire qu'il cherchait à protéger pouvaient de toute façon être déclarées inconstitutionnelles puisqu'elles violaient d'autres articles non protégés – en fait l'esprit même de la Constitution.

Tandis que zamindars d'un côté et rédacteurs de la loi de l'autre, fermiers d'une part et serviteurs des latifundiaires d'autre part, passaient tous par ces phases d'exaltation et de dépression, les juges continuaient à forger leur jugement. Réunis dans le cabinet du Président, ils discutaient longuement et de façon contradictoire des solutions, de la ligne à suivre, du jugement lui-même. Le Président finit, cependant, par les persuader de présenter un front uni. « Regardez ce qui s'est passé au Bihar, leur dit-il. Trois juges, ne divergeant pas sur l'essentiel, chacun insistant pour avoir son mot à dire et – j'espère qu'on ne le répétera pas – des débats d'une longueur si fastidieuse. Comment les avocats sauraient-ils ce que signifie le jugement ? Nous ne sommes pas à la Chambre des lords, nos jugements ne doivent pas prendre la forme de discours individuels. » Il les convainquit de présenter une décision unique, sauf en cas de profond désaccord sur un point particulier, et décida de rédiger lui-même la première ébauche du jugement.

S'entourant du maximum de précautions, ils travaillèrent le plus vite possible. Le projet passa de juge en juge, récoltant des commentaires sur des feuilles de papier séparées. Chaque juge était tout à fait conscient du poids de la décision qu'ils prendraient : elle serait aussi capitale qu'une loi ou qu'un décret de l'exécutif et bouleverserait la vie de millions de personnes.

Le document – soixante-quinze pages – fut amendé, discuté, réamendé, scruté, approuvé, rédigé dans sa forme définitive, dactylographié en un seul exemplaire par le secrétaire personnel du Président de la cour. Malgré les rumeurs et les fuites, endémiques à Brahmpur comme dans le reste du pays, personne à l'exception de ces six personnes ne sut ce que ce texte – et surtout son dernier paragraphe, essentiel – contenait.

11.29

Pendant la dernière semaine, Mahesh Kapoor, comme de nombreux autres politiciens du Purva Pradesh, fit la navette entre Brahmpur et Patna, qui n'était qu'à quelques heures de train ou de voiture. Les suites politiques du drame du Pul Mela et l'état de santé de son petit-fils le retenaient à Brahmpur. Mais il dut aller à Patna à cause des événements cruciaux qui s'y déroulaient et qui, d'après lui, étaient susceptibles de changer totalement la forme et la configuration des forces politiques du pays.

Il aborda ces sujets un matin avec sa femme.

Il avait appris la veille, à son retour de Patna (où, en pleine chaleur de juin, plusieurs partis politiques, y compris le Congrès, tenaient leur session) des nouvelles qui nécessitaient sa présence à Brahmpur au moins jusqu'à l'après-midi.

« Bien, dit Mrs Mahesh Kapoor, dans ce cas nous pourrons aller ensemble voir Bhaskar à l'hôpital.

— Femme, je n'ai pas le temps. Je ne peux traîner toute la journée autour de l'hôpital. »

Mrs Mahesh Kapoor ne dit rien, mais il était évident que la réplique désagréable de son époux l'avait blessée. Si Bhaskar avait repris conscience, il était loin d'avoir retrouvé son état normal. Il avait une forte fièvre, ne se rappelait rien de ce qui s'était passé le jour de la panique, avait des trous de mémoire pour ce qui précédait.

Quand Kedarnath était rentré, terrassé par ce qu'on lui

apprenait, Veena n'avait pas eu le cœur de lui reprocher son absence. Ils ne bougeaient pas du chevet de Bhaskar qui, les premiers jours, ne les avait pas reconnus. Peu à peu, il les avait identifiés, ainsi que lui-même et les choses qui l'entouraient. Sa passion des chiffres ne l'avait pas quitté, les visites du Dr Durrani le remplissaient de joie. Lequel Dr Durrani ne trouvait pas ces visites très intéressantes car son jeune collègue de neuf ans semblait avoir perdu une partie de son intuition mathématique. Kabir, en revanche, s'était pris d'affection pour l'enfant ; c'est lui qui, tous les deux-trois jours, poussait son distrait de père à se rendre à l'hôpital.

« Qu'y a-t-il de si important qui t'empêche d'aller le voir ? » demanda Mrs Mahesh Kapoor. Son mari s'était replongé dans la lecture de son journal.

« Le rôle des audiences. » Sans se laisser intimider par cette réponse laconique, Mrs Mahesh Kapoor insista, tant et si bien que son époux dut lui expliquer, comme à une enfant un peu demeurée, qu'il s'agissait des audiences des différentes chambres de la Haute Cour de Brahmpur pour la journée du lendemain, et que le jugement dans l'affaire des zamindars serait publié à dix heures ce matin même.

« Et après ça ?

— Après ça – quel que soit le verdict – il faudra que je décide quelle sera la prochaine étape. Je vais m'enfermer avec l'avocat général, Abdus Salaam et Dieu sait qui d'autre. Ensuite, quand je retournerai à Patna, avec le Premier ministre et – mais pourquoi dois-je t'expliquer tout cela ? » Il reprit son journal.

« Ne peux-tu partir pour Patna après dix-neuf heures ? Les visites de l'après-midi sont autorisées entre dix-sept et dix-neuf heures.

— Un homme ne peut-il avoir la paix dans sa propre maison ? hurla Mahesh Kapoor en posant une nouvelle fois son journal. Mère de Pran, sais-tu ce qui se passe dans ce pays ? Le Congrès menace de se disloquer, à droite comme à gauche, les gens rejoignent le nouveau parti. » L'émotion l'étreignait. « Toute personne décente quitte le Congrès. P.C. Ghosh est parti, Prakasam est parti, Kripalani et sa femme sont partis. Ils nous accusent, à juste titre, de "corruption, népotisme, prévarication". Rafi Sahib, avec son habileté de jongleur, assiste aux réunions des deux partis – et s'est fait élire au bureau de ce KMPP, le "Parti des Travailleurs et des Paysans" ! Nehru lui-même menace de démissionner du Congrès. "Nous aussi sommes fatigués", dit-il. » Mahesh Kapoor renifla, signe d'énervement, avant de poursuivre : « Et ton mari éprouve la même chose. Ce n'est pas pour cela que j'ai passé des années de ma vie en prison. J'en ai assez du parti du Congrès, et je pense moi aussi à le quitter. Je dois aller à Patna, comprends-tu, et je dois y aller cet après-midi. Les choses évoluent d'heure en heure, chaque réunion voit surgir une nouvelle crise. Dieu sait ce qui se décide pour cet Etat en mon absence. Agarwal est à Patna, oui, Agarwal, Agarwal, qui devrait être en train de faire la lumière sur l'affaire du Pul Mela, eh bien, il est à Patna, plongé dans ses manœuvres, apportant le plus possible de soutien à Tandon et d'ennuis à Nehru. Et tu me demandes pourquoi je ne recule pas l'heure de mon départ. Bhaskar ne remarquera pas mon absence, le pauvre gamin, et tu expliqueras mes raisons à Veena – si tu peux en retenir ne serait-ce qu'un dixième. Tu peux garder la voiture. J'irai au tribunal par mes propres moyens. Maintenant, ça suffit – »

Mrs Mahesh Kapoor se tut. Elle ne changerait pas ; il ne changerait pas ; et chacun savait que l'autre savait.

Elle emporta des fruits à l'hôpital, il emporta des dossiers au tribunal. Avant de partir, elle demanda à un domestique de préparer des parathas et d'en faire un paquet pour que son époux eût quelque chose à manger pendant le trajet de Brahmpur à Patna.

11.30

C'était une chaude matinée, un vent torride soufflait dans les couloirs, exposés aux courants d'air, de la Haute Cour de Brahmpur. A neuf heures et demie, la salle d'audience numéro un était pleine à craquer. L'atmosphère cependant n'y était pas suffocante. On avait vaporisé d'eau les longues nattes de khas récemment accrochées à deux fenêtres, transformant le vent chaud de juin en une brise fraîche.

Il y régnait une ambiance mêlée, faite d'émotion et d'excitation. Des défenseurs, seuls les avocats locaux étaient présents, mais il semblait que tout le barreau de Brahmpur avait décidé d'assister à cette séance historique. Nombre de journalistes s'y pressaient, qui déjà noircissaient du papier. Virevoltant à s'en tordre le cou, ils s'efforçaient de repérer chaque plaignant, raja, nawab ou grand propriétaire, dont le destin allait se jouer. Ou peut-être serait-il plus exact de dire que la balance avait déjà penché mais que le rideau qui en cachait les plateaux n'avait pas encore été levé.

Mahesh Kapoor entra, parlant avec l'avocat général du Purva Pradesh. Ils passèrent à côté de l'envoyé spécial du *Brahmpur Chronicle*, qui saisit quelques phrases. « Une trinité suffit à diriger l'univers, disait l'avocat général, son éternel sourire un peu plus large qu'à l'habitude ; mais cette affaire, semble-t-il, a besoin de deux têtes supplémentaires.

— Voilà ce bâtard de Marh, disait Mahesh Kapoor, et son pédéraste de fils – je m'étonne qu'ils aient le culot de se représenter devant cette cour. Du moins, ils ont l'air inquiets. »

L'horloge de la salle sonna dix heures. Le ballet des huissiers commença, les juges firent leur entrée, l'un derrière l'autre. Ils ne regardèrent ni les défenseurs du gouvernement ni les avocats des plaignants. Il était impossible de deviner à leur expression la teneur du jugement. Après un coup d'œil à droite et à gauche du Président, on avança les chaises. Le greffier lut la liste des assignations conjointes en attente de « prononciation de jugement ». Le Président feuilleta d'un air absent l'épaisse liasse de feuilles dactylographiées placée devant lui. Enlevant le napperon de dentelle qui recouvrait son verre, il but une gorgée d'eau.

Il ouvrit le document à la dernière page, la page soixante-quinze, pencha la tête de côté, et lut très vite, mais la voix claire, le paragraphe exécutoire :

« La Loi d'abolition des zamindars et de réforme agraire du Purva Pradesh ne contrevient à aucun article de la Constitution et n'est pas invalidée. La requête principale, ainsi que les requêtes annexes, sont rejetées. Nous considérons que chaque partie doit payer les dépens, et ordonnons qu'il en soit ainsi. »

Il apposa sa signature au bas du document, le passa au juge à sa droite, le plus ancien des assesseurs, qui le signa et le tendit à son collègue, celui qui venait juste après lui dans la hiérarchie, de l'autre côté du Président ; le document ricocha ainsi d'un côté à l'autre pour finir dans les mains du greffier, qui y imprima le sceau de la cour : « Haute Cour de justice, Brahmpur. » Puis les juges se levèrent, puisque c'était pour cet unique point de droit que la cour avait été constituée de cinq membres. On recula les chaises, et les juges disparurent derrière le rideau rouge passé, à droite, suivis des huissiers resplendissants.

Comme le voulait la coutume de la Haute Cour de Brahmpur, les quatre juges subalternes raccompagnèrent le Président à son cabinet ; puis ils escortèrent le second d'entre eux dans la hiérarchie jusqu'à son cabinet, et ainsi de suite. Finalement, M. le juge Maheshwari regagna seul son bureau. Ayant débattu de vive voix et par écrit pendant des semaines, ils n'étaient d'humeur, ni les uns ni les autres, à poursuivre une conversation ; la procession des robes noires avait eu quelque chose de funéraire. S'il ne savait toujours que penser du texte qu'il venait de parapher, M. le juge Maheshwari comprenait en tout cas un peu mieux la position de Sita dans le Ramayana.

Dire que le désordre fut indescriptible dans la salle serait une litote. A peine le dernier juge avait-il disparu que plaignants et avocats, journalistes et spectateurs se mirent à pousser des cris de joie et des hurlements, à s'étreindre ou à pleurer. Firoz et son père ne purent même pas échanger un regard, entourés qu'ils furent chacun par une foule d'avocats, zamindars, journalistes – rendant toute parole cohérente impossible. Firoz avait l'air sinistre.

Comme tout le monde, le Raja de Marh s'était dressé au moment où les juges s'étaient levés. Mais ne vont-ils pas lire le jugement ? se disait-il. L'ont-ils différé ? Il ne parvenait pas à saisir que si peu de mots puissent signifier autant. Mais devant la joie des tenants du gouvernement, le désespoir et la consternation des siens, il appréhenda la pleine portée de ce funeste mantra. Ses jambes lui manquèrent ; il s'affala sur les chaises devant lui, s'effondra sur le sol ; et la nuit recouvrit ses yeux.

11.31

Deux jours plus tard, l'avocat général du Purva Pradesh, Mr Shastri, lut attentivement le texte du jugement, que la Haute Cour avait fait imprimer sur ses propres presses. Il fut heureux de voir qu'il avait été pris à l'unanimité. D'une rédaction serrée et claire, il résisterait, croyait-il, à l'inévitable recours en appel devant la Haute Cour du pays, surtout maintenant que l'on avait érigé autour de lui le mur du Premier amendement.

On avait fait litière des allégations de délégation du pouvoir législatif, de non-respect de l'intérêt public, etc.

Sur la question fondamentale – celle qui, selon Mr Shastri, aurait pu être tranchée dans un sens comme dans l'autre – les juges avaient statué ainsi :

« Prime de réhabilitation » et « compensation » constituaient ensemble la véritable récompense, « la compensation réelle » des terres saisies. Ceci, d'après les juges, empêchait d'en appeler à la Constitution sous prétexte d'inadéquation et de discrimination. Si l'on avait repoussé l'affirmation soigneusement argumentée du gouvernement selon laquelle les deux primes étaient différentes, la prime de réhabilitation n'aurait pas bénéficié de la protection accordée par la Constitution à la « compensation », et aurait donc été refusée comme ne correspondant pas à la proclamation de « l'égalité de tous devant la loi ».

Quant aux cas spéciaux – les sociétés hindoues à but charitable, les waqfs, les bénéficiaires de dons de la couronne, les anciens dirigeants, etc. – ils avaient tous été déboutés. Shastri n'avait qu'un léger regret, et ça n'avait rien à voir avec le jugement lui-même : que son rival, G.N. Bannerji, n'eût pas été là pour entendre la sentence.

Mais G.N. Bannerji était à Calcutta, plaidant une affaire, moins capitale mais bien plus lucrative, et Mr Shastri se dit qu'il avait simplement dû hausser les épaules et se verser un autre whisky lorsque le téléphone ou un télégramme lui avait appris le résultat de celle-ci.

11.32

Les années précédentes, même si la foule du Pul Mela diminuait après le Jeth Purnima, un grand nombre de pèlerins attendait le bain de la nuit d'Ekadashi, onze jours plus tard, ou celui de la lune « noire », quatorze jours plus tard, consacré au seigneur Jagannath. Cette fois-ci, il n'y eut rien de tel. Outre la terreur qu'elle avait semée dans les rangs des pèlerins, la tragédie avait entraîné une complète dislocation de l'administration. Le service de santé, débordé par les urgences, fut obligé de négliger ses tâches régulières. L'hygiène en souffrit, une épidémie de gastro-entérite se déclencha, spécialement sur la rive nord. On démantela les échoppes vendant des produits d'alimenta-tion, dans l'espoir de décourager les gens qui voulaient quand même rester, mais comme ceux-ci possédaient de quoi se nourrir, ils en profitèrent pour se livrer à un mar-chandage éhonté.

Mais bientôt, il ne resta plus personne. Les ingénieurs de l'armée enlevèrent les poteaux électriques et les plaques d'acier sur les chemins, démantelèrent les pontons de bateaux. La circulation reprit sur le fleuve.

A l'époque habituelle, le Gange, gonflé des pluies de la mousson, inonda les rives sablonneuses.

Ramjap Baba demeura sur sa plate-forme, environné par le Gange, et continua à psalmodier sans fin le nom éternel de Dieu.

Douzième partie

12.1

Mrs Rupa Mehra et Lata revinrent de Lucknow une semaine environ avant la rentrée universitaire, dite de la mousson. Il était assez tard dans la nuit, mais Pran les attendait à la gare. Quoiqu'il ne fît pas froid, il toussait.

Mrs Rupa Mehra lui reprocha d'être venu.

« Ne dites pas de sottises, Ma. Croyez-vous que j'aurais envoyé Mansoor à ma place ?

— Comment va Savita ?

— Très bien, mais elle grossit de minute en minute –

— Aucune complication ?

— Aucune. Elle vous attend à la maison.

— Elle devrait dormir.

— C'est ce que je lui ai dit. Mais manifestement elle se soucie plus de sa mère et de sa sœur que de son mari. Elle a pensé que vous aimeriez manger un morceau en arrivant. Comment s'est passé le voyage ? J'espère qu'il y avait quelqu'un pour vous aider à la gare de Lucknow. »

Lata et sa mère échangèrent un rapide regard.

« Oui, dit Mrs Rupa Mehra d'un ton assuré, il y avait ce très gentil jeune homme dont je t'ai parlé dans ma lettre de Delhi.

— Le cordonnier, Haresh Khanna.

— Ne le traite pas de cordonnier, Pran. Si Dieu le veut, ce sera mon second gendre. »

Ce fut au tour de Pran d'échanger un regard avec Lata, laquelle secouait doucement la tête de droite à gauche. Pran ne sut si c'était pour démentir ou pour acquiescer.

« Lata l'a encouragé à lui écrire. Ça ne signifie qu'une chose.

— Au contraire, Ma, intervint Lata. Cela peut en signifier plusieurs. » Elle s'abstint d'ajouter qu'elle n'avait nullement encouragé Haresh à lui écrire, qu'elle avait tout au plus accepté qu'il le fasse.

« Bon, d'accord, c'est un brave type, dit Pran. Voici la tonga. » Il montra aux coolies comment entasser les valises.

Lata n'entendit pas la remarque de Pran, sinon elle aurait manifesté la même surprise que sa mère :

« Un brave type ? Comment sais-tu que c'est un brave type ? demanda Mrs Rupa Mehra, sourcils froncés.

— Rien de mystérieux, répondit Pran, ravi de la perplexité de sa belle-mère. Il se trouve que je l'ai rencontré, tout simplement.

— Tu veux dire que tu connais Haresh ? » demanda Mrs Rupa Mehra.

Dans une quinte de toux, Pran confirma de la tête.

« Parfaitement, je connais votre cordonnier, fit-il, quand il eut récupéré sa voix.

— Je ne veux pas que tu l'appelles comme ça, s'exaspéra Mrs Rupa Mehra. Il a eu un diplôme en Angleterre. Et je voudrais que tu fasses attention à ta santé. Comment, autrement, t'occuperas-tu de Savita ?

— J'ai de la sympathie pour lui, poursuivit Pran, mais pour moi c'est un cordonnier. A la soirée de Sunil Patwardhan où il est venu, il a apporté une paire de bottines qu'il avait faites le matin même. Ou qu'il voulait faire fabriquer. Ou quelque chose comme ça...

— De quoi parles-tu ? s'écria Mrs Rupa Mehra. J'aimerais que tu ne t'exprimes pas par énigmes. Comment peut-on apporter quelque chose qu'on veut faire fabriquer ? Qui est ce Sunil Patwardhan et de quelles bottines s'agit-il ? Et, ajouta-t-elle l'air fâché, pourquoi ne suis-je pas au courant de tout ça ? »

Qu'elle, dont une des tâches principales consistait à tout savoir de chacun, ignorât que Pran avait rencontré Haresh, et selon toute vraisemblance, avant qu'elle-même eût fait sa connaissance, l'irritait au plus haut point.

« Ne vous fâchez pas, Ma, je ne vous l'ai pas caché intentionnellement. Il me semble que j'avais pas mal de soucis à l'époque – ou alors ça m'est sorti de la tête. Il est venu ici, il y a quelques mois, pour affaires, est descendu chez un de mes collègues, et c'est là que je l'ai connu. Un petit homme, bien habillé, décidé, avec des opinions arrêtées. Haresh Khanna, effectivement. J'ai fort bien retenu son nom parce que je me rappelle avoir pensé qu'il ferait un parti convenable pour Lata.

— Tu te rappelles avoir pensé – et tu n'as rien fait ? » s'étonna Mrs Rupa Mehra. Quel incroyable manquement à son devoir ! A cet égard, elle savait ses fils irresponsables, mais elle ne l'aurait pas cru de son gendre.

« Eh bien, dit Pran, en prenant le temps de trouver ses mots. J'ignore ce que vous savez sur lui, Ma. Pas mal de temps a passé depuis la soirée, et je ne garantis pas que tout me revient tel que je l'ai entendu, mais j'ai cru, à ce que disait Sunil Patwardhan, qu'il y avait une fille dans sa vie, une sikh, qui –

— Oui, oui, nous sommes au courant », coupa Mrs Rupa Mehra, laissant entendre par son ton qu'elle ne laisserait pas une division blindée de demoiselles sikhs s'interposer entre elle et son objectif.

Pran poursuivit : « Sunil a concocté une chanson tout ce qu'il y a de stupide sur lui et cette fille. Je ne m'en souviens pas, pour le moment. De toute façon, il m'a fait comprendre que notre savetier était engagé. »

Mrs Rupa Mehra ne releva pas la qualification. « Qui est ce Sunil ? demanda-t-elle.

— Vous ne le connaissez pas, Ma ? Sans doute qu'il n'est pas venu ici quand vous y étiez. Savita et moi l'aimons beaucoup. Un joyeux luron, très doué pour les imitations. Je suis sûr qu'il serait ravi de vous rencontrer, et vous de même. En quelques minutes, vous aurez l'impression de vous parler à vous-même.

— Mais que fait-il ? Quel est son travail ?

— Oh, désolé, Ma. Il est professeur-assistant de mathématiques ; ses recherches sont voisines de celles du Dr Durrani. »

A ce nom, Lata releva la tête, cependant qu'un voile de douceur mélancolique assombrissait ses traits. Elle savait qu'il serait difficile d'éviter Kabir sur le campus, tout en se demandant si elle voudrait l'éviter – ou si elle en aurait la force. Après ce long silence de sa part, quels sentiments conservait-il pour elle ? Elle craignait de l'avoir blessé, comme il l'avait blessée, et de toute façon l'une ou l'autre de ces idées lui faisait mal.

« Maintenant, dis-moi ce qui se passe d'autre à Brahmpur, s'empressa d'enchaîner Mrs Rupa Mehra. Raconte-moi cette terrible affaire du Pul Mela. Personne que nous connaissions n'a été blessé, j'espère ?

— Remettons tout cela à demain matin, Ma, dit Pran, voulant éviter de parler dans l'immédiat de Bhaskar. Il y a beaucoup à raconter – la catastrophe du Pul Mela, le jugement sur les zamindars, son effet sur mon père – sans compter sur la voiture de votre père, la Buick – il s'interrompit pour tousser – et puis, bien sûr, comment Ramjap Baba a guéri mon asthme, quoique cette nouvelle-là n'ait pas encore atteint mes poumons. Vous êtes toutes les deux fatiguées, et moi aussi, je dois l'admettre. Nous y voici. Chérie, dit-il à Savita venue à la grille, tu es vraiment une petite folle. » Il l'embrassa sur le front.

Savita et Lata s'embrassèrent aussi. Mrs Rupa Mehra, en larmes, étreignit sa fille aînée pendant une bonne minute avant de demander :

« La voiture de mon père ? »

Mais l'heure n'était pas aux bavardages. La tonga déchargée, un bol de soupe chaude refusé, on se souhaita une bonne nuit. Mrs Rupa Mehra bâilla, se déshabilla, enleva son dentier, embrassa Lata, dit une prière et s'endormit.

Lata resta éveillée quelque temps, mais ce n'est ni à Kabir ni à Haresh qu'elle pensait. La respiration tranquille de sa mère ne parvenait pas à la rassurer. Le souvenir de ce qui s'était passé la nuit d'avant la taraudait. Elle s'imaginait entendre le bruit des pas au-delà de sa porte, les tintements de l'horloge du grand-père à l'autre bout du couloir, près des chambres de Pushkar et de Kiran.

« Je te prenais pour une fille intelligente », disait la voix, odieuse, déçue, indulgente.

Sur quoi ses yeux se fermant d'eux-mêmes, elle s'abandonna à sa bienheureuse fatigue.

Mrs Rupa Mehra et ses deux filles venaient d'achever leur petit déjeuner et n'avaient pas eu le temps de parler de choses sérieuses quand on annonça deux visiteuses : Mrs Mahesh Kapoor et Veena.

A cette gentillesse, cette marque d'égards, le visage de Mrs Rupa Mehra rosit de plaisir. « Entrez, entrez, dit-elle en hindi. Je pensais justement à vous, et vous voilà. Vous allez prendre un petit déjeuner, ajouta-t-elle, se conduisant en maîtresse de maison, ce qu'elle n'aurait pu faire à Calcutta, sous l'œil de la gorgone. Non ? Bon, du thé au moins. Comment allez-vous tous à Prem Nivas ? Et à Misri Mandi ? Pourquoi Kedarnath n'est-il pas venu ? Ou sa mère ? Et où est Bhaskar ? La rentrée scolaire n'a pas encore eu lieu ? Il doit être en train de jouer au cerf-volant avec ses petits amis, et il a oublié sa nani Rupa. Le sahib ministre est bien trop occupé, je l'imagine aisément, et je comprends qu'il ne se déplace pas, mais Kedarnath aurait dû venir. Il n'a pas grand-chose à faire le matin. Donnez-moi toutes les nouvelles. Pran avait promis de le faire, mais je n'ai pas pu parler avec lui pour la bonne raison que je ne l'ai pas vu ce matin. Il est allé à la réunion de je ne sais quel comité. Tu devrais lui dire, Savita, de ne pas se fatiguer ainsi. Et – elle s'adressa à la mère de Pran – vous devriez lui conseiller de moins s'activer. Il vous écoute. Une mère se fait toujours écouter.

— Qui m'écoute ? dit Mrs Mahesh Kapoor de son ton calme. Vous savez ce que c'est.

— Oui, acquiesça Mrs Rupa Mehra, avec un mouvement de tête vigoureux. Je sais parfaitement ce que c'est. Personne n'écoute ses parents au jour d'aujourd'hui. C'est un signe des temps. » Lata et Savita échangèrent un regard. « Prenez mon père, continua Mrs Rupa Mehra. Personne n'ose lui désobéir. Sinon, on reçoit une gifle. Il m'a giflée après la naissance d'Arun, parce que selon lui je ne m'en occupais pas bien. Arun était un bébé très difficile, pleurant sans raison, et ça bouleversait mon père. Je me suis mise à pleurer, bien sûr, quand il m'a frappée. Et Arun, mon seul enfant alors, pleurait encore plus fort. Mon mari était en tournée. » Ses yeux s'embuèrent et se désembuèrent aussi vite. Elle venait de se rappeler autre chose.

« La voiture de mon père – la Buick – que lui est-il arrivé ?

— Réquisitionnée pour les victimes du Pul Mela, dit Veena. On a dû la lui rendre, à présent. Mais nous n'avons pas suivi l'affaire ces jours-ci, nous nous sommes fait tellement de soucis pour Bhaskar.

— Du souci ? A quel propos ? demanda Mrs Rupa Mehra.

— Qu'est-il arrivé à Bhaskar ? » s'écria Lata, simultanément.

Que Pran n'eût pas, dans la minute de leur descente du train, informé Mrs Rupa Mehra et Lata de l'accident survenu à Bhaskar stupéfia Veena, sa mère et Savita. Tout un chacun revécut la scène, dans la douleur et l'excitation, auxquelles s'ajoutèrent les cris de Mrs Rupa Mehra, au comble de l'angoisse et de la compassion.

Si à nous cinq nous pouvons faire autant de tapage, aucun doute que Birbal a réellement vu un miracle sous son arbre, se dit Lata, dont la pensée passa de Bhaskar à Kabir au moment même où la conversation en faisait autant.

Car Veena était en train de dire : « Le fait est que si ce garçon n'avait pas reconnu Bhaskar, Dieu sait ce que nous serions devenus – et si on l'aurait jamais retrouvé. Il n'avait pas repris connaissance quand nous l'avons vu, et quand il est revenu à lui, il ne se rappelait pas son propre nom. » A l'idée d'avoir frôlé une catastrophe pire encore, elle se mit à trembler. Lorsqu'elle le veillait, en lui tenant la main, lui revenait souvent, avec une effrayante précision, la sensation des doigts de son fils échappant aux siens. Et qu'elle pût à nouveau les étreindre avait dépendu d'une circonstance si improbable que la seule explication possible relevait de la bonté et de la grâce divines.

« Ah, voici le thé, dit Mrs Rupa Mehra, tout attendrie d'avoir trois jeunes femmes à materner. Tu dois en boire une tasse immédiatement, Veena, il le faut, même si tes mains tremblent. Tu en ressentiras tout de suite les bienfaits. Non, Savita, assieds-toi. Dans ton état, il ne faut pas vouloir jouer les maîtresses de maison. A quoi servirait une mère, je vous le demande ? » C'était à Mrs Mahesh Kapoor que s'adressait cette dernière réflexion. « Lata chérie, donne une tasse de thé à Veena. Qui est ce garçon qui a reconnu Bhaskar ? Un de ses amis ?

— Pas du tout, dit Veena d'une voix raffermie. C'est un jeune homme, un secouriste volontaire. Nous ne le connaissions pas, mais lui il connaissait Bhaskar. C'est Kabir Durrani, le fils du Dr Durrani qui s'est montré si bon pour Bhaskar – »

Sous le choc, ce fut au tour de Mrs Rupa Mehra de perdre le contrôle de ses mains ; elle répandit sur la table le thé qu'elle était en train de servir.

Lata, elle, se figea.

Pourquoi Kabir se trouvait-il au Pul Mela, à une fête hindoue – et en qualité de secouriste ?

Reposant la théière, Mrs Rupa Mehra se tourna vers Lata, cause première de son désarroi. Elle allait s'exclamer : « Vois ce que tu m'as fait faire ? », mais son instinct l'en dissuada. Après tout Veena pas plus que Mrs Mahesh Kapoor n'étaient au courant de l'intérêt que sa fille portait à Kabir.

« Mais c'est, dit-elle, oui c'est – voyons d'après son nom – que faisait-il au Pul Mela ? Sûrement –

— Je crois que c'était un des secouristes volontaires de l'université, expliqua Veena. Ils ont demandé des volontaires après la catastrophe, et il s'est présenté. Un brave jeune homme. Il a refusé d'abandonner son poste au centre d'urgence, fût-ce pour obliger un ministre – vous savez à quel point Baoji peut se montrer brutal au téléphone. C'est nous qui sommes allés auprès de Bhaskar, ce qui valait beaucoup mieux puisqu'on ne pouvait pas le bouger. Et tout fatigué qu'il était, le fils du Dr Durrani nous a parlé longuement, nous a rassurés, nous disant comment on avait amené Bhaskar et qu'il ne souffrait d'aucune blessure apparente. Ces choses-là vous donnent à penser que Dieu est présent en nous tous. Il vient beaucoup à Prem Nivas, ces jours-ci. Et son père aussi. Nous n'avons pas la moindre idée de ce dont ils parlent. En tout cas, ça rend Bhaskar heureux. Nous les laissons seuls, avec du papier et un crayon.

— Prem Nivas ? s'étonna Mrs Rupa Mehra. Pourquoi pas Misri Mandi ?

— J'ai insisté, dit Mrs Mahesh Kapoor, pour que Veena demeure avec nous jusqu'à ce que Bhaskar se rétablisse. Il ne faut pas qu'il bouge trop, selon le docteur. » En fait, Mrs Mahesh Kapoor avait chapitré le médecin. « C'est bien aussi pour Veena, elle a assez à faire à soigner Bhaskar sans devoir s'occuper de sa maison. Bien entendu Kedarnath et sa mère restent chez nous, également. »

Mrs Mahesh Kapoor ne parla pas du surcroît de tracas que cet arrangement lui imposait. Elle ne trouvait d'ailleurs rien que d'ordinaire à accueillir quatre personnes de plus chez elle. Sa maison, telle qu'elle la menait, devait pouvoir offrir une hospitalité de tous les instants à toutes sortes de gens – des étrangers souvent, amis politiques de son mari. Alors que, dans ces cas-là, elle assumait sa tâche avec plus de bonne volonté que de plaisir, pour Bhaskar, elle le faisait avec joie. Si l'on pouvait déceler une faible lumière dans le noir tableau de la Partition, c'est qu'elle avait contraint sa fille et son petit-fils à quitter Lahore et à venir vivre dans la même ville qu'elle. Et voilà qu'à la suite d'un autre drame, ils étaient de retour à Prem Nivas même.

« Ses amis lui manquent néanmoins, dit Veena. Il veut revenir dans notre quartier. Quand l'école va reprendre, on aura du mal à le garder. Puis ce sera l'époque des répétitions pour la Ramlila – cette fois il tient à être un singe. S'il est trop petit pour jouer Hanuman ou Nal ou Neel ou un autre personnage important, il peut sûrement figurer dans l'armée des singes.

— Il aura tout le temps de rattraper ses études, dit Mrs Mahesh Kapoor. Et la Ramlila est encore loin. Il ne faut pas beaucoup d'entraînement pour jouer un singe. La santé d'abord. Quand Pran était malade, dans son enfance, il a souvent manqué l'école. Ça ne lui a pas nui. »

Prononcer le nom de Pran fit penser Mrs Mahesh Kapoor à son plus jeune fils, mais elle avait appris à ne pas s'inquiéter outre mesure quand cela ne servait à rien. Son mari avait exigé qu'on ne prévienne pas Maan de l'accident, de peur qu'il ne se précipite au chevet de la petite grenouille et, une fois de retour à Brahmpur, ne retombe dans les filets de « ça ». Depuis son retour de la conférence du Congrès, à Patna, Mahesh Kapoor se tourmentait beaucoup. C'était déjà assez difficile de décider quoi faire, face au tournant désastreux que prenaient le parti et le pays. La présence de Maan ne lui vaudrait que de *nouveaux* et *inévitables* ennuis, tout en menaçant sa réputation.

Sans préambule, et avec un petit rire embarrassé, Mrs Mahesh Kapoor dit : « J'ai parfois l'impression, ces derniers temps, que les propos du sahib ministre sont aussi obscurs que ceux du Dr Durrani. »

Cette remarque de Mrs Mahesh Kapoor, la douceur personnifiée, surprit chacun. Saisissant qu'une telle déclaration ne pouvait trahir qu'une grande anxiété, Veena s'en voulut de n'avoir pas compris tout ce que sa mère endurait, entre l'asthme de Pran, l'accident de Bhaskar, la conduite de Maan et la brusquerie accrue de son mari. Elle-même n'avait pas bonne mine, mais c'était probablement le cadet de ses soucis.

Cependant cette même remarque changea le cours des idées de Mrs Rupa Mehra. « Comment le Dr Durrani a-t-il connu Bhaskar ? demanda-t-elle.

— Le Dr Durrani ? s'étonna Veena, l'esprit ailleurs.

— Oui, oui, comment Bhaskar et le Dr Durrani se sont-ils rencontrés ? Tu as dit que son fils si dévoué a reconnu Bhaskar pour l'avoir vu avec son père.

— Oui, tout a commencé quand Kedarnath a invité Haresh Khanna à déjeuner. C'est un jeune homme de Kanpur – »

Lata éclata de rire. Le visage de Mrs Rupa Mehra rougit puis pâlit. C'était tout à fait insupportable. Tout Brahmpur, avant elle, avait entendu parler de ce Haresh. Pourquoi, dans leurs conversations, Haresh n'avait-il mentionné ni Kedarnath, ni Bhaskar, ni le Dr Durrani ? Pourquoi elle, Mrs Rupa Mehra, était-elle la dernière informée sur un sujet qui lui importait plus qu'à personne d'autre dans cette pièce : la conquête d'un gendre ?

Les réactions de Lata et de sa mère ne manquèrent pas de surprendre Veena et Mrs Mahesh Kapoor.

« Depuis combien de temps tout cela dure-t-il ? demanda Mrs Rupa Mehra, d'une voix où se mêlaient accusation et ressentiment. Pourquoi n'est-il question que de Haresh par-ci, Haresh par-là, alors que moi je ne sais rien ?

— C'est que vous êtes partie pour Calcutta si tôt après son passage qu'on n'a pas pu vous en parler, Ma, dit Veena. En quoi est-ce si important ? »

Quand Veena et Mrs Mahesh Kapoor comprirent, à la précision de l'interrogatoire qu'elles subissaient, que Haresh était tenu pour un « parti », elles soumirent à leur tour Mrs Rupa Mehra à un flot de questions, lui reprochant de les tenir à l'écart.

Radoucie, Mrs Rupa Mehra se montra aussi soucieuse d'informer que d'être informée. Après s'être félicitée des diplômes et des certificats, des vêtements et de l'allure de Haresh, elle en venait à l'effet qu'il avait fait sur Lata, et Lata sur lui, quand, au soulagement de celle-ci, l'arrivée de Malati Trivedi interrompit les confidences.

« Bonjour, bonjour, lança Malati, en déboulant dans la pièce. Ça fait des mois que je ne t'ai vue, Lata. Namasté, Mrs Mehra – Ma, veux-je dire. Et à vous deux. » Elle indiqua le gros ventre de Savita. « Bonjour, Veenaji, comment va la musique ? Comment va Ustad Sahib ? A la radio, l'autre nuit, je l'ai entendu chanter le raga Bageshri. C'était si beau : le lac, les collines, le raga – tout ça mélangé. J'ai cru mourir de plaisir. » Après une dernière salutation à Mrs Mahesh Kapoor, qu'elle devina être la mère de Veena, Malati s'assit. « J'arrive tout juste de Nainital, annonça-t-elle gaiement. Où est Pran ? »

12.3

Lata regarda Malati comme si elle était le Chevalier Errant. « Allons-nous-en ! dit-elle, allons faire un tour. Il y a un tas de choses dont je veux te parler. Toute la matinée j'ai eu envie de mettre le nez dehors, mais je n'ai pas eu le courage. L'idée m'est venue d'aller jusqu'à la Résidence des filles, mais je ne savais pas si tu étais revenue. Nous-mêmes ne sommes rentrées qu'hier soir. »

Malati se releva sans se faire prier.

« Malati vient juste d'arriver, protesta Mrs Rupa Mehra. Tu n'es pas très polie, Lata. Laisse-la prendre au moins une tasse de thé. Vous irez vous promener ensuite.

— Ça n'a pas d'importance, Ma, dit Malati en souriant. Je n'ai pas très envie de thé, mais j'aurai soif en rentrant. En attendant, Lata et moi allons marcher du côté de la rivière.

— Soyez prudentes, le sentier des banians est très glissant par ce temps-là. »

Lata partit dans sa chambre chercher des affaires, et elles s'esquivèrent.

Dès qu'elles eurent passé la porte, Malati posa la question qui lui brûlait les lèvres. « Alors, qu'est-ce qui se passe ? Pourquoi tenais-tu à sortir ?

— Elles étaient en train de parler, comme si je n'étais pas là, d'un homme que ma mère m'a fait rencontrer à Kanpur, et Savita elle-même n'a pas bronché.

— Je me demande si j'aurais bronché moi-même. Qu'est-ce qu'elles disaient ?

— Tu le sauras plus tard. J'en ai assez, pour le moment, j'ai envie d'entendre parler d'autre chose. Quoi de neuf ?

— Quelles nouvelles veux-tu ? Genre intellectuel, politique, spirituel, romantique ?

— Romantique, décida Lata, pensant à la description par Malati du lac, des collines, du raga.

— Mauvais choix, dit Malati. Tu devrais chasser de ta tête toute idée d'aventure romanesque. Bon, cela dit, j'ai eu une amourette à Nainital. Sauf que –

— Sauf que quoi ?

— Sauf que ce n'en était pas vraiment une. Je vais te raconter, et tu jugeras par toi-même.

— D'accord.

— Tu connais ma sœur, ma sœur aînée, celle qui nous réclame tout le temps ?

— Je ne l'ai jamais vue. C'est celle qui s'est mariée à quinze ans à un jeune zamindar et qui vit près de Bareilly ?

— Exact. Près d'Agra, en fait. Ils prenaient des vacances à Nainital et je suis allée les retrouver. De même que mes trois petites sœurs, nos cousins et ainsi de suite. Nous avions tous une roupie d'argent de poche par jour, et nous avions amplement de quoi nous occuper toute la journée. Le trimestre avait été dur et j'avais hâte d'oublier Brahmpur. Comme toi, j'imagine, ajouta-t-elle en prenant Lata par l'épaule. J'ai fait du cheval le matin – ça ne coûte que quatre annas de l'heure – de l'aviron, du patin – j'en oubliais parfois de rentrer déjeuner à la maison. Le reste de la famille s'occupait de son côté. Je parie que tu ne devineras pas ce qui est arrivé.

— Tu es tombée et un galant patineur est venu à ton secours.

— Pas du tout. J'ai l'air bien trop sûre de moi pour qu'un Galahad ose me draguer. »

Lata se dit que c'était probable. Les hommes étaient tout de suite séduits par le charme de son amie, mais auraient certainement hésité à la relever en cas de chute. Elle se comportait avec eux comme s'ils étaient indignes de son attention.

Malati continua : « Je suis effectivement tombée une ou deux fois en patinant, mais je me suis relevée toute seule. Il s'est passé tout autre chose. J'ai bientôt remarqué qu'un homme d'un certain âge me suivait. Quand je faisais de l'aviron, il était sur la plage à m'observer. Parfois, il prenait un bateau lui aussi. Je l'ai même vu à la patinoire.

— Quelle horreur ! dit Lata, l'image de son oncle de Lucknow s'imposant aussitôt à elle.

— Pas vraiment. Sur le moment, ça ne m'a pas gênée, tout juste étonnée. Il ne m'approchait pas, ni quoi que ce soit, si bien que ça a fini par m'inquiéter. Et je l'ai abordé.

— Tu l'as abordé ? C'était vraiment risqué.

— Oui. Je lui ai dit : "Vous n'arrêtez pas de me suivre. Qu'est-ce que ça signifie ? Vous avez quelque chose à me dire ?" Il m'a répondu : "Je suis en vacances, j'habite à tel hôtel, telle chambre, voulez-vous prendre le thé avec moi cet après-midi ?" Ça m'a surprise, mais comme il avait l'air charmant et bien élevé, j'ai accepté. »

Plus que stupéfaite, Lata parut choquée, ce que Malati nota avec plaisir.

« Alors, continua-t-elle, il m'a raconté, en prenant le thé, qu'effectivement il me suivait, et depuis plus longtemps que je ne l'avais remarqué. Ne prends pas cet air ahuri, Lata, tu me déstabilises. Toujours est-il qu'après m'avoir vu monter à cheval, puis faire de l'aviron, puis patiner, sans apparemment me soucier de manger ni de me reposer, tout entière absorbée par mes occupations, il a décidé que je lui plaisais beaucoup. Ne prends pas cet air dégoûté, c'est la pure vérité. Il a cinq fils, m'a-t-il dit, et selon lui je ferais une merveilleuse épouse pour l'un d'eux. Ils vivent à Allahabad. Si je passais par là, accepterais-je de les rencontrer ? Oh, j'allais oublier, dans le courant de la conversation nous avons découvert qu'il avait connu ma famille à Meerut, il y a des années, avant la mort de mon père.

— Et tu as accepté ?

— Oui, j'ai dit d'accord. Pour les rencontrer en tout cas. Il n'y a pas de mal à ça, Lata. Cinq frères – peut-être que je les épouserai tous. Ou aucun. » Elle souffla un instant. « Et voilà mon aventure. Romantique, non ? Ce n'est ni physique, ni intellectuel, ni spirituel, ni politique. Et toi, qu'est-ce qui t'est arrivé ?

— Tu épouserais vraiment quelqu'un dans ces conditions ?

— Pourquoi pas ? Je suis sûre que ses garçons sont très bien. Mais je dois avoir encore une aventure avant de me fixer. Cinq fils ! Comme c'est étrange.

— Mais vous êtes cinq sœurs, non ?

— Il me semble. Mais ça paraît moins bizarre. J'ai été élevée au milieu de femmes, et je ne trouve pas ça étrange du tout. Evidemment, c'est différent pour toi. Tu n'avais pas de père, mais des frères. Une sensation tout à fait particulière m'a saisie, tout à l'heure, en entrant chez ta sœur. Comme si je remontais dans une vie antérieure : six femmes, et aucun homme. Pas du tout ce qu'on ressent dans une résidence pour femmes. C'était très réconfortant.

— Mais maintenant tu es entourée d'hommes, non ? Tes études ...

— Oh oui, en classe – mais est-ce que ça compte ? C'était

pire en sciences expérimentales. Des fois je me dis qu'on devrait aligner les hommes contre un mur et les fusiller. Non que je les déteste, bien entendu. Maintenant, parlons de toi. Où ça en est avec Kabir ? Comment t'en es-tu sortie ? A présent que te voilà revenue, que comptes-tu faire – hormis le revolvériser ou lui flanquer un coup de batte ? »

12.4

Lata raconta à son amie ce qui s'était passé depuis la pénible conversation au téléphone – des années auparavant, semblait-il – dans laquelle Malati lui avait parlé de Kabir, lui disant sans ambages (pour le cas où Lata ne s'en serait pas rendu compte, mais comment aurait-il pu en être autrement ?) que leur union était impossible. Elles se promenaient non loin de l'endroit où Lata avait proposé à Kabir de partir avec lui, sans se soucier de l'étroitesse d'esprit et de cœur de leur entourage. « Très mélodramatique », commenta Lata en se rappelant cette scène.

Malati comprit à quel point son amie avait souffert.

« Hasardeux, plutôt, dit-elle pour la rassurer, tout en songeant qu'il eût été désastreux que Kabir prenne Lata au mot. Tu me parles toujours de mon audace, mais tu m'as dépassée.

— Tu crois ? En tout cas, je ne lui ai ni parlé ni écrit depuis. Pourtant, rien que de penser à lui me fait mal. J'avais imaginé qu'en ne répondant pas à sa lettre je l'oublierais, mais ça n'a pas marché.

— Sa lettre ? Il t'a écrit à Calcutta ?

— Oui. Et voilà que de retour à Brahmpur je ne cesse d'entendre parler de lui. Hier soir, Pran a cité le nom de son père, et ce matin j'apprends qu'il s'est porté secouriste après la catastrophe du Pul Mela. Veena dit qu'il a contribué à sauver son fils, et me voilà à marcher avec toi là où nous avons marché ensemble... Qu'en penses-tu ?

— Ecoute, quand nous serons rentrées, laisse-moi lire sa lettre. J'ai besoin de connaître les symptômes avant d'établir mon diagnostic.

— La voici, dit Lata, en sortant la lettre. Tu es la seule que j'autorise à la lire.

— Mais quand as-tu – oh, je vois, c'est quand tu es allée dans ta chambre. » Malati s'assit sur une racine de banian. « Tu es sûre que tu veux bien ? » Elle lut la missive jusqu'au bout, puis recommença.

« C'est quoi des eaux frangrantes ?

— Une expression dans un guide, expliqua Lata, que ce souvenir réjouit.

— Tu sais, dit Malati en repliant la lettre et en la lui rendant, il donne l'impression d'un garçon franc et bon. Mais on dirait la lettre d'un adolescent qui sait mieux s'exprimer verbalement que par écrit. »

Lata réfléchit à la remarque de son amie. Elle avait ressenti quelque chose de ce genre, mais sans que cela réduise l'effet insidieux de la lettre. Elle se dit qu'elle manquait peut-être elle-même de maturité. Comme Malati du reste. Qui, dans ce domaine, pouvait prétendre à la maturité ? Son frère aîné, Arun ? Son cadet, Varun ? Sa mère ? Son excentrique de grand-père, avec sa sensiblerie et sa canne ? Et à quoi servait la maturité, au fait ? Elle pensa à sa propre lettre, éperdue, qu'elle n'avait pas postée.

« Mais il n'y a pas que cela, Malati. Chez Pran, ils ne vont pas arrêter de parler de lui. Dans quelques mois, la saison de cricket va commencer, et comment éviter de lire ce qu'on écrira à son sujet ? D'entendre prononcer son nom ? Je suis sûre que je l'entendrai à cinquante mètres de distance.

— Arrête de te lamenter comme ça, dit Malati, mi-affectueuse, mi-impatiente. Tu dois faire quelque chose. Quelque chose en plus de tes études. Tu as presque un an devant toi avant tes derniers examens, profite de ce trimestre, comme tout le monde, pour te détendre.

— Je fais du chant maintenant, grâce à toi.

— Non, ce n'est pas à ça que je pense. En tout cas, tu devrais arrêter de chanter des ragas et passer aux chansons de film. »

Lata se mit à rire, revoyant Varun avec son tourne-disques.

« Quel dommage qu'on ne soit pas à Nainital, dit Malati.

— Parce que je pourrais monter à cheval, ramer et patiner, c'est ça ?

— Oui.

— Le problème, c'est que si je rame, je penserai aux eaux frangrantes, et si je monte je penserai à lui sur son vélo. De toute façon, je ne sais ni monter ni patiner.

— Il faudrait quelque chose qui te sorte de toi-même. Un club – pourquoi pas une société littéraire ?

— Non », dit Lata, secouant la tête en souriant. Les soirées de Mr Nowrojee étaient encore trop présentes à son esprit.

« Du théâtre, alors. On monte *La Nuit des rois*. Tâche d'avoir un rôle. Ça te donnera l'occasion de te moquer de l'amour et de la vie.

— Ma mère n'accepterait pas de me voir sur une scène.

— Cesse de faire la petite souris, Lata. Bien sûr qu'elle acceptera. Après tout, Pran a monté *Jules César* l'année dernière, et il a engagé deux femmes. Pour des rôles mineurs, certes, mais c'étaient de vraies filles, pas des garçons déguisés en filles. Est-ce que ta mère a élevé une objection ? Non. Elle n'a pas vu la pièce, mais son succès l'a ravie. Si elle n'a pas dit non alors, elle ne peut dire non aujourd'hui. Pran t'appuiera. À Patna et à Delhi aussi, les universités montent des pièces avec des distributions mixtes. C'est le nouvel âge ! »

Lata imaginait fort bien ce que sa mère dirait de ce nouvel âge.

« Oui, continua Malati, au comble de l'enthousiasme. C'est ce prof de philo qui la met en scène – comment s'appelle-t-il déjà – son nom va me revenir – les auditions commencent dans une semaine. Les femmes un jour, les hommes le lendemain. Tout ce qu'il y a de chaste. Peut-être même vont-ils répéter séparément. Rien à quoi des parents puissent s'opposer. Et ça se jouera à la Fête de l'université, cachet supplémentaire de respectabilité. Tu as besoin d'un truc de ce genre, ou tu vas dépérir. Du mouvement – à corps perdu, pas le temps de réfléchir, avec toutes sortes de gens.

Crois-moi, c'est ce qu'il te faut. C'est comme ça que j'ai oublié mon musicien. »

Tout en se disant que la triste histoire de Malati avec un musicien marié n'avait rien d'exemplaire, Lata sut gré à son amie des efforts qu'elle faisait pour la réconforter. L'emprise de ses sentiments pour Kabir lui permettait de mieux comprendre, ce qui lui avait jusque-là échappé, pourquoi Malati s'était jetée dans une affaire aussi compliquée qu'aventureuse.

« Quoi qu'il en soit, reprit Malati, ça suffit avec Kabir : parle-moi des autres hommes que tu as rencontrés. De celui de Kanpur par exemple. Et à Calcutta ? Est-ce que ta mère n'envisageait pas de t'emmener à Delhi et à Lucknow ? Dommage : un voyage, un homme. »

Quand Lata lui eut raconté son périple, ce qui donna moins un catalogue d'hommes qu'une description amusante des événements – elle n'omit que l'horrible épisode de Lucknow – Malati lui dit :

« Il me semble que le mangeur de paan et le poète sont coude à coude dans la course de haies matrimoniale.

— Le poète ? » Lata tombait des nues.

« Oui, je ne crois pas que son frère Dipankar ou le dénommé Bish soient dans la course.

— Moi non plus. Mais Amit non plus, je t'assure. C'est un ami. Tout comme toi. La seule personne à Calcutta avec qui je me sentais en confiance.

— Continue, c'est très intéressant. Est-ce qu'il t'a donné un exemplaire de ses poèmes ?

— Non », dit Lata, sèchement. Elle se souvint pourtant qu'Amit lui en avait vaguement promis un. Mais s'il en avait vraiment eu l'intention, il l'aurait fait par l'intermédiaire de Dipankar qui, lors de son passage à Brahmpur, avait rencontré Pran et Savita. Pour être tout à fait honnête avec Malati, elle ajouta : « En tout cas, pas encore.

— Désolée, dit Malati, qui ne l'était pas. J'ai touché un point sensible.

— Pas du tout. C'est juste agaçant. Ça me rassure de tenir Amit pour un ami et ça me gênerait de le voir autrement. Crois-moi, tu suis une fausse piste.

— D'accord, faisons une expérience. Ferme les yeux et pense à Kabir. »

Lata voulut refuser mais la curiosité est chose étrange, et elle finit par obtempérer. « Pas besoin de fermer les yeux pour ça, dit-elle.

— Si, si, j'insiste. Maintenant, décris-moi ce qu'il porte, donne-moi un ou deux détails de son physique. N'ouvre pas les yeux en parlant.

— Il est en joueur de cricket, avec la casquette ; il sourit – mais c'est absurde, Malati.

— Continue.

— Bon, sa casquette s'envole : il a des cheveux ondulés, de larges épaules, des dents parfaites. Un nez – comment dit-on dans les romans d'amour ? – aquilin. A quoi tout cela rime-t-il ?

— Maintenant, pense à Haresh.

— J'essaie. Bon, je le vois maintenant. Il porte une chemise de soie, couleur crème, et un pantalon tabac. Oh – et ces horribles chaussures assorties, dont je t'ai parlé.

— Le visage ?

— Il a de petits yeux, qui se plissent joliment dans un sourire – ils ont presque disparu.

— Il mâche du paan ?

— Non, Dieu merci. Il boit une tasse de chocolat froid. La marque Faisan, d'après ce qu'il a dit.

— Passons à Amit.

— D'accord », soupira Lata. Elle s'efforça de le voir, mais ses traits restèrent dans le vague. « Il refuse de venir devant l'objectif.

— Oh, dit Malati, avec une sorte de déception dans la voix. Comment est-il habillé ?

— Je ne sais pas. »

Lata eut beau faire, elle ne put retrouver quel genre de chemise, de pantalon et de chaussures portait Amit.

« Où êtes-vous ? demanda Malati. Dans une maison, une rue, un parc ?

— Un cimetière.

— Et que faites-vous ?

— On parle sous la pluie. Ah oui, il a un parapluie. Ça peut passer pour un détail d'habillement ?

— Bon d'accord, admit Malati. J'avais tort. Mais les arbres poussent, tu sais. »

Lata refusa de se laisser entraîner dans ce genre de spéculation. En revenant à la maison pour le thé, elle dit : « Je ne pourrai pas l'éviter, Malati, il est évident que je vais le rencontrer. Sa contribution au sauvetage, après la catastrophe, ce n'est pas un acte d'adolescent. Il l'a fait parce qu'il sentait qu'il devait le faire, pas pour que je l'apprenne.

— Il te faut bâtir ta vie sans lui, aussi insupportable que ça te paraisse pour le moment. Accepte le fait que ta mère ne l'acceptera jamais, lui. C'est une donnée absolue. Tu as raison, tu vas tomber sur lui tôt ou tard, donc tu dois absolument trouver à t'occuper à tous les instants. Une pièce de théâtre, c'est juste ce qu'il te faut. Tu devrais jouer le rôle d'Olivia.

— Tu me prends pour une idiote.

— Disons, une écervelée.

— C'est terrible, Malati. Ce dont j'ai le plus envie, c'est de le revoir. Et j'ai dit à l'autre de m'écrire. Il me l'a demandé à la gare, et je ne pouvais que lui être reconnaissante de l'aide qu'il nous a apportée, à Ma et à moi.

— Il n'y a pas de mal à ça. Tant que tu ne le détestes ni ne l'aimes, tu peux correspondre avec lui. Et n'a-t-il pas reconnu qu'il était toujours plus ou moins amoureux de quelqu'un d'autre ?

— Oui, dit Lata, pensive. Oui, il l'a fait. »

12.5

Deux jours plus tard, Lata reçut un mot de Kabir, qui lui demandait si elle était toujours fâchée contre lui. Ne pouvaient-ils se retrouver vendredi, à la Société littéraire de Brahmpur ?

Lata pensa d'abord demander à Malati ce qu'elle devait faire. Puis, tant parce qu'elle ne pouvait attendre de son amie qu'elle dirige sa vie amoureuse point par point que parce que Malati lui dirait probablement d'ignorer la lettre et de ne pas bouger, elle décida de ne consulter qu'elle-même et les singes.

Elle partit marcher, jeta des cacahuètes aux singes et concentra ainsi leur bienveillante attention sur sa personne. Pendant le Pul Mela, ils avaient été royalement traités, mais maintenant que la vie quotidienne avait repris ses droits, peu de gens se souciaient de leur bien-être.

Ayant accompli une bonne action, Lata se sentit la tête plus claire. Une fois déjà, Kabir l'avait attendue en vain à la Société littéraire de Brahmpur. Elle n'avait pas le cœur de lui infliger à nouveau une telle épreuve. Elle lui écrivit quelques lignes :

> Cher Kabir,
> J'ai reçu ton mot, mais n'irai pas vendredi chez les Nowrojee. Ta lettre m'est parvenue quand j'étais à Calcutta. Elle m'a donné à penser et à me souvenir. Je ne suis nullement fâchée avec toi ; n'en crois rien, je t'en prie. Mais je ne vois pas à quoi cela servirait de nous écrire ou de nous rencontrer. Sinon à souffrir beaucoup sans grande raison.
>
> LATA.

Après s'être relue trois fois, en se demandant s'il fallait récrire son mot sans la dernière phrase, Lata se morigéna et le posta tel quel.

Elle décida de se rendre à Prem Nivas ce jour-là ; à son grand soulagement, Kabir ne vint pas faire sa visite habituelle à Bhaskar.

Deux jours après la rentrée de la mousson, Malati et Lata allèrent assister aux auditions de *La Nuit des rois*. Le jeune professeur de philosophie les faisait passer – c'était le jour des femmes – non dans l'auditorium de l'université mais dans la salle des professeurs du département de philosophie. Il était cinq heures de l'après-midi. Il y avait une quinzaine de filles, en petits groupes, excitées et bavardes, l'œil fixé sur Mr Barua. Lata en reconnut plusieurs, du département d'anglais, deux de son année, mais aucune dont elle fût proche. Malati l'avait accompagnée, pour s'assurer qu'elle ne flancherait pas au dernier moment. « Moi aussi, je passerai une audition si tu veux.

— Mais n'as-tu pas travaux pratiques dans l'après-midi ? Si tu obtiens un rôle et que tu doives répéter –

— Je n'obtiendrai pas de rôle », affirma Malati.

Mr Barua demanda aux filles, l'une après l'autre, de se lever et de lire divers extraits de la pièce. Une pièce qui ne compte que trois rôles féminins et, comme Mr Barua n'avait pas encore décidé s'il confierait celui de Viola à une fille, la compétition s'annonçait sévère. Mr Barua donna la réplique à chaque candidate, et il le fit si bien, sans trace de sa nervosité habituelle, qu'il déclencha les rires de l'auditoire.

Il leur fit lire d'abord le texte de Viola qui commence par : « Gentille dame, montrez-moi votre visage. » Sur quoi, et selon la façon dont elles s'en sortaient, il leur demandait de lire un autre morceau, soit du rôle d'Olivia, soit de celui de Maria. Quand ce fut le tour de Lata, il voulut l'un et l'autre. Certaines filles récitaient d'une voix chantonnante, d'autres présentaient un défaut d'élocution tout aussi ingrat. Repris par sa nervosité, Mr Barua les coupait d'un : « Bien, merci, merci beaucoup, c'était bien, très bien, vraiment très bien, j'ai une excellente idée maintenant, pour sûr, bien, bien » – jusqu'à ce que la fille en train de lire perçût l'idée en question et (en larmes, pour deux d'entre elles) retournât s'asseoir.

A la fin de la séance d'auditions, Mr Barua prit Lata à part et, à portée d'oreilles d'autres filles, lui dit : « Très bonne lecture, Miss Mehra, je m'étonne de ne pas vous avoir encore vue sur une scène. » Pour échapper à son propre trac, il rassembla ses papiers.

Un compliment qui ne pouvait que ravir Lata, à qui Malati conseilla de préparer sa mère à la voir monter sur les planches.

« Mais je ne suis prête à rien du tout.

— Ne soulève la question que lorsque Pran sera dans la pièce. »

Ils étaient tous rassemblés après dîner ce soir-là, Pran, Savita, Mrs Rupa Mehra et Lata, quand cette dernière demanda : « Pran, que penses-tu de Mr Barua ?

— L'assistant de philosophie ?

— Oui – c'est lui qui monte la pièce de la fête, cette année, et je voudrais savoir si tu crois qu'il s'en sortira bien.

— Hum, oui, j'ai appris ça. *La Nuit des rois* ou *Comme il vous plaira*, ou autre chose. Ça changera de *Jules César*. Il est très bien, et comme acteur aussi. Mais on dit que c'est un assistant plutôt médiocre. »

Lata laissa passer quelques minutes puis : « C'est *La Nuit des rois*. Je suis allée aux auditions, et comme il est possible qu'on me confie un rôle, je voudrais en savoir plus. »

Silence général. Mrs Rupa Mehra s'arrêta de coudre, la respiration coupée.

« Formidable, s'exclama Pran. Bien joué !

— Quel rôle ? demanda Savita.

— Non, dit Mrs Rupa Mehra, dans sa véhémence brandissant son aiguille. Ma fille ne jouera dans aucune pièce. Pas question. » Elle fixa Lata par-dessus ses lunettes de lecture.

Nouveau silence, que Mrs Rupa Mehra interrompit d'un vigoureux : « Pas question ! » Puis n'obtenant pas de réaction, elle ajouta : « Garçons et filles ensemble – sur une scène ! » A l'évidence, une chose d'aussi mauvais goût, si immorale, ne pouvait être tolérée.

« Comme dans *Jules César*, l'année dernière, hasarda Lata.

— Toi, tais-toi, lui intima sa mère. Personne ne te demande ton avis. Est-ce qu'une telle idée a jamais traversé la tête de Savita ? Se produire sur une scène devant des centaines de gens ? Et aller le soir à ces réunions avec des garçons –

— Des répétitions, dit Pran.

— Oui, oui, des répétitions, s'impatienta Mrs Rupa Mehra. Je l'avais sur le bout de la langue. Eh bien, il n'y en aura pas. Imaginez la honte. Qu'aurait dit votre père ?

— Allons, allons, Ma, dit Savita. Calme-toi. Il ne s'agit que d'une pièce de théâtre. »

Mrs Rupa Mehra ayant atteint, avec l'évocation de feu son époux, le sommet de l'émotion, il devenait possible de l'apaiser et même de la raisonner. Pran souligna que les répétitions auraient lieu, sauf cas d'urgence, dans la journée. Savita dit qu'elle avait lu *La Nuit des rois* à l'école et qu'elle l'avait trouvée inoffensive, sans rien de scandaleux.

Savita avait lu la version expurgée, pour usage scolaire, mais il était probable que Mr Barua de son côté couperait certains passages pour éviter d'embarrasser, voire de choquer, des parents le jour de la fête. Mrs Rupa Mehra ne connaissait pas la pièce ; sinon, elle l'aurait certainement jugée inconvenante.

« C'est un coup de Malati, je le sais, dit-elle.

— C'est Lata qui a décidé d'auditionner, intervint Pran. Il ne faut pas tout mettre sur le compte de Malati.

— Elle est trop effrontée, s'entêta Mrs Rupa Mehra, toujours partagée entre son affection pour Malati et la désapprobation de son comportement.

— Malati a dit que j'avais besoin de me distraire pour oublier d'autres choses », dit Lata.

Sa mère comprit très vite la justesse et la valeur de cet argument, mais ne voulut pas céder sur toute la ligne. « Du moment que Malati le dit, elle doit avoir raison. Qui suis-je pour donner mon avis ? Je ne suis que ta mère. Tu ne m'apprécieras que lorsque je serai sur le bûcher. Alors tu comprendras à quel point je me suis souciée de ton bonheur. » Cette pensée la réconforta.

« De toute façon, Ma, il y a gros à parier que je n'aurai pas le rôle, dit Lata. Demandons au bébé », ajouta-t-elle, en posant sa main sur le ventre de Savita.

La litanie, « Olivia, Maria, Viola, rien », fut récitée lentement et à plusieurs reprises, et à la quatrième fois le bébé voulut bien ponctuer le mot « rien » d'un violent coup de pied.

12.6

Cependant à deux ou trois jours de là, un message apprit à Lata qu'elle avait le rôle d'Olivia et que la première répétition aurait lieu le jeudi après-midi à quinze heures trente.

Courant tout excitée à la Résidence des filles, elle tomba en chemin sur Malati. Laquelle avait reçu le rôle de Maria. Elles en étaient l'une et l'autre aussi ravies qu'étonnées.

La première répétition consistant à lire la pièce de bout en bout, une salle de classe suffisait. Lata et Malati décidèrent de fêter l'événement en s'offrant une glace au Danube Bleu, et c'est tout à fait remontées qu'elles se présentèrent dans la salle, cinq minutes seulement avant le début de la lecture.

Il y avait une douzaine de garçons et une seule fille, sans doute la détentrice du rôle de Viola, assise à l'écart, les yeux sur le tableau noir vierge de toute inscription.

Assis lui aussi à l'écart, il y avait un garçon que l'arrivée des filles ne sembla pas plonger dans la même agitation que ses congénères, et ce garçon était Kabir.

Dès qu'elle le vit, le cœur de Lata bondit ; puis elle dit à Malati de rester où elle était. Elle allait lui parler.

Il affichait un air trop détaché pour qu'il ne fût pas délibéré. Manifestement il l'attendait. C'était intolérable.

« Qui es-tu ? » demanda-t-elle, la voix rauque de colère.

Le ton, comme la question, le stupéfia. Il prit un air coupable.

« Malvolio, dit-il. Madame. » Mais il resta assis.

« Tu ne m'avais jamais dit que tu t'intéressais au théâtre d'amateur.

— Ni toi non plus.

— Ça m'est venu il y a quelques jours, quand Malati m'a traînée à l'audition.

— Mon intérêt est tout aussi récent. » Kabir tenta d'ébaucher un sourire. « On m'a dit que tu as été très bonne à l'audition. »

A présent, Lata comprenait tout : ayant découvert qu'elle avait une bonne chance de figurer dans la distribution, il s'était lui aussi présenté aux auditions. Et dire que c'était justement pour s'éloigner de lui qu'elle avait décidé de faire du théâtre.

« Je suppose que tu as procédé à une enquête ?

— Non, je l'ai su par hasard. Je ne t'avais pas suivie.

— Et donc –

— Pourquoi "donc" ? Il se trouve que la pièce me plaît. »
Et de déclamer, sans effort et avec naturel :

« *Jamais un sein de femme*
Ne pourrait endurer les battements sauvages
Que l'amour imprime à mon cœur : nul cœur de femme
N'aurait assez d'ampleur pour en retenir tant.
Hélas, leur amour n'est qu'appétit
Venant du palais, non des entrailles,
Sujet à satiété, à pléthore, à dégoût ;
Mais le mien est vorace à l'égal de la mer
Et peut en digérer autant. On ne saurait comparer
L'amour que je puis inspirer à une femme
Et celui que je voue à Olivia. »

Lata se sentit rougir. « Tu récites les vers de quelqu'un d'autre, fit-elle. Ils n'ont pas été écrits pour toi. » Un temps, puis : « Mais tu ne les connais que trop bien.

— Je les ai appris – et pas mal d'autres – la nuit qui a précédé l'audition. Je n'ai quasiment pas dormi ! Je voulais le rôle du Duc, mais j'ai dû me contenter de Malvolio. J'espère que ça ne va pas influencer mon destin. J'ai reçu ton mot. Je continue à espérer que nous nous rencontrerons à Prem Nivas ou ailleurs. »

Lata se surprit à rire. « Tu es fou, complètement fou », dit-elle.

Ramenant les yeux sur lui, elle perçut sur son visage l'ultime signe d'un réel chagrin.

« Je plaisantais, dit-elle.

— Eh bien, fit Kabir, prenant la balle au bond, les uns naissent fous, d'autres se rendent fous, sur certains la folie se rue. »

Lata faillit lui demander à laquelle de ces trois catégories il croyait appartenir. Elle se contenta de dire : « Ainsi, tu connais aussi le rôle de Malvolio.

— Oh, ces vers, tout le monde les connaît. Le pauvre Malvolio, qui feint la folie.

— Pourquoi ne joues-tu pas au cricket, ou à quelque chose d'autre ?

— A quoi ? Pendant le trimestre de la mousson ? »

Cependant Mr Barua, arrivé depuis quelques minutes, agitait un bâton imaginaire en direction de l'étudiant qui devait jouer le Duc : « Bon, très bien, alors, maintenant, "Si la musique...", vous y êtes ? Bon. » Et la lecture commença.

En écoutant, Lata se sentit transportée dans un autre monde. Et quand ce fut à son tour d'intervenir, elle s'immergea dans cette langue, elle devint Olivia. Elle survécut à son premier dialogue avec Malvolio. Elle rit avec les autres à l'interprétation de Maria par Malati. La fille qui jouait Viola était très bonne elle aussi, et Lata prit plaisir à tomber amoureuse d'elle. Il existait même une certaine ressemblance entre Viola et le garçon qui tenait le rôle de son frère. Mr Barua avait fignolé sa distribution.

De temps en temps, cependant, Lata oubliait la pièce et revenait à la réalité. Elle évitait autant qu'elle le pouvait de regarder Kabir, dont elle ne sentit qu'une seule fois les yeux posés sur elle. Mr Barua l'aida à venir à bout d'une scène sur laquelle elle butait.

OLIVIA : Dis-moi, comment te sens-tu ? Que t'arrive-t-il ?

MALVOLIO : Je n'ai pas l'esprit enténébré, mais les jambes ensoleillées... La missive est venue dans ses mains, et les ordres seront exécutés. Nous connaissons, je crois, cette belle écriture romaine.

MR BARUA *(surpris du silence de Lata et lui jetant un regard interrogateur)* : Oui, oui, bien ?

OLIVIA : Veux –

MR BARUA : Veux ? Oui, veux-tu... Bon, excellent, continuez Miss Mehra, c'est très bien.

OLIVIA : Veux-tu –

MR BARUA : Veux-tu ? Oui, oui !

OLIVIA : Veux-tu aller au lit, Malvolio ?

MR BARUA *(levant une main pour faire taire les rires, et brandissant son bâton imaginaire en direction d'un Kabir abasourdi)* : Et alors, Malvolio ?

MALVOLIO : Au lit ? Que oui, mon doux cœur ; et j'irai à toi.

Chacun, sauf les deux acteurs, se mit à rire. Y compris Malati.

Le clown déclama, plutôt qu'il ne chanta, la chanson qui termine la pièce, et Lata, avec un clin d'œil à Malati, s'esquiva. Il ne faisait pas encore nuit. Mais elle n'aurait pas dû craindre que Kabir lui demande de l'accompagner. On était jeudi, et il avait une autre obligation.

12.7

Il faisait nuit noire quand Kabir arriva chez son oncle. Il rangea son vélo et frappa à la porte. Sa tante ouvrit. La maison, de plain-pied et très étendue, était mal éclairée. Kabir se rappelait souvent ses jeux d'enfant avec ses cousins, dans le grand jardin de derrière, mais depuis quelques années la maison lui faisait l'impression d'être hantée.

« Comment va-t-elle aujourd'hui ? » demanda-t-il à sa tante.

C'était une femme mince, d'aspect plutôt sévère mais sans méchanceté. « Elle a été bien pendant deux ou trois jours. Puis cette chose a recommencé. Veux-tu que je t'accompagne ?

— Non, non, Mumani, je préférerais rester seul avec elle. »

Kabir entra dans la pièce sur l'arrière de la maison qui, depuis cinq ans, servait de chambre à sa mère. Pièce elle aussi mal éclairée, avec deux faibles ampoules sous de lourds abat-jour. Elle se tenait assise dans un fauteuil droit, regardant par la fenêtre. Autrefois bien en chair, elle était maintenant obèse, le visage déformé et bouffi.

Kabir s'approcha d'elle, qui continuait de regarder par la fenêtre en direction des ombres lourdes des goyaviers. Elle sembla tout d'abord ne pas remarquer sa présence, puis dit :

« Ferme la porte, il fait froid.

— Je l'ai fermée, Ammi-jaan. »

Kabir s'abstint de dire qu'il ne faisait pas froid du tout, qu'on était en juillet et qu'il avait transpiré sur son vélo.

Le silence retomba. Sa mère l'avait oublié. Elle tressauta quand il lui posa la main sur l'épaule. « Donc, nous sommes jeudi soir », fit-elle.

Pour dire jeudi, elle usa du mot ourdou « jumeraat », littéralement nuit-de-vendredi. Kabir se souvint qu'enfant il s'amusait de ce qu'une « nuit-de-vendredi » pût être suivie d'une nuit. Sa mère lui expliquait ce genre de choses à sa manière affectueuse, souriante, car son père, débordé, dérivant seul sur d'étranges vagues de pensée, n'avait guère le temps de s'occuper de ses enfants. Il ne commença à vraiment s'intéresser à eux que lorsqu'ils furent en âge de dialoguer avec lui.

« Oui, jeudi soir.

— Comment va Hashim ? » Question par laquelle elle commençait toujours.

« Très bien, il travaille bien à l'école. Il a un devoir difficile à faire, c'est pour ça qu'il n'est pas venu. »

En réalité, Hashim supportait mal ces visites et trouvait toujours un prétexte pour ne pas y aller. Ne le comprenant que trop, Kabir s'abstenait parfois de le relancer, ce qui avait été le cas ce soir.

« Et Samia ?

— Toujours à l'école en Angleterre.

— Elle n'écrit jamais.

— De temps en temps, Ammi – Nous aussi, ses lettres nous manquent. »

Impossible d'annoncer à sa mère que sa fille était morte depuis un an, morte de méningite. Il avait cru que ce complot du silence ne marcherait pas. Dans une tête, aussi perturbée soit-elle, les soupçons, les indices, les suggestions, les mots saisis au vol doivent finir par s'assembler en une figure reflétant la réalité. Effectivement, quelques mois auparavant, sa mère avait dit : « Samia, je ne la vois pas ici, mais ailleurs. » Mais, quoi que cela signifiât, elle continua à réclamer sa fille.

« Et ton père ? Il cherche toujours à savoir si deux et deux font quatre ? » L'espace d'un instant, Kabir perçut dans son regard la lueur amusée et amusante de jadis. Elle s'éteignit tout de suite.

« Oui –

— A l'époque où j'étais sa femme –

— Vous l'êtes toujours, Ammi.

— Tu ne m'écoutes pas. Quand je – tu m'as fait oublier. »
Kabir lui prit la main, sans qu'elle réagisse.

« Ecoute, dit-elle, écoute bien chacune de mes paroles.
Nous n'avons pas beaucoup de temps. Ils veulent me
marier à quelqu'un d'autre. Et ils postent des gardes autour
de ma chambre, la nuit. Plusieurs. C'est mon frère qui les y
met. » Il sentit sa main se tendre dans la sienne.

« Où ? » demanda-t-il.

D'un léger mouvement de tête, elle indiqua les arbres.

« Derrière les arbres ? fit-il.

— Oui. Même les enfants savent ça. Ils me regardent en
criant :toba toba ! toba ! Un jour elle aura un autre bébé. Le
monde –

— Oui, Ammi.

— Le monde est un endroit terrible, les gens sont cruels.
Si c'est ça l'humanité, je ne veux pas en faire partie. Pourquoi ne m'écoutes-tu pas ? Ils font de la musique pour me
tenter. Mais, Mashallah, j'ai tous mes esprits. Ce n'est pas
pour rien que je suis fille d'officier. Qu'est-ce que tu tiens ?

— J'ai apporté quelques bonbons, Ammi. Pour vous.

— J'ai demandé une bague en cuivre et tu m'apportes
des bonbons ? » Son ton devenait véhément. Elle était,
pensa Kabir, plus mal que d'habitude. D'ordinaire les bonbons la calmaient, elle les avalait goulûment. Aujourd'hui,
elle n'en prenait aucun. Le souffle coupé, elle reprit cependant :

« Il y a un médicament dedans. Ce sont les médecins qui
l'y ont mis. Si Dieu voulait que je prenne des médicaments,
il le ferait savoir. Hashim, ça t'est égal –

— Kabir, Ammi.

— Kabir est venu la semaine dernière, le jeudi. » Elle
s'exprimait d'une voix inquiète, comme si elle croyait là
aussi déceler un piège.

« Je – » mais les larmes lui vinrent aux yeux, et il ne put
continuer.

Sa mère en parut fâchée, sa main, comme celle d'une
créature inanimée, glissa entre les doigts de Kabir.

« Je suis Kabir. »

Elle acquiesça. Ce n'était pas la question.

« Ils veulent m'envoyer chez un docteur, près du Barsaat Mahal. Je sais ce qu'ils veulent. » Elle baissa les yeux, puis sa tête tomba sur sa poitrine : elle dormait.

Kabir resta encore une demi-heure, mais elle ne se réveilla pas. Finalement, il sortit.

« Kabir, mon fils, pourquoi ne manges-tu pas avec nous ? demanda sa tante, voyant sa détresse. Ça te ferait du bien. Et ça nous donnera l'occasion de parler avec toi. »

Mais il voulait filer sur son vélo, aussi vite et aussi loin que possible. Ce n'était pas là la mère qu'il avait connue et aimée, mais quelqu'un de plus étranger qu'un étranger.

Il n'y avait aucun précédent de ce genre dans la famille, ni d'accident – une chute, un coup – qui pût expliquer ce qui s'était passé. Elle avait perdu sa mère et cette mort l'avait choquée, mais un tel chagrin était plutôt banal. D'abord simplement déprimée, elle devint anxieuse, s'affolant à propos de rien, incapable de s'occuper des choses ordinaires de la vie. Elle se mit à soupçonner tout le monde : le laitier, le jardinier, ses parents, son mari. Le Dr Durrani, lorsqu'il dut admettre qu'il y avait un problème, embaucha des gens pour l'aider, mais bientôt elle les soupçonna aussi. Enfin elle se mit en tête que son mari montait un complot contre elle : pour le déjouer, elle déchira les feuilles sur lesquelles figuraient les précieux calculs mathématiques auxquels il travaillait. C'est alors qu'il demanda à son frère de la prendre chez lui. C'était ça ou l'internement dans un asile. Il y en avait un à Brahmpur, juste après le Barsaat Mahal ; peut-être était-ce à cela qu'elle avait fait référence.

Enfants, Kabir, Hashim et Samia aimaient à dire, non sans fierté, que leur père était un peu fou. A coup sûr, c'était son excentricité – ou quelque chose de ce genre – qui incitait les gens à tant le respecter. Or c'était leur mère, aimée, drôle, terre à terre, qui souffrait de cette étrange possession, sans cause apparente, et incurable. Samia, du moins, songeait Kabir, avait échappé à ce tourment permanent.

En se présentant devant Pran, le Rajkumar de Marh était très embarrassé. Ayant eu maille à partir avec leur propriétaire, le Rajkumar et ses copains avaient dû se loger dans une résidence d'étudiants, mais refusaient d'en respecter le règlement. Un des adjoints du censeur les avait surpris, lui et deux de ses amis, sortant d'un bordel du Tarbuz ka Bazar. En réponse à ses questions, ils commencèrent par le bousculer, puis un des garçons lui jeta :

« De quoi je me mêle, baiseur de ta sœur ? Tu es un flic ? Et d'abord, qu'est-ce que tu fabriques ici ? Tu fais le maquereau pour ta sœur ? » Et un autre garçon le frappa au visage.

Ils refusèrent de donner leurs noms, affirmèrent qu'ils n'étaient pas étudiants. « Nous ne sommes pas étudiants, seulement les grands-pères d'étudiants », clamèrent-ils.

Circonstance atténuante, ou peut-être aggravante, il faut reconnaître qu'ils étaient soûls.

En rentrant, ils avaient braillé à pleins poumons la chanson d'un film populaire : « Sans un soupir, sans une plainte », troublant la paix des quartiers qu'ils traversaient, suivis à une distance respectueuse par l'adjoint du censeur. Ils étaient revenus tout droit à la Résidence, où un concierge complaisant les avait laissés entrer, bien qu'il fût minuit passé, et avaient continué à chanter jusqu'à ce que les autres étudiants les fissent taire.

Le Rajkumar s'éveilla le lendemain matin avec un violent mal de tête et le pressentiment d'un désastre. Et le désastre se produisit. Craignant pour sa place, le concierge avait donné leur identité. Le directeur de la Résidence les convoqua, leur enjoignit de quitter les lieux immédiatement, recommanda leur expulsion de l'université. Le censeur poussait à la sévérité, en règle générale, pour éradiquer le tapage estudiantin. Il chargea Pran, à présent membre du comité d'aide aux étudiants, qui s'occupait aussi de la discipline, de prendre les mesures provisoires, lui-même étant accaparé par la préparation des élections syndicales estudiantines. La question revenait régulièrement : garantir des élections honnêtes et sans bagarres. Les étudiants appartenant aux différents partis (communiste, socialiste et – sous un autre nom – le parti revivaliste hindou, RSS) avaient déjà commencé à se battre à coups de pied et de lathi.

Rien ne tourmentait davantage Pran que d'avoir à décider du sort d'autrui, et son angoisse n'échappa pas à Savita : il ne parvint pas à lire ses journaux pendant le petit déjeuner. Il ne se portait pas bien ces derniers jours – et Savita prévoyait que d'avoir à administrer une justice sommaire à ces jeunes imbéciles n'arrangerait pas sa santé. Il n'avait même pas réussi la veille à préparer ses cours sur la comédie shakespearienne.

« Je ne comprends pas pourquoi tu dois les recevoir ici, dit-elle. Dis-leur de se rendre au bureau du censeur.

— Non, non, chérie, ça ne ferait que les effrayer davantage. Je veux seulement entendre leur version de l'affaire, et ils parleront plus volontiers s'ils ont moins peur – s'ils se retrouvent avec moi dans un salon plutôt que debout à se tortiller devant un bureau. J'espère que toi et Ma n'y voyez pas d'inconvénient. Ça prendra tout au plus une demi-heure. »

Les coupables arrivèrent à onze heures, et Pran leur offrit du thé.

« Nous nous occupions de nos affaires, dit l'un, il n'avait qu'à s'occuper des siennes.

— Il vous a demandé vos noms et vous avez dit – » Pran consulta le papier qu'il avait en main. « Bon, vous savez ce que vous avez dit, pas besoin de le répéter. Pas besoin non plus de vous rappeler le règlement de l'université. Vous paraissez le connaître suffisamment bien, puisque, en approchant de la Résidence, vous vous êtes mis à chanter : "Tout étudiant aperçu dans un endroit peu recommandable risque l'expulsion immédiate." »

Les deux principaux coupables échangèrent un sourire complice et insouciant.

« Mais moi je n'ai rien fait », marmonna le Rajkumar, que l'idée de l'expulsion faisait trembler. Il savait à quels excès la colère pouvait porter son père.

« Oui, c'est vrai, reconnut l'un des deux autres d'une voix

138

méprisante. Nous pouvons le garantir. Ce genre de choses ne l'intéresse pas – contrairement à votre frère qui –

— Là n'est pas la question, le coupa Pran. Ne mêlez pas les non-étudiants à cette affaire. Vous ne vous rendez pas compte, me semble-t-il, que vous allez très certainement être expulsés. Vous mettre à l'amende ne servirait à rien, cela n'aurait aucun effet sur vous. » Il les dévisagea l'un après l'autre, puis reprit : « Les faits sont clairs, et votre attitude n'arrange rien. Vos pères ont assez de soucis en ce moment sans que vous leur en causiez d'autres. »

Pran saisit le premier signe de vulnérabilité sur leurs visages – moins de repentir que de peur. De fait, avec la perspective de l'entrée en vigueur de la loi d'abolition, leurs zamindars de pères supportaient de moins en moins patiemment les frasques de leurs fils. Lesquels risquaient, tôt ou tard, de voir leurs allocations réduites. Ces garçons ne savaient que faire d'eux-mêmes, sinon s'amuser, sous prétexte d'études ; au-delà, c'était le trou noir. Ils regardèrent Pran, qui se tut, apparemment absorbé dans la lecture de ses dossiers.

Pas facile pour eux, songeait-il. Lamentable, cette vie de bamboche ; ils ne connaissent que ça, et elle ne durera pas. Ils pourraient même avoir à trouver du travail. Ce qui n'est pas commode pour les étudiants de nos jours, quelle que soit leur origine. Des emplois difficiles à dégoter, un pays qui va on ne sait où, des aînés qui offrent un exemple pitoyable. Le Raja de Marh, le Pr Mishra, des politiciens qui se déchirent.

« Je dois donner mon avis au censeur, fit-il enfin. Je suis assez d'accord avec le directeur –

— Non, s'il vous plaît, Monsieur », dit l'un des garçons.

L'autre se tut, mais n'en lança pas moins un regard implorant.

Le Rajkumar, lui, se demandait comment il affronterait sa grand-mère, la Rani douairière de Marh. Même la colère de son père serait plus facile à supporter que la déception dans les yeux de la vieille dame.

Il se mit à renifler.

« Nous ne pensions pas ce que nous disions. Nous étions –

— Assez, le coupa Pran. Réfléchissez à ce que vous dites avant de le dire.

— Mais nous étions ivres, dit l'infortuné Rajkumar. C'est pour ça que nous nous sommes comportés ainsi.

— Si honteusement », ajouta un autre à voix basse.

Pran ferma les yeux.

Ils promirent tous de ne pas recommencer. Ils le jurèrent sur l'honneur de leur père, s'y engagèrent au nom de plusieurs dieux. Arborant un air de repentir, ils commencèrent même à en ressentir les effets.

Pran en avait assez.

« Vous serez prévenus en temps utile par les autorités », dit-il en se levant. Formule bureaucratique qui sonna étrangement à ses oreilles alors qu'il la prononçait. Ils hésitèrent, se demandant ce qu'ils pourraient ajouter pour leur défense, et sortirent, la mine désespérée.

12.9

Pran informa Savita qu'il rentrerait déjeuner, et se rendit à Prem Nivas. Il faisait chaud, sous un ciel nuageux. Quand il arriva, il était à bout de souffle. Il trouva sa mère dans le jardin, en train de donner des ordres au mali.

« Pran, tu te sens bien ? dit-elle en s'avançant vers lui. Ça ne m'en a pas l'air.

— Oui, Amma, je vais bien. Grâce à Ramjap Baba, ne put-il s'empêcher d'ajouter.

— Tu ne devrais pas te moquer de ce brave homme.

— D'accord. Comment va Bhaskar ?

— Il parle tout à fait bien, et marche même un peu. Il veut rentrer à Misri Mandi. Mais l'air d'ici est beaucoup plus frais. » Elle montra le jardin. « Et Savita ?

— Elle est fâchée que je passe si peu de temps avec elle. J'ai dû promettre de revenir déjeuner. Je n'aime pas toute cette corvée au comité, mais si je ne le fais pas, un autre devra s'y mettre. A part ça, elle se porte comme un charme.

Ma est tellement aux petits soins pour elle qu'elle va vouloir avoir un bébé tous les ans. »

Mrs Mahesh Kapoor sourit, mais bientôt une ombre passa sur son visage. « Où Maan a-t-il été, le sais-tu ? Il n'est pas au village, pas à la ferme, et personne à Bénarès ne l'a vu. Il a tout simplement disparu. Ça fait deux semaines qu'il n'a pas écrit. Je suis très inquiète. Tout ce que ton père trouve à dire c'est qu'en ce qui le concerne et du moment qu'il n'est pas à Brahmpur, il peut bien être dans l'autre monde. »

Pran se rembrunit à cette seconde évocation de son frère dans la même matinée, mais assura sa mère qu'une disparition de deux voire de dix semaines ne devait pas l'alarmer. Maan avait peut-être décidé d'aller chasser, ou de marcher dans les collines, ou même de passer quelques jours au Fort de Baitar. Firoz était probablement au courant ; il devait le voir cet après-midi, il lui poserait la question.

Mrs Mahesh Kapoor ne parut pas convaincue.

« Pourquoi, demanda-t-elle, ne venez-vous pas tous à Prem Nivas ? Ce serait mieux pour Savita, dans les derniers jours.

— Non, Amma, elle préfère rester là où elle a ses habitudes. Et maintenant que Baoji pense à quitter le parti du Congrès, la maison grouillera de politiciens de tout poil venus le persuader ou le dissuader. Et toi aussi tu as l'air fatiguée. Tu t'occupes de tout le monde et ne laisses personne s'occuper de toi. Tu as vraiment l'air épuisée.

— Bah, c'est la vieillesse.

— Pourquoi ne convoques-tu pas le mali dans la maison, où il fait frais ?

— Oh non, ça n'irait pas du tout. Ça aurait un très mauvais effet sur le moral des fleurs. »

Rentré chez lui Pran, au lieu de déjeuner, se reposa. Un peu plus tard, à la Haute Cour, il rencontra Firoz, qui plaidait pour un étudiant en différend avec l'université. Le garçon était un des plus brillants étudiants en chimie que l'université ait jamais eus, en outre fort aimé de ses professeurs. A l'examen d'avril, cependant, à la fin de l'année scolaire, il avait fait quelque chose de tout à fait inexplicable. Il s'était rendu aux toilettes, au milieu d'une épreuve écrite, et s'était arrêté une minute pour parler à deux amis qui se trouvaient à l'extérieur de la salle d'examens. Selon lui, ils avaient parlé des conséquences fâcheuses de la chaleur sur l'activité mentale, et il n'y avait aucune raison de ne pas le croire. L'un et l'autre étudiants en philosophie, ses amis ne pouvaient l'aider en aucune façon, sans compter qu'il était, et de loin, le meilleur étudiant en chimie de sa promotion.

Il n'en fut pas moins dénoncé, comme il se devait, pour avoir violé le règlement. En vertu du principe qu'on ne pouvait faire une exception en sa faveur, on annula sa copie et on lui interdit de passer le reste des épreuves. Bref, il perdait une année. Il en avait appelé au vice-chancelier pour qu'on l'autorise à passer des « partiels » ; ces examens de rattrapage qui ont lieu en août à l'usage des étudiants ayant échoué dans une seule épreuve lui permettraient, s'il les réussissait, d'être considéré comme admis. Son appel rejeté, en désespoir de cause, il tenta un recours en justice. Firoz accepta d'être son avocat.

Dernier recruté au comité d'aide aux étudiants, qui avait été consulté au moment de la toute première décision, Pran, à la demande du censeur, devait assister à l'audience. « Retrouvons-nous à la fin », dit-il à Firoz. Il n'avait pas l'habitude de voir son ami en robe noire avec une collerette blanche autour du cou, une impression plaisante quoique plutôt dérisoire.

Firoz plaidait le non-respect des droits reconnus par la Constitution. Le Président de la cour expédia sa requête. Il lui dit que la loi n'était pas bonne à tout, qu'il fallait faire confiance à l'université, maîtresse de son autorité pour autant que cette dernière n'outrepassait pas les limites légales, ce qui n'était pas le cas ici ; et que si l'étudiant voulait à toute force s'adresser à la justice – ce qui était tout à fait déraisonnable, selon lui – il devait aller devant le tribunal de première instance et non pas saisir la Haute Cour. Le Président n'aimait guère ces saisines de la Haute Cour, procédure ouverte par la nouvelle Constitution. On y recourait trop souvent, d'après lui, histoire simplement de gagner du temps.

Penchant la tête de côté, il toisa Firoz : « Je ne vois aucun fondement à votre assignation, jeune homme. Votre client aurait dû s'adresser à un magistrat de première instance. S'il n'accepte pas cette décision, qu'il aille devant le juge de district, quitte à venir ensuite ici en appel. Vous devriez prendre le temps de choisir une instance appropriée, ce qui éviterait à cette cour de perdre le sien. Assignations et poursuites sont des choses tout à fait différentes, jeune homme, tout à fait différentes. »

Firoz quitta l'enceinte, fumant de colère. Il avait conseillé à son client de ne pas venir à l'audience, et il se félicitait qu'il l'eût écouté. L'injustice de tout cela le choquait profondément. Que le Président l'eût rembarré, en lui reprochant de n'avoir pas saisi le bon tribunal, le mettait hors de lui. Il avait plaidé dans l'affaire des zamindars devant ce même juge, dans cette même enceinte, le Président devait donc savoir qu'il n'était pas homme à sortir des arguments tirés par les cheveux et à déposer des recours sans fondement. Firoz n'acceptait pas non plus de se faire traiter de « jeune homme », sauf si la formule venait à l'appui d'un compliment.

Pran, tout acquis à la cause de l'étudiant, consola Firoz.

« C'est bien l'instance correcte, dit celui-ci, en desserrant la collerette autour de son cou. Dans quelques années, ces recours seront admis dans ce genre de cas. Les simples poursuites sont trop longues. Le temps que nous passions en audience, le mois d'août aura filé. J'espère les voir bientôt submergés de recours. Evidemment, reconnut-il avec un faible sourire, à ce moment-là le vieil homme aura pris sa retraite. Lui et ses compères.

— Sûrement. Ah, voilà ce que je voulais te demander. Où est Maan ?

— Il est revenu ? se réjouit Firoz. Il est ici ?

— Mais non, c'est ce que je te demande. Je ne sais rien et j'ai pensé que tu saurais.

— Suis-je le gardien de ton frère ? Bon, d'une certaine façon, oui. En tout cas, ça ne m'ennuierait pas de l'être. Mais non, je ne sais rien. Je le croyais revenu, avec ce qui est arrivé à son neveu, et tout ça. Pas de quoi s'inquiéter, j'espère ?

— Non, non, c'est ma mère qui se fait du souci. Tu sais comment sont les mères. »

Firoz eut un sourire plutôt triste, qui rappelait celui de sa mère. Il parut particulièrement beau à cet instant.

« Bon, dit Pran, changeant de sujet, es-tu le gardien de ton frère ? Pourquoi n'ai-je pas vu Imtiaz depuis si long-temps ? Tu pourrais peut-être le laisser sortir de sa cage.

— Nous le voyons à peine nous-mêmes. Il est toujours auprès d'un patient ou d'un autre. La seule manière d'atti-rer son attention est de tomber malade. » Sur ce Firoz cita un poème ourdou selon lequel le bien-aimé est à la fois la maladie et le remède, sans compter le médecin qui les conforte l'un et l'autre. Si le Président l'avait entendu, on lui eût pardonné de dire : « Je ne vois pas la pertinence de cet argument ! »

« C'est peut-être ce que je vais faire, dit Pran. Ces temps-ci je me sens bizarrement épuisé, avec une espèce de tension dans la région du cœur – »

Firoz éclata de rire. « Un des meilleurs effets d'une vraie maladie, c'est qu'elle permet de se livrer à la mélancolie. » Sur quoi, renversant la tête de côté, il ajouta : « Le cœur et les poumons sont deux choses tout à fait différentes, jeune homme, tout à fait différentes. »

Le lendemain, pendant son cours, Pran se sentit soudain sans force. L'air lui manquait. Il commença à divaguer, chose pour lui sans précédent. Stupéfaits, ses étudiants s'interrogeaient du regard. Il continua à parler, penché sur son pupitre, les yeux fixés au mur du fond.

« Quoique ces pièces abondent en images de la campagne, en images de chasse, au point que les six mots : "Voulez-vous venir chasser, Monsieur" vous font immédiatement penser... » Pran s'arrêta, puis reprit : « ...vous introduisent immédiatement dans le monde du théâtre shakespearien, nous n'avons pourtant aucune raison de croire que Shakespeare quitta Stratford pour Londres parce que – parce que – » Il posa sa tête sur le pupitre. Pourquoi se regardaient-ils tous ? Et là, parmi les filles dans les premiers rangs, que faisait Malati Trivedi ? Elle n'avait pas demandé « l'autorisation réglementaire » d'assister à son cours. Il se passa la main sur le front. Il ne l'avait pas remarquée en commençant son cours, il est vrai qu'il ne quittait pas ses notes des yeux. Plusieurs se levèrent dont Malati. Ils le ramenèrent derrière son bureau, le forcèrent à s'asseoir. « Est-ce que ça va, Monsieur ? » disait une voix. Malati lui prenait le pouls. Et voilà qu'il y avait quelqu'un à la porte – le Pr Mishra et un visiteur. Pran secoua la tête. Le Pr Mishra recula et Pran entendit les mots : « ... Adore le théâtre d'amateur... oui, très populaire parmi les étudiants, mais –

— S'il vous plaît, écartez-vous, dit Malati. Mr Kapoor a besoin d'air. »

Subjugués par la voix autoritaire de cette étrange jeune fille, les garçons obéirent.

« Je vais bien, protesta Pran.

— Vous feriez bien de venir avec nous, Monsieur, dit Malati.

— Je vais bien, Malati », s'impatienta Pran.

Mais ils le conduisirent à la salle des professeurs, où deux de ses collègues promirent de veiller sur lui. Bientôt, Pran retrouva son état normal, incapable de comprendre ce qui lui était arrivé. Il n'avait pas toussé ni eu le sentiment d'étouffer. Peut-être était-ce la chaleur et l'humidité, se dit-il sans trop y croire. Ou l'excès de travail, comme l'affirmait Savita.

Entre-temps, Malati avait décidé d'aller chez Pran. En lui ouvrant la porte, Mrs Rupa Mehra rosit de plaisir. Puis se souvenant que c'était probablement Malati qui avait poussé Lata à jouer dans la pièce, elle se renfrogna. Mais Malati semblait soucieuse, expression inhabituelle chez elle, et Mrs Rupa Mehra avait à peine eu le temps de dire, compatissante, « Quelque chose ne va pas ? » que Malati demanda :

« Où est Savita ?

— A l'intérieur. Entre. Savita, Malati vient te voir.

— Bonjour », dit Savita, toute souriante. Mais elle se rendit compte que quelque chose clochait : « Tu vas bien ? Et Lata ? »

Malati s'assit, se composa un visage pour ne pas inquiéter Savita.

« J'assistais à un cours de Pran, commença-t-elle.

— Que faisais-tu à un cours de Pran ? ne put s'empêcher de demander Mrs Rupa Mehra.

— C'était sur la comédie shakespearienne, Ma, expliqua Malati. Je me suis dit que ça m'aiderait à interpréter mon rôle. » Mrs Rupa Mehra remua les lèvres, mais se tut.

« Ecoute, Savita, reprit Malati, ne t'inquiète pas, mais il a eu un léger malaise, et il a été forcé de s'asseoir. Les garçons m'ont dit qu'il y a quelques jours, la même chose s'est produite. Ça n'a duré qu'une seconde, et il a voulu continuer son cours.

— Où est-il ? Comment se sent-il ? interrogea Mrs Rupa Mehra.

— Est-ce qu'il toussait ? s'étouffait ? dit Savita.

— Non, il ne toussait pas, mais il semblait réellement à bout de souffle. A mon avis, il devrait consulter un médecin. Et peut-être, s'il tient absolument à donner son cours, devrait-il le faire assis.

— Mais c'est un homme jeune, protesta Savita, les mains sur son ventre, comme pour empêcher le bébé d'entendre cette conversation. Il ne voudra pas. Il se surmène, je n'arrive pas à le convaincre de moins se casser la tête.

— S'il doit écouter quelqu'un, ce sera toi. Je crois que cette fois-ci, il a été un peu secoué ; c'est le moment de lui parler. Il faut qu'il pense à toi et au bébé, pas seulement à son travail. Bon, j'y retourne et je vais tâcher de te le renvoyer immédiatement. Dans un rickshaw. »

Sans la présence de Savita, qu'elle ne voulait pas laisser seule, Mrs Rupa Mehra se serait précipitée au département d'anglais. Quant à Savita, elle se demandait ce qu'elle pourrait bien dire à son mari de plus convaincant que ses admonestations antérieures. Le superbe entêtement de Pran, et son absurde sens du devoir, risquaient de l'emporter.

12.12

Ce superbe entêtement était justement en train de se manifester. Dans la salle des professeurs, Pran se trouvait en compagnie du Pr Mishra, qui avait découvert, sans que cela l'affecte outre mesure, que la scène à laquelle il avait assisté en poussant la porte de la salle de classe ne devait rien à Shakespeare mais tout à la vie réelle. Aimant à être bien informé, il avait posé quelques questions aux étudiants. Puis, après avoir escorté le visiteur jusqu'au bureau du directeur du département, il s'était rendu dans la salle des professeurs.

Il y avait pénétré alors que, la cloche venant de sonner, qui annonçait la reprise des cours, les collègues de Pran se demandaient s'il était prudent de le laisser seul. « Abandonnez-moi le malade, avait dit le Pr Mishra. Je satisferai ses moindres caprices. Comment vous sentez-vous, mon cher garçon ? On va vous apporter du thé.

— Merci, Pr Mishra. Je ne sais pas ce qui m'est arrivé. Je suis sûr que j'aurais pu continuer mon cours, mais mes étudiants, vous savez – »

Le Pr Mishra posa sa grosse main blafarde sur le bras de Pran. « Vos étudiants se montrent si protecteurs, si protecteurs. C'est une des joies de l'enseignement – le contact avec ses élèves. Les amener à croire, au bout de quarante-cinq minutes de cours, que le monde a changé. Leur ouvrir le cœur d'un poème – ah ! Quelqu'un m'a dit l'autre jour qu'on me place au nombre de ces professeurs que leurs étudiants n'oublieront jamais – comme Deb ou Dustoor ou Khaliluddin Ahmed. Je suis, paraît-il, une présence. Et je disais au Pr Jaikumar de l'université de Madras, à qui je faisais les honneurs de notre département, que c'est un compliment que je n'oublierai jamais. Mais, mon cher ami, c'est de vos étudiants, non des miens, que je devrais parler. Beaucoup se demandent qui est cette jeune fille charmante et extrêmement compétente qui a pris les choses en main. L'aviez-vous déjà vue auparavant ?

— C'est Malati Trivedi.

— Ça ne me regarde pas, je sais, mais quand elle a sollicité l'autorisation d'assister au cours, quelle raison a-t-elle donnée ? C'est toujours très gratifiant pour un professeur de constater que sa réputation a dépassé les limites de son département. Je crois l'avoir déjà rencontrée quelque part.

— C'est peu probable », dit Pran, qui brusquement se souvint avec horreur de la scène de Holi. L'image du Pr Mishra pataugeant dans un baquet d'eau rose le paralysa. « Excusez-moi, professeur, j'ai oublié votre question.

— Ce n'est rien, ce n'est rien. Nous en reparlerons plus tard, protesta Mishra, qu'intriguait l'air à la fois inquiet – et quelque peu amusé – de Pran. Ah, voici le thé. » L'obséquieux domestique avança et recula le plateau, croyant répondre aux souhaits de son maître. « Vous savez, continua Mishra, j'ai depuis quelque temps le sentiment que vous en faites trop. Difficile de tout supprimer, bien sûr. Les tâches universitaires par exemple. On m'a raconté ce matin que le fils du Raja de Marh est allé vous voir à propos de ce malheureux chahut auquel il a été mêlé. Il est évident que si l'on prenait des mesures contre lui, cela rendrait le Raja furieux, un homme du genre particulièrement surexcité, vous ne croyez pas ? On se fait des ennemis quand on siège à un comité comme celui auquel vous appartenez. Mais le pouvoir n'est jamais gratuit, il faut en accepter le coût, et puis chacun doit remplir sa tâche. « Fille rigoureuse de la voix de Dieu ! » Evidemment, ça a des répercussions sur l'enseignement. »

Pran opina.

« En ce qui concerne les tâches du département proprement dit, c'est autre chose. Si vous souhaitez ne plus siéger à la commission des programmes... Certains de mes collègues du Conseil académique ne m'ont pas caché qu'ils trouvent vos recommandations – nos recommandations – tout à fait inapplicables. Joyce, vous savez – un homme aux habitudes très particulières. » Un coup d'œil à Pran lui apprit qu'il faisait fausse route.

« Pr Mishra, dit Pran, avalant une gorgée de thé, je voulais vous demander : le comité de sélection a-t-il déjà été constitué ?

— Le comité de sélection ? répéta Mishra, l'air innocent.

— Pour l'attribution du poste vacant. » Savita avait récemment remis le sujet sur le tapis.

« Eh bien, ces choses-là prennent du temps, prennent du temps. Le recteur a été très occupé. Mais nous avons fait l'appel d'offres, comme vous le savez, et nous espérons avoir bientôt toutes les candidatures. J'en ai examiné quelques-unes, elles sont très fortes, très fortes. Excellentes qualifications, excellentes qualifications d'enseignement. »

Il s'interrompit pour fournir à Pran l'occasion de s'exprimer, mais celui-ci resta délibérément silencieux.

« Naturellement, dit Mishra, je ne veux pas décourager quelqu'un comme vous, mais je pense que dans un an ou deux, quand votre santé se sera rétablie, que tout le reste sera stabilisé – » Il lui sourit avec affabilité.

« Professeur, dit Pran, lui rendant son sourire, quand pensez-vous que le comité va se réunir ?

— C'est très difficile à dire, très difficile. Nous ne sommes pas comme l'université de Patna, où le recteur peut appeler au comité des membres de la Commission du Service public du Bihar, même si, je dois l'admettre, ce système présente quelques avantages. Comparé à notre système de sélection des membres du comité, inutilement compliqué : deux appartenant à un panel d'experts – un nommé par le chancelier, etc. Le Pr Jaikumar de Madras, qui a vu votre – il allait dire représentation, mais se ravisa – votre épuisement, appartient à notre panel d'experts. Mais l'époque qui lui convient pour venir à Brahmpur peut ne pas convenir à un autre membre du panel. Et puis, comme vous le savez aussi, le vice-chancelier a lui-même eu de tels soucis de santé qu'il a parlé de prendre sa retraite. Le pauvre homme ne trouve pas le temps de présider des comités de sélection. Tout prend du temps. Je suis sûr que vous compatissez. » Et le professeur contempla, la mine désolée, ses grandes mains blanches.

« Avec lui, avec vous ou avec moi-même ? demanda Pran.

— Quelle subtilité ! Je n'avais pas pensé à cela. Une fertile ambiguïté. Eh bien, avec nous tous, j'espère. La compassion ne s'épuise pas à être généreusement distribuée. Pourtant, il y a trop peu de véritable compassion dans le monde. Les gens disent aux autres ce que ceux-ci veulent entendre, non ce qu'ils croient être dans l'intérêt d'autrui. Si je voulais, par exemple, vous conseiller de ne pas présenter votre candidature à ce poste de professeur –

— Je ne vous écouterais pas.

— Votre santé, mon cher garçon. Je ne pense qu'à votre santé. Vous exigez trop de vous-même. Tous ces articles que vous avez publiés –

— Pr Mishra, ma décision est prise. Je veux courir ma chance devant le comité. Je sais que vous m'appuierez. »

Un éclair de férocité traversa le visage du gros homme, mais c'est d'une voix apaisante qu'il répondit : « Bien entendu, bien entendu. Une autre tasse de thé ? »

Heureusement, le professeur était parti quand Malati fit irruption. Elle dit à Pran que Savita l'attendait à la maison et qu'un cyclo-pousse allait le ramener.

« Mais je n'ai qu'à traverser le campus, protesta Pran. Je ne suis pas encore infirme. Je suis allé à pied jusqu'à Prem Nivas, hier.

— Ordres de Mrs Kapoor, Monsieur. » Pran haussa les épaules, et obéit.

« Pourquoi es-tu si têtu ? demanda Savita un peu plus tard, serrée dans les bras de son mari.

— Tout ira bien, murmura-t-il, tout ira bien.

— Je vais faire venir un médecin.

— Pour toi, pas pour moi.

— Pran, j'insiste. Si tu tiens à moi, tu vas m'écouter.

— Mais mon merveilleux masseur vient demain. Il soigne à la fois mon corps et mon âme. Nous allons convenir de ceci : si je ne me sens pas bien après qu'il m'aura pétri et malaxé, j'irai voir un médecin. Qu'en dis-tu ?

— C'est toujours mieux que rien. »

12.13

« Je tiens ce don du Seigneur Shiva – j'en ai eu la vision – dans un rêve – soudainement. »

Le masseur, Maggu Gopal, homme trapu, solide, malaxait Pran avec de l'huile, de la tête aux pieds. La soixantaine, des cheveux gris coupés en brosse, il accompagnait ses gestes d'un bavardage incessant, que Pran, vêtu de son seul caleçon et allongé à plat ventre sur une serviette, trouvait apaisant. Manches retroussées, le masseur à présent lui pinçait avec vigueur les muscles du cou.

« Aïe, dit Pran, en se tortillant, ça fait mal. » Il s'exprimait en anglais puisque c'est dans cette langue que soliloquait Maggu Gopal, avec quelques citations en hindi. Le masseur miraculeux venait deux fois par semaine, coûtait cher comme tous ses confrères, mais après chaque séance, Pran se sentait toujours beaucoup mieux.

« Si vous n'arrêtez pas de bouger, je ne pourrai vous soulager », constata Maggu Gopal, adepte des bouts-rimés.

Pran se tint tranquille.

« Je masse en haut lieu – le Premier ministre Sharma, des juges de la Haute Cour, deux ministres de l'Intérieur, et beaucoup d'Anglais. Et ma main a l'empreinte de tous ces dignitaires. C'est entièrement grâce au Seigneur Shiva –

vous savez, le Dieu aux serpents – il estimait que le professeur d'anglais qu'était Pran avait besoin de ces explications – le Dieu du Gange et du grand temple de Chandrachur, qui s'élève jour après jour à Chowk. »

Quelques pincements plus tard, il dit :

« Cette huile de sésame est très bonne – elle possède des propriétés chauffantes. J'ai de riches clients également : beaucoup de Marwaris de Calcutta me connaissent. Ils ne s'intéressent pas au corps. Moi je dis que le corps, c'est comme la plus belle voiture de marque, pour laquelle on ne trouve pas de pièces de rechange. Il lui faut donc les services et l'entretien d'un ingénieur compétent, j'ai nommé – il se montra du doigt – Maggu Gopal. Et il ne faut pas se soucier de la dépense. Est-ce que vous confieriez votre montre suisse à un horloger incompétent sous prétexte qu'il ne prend pas cher ? Certaines personnes demandent à des domestiques de les masser. Ils croient que tout est dans l'huile. »

Il s'attaqua aux mollets de Pran.

« A propos d'huile, l'huile de moutarde n'est pas bonne – on l'interdit en massages dans le monde entier. En plus, elle tache. Les pores doivent respirer. Mr Pran, vous avez les pieds froids, même par ce temps. Faiblesse du système nerveux. Vous pensez trop.

— Oui, c'est vrai, admit Pran.

— Trop d'éducation n'est pas bon. Regardez-moi : pas sorti des hautes sphères, pourtant je sais y faire. »

Il tordit violemment la tête de Pran et plongea son regard dans le sien.

« Vous voyez ce bouton sur votre menton – c'est un signe – non pas un signe, une indication – de constipation – de tendance à la constipation. Tous les gens qui pensent – je veux dire tous ceux qui sont des penseurs – ont cette tendance. Vous devez manger de la papaye deux fois par jour et prendre un laxatif doux – et du thé sans lait, avec du miel et du citron. Et puis vous avez le teint trop foncé – comme le Seigneur Shiva – mais là il n'y a rien à faire. »

Pran tenta d'acquiescer de la tête. Le masseur miracle la relâcha.

« Les penseurs, même s'ils mangent des aliments bouillis

et une cuisine légère, sont constipés – et n'auront pas le ventre mou. Tandis que les rickshaws-wallahs et les domestiques, même s'ils mangent de la friture – l'auront. Parce qu'ils font du travail physique. N'oubliez jamais :

> *Pair garam, pet naram, sir thanda*
> *Doctor aaye to maro danda !*

Un proverbe que j'ai traduit pour les Anglais :

> *Tête froide, pieds chauds, ventre mou.*
> *Le docteur, on s'en fout ! »*

Pran eut un large sourire ; il se sentait déjà mieux. Constatant ce changement d'humeur, le masseur lui demanda tout de go la cause de sa tristesse antérieure.

« Mais je n'étais pas triste.

— Si, si, vous l'étiez.

— Vraiment, Mr Maggu Gopal.

— Alors vous vous faites du souci.

— Non – non –

— C'est le travail ?

— Non.

— Votre mariage ?

— Non. »

Mr Gopal prit un air dubitatif.

« J'ai eu quelques problèmes de santé, ces temps-ci, reconnut Pran.

— Oh, simplement des problèmes de santé ? Ça, je m'en charge. Rappelez-vous, le miel est bon. Remplacez toujours le sucre par du miel.

— Parce que le miel possède des propriétés chauffantes ?

— Exactement ! Il faut aussi prendre beaucoup de fruits secs, spécialement la pistache, qui est pleine de chaleur. Mais vous pouvez manger un assortiment de fruits secs. D'accord ?

— D'accord !

— Et prendre un bain chaud, et un bain de soleil : assis au soleil et face au soleil, récitez le mantra Gayatri.

— Ah !

— Mais ça vient aussi de votre travail, je le vois bien. »
Maggu Gopal s'empara, toujours avec la même force, de la
main de Pran, l'examina avec soin. Au bout d'un moment, il
lui dit d'un ton solennel : « Vous avez une main très remarquable. Le ciel est la limite de votre succès.

— Vraiment ?

— Vraiment. La constance ! C'est le secret du succès
dans tous les arts. Pour arriver à la compétence, il faut
avoir un but – une voie – de la constance.

— Oui, en effet », dit Pran, englobant dans une même
pensée son bébé, sa femme, son frère, sa sœur, son père, sa
mère, son travail, la langue anglaise, l'avenir du pays,
l'équipe indienne de cricket, et sa propre santé.

« Comme dit Swami Vivekananda : "Debout ! Réveille-
toi ! Ne t'arrête pas – tant que tu n'as pas atteint ton but !" »
Le masseur miracle sourit avec assurance.

« Dites-moi, Mr Maggu Gopal, pouvez-vous voir dans ma
main si j'aurai une fille ou un fils ?

— Tournez-vous, s'il vous plaît. » Il examina de nouveau
la main droite de Pran. « Oui », dit-il pour lui-même.

Se mettre sur le dos avait déclenché une crise de toux
chez Pran, mais Maggu Gopal ne s'en préoccupa pas tant il
fixait la main avec attention.

« Eh bien, fit-il, vous ou plutôt votre dame aurez une fille.

— Mais ma dame est sûre que ce sera un fils.

— Vous pouvez me croire.

— D'accord. Mais ma femme a presque toujours raison.

— Vous avez une heureuse vie de couple ? s'enquit
Maggu Gopal.

— A vous de me le dire, Mr Maggu Gopal. »
Mr Gopal fronça les sourcils. « C'est écrit dans votre
main que votre mariage sera une comédie.

— Oh, bien.

— Vous voyez – votre Mercure est très fort.

— Je suppose que je ne peux échapper à mon destin. »
Ce mot eut un effet magique sur Mr Gopal. Il recula
légèrement, pointa son doigt sur la poitrine de Pran. « Destin ! fit-il avec un large sourire. Voilà, c'est ça. Voyez-vous,
derrière chaque homme qui réussit il y a une femme. Der-

rière Mr Napoléon, il y avait Joséphine. Pas besoin d'ailleurs, à mon sens, d'être marié. J'annonce que vous avez eu des femmes bénéfiques dans votre vie avant d'être marié et que vous en aurez encore.

— Vraiment ? dit Pran, intéressé mais vaguement effrayé. Est-ce que ma femme aimera cela ? Je crains que ma vie ne devienne une mauvaise comédie.

— Non, non. Elle sera très tolérante. Mais les femmes doivent être bénéfiques. Si vous buvez du thé fait avec de l'eau sale vous tomberez malade. Mais s'il est fait avec de l'eau très pure, il vous rafraîchira. »

Voyant qu'il avait marqué un point, Maggu Gopal continua, tenant toujours Pran sous son regard.

« L'amour ne voit pas les couleurs. La caste n'a pas d'importance. C'est le karma qui compte – c'est-à-dire des actes conformes à ce qu'il y a de vicieux en Dieu.

— De vicieux en Dieu ? » Il fallut quelques secondes à Pran pour comprendre où Gopal voulait en venir.

« Oui, oui, dit le masseur miracle, tirant un par un les doigts de pied de Pran, jusqu'à ce qu'ils craquent. On ne devrait pas se marier uniquement pour avoir son thé le matin – ou pour le sexe, ou autre chose.

— Je vois, fit Pran, enfin éclairé, juste pour vivre au jour le jour.

— Voilà ! Ne pas vivre pour hier ou pour demain. La vie de famille est une comédie, aujourd'hui, hier et demain.

— Et combien aurai-je d'enfants ? » Pran en était venu ces temps derniers à se demander s'il était raisonnable de mettre un enfant au monde, ce monde de haine, d'intrigue, de pauvreté, de guerre froide – où, ce que lui n'avait pas connu dans son enfance pourtant troublée, la terre elle-même était menacée.

« Le nombre exact est dans la main de la femme, s'excusa le masseur. Mais une fois que le plaisir est dans votre vie grâce à un enfant, c'est comme un fortifiant, un chyavanprash – le ciel seul est la limite de la progéniture.

— Deux ou trois seraient plus que suffisants.

— Mais vous devez continuer les massages. Pour maintenir les fluides vitaux.

— Bien sûr.

— C'est essentiel pour tout le monde.

— Mais qui masse le masseur ?

— J'ai soixante-trois ans, rétorqua Maggu Gopal, l'air d'avoir subi un affront. Je n'en ai pas besoin. Maintenant, retournez-vous, je vous prie. »

12.14

Le jour de son retour à Brahmpur, Maan fila directement à Baitar House. Il y trouva Firoz, qui manifesta sa joie de le revoir mais parut un peu gêné quand il s'aperçut que Maan avait apporté ses valises.

« J'ai pensé que je pourrais rester ici », dit Maan, embrassant son ami.

— Pas chez toi ? Seigneur, tu as l'air d'un sauvage, brûlé par le soleil.

— Quel accueil ! fit Maan, pourtant pas désarçonné. Non, ici c'est mieux – c'est-à-dire si tu n'y vois pas d'inconvénient. Faut-il que tu demandes à ton père ? Le fait est que je ne peux pas en même temps régler mes problèmes avec mon père et tout le reste.

— Bien entendu, tu es le bienvenu », dit Firoz, que le « tout le reste » fit sourire. « Ghulam Rusool va s'occuper de tes bagages – tu occuperas ta chambre habituelle.

— Merci.

— J'espère que tu y resteras un bout de temps. Pardonne ma réaction : je ne m'attendais pas à ce que tu veuilles t'installer ici plutôt que chez toi. Je suis heureux de t'avoir. Maintenant, va te laver, et rejoins-moi pour le dîner. »

Mais Maan le pria de ne pas l'attendre pour le dîner.

« Oh, pardon, dit Firoz, je n'y pensais pas. Tu n'es pas encore allé chez toi.

— Eh bien, ce n'est pas chez moi que je veux aller.

— Où donc ? Ah, je vois.

— Ne prends pas ce ton si désapprobateur. Je n'en peux plus d'attendre.

156

« — Je désapprouve effectivement. Tu devrais d'abord aller chez toi. Quoi qu'il en soit, je suis sûr qu'elle a reçu ta lettre. » Le ton de Firoz semblait signifier qu'il ne voulait plus continuer sur ce sujet.

« A mon avis, tu t'intéresses à Saeeda Bai, et tu essaies de me tenir à l'écart, dit Maan, riant de sa plaisanterie.

— Non – non », protesta Firoz, pas très convaincant. Il ne voulait pas parler de Tasneem, de ce charme qui l'attirait tant.

« Alors, de quoi s'agit-il ? » dit Maan, à qui les différentes émotions se succédant sur le visage de Firoz n'échappaient pas. « Oh, c'est cette fille.

— Non, non – », s'écria Firoz, encore moins convaincant.

« Ou c'est l'aînée, ou c'est la cadette – à moins que ce ne soit la servante – Bibbo ! » L'idée du couple Firoz-Bibbo fit rire Maan aux larmes. « Tu n'es pas très ouvert avec moi, se plaignit-il. Moi je te dis tout ce que j'ai dans le cœur.

— Tu dis tout à tout le monde. Ou presque tout, corrigea-t-il. Je ne suis pas quelqu'un de très ouvert. Je t'en dis autant qu'aux autres. Et mieux vaut que je ne t'en dise pas plus. Ça pourrait être fâcheux.

— Pour moi ?

— Pour toi, pour moi, pour nous, pour Brahmpur, pour l'univers... Tu ne vas pas prendre un bain après ce voyage ?

— Si. Mais pourquoi tiens-tu tant à ce que je n'aille pas chez Saeeda Bai ?

— Mais non, ça n'est pas cela. Ce à quoi je tiens, c'est que tu ailles d'abord voir ta famille. En tout cas ta mère. J'ai rencontré Pran l'autre jour. Il m'a dit que tu avais disparu – qu'on n'avait plus de tes nouvelles depuis dix jours, même au village, et que ta mère se faisait beaucoup de souci. Et puis il me semble qu'avec ton neveu, et tout le reste –

— Quoi ? Le bébé de Savita est né ?

— Mais non, c'est ton neveu mathématicien – tu n'es pas au courant ? »

A l'expression de Firoz, Maan comprit qu'il ne s'agissait pas d'une bonne nouvelle. « Tu veux dire, la petite grenouille ?

— Quelle petite grenouille ? »

— Le fils de Veena – Bhaskar.

— Oui. Il a été blessé pendant la panique du Pul Mela. Tu n'es vraiment pas au courant ?

— Mais personne ne m'a écrit pour me le dire ! protesta Maan, à la fois bouleversé et fâché. Et puis je suis parti faire cette marche et – comment va-t-il ?

— Bien, maintenant. Ne t'affole pas. Il va vraiment bien. Mais il a été commotionné, il avait perdu la mémoire, et il a fallu un peu de temps avant qu'il ne retrouve toute sa conscience. C'est peut-être pas plus mal qu'ils ne te l'aient pas écrit. Tu l'aimes beaucoup, n'est-ce pas ?

— Oui. Je suis sûr que c'est un coup de mon père. Il a dû penser que si j'apprenais l'accident, je reviendrais tout droit à Brahmpur – Firoz, toi tu aurais dû m'écrire.

— Je n'y ai pas pensé. Je suis vraiment désolé. J'étais persuadé que ta famille l'avait fait. Ce n'était quand même pas un secret de famille, tout le monde savait. »

Brusquement, Maan eut une nouvelle idée saugrenue. « Tu n'es pas un secret admirateur de Saeeda Bai, n'est-ce pas ?

— Mais non. Quoique je l'admire.

— Ouf ! fit Maan, soulagé. Je n'aurais pas pu lutter contre un Nawabzada. Au fait, pas de chance avec l'affaire des zamindars – j'ai pensé à toi quand j'ai appris. Hmm, veux-tu me prêter une canne ? J'ai besoin de faire tourner quelque chose ce soir. Et puis de l'eau de Cologne. Et un vêtement propre. C'est dur de revenir à la civilisation.

— Mes vêtements ne vont pas t'aller. Tu as les épaules trop larges.

— Ceux d'Imtiaz m'iront. Je m'en suis aperçu au Fort.

— Bon, je vais t'en monter dans ta chambre. Et une demi-bouteille de whisky.

— Merci. » Il ébouriffa les cheveux de son ami. « Après tout, la civilisation a du bon. »

Tout en goûtant les délicieuses sensations d'un bain chaud, Maan imaginait celles, encore plus délicieuses, qui l'attendaient dans les bras de sa bien-aimée. Revenu dans sa chambre, des pensées plus sérieuses l'occupèrent. Celle de son neveu entre autres, qui serait tellement peiné s'il apprenait que son Maan Maama n'était pas venu le voir dès son retour. Il décida donc, plutôt à contrecœur, d'aller en premier lieu voir Bhaskar. Il se versa un verre de whisky, le but rapidement, puis un second, qu'il vida tout aussi vite, et mit la bouteille dans la poche de sa kurta.

Il se rendit à pied à Prem Nivas, redécouvrant le plaisir de marcher dans Pasand Bagh. Pour la première fois de sa vie, il remarqua la présence de réverbères dans la plupart des rues. Rien que de fouler une chaussée en dur, après la boue et la saleté des chemins de campagne, tenait du privilège. Il allait, frappant le sol de la canne de Firoz ou la faisant virevolter. Au bout d'un moment, cependant, son euphorie s'envola et la perspective d'affronter son père et sa mère le déprima. Celle-ci jouerait les rabat-joie, lui gâchant tout le bonheur qu'il escomptait de sa soirée. Elle lui dirait de rester dîner, lui demanderait des nouvelles du village, de sa santé. Maan ralentit sa marche, qui devint légèrement incertaine. Peut-être le whisky y était-il pour quelque chose. Il n'avait pour ainsi dire rien bu depuis des semaines.

Parvenu à une bifurcation, non loin de sa destination, il leva les yeux vers les étoiles, quêtant un signe. Puis il frappa sa canne sur la chaussée, l'air très indécis. Finalement, il prit la voie de droite, celle qui menait chez Saeeda Bai.

Tout ragaillardi, il se dit que c'était beaucoup mieux ainsi, que Bhaskar ne lui en voudrait pas, qu'il serait d'ailleurs probablement déjà couché, tandis que Saeeda Bai ne lui pardonnerait pas de ne pas être venu la voir en premier. A la pensée de se retrouver auprès d'elle, il éprouva une plaisante faiblesse dans tout le corps.

Arrivé à la grille, il héla le gardien à voix haute : « Phool Singh !

« — Ah, Kapoor Sahib. Ça doit faire des mois –

— Plutôt des années », dit Maan, en lui tendant un billet de deux roupies.

Que l'homme empocha tranquillement. « Vous avez de la chance, dit-il. Begum Sahiba ne m'a pas parlé d'invités pour ce soir. Je pense donc qu'elle veut rester seule.

— Hmm. » Maan fit la moue, mais s'épanouit de nouveau. « Tant mieux », conclut-il.

Le gardien frappa à la porte. La plantureuse Bibbo glissa un œil au travers, aperçut Maan, eut un large sourire. Il lui avait manqué. C'était, de loin, le plus agréable des amants de sa maîtresse, et le plus beau.

« Ah, Dagh Sahib, bienvenue, bienvenue, dit-elle, derrière la porte. Une minute, je monte me renseigner.

— Te renseigner sur quoi ? Ne suis-je plus accueilli ici ? Crois-tu que je transporte le terreau de nos villages indiens dans la cour palatiale de la Begum Sahiba ? » Bibbo gloussa.

« Si, si, vous êtes très bienvenu. La Begum Sahiba sera ravie. J'en ai pour une minute à peine. »

Elle tint parole. Maan se retrouva en train de traverser le vestibule, de monter l'escalier avec le miroir sur le palier à mi-hauteur (il s'arrêta pour ajuster son calot blanc brodé), de longer la galerie. Il était à la porte du salon de Saeeda Bai. Aucun son ne lui parvint, de voix, de chant ou d'harmonium. Laissant ses chaussures à l'extérieur, il entra, ne la vit pas. Elle doit être dans sa chambre, se dit-il, saisi d'une bouffée de désir. Il s'assit sur le sol recouvert de drap, s'adossa à un coussin blanc. Quelques instants plus tard, Saeeda Bai sortit de sa chambre, l'air fatiguée mais adorable. Elle parut enchantée de voir Maan.

Le cœur du jeune homme fit un bond, et lui aussi. Si Saeeda n'avait pas tenu une cage à oiseau à la main, il l'aurait prise dans ses bras. Il allait devoir se contenter, pour le moment, de la lueur dans ses yeux. Imbécile de perruche, pensa-t-il.

« Prenez la peine de vous asseoir, Dagh Sahib. J'ai tant espéré cet instant. » Suivirent quelques vers appropriés.

Elle attendit que Maan se soit assis pour poser l'oiseau, qui ressemblait à une vraie perruche maintenant, non plus à une boule vert pâle ébouriffée. « Tu t'es montrée fort insensible, Miya Mitthu, dit-elle à l'animal. Je ne suis pas très contente de toi. » Puis s'adressant à Maan : « On raconte, Dagh Sahib, que vous êtes en ville depuis déjà quelques jours. A faire tournoyer, sans doute, cette belle canne à pommeau d'ivoire. Mais la jacinthe à qui allait hier la faveur du connaisseur, aujourd'hui lui paraît flétrie.

— Begum Sahiba, protesta Maan.

— Même si elle s'est flétrie de n'avoir pas été arrosée de l'eau de la vie. » Saeeda Bai pencha la tête de côté et ramena le pan de son sari sur ses cheveux de ce geste qui faisait tressauter le cœur de Maan depuis le premier soir où il l'avait observé, à Prem Nivas.

« Begum Sahiba, je jure –

— Ah, soupira-t-elle, s'adressant de nouveau à la perruche, pourquoi es-tu resté absent si longtemps ? Une seule semaine m'a paru un supplice. Que sont des vœux pour celui qui dépérit dans le désert sous un soleil brûlant ? » Abandonnant ses métaphores, elle dit : « Il a fait plutôt chaud ces derniers jours. Je vais demander qu'on vous apporte du sorbet. » Elle passa sur la galerie et, penchée sur la balustrade, frappa dans ses mains : « Bibbo !

— Oui, Begum Sahiba ?

— Apporte-nous du sorbet aux amandes. Et veille à ce qu'on mette du safran dans celui de Dagh Sahib. Il a l'air si épuisé par son pèlerinage à Rudhia. Et vous avez beaucoup foncé.

— C'est d'être loin de vous qui m'a affaibli, dit Maan. Et c'est la cruelle qui, d'un rire, m'a exilé qui maintenant me reproche mon absence. Y a-t-il rien de plus injuste ?

— Oui, fit-elle d'une voix douce. Si les cieux nous avaient séparés plus longtemps. »

Dans la lettre qu'elle lui avait écrite, certes pleine de protestations de tendresse, elle lui enjoignait de prolonger son absence – pour des raisons inexpliquées – ; sa réponse actuelle n'en était que plus difficile à admettre.

Pourtant Maan la jugea satisfaisante ; beaucoup mieux même : elle le porta aux nues. Saeeda Bai avait ni plus ni moins confessé qu'elle se languissait de le prendre dans ses bras. Il fit un léger signe de tête en direction de la porte de la chambre. Mais Saeeda Bai parlait à la perruche.

12.16

« Le sorbet d'abord, ensuite la conversation, puis la musique, et nous verrons alors si le safran a produit son effet. A moins qu'il n'ait besoin du whisky que j'aperçois dans sa poche ? »

La perruche sembla se désintéresser de la chose. « Bibbo ! » cria-t-elle, quand la jeune fille entra avec les verres de sorbet. Elle avait une voix impérative, aux sonorités métalliques. Bibbo lui décocha un regard peu amène, qui n'échappa pas à Maan. Lui-même trouvait l'oiseau singulièrement irritant ; ses yeux croisèrent ceux de Bibbo, il y décela une lueur d'amusement et de coquetterie.

Saeeda Bai, elle, ne s'amusait pas. « Arrête, Bibbo, tu es une méchante fille.

— Arrêter quoi, Saeeda Begum ? demanda la fille, feignant l'innocence.

— Ne sois pas insolente. Je t'ai vue faire des œillades à Dagh Sahib. File à la cuisine et n'en bouge plus.

— On pend le sous-fifre, on laisse filer le chef. » Sur cette sentence, Bibbo posa le plateau à côté de Maan et se dirigea vers la porte.

« Dévergondée, dit Saeeda Bai, que la phrase de Bibbo cependant titillait. Dagh Sahib, si l'abeille trouve le bouton d'une fleur des champs plus séduisant qu'une tulipe épanouie –

— Saeeda Begum, vous vous méprenez sur moi délibérément – tout ce que je dis, chaque regard –

— Avalez votre sorbet, lui conseilla-t-elle. Ce n'est pas votre cerveau qui doit s'échauffer. »

Maan but avec délice, mais à un moment fit une légère grimace.

« Qu'y a-t-il ? s'enquit Saeeda Bai.

« — Il manque quelque chose.

— Quoi ? Cette Bibbo – elle doit avoir oublié de mettre du miel dans votre verre.

— Non, dit Maan en secouant la tête, je sais exactement ce qui manque.

— Dagh Sahib daignera-t-il nous fournir la solution ?

— La musique. »

Saeeda Bai s'autorisa un sourire. « Très bien. Apportez-moi l'harmonium. Je suis si fatiguée aujourd'hui que j'ai l'impression d'être à la fin d'un quatrième jour de concert. »

Sans demander à Maan ce qu'il souhaitait entendre, ce qu'elle faisait d'habitude, Saeeda Bai se mit à fredonner un ghazal, tout en laissant courir ses doigts sur les touches. Elle passa ensuite au chant, qu'elle interrompit brusquement, perdue dans ses pensées.

« Dagh Sahib, une femme seule – quelle place peut-elle trouver dans un monde féroce ?

— Voilà pourquoi il lui faut quelqu'un pour la protéger.

— Les admirateurs ne peuvent régler tous les problèmes. Sans compter qu'eux-mêmes constituent parfois un problème. » Elle eut un petit rire triste. « Maison, impôts, nourriture, aménagements, un musicien qui perd la main, un propriétaire qui perd sa terre, celui-ci qui doit s'absenter pour un mariage, cet autre qui craint de ne plus pouvoir assumer sa générosité, l'éducation d'une personne à surveiller, la dot d'une autre à fixer. Et puis trouver un parti convenable. C'est sans fin, sans fin.

— Vous parlez de Tasneem ?

— Oui, oui. Qui penserait qu'on lui ait fait la cour ? Ici, dans cette maison. C'est à moi, sa sœur, sa gardienne, de veiller à ces choses. Cet Ishaq – depuis qu'il est devenu disciple d'Ustad Majeed Khan, il a la tête dans les nuages même si sa voix est tout ce qu'il y a de plus terrestre – il vient ici, prétendument pour me saluer, en fait pour la voir, elle. J'ai décidé de garder la perruche dans ma chambre, mais il trouve toujours une excuse ou une autre. Ce n'est pas un méchant homme, mais il n'a pas d'avenir. Ses mains sont paralysées, et sa voix pas formée. Miya Mitthu chante mieux que lui.

— Y en a-t-il d'autres ?

— Ne faites pas l'innocent.

— Saeeda Bai – je vous jure –

— Pas vous, bien sûr. Votre ami le socialiste, qui s'est mis à organiser les choses à l'université afin d'être quelqu'un dans le monde. »

Cette description ne correspondait guère à Firoz. Maan eut l'air perplexe.

« Oui, notre jeune maulvi, son professeur d'arabe. Qui vous a offert l'hospitalité, dont vous avez bu l'enseignement et partagé la compagnie pendant des semaines. Ne cherchez pas à vendre vos produits ici, Dagh Sahib. Il y a un marché pour l'innocence outragée, et vous ne le trouverez pas dans ces murs. »

Mais Maan n'arrivait pas à croire que Rasheed pût courtiser Tasneem. Devant son air tout à fait éberlué, Saeeda Bai continua : « Oui, oui, c'est vrai. Ce jeune homme pieux, qui ne venait pas quand je l'appelais sous prétexte qu'il était en train d'expliquer un passage du Livre sacré, s'est mis dans la tête qu'elle est amoureuse de lui, qu'elle est folle d'amour, et qu'il lui doit le mariage. C'est un loup sournois et dangereux.

— Honnêtement, Saeeda Begum, vous me l'apprenez. Ça fait deux semaines que je ne l'ai pas vu. » Il remarqua son cou empourpré.

« Pas étonnant. Ça fait deux semaines qu'il est revenu ici. Si, à en croire vos protestations, vous n'êtes arrivé que récemment –

— Récemment ? Mais j'ai à peine pris le temps de me passer de l'eau sur la figure et sur les mains –

— Vous voulez dire qu'il n'a jamais soufflé mot de cette histoire ? Ça m'étonne beaucoup.

— Effectivement, il ne l'a pas fait. C'est quelqu'un de très sérieux ; il n'a même pas voulu m'apprendre des ghazals. Il a bien une fois ou deux parlé de socialisme et de méthodes pour améliorer l'économie du village – mais l'amour ! D'ailleurs, il est marié. »

Saeeda Bai sourit : « Dagh Sahib a-t-il oublié que les hommes savent toujours compter jusqu'à quatre dans notre communauté ?

« — Oh, oui, bien sûr. Mais – ça ne vous plaît pas.

— Non, cria-t-elle, furieuse, non ça ne me plaît pas.

— Et Tasneem ?

— Elle non plus, elle non plus, et je ne la laisserai pas tomber amoureuse d'un rustre. Il veut l'épouser pour mon argent. Après quoi il le dépensera à faire creuser des égouts dans les villages. Ou à planter des arbres. Des arbres ! »

Cela ne collait pas du tout avec l'image que Maan avait de Rasheed, mais il préféra ne pas contredire Saeeda Bai, qui bouillait d'indignation.

« Que diriez-vous d'un admirateur sincèrement épris de Tasneem ?

— C'est à moi de choisir les admirateurs.

— Le fils d'un nawab ne peut-il l'admirer, même de loin ?

— A qui faites-vous allusion ? » Les yeux de Saeeda Bai lançaient des éclairs dangereux.

« Disons, un ami. » Tout en s'amusant de l'intérêt qu'elle ne cherchait pas à dissimuler, Maan admirait l'animation et l'éclat de son visage – comme une épée scintillant au soleil couchant, pensa-t-il. Qu'elle était belle – et quelle nuit l'attendait !

Mais Saeeda Bai se leva et, frappant de nouveau dans ses mains, appela : « Bibbo ! Bibbo ! Où est-elle passée – Ah, la voilà. Tu daignes enfin nous faire la grâce de ta présence. Il y a une demi-heure que je m'égosille. »

Maan sourit de cette charmante exagération.

« Dagh Sahib est fatigué. Reconduis-le. »

Maan sursauta. Qu'arrivait-il à Saeeda Begum ? Il la regarda, mais elle détournait le visage. Ce n'était pas de la colère qui avait passé dans sa voix, mais plutôt du chagrin.

Ce doit être ma faute, se dit-il. J'ai dit ou fait quelque chose de très mal. Mais quoi ? Pourquoi l'idée d'un nawabzada courtisant Tasneem déplairait-elle tant à Saeeda Bai ? Firoz est vraiment l'exact opposé d'un rustaud de village.

Saeeda Bai passa devant lui, ramassa la cage à oiseau, gagna sa chambre à coucher, où elle s'enferma. Maan était pétrifié. Bibbo ne l'était pas moins.

« Ça lui arrive parfois », dit-elle. En réalité, ça ne se produisait que très rarement. « Qu'avez-vous fait ? »

demanda-t-elle, dévorée de curiosité. Sa maîtresse était difficile à choquer. Même la façon dont le Raja de Marh s'était comporté récemment – l'affaire de la loi d'abolition l'avait mis d'une humeur massacrante – ne lui avait pas fait cet effet.

« Rien, dit Maan, fixant la porte close. Mais ce n'est pas sérieux, j'en suis sûr », ajouta-t-il, comme pour lui-même, et pensant : en tout cas moi, je ne me laisserai pas jeter ainsi. Il alla à la porte de la chambre.

« Dagh Sahib, je vous en prie, je vous en prie », s'écria Bibbo, horrifiée. Quand Saeeda Bai se trouvait dans sa chambre, la pièce était sacro-sainte.

« Saeeda Begum, dit Maan, d'une voix tendre et boule-versée, qu'ai-je fait ? Pourquoi êtes-vous si fâchée contre moi ? A cause de Rasheed – de Firoz – ou quoi ? »

Pas de réponse.

« S'il vous plaît, Kapoor Sahib, répéta Bibbo, tâchant de prendre une voix ferme.

— Bibbo ! » cria la perruche, de sa voix métallique. Bibbo se mit à pouffer.

Maan essaya d'ouvrir la porte ; elle était fermée à clef.

« Vous me traitez de façon injuste, Saeeda Begum – vous promettez le paradis, et la minute d'après vous me jetez en enfer. Moi qui me suis précipité chez vous, à peine arrivé. Dites-moi au moins ce qui vous irrite tant. »

De derrière la porte, on lui répondit : « Je vous en prie, partez, Dagh Sahib, ayez pitié de moi. Je ne peux pas vous voir aujourd'hui. Je ne peux pas vous donner des raisons pour tout.

— Dans votre lettre, vous ne m'avez pas donné les rai-sons qui vous obligeaient à me tenir éloigné, et maintenant que je suis ici –

— Bibbo ! ordonna la perruche. Bibbo ! Bibbo ! »

Maan se mit à taper du poing sur la porte. « Laissez-moi entrer ! Parlez-moi et, pour l'amour du ciel, faites taire cet idiot de volatile. Je sais que vous vous sentez mal. Et moi, dans quel état croyez-vous que je suis ? Vous m'avez remonté comme une pendule et maintenant –

— Si vous tenez à me revoir – la voix de Saeeda Bai était pleine de larmes – partez. Ou je dis à Bibbo d'aller chercher le gardien. Vous m'avez fait de la peine sans le vouloir. Je veux bien croire que c'était involontaire. A votre tour, acceptez que ce soit du chagrin. Partez. Vous reviendrez une autre fois. Arrêtez, ou vous ne me reverrez jamais. »

Maan cessa de marteler la porte et sortit, si bouleversé qu'il ne pensa même pas à lui dire au revoir. Il ne comprenait pas. C'était comme une tempête dans un ciel clair. Pourtant, à l'évidence, il ne s'agissait pas de coquetterie.

« Mais qu'avez-vous fait ? » insista Bibbo, un peu effrayée par l'humeur de sa maîtresse, mais trouvant ce drame fort réjouissant. Pauvre Dagh Sahib ! Jamais quelqu'un n'avait martelé ainsi la porte de Saeeda Bai. Quelle passion !

« Absolument rien. Rien du tout. » Ce n'était sûrement pas pour en arriver là qu'il avait accepté de s'exiler pendant des semaines.

« Pauvre Dagh Sahib, répéta Bibbo, touchée par ce visage bouleversé et si séduisant. Vous oubliez votre canne. La voilà. »

En descendant l'escalier, elle le frôla puis se pressa contre lui. Se dressant sur la pointe des pieds, elle lui tendit ses lèvres. Et Maan l'embrassa. Si grande était sa frustration qu'il aurait pu faire l'amour sur-le-champ à n'importe quelle femme.

Quelle fille compréhensive, se disait Maan, tout en continuant à l'embrasser et à la caresser. Intelligente aussi. Tout cela est injuste, tout à fait injuste, et elle le comprend.

Mais Bibbo n'était peut-être pas assez intelligente. Ils s'étaient arrêtés sur le palier, et le grand miroir renvoyait leur image sur la galerie. La colère de Saeeda Bai avait cédé aussi vite qu'elle s'était déclenchée, laissant place au regret. Elle s'en voulait d'avoir si mal traité Maan, et résolut de lui prouver son affection en lui disant au revoir du haut de la galerie quand il traverserait le vestibule. Ce qu'elle vit dans le miroir en se penchant la fit se mordre la lèvre presque jusqu'au sang.

Elle demeura immobile, pétrifiée. Au bout de quelques minutes, Maan recouvra ses sens et s'écarta. Avec de petits rires, la jolie Bibbo l'accompagna jusqu'à la porte. Puis elle remonta débarrasser les verres, pensant que la Begum

Sahiba resterait allongée sur son lit un bon moment encore. Elle sortira quand elle aura faim, se dit-elle, riant encore au souvenir du baiser. Elle était arrivée en haut de l'escalier. Où se tenait Saeeda Bai. Et en voyant l'expression du visage de sa maîtresse, Bibbo s'arrêta de rire.

12.17

Le lendemain, Maan se rendit auprès de Bhaskar.

Après plusieurs jours d'ennui, l'enfant avait décidé de s'exercer au système métrique, qui n'avait pourtant cours nulle part en Inde. Quand Bhaskar appliqua ce système aux mesures de volume, il en perçut tout de suite les avantages par rapport au système anglais. Par exemple, s'il voulait comparer le volume du Fort de Brahmpur à celui du futur bébé de Savita, il obtenait le résultat instantanément sans avoir besoin de convertir les yards cubiques en pouces cubiques. Non qu'une telle conversion présentât une grande difficulté pour Bhaskar ; c'était simplement peu commode et inélégant.

Il lui permettait aussi de se livrer aux joies sans limites des calculs à la puissance dix. Mais au bout de quelques jours, il eut épuisé les plaisirs du système métrique. Son ami le Dr Durrani lui manquait. Certes Bhaskar aimait bien Kabir, qui venait le voir régulièrement, mais c'est le Dr Durrani qui lui ouvrait de nouveaux horizons mathématiques ; sans lui, Bhaskar devait s'alimenter tout seul.

Il recommença à s'ennuyer, se plaignit à Mrs Mahesh Kapoor. Après des ronchonnements de part et d'autre – Bhaskar voulait rentrer à Misri Mandi, sa grand-mère n'y tenait pas du tout – l'enfant en appela à son grand-père. Qui lui dit qu'il n'y pouvait rien. De telles décisions étaient du domaine de sa femme.

« Mais je m'ennuie terriblement. Je n'ai pas eu mal à la tête depuis une semaine. Pourquoi dois-je passer la moitié de la journée au lit ? Je veux aller à l'école. Je ne me plais pas ici à Prem Nivas.

— Comment ? Même avec la présence de tes grands-parents ?

— Non, confirma Bhaskar. Ça va bien un jour ou deux. D'ailleurs, tu n'es jamais là.

— C'est exact. J'ai tellement de travail – et tant de décisions à prendre. Ça t'intéressera de savoir que j'ai décidé de quitter le parti du Congrès.

— Ah, dit Bhaskar, feignant de son mieux l'intérêt. Et qu'est-ce que ça signifie ? Ils vont perdre ?

La mine de Mahesh Kapoor s'allongea. On ne pouvait attendre d'un enfant qu'il comprenne l'effort, la tension que lui avait coûtée une telle décision. Qui plus est d'un enfant qui doutait que deux plus deux fassent toujours quatre. Comment pouvait-on espérer qu'il compatisse à la disparition des certitudes qui jusque-là avaient jalonné l'existence de son grand-père ? Pourtant, sur certains faits et chiffres, Bhaskar parvenait parfois, par des sauts de pensée erratiques, à des certitudes inébranlables. Il était bien le seul membre de la famille qui imposât une sorte de crainte à Mahesh Kapoor. Il fallait à n'en pas douter, songeait son grand-père, l'aider à développer ces dons mystérieux.

« Pour commencer, dit Mahesh Kapoor, ça veut dire que je dois décider dans quelle circonscription je me présenterai. Le parti du Congrès est très fort en ville, mais moi aussi. Bien que ma vieille circonscription ait été redessinée, ce qui me pose certains problèmes.

— Lesquels ?

— Ce serait trop difficile à comprendre. » Mais voyant l'effet de ces paroles sur l'enfant, il s'empressa de poursuivre : « La composition des castes a beaucoup changé. J'ai étudié les nouvelles circonscriptions découpées par la Commission électorale, et les chiffres de la population –

— Chiffres, dit Bhaskar.

— Oui, répartie par religions et par castes, selon le recensement de 1931. La caste ! Même si l'on estime que c'est pure folie, on est obligé d'en tenir compte.

— Je peux voir ces statistiques, Nanaji ? Je te dirai quoi faire. Dis-moi simplement quelles variables tu préfères –

— Voudrais-tu s'il te plaît parler clairement, en un hindi compréhensible ? » Le ton affectueux de Mahesh Kapoor n'était pas dénué d'une certaine irritation

Néanmoins Bhaskar disposa bientôt d'une masse de chiffres et de données : de quoi le rendre heureux et l'occuper pendant au moins trois jours. Il s'absorba dans l'étude des circonscriptions.

12.18

Maan monta directement à la chambre de son neveu. Il le trouva assis dans son lit, environné de feuilles de papier.

« Bonjour génie, dit-il tout guilleret.

— Bonjour, fit Bhaskar d'un ton lointain. Juste une minute. » Il contemplait un graphique. Il gribouilla quelques chiffres puis se tourna vers son oncle.

Maan l'embrassa, lui demanda comment il allait.

« Bien, Maan Maama, mais ils font tous tant d'histoires dans cette maison.

— Et la tête ?

— Ma tête ? Mais elle va bien.

— Alors tu veux des nombres à calculer ?

— Non, pas pour le moment. J'en ai plein le cerveau.

— Que fais-tu ? Ça a l'air très sérieux.

— C'est très sérieux en effet. » En entendant la voix de Mahesh Kapoor, Maan se retourna. Son père, sa mère, sa sœur, ils étaient tous là. Veena serra son frère dans ses bras, les larmes aux yeux, puis s'assit sur le bord du lit de Bhaskar après avoir écarté quelques papiers. L'enfant ne protesta pas.

« Bhaskar se plaint de s'ennuyer, dit Veena. Il veut s'en aller.

— Oh, je peux encore rester deux ou trois jours.

— Vraiment ? J'aurais peut-être dû te faire examiner la

tête deux fois par jour. » Maan respira. Si Veena était capable de plaisanter, c'est que Bhaskar allait tout à fait bien.

« A quoi s'occupe-t-il ? demanda-t-il.

— A trouver la circonscription que je devrai représenter, répondit laconiquement Mahesh Kapoor.

— Pourquoi pas l'ancienne ?

— Parce qu'on l'a redécoupée.

— Oh !

— Par ailleurs, je quitte le Congrès.

— Oh ! » Maan regarda sa mère, qui ne dit rien. Elle ne paraissait pas très heureuse. La décision de son mari lui déplaisait, mais elle ne pensait pas être en mesure de le faire changer d'avis. Il devrait démissionner de son poste de ministre du Trésor ; il allait quitter le parti qui, dans l'esprit du peuple, était associé au mouvement de libération, le parti auquel son mari et elle avaient toujours appartenu ; il lui faudrait trouver de l'argent s'il voulait pouvoir affronter le Congrès qui, par l'intermédiaire du ministre de l'Intérieur, distribuait des sommes considérables. Surtout, il devrait de nouveau se battre contre des forces supérieures, et il n'était plus jeune.

« Maan, comme tu as maigri ! dit sa mère.

— Maigre, moi ?

— Oui, et tu es beaucoup plus foncé. Presque autant que Pran, constata-t-elle tristement. La vie de village ne te vaut rien. Je vais m'occuper de toi. Tu me diras ce que tu veux manger à chaque repas –

— Oui, c'est bon de te voir revenu, et j'espère que les choses ont changé. » Un réel contentement, mais aussi une certaine inquiétude, perçait dans la voix de Mahesh Kapoor.

« Pourquoi personne ne m'a-t-il prévenu à propos de Bhaskar ?

— Il nous appartient de prendre certaines décisions.

— Alors, si le bébé de Savita était né –

— Tu es ici maintenant, Maan, et c'est l'essentiel, le coupa son père. Où sont tes affaires ? Les domestiques ne les trouvent pas. Et avant de partir pour Bénarès tu devras -

— Mes affaires sont chez Firoz. C'est là que je réside. »

Un silence médusé accueillit ces paroles.

Mahesh Kapoor eut l'air fâché, ce qui ne perturba guère Maan, mais Mrs Mahesh Kapoor parut peinée, ce qui donna mauvaise conscience à son fils. Il se prit à douter d'avoir agi comme il le fallait.

« Ainsi tu ne considères plus cette maison comme la tienne ? demanda-t-elle.

— Bien sûr que si, bien sûr que si, Ammaji, mais avec tous ces gens qui y vivent en ce moment –

— Ces gens – vraiment, Maan, protesta Veena.

— Ce n'est que temporaire. Je reviendrai dès que possible. Il y a certaines choses dont je veux discuter avec Firoz, mon avenir –

— Ton avenir est à Bénarès, nous ne reviendrons pas là-dessus, décréta son père.

— Bon, nous parlerons de cela après le déjeuner, intervint Mrs Mahesh Kapoor, sentant que les choses pouvaient se gâter. Tu peux rester pour le déjeuner, n'est-ce pas ?

— Bien sûr, Ammaji.

— Bon. Nous avons des alu parathas. » C'était un des plats favoris de Maan. « Depuis quand es-tu là ?

— Je viens d'arriver. J'ai voulu voir Bhaskar en premier.

— Non, à Brahmpur.

— Hier soir.

— Pourquoi n'es-tu pas venu dîner avec nous, alors ?

— J'étais fatigué.

— Tu as donc dîné à Baitar House. Comment va le Nawab ? » La question venait de Mahesh Kapoor.

Maan rougit, mais ne répondit pas. Tout ceci était intolérable. Il n'était pas question qu'il revive sous la domination de son père.

« Où as-tu dîné ? répéta Mahesh Kapoor.

— Nulle part. Je n'avais pas faim. J'avais grignoté pendant tout le voyage, et je n'avais plus faim.

— As-tu bien mangé à Rudhia ? demanda sa mère.

— Oui, Ammaji, j'ai bien mangé, très bien mangé, tout le temps. » Il avait du mal à dissimuler son agacement.

Veena savait percevoir l'humeur de son frère. Elle le revoyait, petit garçon, la suivant partout dans la maison. Il ne perdait sa bonne humeur qu'en cas de contrariété ou d'incompréhension. Il avait mauvais caractère, mais s'irritait rarement.

Quelque chose avait dû se produire, tout récemment, qui l'avait bouleversé, elle en était sûre. Elle s'apprêtait à lui poser la question – au risque de l'ennuyer davantage – quand Bhaskar, l'air de sortir d'un rêve, dit : « Rudhia.

— Quoi, Rudhia ? demanda Maan.

— Dans quelle partie de Rudhia étais-tu ?

— Au nord – près de Debaria.

— C'est indiscutablement la meilleure des circonscriptions rurales, décréta Bhaskar. Le nord de Rudhia. Nanaji a dit qu'une large proportion de musulmans et de jatavs constituait un facteur favorable pour lui.

— Du calme, Bhaskar, ordonna son grand-père. Tu as neuf ans. Tu ne comprends rien à tout ceci.

— Mais je t'assure, Nanaji, c'est une des meilleures circonscriptions ! Pourquoi ne la choisis-tu pas ? Tu as dit que le nouveau parti te donnerait ce que tu voudrais. Si tu veux un siège rural, c'est celui-là qu'il faut prendre. Salimpur-Baitar, dans le nord de Rudhia. Je n'ai pas encore trié les sièges urbains.

— Idiot, tu ne connais rien à la politique. Rends-moi ces papiers.

— Je retournerai à Rudhia pour Bakr-Id, dit Maan, prenant la défense de Bhaskar. Les gens insistent pour que j'aille fêter ça avec eux. Je suis très populaire ! Et tu peux venir avec moi. Je te présenterai tout le monde dans ta future circonscription. Rien que des musulmans, rien que des jatavs.

— Je connais les gens, je n'ai pas besoin qu'on me présente. Et ce n'est pas ma future circonscription, que ce soit bien clair. Quant à toi, tu vas retourner t'installer à Bénarès et non pas faire la fête à Rudhia. »

Ce n'est pas sans tristesse ni regret que Mahesh Kapoor avait quitté le parti auquel il avait consacré toute sa vie, et il était encore assailli de doutes quant à la justesse de sa décision. Il craignait que le Congrès ne gagnât, il s'y attendait même. Le parti était beaucoup trop ancré à la fois dans les places et dans la conscience des gens ; à moins de perdre Nehru, comment pouvait-il ne pas gagner ? Et lui, Mahesh Kapoor, aussi mécontent fût-il de la façon dont allaient les choses, certaines raisons auraient dû l'empêcher de partir. La Cour suprême n'ayant pas encore statué sur la validité de la Loi d'abolition des Zamindars, il restait à la faire entrer en vigueur. De plus, en l'absence au gouvernement d'un rival de poids, L.N. Agarwal accumulerait entre ses mains encore plus de pouvoir.

Mahesh Kapoor avait parié (ou on l'avait poussé à parier) – un risque calculé – sur la possibilité d'entraîner Nehru hors du Congrès. Mais peut-être s'agissait-il d'un pari fantasque, sans rien de calculé. Ou même d'une simple décision instinctive. Car le véritable parieur, il se trouvait au gouvernement de Nehru, à Delhi ; c'était le ministre des Communications, l'habile Rafi Ahmad Kidwai qui, allongé sur son lit, Bouddha à lunettes et calot blanc, avait dit à Mahesh Kapoor (venu lui rendre une visite amicale) que s'il ne sautait pas maintenant de ce bateau à la dérive qu'était le Congrès, lui, Kidwai, ne serait plus jamais en mesure de le remorquer jusqu'au rivage.

Une image passablement outrée, rendue encore plus aléatoire par le fait que Rafi Sahib, en dépit de son immense agilité d'esprit et de son amour pour les voitures rapides, n'avait jamais été un adepte du mouvement – de l'exercice physique en général – encore moins du saut, de la natation ou du remorquage. Mais il était célèbre pour ses talents de persuasion. Les hommes d'affaires les plus rusés perdaient leurs moyens en sa présence et se retrouvaient délestés de milliers de roupies, qu'il s'empressait de redistribuer aux veuves accablées, aux étudiants pauvres, aux politiciens de son parti ou même de partis adverses, quand le besoin s'en faisait sentir. Sa gentillesse, sa générosité et sa perspicacité avaient charmé maints politiciens beaucoup plus retors que Mahesh Kapoor.

Rafi Sahib appréciait beaucoup de choses – les stylos à plume, les mangues et les montres, entre autres – il goûtait aussi les plaisanteries ; et Mahesh Kapoor se demandait à présent si le plongeon qu'il lui avait conseillé de faire n'était pas une de ses plaisanteries les plus bouffonnes et les plus désastreuses. Car Nehru n'avait montré aucun signe tangible de son désir de quitter le Congrès, bien que l'hémorragie de ses partisans se poursuivît. Seul le temps le dirait, le temps qui était la clef de tout. Silencieux et souriant sous le feu croisé de plusieurs conversations, Rafi Sahib, tel un caméléon attrapant une mouche, lâchait soudain une phrase, étonnante de sagacité. Il possédait un instinct semblable pour déceler les courants qui agitaient le monde politique ; pour distinguer les dauphins des crocodiles dans l'obscurité de ces eaux fangeuses ; un sens surnaturel du moment où il convenait d'agir. Quand Mahesh Kapoor l'avait quitté, il lui avait donné une montre – le ressort de celle de Mahesh Kapoor avait lâché – en lui disant : « Je vous garantis que Nehru, vous et moi nous retrouverons sur la même plate-forme, quelle qu'elle soit. A treize heures le treizième jour du treizième mois, regardez cette montre, Kapoor Sahib, et vous me direz si je n'avais pas raison. »

12.20

Quand approcha l'époque des élections syndicales étudiantes à l'université de Brahmpur, une frénésie politique s'empara du campus et de la ville. Les sujets d'agitation ne manquaient pas : demandes de salles de cinéma et appel à la solidarité avec les instituteurs négociant des augmentations de salaire ; réclamations concernant le trop petit nombre de postes à pourvoir associées à des manifestations de soutien du Pandit Nehru et à son dogme du non-alignement en politique étrangère ; amendements au règlement sévère en vigueur à l'université ; emploi du hindi pour les examens d'entrée dans l'administration. Certains partis – ou les leaders de certains partis, car il était bien difficile de déceler ce qui était de l'ordre des partis et de l'ordre des individus – croyaient que le retour aux anciennes traditions hindoues guérirait tous les maux de l'Inde. D'autres affirmaient que le socialisme, défini ou ressenti de multiples façons, était la panacée.

Il y avait de la fermentation et de la bagarre. C'était le début de l'année universitaire, mais personne ne se concentrait sur ses études ; les examens étaient dans neuf mois. On discutait dans les cafés, les logements des délégués, les résidences universitaires ; les étudiants se formaient en groupes, défilaient, jeûnaient, se battaient à coups de cannes et de pierres, aidés parfois par les partis auxquels ils étaient affiliés, mais ce n'était pas nécessaire. Ils avaient appris à fomenter des troubles sous la domination britannique, et il n'y avait pas de raison de perdre, du seul fait de changements administratifs à Delhi comme à Brahmpur, cette connaissance chèrement acquise, transmise de promotion en promotion. D'ailleurs, le gouvernement de Delhi, par sa suffisance et son incapacité à résoudre les problèmes du pays, était très impopulaire dans les milieux estudiantins, qui ne faisaient pas de la stabilité une fin en soi.

Le parti du Congrès espérait gagner par défaut, ce qui se produit souvent avec ce genre de vastes formations centristes protéiformes. Il espérait gagner malgré les différends qui opposaient ses dirigeants nationaux, malgré les défections massives de ses membres depuis la conférence de Patna, malgré le fait que son plus éminent représentant local voyait son nom traîné dans la boue – en sa qualité de trésorier de l'université, grand manœuvrier au sein du Conseil exécutif, et de ministre de l'Intérieur, adepte du bâton. Les étudiants affiliés au parti du Congrès se défendaient en proclamant : « Laissez-nous le temps. Nous sommes le parti de l'Indépendance, de Jawaharlal Nehru, pas celui de L.N. Agarwal. Nous avons pris du retard, mais les choses s'amélioreront si vous continuez à nous faire confiance. Ce qui ne sera sûrement pas le cas si vous changez d'attelage maintenant. »

La plupart des étudiants n'avaient toutefois pas l'intention de voter pour le statu quo ; ils ne possédaient ni femmes, ni enfants, ni emploi, ni fortune, rien qui pût les empêcher de vouloir goûter aux plaisirs excitants de l'instabilité. Pas plus qu'ils ne voulaient faire confiance pour l'avenir à des gens qui jusque-là n'avaient montré aucun signe de compétence. Le pays devait mendier sa nourriture à l'étranger. L'économie, à la fois sous-planifiée et surplanifiée, titubait de crise en crise. Leurs études terminées, les jeunes n'avaient que peu d'espoir de trouver du travail.

Romantisme et désillusion, fruits de l'après-Indépendance, formaient un mélange détonant. Le Parti socialiste gagna les élections. Rasheed, l'un de ses candidats, devint un permanent.

Malati Trivedi, qui ne se tenait pas pour une véritable socialiste mais s'était inscrite au parti pour le plaisir que tout cela apportait, parce qu'elle en aimait les discussions et parce que certains de ses amis (y compris son musicien accompagnateur) y adhéraient, ne recherchait nullement un poste de responsabilité. Mais elle avait l'intention de se joindre à la marche « de victoire et de protestation » qui devait se dérouler une semaine après les élections.

Le parti – et tous ceux qui le souhaiteraient – entendait « protester » contre la situation salariale des instituteurs. Au nombre de dix mille, ceux-ci touchaient un salaire de misère, qui ne leur permettait pas de mener une vie décente, inférieur en fait à celui des patwaris de village. Les enseignants s'étaient mis en grève, soutenus par un certain nombre de fédérations estudiantines, dont celles des facultés de droit et de médecine. Outre que le problème de l'éducation les concernait tous, puisqu'il y allait du niveau des citoyens du pays, c'était un excellent aimant capable d'attirer beaucoup d'autres choses. Certaines fédérations voulaient que l'agitation gagne la ville entière et pas seulement l'université ; fait intéressant, un petit groupe de jeunes musulmanes, toujours en situation de purdah, constituait un des foyers du radicalisme.

Le ministre de l'Intérieur avait clairement affiché ses

intentions : défiler dans le calme était une chose, fomenter des troubles en était une autre : il n'hésiterait pas, le cas échéant, à faire charger la foule.

En l'absence de S.S. Sharma, retenu à Delhi pour quelques jours, une délégation de dix étudiants (comprenant Rasheed) se présenta devant L.N. Agarwal, Premier ministre d'Etat par intérim. Admis dans son bureau, ils énoncèrent brutalement leurs revendications, autant pour s'épater les uns les autres que dans l'espoir de le convaincre. Ils ne manifestèrent pas le respect qu'il estimait être dû aux aînés, spécialement ceux qui avaient enduré les coups, la ruine, avaient moisi des années en prison pour la liberté du pays. Agarwal refusa de céder, les renvoyant à leur ministre de tutelle, le ministre de l'Education, ou au Premier ministre d'Etat lui-même, quand il reviendrait. Et il confirma sa détermination de maintenir l'ordre à tout prix.

« Cela signifie-t-il que vous ferez tirer sur nous si la situation vous échappe ? demanda Rasheed.

— J'aimerais mieux pas, dit le ministre de l'Intérieur sur un ton laissant entendre que l'idée ne lui déplaisait pas totalement, mais nous n'en arriverons pas là, c'est évident. » Il se garda d'ajouter que, le parlement n'étant pas en session, il ne risquait pas de se retrouver en position d'accusé.

« On se croirait revenu à l'époque des Anglais, continua Rasheed, de plus en plus furieux. Les Anglais nous chargeaient à la lathi, ils ont même tiré sur nous, les étudiants, pendant les émeutes du mouvement "Quittez l'Inde". Les Anglais ont répandu notre sang ici à Brahmpur – à Chowk, à Captainganj – »

Le reste de la délégation appuya cette diatribe d'un grondement coléreux.

« Oui, oui, le coupa Agarwal, je sais cela. Je l'ai vécu. Vous deviez avoir une douzaine d'années à l'époque, et guetter anxieusement dans la glace vos premiers poils. "Nous les étudiants", ce n'était pas vous, mais vos prédécesseurs, et même certains des miens. C'est facile de se frayer une route dans le sang des autres. Pour le reste, nous avons maintenant un gouvernement indien, et j'espère que vous ne voulez pas qu'il "Quitte l'Inde". » Il eut un petit rire.

« Si vous avez quelque chose d'utile à dire, dites-le. Sinon partez. Vous n'avez peut-être pas de manuels à lire, mais moi j'ai mes dossiers. Je sais parfaitement à quoi m'en tenir sur cette marche. Ce n'est pas le salaire des instituteurs qui est en cause. C'est un moyen d'attaquer le gouvernement du pays et de l'Etat, et de semer le désordre en ville. » Du dos de la main, il indiqua la porte : « Retournez à vos livres. C'est le conseil que je vous donne en ami sincère – en ma qualité de trésorier de l'université – de ministre de l'Intérieur – et de Premier ministre d'Etat par intérim ; et c'est aussi le conseil de votre vice-chancelier. De vos professeurs. De vos parents.

— Et de Dieu, ajouta le président du syndicat des étudiants, qui était athée.

— Dehors », dit le ministre de l'Intérieur d'une voix calme.

12.21

Mais la veille du jour fixé pour la manifestation, un incident se produisit en ville, qui réunit temporairement les deux parties du même côté de la barricade.

Le Manorma Parlant, le cinéma de Nabiganj qui projetait *Deedar*, qui n'avait cessé depuis des mois de projeter *Deedar* devant des salles combles, fut la scène d'une quasi-émeute estudiantine.

Selon le règlement de l'université, les étudiants n'avaient pas le droit d'assister à la dernière séance du soir, une ordonnance à laquelle personne ne prêtait attention. Notamment ceux qui, habitant en ville, ne manquaient pas de la tourner en ridicule chaque fois que l'occasion s'en présentait. *Deedar* jouissait d'une immense popularité. Ses airs étaient sur toutes les lèvres, il séduisait aussi bien les jeunes que les vieux ; on aurait pu y voir sangloter le même soir le Dr Kichen Chand Seth et le Rajkumar de Marh. Il connaissait une fin tragique, contrairement à la coutume, mais pas de ces fins qui vous donnent envie de déchirer l'écran ou de mettre le feu à la salle.

Ce qui déclencha l'émeute ce soir-là fut l'instruction donnée au caissier par la direction de ne pas accorder la remise estudiantine si le nombre de billets à plein tarif était suffisant. Ceci se passait à la première séance de nuit. Deux étudiants, dont l'un avait déjà vu le film, se virent répondre que la salle était pleine. Des expériences précédentes leur avaient appris à se méfier de la direction. Quand ils se rendirent compte que l'on vendait des billets à des personnes arrivées après eux, ils se mirent à haranguer les gens qui faisaient la queue – pour se venger d'une vieille dame qui leur disait de se taire, ils racontèrent la fin du film – à hurler après les employés. Lesquels continuèrent à travailler tranquillement, jusqu'à ce que les jeunes, dont l'un était muni d'un parapluie, parvenus à un degré d'énervement maximum, commencent à casser les portes vitrées du cinéma. Les clients hurlèrent eux aussi, parlèrent d'appeler la police, ce à quoi ne tenait pas du tout la direction de la salle. Employés, projectionniste, plus quelques autres personnes, se précipitèrent sur les étudiants et les flanquèrent dehors. En quelques minutes la mêlée fut terminée ; elle n'avait pas trop perturbé l'humeur des spectateurs.

A la fin de la séance cependant, une foule de plusieurs centaines d'étudiants en colère manifestait devant le cinéma, repoussant loin des caisses ceux qui prétendaient acheter leur ticket, interdisant l'entrée du hall à ceux qui avaient déjà le leur en poche. Les spectateurs qui sortaient de la salle, encore sous le coup de l'émotion, les joues mouillées de larmes, découvraient, éberlués, cette horde de jeunes hurlant qu'on allait voir de quel bois ils se chauffaient.

La scène commença à prendre très mauvaise tournure. Si les spectateurs ne furent pas molestés, certains se virent empêchés de monter dans leur voiture et prirent la fuite. Finalement, le Magistrat de district, le Surintendant de police adjoint, le Recteur de l'université arrivèrent sur les lieux. Mis au courant, ils furent tous d'avis que la direction du cinéma était fautive mais que les étudiants auraient dû déposer plainte devant les autorités compétentes. Le Recteur, pour sa part, essaya de rappeler le règlement interdisant l'accès à la deuxième séance du soir, mais sa voix fut couverte par les hurlements. Comprenant que seuls les délégués syndicaux pourraient ramener le calme, il demanda à les voir. Deux d'entre eux se trouvaient parmi la foule. Ils refusèrent d'intervenir tant que le Trésorier, en sa qualité de membre du Conseil exécutif, ne monterait pas lui-même au créneau de façon à prouver que le Conseil, d'une façon générale, avait pour tâche de protéger la communauté estudiantine, et pas uniquement de lui imposer ses volontés. Cela revenait à exiger la présence de L.N. Agarwal.

Le directeur de la salle, qui était rentré chez lui aussitôt après la première escarmouche, revint en hâte en apprenant que la police se chargeait de sa sécurité personnelle mais pas de celle de son cher Manorma Parlant. Il fut abject. Il appela les étudiants « mes chers chers amis », pleura à la vue des meurtrissures sur les bras et le dos de l'un des jeunes gens, invoqua ses propres années d'université, leur offrit une projection spéciale de *Deedar*. Rien n'y fit. « C'est au Trésorier de nous représenter, continuèrent d'affirmer les délégués syndicaux. Nous n'écouterons que lui. » En réalité, ils tenaient absolument à éviter que l'incident ne dégénère afin que la marche de protestation du lendemain soit perçue comme une défense du bien général et non comme une revendication catégorielle.

L.N. Agarwal avait ordonné au Surintendant de police de régler l'affaire à son niveau ; un coup de téléphone du recteur le convainquit cependant de se déplacer. Il le fit de très mauvaise grâce. Il n'éprouvait pas la moindre sympathie pour cette jeunesse turbulente, qui n'appréciait pas les privilèges dont elle jouissait par rapport au reste de la population, qui ignorait délibérément que les frais de son éducation incombaient pour les deux tiers au gouvernement. Et à qui, en plus, on accordait des droits particuliers pour ce qui n'était que de simples divertissements. Mais puisque ces droits existaient, L.N. Agarwal se vit dans l'obligation de dire au directeur du cinéma qu'il devait les respecter.

Les employés fautifs furent renvoyés ; leur patron écrivit

une lettre d'excuses au recteur exprimant son regret et assurant les étudiants de « ses meilleurs services en permanence ». Chaque blessé reçut deux cents roupies d'indemnité ; la lettre d'excuses fut projetée sur l'écran de tous les cinémas de Brahmpur.

La foule dispersée, L.N. Agarwal regagna les deux pièces qu'il occupait dans la résidence réservée aux membres du gouvernement. Furieux et persuadé que le lendemain les penchants violents de cette bande de jeunes égoïstes se manifesteraient de nouveau. Eh bien, qu'à cela ne tienne, la police saurait intervenir si leurs penchants se transformaient en actes.

12.22

Et le lendemain, il vit ses craintes ou ses espoirs réalisés. Partie d'une école primaire, la manifestation commença par se dérouler dans le calme. Les filles (dont Malati) marchaient devant, de façon à dissuader la police d'intervenir. Tous hurlaient des slogans contre le gouvernement et en faveur des instituteurs, dont certains défilaient avec eux. Les gens les regardaient passer, des fenêtres des appartements, sur le pas de la porte des boutiques ou depuis les toits. Les uns encourageaient, les autres protestaient, les enfants, qui n'avaient pas cours puisque l'école était en grève, saluaient leur maître quand ils le reconnaissaient dans le cortège. La matinée était claire, quelques flaques sur la chaussée témoignaient qu'il avait plu durant la nuit.

Des banderoles dénonçaient la volonté de l'université de rendre obligatoire l'adhésion syndicale, d'autres l'augmentation du chômage, la plupart affichaient le soutien aux instituteurs.

Arrivée à une centaine de mètres du siège du gouvernement, la foule se trouva face à un fort contingent de policiers armés de lathis. Elle s'arrêta. La police avança jusqu'à moins de cinq mètres des manifestants, et un inspecteur leur ordonna, conformément aux ordres du Surintendant, de se disperser ou de revenir sur leurs pas. Ils refusèrent. Les slogans à présent se transformaient en insultes contre le gouvernement et les policiers : de laquais des Anglais, ils étaient devenus les laquais du parti du Congrès ; ce n'étaient pas des shorts qu'ils devraient porter, mais des dhotis, etc.

La nervosité commença à gagner les policiers. Ils avaient repéré les meneurs, ceux qui criaient le plus fort, mais empêchés d'agir par la présence autour des garçons d'un cordon de filles – certaines en haïk – ils en étaient réduits à brandir leur lathi. Les étudiants, de leur côté, constatant que nonobstant les menaces de L.N. Agarwal les forces de l'ordre n'avaient que des bâtons pour toute arme, s'enhardirent.

Connaissant la sournoiserie du ministre de l'Intérieur, ils s'en prirent à lui personnellement, scandant son nom de « dalals » vigoureux, inventant des couplets du genre :

> *« Maananiya Mantri, kya hain aap ?*
> *Aadha maanav, aadha saanp. »*
> > *« Ministre, nous savons pour qui tu te prends,*
> > *Moitié homme, moitié serpent. »*

D'autres mettaient carrément en cause sa virilité. Rasheed et plusieurs délégués syndicaux tentèrent de rétablir le calme et de relancer les slogans initiaux, sans résultat. D'une part, certains manifestants appartenaient à des fédérations étudiantes sur lesquelles le nouveau syndicat d'obédience socialiste n'exerçait aucun pouvoir. D'autre part, la foule était victime d'une sorte d'intoxication. La dignité des revendications inscrites sur les banderoles contrastait avec la médiocrité des railleries.

Se rendant compte que la manifestation qu'il avait contribué à organiser échappait à son contrôle, Rasheed essaya au moins de ramener ses plus proches voisins à la raison, de leur rappeler quelle était la plate-forme revendicatrice, mais il devint lui-même objet de leur indignation. « Tu étais la voix d'All India, tu n'es plus qu'un écureuil qui piaille dans la poche d'Agarwal. D'abord tu essaies de nous exciter, maintenant tu veux nous calmer, lui cria un étudiant en médecine. Nous ne sommes pas des jouets mécaniques. » Et comme pour prouver son indépendance, le garçon traversa le cordon protecteur des filles, continuant à lancer ses invectives à la face de la police. Effrayé par ce qu'il voyait dans le regard des policiers, dégoûté du tournant que prenaient les choses, Rasheed, sous les lazzis de ses compagnons, quitta les rangs et s'éloigna.

Les pires injures cependant ne provenaient que de petits groupes, qui commencèrent à indisposer les filles et certains autres, dont de nombreux enseignants. Eux aussi rebroussèrent chemin. L.N. Agarwal, qui assistait à tout cela depuis la fenêtre de son bureau, nota avec satisfaction que le cordon protecteur s'amenuisait et donna l'ordre de disperser les derniers manifestants. « Apprenez-leur qu'on peut donner des leçons en dehors des salles de classe, dit-il au Surintendant, venu demander des instructions.

— Oui, Monsieur. » Le surintendant était ravi. Après les insultes dont on avait abreuvé ses troupes, il exécuterait l'ordre sans regret.

Officiers et simples policiers furent donc chargés de donner une bonne leçon à tous ces jeunes, et ils ne s'en privèrent pas. La charge fut sauvage et soudaine. Le sang des blessures se mélangea à l'eau des flaques, tachant la chaussée. Il y eut des côtes, des jambes et des bras cassés, ces derniers levés pour tenter de protéger les têtes. Les policiers traînèrent les blessés sur le sol, les poussèrent dans les fourgons, trop ivres de rage pour utiliser des brancards.

Un des garçons, gravement blessé à la tête, était dans un état critique. Il s'agissait de l'étudiant en médecine.

12.23

A son retour, l'après-midi même, S.S. Sharma trouva une situation explosive. La ville entière, à présent, était bouleversée, agitée. Passant outre à leurs différends politiques, les étudiants serreraient les rangs contre la brutalité, la criminalité disaient certains, de la police. Une veillée s'organisa au voisinage de la faculté de médecine où (une fois la gravité de ses blessures constatées) l'on avait transporté l'étudiant. Plusieurs milliers d'étudiants s'installèrent devant le bâtiment, attendant des nouvelles. Bien entendu, tous les cours furent supprimés ce jour-là, et ils devaient l'être pendant un certain temps.

Craignant le pire en cas de décès du garçon, le ministre de l'Intérieur conseilla au Premier ministre de faire appel à l'armée, voire, si nécessaire, d'imposer la loi martiale. Lui-même avait déjà institué le couvre-feu, qui devait prendre effet le soir même.

S.S. Sharma l'écouta, réfléchit, puis dit : « Agarwal, comment se fait-il que je ne puisse m'absenter deux jours de cette ville sans qu'à mon retour je sois confronté à un problème ? Si ce portefeuille ne vous convient plus, je vous en confierai un autre. »

Mais Agarwal aimait le pouvoir que confère un ministère comme celui de l'Intérieur et savait qu'il était le seul à pouvoir occuper ce poste, surtout avec la prochaine démission, encore officieuse mais connue de tous, de Mahesh Kapoor. « J'ai fait de mon mieux, répondit-il. Mais on ne dirige pas un Etat avec de la gentillesse.

— Ainsi vous suggérez le recours à l'armée ?

— Oui, Sharmaji.

— Cela ne serait bon ni pour l'armée ni pour la population. Quant aux étudiants, c'est le plus sûr moyen de mettre le feu aux poudres. » Il dodelina un peu de la tête. « Je les considère comme mes enfants. Nous venons de commettre une mauvaise action. »

Le « nous » collectif soulagea L.N. Agarwal, qui n'éprouvait néanmoins que mépris pour le sentimentalisme du Premier ministre.

« Je suis persuadé, Sharmaji, que, quoi que nous fassions, les étudiants s'enflammeront quand cet étudiant mourra.

— *Quand* et non pas *si* ? Il n'y a donc pas d'espoir ?

— Je ne le crois pas. Mais il est difficile de connaître les faits, dans cette situation. Les gens exagèrent, c'est vrai. En tout état de cause, mieux vaut être prêt. »

Le Premier ministre soupira. « A cause de ce couvre-feu, reprit-il de sa voix nasillarde, et quoi qu'il arrive au garçon, nous aurons un problème ce soir. Si les étudiants refusent de se disperser, que ferons-nous ? Suggérez-vous de tirer sur eux ? »

Le ministre de l'Intérieur ne répondit pas.

« Et si le garçon meurt, je vous prédis que les funérailles prendront une ampleur incontrôlable. Il voudront faire brûler le corps sur les bords du Gange, probablement près de l'autre malheureux bûcher. »

Le ministre de l'Intérieur ne broncha pas. Quand on accomplit son devoir correctement, on ne doit pas se laisser démonter par les reproches. Il était sûr que la commission d'enquête du Pul Mela, qui avait commencé ses travaux la semaine précédente, le déchargerait de toute responsabilité dans cette affaire.

« Ce sera impossible, dit-il, ils devront faire ça sur un ghat ou ailleurs. Les rives de ce côté-ci sont déjà inondées. »

S.S. Sharma s'abstint de répondre. Le Pandit Nehru, englué dans la bataille à l'intérieur de son parti, lui avait demandé une fois de plus de venir le rejoindre et d'accepter un poste au gouvernement central. Ça devenait de plus en plus difficile de refuser. D'un autre côté, lui parti et Mahesh Kapoor ayant démissionné, L.N. Agarwal deviendrait à coup sûr le nouveau Premier ministre. Et Sharma ne s'estimait pas en droit de remettre son Etat entre les mains de cet homme rigide, astucieux et intelligent, mais sans humanité. Sharma, à ses moments philosophiques, se considérait comme le père non seulement des étudiants mais de tous ses administrés. Ce qui parfois le poussait à des concessions ou à des compromis inutiles, qu'il jugeait néanmoins préférables aux solutions préconisées par Agarwal. Certes on ne dirigeait pas un Etat à coup de gentillesse ; pas davantage à coup de discipline et de peur.

« Agarwal, je prends moi-même cette affaire en main. Vous voudrez bien ne plus donner d'instructions. Conservez cependant celles qui sont déjà en application, notamment le couvre-feu. »

Sans accorder un regard à son ministre, S.S. Sharma demanda à son secrétaire personnel de lui passer le directeur de la faculté de médecine au téléphone.

« Sharma à l'appareil, dit-il. Je souhaiterais venir immédiatement à la faculté... Non, non, pas de police, sans aucune escorte... Juste un collaborateur... Oui... Je suis désolé pour le garçon... Oui, je m'occupe de ma sécurité, j'éviterai les étudiants... Comment cela impossible ? Il doit bien y avoir une entrée secondaire ou quelque chose. Une entrée privée pour votre maison ? Très bien, je l'emprunterai. Soyez assez aimable pour m'y attendre. Je serai là dans un quart d'heure. Et s'il vous plaît, gardez le secret, sinon j'aurai droit au comité d'accueil dont je me passe très bien... Non, il ne m'accompagnera pas – absolument pas. »

Toujours sans regarder Agarwal, il dit : « Je dois me rendre à la faculté de médecine. Je crois préférable que vous ne veniez pas. Si vous restez ici, dans mon bureau, je pourrai être en contact avec vous immédiatement au cas où de nouveaux incidents se produiraient. Mes collaborateurs sont à votre service.

— Je préférerais vous accompagner, dit Agarwal, passant une main nerveuse dans sa couronne de cheveux, ou en tout cas vous donner une escorte.

— Ça ne me paraît pas astucieux.

— Vous avez besoin de protection. Ces étudiants –

— Agarwal, vous n'êtes pas encore Premier ministre », dit tranquillement S.S. Sharma. Agarwal tiqua, mais n'ajouta rien.

12.24

Introduit dans la pièce où reposait le garçon, le Premier ministre, pourtant endurci par ce qu'il avait vu du temps des Anglais, considéra le corps avec pitié et incrédulité.

Observant par la fenêtre les jeunes assis sur la pelouse et sur la chaussée, il se représenta leur stupeur et leur colère. Il valait mieux qu'ils ignorent sa présence ici. Le directeur était en train de lui raconter quelque chose à propos de l'impossibilité de reprendre les cours, mais S.S. Sharma n'avait d'yeux que pour un vieil homme dans un coin, vêtu à la façon typique des membres du Congrès, qui ne s'était pas levé à son entrée. Il paraissait perdu dans son propre monde.

« Qui êtes-vous ? demanda le Premier ministre.

— Le père de ce malheureux garçon.

— Venez avec moi. Les solutions de la crise viendront plus tard. Dans l'immédiat, nous avons vous et moi un problème à résoudre. Dans une autre pièce, pas avec tous ces gens autour de nous.

— Je ne peux pas bouger d'ici. Je sais que mon fils n'en a plus pour longtemps. »

Le Premier ministre pria alors toute l'assistance de se retirer, à l'exception d'un seul médecin, puis s'adressa à nouveau au vieil homme.

« Je suis coupable d'avoir laissé cela se produire. J'en accepte la responsabilité. Mais j'ai besoin de votre aide. Vous seul pouvez sauver la situation. Si vous refusez, il y aura beaucoup plus d'infortunés garçons et de pères terrassés par le chagrin.

— Que puis-je faire ? » L'homme parlait d'une voix calme, comme si désormais plus rien d'autre ne comptait pour lui.

« Les jeunes sont au bord de l'explosion. Quand votre fils mourra, ils voudront former un cortège. L'émotion sera énorme, la situation deviendra incontrôlable. Et alors, qui sait ce qu'il peut arriver ?

— Que voulez-vous que je fasse ?

— Parlez aux étudiants. Dites-leur de partager votre souffrance, d'assister aux funérailles. Elles auront lieu où vous le souhaiterez ; j'interdirai toute présence policière. Mais s'il vous plaît dites-leur de ne pas former de cortège. Les répercussions seraient catastrophiques. »

Le vieil homme se mit à pleurer. Mais bientôt il se reprit et, le regard sur son fils dont la tête disparaissait sous les bandages, il dit de la même voix calme que précédemment : « Je ferai ce que vous dites. »

Puis, se parlant à lui-même, il ajouta : « Ainsi, il sera mort pour rien ?

— Non, dit le Premier ministre, je veillerai à ce que ce ne soit pas le cas. Je vais essayer de dénouer la situation à ma façon. Mais rien n'aura plus d'effet que quelques mots venant de vous. Vous empêcherez plus de malheurs par ce seul acte que la plupart des gens dans toute leur vie. »

Le Premier ministre repartit, comme il était venu, incognito. De retour dans son bureau, il demanda à Agarwal d'annuler le couvre-feu et de faire relâcher tous les étudiants arrêtés à la fin de la manifestation. « Et envoyez chercher le président du syndicat estudiantin », ajouta-t-il.

L.N. Agarwal eut beau protester que la manifestation s'était déroulée à l'instigation de ce même syndicat, le Premier ministre reçut le garçon. Celui-ci avait voulu amener Rasheed avec lui – un hindou, un musulman, pour souligner le laïcisme du Parti socialiste – mais, devant l'air coupable et désespéré de son camarade, il y avait renoncé. Il se trouvait à présent seul face au Premier ministre et au ministre de l'Intérieur ; sa nervosité était patente.

« J'accepte vos revendications, mais je veux d'abord que le mouvement de protestation renonce à toute autre action. Etes-vous préparé à agir en conséquence ? Aurez-vous le courage d'éviter toute nouvelle effusion de sang ?

— La question de l'adhésion obligatoire au syndicat ?

— Oui », confirma le Premier ministre. A ses côtés, L.N. Agarwal se forçait à garder lèvres closes. Son silence, il le savait, équivalait à un acquiescement.

« Le salaire des instituteurs ?

— Nous étudierons la question, nous améliorerons ces salaires, peut-être pas au point de vous satisfaire totalement. Les ressources de l'Etat sont limitées. »

Ils continuèrent ainsi à passer en revue toutes les revendications.

« Ce que je peux offrir, dit le jeune homme, c'est un retrait temporaire. J'ai votre parole, et vous avez la mienne – à condition que je réussisse à les convaincre. Mais si nos réclamations ne sont pas satisfaites, cet accord sera caduc. »

Dégoûté par ce procédé, Agarwal constatait qu'en plus le garçon semblait trouver tout naturel de s'entretenir d'égal à égal avec le chef de l'exécutif. Quant à Sharma, qui d'habitude appréciait beaucoup les formes extérieures de respect et d'obéissance, il semblait les avoir oubliées.

« Je comprends et j'accepte », disait-il. Décidément, pensa Agarwal, vous êtes vieux et faible. Vous avez accepté l'irraisonnable pour acheter une paix temporaire. Mais cette paix pèsera sur nous, vos successeurs. Et si ça se trouve, vous n'avez peut-être même pas acheté de paix. Nous ne tarderons pas à le savoir.

Le blessé mourut pendant la nuit. Le père, en pleurs, parla à ceux qui veillaient à l'extérieur. Le lendemain le garçon fut incinéré sur le ghat des crémations, au bord du Gange. Les étudiants s'assirent sur les grandes marches menant au fleuve. Il n'y eut pas de procession, ils regardèrent dans le calme les flammes crépiter autour du corps. La police était restée dans ses quartiers. Il n'y eut pas de violence.

12.25

Le Dr Kishen Chand Seth avait réservé deux tables dans la petite salle de bridge du Subzipore Club. Son nom sur le tableau d'inscription fit fuir tout le monde : les deux autres tables restèrent inoccupées. Le bibliothécaire (dont le local voisinait avec la salle de bridge) lui-même poussa un soupir en lisant ce nom ; il pouvait compter sur un après-midi agité, sur une soirée aussi, pour peu que les invités du Dr Seth continuent à jouer pendant le film.

Le Dr Seth était assis face à une peau de tigre accrochée à un mur, tête en bas. Le tigre se trouvait là depuis des temps immémoriaux, sans qu'on pût très bien savoir quels rapports il entretenait avec le jeu de bridge. Des reproductions des différents collèges d'Oxford – dont l'une montrant un pélican perché sur un pilier dans une cour – ornaient les murs restants. Les quatre tables recouvertes de feutrine verte formaient un carré dans la pièce elle-même carrée. Il n'y avait pas d'autres sièges que les seize chaises à dossier droit. Si l'on exceptait la peau de tigre, c'était donc une pièce plutôt austère. Ses grandes fenêtres donnaient sur une allée de graviers et, derrière, sur la pelouse où les membres du club et leurs invités, assis dans des fauteuils de rotin blanc à l'ombre de grands arbres, sirotaient leurs verres ; et, très loin derrière, sur le Gange.

Les sept partenaires du Dr Seth étaient : sa femme Parvati, vêtue d'un sari en tissu imprimé de roses, d'un exceptionnel mauvais goût ; son parent par mariage, l'ex-ministre du Trésor Mahesh Kapoor, avec lequel apparemment il se souvenait d'être en bons termes ; Mr Shastri, l'avocat général ; le Nawab Sahib de Baitar ; le professeur et Mrs O.P. Mishra ; le Dr Durrani. Le tirage au sort avait placé les deux femmes à la même table, mais pas comme partenaires. Mrs O.P. Mishra, femme du genre craintif mais jacassant, était une bonne joueuse, contrairement à Parvati Seth, dont les bourdes et les enchères à l'aveuglette mettaient son mari hors de lui quand ils se retrouvaient partenaires. Il n'osait toutefois pas la rabrouer ouvertement et déversait son amertume dans toute oreille passant à sa portée.

Pour le Dr Seth, un après-midi idéal de bridge combinait un jeu acharné, sans concessions, et une conversation ininterrompue ; quant à la conversation idéale, elle devait consister en une alternance de petits chocs et d'explosions.

Au plus fort de son plaisir, il caquetait. Et c'est un caquètement qui précéda la réplique suivante :

« Deux piques. Hm, hm, allons ministre – ex-ministre devrais-je dire – il vous faut autant de temps pour annoncer qu'il vous en a fallu pour vous décider à démissionner, j'imagine.

— Pardon ? » Mahesh Kapoor, front plissé, se concentrait sur ses cartes. « Je passe.

— Ou qu'il lui en a fallu pour élaborer la loi sur les zamindaris, vous ne croyez pas Nawab **Sahib** ? Il a toujours mis un temps fou à annoncer ses enchères ; espérons qu'il fera de même avant de gober vos terres. Mais il ne faut pas que ça vous empêche de parler. »

L'air un peu distrait, le Nawab annonça : « Trois cœurs.

— Mais j'oubliais, reprit le Dr Seth, s'adressant à son partenaire de gauche, vous n'allez plus vous en occuper. Qui va s'en charger ? Agarwal ? Peut-il à la fois détenir l'Intérieur et le Trésor ? »

Mahesh Kapoor ne répondit pas, se contentant de se redresser sur sa chaise et de serrer ses cartes un peu plus fermement. Il renonça à rappeler à son hôte que l'ordre de réquisition des voitures était venu de chez Agarwal.

« Non, euh, pas d'enchère », dit le Dr Durrani.

Ses trois premiers pétards ayant fait long feu, le Dr Seth en lança un quatrième. « C'est un portefeuille qui requiert une grande compétence et qui, dans ce gouvernement, est plus compétent qu'Agarwal ? Bon, voyons, que vais-je dire ? Je dis trois piques. A mon sens, il a eu tout à fait raison de donner une bonne leçon à ces étudiants. De mon temps, les étudiants en médecine s'occupaient de leurs leçons d'anatomie et ne se transformaient pas eux-mêmes en cadavres. Trois piques, oui. A vous Kapoor Sahib. »

L'ex-ministre pensait au garçon qui lui avait ramené son petit-fils. Le Dr Durrani semblait mener une lutte contre lui-même. « Estimez, euh, estimez-vous, euh, que la charge à la lathi était, hum, justifiée ? » Sa voix contenait autant de désapprobation qu'elle en était capable, ce qui n'allait pas bien loin. Elle n'en avait pas exprimé davantage quand sa femme avait déchiré ses papiers, réduisant ainsi à néant une bonne partie des travaux de toute sa vie.

« Mais oui, absolument, absolument – s'écria le Dr Seth, soulagé. Il faut savoir se montrer cruel pour être bon. Le scalpel du chirurgien ; nous les médecins, nous apprenons ça très tôt. Il est vrai que vous êtes docteur, vous aussi. Une autre sorte de docteur. Pas encore professeur, mais ça viendra. Vous devriez demander au Pr Mishra, ici présent, ce qu'il en coûte pour s'élever à une telle hauteur. »

Le Dr Seth réussit par ce moyen à tisser entre les deux tables une toile de conversation, causant ainsi un désordre dont il tirait profit pour son jeu. Ses partenaires connaissaient ses manières et s'efforçaient d'échapper à la provocation. Quiconque d'autre, en revanche, eût voulu jouer dans la même pièce que lui en eût certainement référé au comité, si le Dr Seth n'avait pas été membre dudit comité. Son ancienneté au club et la terreur qu'il exerçait sur les autres empêchaient ceux-ci d'aller se plaindre, lui permettant d'échapper aux conséquences de son comportement.

En voyant la main du mort, K.C. Seth faillit avoir une attaque. A la fin de cette donne, lui et le nawab avaient un de chute. « Dieux du ciel, Nawab Sahib, s'écria-t-il, avec une si petite main comment avez-vous pu annoncer trois cœurs ? Nous n'avions aucune chance de faire neuf levées.

— Vous auriez pu avoir du cœur. »

K.C. Seth écumait de colère. « Si j'avais eu du cœur, j'aurais demandé la couleur plus tôt. Si vous n'aviez pas de piques, il fallait la fermer, – l'enchère. Voilà ce qui arrive quand on tourne le dos à sa religion et qu'on joue aux cartes avec des infidèles. »

Le Nawab se dit, comme si souvent par le passé, qu'il n'accepterait plus jamais une invitation de K.C. Seth.

« Allons, allons, Kishy, intervint Parvati, de l'autre table.

— Je m'excuse – je m'excuse. Je – bon – à qui est-ce de distribuer ? Ah oui, les boissons. Que voulez-vous boire les uns et les autres ? » Et il tira la petite tablette en bois et cuivre, située à sa droite dans la table, qui contenait un cendrier et un dessous-de-verre. « D'abord les dames. Du gin pour les dames ? »

Mrs O.P. Mishra lança un regard terrifié à son mari. Regard que capta Parvati Seth. « Kishy ! » dit-elle d'un ton brusque.

Kishy, aux ordres, se tint coi pendant quelques minutes. Il se concentra alternativement sur ses cartes, le tigre et (après que le garçon le lui eut apporté) son whisky. En principe il ne devait boire que du thé et du nimbu pani mais il faisait un tel raffut si on l'empêchait d'avoir son whisky quand il jouait au bridge que Parvati préférait garder ses forces pour des batailles plus faciles. Le seul ennui, c'est que le whisky produisait des effets imprévisibles. Tantôt il agissait comme un calmant, tantôt comme un exci-

tant. Il ne le rendait en tout cas jamais amoureux ni sentimental : seuls les films avaient ce pouvoir.

Le Dr Seth attendait d'ailleurs avec impatience le film
prévu pour ce soir-là au club : un Charlie Chaplin. Sa
petite-fille Savita, qui tenait tellement à le voir elle aussi,
s'était fait inviter. Là-dessus, sa mère et son mari avaient
insisté pour l'accompagner, mais K.C. Seth ne les voyait
nulle part sur la pelouse. Les joueurs en étaient au
deuxième robre et à leur treizième dispute.

« Euh, bon, disait le Dr Durrani, je ne peux pas totalement, vous voyez, être d'accord avec vous. Un bon calcul
des probabilités constitue une partie essentielle –

— Essentielle, rien du tout ! le coupa K.C. Seth. Bien
jouer au bridge est une affaire de déduction, non de jugement de probabilités. Je vais vous donner un exemple – »
Le Dr Seth adorait donner des exemples. « Ça m'est arrivé
il y a juste une semaine. Une semaine, n'est-ce pas, ma
chère ?

— Oui, cher », dit Parvati. Elle se rappelait très bien le
jeu car le triomphe de son mari avait nourri leurs conversations du soir pendant les huit jours qui avaient suivi.

« C'est moi qui annonçais et j'ai joué très vite trèfle. J'en
avais cinq, le mort deux, l'homme à ma droite a coupé.

— La femme, Kishy.

— Oui, oui, la femme, osa-t-il rétorquer d'un ton légèrement impatient. Ça signifiait que l'homme à ma gauche
devait avoir six trèfles, ou plutôt cinq, après ce tour. Un peu
plus tard, il fut clair qu'il n'avait de place dans sa main que
pour deux cœurs ; comme il avait annoncé à pique, j'en
conclus qu'il en avait au moins quatre, dont les reliquats
occupaient le reste de la place dans sa main.

— N'est-ce pas Rupa, cher ? » l'interrompit sa femme,
montrant un endroit sur la pelouse.

Cette cruelle interruption mit son mari en déroute.
« Oui, oui, c'est Rupa. Admettons que ce soit Rupa – ou
n'importe qui d'autre, cria-t-il, s'efforçant de chasser sa fille
de son esprit. Bon, reprenons, j'avais l'as, le roi et le valet de
cœur. Donc j'ai joué l'as en premier, puis le roi. Comme je
l'avais déduit, la reine tomba. Tous me dirent que j'avais de
la chance ou que les probabilités étaient en ma faveur. Mais

ça n'était absolument pas le cas. La chance – tu parles ! Probabilités – et puis quoi encore ! J'avais les yeux, et surtout mon cerveau ouverts. A la déduction », acheva-t-il triomphalement. Sur quoi il avala une bonne rasade de whisky.

Le Dr Durrani ne parut pas convaincu.

Malgré les efforts du Dr Seth pour l'attirer dans son tourbillon, la deuxième table restait beaucoup plus calme. Mr Shastri, l'avocat général, était au mieux de sa forme et faisait tout son possible (à sa façon hachée de s'exprimer) pour encourager Mrs O.P. Mishra, qui jouait bien mais semblait en douter ; elle ne cessait de jeter des coups d'œil à son mari. Le bridge, où les enchères s'énoncent en termes quasi monosyllabiques, était le jeu idéal pour Mr Shastri. Qui se félicitait de ne pas se trouver à l'autre table, où son hôte l'aurait entraîné dans une conversation embarrassante sur la confiscation des terres et les chances du gouvernement de voir sa loi validée par la Cour suprême. Il compatissait aussi avec Mahesh Kapoor et le Nawab. L'ex-ministre, confronté aux prises de position du Dr Seth, paraissait sur le point d'exploser pour la troisième fois. Le Nawab s'était retranché dans une politesse glacée ; il se refusait à contredire même les plus outrés des commentaires de son hôte, ou à se montrer offensé par les offres répétées du Dr Seth de lui verser du whisky ; il ne se donnait pas davantage la peine de répéter ce que l'autre ne savait que trop bien, qu'il ne buvait que du thé. Seul le Dr Durrani jouait les contradicteurs, à sa façon absente et peu virulente, ce qui exaspérait K.C. Seth.

Le Pr O.P. Mishra, lui, pérorait, pour le profit de Parvati et de l'avocat général :

« Les politiciens, vous savez, préfèrent nommer des médiocres aux postes importants non seulement parce qu'eux-mêmes en paraissent meilleurs, par comparaison, ou qu'ils ont peur de la compétition, mais aussi parce qu'une personne nommée pour ses mérites trouve que ce poste lui est dû alors qu'un médiocre ne sait que trop bien à quoi il le doit.

— Je vois, dit l'avocat général ; et ça ne se passe pas ainsi dans votre pro-fes-sion ?

— Eh bien, cela peut arriver ici et là, mais, je dois dire, dans notre département en tout cas, nous nous astreignons à assurer la prééminence du mérite... Ce n'est pas, par exemple, parce que quelqu'un est le fils d'un personnage illustre qu'il doit –

— Que dites-vous, Mishra ? cria le Dr Seth, de la table voisine. Voulez-vous répéter ? Je ne vous ai pas bien entendu ; ni mon ami Kapoor Sahib... »

Il n'y avait de plus grand bonheur pour le Dr Seth que de patauger dans un champ explosif d'émotions – si ce n'est d'y entraîner d'autres soldats à sa suite.

Le Pr Mishra pinça les lèvres. « Mon cher Dr Seth, dit-il d'un ton affable, j'ai déjà oublié de quoi je discourais – l'entourage si agréable, si calme, doit en être la cause. A moins que votre whisky n'ait rendu ma mémoire aussi flageolante que mes membres. Mais quel stupéfiant mécanisme que le corps humain ! Qui pourrait imaginer qu'après avoir ingurgité, disons, quatre biscuits à l'arrow-root et un œuf dur on puisse annoncer, disons, trois piques – et faire un de chute ? »

Parvati se hâta d'intervenir : « Pr Mishra, un jeune assistant me parlait, il y a à peine quelques jours, des plaisirs de l'enseignement. Quelle noble profession ce doit être !

— Chère Madame, l'enseignement est une tâche ingrate, mais que l'on accomplit parce que l'on se sent appelé. Il y a quelques années j'ai participé à une intéressante discussion à la radio sur l'enseignement conçu comme une vocation – avec un avocat du nom de Dilip Pandey à qui je disais – ou était-ce Deepak Pandey – peu importe, à qui je disais donc –

— Dilip, le coupa l'avocat général. Il est mort depuis.

— Oh, vraiment ? Comme c'est navrant. Bref, j'insistais sur le fait qu'il y a trois catégories de professeurs : ceux que l'on oublie, ceux dont on se souvient et que l'on déteste, et la troisième catégorie, à laquelle j'espère appartenir, ceux dont on se souvient et – il fit une pause – à qui l'on pardonne. »

On le sentit tout heureux de sa formulation.

« Oh, tu es, tu es – dit sa femme d'une voix passionnée.

— De quoi, de quoi ? » cria K.C. Seth. « Parlez plus fort, nous n'entendons rien. » Il frappa le sol de sa canne.

Vers la fin du deuxième robre, le bibliothécaire (à qui les usagers de la bibliothèque avaient déjà demandé par deux fois d'intervenir) fit porter un mot aux bridgeurs, les priant de baisser le volume de leur conversation. Estomaqué par une telle audace, K.C. Seth bondit. Il allait déférer ce type devant le comité, braillait-il. Un inutile, qui passait le plus clair de son temps à somnoler, qui considérait son emploi comme une sinécure, qui –

« Oui, cher, je sais, dit Parvati. Je sais. Ecoute, nous, à cette table, nous avons fini le deuxième robre. Nous parlons tranquillement. Finissez le vôtre, et nous pourrons tous nous rendre sur la pelouse ; le film va commencer dans vingt minutes. Dommage qu'à cause de la mousson la projection ait lieu à l'intérieur. J'aperçois Pran et Savita ; en train de manger des chips, je suppose. Elle a l'air énorme. Je propose que nous allions les rejoindre immédiatement, et que vous nous suiviez quand vous aurez terminé.

— Je crains que nous ne devions partir », dit le Pr Mishra en se levant. Sa femme en fit autant.

« Vraiment ? Vous ne voulez pas vous joindre à nous ? insista Parvati.

— Non – non – trop de travail en ce moment – nous avons des invités à la maison et je dois encore examiner un certain nombre de curriculums. Merci, merci. » Et la baleine s'esquiva, suivie de son poisson-laquais.

« Quel homme spécial ! dit Parvati en regagnant la table. Qu'en pensez-vous ? demanda-t-elle à Mr Shastri.

— For-te per-son-na-li-té », remarqua l'avocat général. Cela fut dit avec un sourire, laissant entendre que Mr Shastri avait une certaine connaissance du monde et qu'il ne galvaudait pas son opinion.

Parvati était revenue sur son idée de laisser son mari derrière elle. D'abord, il faudrait peut-être encore le surveiller. Ensuite elle ne tenait pas à affronter Mrs Rupa Mehra en son absence. Qui sait comment allait réagir la fille de Kishy à la vue de son sari parsemé de roses ? Elle attendit donc la fin du robre. K.C. Seth gagnait. Plein d'allégresse, il comptait ses points pour cette dernière donne – une levée de plus que celles qui avaient été demandées et cent d'honneur. Parvati respira mieux.

12.26

Sur la pelouse, on fit les présentations. Savita et Mr Shastri s'engagèrent dans une longue et tranquille conversation. Elle le trouva très intéressant. Il lui parla d'une femme avocat à la Haute Cour de Brahmpur qui, nonobstant les réserves de ses clients, de ses collègues et des juges, obtenait de grands succès en matière criminelle.

Pran se sentait assez fatigué, mais Savita avait insisté pour revoir le film de Chaplin « encore une fois avant que je sois mère et ne considère les choses différemment ». La Buick de son grand-père, passablement abîmée à la suite de la réquisition, était venue les chercher. Lata participait à une de ces répétitions nocturnes si redoutées de Mrs Rupa Mehra, et indispensables, disait le metteur en scène, pour rattraper le temps que l'agitation estudiantine avait fait perdre.

Savita semblait heureuse et pleine d'énergie, mordant avec grand appétit dans la spécialité du club : de petits goli kababs avec chacun un grain de raisin au milieu. Plus elle écoutait parler Mr Shastri, plus elle se disait que le Droit était une matière bien intéressante.

Pran se dirigea vers le muret qui séparait le Subzipore Club des rives sablonneuses et du fleuve aux eaux brunes. Regardant défiler les quelques rares bateaux, il pensait à sa future paternité et se demandait s'il serait un bon père. Je me ferai beaucoup trop de souci, se dit-il, avant de se rappeler que l'attitude perpétuellement anxieuse de Kedarnath n'avait aucun effet dommageable sur Bhaskar. D'ailleurs, se dit-il aussi en pensant à Maan, trop d'insouciance ne vaut pas mieux. Se sentant un peu oppressé, il s'appuya au mur et observa les autres.

Mrs Rupa Mehra avait sursauté en entendant le nom du

Dr Durrani. Etait-il possible que son père le connût si bien ? Son père qui lui avait conseillé, lorsqu'elle était allée le trouver en désespoir de cause, d'éloigner Lata du danger Kabir ? Avait-il omis délibérément de mentionner ses liens avec le Dr Durrani, ou s'agissait-il d'une amitié récente ?

Le Dr Durrani occupait à présent la chaise à côté de la sienne, et la politesse autant que la curiosité la forcèrent à ravaler sa stupeur et à lui parler. Répondant à une de ses questions, il lui dit qu'il avait deux fils.

« Ah oui, c'est l'un des deux qui a sauvé Bhaskar au Pul Mela. Quelle terrible histoire. Comme il a été courageux. Prenez une autre chip.

— Oui, Kabir. Je crains, cependant, que, euh, l'acuité de son, euh, intuition –

— De qui ? De Kabir ? »

Le Dr Durrani parut stupéfait. « Non, euh, de Bhaskar.

— A-t-il souffert ? demanda Mrs Rupa Mehra avec anxiété.

— Euh, pas mal. »

— Ils se turent un moment. Puis Mrs Rupa Mehra reprit : « Et où est-il à présent ?

— Au lit ? questionna le Dr Durrani au lieu de répondre.

— N'est-ce pas un peu tôt pour lui ? dit Mrs Rupa Mehra, surprise.

— A ce que, euh, je comprends, sa mère et, euh, sa grand-mère sont, euh, très strictes. Elles le couchent à, hum, sept heures ces jours-ci. Ordres du médecin.

— Oh, il y a malentendu. Je parlais de votre fils, Kabir. Est-ce qu'il a participé à ces actions étudiantes ?

— Après la, euh, lamentable, hum, blessure de ce garçon... » Il secoua la tête, plissa les paupières. « Non, en fait, il s'intéresse à autre chose. En ce moment il, euh, répète une pièce... que se passe-t-il, chère Mrs Mehra ? »

Mrs Rupa Mehra avait simplement avalé son nimbu pani de travers.

Pour couvrir son embarras, le Dr Durrani continua à parler – avec hésitation, évidemment – de ceci et de cela. Courtois, agréable, il se mit à expliquer le Lemme de Pergolèse.

« C'est mon article sur ce, euh, Lemme que ma, hum, femme, a déchiré presque totalement.

— Oh, pourquoi ? demanda Mrs Rupa Mehra, attrapant au vol les deux seuls mots compréhensibles.

— Parce que ma femme est, euh, folle.

— Folle ? murmura Mrs Rupa Mehra.

— Oui, euh, très folle. Il semble que le film va, euh, commencer. Nous y allons ? » demanda le Dr Durrani.

12.27

Ils entrèrent dans la salle de danse où, à la saison froide et à la saison des pluies, avait lieu la projection de films hebdomadaire.

Dès le début des *Lumières de la ville*, les rires fusèrent de toute part. Pour Mrs Rupa Mehra, ils résonnaient comme autant de railleries. Elle ne voyait que trop clairement à présent le complot soigneusement ourdi qui avait permis à Lata, avec la connivence de Malati, de jouer dans la même pièce que Kabir. Lata n'avait pas mentionné son nom une fois depuis leur retour à Brahmpur, et avait marqué avec ostentation son désintérêt quand on avait évoqué le rôle de Kabir dans l'affaire Bhaskar. Elle pouvait se le permettre, songeait Mrs Rupa Mehra, outrée, puisqu'elle apprendrait tous les détails de la bouche même du protagoniste, durant leurs tête-à-tête.

Que sa fille eût fait preuve d'une telle sournoiserie à son égard, elle sa mère qui l'aimait et s'était sacrifiée pour l'éducation et le bonheur de ses enfants, blessait profondément Mrs Rupa Mehra. Voilà comment l'on récompensait sa tolérance et sa compréhension. Voilà ce qui arrivait quand on se retrouvait veuve, seule au monde, sans personne pour vous aider à surveiller vos enfants. Son nez avait rougi ; et à la pensée de son défunt époux, elle se mit à sangloter.

« Ma femme est, euh, folle. » Les mots s'entrechoquaient dans sa tête. Qui les avait prononcés ? Le Dr Durrani ? Un personnage du film ? Son mari, Raghubir ? Non content d'être musulman, ce misérable garçon était à demi fou lui aussi. Pauvre Lata, pauvre, pauvre Lata. Submergée par la pitié et la colère, Mrs Rupa Mehra pleura de plus belle, sans se cacher.

A sa surprise, elle s'aperçut qu'à sa droite et à sa gauche, on pleurait aussi. Le Dr Kichen Chand Seth, par exemple, son voisin immédiat, avait le corps secoué de sanglots. Quand elle comprit l'origine d'un tel chagrin, elle braqua les yeux sur l'écran. Mais il lui était impossible de se concentrer, elle ne se sentait pas bien. Elle plongea la main dans son sac noir à la recherche de son eau de Cologne.

Il y avait quelqu'un d'autre qui ne se sentait pas bien, et c'était Pran. Il pressentait, dans cette salle comble à l'atmosphère confinée où traînaient de vagues odeurs de moisi, l'imminence d'une de ses terribles crises. Il ouvrit la bouche, parvenant aussi mal à expirer qu'à inspirer. Il se pencha vers l'avant, courba le dos, se redressa. Sans résultat. Il commença à haleter. Son nez, sa poitrine bougèrent, rien n'y fit. Dans un brouillard de désespoir il entendit le rire des spectateurs, mais il avait fermé les yeux et ne pouvait voir ce qui se passait sur l'écran.

Sa respiration devint sifflante. Savita, qui s'était tournée à demi vers lui, croyant qu'il étouffait de rire et allait se calmer, entendit le signal d'alarme. Elle lui prit la main. Mais Pran n'avait qu'une idée : faire entrer de l'oxygène dans ses poumons. Ses efforts devinrent frénétiques, il se dressa, se plia en deux. A présent, les gens se retournaient, les yeux fixés sur le responsable de leur dérangement. Savita chuchota quelque chose aux autres membres de la famille, qui se levèrent pour sortir. Le chagrin de Mrs Rupa Mehra trouva un nouveau destinataire. K.C. Seth, rivé comme il l'était aux joies et aux malheurs de Charlot, grinçait des dents de frustration ; seul un mot bref de sa femme le retint de laisser éclater sa rage.

Ils réussirent tant bien que mal à gagner la voiture, où Pran s'effondra. Ses efforts pour respirer faisaient mal à voir.

« Nanaji, dit Savita à son grand-père, en serrant étroitement la main de Pran dans la sienne, cette crise est beaucoup plus grave que d'habitude. Nous devrions aller à l'hôpital. » Mais Pran parvint à haleter un mot : « Maison. » Une fois chez lui, il le sentait, le spasme s'apaiserait de lui-même.

Ils rentrèrent, mirent Pran au lit. Mais le spasme ne se calma pas. Ses veines du cou et du front saillaient, ses yeux, même ouverts, n'enregistraient rien de ce qui l'entourait. Sa toux, ses halètements, ses sifflements emplissaient la pièce, la nuit envahissait son esprit.

Il y avait à présent une heure que la crise avait commencé. Le Dr Kishen Chand Seth téléphona à un collègue. Puis, sans écouter sa mère qui la pressait de se reposer, Savita sortit de la chambre et appela Imtiaz à Baitar House. Il fallut quelque temps pour le trouver dans la vaste maison, mais par miracle, il était là.

« Imtiaz Bhai, dit Savita, Pran a une de ses crises d'asthme, mais bien plus grave que d'habitude. Pouvez-vous venir ? Ça fait plus d'une heure... Oui, je reste calme... S'il vous plaît venez... Au club pendant la projection du film... Non, votre père est toujours là-bas... Non, je ne m'affole pas, mais je serai beaucoup plus calme quand vous serez là... C'est bien pire que les autres fois... »

Pendant qu'elle parlait, Mansoor, le jeune domestique, lui avait apporté une chaise. Elle s'y assit, le combiné toujours à la main, et éclata en sanglots.

Lorsqu'elle eut retrouvé son calme, elle regagna la chambre où tout le monde se trouvait réuni, dans l'affliction générale. On entendit un bruit à la porte d'entrée. « Je vais ouvrir », dit Mrs Rupa Mehra.

C'était Lata et Malati, revenant de leur répétition.

« Chaque fois que je joue ou que je chante, dit Malati, je crois que je pourrais avaler un cheval.

— On ne sert pas de cheval aujourd'hui, c'est un des jours de jeûne de Ma. Où sont-ils tous ? s'étonna Lata, en voyant le salon vide. Ma ? Allons bon, pourquoi pleures-tu ? Je plaisantais... Mais qu'y a-t-il ? Quelque chose ne va pas ? »

Treizième partie

13.1

Maan, Firoz et Imtiaz arrivèrent en un rien de temps. Maan tenta de réconforter Savita, Firoz garda le silence, malheureux comme tout le monde de voir le pauvre Pran s'efforcer, avec quelle souffrance, de respirer.

Imtiaz, toutefois, ne sembla pas particulièrement affolé et eut vite fait de poser son diagnostic. Il pouvait compter sur l'aide de Parvati Seth, infirmière entraînée. Pran étant incapable de répondre à ses questions, sauf par quelques hochements de tête, c'est à Savita qu'Imtiaz demanda le maximum de renseignements sur les conditions dans lesquelles s'était déclenchée la crise. Malati décrivit, en termes cliniques, l'incident qui s'était déroulé quelques jours auparavant, durant le cours de Pran. Firoz, de son côté, avait déjà parlé à son frère de la fatigue dont se plaignait Pran, quand il l'avait rencontré à la Haute Cour – et surtout de ces douleurs dans la région du cœur.

Mrs Rupa Mehra restait silencieuse sur sa chaise ; Lata, debout derrière elle, lui avait passé un bras autour des épaules. Mrs Rupa Mehra ne fit aucun reproche à sa fille : l'état de Pran avait chassé toute autre inquiétude de son esprit.

Les yeux de Savita allaient de son mari au beau visage allongé d'Imtiaz. Elle remarqua sa petite fossette au milieu de la joue. Imtiaz était en train de palper le foie de Pran – ce qui semblait assez étrange dans le contexte d'une crise d'asthme.

« Etat asthmatique bien sûr, dit-il au Dr Seth. Cela ne devrait pas aller plus loin, mais si ça ne se calme pas d'ici peu, je lui ferai une injection sous-cutanée d'adrénaline.

J'aimerais mieux l'éviter, pourtant. Je me demande si, demain, vous ne pourriez pas faire transporter ici l'appareil à ECG ? »

Au mot d'ECG, tout le monde y compris le Dr Seth sursauta.

« Dans quelle intention ? » demanda sèchement le Dr Seth. Il n'existait qu'un seul appareil de ce type dans tout Brahmpur, et il se trouvait à l'hôpital de la faculté de médecine.

« Eh bien, je ne veux pas que Pran bouge, et si je réclame moi-même l'appareil ils vont me traiter d'ultra-moderniste, incapable de soigner une crise d'asthme. »

C'est exactement ce que pensait K.C. Seth. Est-ce qu'Imtiaz sous-entendait qu'il était, lui, tout à fait démodé ? Pourtant quelque chose dans la façon posée, confiante, d'Imtiaz d'examiner le malade avait impressionné le Dr Seth. Il promit de faire le nécessaire. Les administrations veillaient sur les électrocardiographes comme sur de l'or.

Lucknow en possédait un, Bénarès aucun. Brahmpur était donc extrêmement fier de sa récente acquisition. Mais le Dr Seth était une puissance avec laquelle compter : le lendemain on apporta l'ECG.

Pran, dont l'état s'était stabilisé après une autre heure d'étouffements et de sifflements, avait sombré dans un sommeil épuisé, dont il émergea pour trouver Imtiaz et la machine à son chevet.

« Où est Savita ? demanda-t-il.

— Elle se repose sur le divan, à côté. Ordre du médecin. Elle va bien.

— Qu'est-ce que c'est que ça ?

— L'appareil à électrocardiogrammes. »

Pran ne parut pas impressionné. « Ce n'est pas gros, dit-il.

— Les virus non plus, rétorqua Imtiaz en riant. Comment as-tu dormi ?

— Bien. » Il avait la voix claire, sans trace de sifflement.

« Et comment te sens-tu ?

— Un peu faible. Franchement, Imtiaz, quelle est l'utilité d'un ECG ? Ça sert pour le cœur, et mon problème, c'est les poumons.

— C'est à moi d'en décider, tu ne crois pas ? Même si tu vas bien, il n'y a pas de mal à faire un contrôle. Je pense que dans ton cas, un électrocardiogramme nous aidera. A mon idée, ce n'était pas une simple crise d'asthme. »

Imtiaz savait qu'il ne pouvait pas leurrer Pran et le bercer d'ignorance.

« Oh », fit celui-ci, pour toute réponse.

Imtiaz laissa passer quelques minutes puis lui demanda des détails supplémentaires sur son passé médical. « Tu vas devoir bouger le moins possible, dit-il.

— Mais mes cours –

— Hors de question.

— Mes comités ?

— Oublie-les, dit Imtiaz en riant. De toute façon, d'après Firoz, tu détestes cela.

— Tu as toujours été une brute, Imtiaz. Regarde quel bel ami tu fais : tu surgis à Holi, me plonges dans l'embarras, et ne réapparais que quand je suis malade. »

Imtiaz bâilla.

« Ta seule excuse, je suppose, c'est que tu travailles trop.

— Oui, reconnut Imtiaz. Le Dr Khan, malgré sa jeunesse, ou peut-être à cause d'elle, est un des médecins les plus recherchés de Brahmpur. Son dévouement à sa profession est exemplaire. Et il obtient l'obéissance à ses décrets même de ses patients les plus rebelles.

— Ça va, ça va, dit Pran, qui se soumit à l'examen. Bon, quand reviens-tu ?

— Dans un jour. Souviens-toi, tu ne sors pas de la maison et, si possible, de ton lit.

— Monsieur, s'il vous plaît, puis-je aller à la salle de bains ?

— Oui.

— Et recevoir des visites ?

— Oui. »

Quand Imtiaz revint, il avait l'air grave. Il alla droit au but :

« Voilà, j'avais raison, cette fois-ci ce n'était pas simplement l'asthme, mais le cœur. Tu as ce que nous appelons "une grave défaillance du ventricule droit". Il te faut trois semaines de repos complet, et je vais t'hospitaliser pour quelques jours. Ne t'affole pas. Mais les cours, c'est terminé. Comme les travaux de comités et tout le reste.

— Mais le bébé –

— Quoi, le bébé ? Il y a des problèmes de ce côté-là ?

— Est-ce que ça veut dire que je serai à l'hôpital quand il va naître ?

— Ça, c'est à lui de décider. En ce qui me concerne, je t'ordonne le repos total à partir de maintenant. Tu as fait ce qu'il fallait pour l'engendrer, le reste c'est l'affaire de Savita. Si tu prends plus de risques, ce ne sera bon ni pour elle, ni pour le bébé. »

Pran reconnut la justesse de l'argument. Il ferma les yeux, mais aussitôt une vague d'angoisses informulées le submergea.

« Imtiaz, je t'en prie, dis-moi ce que c'est que ce truc – cette défaillance ventriculaire. Est-ce que j'ai eu une crise cardiaque ? » Il se rappela la phrase ironique de Firoz : « Le cœur et les poumons sont deux choses très différentes, jeune homme, très différentes », et, malgré lui, sourit.

Imtiaz le considéra avec cette expression grave qui semblait si peu lui convenir. « Je vois que l'idée d'une crise cardiaque t'amuse. Félicite-toi de n'en avoir jamais eu, et de ne pas devoir en avoir une, selon toute vraisemblance. Puisque tu me l'as demandé, je vais essayer de t'expliquer les choses clairement. » Il réfléchit une seconde, puis reprit : « Il existe un rapport étroit entre le cœur et les poumons ; ils partagent la même cavité, et la partie droite du cœur expédie du sang vicié aux poumons pour qu'ils le rafraîchissent, qu'ils l'oxygènent. Par conséquent, quand les poumons ne fonctionnent pas bien – par exemple parce qu'une crise d'asthme les empêche de recevoir suffisamment d'air – le cœur en pâtit. Il essaie d'envoyer davantage de sang dans les poumons pour compenser les mauvais échanges d'oxygène, donc sa chambre d'alimentation se remplit de sang, se congestionne et se détend. Tu comprends ?

— Oui, tu expliques très bien, constata Pran tristement.

— A cause de cette congestion et de cette distension, le

cœur perd son efficacité de pompe. C'est ce que nous appelons un "dysfonctionnement cardiaque", et qui n'a rien à voir avec ce que les profanes appellent une crise cardiaque. Celle-ci ne te menace pas.

— Alors pourquoi dois-je rester trois semaines au lit ? Ça paraît terriblement long. Et mon travail ?

— Tu peux en faire un peu au lit. Plus tard, tu pourras aller marcher. Mais le cricket est exclu.

— Exclu ?

— Je le crains. Bon, maintenant pour les médicaments : voici deux plaquettes de pilules blanches. Celles-ci, tu les prendras trois fois par jour, les autres une fois par jour pendant une semaine. Ensuite, je diminuerai probablement la digoxine, ça dépendra de ton pouls. L'aminophylline en revanche, tu continueras à en prendre pendant plusieurs mois. Je te ferai peut-être aussi une injection de pénicilline.

— Vous paraissez bien sérieux, docteur », dit Pran, essayant de donner à la conversation un tour plus léger. Cet Imtiaz était vraiment très différent de celui qui avait aidé à plonger le Pr Mishra dans un baquet.

« Je suis sérieux.

— Mais si je n'ai pas eu de crise cardiaque, où est le danger ?

— Avec un dysfonctionnement cardiaque, on a tous les effets d'une hypertension. Ton foie va grossir, tes pieds gonfler, les veines de ton cou vont devenir proéminentes, tu tousseras et tu seras très essoufflé spécialement en marchant et en faisant des efforts. Tu risques aussi des troubles du cerveau. Je ne veux pas t'alarmer – ce n'est pas une maladie mortelle –

— Mais que fais-tu d'autre ? s'écria Pran, les yeux sur la fossette qu'il trouva soudain très irritante. Toute cette histoire de repos au lit n'est pas sérieuse. Je sais que je vais bien. Je suis... je suis un homme jeune. Je me sens bien. Comme c'est toujours le cas quand mes spasmes disparaissent. Je suis en aussi bonne santé que quiconque, je joue au cricket, j'aime faire de longues marches –

— Je regrette, mais le tableau est un peu différent à présent. Avant, tu étais un asthmatique. Maintenant, ton gros problème c'est le côté droit de ton cœur. Tu auras besoin de repos, et tu ferais bien de ne pas prendre mon conseil à la légère. »

Blessé par le ton officiel qu'employait Imtiaz, Pran ne discuta pas plus longtemps. Imtiaz disait que dans l'immédiat sa maladie n'était pas fatale. Pran comprit – au sérieux de son ami et à la liste des complications qu'il avait énumérées – qu'à longue échéance elle raccourcissait la vie.

Imtiaz parti, il tenta d'assimiler les nouvelles données. Mais aujourd'hui ressemblait exactement à hier, il avait l'impression de pouvoir balayer l'intrusion de ce fait nouveau d'un haussement d'épaules – comme pour un souvenir importun ou un mauvais rêve. Pourtant, il se sentait déprimé et eut beaucoup de mal à le cacher comme à se comporter normalement avec Lata, sa belle-mère et surtout Savita.

13.2

L'après-midi même, Pran fut transporté à l'hôpital universitaire. Afin de permettre à Savita de lui rendre visite, on lui donna une des chambres du rez- de-chaussée. A peine était-il arrivé qu'il se mit à pleuvoir, une pluie forte qui dura des heures. Pran considéra que c'était la meilleure chose qui pût lui arriver, dans ces circonstances. Ça le sortait de lui-même plus que n'importe quelle lecture n'aurait pu le faire. Lecture que d'ailleurs, comme tout autre effort, Imtiaz avait interdite pour le premier jour.

Les trombes d'eau se transformèrent en une petite pluie continue aux effets apaisants. Pran s'endormit.

Un moustique, en le piquant à la main, le réveilla.

Il était presque sept heures du soir, la fin du temps de visite. Il ouvrit les yeux, tâtonna pour trouver ses lunettes, découvrit Savita à son chevet.

« Comment te sens-tu, chéri ?

— Je viens d'être piqué par un moustique.

— Pauvre chéri, méchants moustiques.

— C'est le problème avec une chambre au rez-de-chaussée.

— Quoi ?

— Les moustiques.

— Nous fermerons la fenêtre.

— Trop tard, ils sont déjà entrés.

— Je demanderai qu'on vaporise du Flit.

— Ça me tuera moi aussi, et pas seulement les moustiques ; je ne pourrai pas quitter la chambre pendant qu'ils vaporiseront.

— C'est vrai.

— Savita, pourquoi est-ce que nous ne nous querellons jamais ?

— Jamais, tu crois ?

— Non, pas vraiment.

— Et nous devrions ?

— Je ne sais pas. J'ai l'impression de passer à côté de quelque chose. Regarde Arun et Meenakshi. Tu me dis qu'ils sont toujours en train de se chamailler. Tous les jeunes couples se chamaillent.

— Eh bien, nous pourrons essayer à propos de l'éducation du bébé.

— C'est dans trop longtemps.

— Alors à propos de ses heures de tétée. Rendors-toi Pran, tu deviens très fatigant.

— De qui est cette carte ?

— Du Pr Mishra.

— Et ces fleurs ?

— De ta mère.

— Elle était là – et on ne m'a pas réveillé.

— Non. Imtiaz a dit qu'il fallait que tu te reposes.

— Qui d'autre est venu aujourd'hui ? Tu sais quoi, j'ai faim.

— Pas grand monde. Aujourd'hui, tu es supposé rester seul.

— Oh.

— Pour récupérer. »

Pran soupira. Se tut. « Et pour la nourriture ?

— Je t'en ai apporté de la maison. Imtiaz nous a avertis que celle de l'hôpital est abominable.

— N'est-ce pas ici qu'est mort ce garçon – l'étudiant en médecine ?

— Pourquoi es-tu si morbide ?

— Qu'y a-t-il de morbide à mourir ?

— J'aimerais que tu ne parles pas de ça.

— Mieux vaut en parler que le faire.

— Tu veux que je fasse une fausse couche ?

— D'accord, d'accord. Que lis-tu ?

— Un livre de droit. C'est Firoz qui me l'a prêté.

— Un livre de droit ?

— Oui. C'est intéressant.

— Sur quel sujet ?

— Les délits.

— Envisagerais-tu d'étudier le droit ?

— Oui, peut-être. Tu ne devrais pas tant parler, Pran, c'est mauvais pour toi. Veux-tu que je te lise le *Brahmpur Chronicle* ? Les informations politiques ?

— Non, non. Délit ! » Pran eut un petit rire, qui se transforma en toux.

« Tu vois ? » Savita s'approcha pour l'aider à se redresser.

« Tu ne dois pas t'inquiéter. Je ne vais pas mourir, tu sais. Pourquoi as-tu décidé soudain de travailler ?

— Vraiment, Pran – toi, en tout cas, tu as décidé d'avoir une querelle. C'est Shastri qui m'a fait comprendre l'intérêt du droit. Je veux rencontrer cette femme avocat, Jaya Sood, qui plaide en Haute Cour, et dont il m'a parlé.

— Tu vas avoir un bébé, ce n'est pas le moment de reprendre des études. Et pense à ce que dirait mon père. »

Mahesh Kapoor était favorable à l'éducation des filles, mais pas au travail des femmes, et il ne s'en cachait pas.

Savita ne répondit pas. Elle replia le *Brahmpur Chronicle*, écrasa un moustique. « Veux-tu dîner ? demanda-t-elle.

— J'espère que tu n'es pas venue seule. Je m'étonne que ta mère ne t'ait pas accompagnée. Et si, brusquement, tu ne te sentais pas bien ?

— Une seule personne a le droit de rester après le temps réglementaire des visites, et j'ai menacé de faire un scandale si ce n'était pas moi. Les émotions fortes sont mauvaises dans mon état.

— Tu es extrêmement stupide et entêtée, dit Pran tendrement.

— Oui, extrêmement. Mais la voiture de ton père m'attend dehors. Au fait, que pense ton père de la sœur de Nehru ? Difficile de trouver une femme qui travaille plus qu'elle. »

Pran préféra éluder. « Ah, dit-il, des brinjals frits. Délicieux. Oui, lis-moi le *Brahmpur Chronicle,* ou plutôt non, prends le *Règlement universitaire,* à la page marquée par le signet. Le passage sur les congés.

— Quel rapport cela a-t-il avec ton comité ?

— Aucun. Mais, tu sais, je vais devoir m'absenter pendant au moins trois semaines, et mieux vaut connaître le règlement. Je ne veux pas tomber dans un des pièges de Mishra. »

Puisque, de toute évidence, il ne pouvait chasser l'université de son esprit, même un seul jour, Savita prit le volume et lut :

Sont autorisés les congés suivants :

a) Pour cause d'accident.
b) A titre compensatoire.
c) Pour remplacement.
d) Sur ordre.
e) A titre exceptionnel.
f) Pour cause de maternité.
g) Pour raisons médicales.
h) A titre privilégié.
i) Pour cause de quarantaine.
j) Pour études.

Savita s'arrêta. « Veux-tu que je continue ?

— Oui.

— Sauf en cas d'urgence, où la décision sera prise par le vice-chancelier ou le pro-vice-chancelier, c'est au Conseil exécutif qu'appartient le pouvoir d'accorder ces congés.

— Dans mon cas, dit Pran, pas de problème. Il y a bien urgence.

— Mais avec Agarwal au Conseil exécutif et ton père qui n'est plus ministre –

— Que peut faire Agarwal ? Pas grand-chose. Bon, voyons la suite. »

> Quand le jour qui précède immédiatement celui où commence le congé ou qui suit immédiatement celui où expire le congé est un jour de fête ou une période de fêtes ou de vacances, la personne à qui est accordé ce congé ou qui rentre de congé peut partir à la fin du jour qui précède ou reprendre son travail le jour suivant ce jour de fête ou cette période de fêtes ou de vacances, à condition que ce départ prématuré ou ce retour retardé n'entraîne pas pour l'université de frais supplémentaires. Quand le congé est lié à de telles fêtes ou vacances, les dispositions consécutives prendront effet ou s'achèveront, selon le cas, à la date où le congé commence ou expire.

« Quoi ? dit Pran.

— Tu veux que je relise ? demanda Savita, en riant.

— Non, non, d'ailleurs j'ai la tête vide. Lis quelque chose d'autre. Dans le journal. Mais pas de politique – une histoire de société – par exemple un enfant mangé par une hyène. Oh, pardon, pardon, chérie ! Ou bien quelqu'un qui a gagné à la loterie. Ou le carnet mondain – c'est toujours très apaisant. Comment va le bébé ?

— Il dort, me semble-t-il.

— Il ?

— D'après mes livres de droit, "lui" inclut "elle".

— Les livres, à présent ? Bon, admettons. »

13.3

Partagée entre sa sollicitude envers Pran, son inquiétude pour Savita, dont l'accouchement devait se produire maintenant d'un jour à l'autre, son angoisse à cause de Lata, Mrs Rupa Mehra n'aurait rien goûté davantage qu'une grande manifestation de sentiments. Mais la pression des événements ne le lui permettant pas, elle s'en abstint.

Quand Savita était à l'hôpital, Mrs Rupa Mehra voulait être avec elle. Quand Lata allait à l'université – spécialement pour une répétition –, le cœur de Mrs Rupa Mehra se mettait à battre la chamade en pensant au tour que sa fille était peut-être en train de lui jouer. Or Lata était si occupée que les rares moments où elles se retrouvaient en tête-à-tête ne leur laissaient pas le temps d'une conversation à cœur ouvert. Le soir, c'était impossible, Mrs Rupa Mehra voulant éviter à Savita, de retour de l'hôpital, toute charge émotive supplémentaire.

Dans une telle situation, rien n'aidait Mrs Rupa Mehra, ni la Gita ni les invocations à son défunt mari. Obliger Lata à renoncer à son rôle risquait de provoquer Dieu sait quel acte irréfléchi – voire une rébellion ouverte. Elle ne pouvait demander les conseils ni de Savita ni de Pran – l'une étant sur le point d'accoucher et l'autre – Mrs Rupa Mehra en était convaincue – sur le point de mourir. Elle continuait à réciter ses deux chapitres de la Gita le matin au réveil, mais le monde était trop lourd pour elle, et elle s'interrompait fréquemment pour contempler l'espace d'un œil vide.

Pran, cependant, commençait à apprécier son séjour à l'hôpital. S'il n'aimait guère la période de la mousson, du moins l'humidité de l'air n'était-elle pas mauvaise pour ses bronches. Il avait réussi à chasser les moustiques de sa chambre ; avait remplacé le *Règlement et agenda de l'université de Brahmpur* par Agatha Christie. Savita ne lui reprochait plus de ne pas passer assez de temps avec elle. Captif apaisé, il flottait au gré des courants de l'univers. A l'occasion, l'univers lui dépêchait quelqu'un. S'il le trouvait endormi, le visiteur attendait un peu puis s'en allait. S'il était réveillé, ils parlaient.

Cet après-midi-là, une conversation pressante et à voix basse se déroulait autour de son lit. Au sortir de leur répétition, Malati et Lata étaient passées le voir, l'avaient trouvé endormi et s'étaient installées sur le canapé pour attendre son réveil. Presque aussitôt après, Savita et Mrs Rupa Mehra arrivaient.

A la vue des deux jeunes filles, les yeux de Mrs Rupa Mehra se rétrécirent de colère.

« Tiens donc ! » dit-elle.

Lata et Malati ne purent se méprendre sur le ton de sa voix, sans en comprendre la cause.

« Tiens donc ! répéta-t-elle, à voix basse mais sifflante, un œil sur Pran. Vous venez de la répétition, j'imagine. »

Cette allusion voilée à leur complot n'eut aucun effet sur les coupables.

« Oui, Ma, dit Lata.

— Ç'a été une excellente répétition, Ma – vous devriez voir à quel point Lata s'est épanouie, dit Malati. Je suis sûre que vous adorerez la pièce quand vous viendrez le jour de la fête. »

L'épanouissement de Lata fit s'empourprer les joues de Mrs Rupa Mehra. « Je viendrai certainement voir la pièce, mais Lata n'y sera pas.

— Ma ! s'exclamèrent les deux jeunes filles en même temps.

— Les filles n'ont pas à faire du théâtre –

— Ma, nous avons déjà longuement discuté de cette question, dit Lata, avec un regard à Savita. Ne réveillons pas Pran.

— Oui, Ma, c'est exact, renchérit Savita. Tu ne peux pas retirer Lata maintenant. Tu as accepté qu'elle joue, ils ne trouveraient personne pour la remplacer. Elle a appris son rôle –

— Ainsi tu étais au courant. » Mrs Rupa Mehra s'effondra sur une chaise. « Les enfants ne vous causent que du chagrin.

— Au courant, au courant de quoi ? demanda Savita, dédaignant la dernière remarque.

— Ce – ce garçon, K – Mrs Rupa Mehra ne put se résoudre à prononcer le nom –, il joue dans la pièce avec Lata. J'ai honte pour toi, Malati – son nez commença à rougir –, honte pour toi. Je te faisais confiance, et tu m'as trompée. » Elle éleva la voix, Savita mit un doigt sur ses lèvres.

« Ma, je t'en prie –

— Oui, oui, tu verras quand tu seras mère et que tu découvriras – Tu feras des sacrifices, pour avoir ensuite le cœur brisé. »

Malati ne put s'empêcher de sourire. Mrs Rupa Mehra fondit sur elle, le principal architecte du complot.

« Tu te crois très intelligente, mais je découvre toujours

ce qui se passe. Oh, tu peux sourire, sourire et sourire encore, mais ce n'est pas moi qui pleurerai.

— Ma, nous ignorions complètement que Kabir allait jouer, dit Malati. J'essayais justement d'éloigner Lata de son chemin.

— Oui, je sais, je sais, je sais tout cela. » Mrs Rupa Mehra n'en croyait pas un mot. Elle plongea dans son sac à la recherche de son mouchoir brodé.

Pran bougea, Savita s'approcha du lit.

« Ma, nous parlerons de cela plus tard, dit Lata. Ce n'est certainement pas la faute de Malati. Et il est trop tard pour que je renonce. »

Mrs Rupa Mehra cita un vers d'un de ses poètes favoris pour montrer que rien n'est impossible, puis ajouta : « Et tu as reçu une lettre de Haresh. N'as-tu pas honte à la seule idée de voir cet autre garçon ?

— Comment sais-tu que j'ai reçu une lettre de Haresh ? souffla Lata, indignée.

— Je suis ta mère, voilà pourquoi je le sais.

— Ecoute, dit Lata en s'échauffant, tu peux me croire ou non, mais je t'assure que j'ignorais que Kabir jouait dans la pièce, que je ne le rencontre pas au-dehors, et qu'il n'y a pas le moindre complot. »

Rien de tout ceci ne convainquit Mrs Rupa Mehra qui commençait déjà à imaginer la piètre progéniture que cette union inimaginable pourrait engendrer.

« Il est à moitié fou, tu sais cela ? » demanda-t-elle.

A sa stupeur, Lata se contenta de sourire.

« Tu te moques de moi ?

— Non, Ma, de lui. Il réussit très bien dans la folie. » Kabir, après quelques maladresses, ne s'était glissé que trop bien dans la peau de Malvolio.

« Comment peux-tu rire d'une chose pareille ? Comment ? s'indigna Mrs Rupa Mehra en se levant de sa chaise. Deux bonnes gifles vont t'apprendre à te moquer de ta mère.

— Ma, plus bas, s'il te plaît, dit Savita.

— Je crois que je ferais mieux de m'en aller, dit Malati.

— Non, reste ici, ordonna Mrs Rupa Mehra. Je veux que tu entendes ce que je vais dire, comme ça tu donneras de meilleurs conseils à Lata. J'ai rencontré le père de ce garçon au Subzipore Club. Il m'a appris que sa femme est complètement folle. Et la façon dont il me l'a dit me fait penser que lui aussi est à moitié fou. » Mrs Rupa Mehra ne put totalement dissimuler la note de triomphe dans sa voix.

« Pauvre Kabir ! » s'écria Lata, consternée.

Une certaine remarque du jeune homme à propos de sa mère lui revenait en mémoire et prenait tout à coup un horrible sens.

Mais avant que Mrs Rupa Mehra puisse poursuivre son avantage, Pran se réveilla. « Bonjour Ma, bonjour Lata. Ah, Malati vous voilà – je demandais à Savita de vos nouvelles. Mais que se passe-t-il ? Quelque chose de dramatique, j'espère. Racontez-moi. Il me semble avoir entendu quelqu'un dire que quelqu'un était fou.

— Nous parlions de la pièce, dit Lata. Malvolio, tu sais.

— Oui, bien sûr. Comment t'en sors-tu ?

— Bien.

— Et vous, Malati ?

— Bien.

— Parfait, parfait. Avec ou sans autorisation, j'irai à la représentation. Merveilleuse pièce – juste ce qui convient pour la Fête annuelle. Comment se présente la mise en scène de Barua ?

— Bien, dit Malati, comprenant que Lata n'avait pas envie de parler. Il possède un réel flair. On l'imagine difficilement, il est si réservé. Mais dès la première réplique –

— Pran est très fatigué », la coupa Mrs Rupa Mehra. Elle ne voulait rien entendre de positif sur la pièce, plus un mot de cette effrontée de Malati. « Pran, tu devrais dîner.

— Excellente idée. Que m'avez-vous apporté ? Le manque d'exercice me donne une faim terrible. J'ai l'impression de ne vivre que dans l'attente du prochain repas. Oh, de la soupe de légumes ! Ne pourrais-je avoir une soupe à la tomate de temps à autre ?

— Fou ! Rappelle-toi ça », dit Mrs Rupa Mehra à mi-voix à sa fille. « Souviens-t'en quand tu vas batifoler et prendre du bon temps. Musulman et fou. »

Quand Maan arriva, il trouva Pran en train de dîner.

« Alors, qu'est-ce qui ne va pas ? demanda-t-il.

— Oh, rien. Juste les poumons, le cœur et le foie.

— Oui, Imtiaz a dit quelque chose à propos de ton cœur. Mais tu n'as pas l'air d'un homme avec une crise cardiaque. D'ailleurs ça ne touche pas des gens de ton âge.

— Non, je n'en ai pas encore. J'ai un grave dysfonctionnement.

— Ventriculaire », précisa Mrs Rupa Mehra.

« Oh, bonjour, Ma. » Maan salua tout le monde tout en louchant sur la nourriture de Pran. « Des jamroses ? J'adore ça », et il en goba deux. Il cracha les pépins dans la paume de sa main, les posa sur le côté de l'assiette, prit deux autres jamroses. « Tu devrais les goûter », conseilla-t-il à Pran.

« Alors, que deviens-tu ? demanda Savita. Comment marche ton ourdou ?

— Très bien, très bien. En tout cas, j'ai fait de réels progrès. Je peux écrire une lettre en ourdou – et, ce qui est encore mieux, on peut me lire. Ça me fait penser que je dois en écrire une aujourd'hui. » Une légère contrariété assombrit ses traits, mais son gentil visage redevint vite souriant. « Et vous, les filles, comment ça se passe ? Deux femmes au milieu d'une douzaine d'hommes, ils doivent baver devant vous. Comment vous en débarrassez-vous ? »

Mrs Rupa Mehra le fusilla du regard.

« Nous maintenons une distance glaciale, dit Lata.

— Tout à fait glaciale, opina Malati. Il nous faut sauvegarder notre réputation.

— Si nous n'y prenons garde, surenchérit Lata, personne ne nous épousera. Ou même ne nous enlèvera. »

Mrs Rupa Mehra en avait assez entendu. « Moquez-vous, moquez-vous, s'écria-t-elle exaspérée, il n'y a pourtant pas de quoi.

— Vous avez raison, Ma, dit Maan. C'est une affaire trop sérieuse. D'ailleurs, pourquoi leur avez-vous permis – à Lata, je veux dire – de monter sur les planches ? »

Devant le lourd silence de Mrs Rupa Mehra, Maan comprit enfin qu'il avait abordé un sujet très sensible.

« Bon, dit-il à Pran, je te transmets le souvenir affectueux du Nawab Sahib, la tendresse de Firoz, la sollicitude de Zainab – par l'intermédiaire de Firoz. Et ce n'est pas tout. Imtiaz veut savoir si tu prends tes petites pilules blanches. Il a l'intention de venir te voir demain et de les compter. Et quelqu'un d'autre m'a dit quelque chose d'autre, mais j'ai oublié. Te sens-tu vraiment bien, Pran ? C'est si attristant de te voir dans ce lit d'hôpital. Et le bébé, c'est pour quand ? Si Savita reste accrochée à toi comme ça, il va peut-être naître dans le même hôpital. Dans la même chambre. Qu'en dites-vous ? Délicieux, ces jamroses. » Et il en goba deux autres.

« Tu as l'air en pleine forme, constata Savita.

— Pas du tout ! Je me blesse aux poignards de la vie, je saigne.

— Aux épines, corrigea Pran.

— Aux épines ?

— Oui.

— En tout cas, je me blesse. Et je suis malheureux.

— Tes poumons sont en bon état, pourtant, dit Savita.

— Oui, mais pas mon cœur. Ou mon foie. » Maan citait les deux sièges de l'émotion, selon la poésie ourdoue. « Mon cœur captif –

— A présent, nous devons partir », l'interrompit Mrs Rupa Mehra, poussant ses filles devant elle comme une mère poule ses poussins. Malati prit congé elle aussi.

« J'ai dit quelque chose ? » demanda Maan, quand il se retrouva seul avec son frère.

« Bah, ne t'inquiète pas. » Il avait beaucoup plu dans l'après-midi, ce qui avait rendu Pran encore plus philosophe. « Assieds-toi et tiens-toi tranquille. C'est gentil de venir me voir.

— Pran, m'aime-t-elle encore ? »

Pran haussa les épaules.

« Elle m'a jeté dehors, l'autre jour. Tu crois que c'est un bon signe ?

— A première vue, non.

— Tu dois avoir raison. Mais je l'aime abominablement. Je ne peux pas vivre sans elle.

— Comme sans oxygène.

— L'oxygène ? Oui, je suppose. Quoi qu'il en soit, je vais lui envoyer un mot aujourd'hui. Et menacer d'en finir avec tout cela.

— Avec quoi tout cela ? demanda Pran, pas vraiment inquiet. Avec ta vie ?

— Oui, probablement, dit Maan, d'une voix hésitante. Tu penses que ça me la ramènera ?

— Ça dépend. Envisages-tu d'assortir ta menace d'un geste ? De te jeter sur les poignards de la vie ou de te tuer avec les pistolets de la vie ? »

Maan sursauta. Ce côté pratique lui paraissait de très mauvais goût.

« Non, je ne crois pas.

— Moi non plus. En tout cas, ne le fais pas. Tu me manquerais. Et à toutes les personnes qui se trouvaient dans cette chambre. Et à toutes celles dont tu m'as transmis le souvenir. Et à Baoji, Ammaji, Veena, Bhaskar. Sans oublier tes créanciers.

— Tu as raison ! » dit Maan d'une voix décidée. Et il engloutit les deux derniers jamroses. « Tout à fait raison. Tu es fort comme un roc, sais-tu Pran ? Même allongé sur ton lit. A présent, je sens que je peux affronter n'importe qui et n'importe quoi. Je suis un lion. » Il poussa une sorte de rugissement d'essai.

La porte s'ouvrit, laissant entrer Mr et Mrs Mahesh Kapoor, Veena, Kedarnath et Bhaskar.

Le lion se calma, présentant un visage quelque peu honteux. Cela faisait deux jours qu'il n'était pas allé chez lui, et même s'il ne voyait aucun reproche dans les yeux de sa mère, il était mal à l'aise. Tout en parlant avec Pran, Mrs Kapoor arrangea dans un vase qu'elle avait apporté un bouquet de fleurs odorantes provenant de son jardin. Elle demanda des nouvelles de la famille du Nawab.

« Ils vont tous très bien, Ammaji. Et ma petite grenouille ? Tu peux à nouveau sauter ? » Il serra Bhaskar dans ses bras, échangea quelques mots avec Kedarnath. Veena s'approcha de Pran, lui mit la main sur le front, et s'enquit non pas de sa santé mais de la façon dont Savita réagissait.

« Je n'aurais pas pu choisir plus mauvais moment.

— Il faut prendre soin de toi.

— Oui, bien sûr. Tu sais quoi, elle veut étudier le droit – au cas où elle deviendrait veuve et l'enfant orphelin – je veux dire sans père.

— Ne dis pas des choses pareilles, fit Veena, d'un ton sec.

— Le droit ? s'étonna Mr Mahesh Kapoor, d'un ton non moins sec.

— Je ne dis ces choses que parce que je n'y crois pas. Je suis protégé par un mantra. »

Ce fut au tour de Mrs Mahesh Kapoor d'intervenir. « Pran – Ramjap Baba a dit aussi autre chose : qu'une mort viendrait gâcher tes chances d'obtenir un autre poste. Ne te moque pas du destin. Ce n'est jamais bon. Si l'un de mes enfants venait à mourir avant moi, je voudrais mourir moi aussi.

— Voulez-vous arrêter toutes ces histoires de mort ? » ordonna Mr Mahesh Kapoor, exaspéré par ce débordement d'émotions inutile. Cette chambre est pleine de moustiques. Je viens de me faire piquer. Dis à Savita de se concentrer sur ses devoirs de mère. Le droit ne lui fera aucun bien. »

Sa femme ne releva pas. Repensant à l'enfance de Pran, elle se dit que son mari avait probablement raison.

« Comment va le jardin, Ammaji ? » demanda Pran. Le parfum des fleurs de bela emplissait la chambre.

« Les zinnias sous la chambre de Maan sont fichus. Et les malis aplanissent la nouvelle pelouse. Depuis la démission de ton père, je n'ai pas eu beaucoup le temps de m'en occuper ; les malis sont à notre charge maintenant. J'ai planté quelques nouveaux rosiers. Le sol est tendre. Les hérons de la mare sont revenus. »

Maan, qui avait adopté un profil bas, très peu léonin, ne put résister à citer Ghalib :

« La brise du jardin de la fidélité a déserté mon cœur,
Ne laissant en moi que des désirs inassouvis. »

Il retomba dans une morosité inhabituelle.

Veena sourit, Pran rit ; Bhaskar, perdu dans ses pensées, ne changea pas d'expression.

Kedarnath parut plus soucieux qu'à l'ordinaire ; Mrs Mahesh Kapoor scruta le visage de son fils avec une inquiétude renouvelée ; et l'ex-ministre du Trésor lui dit de la boucler.

13.5

Mrs Mahesh Kapoor se promenait lentement dans son jardin, au petit matin. Il faisait relativement frais, sous un ciel nuageux. Les hautes branches d'un jambosier, planté dans la rue à l'extérieur, ombrageaient l'allée à un tournant. Les fruits pourpres marquaient la pierre de taches indélébiles ; les noyaux jonchaient le sol autour de la pelouse.

Comme Maan, Mrs Mahesh Kapoor adorait les jamroses, qui arrivaient à maturité juste à temps pour consoler de la fin de la saison des mangues. Les cueilleurs, engagés par la section d'horticulture du ministère des Travaux publics, parcouraient les rues dès l'aube, grimpaient dans les arbres, et au moyen d'un long bâton faisaient tomber les fruits sombres, de la taille d'une olive, à la douceur aigrelette. Leurs femmes, au pied des arbres, récoltaient les fruits dans un grand drap, et allaient les vendre au marché près de Chowk. Chaque année, les mêmes récriminations s'élevaient quant à la propriété des fruits tombés dans le jardin de Mrs Mahesh Kapoor, et chaque année on résolvait la question de façon pacifique. Les cueilleurs étaient autorisés à entrer dans son jardin à condition qu'ils lui réservent une partie des fruits ramassés et ne piétinent ni sa pelouse ni ses parterres de fleurs.

Heureusement, se consolait Mrs Mahesh Kapoor – car pelouse et parterres n'en souffraient pas moins – c'est la mousson, et la beauté du jardin à cette époque de l'année ne réside pas tant dans ses fleurs que dans sa verdure. Et puis elle aimait bien les joyeux cueilleurs de jamroses, qui avaient probablement empêché qu'on coupe les branches de l'arbre à l'ombre bienfaisante.

Elle marchait donc lentement dans son jardin, la tête tout occupée de Pran : une petite femme quelconque, vêtue d'un vieux sari, qu'un étranger aurait facilement prise pour une servante. Son mari s'habillait très bien – sa qualité de parlementaire l'obligeait à porter du coton local, mais de la meilleure qualité – et lui avait souvent reproché son manque d'élégance. Un reproche parmi beaucoup d'autres que, par manque d'énergie et de goût, elle ne faisait rien pour s'éviter. Comme sa méconnaissance de l'anglais : depuis longtemps elle avait décidé qu'elle n'y pouvait rien. Stupide pour stupide, c'était la volonté de Dieu.

Les plus raffinés parmi les habitants de Brahmpur ne cessaient de s'étonner que, année après année, Mrs Mahesh Kapoor remporte les premiers prix de l'exposition de roses et de chrysanthèmes, en décembre, et de la grande exposition florale de février. La texture et la fraîcheur de ses roses constituaient un perpétuel sujet d'émerveillement pour le Club des variétés ; les épouses des dignitaires de la Burmah Shell ou de la Société de Chaussures Praha daignèrent même, dans leur hindi anglicisé, lui demander à une ou deux reprises ce qu'elle mettait dans sa pelouse qui la rendait si égale, moelleuse et verte. A supposer qu'elle eût bien saisi leur langage, Mrs Mahesh Kapoor eût été fort embarrassée pour leur répondre. Elle accepta simplement leurs compliments, mains jointes en signe de reconnaissance, l'air un peu demeuré. Ces dames secouèrent la tête, concluant que Mrs Kapoor était effectivement demeurée, mais qu'elle – ou plutôt son chef jardinier « avait un don ». Elles essayèrent, en lui offrant le double de son salaire, d'attirer le jardinier chez elles, mais le mali, originaire de Rudhia, préféra rester à Prem Nivas pour voir grandir les arbres qu'il avait plantés et s'épanouir les rosiers qu'il avait taillés. Le désaccord entre Mrs Kapoor et lui à propos de la pelouse secondaire s'était réglé à l'amiable : la pelouse demeura légèrement bosselée et constitua une sorte de sanctuaire pour l'oiseau favori de Mrs Kapoor.

Les deux aides-jardiniers étaient payés par l'Etat, qui les

avait alloués à Mahesh Kapoor en sa qualité de ministre du Trésor, ils adoraient Prem Nivas et furent très malheureux de devoir le quitter. « Pourquoi le ministre Sahib a-t-il démissionné ? demandèrent-ils.

— Posez-lui la question », dit Mrs Mahesh Kapoor, qui n'approuvait pas cette décision. Malgré toutes ses critiques et ses plaintes, Nehru n'avait pas quitté le Congrès ; ceux de ses partisans qui s'étaient dépêchés de donner leur démission réussiraient-ils à le forcer à partir et à créer ainsi un nouveau parti ? Ou bien leur action prématurée n'aurait-elle d'autre résultat que d'affaiblir sa position dans son propre parti et de lui rendre ainsi les choses encore plus difficiles ?

« On va nous assigner à une autre demeure, dirent les aides-jardiniers, les larmes aux yeux. A un autre ministre et une autre memsahib. Qui ne nous traiteront pas aussi bien que vous.

— Je suis sûre que si », affirma Mrs Mahesh Kapoor. Compatissante et généreuse, elle n'élevait jamais la voix, prenait des nouvelles de leur famille, les aidait de différentes manières, et ils lui étaient donc très attachés.

« Que ferez-vous sans nous, Memsahib ? demanda l'un.

— Peut-être pourriez-vous venir à mi-temps ? Comme ça vous ne perdrez pas le jardin auquel vous avez tant travaillé.

— Oui – une heure ou deux tous les matins. La seule chose c'est que –

— Bien entendu je vous paierai. Mais je vais devoir prendre quelqu'un d'autre à temps plein. Vous avez un nom à me suggérer ?

— Mon frère serait bien, dit l'un.

— Je ne savais pas que tu avais un frère, s'étonna Mrs Mahesh Kapoor.

— Enfin, pas vraiment mon frère – le fils de mon oncle.

— D'accord, je l'engage un mois à l'essai. Gajraj me dira ce qu'il en pense.

— Merci, Memsahib. Cette année nous vous ferons gagner le premier prix du concours du plus beau jardin. »

Ce prix, elle ne l'avait jamais obtenu, et l'idée la ravissait.

Mais, doutant de ses propres capacités, elle sourit devant leur ambition.

« Ce serait une grande fête, dit-elle.

— Et ne vous inquiétez pas. Même si le Sahib n'est plus ministre, nous vous ferons avoir des plantes des serres du gouvernement à bas prix. Et d'autres endroits aussi. » Le chapardage de plants se pratiquait couramment dans le petit monde des jardiniers.

« Bon. Va chercher Gajraj. Je veux profiter de ce que j'ai un peu de temps pour discuter avec lui. Si le Sahib redevient ministre, je ne m'occuperai plus de rien, sauf de faire servir le thé. »

Le chef mali arriva, et elle lui parla un moment. La nouvelle pelouse du devant, plantée soigneusement rang par rang, commençait à sortir ses pousses d'un émeraude tendre. Le reste, à l'exception de l'allée de pierres sur laquelle ils marchaient, n'était encore que boue.

Concernant le concours du meilleur jardin, le mali affirmait savoir pourquoi ils obtenaient toujours le deuxième prix et pas le premier. D'abord le juge Bailey (qui l'avait obtenu trois années de suite) dépensait, poussé par sa femme, la moitié de son revenu pour son jardin. Il employait une douzaine de jardiniers. Ensuite chaque buisson, arbuste ou fleur était planté en fonction d'une seule date : la mi-février, date de la grande exposition florale. Gajraj pouvait arranger quelque chose de semblable si Mrs Mahesh Kapoor le souhaitait, dit-il, son expression laissant comprendre qu'il était sûr qu'elle ne le désirait pas.

« Non, non – ça ne serait plus un jardin. Organisons-le comme nous l'avons toujours fait – avec différentes fleurs fleurissant à différentes saisons, de façon que ce soit toujours un plaisir pour les yeux. Et à la place du margousier, nous mettrons un ashok de Sita. C'est le bon moment pour le planter. » En raison de son allergie aux fleurs de margousier, Mrs Mahesh Kapoor avait dû se résoudre à en faire abattre un, et cet endroit désormais nu lui était un vivant reproche. Quant à celui qui poussait devant la fenêtre de Maan et auquel il grimpait dans son enfance, elle n'avait pas eu le cœur de le supprimer.

Gajraj joignit les mains. Petit homme mince aux traits

creusés, il marchait nu-pieds, en dhoti et kurta blancs. Avec son air digne, on l'aurait pris plutôt pour le prêtre du jardin que pour le jardinier. « Tout ce que vous voulez, Memsahib. Que pensez-vous des nénuphars cette année ? » A son idée, ils méritaient un commentaire et il s'étonnait que Mrs Mahesh n'en eût encore rien dit.

« Allons y jeter un nouveau coup d'œil », dit-elle.

Ils traversèrent la pelouse boueuse, s'arrêtèrent un instant auprès du pamplemoussier, arrivèrent à la mare. Des têtards grouillaient dans l'eau bourbeuse. Mrs Mahesh Kapoor s'absorba dans la contemplation des nénuphars : les feuilles rondes et les fleurs à demi ouvertes : roses, rouges, bleues et blanches, que butinaient quelques abeilles.

« Pas de jaunes cette année ? s'enquit-elle.

— Non, Memsahib, dit Gajraj, penaud.

— Ils sont très beaux. »

Tout ragaillardi, Gajraj confirma : « Ils sont plus beaux que jamais. Sauf que les jaunes ne sont pas sortis. Je ne sais pas pourquoi.

— Ça n'a pas d'importance. Mes enfants les aiment avec des couleurs vives – les rouges et les bleus. Je crois qu'il n'y a que toi et moi qui nous intéressions aux jaune pâle. S'ils sont morts, pouvons-nous nous en procurer pour l'année prochaine ?

— Pas à Brahmpur, Memsahib, ça m'étonnerait. C'est votre amie de Calcutta qui vous les avait apportés il y a deux ans. »

Il s'agissait en fait d'une amie de Veena, une jeune femme de Shantiniketan, qu'ils avaient invitée plusieurs fois à Prem Nivas. Elle avait beaucoup aimé le jardin et Mrs Mahesh Kapoor l'avait trouvée d'une agréable compagnie, même si ses manières surprenaient un peu. Pour son second séjour, elle avait fait le trajet en train avec les nénuphars jaunes dans un seau d'eau.

« Quel dommage, dit Mrs Mahesh Kapoor. N'importe, les bleus sont saisissants. »

Sur la pelouse, grives, vanneaux à caroncule rouge et mainates vaquaient, picorant tout ce qui se présentait. C'était la saison des vers de terre, leurs déjections en spirales parsemaient l'herbe boueuse.

Le ciel s'était assombri et l'on entendait au loin le grondement du tonnerre.

« As-tu vu des serpents cette année ? demanda Mrs Mahesh Kapoor.

— Moi non, dit Gajraj, mais Bhaskar affirme qu'il en a vu un. Un cobra. Il m'a appelé, mais le temps que j'arrive, le serpent avait disparu.

— Comment ? Quand ça ?

— Hier après-midi.

— Où l'a-t-il vu ?

— Il était juché sur ce tas de briques et de moellons, là-bas – à faire voler son cerf-volant. Je lui ai dit de faire attention, parce que c'est un endroit à serpents, mais –

— Dis-lui de venir immédiatement. Et appelle Veena bébé aussi. »

Les vieux serviteurs de Prem Nivas continuaient à appeler Veena ainsi.

« Et puis non, se ravisa Mrs Mahesh Kapoor, je vais rentrer pour le thé. On dirait qu'il va pleuvoir. »

« Veena, dit-elle, en arrivant sur la véranda, ton fils est comme toi à son âge, très entêté. Il jouait sur le tas de briques hier, et c'est plein de serpents.

— Oui ! s'écria Bhaskar avec enthousiasme. J'en ai vu un hier, un cobra.

— Bhaskar ! » Veena blêmit.

« Il ne m'a pas menacé, ni rien. Il était trop loin. Et le temps que j'appelle Gajraj, il avait disparu.

— Pourquoi ne me l'as-tu pas dit ? demanda sa mère.

— J'ai oublié.

— Ce n'est pas une chose qu'on oublie. Voulais-tu retourner y jouer aujourd'hui ?

— Avec Kabir, on pensait jouer au cerf-volant.

— Il n'est pas question que tu joues là, tu m'entends, ni

nulle part au fond du jardin. C'est compris ? Sinon, je ne te laisserai plus sortir dans le jardin.

— Mais, maman.

— Il n'y a pas de maman qui tienne. Tu ne joueras pas là, un point c'est tout. Maintenant, rentre et va boire ton lait.

— J'en ai assez du lait. J'ai neuf ans – presque dix. Jusqu'à quand devrai-je boire du lait ? » Il était mécontent d'avoir été réprimandé devant sa grand-mère et s'estimait trahi par Gajraj, qu'il considérait comme un ami.

« Le lait est bon pour toi. Il y a beaucoup de garçons qui n'en ont pas du tout.

— Les veinards. Je déteste la peau qui se forme dessus quand il refroidit. Et les verres ici sont un sixième plus grands que ceux de la maison.

— Si tu le bois vite, la peau n'aura pas le temps de se former. » Ce n'était pas l'habitude de Bhaskar d'être aussi grognon, et Veena n'entendait pas l'encourager. « Si tu me désobéis à nouveau et te comportes comme un enfant de six ans, tu auras une gifle – et Nani ne pourra pas m'en empêcher. »

Il y eut un grondement de tonnerre suivi de quelques grosses gouttes.

Bhaskar rentra dans la maison d'un air digne. Sa mère et sa grand-mère se sourirent. Puis Mrs Mahesh Kapoor s'adressa à sa fille :

« Il m'a paru en forme hier soir, malgré tout ce que disent les médecins. Tu n'as pas trouvé ?

— Si, Amma. C'est une période difficile pour nous tous. Pourquoi ne demandes-tu pas à Savita, Lata et Ma de s'installer ici jusqu'à la naissance du bébé ? Nous, nous allons partir dans un jour ou deux, de toute façon.

— Je l'ai déjà proposé. Mais Pran pense qu'elle n'aimerait pas cela, qu'elle se sent mieux dans son environnement familier. »

Mrs Rupa Mehra, il est vrai, ne manquait jamais quand elle venait de s'étonner de la nudité des pièces. Elle n'avait pas tort. Si Mahesh Kapoor n'aidait en rien sa femme à diriger la maison, il exerçait souvent son veto quand il s'agissait d'acheter des meubles. Il n'y avait que la cuisine et l'oratoire qu'elle avait pu arranger avec le même goût qu'elle mettait à soigner son jardin.

« Et Maan ? reprit Veena. La maison paraît bizarre sans lui. Il devrait vivre avec sa famille quand il est à Brahmpur. Ce n'est pas bien de sa part.

— J'ai eu de la peine au début, mais je crois qu'il a raison, il vaut mieux qu'il reste chez son ami. Le ministre sahib vit des moments difficiles et je pense qu'ils auraient un peu de mal à se supporter. »

C'était une supposition indulgente. Mahesh Kapoor se montrait désagréable avec tout le monde ces temps-ci. Non seulement parce que le flot des parasites et des solliciteurs de tout poil s'était brusquement tari, personnages qu'il affirmait mépriser mais que maintenant il regrettait ; mais parce que s'ouvrait devant lui un avenir plein d'incertitude.

« Sa mauvaise humeur mise à part, j'apprécie ce repos, dit tout haut Mrs Mahesh Kapoor, complétant ainsi sa pensée. Le soir, on récite des bhajans, et le matin je peux me promener dans le jardin sans me sentir coupable de négliger un invité important. »

A présent les nuages avaient complètement masqué le soleil. Des bourrasques de vent traversaient le jardin, secouant si violemment un peuplier que, de vert sombre, le dessous des feuilles en paraissait argenté. Mais la véranda sur laquelle elles se trouvaient était protégée par un muret agrémenté d'urnes de pourpier, et couverte, si bien qu'elles n'éprouvaient pas le besoin de se réfugier à l'intérieur.

Veena fredonna les premiers vers d'un des bhajans favoris de sa mère : « Lève-toi, voyageur, le soleil luit. » Dans l'ashram de Gandhi, aux jours les plus noirs de la lutte pour la liberté, Mrs Mahesh Kapoor et ses compagnons le chantaient pour se redonner du courage.

Elle se mit elle aussi à chanter, à l'exemple de sa fille :

« *Uth, jaag, musafir, bhor bhaee*
Ab rayn kahan jo sowat hai... »
« *Lève-toi, voyageur, le soleil luit.*
Pourquoi dors-tu ? Il ne fait plus nuit... »

« Quand tu penses au parti du Congrès à l'époque, et que tu vois ce qu'il est devenu aujourd'hui...

— Pourtant tu te lèves toujours aussi tôt, dit Veena en souriant. Et sans ce bhajan.

— Oui. On perd difficilement les vieilles habitudes. Et j'ai moins besoin de sommeil qu'avant. Mais j'ai quand même besoin de l'aide de ce bhajan plusieurs fois par jour. »

Elle but son thé. « Comment va ta musique ?

— Ma musique sérieuse ?

— Oui, ta musique sérieuse... Ce que t'apprend ton Ustad.

— Je n'ai pas vraiment la tête à ça. La mère de Kedarnath a cessé de s'y opposer, et c'est plus près de Prem Nivas que de Misri Mandi, mais je n'arrive pas à me concentrer en ce moment. Le monde extérieur m'envahit. Il y a eu d'abord Kedarnath, puis Bhaskar, maintenant Pran ; j'espère que ça ne va pas être le tour de Savita. Si seulement ils tombaient malades tous ensemble : mes cheveux blanchiraient d'un seul coup, et le reste du temps, je pourrais faire des progrès... Ustad sahib est plus patient avec moi qu'avec ses autres élèves. Ou peut-être est-il plus heureux ces jours-ci, moins amer. »

Un peu plus tard, Veena reprit : « J'aimerais pouvoir faire quelque chose pour Priya.

— Priya Goyal ?

— Oui.

— Pourquoi penses-tu à elle brusquement ?

— Je ne sais pas. C'est venu comme ça. A quoi ressemblait sa mère quand elle était jeune ?

— C'était une femme bien, vraiment.

— A mon avis, les affaires publiques se porteraient beaucoup mieux si toi et elle en aviez la charge, au lieu de Baoji et L.N. Agarwal.

— Je ne le crois pas, rétorqua simplement sa mère, ignorant l'impertinence de la remarque. Deux femmes illettrées. Nous n'aurions même pas pu lire un dossier.

— Au moins, vous auriez fait preuve de générosité l'une envers l'autre, pas comme les hommes.

— Penses-tu, tu ne connais pas la mesquinerie des femmes. Quand des frères décident de ne plus vivre dans la maison commune, ils sont capables de se répartir des biens de grande valeur en quelques minutes. Mais les criailleries de leurs femmes dans la cuisine, à propos de pots et de poêles – elles en arriveraient presque au bain de sang.

— En tout cas, Priya et moi nous en sortirions très bien. Et ça lui permettrait d'échapper à cette abominable maison, à la sœur de son mari, à ses belles-sœurs. Tu n'as peut-être pas tort, mais tu crois qu'une femme aurait ordonné cette charge à la lathi contre les étudiants ?

— Peut-être pas. Mais à quoi bon y penser ? Les femmes ne seront jamais appelées à prendre de telles décisions.

— Un jour, ce pays aura une femme Premier ministre ou une femme Président. »

Sa mère s'esclaffa. « Pas avant cent ans, alors. »

Leur attention se reporta sur le jardin. Des perdrix brunes, bien grasses, couraient avec gaucherie jusqu'à l'extrémité de la pelouse, d'où elles s'envolaient avec un immense effort, pour se poser sur la balançoire accrochée à une branche du tamaris. Et elles restaient là, à se tremper sous la pluie qui tombait dru à présent.

Les jardiniers allèrent se réfugier à l'arrière de la maison, près de la cuisine.

Des écureuils, affolés par le grondement continu du tonnerre, grimpèrent tout en haut des arbres, des éclairs embrasèrent le ciel. Sous les trombes d'eau, la boue de la pelouse s'épaissit encore. Les perdrix se fondirent dans ce barrage liquide, même la balançoire disparut de la vue. Le bruit sur le toit rendait la conversation difficile, la pluie poussée par le vent mouillait la véranda.

Bhaskar rejoignit sa mère et sa grand-mère, et ils restèrent tous les trois à contempler, enchantés, le spectacle : le mur d'eau, les arbres tordus. Au bout de cinq minutes environ, la pluie se calma, et ils purent de nouveau s'entendre parler.

« Les paysans vont être contents, dit Mrs Mahesh Kapoor. Il n'avait pas assez plu jusqu'à présent.

— Mais pas les cordonniers », dit Veena. Elle avait appris de Kedarnath que les modestes fabricants de chaussures, qui plaçaient les empeignes humides sur des formes en bois, devaient, par ce temps, attendre parfois une semaine pour qu'elles sèchent. Comme ils vivaient au jour le jour, cela représentait pour eux un grave manque à gagner.

« Tu aimes la pluie ? demanda sa grand-mère à Bhaskar.

— J'aime faire voler les cerfs-volants après la pluie. Les courants dans l'atmosphère sont plus intéressants. »

L'orage redoubla brusquement, et ils n'eurent d'autre ressource que de replonger en eux-mêmes.

Bhaskar pensa à sa maison, qu'il allait retrouver dans deux jours, et à ses amis avec qui il allait de nouveau jouer. La vie ici dans les « colonies » était plutôt limitée.

Mrs Mahesh Kapoor revoyait sa mère, que les orages avaient toujours terrifiée, et dont une violente tempête comme celle-ci avait subitement aggravé la maladie qui devait l'emporter.

Et Veena songea à son amie bengali (celle des nénuphars jaunes) qui, aux premières pluies de la mousson après les terribles mois de chaleur, sortait tout habillée, fredonnant un air de Tagore en signe de gratitude, et laissait l'eau dévaler sur ses cheveux, le long de ses joues, de son corps jusqu'à ses pieds nus, plaquant sur sa peau son corsage et son sari trempés.

13.7

Le temps n'en finissait pas de peser sur les épaules de Maan. Il comprit que s'il ne se raccommodait pas avec Saeeda Bai, il allait devenir fou d'ennui et de désir. Il lui écrivit donc son premier mot en ourdou, où il la suppliait de se montrer bonne avec lui, son fidèle vassal, son phalène subjugué etc. Il y avait quelques erreurs d'orthographe, son écriture était mal formée, mais on ne pouvait se méprendre sur la force de ses sentiments. Il songea à demander l'aide de Rasheed pour certaines formulations, puis réfléchit que, Rasheed étant en défaveur, cela risquait de compliquer les choses. Il confia son mot aux bons soins du portier, mais n'attendit pas la réponse.

Il se rendit à pied jusqu'au Barsaat Mahal, où il resta à méditer, en contemplant le fleuve au clair de lune. A l'exception de Firoz, personne ne le soutenait dans ce monde. Chacun voulait le façonner selon son opinion et son désir. Très occupé au tribunal, Firoz lui-même le laissait un peu tomber, n'avait proposé qu'une seule fois d'aller s'entraîner au polo, pour finalement être obligé d'annuler car il était convoqué à une réunion par l'avocat qui l'employait.

Il fallait que quelque chose se passe, très vite. Le bébé de Savita, par exemple. Il se sentait inexplicablement fatigué, tout le monde autour de lui paraissait oppressé, rongé par les soucis.

Si seulement il parvenait à persuader son père de se présenter dans une circonscription rurale, il se précipiterait à Rudhia et réussirait peut-être à oublier un peu Saeeda Bai. Dans l'impasse où il se trouvait présentement, son père avait perdu de son autorité morale, et peut-être sa compagnie serait-elle plus supportable. En même temps, sa situation le rendait particulièrement irritable : au bout du compte, Rudhia n'était pas une si bonne idée.

Pour ajouter à ses malheurs, il n'avait plus d'argent. Firoz, à qui il s'était adressé à son retour, lui avait simplement tendu son portefeuille en lui disant de prendre ce qu'il voulait. Geste généreux qu'il avait renouvelé quelques jours plus tard, sans être sollicité mais peut-être en surprenant un regard misérable de son ami. Mais Maan ne pouvait continuer à emprunter ainsi de l'argent à Firoz. Un certain nombre de gens de Bénarès lui devaient de l'argent, soit pour des achats dans sa boutique, soit parce qu'il les avait aidés à surmonter un coup dur ; maintenant qu'il se trouvait à son tour dans une mauvaise passe, il était normal qu'ils viennent à la rescousse. Il allait donc se rendre à Bénarès. A ceci près que, s'il ne devait pas lui être trop difficile d'éviter ses principaux créanciers, il n'en irait pas de même quant à la famille de sa fiancée. Et en y réfléchissant mieux, était-ce bien le bon moment ? Il voulait pouvoir seconder Savita après la naissance du bébé, puisque

Pran était immobilisé, et si ce bébé choisissait de venir au monde en son absence ?

Il attendit deux jours une réponse de Saeeda Bai, rien ne vint.

Fatigué de ses propres « et si » et « oui mais », Maan emprunta une nouvelle somme à Firoz, envoya un domestique lui prendre un billet pour le train du lendemain matin Brahmpur-Bénarès, et se prépara à passer une soirée triste et morne.

Il commença par se rendre à l'hôpital, où il recommanda à Savita de ne pas accoucher avant au moins deux jours. Elle rit et promit de faire de son mieux.

Ensuite il dîna avec Firoz et son beau-frère – le mari de Zainab – venu seul à Brahmpur pour une réunion –, envers lequel Firoz se montra tout juste poli. Ce que Maan trouva incompréhensible. L'homme semblait plutôt cultivé quoique timide, insistant sur le fait qu'il était paysan de cœur, récitant des vers persans à l'appui de cette affirmation. Le Nawab Sahib dîna de son côté.

Pour finir, Maan écrivit à nouveau un mot à Saeeda Bai, qu'il remit au portier comme le précédent. « Va le lui porter immédiatement – et dis-lui que je pars. » Sentant tout le poids dramatique de cette dernière phrase, Maan poussa un long soupir.

L'homme frappa à la porte, et Bibbo apparut.

« Bibbo – » appela Maan, agitant sa canne à pommeau d'ivoire.

Mais Bibbo eut l'air effrayée, et refusa de le regarder en face. Etrange, se dit Maan. Elle ne faisait pas tant de manières pour m'embrasser la dernière fois.

Quelques instants plus tard, Bibbo revint et annonça : « La begum Sahiba m'a dit de vous laisser entrer.

— Bibbo ! » s'écria Maan, ravi mais froissé par le ton cérémonieux, inanimé qu'elle employait. Il aurait voulu la serrer contre lui pour lui manifester sa joie, mais à la façon dont elle se détourna et le précéda dans l'escalier, il parut évident qu'il n'en était pas question.

« Vous répétez mon nom comme cette perruche, dit-elle. Tout ce que j'ai en échange de ma gentillesse, c'est des ennuis.

« — Mais non, tu as eu un baiser la dernière fois ! »
s'esclaffa Maan.

A l'évidence, Bibbo ne tenait pas à s'en souvenir. Elle fit
une moue, que Maan trouva charmante.

Saeeda Bai était de bonne humeur. Assise dans son petit
salon elle écoutait Motu Chand et un joueur de sarangi plus
âgé lui raconter les derniers potins. Ustad Majeed Khan
avait chanté récemment à Bénarès, soutenu par Ishaq
Khan, qui s'était bien comporté ; en tout cas, il n'avait pas
fait honte à son professeur.

« Je pars moi-même pour Bénarès, annonça Maan, qui
avait entendu la fin de la conversation.

— Et pourquoi le chasseur doit-il s'éloigner de sa gazelle
apprivoisée qui, tout heureuse, s'offre à sa vue ? » demanda
Saeeda Bai, faisant virevolter ses mains et aveuglant Maan
d'un éclair de diamant.

Voilà un portrait qui lui correspondait bien peu, compte
tenu du soin qu'elle avait mis à l'éviter ces derniers jours.
Mais dans ses yeux, Maan ne put lire qu'une désarmante
sincérité. Il l'avait mal jugée : elle était aussi délicieuse
qu'avant, et lui un lourdaud obtus.

Saeeda Bai se montra d'une extrême gentillesse toute la
soirée ; on aurait dit que c'était elle qui lui faisait la cour et
non l'inverse. Elle le pria de lui pardonner ce qu'elle appela
son manque de courtoisie, lors de sa dernière visite. Plusieurs choses avaient concouru à la bouleverser, ce jour-là.
Dagh sahib devait pardonner à l'ignorante saki qui, dans
son excessive nervosité, avait versé du vin sur ses mains
innocentes.

Elle chanta pour lui, comme en transe. Puis elle renvoya
les musiciens.

Le lendemain matin, Maan arriva à la gare juste à temps pour attraper son train. Le bonheur le faisait frétiller comme un chiot. Chaque jet de vapeur, chaque tour de roue qui l'éloignaient de Brahmpur ne réussissaient pas à diminuer son plaisir. Il se souriait à lui-même en revivant la nuit précédente, pleine de caresses et de reparties, d'attentes et de récompenses.

Une fois à Bénarès, il découvrit que ceux qui lui devaient de l'argent en échange des marchandises qu'ils avaient reçues n'étaient pas ravis de le voir. Ils jurèrent qu'ils n'avaient pas le sou, qu'ils remuaient ciel et terre pour rembourser leurs créanciers – dont lui, Maan, faisait partie –, que le marché était amorphe, que, cet hiver – ou au plus tard au printemps prochain –, ils pourraient rembourser tout le monde sans problème.

Quant à ceux dont les malheurs avaient incité Maan à leur ouvrir sa bourse, ils n'étaient pas disposés à présent à lui ouvrir la leur. L'un d'eux, un homme jeune, bien habillé et à l'apparence florissante, invita Maan à déjeuner dans un bon restaurant, de façon, dit-il, à lui expliquer la situation. Pour finir, c'est Maan qui paya la note.

Un autre de ses débiteurs se trouvait vaguement apparenté à la famille de sa fiancée. Il voulut absolument l'entraîner chez eux ; Maan plaida l'urgence de son retour à Brahmpur, son frère malade à l'hôpital, sur le point de devenir père. L'homme parut surpris de ce soudain sens des responsabilités familiales, et Maan, sur la défensive, n'osa pas amener sur le tapis le sujet de la dette.

Du discours oblique et amène d'un troisième il ressortit que, depuis que Mahesh Kapoor n'était plus ministre du Trésor de l'Etat voisin, cette histoire d'impayé revenait beaucoup moins fréquemment le hanter.

Maan réussit à récupérer un huitième environ de ce qu'il avait prêté, et emprunta l'équivalent à divers amis et connaissances. Le total faisait à peine plus de 2 000 roupies. D'abord déçu et désabusé, à la pensée qu'il avait néanmoins 2 000 roupies et dans sa poche un billet de train pour le ramener vers la félicité, il se dit que la vie était belle, après tout.

13.9

Pendant ce temps, Tahmina Bai rendait visite à Saeeda Bai.

La mère de Tahmina Bai avait dirigé l'établissement de Tarbuz ka Bazaar où Saeeda Bai et sa propre mère Mohsina Bai avaient vécu.

« Qu'allons-nous faire, qu'allons-nous faire ? cria Tahmina Bai, très excitée. Jouer au chaupar et cancaner, ou cancaner et jouer au chaupar ? Demande à ton cuisinier de faire ces délicieux kababs, Saeeda. J'ai apporté du biryani – j'ai dit à Bibbo de le mettre à la cuisine – et maintenant, raconte-moi, raconte-moi tout. J'ai tant de choses à te raconter – »

Après avoir fait quelques parties de chaupar, échangé des ragots ainsi que des nouvelles plus sérieuses du monde – par exemple les effets probables sur leur train de vie de la loi sur les zamindars, notamment pour Saeeda Bai dont les clients appartenaient à une classe plus aisée ; l'éducation de Tasneem ; la santé de la mère de Tahmina Bai ; l'augmentation des loyers et du coût des terrains, même dans Tarbuz ka Bazaar –, elles se mirent à singer leurs clients.

« Je serai Marh, dit Saeeda, et tu seras moi.

— Non, c'est moi Marh, dit Tahmina, et toi, moi. » Elle s'esclaffait. Elle attrapa un vase de fleurs, jeta les fleurs sur la table, et fit semblant de boire au vase. Puis elle se mit à vaciller et à grogner, plongea sur Saeeda Bai qui, lui arrachant des mains le pan de son sari, courut vers l'harmonium en criant « toba ! toba ! » et joua rapidement deux gammes descendantes.

Les yeux de Tahmina se brouillaient, elle descendait en même temps que la gamme, jusqu'au tapis, sur lequel elle s'allongea en ronflant. Elle s'efforça de se soulever, cria « wah ! wah ! » et s'effondra à nouveau, couinant et ronflant, mais de rire. Puis elle se leva d'un bond, renversant une jatte de fruits, se jeta sur Saeeda, qui se mit à geindre de plaisir. D'une main Tahmina attrapa une pomme dans laquelle elle mordit et, au moment de l'orgasme, réclama du whisky. Enfin, elle roula sur elle-même, éructa et se rendormit.

Elles suffoquaient de rire. La perruche piaillait affolée.

« Oh, mais son fils est encore mieux, dit Tahmina.

— Non, non, arrête, je n'en peux plus – »

Mais Tahmina avait commencé à mimer le Rajkumar, la fois où il avait tenté de la satisfaire avec sa poésie.

Abasourdie, protestant, une Tahmina traumatisée s'efforçait de remettre sur ses pieds un ami imaginaire mais très ivre. « Non, non, criait-elle d'une voix terrifiée, non, s'il vous plaît, Tahmina Begum – j'ai déjà, non, non, je ne suis pas d'humeur – viens, Maan, partons –

— Qu'as-tu dit, l'interrompit Saeeda Bai, Maan ? »

Tahmina s'étranglait de rire.

« Mais c'est mon Dagh sahib, dit encore Saeeda, médusée.

— C'est ça le fils du ministre ? Celui dont tout le monde parle ? Qui a les tempes chauves ?

— Oui.

— Il ne m'a pas honorée non plus.

— Je suis heureuse de l'apprendre.

— Fais attention, Saeeda, dit affectueusement Tahmina. Pense à ce que ta mère dirait.

— Oh, ce n'est rien. Je le divertis ; il me divertit. C'est comme avec Miya Mitthu. Je ne suis pas idiote. »

Sur quoi elle imita la façon désespérée de Maan de faire l'amour.

La première chose que fit Maan en débarquant à Brahmpur fut de téléphoner à Prem Nivas pour prendre des nouvelles de Savita. Elle avait tenu parole. Le bébé était toujours à l'abri, dans le ventre maternel, des joies et des peines de Brahmpur.

Il était trop tard pour aller voir Pran à l'hôpital ; en fredonnant, il se dirigea vers la maison de Saeeda Bai. Le portier avait l'air absent ; il eut un conciliabule avec Bibbo qui, après un coup d'œil à Maan, planté devant la grille, tourna les talons en secouant la tête.

Mais Maan, qui avait compris, sauta par-dessus la clôture et fut devant la porte avant qu'elle n'ait pu la fermer.

« Qu'y a-t-il ? fit-il d'une voix qu'il avait du mal à contrôler. La begum Sahiba a dit qu'elle me recevrait ce soir. Que s'est-il passé ?

— Elle est souffrante. » Bibbo insista lourdement sur le terme « souffrante ». Il était clair que Saeeda Bai ne l'était pas le moins du monde.

« Pourquoi es-tu fâchée contre moi, Bibbo ? Qu'ai-je fait pour que vous me traitiez tous de cette façon ?

— Rien. Mais la begum Sahiba ne reçoit plus personne aujourd'hui.

— Y a-t-il déjà quelqu'un ?

— Dagh Sahib – » Bibbo feignit de s'attendrir pour mieux lui décocher une dernière flèche. « Dagh Sahib, quelqu'un que j'appellerai Ghalib Sahib est auprès d'elle. C'est un de ses bons amis, et elle préfère sa compagnie à celle de tous les autres.

— Qui est-ce ? Qui est-ce ? » s'écria Maan, poussé à bout.

Bibbo aurait pu lui dire qu'il s'agissait de Mr Bilgrami, vieil admirateur de Saeeda Bai, qui le trouvait passablement assommant mais apaisant. Mais Bibbo était furieuse contre Maan, et ravie de lui faire payer ainsi ce qu'elle-même avait enduré. Après la scène de l'escalier, Saeeda Bai lui avait assené quelques gifles bien senties en menaçant de la renvoyer. Dans l'esprit de Bibbo, c'est Maan qui l'avait embrassée le premier et était donc responsable de tous ses ennuis.

« Je ne peux pas vous le dire. Mais votre intuition de poète devrait vous l'apprendre. »

Saisissant Bibbo par les épaules, Maan se mit à la secouer. Elle réussit cependant à lui échapper et lui claqua la porte à la figure.

« Allons, Kapoor Sahib – intervint le portier.

— Qui est-ce ?

— Je n'ai pas la mémoire des visages. Si quelqu'un me demandait si vous êtes venu dans cette maison, je ne m'en souviendrais pas. »

Médusé, brûlant de jalousie, Maan reprit le chemin de Baitar House.

Sur le grand portail en pierre à l'entrée de l'allée, un singe était installé. Que faisait-il là, si tard ? Mystère. Quoi qu'il en soit, il montra les dents en voyant approcher Maan, sauta de son piédestal et fonça sur lui. Si Maan ne s'était pas absenté les deux jours précédents, il aurait lu dans le *Brahmpur Chronicle* qu'un singe méchant errait dans le quartier de Pasand Bagh. C'était une femelle, apparemment devenue folle après que des écoliers avaient lapidé et tué son petit. Depuis, elle chargeait, mordait, bref terrorisait les résidents, ils étaient sept jusqu'à présent à avoir laissé des lambeaux de mollet entre ses dents, et Maan allait être le huitième.

Elle fonça sur lui, ne ralentit pas en voyant qu'il lui faisait face, d'un bond plongea sur sa jambe. Mais c'était compter sans la colère de Maan. Levant sa canne, il lui flanqua un coup qui l'étendit pour le compte, morte ou simplement assommée. Dans ce coup, il mit toute sa force, toute sa rage et sa jalousie.

Il s'appuya un moment au portail, tremblant sous le choc, puis, dégoûté de lui-même, gagna lentement la maison. Firoz n'était pas là, ni le mari de Zainab, et le Nawab s'était déjà retiré dans ses appartements. Seul Imtiaz veillait, en train de lire.

« Eh bien, mon vieux, on dirait que tu as reçu un choc. Tout va bien – à l'hôpital, je veux dire ?

— Je crois que je viens de tuer une guenon. Elle m'a

foncé dessus. Elle était assise sur le portail. J'ai besoin d'un whisky.

— Alors, tu es un héros. La police a essayé de l'attraper toute la journée. Glace et eau ? Enfin, peut-être pas vraiment un héros, si tu l'as tuée. Il faut que je la fasse transporter loin de la maison, ou nous nous retrouverons avec une manifestation religieuse sur les bras. Mais est-ce que tu l'as inquiétée avec quelque chose ?

— Inquiété ?

— Oui, en balançant ta canne ou que sais-je. En lui jetant une pierre, peut-être ?

— Pas du tout, protesta Maan. Elle m'a vu et elle a foncé. Je n'ai rien fait pour l'inquiéter. Rien. Rien du tout. »

13.11

Tout le monde avait dit à Savita que ce serait un garçon. Sa façon de marcher, la grosseur de son ventre, d'autres signes infaillibles, tout annonçait un garçon.

« Pense à de jolies choses, lis des poèmes », ne cessait de l'exhorter Mrs Rupa Mehra, et Savita s'efforçait d'obéir. Elle lut aussi un livre intitulé *Apprendre le droit*. Sa mère lui recommanda d'écouter de la musique, mais comme elle n'avait pas vraiment de goût pour cet art, elle n'en fit rien.

Le bébé donnait des coups de pied de temps à autre, puis paraissait s'endormir pendant des jours. Ces tout derniers jours, il s'était montré très calme.

Tout en recommandant à sa fille de penser à des choses agréables, Mrs Rupa Mehra ne résistait pas au plaisir de lui raconter ses propres accouchements ou ceux d'amies. Certaines de ces histoires étaient charmantes, d'autres moins. « Tu étais en retard, tu sais, et ma belle-mère insista pour que j'adopte sa méthode de déclenchement du travail. J'ai bu un verre plein d'huile de ricin. C'est un laxatif, censé déclencher les premières douleurs. Ça avait un goût horrible, je me souviens, on l'avait posé sur la desserte. Il faisait un froid glacial, la mi-décembre –

— Ça ne peut pas être en décembre, Ma. Mon anniversaire est en novembre. »

Agacée d'être interrompue dans sa rêverie, Mrs Rupa Mehra dut pourtant admettre la logique irréfutable de Savita.

« Oui, c'est ça, novembre, l'hiver, le verre était sur la desserte et je l'ai bu d'un coup avant le déjeuner. Je me souviens, il y avait des parathas pour le déjeuner. En temps normal, je ne mangeais pas beaucoup, mais ce jour-là je me suis bourrée. Sans effet. Puis ç'a été le dîner. Et ton Papa m'a apporté un pot plein de mes friandises favorites, les rasagullas. J'en ai pris un, puis deux, et le deuxième était en train de descendre quand j'ai senti comme un coup de poing dans le ventre ! Les premières douleurs avaient commencé.

— Ma, je crois –

— Nos remèdes indiens sont les meilleurs. On me dit qu'en cette saison je devrais manger plein de jamroses, c'est bon pour le diabète.

— Ma, j'aimerais finir de lire ce chapitre.

— Arun a été le plus difficile. Il faut te préparer, chérie ; au premier enfant, la douleur est si abominable qu'on veut mourir, et si je n'avais pas pensé à ton Papa, je serais sûrement morte.

— Ma –

— Savita, ma chérie, quand je te parle tu devrais cesser de lire. Un livre de droit n'est pas très reposant.

— Ma, parlons d'autre chose.

— J'essaie de te préparer, chérie. Sinon, à quoi servirait une mère ? Moi, ma mère était morte, et ma belle-mère manquait de compassion. Après l'accouchement, elle a voulu que je reste confinée pendant plus d'un mois, mais mon père a dit que c'était de la superstition et s'y est opposé, en sa qualité de docteur.

— Est-ce vraiment si douloureux ? » A présent, Savita était réellement effrayée.

« Oui, vraiment insupportable, continua Mrs Rupa Mehra, sans plus se soucier de la tranquillité de sa fille. La douleur la plus forte que j'ai eue dans ma vie, spécialement avec Arun. Mais quand le bébé est là, c'est une telle joie – si tout va bien évidemment. Parfois c'est très triste, comme pour le premier enfant de Kamini Bua – ces choses-là arrivent », conclut-elle philosophiquement.

« Ma, pourquoi ne me lis-tu pas un poème ? » Suggestion que Savita regretta aussitôt en voyant que sa mère se précipitait sur son poème favori, « Le garçon aveugle », de Colley Cibber.

Des larmes déjà plein les yeux, Mrs Rupa Mehra se mit à lire d'une voix tremblante :

> *« Oh dis-moi, qu'est donc cette lumière*
> *Dont jamais ne jouirai ?*
> *Ces merveilles au-delà de la paupière*
> *Dis-les à ton pauvre aveuglé. »*

« Ma, Papa se montrait très bon avec toi, n'est-ce pas ? Très tendre – très aimant –

— Oh oui, dit Mrs Rupa Mehra, du coup inondée de larmes, il n'y avait pas un mari comme lui sur un million. Regarde le père de Pran, il disparaissait toujours quand sa femme était sur le point d'accoucher. Il ne supportait pas les accouchements – ni le bruit, le désordre faits par les tout petits. Alors il s'absentait aussi souvent que possible. S'il avait été là, Pran ne se serait peut-être pas à moitié noyé dans cette baignoire d'eau savonneuse, et il n'aurait pas eu son asthme – et son cœur ne se serait pas abîmé. » Au mot « cœur », Mrs Rupa Mehra baissa la voix.

« Ma, je suis fatiguée, je crois que je vais me coucher. » Elle persistait à vouloir dormir seule, malgré l'insistance de sa mère à lui faire partager sa chambre.

Un soir, vers neuf heures, alors que Savita était en train de lire dans son lit, elle ressentit une forte douleur, et appela. Mrs Rupa Mehra, dont l'ouïe était particulièrement sensible à la voix de Savita ces temps-ci, se précipita. Elle avait déjà ôté son dentier, ne portait plus que son soutien-gorge et son jupon.

Savita lui ayant dit ce qui venait de se passer, Mrs Rupa

Mehra alla réveiller Lata, passa une robe de chambre, secoua les domestiques, remit son dentier et téléphona à Prem Nivas pour qu'on envoie la voiture. L'obstétricien, qu'elle appela chez lui, n'était pas là. Elle téléphona à Baitar House. Ce fut Imtiaz qui répondit.

« Quelle fréquence ont les contractions ? Qui est l'obstétricien. Butalia ? Bien. Vous l'avez appelé ? Oh, je vois. Je m'en occupe ; il est peut-être à l'hôpital occupé à un autre accouchement. Je m'assure qu'ils préparent une chambre et tout ce qu'il faut. »

Les douleurs se succédaient maintenant, mais de façon irrégulière. Lata tenait la main de Savita, parfois l'embrassait ou lui caressait le front. Imtiaz arriva au bout d'une heure. Il avait eu du mal à trouver la trace de l'obstétricien, qui dînait en ville.

Une fois à l'hôpital – celui de la faculté de médecine – Savita s'enquit de Pran. « Veux-tu que j'aille le chercher ? demanda Mrs Rupa Mehra.

— Non, non, laisse-le dormir. Il ne doit pas sortir du lit, dit Savita.

— Elle a raison, déclara Imtiaz. Ça ne lui ferait pas de bien. Nous sommes assez nombreux ici pour soutenir Savita. »

Une infirmière les informa que l'accoucheur ne tarderait pas et qu'en attendant il n'y avait pas lieu de s'alarmer. « C'est long en général pour le premier. Douze heures, c'est normal. » Savita ouvrit grand les yeux.

Elle souffrait beaucoup, mais ne gémissait pas. Le Dr Butalia, un sikh de petite taille aux yeux rêveurs, arriva, l'examina rapidement, l'assura lui aussi que tout se passait bien.

« Excellent, excellent, dit-il en souriant, les yeux sur sa montre, tandis que Savita se tordait sur son lit. Dix minutes – très bien, très bien. » Puis il disparut.

Là-dessus, Maan fit son apparition. Entendant qu'il s'agissait d'un Mr Kapoor, et vu son aspect échevelé et son air préoccupé, l'infirmière en conclut qu'il était le père. Il lui fallut quelques minutes pour la détromper.

« Bon, restez tranquille, dit-elle à Savita. Et pensez à des choses apaisantes.

— Oui », acquiesça Savita, ses larmes jaillissant sans qu'elle pût les contrôler...

La nuit était chaude, et bien que la chambre fût au premier étage, les moustiques pénétraient en masse. Mrs Rupa Mehra demanda qu'on apporte un second lit afin qu'elle et Lata puissent se reposer à tour de rôle. Imtiaz, constatant que tout était en ordre, s'en alla. Maan s'assit sur une chaise dans le couloir et s'endormit.

Savita n'arrivait pas à penser à des choses apaisantes. Elle avait l'impression qu'une force terrible, brutale s'était emparée de son corps. Elle haletait à chaque douleur, mais comme sa mère l'avait prévenue que ce serait intolérable, elle se retenait pour ne pas crier. Les heures passèrent, la sueur trempait son front. Lata essayait d'empêcher les moustiques de se poser sur son visage.

Il était quatre heures du matin, et il faisait encore nuit. Dans deux heures, Pran serait réveillé. Mais Imtiaz avait bien précisé qu'on ne le laisserait pas sortir de sa chambre. Savita se mit à pleurer tout doucement, non seulement parce qu'il ne pourrait pas venir à son chevet mais encore parce qu'à cause d'elle il serait dans tous ses états.

Croyant qu'elle pleurait de douleur, sa mère lui dit : « Sois courageuse, ma chérie, ce sera bientôt fini. » Savita s'agrippa à sa main. Les douleurs devenaient effectivement intolérables.

Soudain, elle sentit le lit trempé sous ses jambes. Rouge d'embarras, elle se tourna vers Mrs Rupa Mehra.

« Ma –

— Qu'y a-t-il, chérie ?

— Je crois, je crois que le lit est mouillé. »

Mrs Rupa Mehra réveilla Maan et l'envoya chercher les infirmières.

A présent les contractions se succédaient toutes les deux minutes. Les infirmières transportèrent Savita dans la salle de travail. L'une d'elles téléphona au Dr Butalia.

« Où est ma mère ? demanda Savita.

— Dehors.

— S'il vous plaît, dites-lui d'entrer.

— Mrs Kapoor, je suis désolée, nous ne pouvons pas faire ça, s'excusa gentiment une des infirmières, une

grande femme, anglo-indienne. Le docteur va arriver.
Accrochez-vous à la barre derrière le lit si vous souffrez
trop.

— Je crois que je sens le bébé –

— Mrs Kapoor, essayez de vous retenir jusqu'à ce que le
docteur soit là.

— Je ne peux pas – »

Heureusement, le docteur arriva, et les deux infirmières,
loin de la retenir, l'exhortèrent alors à pousser.

« Tenez-vous à la poignée au-dessus de vous –

— Poussez, poussez, poussez –

— J'ai trop mal – trop mal – cria Savita.

— Poussez –

— Non, sanglota-t-elle, c'est insupportable. Donnez-moi
un anesthésique. Docteur, je vous en prie –

— Poussez, Mrs Kapoor, vous le faites très bien », dit le
docteur.

Dans un brouillard de douleur, elle entendit une des
infirmières dire à l'autre : « Est-ce qu'il sort par la tête ? »

Savita éprouva une sensation de déchirure puis d'écoule-
ment fort et chaud. Et une douleur telle qu'elle crut en
mourir.

« Je ne peux plus le supporter, hurla-t-elle, oh Ma, je ne
peux plus le supporter. Je ne veux plus jamais avoir
d'enfant.

— Elles disent toutes ça, fit une infirmière, la plus brutale des deux, et elles reviennent l'année suivante. Continuez à pousser –

— Non. Jamais, jamais je n'aurai d'autre enfant. Oh
Dieu – »

Soudain la tête sortit, et Savita se sentit aussitôt soula-
gée.

Quand, après un temps qui lui parut infini, elle entendit
le bébé crier, elle ouvrit les yeux, toujours brouillés de
larmes, et vit le nouveau-né, rouge, fripé, aux cheveux
noirs, couvert de sang et d'une sorte de pellicule grasse, que
le médecin soulevait dans ses bras.

« C'est une fille, Mrs Kapoor, dit le docteur aux yeux
rêveurs. Et elle a de la voix –

— Une fille ?

— Oui. Un gros bébé. Bien constitué. Un accouchement difficile, ça arrive. »

Epuisée, Savita resta sans bouger pendant quelques minutes. La lumière, trop brillante, la blessait. Un bébé ! pensa-t-elle.

« Puis-je la prendre ? demanda-t-elle.

— Juste une minute, puis nous la nettoierons. »

Le bébé gluant posé sur son ventre, Savita jeta un regard adorateur et accusateur à la petite tête noire, le pressa doucement contre elle et referma les yeux.

13.12

Pran se réveilla pour découvrir qu'il était père.

« Quoi ? » dit-il, incrédule, à Imtiaz.

La vue de ses parents, assis à son chevet, en dehors des heures de visite, le convainquit.

« Une fille, ajouta Imtiaz. Elles sont à l'étage au-dessus. Avec Maan, très heureux d'être pris pour le père.

— Une fille ? s'étonna Pran, surpris et peut-être un peu déçu. Comment va Savita ?

— Bien. J'ai parlé avec l'obstétricien. Il dit que la naissance a été un peu difficile, mais rien d'inhabituel.

— Laisse-moi aller les voir. Je suppose que Savita ne peut pas bouger.

— Non, pas pendant quelques jours. Elle a des points de suture. Et je suis désolé, Pran, tu ne peux pas bouger non plus. L'agitation et l'excitation n'aideront pas à ton rétablissement. » Imtiaz employait le ton un peu sévère et professionnel avec lequel il se faisait obéir de ses patients.

« C'est ridicule, Imtiaz. Ne sois pas bête. Bientôt tu vàs me dire que je ne peux voir mon bébé qu'en photo.

— C'est une idée, fit Imtiaz dont le sourire démentait ses paroles. Mais le bébé, contrairement à sa mère, est un article transportable, donc on peut te l'apporter. Tu as de la chance, tu n'es pas contagieux, sinon même ça aurait été impossible. Butalia veille sur ses nourrissons comme sur des objets de valeur.

— Mais je dois parler à Savita.

— Elle va bien, Pran, intervint son père. Quand je suis monté la voir, elle se reposait. C'est une bonne fille, ajouta-t-il.

— Pourquoi ne lui écris-tu pas un mot ? suggéra Imtiaz.

— Mais nous ne sommes pas dans deux villes différentes », s'insurgea Pran. Il demanda pourtant à sa mère de lui passer le carnet posé sur sa table de nuit, et griffonna :

> Chérie,
> Imtiaz m'interdit de te voir ; il prétend que le fait de monter quelques marches et l'émotion que je ressentirais nuiraient à ma santé. Je sais que tu dois être aussi belle que toujours. J'espère que tu te portes bien, je souhaiterais être là pour te tenir la main et te dire quel merveilleux bébé nous avons. Car je suis sûr qu'elle est merveilleuse.
> Je ne l'ai pas encore vue, et je voudrais te prier de t'en séparer pour quelques minutes.
> Incidemment, je vais bien et, au cas où tu te poserais la question, j'ai passé une bonne nuit !
>
> Tout mon amour,
> PRAN.

Imtiaz s'en alla.

« Ne t'en fais pas parce que c'est une fille, Pran, dit sa mère.

— Je ne m'en fais pas du tout, je suis surpris. Tout le monde n'arrêtait pas d'affirmer que ce serait un garçon, et j'avais fini par y croire. »

Mrs Mahesh Kapoor, elle, était plutôt contente, puisque Bhaskar (quoique par ascendance féminine) avait satisfait son désir de petit-fils.

« Rupa ne sera peut-être pas ravie, dit-elle à son mari.

— Pourquoi ?

— Deux petites-filles, et pas de garçon.

— Les femmes devraient se faire examiner le cerveau. » Sur cette réponse, Mr Kapoor se replongea dans son journal.

« Mais tu dis toujours – »

Il l'interrompit d'un geste de la main et continua à lire.

Peu après, Mrs Rupa Mehra arriva avec le bébé.

Les yeux de Pran se remplirent de larmes. « Bonjour Ma », dit-il, tendant les bras pour prendre sa fille.

Pran la trouva très écorchée et très fripée. A cause des plis, ses yeux ouverts semblaient loucher, mais somme toute, elle ne lui parut pas manquer de séduction. Elle, de son côté, sembla enregistrer sa présence.

Il la tenait, ne sachant que faire. Comment communique-t-on avec un bébé ? Il chantonna un peu. Puis il demanda à sa belle-mère : « Comment va Savita ? Quand pourra-t-elle se déplacer ?

— Oh, elle a joint une déclaration de douane au paquet. » Et Mrs Rupa Mehra lui remit un petit mot.

Cet humour inattendu le surprit fort. S'il s'était permis une plaisanterie de cet ordre, elle l'aurait vertement tancé.

« Vraiment, Ma ! » Mais Mrs Rupa Mehra riait tout en grattant tendrement la tête du bébé. Pran lut ce qui suit :

> Très cher P.
>
> Tu trouveras ci-joint un bébé, taille M, sexe F, couleur R, à retourner après inspection et approbation.
>
> Je vais très bien, j'ai hâte de te voir, on me dit que dans deux ou trois jours je pourrai me déplacer en faisant attention. Ce sont ces points de suture qui rendent les choses un peu difficiles.
>
> Le bébé possède une personnalité certaine, et j'ai le sentiment qu'elle m'aime bien. J'espère que tu auras la même chance. Son nez me rappelle celui de Ma, rien d'autre n'évoque pour moi quoi que ce soit dans nos deux familles. Elle était très gluante à la sortie, mais maintenant qu'on l'a lavée et talquée, elle est très présentable.
>
> Ne t'inquiète pas pour moi, Pran. Je vais très bien. Ma dormira dans ma chambre à côté du berceau, ainsi je pourrai me reposer entre les tétées.
>
> J'espère que tu te sens bien, mon chéri. Félicitations. Je ne me fais pas à mon nouvel état. Je saisis que j'ai eu un bébé, je n'arrive pas à croire que je suis une mère.
>
> Plein de baisers,
> SAVITA.

Pran berça sa fille. La dernière phrase le fit sourire.

Imtiaz l'avait félicité de sa paternité plutôt que de la

naissance, et il n'éprouvait aucune difficulté à accepter cette paternité.

Le bébé dormait dans ses bras. Sa perfection le stupéfiait, une si petite chose et pourtant chaque veine, chaque membre, chaque paupière, chaque lèvre, chaque doigt, tout était là – et en état de marche.

Elle dormait la bouche ouverte en un sourire sans objet.

Pran vit ce que Savita voulait dire à propos du nez. Bien que minuscule, il annonçait l'appendice busqué de Mrs Rupa Mehra. Pran se demanda s'il rougirait de la même manière quand elle se mettrait à pleurer. De toute façon, il ne pourrait pas être plus rouge que maintenant.

« N'est-elle pas adorable ? demanda Mrs Rupa Mehra. Il aurait été si fier de sa deuxième petite-fille. »

Pran continua à la bercer et frotta son nez contre le sien.

« Que penses-tu de ta fille ? s'enquit sa belle-mère.

— Elle a un joli sourire, pour un bébé. »

Comme prévu, Mrs Rupa Mehra n'apprécia pas sa désinvolture. Si c'était lui qui avait accouché, lui dit-elle, il se serait montré plus élogieux.

« Très juste, Ma, très juste. »

Il répondit à Savita, l'informant que le bébé avait son approbation pleine et entière, et que les êtres gluants faisaient partie de l'ordre des choses. Quand Mrs Rupa Mehra remonta avec le bébé, suivie de Mr et de Mrs Mahesh Kapoor, Pran resta à contempler le plafond, perdu dans ses pensées, plus heureux du présent que soucieux de l'avenir.

Le bébé fut un peu difficile à nourrir le premier jour, refusant de chercher le sein. Mais quand Savita lui effleura la joue de son doigt, il tourna la tête en ouvrant la bouche, occasion que saisit sa mère pour lui présenter le téton. Une vague expression de surprise passa sur le visage du bébé. Après les premiers instants d'hésitation, il comprit comment s'y prendre et il n'y eut plus de problème, si ce n'est qu'il avait tendance à s'endormir pendant la tétée et qu'il fallait le réveiller pour qu'il achève son repas.

Grand-mère, mère et petite-fille, chacune avait son lit dans la même chambre. Lata allait au cours le matin et venait aux alentours du déjeuner remplacer sa mère une heure ou deux. Parfois elle trouvait les trois « femmes » endormies, et elle en profitait pour apprendre son rôle. Si le bébé se réveillait, ou avait besoin d'être changé, elle s'en occupait.

Il lui arrivait, en répétant la célèbre tirade de *La Nuit des rois*, de substituer le mot « bonheur » à celui de « grandeur ». Elle se demandait ce qu'il fallait faire pour naître heureux, pour réussir son bonheur ou pour le trouver. Le bébé, se disait-elle, s'était arrangé pour naître heureux ; il était placide et avait autant de chance que quiconque de trouver le bonheur dans ce monde, en dépit de la mauvaise santé de son père. Malgré leur différence de milieu d'origine, Savita et Pran formaient un couple heureux, ils connaissaient leurs limites et leurs possibilités, ne soupiraient pas après ce qui était hors de leur portée. Ils s'aimaient – ou plutôt avaient appris à s'aimer. Tous deux estimaient, sans avoir besoin de l'exprimer – ou peut-être même sans y penser de manière explicite – que le mariage et les enfants étaient une bénédiction. Si Savita éprouvait de l'inquiétude – et pour l'heure, à la lumière tamisée de midi, son visage endormi ne révélait aucune inquiétude mais, plutôt, une paix et une joie qui émerveillaient Lata –, si donc elle éprouvait une quelconque inquiétude, c'est parce qu'elle craignait l'intrusion dans ce bonheur de forces malveillantes extérieures à eux-mêmes. Elle voulait avant tout s'assurer que, quoi qu'il arrivât à son mari, l'insécurité et le malheur ne fondraient pas sur leur enfant. Au berceau placé d'un côté de son lit répondait le manuel de droit posé sur la table de l'autre côté.

A présent, en voyant Mrs Rupa Mehra s'affairer autour de Savita et de sa petite-fille, en l'entendant exprimer ses craintes à propos de la santé de Pran et de la paresse de Varun, Lata s'impatientait moins qu'auparavant. Sa mère lui apparaissait comme la gardienne de la famille ; à se trouver dans cet hôpital, où vie et mort se côtoyaient, elle avait le sentiment que la famille assurait à la fois la continuité du monde et la protection contre ce monde. Calcutta, Delhi, Kanpur, Lucknow – les visites à ces kyrielles de parents – les pèlerinages ferroviaires annuels dont Arun se moquait tant et ces « grandes eaux » qui le contrariaient, l'envoi de cartes d'anniversaire à des cousins au troisième degré, les cancans familiaux à chaque cérémonie rituelle, que ce fût pour une naissance ou un décès, et le rappel continuel de la mémoire de l'époux – ce dieu absent mais qui exerçait sans aucun doute une surveillance toujours aussi bienveillante –, tout cela pouvait être considéré comme une partie des tâches d'une déesse domestique correspondante, dont les symboles (dentier, sac noir, ciseaux et dé à coudre, étoiles d'or et d'argent) perdureraient longtemps après sa disparition – comme elle-même se plaisait tant à le souligner. Elle voulait le bonheur de Lata au même titre que Savita voulait celui de son bébé ; et elle avait essayé de le lui procurer de la manière la plus efficace possible. Lata ne le lui reprochait plus.

Propulsée avec une telle soudaineté sur le marché du mariage, forcée de voyager de ville en ville, Lata avait commencé à jeter sur les couples (les Sahgal, les Chatterji, Arun et Meenakshi, Mr et Mrs Mahesh Kapoor) un regard moins désintéressé. Mais que ce fût à cause de l'attitude autoritaire de sa mère doublée d'un amour excessif, de l'image qu'elle avait eue de ces différentes familles, de la maladie de Pran ou de la naissance du bébé de Savita, ou pour toutes ces raisons conjuguées, Lata sentait qu'elle-même avait changé. Les conseils d'une Savita endormie avaient peut-être plus de poids que ceux d'une Malati volubile.

Elle repensait avec une sorte de stupeur à son désir de fuite avec Kabir, même si ses sentiments à son égard étaient toujours vivaces. Où de tels sentiments pouvaient-ils mener ? Une attirance graduelle et stable, comme celle qui unissait Savita et Pran – n'était-ce pas ce qu'il y avait de mieux pour elle, pour la famille et pour les enfants qu'elle mettrait au monde ?

A chaque répétition, elle craignait et espérait que Kabir s'approcherait et lui dirait quelque chose, ou ferait quelque chose qui déchirerait à nouveau le maillage solide qu'elle avait – ou qu'on avait – tissé autour d'elle. Mais les répétitions passaient, les heures de visite s'écoulaient sans que rien soit dit ou résolu.

Une foule de gens venaient voir le bébé : Imtiaz, Firoz, Maan, Bhaskar, la vieille Mrs Tandon, Kedarnath, Veena, le

Nawab Sahib lui-même, Malati, Mr et Mrs Mahesh Kapoor, Mr Shastri (apportant un manuel de droit qu'il avait promis à Savita), le Dr Kishen Chand Seth et Parvati, et bien d'autres, y compris des parents de Rudhia que Savita ne connaissait pas. A l'évidence, cet enfant n'était pas celui d'un couple mais d'un clan. Des dizaines de personnes gazouillaient au-dessus du berceau (s'émerveillant ou déplorant le sexe), qu'offusquait la moindre manifestation par la mère d'instincts de propriétaire. Savita, imaginant qu'elle possédait certains droits, tenta de protéger la tête de sa fille des gouttes de salive qui s'agglutinèrent en brume autour d'elle pendant deux jours. Elle finit par y renoncer et par accepter le droit des Kapoor de Rudhia et de Brahmpur d'accueillir à leur manière ce nouveau membre de leur tribu. Elle se demanda ce qu'Arun aurait fait de la famille de Rudhia. Lata avait envoyé un télégramme à Calcutta, mais jusqu'à présent aucune nouvelle n'était arrivée de cette branche des Mehra.

13.13

« Non, je t'assure, Didi, j'aime ça – ça ne m'ennuie pas du tout. J'aime parfois lire des choses que je ne comprends pas.

— Tu es étrange, dit Savita en souriant.

— Oui. Enfin, à condition que je sache qu'elles ont un sens.

— Veux-tu la tenir un instant ? »

Lata posa le traité de droit pénal, s'approcha de Savita et prit le bébé, qui lui sourit puis se rendormit.

« Allons, qu'est-ce que cela signifie ? dit-elle en la berçant. Veux-tu te réveiller et nous parler, parler à ta Lata Masi. Quand je suis réveillée, tu dors, quand je dors, tu te réveilles, et si nous faisions les choses comme il faut, pour changer ? »

Elle fit passer le bébé d'un bras sur l'autre, avec une adresse surprenante, tout en lui caressant la tête.

« Que penses-tu de mon idée d'étudier le droit ? demanda Savita. Crois-tu que j'aie le tempérament pour cela ? Savita Mehra, conseiller du gouvernement ; Savita Mehra, avocat ; ciel, j'ai oublié pour un moment que je suis une Kapoor. Savita Kapoor, avocat général ; Madame le juge Savita Kapoor. M'appellera-t-on "Votre Honneur", ou "Madame" ?

— Ne vends pas la peau de l'ours avant de l'avoir tué, dit Lata, en riant.

— Tu sais, Ma ne trouve pas que ce soit une si mauvaise idée. Elle a le sentiment que si elle avait eu une profession, cela l'aurait aidée.

— Voyons, il n'arrivera rien à Pran. N'est-ce pas, mon bébé ? Rien, rien n'arrivera à Papa. Il continuera encore pendant des années et des années de faire ses idiotes, idiotes plaisanteries d'avril. Sais-tu qu'on sent battre son pouls à travers son crâne ?

— Non ! Il va falloir que je me réhabitue à être mince. Le statut de femme enceinte à gros ventre confère une grande popularité parmi les chats du campus de l'université et attire les confidences des gens.

— Et si nous ne voulons pas entendre ces confidences ? dit Lata, plissant le nez et s'adressant au bébé. Si nous sommes très contentes de pousser notre barque sur une agréable petite mare – et ne nous intéressons ni aux chutes du Niagara ni au Barsaat Mahal ?

— D'accord, reconnut Savita après une minute de réflexion. Rends-la-moi et fais-moi un peu de lecture. C'est quoi, ce livre ?

— *La Nuit des rois.*

— Non, l'autre – à la couverture blanc et vert.

— *Poésie contemporaine*, murmura Lata, piquant un fard sans raison apparente.

— Lis-m'en un peu. Ma estime que la poésie c'est bon pour moi. Apaisant. Calmant. »

« L'été en fin d'après-midi,
Le vieux Caspar se reposant. »

Lata termina la strophe :

> « *Devant la porte de son gourbi,*
> *Au soleil se prélassant.*

Il est question d'un crâne à un moment dans ce poème, je m'en souviens. Et Ma adore aussi cet épouvantable "Casabianca", avec le garçon qui brûle sur le pont – et "La fille de Lord Ullin". Il faut qu'il soit question de mort et de cœur brisé sinon ce n'est pas de la poésie. Je me demande ce qu'elle ferait de ce livre-ci. Bon, que veux-tu entendre ?

— Ouvre-le au hasard », suggéra Savita. Le livre s'ouvrit sur le poème d'Auden, « Seigneur, disent les jardiniers ». Lata se mit à lire, mais en arrivant à la dernière strophe et en découvrant la similitude qu'établit le poète entre la grâce et l'amour, elle devint toute pâle :

> « *Comme l'amour nous ne savons ni où ni pourquoi*
> *Comme l'amour nous ne pouvons ni nous contraindre*
> > *[ni fuir*
> *Comme l'amour nous pleurons souvent*
> *Comme l'amour nous souffrons de dénuement.*

Etrange poème, dit-elle en refermant le livre.

— Oui, acquiesça Savita. Revenons aux délits. »

13.14

Meenakshi Mehra arriva à Brahmpur trois jours après la naissance, accompagnée de sa sœur Kakoli mais sans sa fille Aparna. Fatiguée de Calcutta, le télégramme lui avait fourni une bonne excuse.

Elle était d'abord fatiguée d'Arun, qui devenait terriblement ennuyeux et conventionnel, que seules les histoires de primes sur les cargaisons de thé à destination de Khorramshahr semblaient intéresser. Elle était épuisée par Aparna qui, avec ses « Maman ceci », « Maman cela » et

« Maman tu ne m'écoutes pas », lui tapait sur les nerfs. Elle n'en pouvait plus de disputailler avec l'Edentée, Hanif et le mali à mi-temps. Elle croyait devenir folle. Varun entrait et sortait de la maison, glissant et se faufilant la mine coupable, et chaque fois qu'elle l'entendait marmonner ses « he-he-he » à la mode shamshu, elle se retenait pour ne pas hurler. Même les quelques après-midi avec Billy et les parties de canasta au club des Coquines avaient perdu de leur saveur. Calcutta n'était décidément qu'ennui et paillettes.

C'était une aubaine que ce télégramme l'informant de la naissance du bébé. Dipankar avait expédié carte postale sur carte postale vantant la beauté de Brahmpur et la gentillesse des beaux-parents de Savita. Grâce à leur hospitalité, Meenakshi pourrait s'allonger sous un ventilateur et calmer ses nerfs. Elle estimait mériter des vacances, et voilà que l'occasion s'en présentait, sans compter qu'elle pourrait rendre service et donner à sa belle-sœur d'excellents conseils sur la manière d'élever une fille. De s'être très bien occupée d'Aparna lui donnait l'autorité de s'occuper de sa nièce.

Son statut de tante ravissait Meenakshi, même s'il ne lui venait que de la sœur de son mari, non de ses frères ni de sa sœur. Amit était le plus coupable, lui qui aurait dû être marié depuis au moins trois ans. Il n'avait qu'une façon de réparer son erreur : épouser Lata.

C'était la seconde raison du voyage de Meenakshi à Brahmpur : préparer le terrain. Bien entendu, il n'était pas question d'en parler à Amit ; il aurait fait un chahut de tous les diables, dans toute la mesure de ses moyens. Elle souhaitait parfois qu'il fût capable de casser la baraque. Les poètes, sûrement, devaient être des gens plus passionnés qu'Amit. Elle l'imaginait parfaitement lui disant d'un ton acide : « Batifole de ton côté, Meenakshi chérie, et laisse-moi m'occuper de mes affaires. »

En revanche, une fin d'après-midi que Kakoli vint la voir à Sunny Park, elle la mit dans la confidence. Kakoli en fut ravie. Un peu trop calme, Lata était tout à fait bien, capable même d'étincelles inattendues. Amit paraissait la trouver à son goût mais, ne prenant jamais de décision pour lui-même, se contentait de contempler les choses et de laisser les années filer. Lata et Amit, disait Kakoli, étaient bien assortis, chacun avait simplement besoin d'un petit coup de pouce. Sur quoi, elle conclut par un petit couplet à sa façon :

> « *Délicieuse Lata, née pour qu'on la dît*
> *Lady Lata Chatterji.* »

Qui lui valut le rire en cascade de Meenakshi et un retour de service :

> « *Délicieuse Lata, est-ce la barbe*
> *D'être la femme d'un célèbre barde ?* »

Kakoli, gloussant, renvoya la balle au ras du filet :

> « *Que c'est dur en rimant,*
> *D'aimer et roucouler tout le temps.* »

Meenakshi remporta le match avec :

> « *Chaque jour embrasser, soupirer,*
> *Chaque jour peloter, s'enrouler.* »

Le mot peloter rappela à Kakoli qu'elle avait laissé sa pelote, son Cuddles, attaché au pied de son lit, et qu'il fallait qu'elle rentre. « Mais pourquoi n'irions-nous pas à Brahmpur toutes les deux ? En province ?

— Pourquoi pas ? approuva Meenakshi. Nous nous servirions de chaperon l'une à l'autre. Mais Hans ne va pas te manquer ?

— Nous ne resterons absentes qu'une semaine. Et ça lui fera du bien de se languir un peu. Ça vaut la peine que je m'éloigne.

— Et Cuddles ? Avec Dipankar parti on ne sait où ? Ça fait des siècles qu'on ne l'a vu, et maintenant qu'il est à court de cartes postales, nous n'entendrons plus jamais parler de lui.

— C'est bien son style. Mais Amit peut garder Cuddles. »

En apprenant le projet, Mrs Chatterji s'inquiéta plus de

voir Kakoli sécher ses cours que de l'entendre soupirer après Hans.

« Oh Ma, geignit Kakoli. Ne sois pas aussi rabat-joie. Tu n'as jamais été jeune ? Tu n'as jamais voulu échapper aux chaînes de la vie ? Je suis très assidue à mes cours, et une semaine d'absence ne changera rien. On pourra toujours trouver un médecin certifiant que j'ai été malade. De dépérissement. » Elle cita deux vers du *Voyage d'hiver* où il est question d'une auberge qui représente la mort. « Ou du paludisme. Regarde, il y a un moustique.

— Nous ne ferons rien de tel », dit Mr Chatterji, levant les yeux de son livre.

Kakoli céda sur ce point, mais continua à tanner ses parents pour qu'ils la laissent aller à Brahmpur. « Meenakshi a besoin que je l'accompagne. Arun a trop de travail. La famille a besoin de nous. C'est si compliqué les bébés. Toute aide supplémentaire est la bienvenue. Et la compagnie de Lata, une si gentille fille, me fera du bien. Demandez à Amit si ce n'est pas une gentille fille. Edifiante.

— Oh, la ferme Kuku, laisse-moi lire Keats, grogna Amit.

— Kuku, Keats, Kuku, Keats, chantonna Kakoli, s'asseyant au piano. Que veux-tu que je te joue, Amit ? La-la-Liebestraum ? Rêve d'amour ? »

Amit la vrilla sur place.

Ce dont elle n'eut cure :

> « *Amit allongé sur sa couette,*
> *Rêve de Lata dans sa tête.*
> *Son cœur, mis au supplice,*
> *Ne peut se concentrer sur Keats.* »

« Tu es de loin la fille la plus stupide que je connaisse, dit Amit. Pourquoi claironnes-tu ta stupidité ?

— Peut-être parce que je suis stupide ! pouffa Kakoli, ravie de sa réponse idiote. Mais tu ne l'aimes pas un tout petit petit peu ? Un soupçon ? Un brin ? Un iota ? »

Amit se leva pour gagner sa chambre, non sans s'être fait décocher un nouveau trait :

« Le Koukou égrène son nom.
Le poète fuit, le rouge au front. »

« Vraiment, Kuku, il y a des limites ! » s'exclama sa mère.
Puis s'adressant à son mari : « Tu ne dis jamais rien. Tu ne
fixes pas de bornes. Tu ne l'empêches jamais de faire tout ce
qui lui chante. Tu cèdes toujours. A quoi sert un père ?

— A dire non avant », répliqua M. le juge Chatterji.

13.15

Grâce aux lettres de Mrs Rupa Mehra, Calcutta n'ignorait rien ou presque de ce qui se passait à Brahmpur. Mais
le télégramme avait devancé la dernière de ses missives.
Aussi quand Meenakshi et Kakoli arrivèrent à Brahmpur
avec l'intention de se poser, elles et leurs bagages, chez
Pran, furent-elles atterrées d'apprendre qu'il était malade
et hospitalisé. Avec Savita elle-même à l'hôpital, Lata et sa
mère s'affairant auprès de Savita et de Pran, il était clair
que Meenakshi et Kuku ne seraient pas accueillies et chou-
choutées comme d'habitude...

Meenakshi se demandait comment les Kapoor s'étaient
débrouillés pour se retrouver tous les deux cloués au lit au
même moment.

Kakoli, plus compréhensive, admit que le bébé et les
bronches n'avaient pu tenir de conférence préalable.
« Pourquoi pas nous installer chez le père de Pran, à –
comment ça s'appelle ? – Prem Nivas ? demanda-t-elle.

— Impossible. La mère ne parle même pas anglais. Et il
n'y aura pas de toilettes à l'occidentale. Juste ces horribles
trous dans le sol.

— Alors qu'allons-nous faire ?

— Pourquoi pas essayer ce vieux gâteux dont Baba nous
a donné l'adresse ?

— Qui a envie de vivre chez quelqu'un plein de souvenirs
séniles ?

— Où est cette adresse ?

— Il te l'a donnée. Tu dois l'avoir dans ton sac.

— Non, Kuku, c'est à toi qu'il l'a donnée.

— Je suis sûre que non. Vérifie.

— Ah oui, la voilà. Mr et Mrs Maitra. Allons-y.

— Allons voir le bébé d'abord.

— Et nos bagages ? »

Après s'être rafraîchies, avoir revêtu l'une un sari de coton mauve l'autre un sari de coton rouge, Meenakshi et Kakoli ordonnèrent à Mateen de leur servir un substantiel petit déjeuner puis grimpèrent dans une tonga. Meenakshi s'étonna qu'il fût si difficile de héler un taxi dans cette ville, et frissonna chaque fois que le cheval lâchait un pet.

Elles s'imposèrent sans manière à Mr et Mrs Maitra, puis filèrent à l'hôpital, se retournant sur leur siège pour saluer leurs hôtes.

« Ainsi, ce sont les filles de Chatterji, dit le vieux policier. Ses enfants ont l'air bien agités. Comment s'appelait ce garçon, leur fils ? »

Mrs Maitra, que scandalisaient les quatre centimètres de peau nue à la taille, hocha la tête en signe d'ignorance, s'affligeant de ce qu'était devenu Calcutta. Les lettres de son fils ne contenaient aucune allusion à ces corsages raccourcis.

« A quelle heure vont-elles rentrer pour le déjeuner ?

— Elles ne l'ont pas dit.

— Puisque ce sont nos invitées, il faudra les attendre.

— Mais j'ai tellement faim quand arrive midi, se plaignit le vieux Mr Maitra. Ensuite je dois réciter mon chapelet pendant deux heures, et si je commence en retard, ça chamboule tout. Nous devrions nous procurer un peu plus de poisson.

— Nous attendrons jusqu'à une heure, et puis nous mangerons, déclara sa femme. Si elles ne peuvent pas venir, elles téléphoneront. »

C'est ainsi que le vieux couple se prépara à recevoir avec égards les deux jeunes femmes, qui n'avaient pas la moindre intention de déjeuner avec eux, et que la pensée de téléphoner n'effleurerait certainement pas.

Mrs Rupa Mehra transportait sa petite-fille de la chambre de Savita à celle de Pran quand elle vit foncer sur elle, dans le couloir, la mauve Meenakshi et la pourpre Kakoli. Elle faillit laisser tomber le bébé.

Meenakshi portait ces petites horreurs en or dont la vue ne manquait jamais de tordre le cœur de Mrs Rupa Mehra. Et Kakoli, que faisait-elle ici en plein trimestre scolaire ? Décidément, les Chatterji n'imposaient pas la moindre discipline à leurs enfants. Pas étonnant qu'ils soient si originaux.

« Oh, Meenakshi, Kakoli, quelle heureuse surprise. Avez-vous déjà vu le bébé ? Non, bien sûr, vous ne pouviez pas. La voici. N'est-elle pas superbe ? Et tout le monde affirme qu'elle a mon nez.

— Elle est adorable ! » s'extasia Meenakshi, pensant en réalité que l'enfant ressemblait plutôt à un rat rouge et n'était en aucun cas aussi jolie qu'Aparna quelques jours après sa naissance.

« Et où est ma chérie ? demanda Mrs Rupa Mehra.

— A Calcutta bien sûr, dit Meenakshi, qui n'avait pas compris tout de suite qu'il s'agissait d'Aparna.

— Tu ne l'as pas amenée avec toi ? » Mrs Rupa Mehra ne dissimula guère la stupeur que lui causait une telle insensibilité maternelle.

« Oh Ma, on ne peut traîner le monde entier derrière soi quand on voyage. Aparna est insupportable ces temps-ci, et je ne vous serais pas d'une grande aide si je l'avais avec moi.

— Vous êtes venues nous aider ? » Mrs Rupa Mehra n'en croyait pas ses oreilles.

« Oui Ma », dit simplement Kakoli.

Pour Meenakshi, il n'était pas question d'une réponse aussi simple. « Bien sûr, Ma chérie. Quelle délicieuse petite chose. Elle me rappelle un, un – non, elle est unique, elle ne me rappelle rien d'autre qu'elle-même. » Petit rire perlé. « Où se trouve la chambre de Savita ?

— Savita se repose.

— Mais elle sera si contente de nous voir. Allons-y. Ce doit être l'heure de la tétée. Six, dix, deux, six, dix, comme le Dr Evans me l'avait recommandé pour Aparna. Et il va être dix heures. »

Elles trouvèrent Savita, encore très fatiguée et que ses points de suture faisaient souffrir, assise dans son lit en train de lire un magazine féminin.

D'abord médusée, comme Lata qui lui tenait compagnie, Savita se réjouit de leur visite et prit un grand plaisir à se laisser maquiller et pomponner par Meenakshi ; et elle espérait que la légèreté de Kuku détendrait les esprits. Elle n'avait rencontré Kuku que deux fois depuis le mariage d'Arun.

« Comment avez-vous pu entrer en dehors des heures de visite ? demanda Savita, à qui les taches de rouge à lèvres sur les joues donnaient un aspect guerrier.

— Oh, l'employé à la réception n'avait aucune chance de s'en sortir avec nous », dit Meenakshi. Effectivement, le pauvre garçon, abasourdi, n'avait pas su comment empêcher ces superbes créatures à la taille nue de passer comme un éclair devant lui.

Kakoli, désinvolte et souveraine, lui avait décoché un baiser. Il était encore en train de s'en remettre.

13.16

Calcutta et Brahmpur échangèrent les nouvelles : Arun surchargé de travail, Varun ne marquant pas la moindre volonté de préparer sérieusement les examens d'admission à l'administration. Des scènes éclataient sans arrêt entre les deux frères, Arun menaçant régulièrement de jeter Varun à la porte. Le vocabulaire d'Aparna augmentait à pas de géant ; il y a quelques jours à peine, elle avait dit : « Papa, je broie du noir. » Soudain, Meenakshi se languit de sa fille. La vue du bébé cherchant le sein de Savita lui rappela ce sentiment merveilleux d'intimité qu'elle éprouvait quand elle nourrissait Aparna, sentiment que sa fille était « à elle », et qui avait disparu quand Aparna, en grandissant, était devenue un individu nettement différencié et souvent contrariant.

« Pourquoi n'a-t-elle pas de plaque d'identité ? demanda-t-elle. Le Dr Evans insistait toujours pour que les nourrissons en aient une en cas de perte ou d'échange par erreur. » Meenakshi secoua la tête pour chasser cette horrible pensée, faisant cliqueter ses boucles d'oreilles.

« Je suis ici pour veiller à ce qu'il n'arrive rien, déclara Mrs Rupa Mehra d'un ton irrité. Les mères doivent rester avec leurs enfants. Qui peut voler le bébé dans son berceau, dans cette chambre ?

— Bien entendu, les choses sont beaucoup mieux organisées à Calcutta. A la maternité Irwin où est née Aparna, on garde les bébés dans une nursery et on ne peut les voir qu'à travers une glace – pour empêcher les infections. Ici tout le monde respire et bavarde au-dessus du bébé, l'air est plein de germes. Elle pourrait facilement tomber malade.

— Savita a besoin de repos, répliqua sèchement Mrs Rupa Mehra. Ce que tu dis n'a rien de rassurant, Meenakshi.

— Je suis d'accord avec vous, intervint Kakoli. Je trouve que les choses se passent merveilleusement ici. En fait, je trouve que ça serait drôle si les bébés étaient échangés. Comme dans *Le Prince et la Tzigane.* » Roman à l'eau de rose dont Kakoli s'était repue récemment. « En fait, poursuivit-elle, ce bébé-là est trop rouge et fripé pour mon goût. Je demanderais qu'on le remplace. » Elle éclata de rire.

Lata s'interposa. « Kuku, comment marchent tes leçons de chant et ton piano ? Et Hans ?

— Je voudrais aller aux toilettes, dit Savita. Ma – peux-tu m'aider ?

— Non, moi ! s'écrièrent en chœur Meenakshi et Kakoli.

— Merci, mais Ma et moi avons nos habitudes. » Les points de suture rendaient la marche douloureuse. Une fois dans la salle d'eau, elle dit à Mrs Rupa Mehra qu'elle se sentait fatiguée et qu'il fallait prier Meenakshi et Kakoli de revenir en soirée, à l'heure des visites.

Pendant ce temps, les deux sœurs, causant avec Lata, décidaient d'assister à la répétition de la pièce, l'après-midi.

« Je me demande ce qu'éprouvait la femme de Shakespeare, souffla Meenakshi, en l'écoutant réciter des choses si merveilleusement poétiques à longueur de journée – sur l'amour et la vie –

— Il n'a pas dit grand-chose à Anne Hathaway, remarqua Lata. Il était absent la plupart du temps. D'après le Pr Mishra, ses sonnets laissent penser qu'il s'intéressait à quelqu'un d'autre – à plusieurs autres.

— Qui ne le fait pas ? » Meenakshi se rappela opportunément que Lata était la sœur d'Arun. « Quoi qu'il en soit, j'aurais tout pardonné à Shakespeare. Ce doit être si merveilleux d'être l'épouse d'un poète. D'être sa muse, de le rendre heureux. Je disais cela à Amit l'autre jour, mais il est si modeste. Il m'a simplement répondu : "Je crois que ma femme aurait une vie difficile."

— Ce qui est absurde, dit Kakoli. Amit a une nature adorable. La preuve, Cuddles le mord moins souvent que les autres. »

Lata ne releva pas. Les deux sœurs manquaient incroyablement de subtilité, et leur façon de parler d'Amit l'irritait. Amit, elle en était convaincue, n'avait pas approuvé leur expédition. Jetant un coup d'œil à sa montre, elle s'aperçut qu'elle allait être en retard à son cours.

« Rendez-vous à trois heures à l'auditorium, dit-elle. Vous ne voulez pas voir Pran ?

— Pran ? Oh si.

— Il est dans la chambre 56, au rez-de-chaussée. Où logez-vous ?

— Chez Mr Maitra, à Civil Lines. C'est un adorable vieux monsieur, mais complètement sénile. Dipankar aussi a vécu chez lui. C'est devenu l'hôtel des Chatterji à Brahmpur.

— J'aurais aimé que vous vous installiez chez nous. Mais vous voyez comme les choses sont difficiles en ce moment.

— Ne t'en fais pas pour nous, Lata, dit gentiment Kakoli. Dis-nous simplement comment occuper notre temps entre maintenant et trois heures de l'après-midi. Je crois que nous avons notre content de bébé, pour l'instant.

— Eh bien, vous pourriez aller au Barsaat Mahal. Je sais qu'il fait chaud à cette heure de la journée, mais c'est aussi beau qu'on le raconte, et beaucoup plus qu'en photographie.

— Oh, les monuments – bâilla Meenakshi.

— N'y a-t-il pas quelque chose de plus vivant ? demanda Kakoli.

— Vous pouvez essayer le café Danube Bleu sur Nabiganj. Et le Renard Rouge. Et les cinémas, encore que les films anglais datent de plusieurs siècles. Et les librairies – » Tout en parlant, Lata se rendait compte à quel point Brahmpur devait sembler lugubre aux dames de Calcutta. « Je suis désolée, il faut que je file. Mon cours. »

Kuku en fut clouée, n'en revenant pas de l'enthousiasme de Lata pour ses études.

13.17

En raison de la maladie de Pran et de la naissance du bébé, qui l'avaient mobilisée, de ses réticences et de la présence protectrice de Malati aux répétitions, Lata n'avait guère échangé avec Kabir, ces derniers jours, que les répliques de Shakespeare. Aucun dialogue qui leur fût propre. Elle souhaitait vivement assurer Kabir de sa sympathie à propos de sa mère, mais ne savait comment s'y prendre sans susciter une émotion dont l'intensité risquait de les bouleverser tous les deux. Elle opta donc pour le silence. Mr Barua remarqua cependant qu'Olivia se montrait plus aimable envers Malvolio que, selon lui, ne le requérait le texte, et il s'efforça de la corriger.

« Allons, Miss Mehra, reprenez. "O vous êtes malade d'amour-propre, Malvolio –" »

Lata s'éclaircit la gorge : « O vous êtes malade d'amour-propre, Malvolio, et cela vous gâte l'appétit –

— Non, non Miss Mehra – comme ceci : "O vous êtes malade", etc. Légèrement plus sec, avec une certaine lassitude. Malvolio vous irrite. C'est lui qui vous court après. »

Lata essaya de retrouver la colère qu'elle avait ressentie

en découvrant Kabir à la première répétition. Elle recommença une fois de plus :

« O vous êtes malade d'amour-propre, Malvolio, et cela vous gâte l'appétit. Quand on est généreux, innocent, et d'un bon naturel, on supporte comme des flèches à oiseau ce que vous prenez pour des boulets de canon –

— Voilà, c'est mieux, beaucoup mieux. Mais vous paraissez un peu trop fâchée. Un ton au-dessous, Miss Mehra, prenez un ton au-dessous. De cette façon, quand il semblera devenir réellement fou, un peu plus tard, brutal même, vous disposerez de toute une gamme d'émotions encore inemployées. Voyez-vous ce que je veux dire ?

— Oui, oui, je crois Mr Barua. »

Meenakshi et Kakoli bavardaient avec Malati quand, brusquement, celle-ci sursauta, « Ma réplique », et disparut dans les coulisses pour réapparaître en Maria.

« Qu'en penses-tu, Kuku ? demanda Meenakshi.

— Je pense qu'elle a une faiblesse pour ce Malvolio.

— Malati affirme que non. Elle l'a même appelé un Fat. Drôle de nom. Un Fat.

— Je le trouve délicieux. Il a l'air si carré, et si sentimental. J'aimerais qu'il m'expédie un boulet de canon. Ou sa flèche à oiseau.

— Vraiment, Kuku, tu n'as aucune retenue.

— Lata s'est épanouie depuis son séjour à Calcutta, dit Kakoli d'un ton pensif. Si Amit veut tenter sa chance, il faut qu'il se réveille –

— L'avenir est à ceux qui se lèvent tôt », commenta Meenakshi.

Kakoli pouffa.

Mr Barua se retourna, furieux.

« S'il vous plaît, Mesdames, là-bas au fond –

— Mais c'est si amusant – les répliques – sous votre direction », susurra Kakoli. Quelques garçons s'esclaffèrent, Mr Barua se détourna, rougissant.

Mais après avoir écouté pendant quelques minutes les pitreries de Sir Toby, aussi bien Meenakshi que Kakoli trouvèrent cela assommant et quittèrent la salle.

Dans la soirée, elles se rendirent à l'hôpital, passèrent quelques instants avec Pran, qu'elles jugèrent peu séduisant et sans intérêt – « Je l'ai su à la minute où je l'ai vu au mariage », décréta Meenakshi – et le reste du temps auprès de Savita. Meenakshi lui donna des conseils sur les heures de tétée, conseils que Savita écouta avec attention en pensant à autre chose. Des tas d'autres gens arrivèrent, la chambre se remplit comme une salle de concert. Meenakshi et Kakoli, poules faisanes au milieu des pigeons de Brahmpur, promenaient sur tout ce monde des regards ouvertement méprisants, notamment sur la famille de Rudhia et sur Mrs Mahesh Kapoor. Certains ne parlaient même pas anglais ! Et la façon dont ils s'habillaient !

Mrs Mahesh Kapoor, pour sa part, avait du mal à croire que ces filles effrontées, à la taille dénudée, étaient les sœurs de ce gentil Dipankar, à la mise modeste, aux manières aimables, aux goûts raffinés. Le comportement de Maan, qui leur tournait autour, fasciné, la choquait. Kuku lui lançait des regards mouillés, attirants, et Meenakshi des œillades provocantes, du genre « approche si tu l'oses ». Peut-être parce qu'elle comprenait mal l'anglais, Mrs Mahesh Kapoor discernait avec acuité les courants d'hostilité et d'attraction, de mépris et d'admiration, de tendresse et d'indifférence qui passaient entre la vingtaine de personnes entassées dans cette chambre.

Meenakshi racontait une histoire sur sa grossesse, la ponctuant de son rire cristallin. « Il fallait que ce soit le Dr Evans, bien entendu. Le Dr Matthew Evans. Pour qui va avoir un bébé à Calcutta, il n'y a vraiment personne d'autre. Un homme si charmant. Sans conteste, le meilleur gynécologue de Calcutta. Il sait si bien s'y prendre avec ses patientes.

— Oh, Meenakshi, tu ne dis ça que parce qu'il flirte avec elles sans vergogne, l'interrompit Kakoli. Il leur tapote les fesses.

— Eh bien, ça leur remonte le moral. Ça fait partie de son traitement. »

Kakoli gloussa.

Mrs Rupa Mehra regarda Mrs Mahesh Kapoor, qui semblait avoir atteint le paroxysme de la maîtrise de soi.

« Bien entendu, il prend terriblement, terriblement cher – 750 roupies pour Aparna. Mais même Ma, pour qui un sou est un sou, reconnaît que ça en valait la peine. N'est-ce pas Ma ? »

Mrs Rupa Mehra n'était pas d'accord, mais ne dit rien. Quand on avait informé le Dr Evans que Meenakshi était sur le point d'accoucher, il avait répliqué : « Dites-lui de tenir. Je finis ma partie de golf. »

Meenakshi continuait. « La maternité Irwin est impeccable. Et ils ont une nursery. La mère n'est pas épuisée par la présence permanente du bébé, qui hurle pour qu'on le change. On le lui apporte uniquement pour les tétées. Et le nombre de visiteurs est très réglementé. » Ce disant, elle fixa la racaille de Rudhia.

Au comble de l'embarras Mrs Rupa Mehra se tut.

« Mrs Mehra, dit Mrs Mahesh Kapoor, tout ceci est fascinant mais –

— Vous croyez ? dit Meenakshi. Je trouve vraiment l'accouchement si – si ennoblissant.

— Ennoblissant ? » s'exclama Kakoli.

Savita commençait à pâlir.

« Tu ne crois pas que tout le monde devrait connaître ça ? » Meenakshi n'avait pas pensé ainsi quand elle s'était retrouvée enceinte.

« Je ne sais pas. Je ne suis pas enceinte – pas encore. »

Maan rit, Mrs Mahesh Kapoor faillit s'étrangler.

« Kakoli ! » dit Mrs Rupa Mehra, d'une voix menaçante.

« Mais on ne sait pas toujours qu'on est enceinte, poursuivit Kakoli. Tu te rappelles la femme du brigadier Guha, au Cachemire ? Elle n'a pas vécu l'expérience ennoblissante. »

Ce souvenir fit pouffer Meenakshi.

« Que s'est-il passé ? demanda Maan.

— Eh bien – commença Meenakshi.

— Elle était – commença Kakoli simultanément.

— Raconte, dit Meenakshi.

— Non, toi, dit Kakoli.

— Bon, acquiesça Meenakshi. Elle jouait au hockey au Cachemire, où elle prenait quelques vacances pour fêter son quarantième anniversaire. Elle tomba, se blessa, et dut retourner à Calcutta. Arrivée chez elle, elle ressentit des douleurs terribles. On appela le médecin –

— Le Dr Evans, coupa Kakoli.

— Non, Kuku, un autre. Le Dr Evans est venu plus tard. Bref, elle demande : "Docteur, qu'est-ce que j'ai ?" et il lui répond : "Vous allez avoir un bébé. Il faut vous transporter immédiatement à la maternité."

— Ça a secoué toute la bonne société de Calcutta, commenta Kakoli. Quand le mari a été mis au courant, il s'est écrié : "Quel bébé ? Totalement absurde." Il avait cinquante-cinq ans.

— Vous comprenez, dit Meenakshi, quand elle s'est aperçue qu'elle n'avait plus ses règles, elle a cru que c'était la ménopause. Elle ne pouvait imaginer qu'elle était enceinte. »

Remarquant le visage glacé de son père, Maan partit d'un rire incontrôlable, ce qui lui valut un sourire de Meenakshi. Le bébé lui aussi parut sourire, mais ce ne devait être qu'un soupir.

13.18

Tout se passa très bien, durant les jours suivants, pour la petite fille et sa maman. Ce qui étonnait le plus Savita, c'était la douceur du bébé. Cette douceur, quasi insupportable, de la plante des pieds, de la saignée du bras, du bas de la nuque – cet endroit surtout, tendre à vous briser le cœur ! Elle posait parfois le bébé à côté d'elle sur le lit et le regardait avec admiration. Bébé goulu mais calme, sa fille semblait trouver la vie à son goût. Rassasiée, elle fixait sa mère de ses yeux entrouverts : une expression béate, satisfaite.

Savita commençait même à se sentir mère.

Dorlotée par sa propre mère et par sa sœur, elle voyait, placide et heureuse, le temps s'écouler sans heurts. Parfois, cependant, une vague de dépression la submergeait, comme ce jour où il pleuvait et qu'un couple de pigeons roucoulait sur le rebord de sa fenêtre. Il lui arrivait aussi de penser à l'étudiant qui était mort dans ce même hôpital et de se demander dans quel monde elle avait introduit sa fille. En entendant Maan raconter l'anecdote du singe, elle éclata en sanglots. Une tristesse inexplicable.

Peut-être pas si inexplicable que cela. Les troubles cardiaques de Pran feraient toujours vivre sa famille dans une certaine incertitude, et Savita se convainquait de plus en plus qu'elle devait apprendre un métier, quoi que pût en dire le père de Pran.

Pran et elle continuaient à s'échanger des petits mots, la plupart consacrés à la question du prénom de leur fille. Tous deux estimaient qu'il fallait lui en trouver un très vite, sans attendre que son caractère s'affirme et leur en souffle un correspondant à sa personnalité naissante.

Chacun autour d'eux y allait de sa suggestion. Finalement Pran et Savita s'accordèrent sur Maya. Ces deux simples syllabes signifiaient, entre autres : la déesse Lakshmi, l'illusion, la fascination, l'art, la déesse Durga, la bonté ; c'était aussi le nom de la mère du Bouddha. Mais elles pouvaient signifier aussi : ignorance, tromperie, imposture, fourberie et hypocrisie, un sens auquel ceux qui prénommaient leur fille Maya ne voulaient jamais prêter attention.

Quand Savita annonça la nouvelle, un murmure de satisfaction s'éleva de la douzaine de personnes réunies dans la chambre à ce moment-là. Sur quoi, Mrs Rupa Mehra déclara :

« Vous ne pouvez pas l'appeler Maya. Point.

— Pourquoi, Ma ? s'étonna Meenakshi. C'est un nom très bengali, un très joli nom.

— Parce que c'est impossible. Demande à la mère de Pran », ajouta Mrs Rupa Mehra en hindi.

Veena qui, tout comme Meenakshi, était devenue tante par la grâce de ce bébé, et estimait que cela lui conférait quelques droits en la matière, Veena donc trouvait elle aussi ce prénom joli. Elle posa sur sa mère un regard surpris.

« Vous avez raison, Rupaji, dit Mrs Mahesh Kapoor. Ça ne convient pas du tout.

— Mais pourquoi, Ammaji ? demanda Veena. Tu penses que Maya n'est pas un prénom bénéfique ?

— Ce n'est pas ça, Veena. C'est que – on ne doit pas donner à un enfant le nom d'un parent vivant. »

La tante de Savita à Lucknow s'appelait Maya.

Aucun des arguments présentés par la jeune génération ne put ébranler la conviction des grand-mères.

« Quelle grossière superstition, s'exclama Maan.

— Superstition ou non, c'est ainsi. Tu sais, Veena, quand tu étais jeune, la mère du ministre sahib ne m'autorisait même pas à t'appeler par ton nom. On ne doit jamais appeler l'aîné par son vrai nom, disait-elle, et je devais obéir.

— Alors comment m'appelais-tu ?

— Bitiya, ou Munni, ou – je ne me souviens plus de tous les petits noms que j'ai pu te donner. Mais j'avais du mal à m'y tenir. Je n'adhère pas à cette croyance sans fondement, et quand ma belle-mère est morte, je n'en ai plus tenu compte.

— Et la tienne, tu ne trouves pas que c'est une croyance sans fondement ?

— Elle est fondée. Comment gronder l'enfant sans invoquer la tante ? C'est très mal. Même si tu l'appelles par un autre nom, dans ton cœur c'est toujours Maya que tu gronderas. »

Cela ne servait à rien de discuter. Il fallait trouver un autre prénom.

Pran, mis au courant par Maan, prit la chose avec philosophie.

« De toute façon, je n'ai jamais été un Maya-vadi. Je n'ai jamais cru que l'univers n'était qu'illusion. Ma toux est on ne peut plus réelle. Je pourrais faire mienne la réfutation du docteur Johnson. Que proposent les deux grand-mères ?

— Je ne sais pas trop, dit Maan. Elles ne sont d'accord que sur l'inacceptable.

— On dirait mon comité. Eh bien, creuse-toi la tête toi aussi. Pourquoi ne pas consulter le masseur magique ? Il n'est jamais à court d'idées. »

Maan promit de le faire.

Toujours est-il que, quelques jours plus tard, alors que Savita s'apprêtait à rentrer chez elle, elle reçut une carte postale de Maggu Gopal. Qui représentait le Seigneur Shiva entouré de toute sa famille. Maggu Gopal rappelait que, contrairement à tout le monde, il avait prédit que Savita aurait une fille, et affirmait que, compte tenu de ce qu'il avait vu dans la main de Pran, seuls les trois prénoms suivants étaient bénéfiques : Parvati, Uma, Lalita. Il demandait également si Pran avait bien remplacé le sucre par du miel « pour tous les besoins quotidiens ». Il souhaitait à Pran un prompt rétablissement, et lui redisait que sa vie d'homme marié serait une comédie.

D'autres cartes arrivèrent, des lettres de congratulations, des télégrammes, nombre d'entre eux avec la formule n° 6 : « Sincères félicitations pour la nouvelle venue. »

Deux semaines après la naissance, on opta par consensus pour Uma. Mrs Rupa Mehra s'installa avec ses ciseaux et sa colle pour fabriquer une grande carte de vœux. Il lui avait fallu un peu de temps pour accepter le fait qu'elle n'avait pas de petit-fils, mais maintenant elle était décidée à manifester de la façon la plus tangible son bonheur.

Des roses, un chérubin au regard roublard et un bébé dans son berceau se retrouvèrent côte à côte, un chiot et trois étoiles dorées venant compléter le tableau. Sous les trois étoiles s'inscrivirent, à l'encre rouge et au crayon vert, les trois lettres du prénom.

Le message à l'intérieur se présenta comme un poème en prose, de la petite écriture soignée de Mrs Rupa Mehra. Elle l'avait lu, un an environ auparavant, dans un livre d'édification, *Une minute suave pour chaque jour*, d'une certaine Wilhelmina Stitch – Wilhelmine Suture, nom prédestiné au vu de la situation actuelle de Savita – et l'avait copié dans son petit calepin. C'était le poème du « Douzième jour ». Elle était sûre qu'il tirerait des yeux de Pran et de Savita les mêmes larmes de gratitude et de joie que des siens. Il disait ceci :

Le Bébé Demoiselle

« Un Bébé Demoiselle est arrivé aujourd'hui – » Y a-t-il mots plus jolis ? Les uns en sourient, les autres prient, pour le

bonheur du Bébé Demoiselle. « Aujourd'hui un Bébé Demoiselle est arrivé. » Nous ne savons comment on l'a baptisé, mais
nous pouvons toujours la dénommer, Bébé Demoiselle Vouée-
à-la-félicité.

Quand Bébé Demoiselle apparut sur la terre, sa maison fut
remplie de joie et d'allégresse. Aucun bijou ne vaut la moitié
de Bébé Demoiselle-aux-Caresses. Nous nous réjouissons
d'avoir Bébé Demoiselle parmi nous, car en ces jours de
l'année sans soleil, rien n'apporte plus de chaleur et de réconfort que de Bébé Demoiselle la délicatesse.

Hou ! Bébé Demoiselle s'est vite endormi, les flammes ami-
cales du foyer dansent et sautent, sur son front les ailés de
l'ange se posent, ses lèvres d'un baiser les pressent. « Un Bébé
Demoiselle ! » Mots si beaux, qui annoncent un doux parcours, et qu'elle grandira en sagesse tous les jours – Dieu
bénisse ce Bébé Demoiselle !

13.19

Par-dessus ses lunettes en demi-lune cerclées d'or, Sir
David Gower, administrateur général du groupe Cromarty,
dévisagea le jeune homme, de petite taille mais plein
d'assurance, qui se tenait devant lui. Il ne paraissait pas le
moins du monde intimidé, ce qui, d'après l'expérience
qu'en avait Sir David, étant donné sa stature imposante, la
grandeur et la somptuosité de son bureau, la distance que
le garçon avait dû parcourir entre la porte et la table sous
son regard scrutateur et menaçant, était peu courant.

« Asseyez-vous », lui dit-il enfin.

Des trois chaises qui faisaient face à la table, Haresh
choisit celle du milieu.

« J'ai lu le petit mot de Peary Loll Buller, qui a eu également l'amabilité de me téléphoner. Je ne vous attendais pas
si tôt, mais, bon, vous êtes là. Vous dites que vous voulez un
emploi. Quels diplômes possédez-vous ? Et où avez-vous
travaillé ?

— Juste de l'autre côté de la rue, Sir David.

— Vous voulez dire à la SCC ?

— Oui. Et avant j'étais à Middlehampton – c'est là que j'ai étudié les métiers de la chaussure.

— Et pourquoi voulez-vous travailler chez nous ?

— J'estime que James Hawley est une entreprise remarquablement gérée, où il y a de l'avenir pour un homme comme moi.

— En d'autres termes, vous voulez vous joindre à nous pour améliorer vos perspectives.

— En quelque sorte.

— Ce n'est pas une mauvaise chose », sembla gronder Sir David.

Il fixa Haresh, lequel se demanda à quoi il pensait. Le regard de Sir David ne semblait pas prendre en compte ses vêtements – que le trajet à bicyclette avait légèrement trempés de sueur – ni ses cheveux, lissés et coiffés en arrière. Il ne semblait pas non plus vouloir lire dans son âme. Non, ce regard paraissait se concentrer sur son front.

« Et qu'avez-vous à nous offrir ?

— Monsieur, mes résultats en Angleterre parlent d'eux-mêmes. Et j'ai, en un court laps de temps, aidé à redresser la SCC – à la fois sur le plan des commandes et de la voie à suivre. »

Sir David haussa les sourcils. « Voilà une bien grande affirmation, dit-il. Je croyais que c'était Mukherji le directeur général. Eh bien, vous devriez voir John Clayton, notre propre directeur général. » Il prit le téléphone.

« John, bon, vous êtes toujours là. Je vous envoie un jeune homme, un Mr – il jeta un coup d'œil au papier posé devant lui – Mr Khanna... Oui, celui pour lequel le vieux Peary Loll Buller m'appelait il y quelques minutes, quand vous étiez dans mon bureau... Middlehampton... Oui, si vous le pensez... Non, je laisse ça à votre initiative. » Il reposa le combiné et souhaita bonne chance à Haresh.

« Merci beaucoup, Sir David.

— Votre engagement dépend de John Clayton. »

Une lettre à l'en-tête de James Hawley arriva le lundi matin. Signée du directeur général, elle proposait des conditions d'embauche généreuses : 325 roupies de salaire de base plus 450 roupies de « prime de cherté » – pour rattraper l'inflation de ces dernières années. Haresh trouva cette dernière clause bizarre, mais pas déplaisante.

Le souvenir des injustices auxquelles il avait été en butte à la SCC perdit de son acuité, et il se mit à penser à son avenir, qui lui apparut radieux. Peut-être un jour s'assiérait-il de l'autre côté de l'énorme bureau d'acajou. Et avec un emploi comme celui-ci, qui ouvrait des perspectives, il pouvait se marier sans problèmes.

Deux lettres à la main, il alla voir Mukherji.

« Mr Mukherji, dit-il, je crois que je vous dois la vérité. J'ai postulé pour un emploi chez James Hawley, et on m'en offre un. Après les événements de ces dernières semaines, vous imaginez ce que je ressens à l'idée de continuer ici. Je voudrais votre avis.

— Mr Khanna, ce que vous dites me désole. Je suppose que vous avez déposé votre candidature il y a déjà quelque temps.

— Je me suis présenté vendredi après-midi, et j'ai reçu leur proposition il y a une heure. »

Mr Mukherji parut médusé. Mais si Haresh le disait, ce devait être vrai.

« Voici la lettre d'engagement.

— Je vois, fit Mr Mukherji après l'avoir parcourue. Bon, vous m'avez demandé mon avis. Tout ce que je peux dire c'est que je suis désolé de la façon dont on vous a spolié de votre commande la semaine dernière. Ce n'était pas de mon fait. Mais je ne peux, de moi-même, accepter votre démission. Je dois en référer à Bombay.

— Je suis sûr que Mr Ghosh sera d'accord.

— J'en suis sûr aussi, dit Mr Mukherji, qui était son beau-frère. Mais il me faut son agrément.

— Quoi qu'il en soit, je vous remets ma démission ici et maintenant. »

Or la nouvelle que Haresh le quittait affligea profondément Mr Ghosh. Il estimait qu'une partie du succès de l'usine de Kanpur reposait sur les épaules du garçon. Devant se rendre à Delhi pour décrocher une commande gouvernementale, il demanda à Mr Mukherji de retenir Haresh Khanna jusqu'à ce que lui, Ghosh, arrive à Kanpur.

A peine débarqué, il convoqua Haresh et l'attaqua violemment en présence de Mr Mukherji. Les yeux lui sortaient de la tête, il semblait fou de rage, bien qu'il tînt des propos tout à fait cohérents.

« C'est moi qui vous ai donné votre tout premier poste, Mr Khanna, à votre retour en Inde. Et, s'il vous en souvient, vous m'avez assuré que vous resteriez avec nous au moins deux ans, aussi longtemps que nous voudrions de vous. Eh bien, nous le voulons. Vous faites preuve de sournoiserie en cherchant une autre place, et je refuse de vous laisser partir. »

Ces mots, le ton sur lequel ils étaient dits firent venir le rouge au front de Haresh. Parler de « sournoiserie » à son propos revenait à agiter un drapeau rouge devant ses yeux. Mais Ghosh était un homme âgé, doué de surcroît d'un sens des affaires que Haresh admirait. De plus, c'est vrai, il lui devait son premier emploi. « Je me rappelle fort bien cette conversation, Monsieur. Mais vous devriez vous-même vous rappeler que vous m'avez donné certaines assurances. Entre autres, que si j'acceptais les 350 roupies de départ, vous m'augmenteriez dès que j'aurais prouvé mes compétences. Je les ai prouvées, mais vous n'avez pas respecté vos clauses du contrat.

— Si c'est une question d'argent, il n'y a pas de problème. Nous pouvons vous offrir autant qu'eux. »

Voilà qui était nouveau pour Haresh – et pour Mukherji également, qui laissa paraître son étonnement – mais il ne digérait pas le mot « sournoiserie ». « Ce n'est pas simplement une question d'argent, Monsieur. C'est l'ensemble qui est en cause. James Hawley est un vaste organisme. Je peux y faire mon chemin beaucoup plus aisément que dans une entreprise familiale. J'espère me marier, et je suis sûr que vous comprendrez que je dois songer à mon avenir.

— Vous ne partirez pas. C'est tout ce que j'ai à dire.

— C'est ce que nous allons voir. J'ai une offre écrite, et vous avez ma lettre de démission. Que pouvez-vous faire ? » Sur ces mots, il se leva, salua d'un signe de tête, et quitta la pièce.

A peine Haresh avait-il tourné les talons, Ghosh téléphona à John Clayton, qu'il avait rencontré à diverses reprises dans les couloirs des ministères de Delhi, tous deux cherchant à décrocher des commandes gouvernementales.

Ghosh lui dit tout de go que sa façon de lui « piquer » un homme était contraire aux usages, à l'éthique du commerce. Il refusait de s'incliner, porterait l'affaire devant les tribunaux si nécessaire.

Mr Ghosh avait des liens de parenté avec divers fonctionnaires de haut rang, auxquels il devait d'avoir obtenu des commandes de l'Etat pour les chaussures SCC, qui n'étaient pas de la meilleure qualité. A n'en pas douter, c'était un homme d'influence. Pour l'heure, c'était aussi un homme en colère, qui pouvait causer des ennuis à la James Hawley, voire à tout le groupe Cromarty.

Deux jours plus tard, Haresh reçut une nouvelle lettre de chez James Hawley. Elle comportait cette phrase cruciale : « Vous devrez vous être libéré de votre présent emploi avant d'accepter notre offre. » Il était clair que Ghosh faisait pression sur eux, persuadé que Haresh n'aurait pas d'autre choix que de venir le supplier de lui redonner son job. Mais pour Haresh, une chose était sûre : il ne travaillerait pas un jour de plus à la SCC, dût-il mourir de faim.

Le lendemain il se rendit à l'usine pour ramasser ses affaires et dévisser la plaque portant son nom sur la porte de son bureau. Mukherji, qui passait à ce moment, dans un murmure lui proposa son aide. Haresh secoua la tête. Puis il alla trouver Lee et s'excusa de le quitter si tôt après l'avoir engagé. Ensuite il s'adressa aux ouvriers de son secteur. Ils se montrèrent peinés, se déclarèrent furieux du traitement que Ghosh réservait à un homme qu'ils avaient appris à aimer et à respecter, et en qui, bizarrement, ils voyaient leur champion ; grâce à lui, leur travail et donc leurs rémunérations avaient augmenté, même s'il exigeait beaucoup d'eux, comme de lui-même d'ailleurs. Ils allèrent jusqu'à proposer de se mettre en grève pour lui. Emu aux larmes, Haresh les pressa de n'en rien faire. « Je serais parti de toute façon, dit-il, et peu importe que la direction se conduise bien ou mal avec moi. Je suis simplement désolé de vous laisser entre les mains de quelqu'un d'aussi incompétent que Rao. » Lequel Rao entendit ces paroles, mais Haresh s'en fichait.

Pour se délasser l'esprit, il rendit visite à la sœur de Simran, à Lucknow, puis, ne voyant pas ce qui pouvait le retenir à Kanpur, il partit pour Delhi. Il allait s'installer chez ses parents et chercher quelque chose là-bas. Devait-il ou non raconter tout cela à Lata, il n'arrivait pas à le décider. Il était profondément découragé ; sans emploi, ses perspectives de bonheur se réduisaient à néant.

Cet état d'esprit s'améliora cependant au bout de quelques jours. Kalpana Gaur se montra compréhensive, ses vieux amis de St Stephen l'intégrèrent dans leur joyeuse compagnie. Fondamentalement optimiste – ou du moins jouissant d'une abondante, voire surabondante, confiance en soi – il refusa de croire que rien n'allait se passer.

13.20

Contrairement à son beau-père, qui l'encouragea, oncle Umesh, un proche ami de la famille, qui adorait étaler sa sagesse, lui dit qu'il avait eu grand tort de laisser l'orgueil l'emporter sur le bon sens.

« Tu t'imagines qu'il te suffira de marcher dans la rue pour que les offres de travail te tombent dessus comme des mangues mûres », assena-t-il.

Haresh ne répondit pas. Oncle Umesh lui tapait sur le système. Et le fait que son nom fût précédé de la mention Rai Bahadur et suivi des initiales O.B.E, n'empêchait pas Haresh de le tenir pour un imbécile.

Rai Bahadur Umesh Chand Khatri, O.B.E., d'une famille punjabi de six garçons, était un bel homme au teint clair, aux traits fins. Il avait épousé la fille adoptive d'un personnage très riche et cultivé qui, n'ayant pas de fils, avait décidé de prendre un gendre à demeure. Umesh Chand Khatri ne disposait pour toute qualification que de sa belle allure. Il géra tant bien que mal la propriété de son beau-père, réussit bon an mal an à lire un ou deux livres parmi les milliers que comptait la bibliothèque, et donna trois petits-enfants au vieux monsieur, dont deux garçons.

N'ayant jamais travaillé de sa vie, il dispensait ses conseils à quiconque se trouvait à portée d'oreille. Cependant, grâce à la Seconde Guerre mondiale, il fit fortune. Introduit dans la Société des condiments Adarsh, il signa des contrats avec le gouvernement pour la livraison à l'armée de divers condiments, dont le curry. Il fut fait Rai Bahadur « pour services rendus en temps de guerre », devint président de la Société des condiments Adarsh, et continua à dispenser ses conseils à tout un chacun, à l'exception du beau-père de Haresh, qui (ami certes, mais peu tolérant) lui intimait régulièrement de se taire.

L'ire d'Umesh Chand Khatri à l'égard de Haresh, qu'il se plaisait à asticoter, venait de ce que le jeune homme était toujours élégamment mis. Dans l'idée d'Umesh Chand, lui et ses garçons se devaient d'être les plus chics et les plus élégants de tous les gens qu'ils connaissaient. Juste avant de quitter l'Angleterre, Haresh s'était accordé la fantaisie d'acheter à Connaught Place un mouchoir de soie d'une valeur de 13 roupies. Oncle Umesh l'avait tancé en public pour cette extravagance.

Maintenant que sa chance avait tourné, oncle Umesh remarquait : « Ainsi – tu trouves ça intelligent ? – revenir traîner tes guêtres à Delhi ?

— Je n'avais pas le choix, ni aucune raison de rester à Kanpur.

— Vous les jeunes gens, ricana oncle Umesh, vous êtes d'une telle outrecuidance, tout contents de laisser tomber de très bons boulots. Nous en reparlerons dans deux ou trois mois. »

Haresh savait que ses économies auraient fondu avant. « J'aurai un emploi – aussi bon ou meilleur que celui que j'ai abandonné – dans moins d'un mois, jappa-t-il.

— Tu n'es qu'un idiot, rétorqua oncle Umesh, avec un mépris sincère. Les emplois ne courent pas les rues. »

Ainsi mis au défi, Haresh entreprit l'après-midi même de rédiger un certain nombre de lettres de candidature, dont une pour un emploi gouvernemental à Indore, et une autre à l'intention de la manufacture de chaussures Praha, qu'il avait déjà approchée à diverses reprises. D'origine tchèque, et toujours en grande partie dirigée par des Tchèques, l'une des plus importantes entreprises du pays dans le domaine de la chaussure, Praha s'enorgueillissait de la qualité de ses produits. Que Haresh y obtînt une place, soit à Brahmpur soit à Calcutta, et il aurait atteint deux objectifs à la fois : regagner le respect de soi-même et se rapprocher de Lata.

C'est une conversation avec Mr Mukherji qui lui procura un contact chez Praha. Apprenant que son ancien patron se trouvait en ville, Haresh alla le trouver. Mr Khandelwal – le président de la Société des chaussures Praha et, fait remarquable, un Indien et non pas un Tchèque –, lui dit Mukherji, résidait en ce moment à Delhi pour affaires.

Un jour, en fin d'après-midi, Mr Mukherji emmena Haresh à l'hôtel Impérial, résidence de Mr Khandelwal à Delhi. Il y occupait même le plus bel appartement, la Suite moghole. De taille moyenne, commençant à prendre du poids et des cheveux gris, Mr Khandelwal était du genre décontracté. Il s'habillait en kurta et dhoti, et semblait avoir pour le paan une passion encore plus exagérée que Haresh ; il en mâchonnait trois à la fois.

Au début, Haresh eut du mal à croire qu'il avait affaire au légendaire Mr Khandelwal. Mais en voyant tout un chacun s'affairer autour de lui, trembler même en lui tendant des papiers qu'il parcourait d'un coup d'œil et commentait tout aussitôt, en général d'un mot ou deux, Haresh perçut l'acuité d'esprit du personnage, ainsi que son indéniable autorité. Un petit Tchèque notait avec déférence tout ce que Mr Khandelwal voulait que l'on fît ou que l'on vérifiât.

Mr Khandelwal sourit en apercevant Mr Mukherji et, bien qu'étant Marwari, lui dit quelques mots de bienvenue en bengali, langue qu'il parlait couramment pour avoir passé toute sa vie à Calcutta.

« Que puis-je faire pour vous, Mukherji Sahib ? demanda-t-il en avalant une gorgée de whisky.

— Ce jeune homme, qui a travaillé chez nous, cherche un emploi. C'est un remarquable technicien de la chaussure, et je me porte garant de lui dans tous les autres domaines. »

Mr Khandelwal prit un air bienveillant et, regardant

Haresh, s'exclama : « Pourquoi voulez-vous vous séparer d'un homme si remarquable ? »

La mine honteuse, Mr Mukherji expliqua : « On lui a causé du tort, et je n'ai pas le courage de le dire à mon beau-frère. Je crois d'ailleurs que cela ne servirait à rien ; sa décision est prise.

— Qu'attendez-vous de moi ? demanda Mr Khandelwal, s'adressant à Haresh.

— Monsieur, j'ai posé ma candidature à plusieurs reprises chez Praha, envoyé plusieurs lettres, mais n'ai jamais reçu de réponse. Si vous vouliez veiller à ce que ma candidature soit au moins prise en compte, je suis sûr que mes qualifications et mon expérience feraient le reste.

— Prenez ses références », intima Mr Khandelwal au petit Tchèque. Puis, s'adressant de nouveau à Haresh : « Vous aurez des nouvelles de Praha dans moins d'une semaine. »

Ce qui fut le cas effectivement, mais pour se voir proposer un poste à 28 roupies par semaine : un salaire dérisoire qui n'eut d'autre effet que de le rendre furieux.

Mais ravit oncle Umesh. « Je t'avais prévenu. Naturellement, tu ne tiens jamais compte de mes conseils, tu te crois si futé. Et maintenant, regarde-toi, vivant en parasite au lieu de travailler comme tout homme doit le faire. »

Haresh se maîtrisa avant de répondre : « Merci oncle Umesh. Vos conseils n'ont pas de prix, comme d'habitude. »

Oncle Umesh prit cette soudaine et apparente humilité pour un aveu de faiblesse. « Je vois que tu as retrouvé ton bon sens. Un homme ne doit jamais avoir une trop haute opinion de lui-même. »

Haresh opina de la tête, ses pensées étant tout sauf humbles.

Quand, quelques semaines auparavant, Lata avait reçu
la première lettre de Haresh – trois pages de papier bleu, de
sa petite écriture penchée vers l'avant – elle lui avait
répondu sur un ton amical. La première moitié de la lettre
racontait les efforts de Haresh pour se procurer un contact
chez Praha. A Kanpur, Mrs Rupa Mehra avait dit qu'elle
connaissait quelqu'un qui connaissait quelqu'un qui pourrait les aider. En fait la chose s'était avérée plus difficile que
prévu, et rien n'était sorti de cette idée. Haresh ignorait, à
l'époque, qu'une étrange série de circonstances le mènerait
en présence de Mr Khandelwal.

L'autre moitié de la lettre était plus personnelle. Lata
l'avait relue plusieurs fois. Contrairement à celle de Kabir,
elle la faisait sourire.

> Ceci étant dit, j'espère, à la façon habituelle, que vous avez
> fait un confortable voyage et que vous avez été accueillies par
> tous ceux à qui votre longue absence a durement pesé.
> J'espère aussi que Brahmpur s'est remise du désastre du Pul
> Mela.
>
> Je veux vous remercier de votre visite à Kanpur et des
> moments agréables que nous avons passés ensemble. Il n'y a
> pas eu entre nous de cette timidité et de cette fausse modestie
> si fréquentes, et je suis convaincu que nous pourrons à tout le
> moins être amis. J'apprécie beaucoup votre franchise et la
> façon dont vous présentez les choses. En outre, j'ai rencontré
> peu de jeunes filles anglaises parlant un anglais aussi bon que
> le vôtre. Ces qualités, associées à votre façon de vous habiller
> et à votre personnalité, font de vous une personne bien
> au-dessus de la moyenne, les éloges de Kalpana n'étaient pas
> immérités. Ne prenez pas tout cela pour de la flatterie, j'écris
> ce que je sens.
>
> Je viens d'envoyer aujourd'hui même votre photographie à
> mon beau-père, accompagnée d'un résumé des impressions
> que je me suis forgées pendant les quelques heures que nous
> avons passées ensemble. Je vous ferai connaître ses commen-
> taires...

Lata essaya de déceler ce qui lui plaisait exactement dans
cette lettre. Haresh maniait un anglais assez lourd : « à la
façon habituelle » et « la façon dont vous présentez les

choses », pour ne prendre que ces deux exemples, choquaient son sens de la langue. Pourtant l'ensemble ne lui déplaisait pas. Il était agréable de se voir décerner des éloges par quelqu'un dont ce ne semblait pas être l'exercice favori et qui, malgré son extrême confiance en soi, savait l'admirer.

Elle attendit cependant quelque temps avant de répondre.

> Cher Haresh,
>
> J'ai été très contente de recevoir votre lettre, puisque vous aviez manifesté à la gare votre intention de m'écrire. Je crois que c'est un bon moyen d'apprendre à nous connaître.
>
> Nous n'avons pas eu beaucoup de chance avec la société Praha, la raison venant de ce que nous ne sommes pas à Calcutta, où se trouve le siège central de la société et où habite la relation de Ma. Mais Ma lui a écrit, nous verrons ce qu'il en sortira. Elle a également abordé le sujet avec Arun, mon frère, qui vit à Calcutta et pourra peut-être nous aider. Croisons les doigts.
>
> Ce serait bien que vous soyez à Prahapore car, ainsi, lorsque je viendrais à Calcutta pour les fêtes du Nouvel An, nous pourrions nous voir plus souvent dans des circonstances ordinaires. Notre rencontre à Kanpur m'a fait plaisir. Je suis très contente de m'y être arrêtée. Je tiens encore à vous remercier du mal que vous vous êtes donné pour nous à la gare de Lucknow, d'avoir veillé à ce que nous gagnions notre compartiment sans encombre et que nos bagages y soient rangés. Le voyage a été très confortable, et Pran – mon beau-frère – nous attendait à l'arrivée.
>
> Je suis contente que vous ayez écrit à votre beau-père. Je brûle de savoir ce qu'il pense et ce qu'il dit.
>
> Cette visite à la tannerie, je le reconnais, a été très intéressante. Votre modéliste chinois m'a plu. Sa façon de parler l'hindi est ravissante.
>
> J'aime connaître des hommes ambitieux comme vous – vous devriez réussir. C'est aussi très plaisant de rencontrer quelqu'un qui ne fume pas – je vous admire, croyez-moi – parce que je crois que cela nécessite une grande force de caractère. J'ai aimé aussi votre franchise et votre façon claire de vous exprimer – qui vous rendent si différent des jeunes gens qu'on rencontre en général à Calcutta, et pas seulement à Calcutta – si policés, si charmants, et si peu sincères. Votre sincérité est rafraîchissante.
>
> Vous avez fait allusion au cours de notre rencontre à votre bref séjour à Brahmpur plus tôt dans l'année, mais nous sommes passés à un autre sujet sans poursuivre celui-ci. Ma

(et pas seulement elle, je dois l'admettre) a donc été stupéfaite de découvrir que vous connaissiez déjà au moins deux membres de notre famille. Pran nous a dit vous avoir rencontré à une soirée. Au cas où vous ne vous souviendriez pas de lui, c'est un garçon mince, assistant fort coté du département d'anglais. C'est à son adresse que vous m'écrivez. Et puis il y a Kedarnath Tandon – le jijaji de Pran – c'est-à-dire le beau-frère de mon beau-frère, mais en fait (dans le contexte de Brahmpur et de Delhi peut-être aussi) un parent très proche. Il semble que son fils Bhaskar vienne de recevoir une lettre de vous, encore plus courte que celle que vous m'avez envoyée. Vous serez désolé d'apprendre qu'il a été blessé dans l'affaire du Pul Mela ; heureusement, il paraît maintenant à peu près totalement rétabli. Veena m'a dit combien il a apprécié votre carte et les informations qu'elle contient.

Il fait une chaleur désagréable à Brahmpur ces jours-ci, et je m'inquiète un peu pour ma sœur Savita qui doit accoucher très bientôt. Mais Ma est là, pour prendre les choses en main, et on ne peut rêver mari meilleur et plus attentif que Pran.

Je n'ai pas encore vraiment repris le cours de mes études, mais ai décidé, un peu contre mon gré, et suivant les conseils d'une amie, d'accepter un rôle dans *La Nuit des rois*, la pièce que nous donnerons pour notre fête annuelle. J'ai le rôle d'Olivia, et consacre beaucoup de temps à apprendre mon texte. Mon amie m'avait accompagnée à l'audition pour me soutenir moralement, et en est repartie avec le rôle de Maria, ce qui d'une certaine façon lui convient très bien. Ma, qui est de la vieille école, voit d'un assez mauvais œil ma décision de monter sur les planches. Qu'en pensez-vous ?

J'attends avec impatience votre prochaine lettre – parlez-moi de vous. Tout ce que vous aurez à dire m'intéressera.

Il est temps que je m'arrête, car cette lettre est déjà d'une longueur considérable et doit commencer à vous faire bâiller.

Ma vous adresse ses meilleures pensées, et moi je souhaite que tout aille bien pour vous,

LATA.

Elle ne faisait pas allusion dans sa lettre à l'opiniâtreté de Haresh, à sa façon de prononcer « Cawnpore », à la puanteur de la tannerie, au paan, aux chaussures assorties ou à la photographie de Simran sur son bureau. Non pas qu'elle eût oublié ces détails, mais le souvenir s'en estompait, ils ne lui apparaissaient plus sous un jour aussi négatif, et pour l'un d'entre eux elle souhaitait ne jamais en parler – sauf en cas de nécessité.

Or Haresh l'aborda dans sa lettre suivante. Lui répétant

qu'une des choses qu'il appréciait le plus chez elle était sa franchise, il disait qu'il se sentait d'autant plus enclin à lui parler librement de lui-même qu'elle le lui avait demandé. Il parla donc, longuement, de Simran, de la place qu'elle avait tenue dans sa vie, et, une fois admis le fait que cet amour ne pouvait mener à rien, du peu d'espoir qu'il avait eu de trouver quelqu'un à qui s'attacher ; or Lata était apparue à un moment crucial pour lui. Il lui suggérait d'écrire un mot à Simran pour lier connaissance. Lui-même avait informé Simran de leur rencontre, mais n'avait pu joindre à sa lettre une photographie de Lata, la seule qu'il possédât étant entre les mains de son beau-père. Il ajouta :

... J'espère que vous me pardonnerez de vous parler si longuement de Simran, mais c'est une jeune fille merveilleuse et vous devriez devenir amies. Si vous voulez lui écrire voici son adresse. C'est chez une amie, Miss Pritam Kaura, car chez elle ses parents risqueraient d'intercepter la lettre. J'aimerais que vous me connaissiez bien, surtout mon passé, avant que vous vous fassiez une opinion, et Simran en fait partie, en est une étape.

Parfois je me dis que vous avoir rencontrée est trop beau pour être vrai. J'étais dans une impasse, je ne savais que faire et où chercher de la compagnie. Pauvre Simran, qui ne peut même pas exprimer ses sentiments, ses parents sont le genre conservateur – rien à voir avec votre mère, même si elle n'apprécie pas trop que vous fassiez du théâtre. Vous êtes entrée dans ma vie comme une force éclairante, quelqu'un pour qui j'éprouve le désir de m'améliorer.

Vous me faites de nombreux compliments sur ma sincérité – étant donné les circonstances de ma vie, je ne pouvais pas me permettre d'être autrement. Il y a un mauvais côté à la franchise et à la sincérité – comme on ne veut pas blesser quelqu'un on recule le moment de lui ôter certaines illusions – et à long terme on en souffre. Quand nous nous connaîtrons mieux et pourrons oublier et pardonner, je vous expliquerai ce que j'entends par là. Je vous donnerai des aperçus – mais il vaudrait peut-être mieux pas. Car il y a des parties de ma vie qui sont loin d'être parfaites et que vous trouveriez peut-être difficiles à pardonner. Peut-être en ai-je déjà trop dit.

Quoi qu'il en soit, je dois remercier Kalpana de nous avoir permis de nous rencontrer. Sans elle, nous ne nous serions jamais connus.

S'il vous plaît envoyez-moi une empreinte de votre pied car je veux créer quelque chose pour vous – Mr Lee, le Chinois, pourra peut-être m'aider ! Aimeriez-vous une sandale à talon plat pour l'été ou portez-vous les hauts talons habituels ?

Par ailleurs, je ne vois presque jamais la photographie que vous m'avez donnée parce qu'elle se balade par la poste. S'il vous plaît, envoyez-m'en une autre, prise récemment. Je ne la ferai pas circuler. Aujourd'hui j'ai essayé d'acheter un cadre pour votre photo, mais n'ai rien trouvé. J'attends donc la nouvelle avant de dépenser de l'argent pour un bon cadre. Cela vous ennuie-t-il si je la garde sur ma table ? Ça peut m'aider à rester ambitieux. Elle vient de revenir de chez mon père et, à la regarder, je trouve ce sourire en coin très séduisant. Vous avez un port de tête qui vous rend très séduisante à mes yeux, mais vous devez le savoir, j'en suis sûr – d'autres vous ont déjà dit tout cela avant moi.

Mon père semble favorable à une union.

Rappelez-moi au souvenir de votre mère, de Pran, de Kedarnath, de sa femme et de Bhaskar. L'idée que ce garçon a été blessé durant cette panique est très pénible. Je veux croire qu'il va tout à fait bien maintenant.

> Affectueusement,
> HARESH.

Lata fut troublée par cette lettre. Tout l'inquiétait, depuis l'histoire de la photographie jusqu'à celle de l'empreinte du pied en passant par les allusions à sa vie passée. Elle ne comprenait pas comment il pouvait espérer la voir écrire à Simran. Mais comme elle l'aimait bien, elle lui répondit aussi gentiment que possible. Avec l'hospitalisation de Pran, la naissance imminente du bébé de Savita, les répétitions quotidiennes que la présence de Kabir rendait douloureuses, elle ne trouva le temps d'écrire que deux pages ; à la relecture, elles lui parurent ne contenir qu'une succession de refus. Elle ne l'encourageait pas à déballer tout ce à quoi il faisait allusion ; elle ne mentionnait même pas ce passage. Elle n'écrirait pas à Simran, lui dit-elle, tant qu'elle ne serait pas sûre de ses propres sentiments (mais elle le remerciait de la confiance qu'il lui manifestait en lui racontant tant de choses). Elle n'était pas très fière de ses pieds, qu'elle jugeait peu séduisants. Quant à la photographie :

> Pour vous dire la vérité, je déteste être photographiée en studio ou par des gens de studio. Je sais que c'est idiot, mais je me trouve abominable. Je crois que la dernière photo que Ma

a fait prendre de moi – avant celle que je vous ai donnée –
remonte à six ans, et elle n'était pas bonne. Celle que vous avez
a été prise à Calcutta cette année, et à mon corps défendant.
Depuis trois ans, je promets d'en envoyer une pour la revue de
mon école ; et j'ai eu très honte lorsque, juste avant de partir
pour Kanpur, je suis tombée sur une de mes anciennes maîtresses qui m'a rappelé ma promesse. J'ai fini par m'exécuter,
mais je refuse de supporter à nouveau une telle épreuve.
Quant au « sourire en coin » et autres choses, je crois que vous
me flattez. Ce qui est paradoxal, puisque je vous tiens pour
quelqu'un de franc et sincère, et que flatterie et sincérité ne
vont pas de pair ! Tout ce qu'on me dit, j'ai appris à ne pas le
prendre au pied de la lettre.

Le long silence qui s'établit entre cette lettre et la nouvelle missive de Haresh incita Lata à penser que son triple
refus l'avait beaucoup froissé. Elle demanda à Malati
lequel de ses trois refus l'avait, à son avis, le plus heurté, et
cette discussion l'aida à y voir clair.

13.22

Un jour que Kabir avait particulièrement bien joué, Lata
dit à Malati : « Je vais lui dire combien je l'ai trouvé bon.
C'est le seul moyen de briser la glace.

— Lata, ne sois pas idiote, ça ne brisera pas la glace, ça
fera simplement sauter les soupapes. »

Mais après la répétition, alors que tout le monde musar-
dait dehors, Kabir s'approcha de Lata. « Voudrais-tu donner ceci à Bhaskar ? Mon père pense que ça pourrait l'intéresser. » C'était un cerf-volant d'une forme inhabituelle :
une sorte de losange prolongé par des serpentins.

« Oui, bien sûr, dit Lata, marquant une certaine hésitation. Mais tu sais, il n'est plus à Prem Nivas, il est retourné
chez lui à Misri Mandi.

— J'espère que ça ne te dérangera pas trop –

— Non, pas du tout, nous ne te remercierons jamais
assez de ce que tu as fait pour lui. »

Sur quoi, ils se turent. Malati balança sur l'attitude à

adopter, mais un coup d'œil à Lata la convainquit que son amie préférait s'entretenir seule avec Kabir. Elle s'esquiva donc en les saluant tous les deux – bien que Kabir ne lui eût même pas dit bonjour.

« Pourquoi me fuis-tu ? demanda celui-ci, à peine Malati avait-elle tourné les talons.

— Qu'espères-tu ? » Lata savait qu'il n'était plus question d'une conversation anodine.

« Es-tu toujours fâchée contre moi – à cause de cela ?

— Non, je m'y suis habituée. Aujourd'hui, tu as très bien joué.

— Je ne parlais pas de la pièce, mais de notre dernière véritable rencontre.

— Oh, ça –

— Oui, ça. » Il était décidé, semblait-il, à vider l'abcès. « Je ne sais pas – il s'est passé tant de choses depuis.

— Il ne s'est rien passé à part les vacances.

— Je veux dire, j'ai tellement réfléchi –

— Et moi, tu crois que je ne réfléchis pas ?

— Kabir, s'il te plaît – je veux dire que j'ai pensé à nous.

— Et tù continues à penser, j'en suis sûr, que j'ai été déraisonnable. » Le ton était légèrement moqueur.

Lata ne répondit pas.

« Marchons un peu, dit Kabir. Ça meublera nos silences.

— D'accord. »

Ils prirent le chemin qui menait de l'auditorium au centre du campus – en direction du bosquet de jacarandas et, au-delà, du terrain de cricket.

« Ai-je droit à une réponse ? s'enquit Kabir.

— C'est moi qui me suis montrée déraisonnable. » Réponse à laquelle, visiblement, Kabir ne s'attendait pas.

« Oui, continua-t-elle, tu avais raison. J'ai été injuste, déraisonnable et tout ce que tu voudras. Ce n'est pas possible – ça ne l'a jamais été – mais pas à cause de la période, de nos carrières, de nos études et autres considérations pratiques.

— Pourquoi alors ?

— A cause de ma famille. Quelle que soit ma colère contre eux, je ne peux pas les laisser tomber. Je sais cela maintenant. Il s'est passé tant de choses. Je ne peux pas abandonner ma mère – »

Lata s'interrompit, pensant à l'effet que cette dernière remarque pouvait avoir sur Kabir, mais décida qu'elle devait aller au bout de son explication. C'était maintenant ou jamais.

« Je me rends compte du souci qu'elle se fait pour tout et à quel point cela la bouleverserait.

— Cela ! Tu veux dire, toi et moi.

— Kabir, connais-tu des mariages mixtes qui ont réussi ? » Tout en prononçant ces mots, Lata se dit qu'elle était peut-être allée trop loin. Kabir n'avait jamais parlé expressément de mariage – il voulait être avec elle, près d'elle – mais se marier ? Peut-être l'avait-il laissé sous-entendre quand il lui avait demandé d'attendre un an ou deux – quand il lui avait fait part de ses plans – études, Affaires étrangères, Cambridge. Le mot en tout cas ne le fit pas broncher.

« Et toi, en connais-tu qui ont échoué ?

— Il n'y a pas un seul mariage mixte dans notre famille.

— Les unions dites assorties ne sont pas toujours idéales.

— Je sais, Kabir ; je connais – » Lata dit cela sur un ton si malheureux et avec tant de compassion que Kabir comprit qu'elle faisait référence à la folie de sa mère.

« Est-ce que cela aussi a quelque chose à voir dans cette histoire ?

— Je ne sais pas – Je suis sûre que cela également bouleverserait ma mère.

— Tu affirmes donc que mon hérédité et ma religion sont des obstacles insurmontables – que tu tiennes à moi ou pas.

— Ne présente pas les choses ainsi, protesta Lata. Ce n'est pas ce que je ressens.

— Mais c'est en fonction de cela que tu agis. »

Lata fut incapable de répondre.

« Tu ne tiens pas à moi ?

— Si, si –

— Alors pourquoi n'as-tu pas écrit ? Pourquoi refuses-tu de me parler ?

— Juste à cause de ça –

— M'aimeras-tu toujours ? Moi, oui –

— Oh, je t'en prie, Kabir, arrête – je ne peux pas supporter ça – » s'écria-t-elle. Elle aurait pu ajouter qu'elle essayait de se convaincre, et lui avec, que leurs sentiments n'étaient en réalité que futiles.

« Pourquoi devrions-nous cesser de nous voir ? insista-t-il.

— Nous voir ? Kabir tu ne comprends pas. Où cela nous mènerait-il ?

— Faut-il que cela nous mène quelque part ? Ne pouvons-nous pas simplement passer des moments ensemble ? Est-ce que tu te "méprends sur mes intentions ?" »

Le souvenir de leurs baisers surgit brusquement dans l'esprit de Lata, souvenir si intense et si douloureux qu'elle se méprit sur ses propres intentions. « Non, dit-elle. Mais est-ce que tout cela ne serait pas misérable ? »

Elle se rendit compte que chacune des questions de Kabir suscitait chez elle d'autres questions, qui à leur tour ne faisaient qu'augmenter l'énorme embrouillamini. Son cœur soupirait après lui, mais tout lui disait que cela ne mènerait à rien. Elle avait eu l'intention de lui avouer qu'elle écrivait à quelqu'un d'autre, mais elle ne put s'y résoudre, devinant la peine que cela lui causerait.

Ils passaient devant les marches conduisant à la salle d'examens. La lumière baissait, les arbres et les bancs en contrebas projetaient leurs ombres longues sur la pelouse.

« Alors que faisons-nous ? demanda-t-il.

— Je ne sais pas. De toute façon nous allons passer quelque temps ensemble, en quelque sorte, sur scène. Un mois au moins. Nous nous sommes piégés nous-mêmes.

— Ne peux-tu attendre encore une année ? dit-il, soudain désespéré.

— Qu'est-ce que ça changerait ? » S'écartant de lui, elle fit quelques pas en direction d'un banc. Elle était trop fatiguée pour parler – épuisée moralement, épuisée par la surveillance du bébé, épuisée d'apprendre à monter sur scène ; elle se laissa tomber sur le banc, posa la tête sur ses bras. Elle était même trop épuisée pour pleurer.

C'était le banc sur lequel elle s'était assise à la fin de

l'examen. Kabir ne savait quelle attitude adopter. Devait-il la consoler comme la fois précédente ? Avait-elle même conscience de l'endroit où elle se trouvait ? Il la sentait si proche des larmes, si perdue qu'il ne souhaitait qu'une chose : la prendre dans ses bras.

Ils étaient allés chacun au bout de ce qu'ils devaient dire, mais, aux yeux de Kabir, ils n'étaient pas des adversaires. Il fallait qu'il essaie de la comprendre. La pression de la famille, la famille ramifiée qui, lentement, de toute sa puissance, faisait plier ses membres, cela Kabir ne l'avait jamais connu. Lata s'était écartée de lui durant ces derniers mois ; elle était peut-être déjà hors d'atteinte. S'il revenait vers elle à présent, l'aidait à surmonter sa douleur, regagnerait-il un peu de ce qui s'était perdu ? Peut-être ne réussirait-il qu'à la rendre encore plus douloureusement consciente de sa vulnérabilité ?

A quoi pensait-elle ? Il l'observait, debout dans la lumière rasante qui prolongeait son ombre jusqu'à elle. Sa tête reposait toujours sur ses mains, le cerf-volant sur le banc, à côté d'elle. Elle paraissait malheureuse, inaccessible. Finalement, il s'éloigna, le cœur triste.

13.23

Lata demeura sans bouger pendant un bon quart d'heure, puis elle s'en alla, emportant le cerf-volant avec elle. Il faisait presque noir. Elle avait réfléchi. Son propre chagrin la rendait à présent plus à même de compatir aux problèmes des autres. Pran et ses angoisses. Varun, à qui elle n'avait pas écrit depuis très longtemps. Haresh, envers qui elle s'était montrée si dure dans sa dernière lettre. Pauvre Haresh – lui aussi avait souffert d'une relation sans avenir, une situation semblable à la sienne.

Comment allait-elle se comporter à la répétition du lendemain ? Et Kabir ? Du moins, ils s'étaient expliqués. Elle n'aurait plus à redouter ce terrible moment. Le vivre avait somme toute été moins pénible que de l'attendre. Mais en même temps si désespérant. Désespérant ? Et si tout cela s'inscrivait dans l'ordre naturel des choses ?

Elle passa une soirée tranquille, avec sa mère, Pran, Savita et le bébé. La conversation porta sur Haresh et sur les raisons de son silence.

Le jeune homme avait effectivement été déçu par la lettre de Lata, mais ce qui l'avait empêché de répondre tout de suite était sa nouvelle situation. Il s'inquiétait beaucoup de la réaction de Lata quand il lui apprendrait qu'il était sans travail – et surtout de celle de sa mère qui, nonobstant les bons sentiments qu'elle paraissait éprouver à son endroit, avait des critères très pragmatiques en matière de garçon pouvant convenir à sa fille.

Au bout d'une semaine, toutefois, James Hawley n'ayant pas changé de position et Delhi n'ayant apporté rien d'autre que la promesse de Mr Mukherji de lui faire rencontrer Mr Khandelwal, Haresh se dit qu'il ne pouvait garder plus longtemps le silence. Il écrivit à Lata.

Il se trouve que Mrs Rupa Mehra avait reçu, la veille, une lettre de Kalpana Gaur lui apprenant, entre autres, que Haresh n'avait plus de travail. Elle avait beau être fort affairée, entre Pran, Savita et le bébé, cette nouvelle la préoccupa plus que le reste. Elle en parla à tout le monde, y compris à Meenakshi et Kakoli venues voir le bébé. Elle ne comprenait pas comment Haresh avait pu laisser tomber son emploi, « juste comme ça » ; son mari avait toujours affirmé qu'on ne relâche pas un oiseau tant qu'on n'en a pas deux dans la cage. Mrs Rupa Mehra commença à se poser des questions sur Haresh, et elle ne tarda pas à en faire part à Lata.

« Oh, il va sûrement écrire bientôt », dit Lata, sur un ton que Mrs Rupa Mehra jugea trop désinvolte.

Sa prédiction se révéla exacte dès le lendemain.

En découvrant l'enveloppe portant l'écriture désormais familière de Haresh, Mrs Rupa Mehra insista pour que Lata l'ouvre sur-le-champ et en lise le contenu à haute voix. Lata refusa. Ravies d'assister à la scène, Meenakshi et Kakoli se saisirent de la lettre posée sur la table, et se mirent à taquiner Lata. Laquelle l'arracha des mains de

Kakoli et courut jusqu'à sa chambre, où elle s'enferma. Elle n'en émergea que plus d'une heure après. Elle avait lu la lettre et y avait répondu sans consulter quiconque. L'insubordination de sa fille, l'attitude de Meenakshi et de Kakoli, tout cela mit Mrs Rupa Mehra de très méchante humeur.

« Pensez à Pran, dit-elle. Toute cette excitation est mauvaise pour son cœur. »

Kakoli se mit à chantonner, assez fort pour qu'on pût l'entendre de l'autre côté de la porte :

> « *Lata ma douce, sois une brave gosse !*
> *Viens m'embrasser. Ne sois pas rosse.* »

N'obtenant pas de réaction, elle enchaîna :

> « *Laisse-moi baiser tes mains de princesse :*
> *Un cuir doux comme une caresse.* »

Sur quoi le bébé se mit à hurler, captant l'attention de l'assemblée et empêchant Mrs Rupa Mehra de s'en prendre à Kakoli. Derrière la porte, Lata poursuivit sa lecture.

Haresh se montrait aussi direct qu'à l'accoutumée. Après avoir annoncé la mauvaise nouvelle, il continuait :

Ce doit être une période difficile pour vous avec la maladie de Pran et, maintenant, le bébé qui est peut-être arrivé, et je suis désolé d'y ajouter la mauvaise nouvelle mentionnée ci-dessus. Mais j'ai éprouvé le besoin de vous écrire, sous le poids des circonstances. Jusqu'à présent rien n'est venu de Mr Clayton de chez James Hawley me disant qu'il reconsidérait sa position, et je commence à craindre qu'il n'arrive rien de ce côté-là. C'était un bon job qui atteignait, tout compris, 750 roupies par mois, aussi je ne perds pas tout espoir. Je pense qu'ils finiront par reconnaître l'injustice de tout cela. Mais peut-être qu'en démissionnant de la SCC je me retrouve effectivement entre deux chaises. Mr Mukherji, le directeur général, est un homme aimable, mais Mr Ghosh, semble-t-il, m'en veut à mort.

Hier j'ai passé deux heures avec Kalpana pendant lesquelles vous avez été le seul sujet de conversation. Je ne sais pas jusqu'à quel point j'ai pu dissimuler mes sentiments, car penser à vous m'enflammait.

Pardonnez ce mauvais papier, je n'en ai pas d'autre à ma disposition pour le moment. Kalpana m'a dit qu'elle avait écrit à votre mère pour lui faire part de la nouvelle et que je devais vous écrire aujourd'hui – et j'en ai éprouvé le besoin moi-même.

J'ai rendez-vous pour un entretien un peu plus tard dans le mois à Indore (avec la Commission d'Etat chargée des emplois) pour un poste dans le service des Petites Entreprises. Et peut-être que l'affaire Praha aboutira. En tout cas, si je peux rencontrer Mr Khanderwal par l'intermédiaire de Mr Mukherji, je suis sûr d'obtenir un entretien avec la direction à Calcutta. Il reste cependant un certain nombre de choses qu'il vous appartient de décider :

1° Voulez-vous que j'aille à Calcutta via Brahmpur, étant donné la maladie de votre beau-frère et autres difficultés ?

2° Est-ce que dans ma situation actuelle de sans-emploi vous pensez que je suis le même qu'avant – c.à.d, pensez-vous que vous pourriez être heureuse de me considérer comme quelqu'un dont vous auriez à vous occuper ?

J'espère que votre mère ne prend pas tout cela trop sérieusement – il y a d'autres jobs sur le marché, et je suis sûr d'en trouver un prochainement. Parfois j'ai le sentiment qu'il y a beaucoup de bon dans ma situation actuelle – être au chômage permet une meilleure appréciation du caractère humain et replace les choses à leur juste valeur. J'espère que Pran va mieux. Rappelez-moi au bon souvenir de la famille. Je vous réécrirai bientôt.

Bien à vous,
HARESH.

13.24

Rien n'aurait pu toucher davantage Lata, susciter sa tendresse, que cette lettre. Elle pressentait toute l'anxiété qui se cachait derrière ces certitudes affichées. Qu'étaient ses problèmes comparés à ceux de Haresh ? Or, au lieu de se laisser aller au découragement, il affirmait tirer parti de sa situation. Elle lui répondit :

Mon cher Haresh,
Votre lettre vient de me parvenir, et je m'empresse d'y répondre. Ma a reçu celle de Kalpana hier, mais, quel que soit mon désir de vous écrire, je ne voulais le faire qu'après avoir reçu des nouvelles directes. Soyez assuré que votre situation

actuelle ne change rien en ce qui me concerne. L'affection ne dépend pas de choses comme le travail. Dommage que vous ayez manqué l'occasion d'entrer chez James Hawley – une très bonne entreprise, c'est vrai – peut-être la meilleure. Mais ne vous en faites pas. Ce qui arrive est pour notre bien – et, comme vous le dites, l'espoir existe toujours – il faut continuer d'essayer. Je suis sûre qu'il en sortira quelque chose.

Elle s'interrompit, confrontée à ses propres soucis, mais elle se secoua bien vite. C'est lui qu'elle devait réconforter.

Peut-être, Haresh, avez-vous eu tort de ne pas faire savoir à votre employeur que vous cherchiez ailleurs. Peu importe à présent, n'y pensons plus. La méchanceté des gens ne blesse que si l'on continue à y penser. Puisque de toute façon vous êtes sans travail, peut-être devriez-vous essayer de chercher celui qui vous conviendrait le mieux et ne pas prendre le premier qui se présentera. Cela vaut peut-être la peine d'attendre un peu.

Vous me demandez si je veux que vous passiez par Brahmpur en vous rendant à Calcutta. Ce serait bien que nous puissions de nouveau nous parler. J'espère que vous n'avez pas perdu votre sourire. A en juger par votre lettre, en tout cas, ce n'est pas le cas. Vous avez un très plaisant sourire – qui fait disparaître vos yeux presque complètement – et ce serait trop triste que vous le perdiez.

Elle s'interrompit à nouveau. Mais que suis-je en train d'écrire ? se dit-elle. N'est-ce pas un peu trop ? Chassant cette idée d'un haussement d'épaules, elle reprit :

Le seul problème, c'est le chaos qui règne dans la maison en ce moment. Même si vous deviez descendre à l'hôtel, vous nous verriez en plein affolement. La femme et la belle-sœur de mon frère Arun sont là également : je les aime beaucoup, mais je sais qu'elles ne nous laisseront pas un instant de paix. Sans compter que mes après-midi sont occupés par les répétitions, qui me plongent en pleine confusion. Je ne sais plus si je suis moi-même ou une créature shakespearienne. L'humeur de Ma n'est pas non plus au beau fixe. Bref, l'un dans l'autre, ce n'est pas le bon moment pour nous revoir. Ne croyez pas, je vous en prie, que j'essaie de me débarrasser de vous.

Je suis contente que Mr Mukherji se soit montré si aimable et compréhensif. J'espère qu'il va réussir à vous aider.

Pran va beaucoup mieux après ses trois semaines d'hôpital, et la présence du bébé – prénommé Uma après un conseil d'administration familial – lui fait un bien fou. Il vous envoie ses amitiés, comme tout le monde ici. La lettre de Kalpana a suscité des inquiétudes chez Ma, mais pas celles que vous pensez. Elle s'inquiétait surtout à l'idée que moi je m'inquiète, et n'arrêtait pas de me dire de ne pas m'inquiéter, que tout allait s'arranger. Moi je me faisais du souci en pensant que vous deviez être très malheureux – d'autant que vous n'aviez pas écrit depuis un moment. Bref, nous étions dans un cercle vicieux. Je suis heureuse que vous n'ayez rien perdu de votre optimisme et ne ressentiez pas d'amertume. Je déteste les gens qui arborent des airs de martyr – tout comme je déteste qu'on s'apitoie sur soi. Cause de beaucoup trop de malheurs.

Je vous en prie, tenez-moi au courant de ce qui se passe, écrivez vite. Personne n'a perdu confiance en vous, à l'exception de votre oncle Umesh, qui de toute façon n'en a jamais eu, vous ne devez donc pas la perdre vous-même.

Affectueusement,
LATA.

13.25

Lata confia la lettre à Mansoor pour qu'il la poste en se rendant au marché.

Mrs Rupa Mehra se montra très mécontente de n'avoir pu lire ni la lettre ni la réponse.

« Je te laisserai lire sa lettre, Ma, si tu insistes. Quant à ma réponse, elle est déjà partie. »

La lettre de Haresh étant de nature beaucoup moins personnelle que les précédentes, Lata ne voyait pas d'inconvénient à la montrer. « Sous le poids des circonstances » – ou peut-être à cause du ton de Lata dans son précédent courrier – il n'avait pas reparlé de Simran.

Entre-temps, Kakoli était tombée sur la carte de Mrs Rupa Mehra à l'intention de Pran et Savita, et elle en faisait ses délices, répétant goulûment à l'infortuné Bébé Mademoiselle « doux parcours » et « délicatesse », reformulant le texte tout en couvrant le front d'Uma de petits baisers.

« Hou ! Bébé Mademoiselle s'est vite endormi, les flammes du foyer dansent et sautent, et dévorent sa robe, Bébé Mademoiselle fond dans l'incendie.

— Quelle horreur ! s'exclama Mrs Rupa Mehra.

— Un Bébé Mademoiselle a brûlé aujourd'hui – son âme délicate s'est enfuie – Dieu l'a rappelé à lui pour jouer et folâtrer – et voilà un Bébé Mademoiselle de parti. »

Kakoli pouffa. « Ne craignez rien, Ma, on ne fait pas de feu à Brahmpur au mois d'août. Ce n'est pas une époque de l'année sans soleil.

— Meenakshi, tu dois retenir ta sœur.

— Personne ne le peut, Ma. Elle est décourageante.

— Tu dis toujours cela aussi à propos d'Aparna.

— Vraiment ? Oh, à propos, je crois que je suis enceinte.

— Quoi ? s'écrièrent-ils tous (à l'exception de Mademoiselle Bébé).

— Oui, je n'ai pas eu mes règles – et maintenant ça ne peut plus être un simple retard. Vous allez peut-être, après tout, avoir un petit-fils, Ma.

— Oh ! fit Mrs Rupa Mehra, ne sachant pas quoi penser. Arun est au courant ? »

Meenakshi prit un air rêveur. « Non, non, pas encore. Je suppose qu'il va falloir que je le lui dise ? Dois-je lui envoyer un télégramme ? Non, ces choses-là se disent de vive voix. De toute façon, je suis fatiguée de Brahmpur. Il n'y a pas de Vie ici. » Elle soupirait après la canasta, le mah-jong, le club des Coquines, les lumières de la ville. Maan était la seule personne à peu près vivante ici, et on ne le voyait que très rarement. Il n'y avait rien à tirer de ses hôtes, Mr et Mrs Maitra. Quant aux rustres de Rudhia, les mots lui manquaient pour les qualifier. Par ailleurs, Lata semblait beaucoup trop préoccupée par les soucis de son cordonnier pour écouter une allusion quelconque à Amit.

« Qu'en dis-tu Kuku ?

— Moi ? Je suis sidérée. Quand l'as-tu su ?

— Non, je voulais dire, rentrer à Calcutta.

— Oh, d'accord. » Non pas qu'elle se déplût ici, mais elle regrettait Cuddles, Hans, le téléphone, les deux cuisiniers, la voiture, et même la famille. « Je suis prête à partir quand tu veux. Pourquoi as-tu l'air si songeuse ? »

Cette expression, Meenakshi allait désormais l'arborer assez souvent.

Quand était-elle tombée enceinte ?

Et de qui ?

13.26

De ne pas avoir été invité à s'arrêter à Brahmpur ni à rendre visite aux frères de Lata à Calcutta, ses futurs beaux-frères il n'en doutait pas, déçut Haresh, mais le ton de Lata le consola. La lettre des établissements Praha lui renouvelant leur offre d'emploi à 28 roupies par semaine constituait une réponse si dérisoire à sa propre lettre de candidature qu'il ne pouvait croire que Mr Khandelwal y fût pour quelque chose. Elle était probablement parvenue au service du personnel, qui lui avait adressé la réponse standard, une fin de non-recevoir.

Haresh décida néanmoins de se rendre à Calcutta où, à peine arrivé, il prit un train pour Prahapore, un trajet de moins de trente kilomètres. Il pleuvait, si bien qu'il eut une vision plutôt sinistre du complexe industriel de Praha – l'un des plus importants du Bengale. Les rangées sans fin de petites maisons ouvrières ; les bureaux et le cinéma ; les palmiers verts bordant la rue, et les terrains de jeux d'un vert intense ; l'usine, immense et ceinturée d'un mur, qui se divisait en segments sur lesquels se détachaient les motifs publicitaires vantant les derniers modèles de chaussures ; la colonie des cadres (tous tchèques), cachée derrière des murs encore plus hauts ; tout cela Haresh le découvrit par cette matinée grise, chaude et humide. Il avait revêtu un costume blanc, et portait un parapluie. Mais le temps et le Bengale – qu'il trouva aussi moites l'un que l'autre – avaient imprégné son âme. Des souvenirs de Mr Ghosh et de Mr Sen Gupta lui revenaient tandis qu'il se faisait conduire en cyclo de la gare à l'usine. Du moins, se dit-il, j'aurai à faire ici à des Tchèques et pas à des Bengalis.

Les Tchèques, quant à eux, traitaient tous les Indiens (à l'exception d'un seul) de la même manière : avec mépris. Ce qu'aiment les Indiens, avaient-ils conclu d'expérience, c'est parler, non pas travailler. Or les Tchèques n'aimaient rien tant que travailler : pour les profits et la gloire de la Société des chaussures Praha. Parler les plaçait dans une position désavantageuse ; dans l'ensemble, ils ne parlaient ni n'écrivaient bien l'anglais, et la culture n'était pas leur fort. On entrait jeune chez Praha, que ce soit en Tchécoslovaquie ou en Inde ; on commençait par l'atelier ; point n'était besoin d'une formation universitaire. Les Tchèques se méfiaient de ce qu'ils appelaient la faconde indienne (les délégués syndicaux en constituaient le pire exemple), et reprochaient aux firmes anglaises de Calcutta de ne pas les traiter, en dépit de leur commune origine européenne, sur un pied d'égalité. Les directeurs, chefs de service, assistants sous contrat de chez Bentsen & Pryce, par exemple, n'envisageaient pas une seconde de fraterniser avec les Tchèques de chez Praha.

Lesquels Tchèques avaient renouvelé l'industrie de la chaussure en Inde ; sur ce qui n'était jadis qu'un marécage, ils avaient érigé l'usine mère et la ville qui en dépendait, puis quatre usines plus petites, dont celle de Brahmpur, et enfin avaient implanté dans tout le pays un réseau serré de boutiques, et cela, à la seule force du poignet, tenus à l'écart de la fraternité du whisky au Calcutta Club. Les cadres, y compris le directeur général, ne sortaient pas d'un milieu bourgeois. La société était toute leur vie, leur tenait lieu de religion. Elle possédait des filiales, des usines, des boutiques dans le monde entier et, lorsque les communistes s'en étaient emparés, les « hommes de Praha » en poste à l'étranger à ce moment-là avaient conservé leur emploi. La Société des chaussures Praha avait pour propriétaire et patron Mr Jan Tomin, le fils aîné du légendaire fondateur, désormais appelé « le vieux Mr Tomin ». Mr Tomin avait veillé à ce que son troupeau, que ce soit au Canada, en Angleterre, au Nigeria ou en Inde, soit bien traité, lequel troupeau l'en remerciait par des marques de loyauté quasi féodales. A son départ à la retraite, il avait transmis ce fief à son fils. Chaque fois que le jeune Mr Tomin, quittant son quartier général de Londres (et non plus de Prague, hélas), venait en Inde, c'était l'affolement.

Les téléphones sonnaient dans tout Prahapore, des messages urgents s'échangeaient avec la direction à Calcutta, annonçant la progression du dieu : « Mr Tomin est arrivé à l'aéroport. » « Il a atteint le croisement proche de la gare de Prahapore. Mrs Tomin l'accompagne. » « Mr Tomin visite le service 416. Il a fait l'éloge de Mr Bratinka et s'est déclaré très intéressé par la nouvelle ligne de chaussures passepoilées. » « Mr et Mrs Tomin joueront au tennis cet après-midi. » « Mr Tomin s'est baigné au club des cadres, mais a trouvé l'eau trop chaude. Le bébé aussi s'est trempé, dans un tub en caoutchouc. »

Mrs Tomin était une Anglaise dont le beau visage ovale contrastait avec celui, carré, volontaire, de son époux. Elle avait donné naissance, deux ans auparavant, à un fils prénommé Jan, comme son père et son grand-père, qui accompagnait ses parents afin qu'il pût contempler son futur empire.

Mais le président de la filiale indienne de la société Praha, qui occupait les luxueux bureaux de Camac Street à Calcutta (très loin des sirènes et des fumées de Prahapore), habitait la très chic « Résidence Praha », sur Theatre Road, à cinq minutes en voiture – une somptueuse Austin –, n'était pas un trapu Husek ou Husak, mais le joyeux mangeur de paan, buveur de scotch aux cheveux gris, le Marwari Hiralal Khandelwal, qui ignorait à peu près tout (et ne tenait pas à en savoir davantage) de la fabrication des chaussures. Comment il était arrivé à ce poste mérite d'être conté.

L'histoire remontait à une vingtaine d'années. Mr Khandelwal travaillait dans la firme notariale familiale, Khandelwal and Company, chez qui étaient déposés les fonds de Praha. Quand, à la fin des années vingt, l'un des grossiums de la société avait été dépêché en Inde pour y créer une filiale, on lui avait recommandé Mr Khandelwal. C'est Hiralal qui s'occupa de toutes les formalités, dont les Tchèques ne tenaient absolument pas à s'embarrasser. Ce qu'ils voulaient, c'était se mettre à fabriquer des chaussures, aussi vite que possible.

Mr Khandelwal régla tout : l'achat de terrains, les autorisations du gouvernement de l'Inde britannique, les négociations avec les dirigeants syndicaux. Mais c'est en 1939, quand éclata la Seconde Guerre mondiale, qu'il montra son véritable savoir-faire. Les Allemands occupant la Tchécoslovaquie, Praha risquait de voir ses possessions en Inde déclarées biens ennemis et confisquées. Grâce à ses bonnes relations en haut lieu (notamment un groupe de fonctionnaires indiens qui prenaient de plus en plus d'importance au sein de l'administration, qu'il nourrissait, abreuvait et payait – en jouant au bridge avec eux et en perdant), Mr Khandelwal put sauver Praha. Loin de la déclarer firme ennemie, le gouvernement du Raj lui passa des commandes massives de bottes et autres chaussures pour l'armée. Abasourdis, médusés, les Tchèques firent entrer Mr Khandelwal au conseil d'administration de Praha (Inde), dont il ne tarda pas à devenir président.

Il s'avéra le plus avisé et le plus puissant des présidents qu'ait jamais eus Praha. Notamment parce que les ouvriers lui mangeaient dans la main. Pour eux il était un dieu vivant – Khandelwal devta ! –, l'homme au teint foncé qui régnait sur les dirigeants blancs de Praha. Jawaharlal Nehru l'avait rencontré, plusieurs ministres le connaissaient, dont le ministre du Travail. L'année précédente, une longue grève avait paralysé Prahapore, les ouvriers avaient envoyé au Premier ministre une pétition contre la direction. A quoi Nehru avait répondu : « Puisque vous avez Khandelwal, à quoi puis-je vous servir ? » Ils étaient donc allés trouver Khandelwal qui, bien que président, avait joué le rôle d'arbitre entre la direction tchèque et les syndicats.

Avant même de l'avoir rencontré, Haresh en avait appris beaucoup sur son compte de la bouche de Mr Mukherji, y compris quelques détails savoureux sur sa vie privée. Les femmes tenaient une place importante dans l'art de vivre tel que le concevait Mr Khandelwal. Il avait épousé une chanteuse, ex-courtisane, du Bihar – une femme au tempérament de feu.

Sur le point de pénétrer dans la pièce attenante au bureau de Mr Novak, chef du personnel à Prahapore, Haresh puisa un peu de courage dans la pensée que sa demande d'emploi avait transité par les mains de Mr Khandelwal. Haresh avait revêtu un costume en drap d'Irlande fabriqué sur mesure par le meilleur tailleur de Middle-hampton, chaussé des Saxone, à cinq livres la paire, enduit ses cheveux de gomina, et il embaumait un savon de luxe. Il n'en fut pas moins prié de prendre la queue. Il attendit une heure.

Mr Novak portait un pantalon marron et une chemise sans cravate. Il avait accroché sa veste au dossier de sa chaise. C'était un homme bien proportionné, d'environ un mètre soixante-quinze, à la voix mielleuse, au regard pénétrant. Sévère, raide, dur comme l'acier. C'est lui qui, en général, traitait avec les syndicats.

Il avait la lettre de candidature de Haresh sur son bureau.

« Eh bien, dit-il au bout de dix minutes d'entretien, je ne vois pas de raison de modifier notre offre. C'est une bonne proposition.

— A vingt-huit roupies par semaine ?

— Oui.

— Vous n'imaginez pas que je vais l'accepter ?

— C'est votre affaire.

— Mes diplômes – mon expérience – »

Mr Novak ne daigna pas répondre. Il ressemblait à un vieux renard.

« Je vous en prie, reconsidérez votre proposition, Mr Novak.

— Non. » La voix était douce, les yeux durs ne cillaient pas.

« J'ai fait tout le voyage depuis Delhi. Donnez-moi au moins une demi-chance. J'ai occupé un poste de direction avec un salaire mensuel honnête, et vous m'offrez les gages hebdomadaires d'un ouvrier, même pas d'un homme de maîtrise. Vous devez bien vous rendre compte que votre offre est déraisonnable.

— Non.

— Le président – »

La douce voix de Mr Novak cingla comme un fouet :

« Le président m'a demandé de considérer votre demande. Je l'ai fait et vous ai écrit. Point. Vous êtes venu de Delhi sans raison, et je n'ai pas de raison de changer d'idée. Au revoir, Mr Khanna. »

Haresh se leva, furieux, et s'en alla. Dehors, il pleuvait toujours à seaux. Dans le train le ramenant à Calcutta, il réfléchit à ce qu'il convenait de faire. Novak l'avait traité comme un moins que rien. Il s'était abaissé à le supplier, et ça n'avait pas marché.

Des motifs impérieux lui dictaient pourtant de remiser son orgueil. Il lui fallait trouver un travail s'il voulait continuer à faire sa cour à Lata. Il en connaissait assez sur Mrs Rupa Mehra pour savoir qu'elle n'autoriserait jamais sa fille à épouser un homme au chômage – et Haresh lui-même avait trop le sens des responsabilités pour proposer à Lata de partager une existence aussi précaire. Sans compter oncle Umesh et les sarcasmes dont il l'abreuverait.

Il décida donc de prendre le taureau par les cornes. Il passa tout l'après-midi sous la pluie, planté devant l'immeuble de la Praha, dans Camac Street. Et il recommença le lendemain, sous le soleil. Surveillant les aller-retour de Mr Khandelwal, il acquit la certitude que celui-ci quittait ses bureaux tous les jours à treize heures pour le déjeuner.

Le troisième jour, quand les grilles s'ouvrirent pour laisser sortir l'Austin, Haresh se dressa devant la voiture, la forçant à s'arrêter. Affolés, les gardiens ne savaient s'ils devaient le raisonner ou l'obliger par la force à s'écarter. Mr Khandelwal, cependant, le reconnut, et abaissa la vitre.

« Vous êtes –

— Haresh Khanna, Monsieur.

— Oui, oui, je me souviens. Vous êtes venu me voir à Delhi, amené par Mukherji. Que s'est-il passé ?

— Rien.

— Rien ?

— Je suis passé des sept cent cinquante roupies mensuelles de James Hawley à une offre de vingt-huit roupies hebdomadaires par Mr Novak. Apparemment, Praha ne veut pas de gens qualifiés.

— Hum. Venez me voir après-demain. »

Quand Haresh entra dans le bureau, il vit que Mr Khandelwal avait son dossier sous les yeux. Le président lui dit simplement : « J'ai parcouru ceci. Havel vous recevra demain pour un entretien. » Havel était le directeur général, à Prahapore.

Mr Khandelwal lui demanda brièvement des nouvelles de Mr Mukherji, puis le congédia. « Très bien, nous verrons ce qui arrivera. » Sa sollicitude envers Haresh s'arrêta là.

13.27

Haresh ne s'en trouva pas moins très réconforté. L'entretien avec Havel prouvait que le président avait forcé les Tchèques à considérer sa candidature avec sérieux.

A son grand soulagement, l'adjoint indien du directeur général lui dit que Mr Novak n'assisterait pas à la conversation. Et quelques minutes plus tard, il pénétrait dans le bureau du directeur général de Prahapore.

De la même courte taille que Haresh, Pavel Havel était en outre aussi large que haut.

« Asseyez-vous, asseyez-vous », dit-il.

Haresh obtempéra.

« Montrez-moi vos mains. »

Haresh les lui présenta, paumes en l'air.

« Repliez le pouce. »

Haresh s'exécuta.

« Vous n'êtes pas cordonnier.

— Si.

— Non, non, affirma Mr Havel en riant. Un autre poste, un autre emploi vous conviendrait mieux. Que voulez-vous faire chez Praha ?

— M'asseoir de l'autre côté de cette table. »

Mr Havel cessa de rire.

« Oh. Pas moins ?

— Dans l'avenir.

— Nous commençons tous à l'atelier », expliqua Mr Havel, qui éprouvait une certaine commisération pour ce garçon ambitieux mais incapable de fabriquer une chaussure. Il s'en était aperçu d'emblée en le voyant plier le pouce. L'art de la cordonnerie en Tchécoslovaquie exigeait qu'on sache plier le pouce. Ce garçon n'avait pas plus d'avenir chez Praha qu'un manchot sur un ring de boxe. « Moi-même, Mr Novak, Mr Janacek, Mr Kurilla, nous avons tous commencé à l'atelier. Si vous ne savez pas fabriquer une chaussure, que pouvez-vous attendre de nous ?

— Rien.

— Vous voyez bien –

— Vous ne m'avez même pas mis à l'essai. Comment savez-vous ce que je sais ou ne sais pas faire ? »

Pavel Havel commença à s'énerver. Il avait du travail par-dessus la tête, et ne supportait pas les bavardages inutiles. Les Indiens étaient très forts en paroles mais médiocres en actes. Regardant par la fenêtre les plantations d'un vert brillant – trop brillant – il se demanda si les communistes perdraient un jour le pouvoir en Tchécoslovaquie et s'il aurait la chance de revoir sa ville natale de Bratislava.

« Vous ne fabriquerez jamais une chaussure », dit-il brutalement.

Haresh ne comprit pas la raison de ce brusque changement de ton, mais ne se laissa pas impressionner. « Je peux vous en façonner une depuis le dessin du modèle jusqu'au produit fini.

— Eh bien, allez-y, allez-y, et vous serez contremaître à quatre-vingts roupies par semaine. » Personne n'avait commencé comme contremaître chez Praha, mais Pavel Havel était sûr de parier sans risque. On avait beau avoir des diplômes, rien ne compensait la rigidité d'un pouce et l'absence de sentiment national.

Haresh ne voulait pas s'en tenir là. « J'ai là, dans ma poche, une lettre de chez James Hawley proposant de m'engager à sept cent cinquante roupies par mois. Si je fabrique une chaussure qui vous plaise, non pas une chaussure ordinaire mais le modèle le plus élaboré de votre catalogue, me ferez-vous une offre équivalente ? »

Pavel Havel observa le jeune homme, déconcerté par son aplomb, et se tapota les lèvres. « Non, dit-il lentement. Ça vous situerait d'emblée à l'échelon des chefs de service et créerait une révolution dans l'entreprise. C'est impossible.

Si vous vous montrez capable de fabriquer la paire de chaussures que je choisirai – si vous vous en montrez capable – vous deviendrez contremaître, ce qui est déjà une demi-révolution. » Pavel Havel, qui en avait vécu une en Tchécoslovaquie, n'aimait pas les révolutions.

Il téléphona à Kurilla, le chef du service des chaussures de cuir, et lui demanda de venir dans son bureau.

« Qu'en pensez-vous, Kurilla ? Khanna veut nous montrer ses capacités. Que suggérez-vous qu'il fasse ?

— Le modèle à trépointe », dit l'autre sans hésiter.

C'était le modèle le plus difficile à réaliser, qui nécessitait plus d'une centaine d'opérations différentes. Havel fronça les sourcils, regarda ses pouces, et congédia Haresh.

13.28

Aucun poète ne travailla plus dur ni avec plus d'inspiration sur un poème que Haresh sur ses chaussures, pendant les trois jours qui suivirent. On lui fournit le matériau, on lui indiqua où se trouvaient les diverses machines, et il se mit à l'œuvre dans la chaleur et le vacarme de l'atelier.

Il en perdit l'appétit. En rentrant chaque soir à Calcutta, il rêvait de ses chaussures et de la transformation qui allait s'opérer dans sa vie.

A un stade de la fabrication – Haresh s'accordait une pause après avoir fini de tailler la semelle et les talons, opération particulièrement délicate, aussi délicate qu'une coupe de cheveux – Mr Novak vint voir comment se passaient les choses. Il lui fit un signe de tête mais ne dit mot, Haresh hocha la tête et n'ouvrit pas la bouche, et Mr Novak repartit.

Les chaussures étaient à présent pratiquement terminées ; seules les semelles, à l'endroit de la couture, laissaient un peu à désirer. Haresh les polit, les cira, les fit reluire et, pour finir, il frotta les bords contre un tour, qui masqua les vilaines coutures par un dessin décoratif.

Il ne lui restait plus qu'à imprimer à la feuille d'or la marque Praha sur la semelle intérieure. Et ce fut fait !

Il se dirigeait vers le bureau de Havel quand, soudain, il rebroussa chemin, en hochant la tête. « Quoi encore ? » demanda l'homme qu'on avait chargé de le surveiller pendant qu'il travaillait. « J'ai oublié les lacets, dit Haresh. Ce doit être la fatigue. »

Le directeur général, le chef du service des cuirs, le chef du personnel se réunirent autour de la paire de chaussures, qu'ils scrutèrent, inspectèrent, manipulèrent tout en faisant leurs commentaires, en tchèque.

« Eh bien, dit Kurilla, c'est beaucoup mieux que ce que vous ou moi aurions pu réaliser.

— Je lui ai promis un poste de contremaître, dit Havel.

— Ça n'est pas possible, protesta Novak. Tout le monde commence par le bas.

— Je le lui ai promis, et il l'aura. Je ne veux pas perdre un homme de cette qualité. A votre avis, que dira Mr K ? »

S'il avait laissé croire à une relative indifférence, Khandelwal (comme Haresh l'apprendrait plus tard) s'était en réalité montré très ferme avec les Tchèques. « Indiquez-moi, avait-il dit à Havel, quelqu'un, indien ou tchèque, qui possède de telles qualifications. » Havel en avait été incapable. Car si Kurilla avait lui aussi fréquenté l'Institut de technologie de Middlehampton, il n'en était pas sorti premier comme Haresh. Sur quoi Mr Khandelwal avait ajouté : « Je vous interdis d'engager quiconque de moins diplômé tant que vous ne l'aurez pas engagé, lui. » Et il avait refusé, malgré les protestations de Havel, d'en démordre. Désormais, et quoi qu'il pensât des Indiens par ailleurs, Pavel Havel réserverait ses jugements sur les pouces des gens.

Il devait conserver la paire de chaussures dans son bureau pendant plus d'un an, la présentant à ses visiteurs comme l'exemple même du beau travail.

Pour l'heure, il convoqua Haresh.

« Asseyez-vous, asseyez-vous », dit-il.

Haresh prit une chaise.

« Excellent, excellent ! » continua Havel.

308

Haresh savait qu'il avait parfaitement réussi, il n'en fut pas moins ravi. Il sourit, et ses yeux disparurent.

« Donc je tiens ma promesse. Vous avez le poste. Quatre-vingts roupies par semaine. Vous commencez lundi. D'accord Kurilla ?

— D'accord.

— Novak ? »

Celui-ci hocha la tête, le visage sévère. Sa main courait sur la bordure d'une des chaussures. « Bon travail, dit-il.

— La chose est entendue. Vous acceptez ? demanda Havel à Haresh.

— Le salaire est trop bas. Comparé à celui que j'avais avant et à celui qu'on m'a proposé.

— Nous envisagerons une augmentation après une période d'essai de six mois. Vous ne vous rendez pas compte, Khanna, des concessions que nous avons déjà faites.

— Je vous en suis reconnaissant. J'accepte, à une condition sur laquelle je ne transigerai pas : je veux vivre dans la colonie et avoir accès au club des cadres. »

Il était convaincu que, aux yeux de Lata, de sa mère et de son célèbre frère de Calcutta, son entrée chez Praha – dans des conditions si exceptionnelles pour l'entreprise – n'aurait de valeur sur le plan social que s'il parlait d'égal à égal avec les dirigeants.

« Non, non, s'écria Pavel Havel, l'air sincèrement inquiet.

— Impossible », décréta Novak, foudroyant Haresh du regard.

Kurilla ne dit rien. Il savait qu'aucun agent de maîtrise n'avait jusque-là reçu l'autorisation d'habiter à l'intérieur du complexe d'une quarantaine de maisons, ceinturé de murs. Et parmi les occupants ne figurait qu'un seul Indien. Mais il était heureux de voir l'excellence de son vieil institut de nouveau prouvée ; le fait que lui, Kurilla, eût suivi un enseignement, donnait souvent matière à plaisanter à ses collègues, qui avaient appris leur métier sur le tas.

Haresh aussi savait, grâce à l'adjoint de Havel, qu'un seul Indien vivait dans la colonie – un dirigeant du service comptabilité. Mais il percevait la sympathie de Kurilla, l'hésitation de Havel. Quant au glacial Novak, ne s'était-il pas laissé aller jusqu'à proférer des mots de félicitations ? Tout espoir n'était donc pas perdu.

« Je désire par-dessus tout travailler pour Praha, dit-il avec chaleur. Vous voyez vous-mêmes le prix que j'attache à la qualité. C'est ce qui m'a attiré vers vous. J'étais cadre à la SCC et James Hawley m'offrait un poste de direction, il n'y a donc rien d'anormal à ce que j'aie ma place dans la colonie. Je ne transigerai pas. J'accepterai un compromis sur le salaire, sur mon statut – contremaître ou surveillant, à votre choix – mais je ne céderai pas sur ce point. Alors, faites un effort. »

Il y eut un conciliabule en tchèque. Ils ne pouvaient consulter le directeur administratif, absent du pays pour le moment. Quant au président, qui traitait souvent ses subordonnés tchèques avec la même brusquerie qu'eux-mêmes traitaient leurs subordonnés indiens, il n'apprécierait sûrement pas cet ostracisme. S'ils laissaient filer Haresh, ils le paieraient d'une manière ou d'une autre.

Semblable au plaignant qui, au tribunal, entend un jargon incompréhensible, dont dépend néanmoins son sort, Haresh écoutait, soupçonnant au ton, aux gestes et à quelques mots – « colonie », « club », « Khandelwal », « Middlehampton », « Jan Tomin » – que Kurilla avait réussi à persuader Havel et que tous deux faisaient pression sur Novak. Lequel répliquait par des mots brefs, tranchants, de cinq ou six syllabes. Puis, soudain, il eut un geste expressif – haussant à demi les épaules, il leva à demi les bras. Et ce fut tout.

Pavel Havel eut alors un large sourire.

« Bienvenue – bienvenue à Praha ! » dit-il, comme s'il offrait à Haresh les clefs du paradis.

Haresh arbora la mine épanouie de qui se trouve effectivement au royaume des cieux.

Tout le monde se serra la main.

Arun Mehra et son ami Billy Irani bavardaient, assis dans la véranda du Calcutta Club surplombant la pelouse. C'était l'heure du déjeuner. Le garçon n'était pas encore passé prendre la commande, mais Arun répugnait à presser le timbre en cuivre posé sur la table en rotin. Il préféra attirer l'attention d'un des serveurs en tapotant sa main gauche de sa main droite.

« Abdar !

— Oui, Monsieur.

— Que veux-tu boire Billy ?

— Un gimlet.

— Un gimlet et un Tom Collins.

— Bien Monsieur. »

Leurs boissons servies, ils commandèrent chacun du poisson grillé.

« Tiens, dit Arun, jetant un coup d'œil alentour, c'est Khandelwal là-bas, assis tout seul – le type de Praha.

— Ces Marwaris – Il fut un temps où appartenir à ce club signifiait quelque chose. »

Ils avaient à diverses reprises constaté, avec dégoût, les tendances alcooliques de Khandelwal. Chez lui, sous la poigne ferme de Mrs Khandelwal, il n'avait droit qu'à un verre par soirée ; aussi s'affairait-il à en boire le plus possible durant la journée.

Mais aujourd'hui, Arun ne trouva rien à objecter à la présence de Mr Khandelwal, encore moins au fait qu'il était assis seul, en train de siroter son quatrième whisky. Arun avait reçu une lettre de Mrs Rupa Mehra lui ordonnant d'entrer en relation avec un certain Haresh Khanna, et de lui donner ensuite ses impressions. Haresh, semblait-il, travaillait chez Praha et habitait Prahapore.

Arun n'allait sûrement pas s'abaisser à aller trouver ce garçon directement – en revanche il pouvait, au passage, en parler avec le président de Praha. Et voilà qu'une excellente occasion se présentait.

« C'est étonnant, continuait Billy. A peine a-t-il fini un verre qu'il en a un autre à la main. Il ne sait pas s'arrêter. »

Arun rit, puis : « Au fait – Meenakshi est enceinte.

— Enceinte ? répéta Billy, l'air passablement obtus.

— Oui, elle attend un bébé, tu vois ce que je veux dire ?

— Bien sûr, bien sûr, enceinte ! » Billy hocha la tête puis soudain, comme frappé par on ne sait quelle idée, parut bouleversé.

« Ça va ? Tu te sens bien ? Un autre verre ? Abdar –

— Oui, Monsieur.

— Un autre gimlet. Pourtant nous prenons des précautions. Ce qui prouve qu'on ne peut jamais rien affirmer. Des types décidés –

— Des types ?

— Mais oui, les bébés. Ils veulent apparaître et ils le font, sans consulter leurs parents. Meenakshi semble un peu soucieuse – mais je suppose que tout se passera bien. Aparna devra s'accommoder d'un frère. Ou d'une sœur. Excuse-moi, Billy, je voudrais aller dire un mot à Khandelwal. A propos de notre nouvelle politique de recrutement. Il semble que Praha ait engagé des Indiens récemment, et il me donnera peut-être quelques idées. Tu ne m'en veux pas ? Je n'en ai que pour quelques minutes.

— Non, non, pas du tout.

— Tu n'as pas l'air bien. C'est le soleil ? Nous pouvons changer de table.

— Non, non – juste un peu fatigué – travaille trop, j'imagine.

— Eh bien, détends-toi. Tu ne te fais pas rembarrer par Shireen ? Son influence modératrice et tout le reste ?

— Shireen ? » Le beau visage de Billy était devenu tout pâle, ses lèvres s'entrouvraient comme celles d'un poisson. « Oh oui, Shireen. »

Pendant une seconde, Arun se demanda si le QI de Billy n'était pas tombé à zéro, mais une autre idée l'occupa aussitôt. Grimaçant un sourire, il s'approcha de la table de Mr Khandelwal à l'autre bout de la véranda.

« Content de vous voir, Mr Khandelwal. »

Déjà à moitié ivre, le président de Praha leva les yeux, la mine très cordiale. Il reconnut Arun, l'un de ces rares jeunes gens à être admis dans le monde des affaires britannique – et qui, avec leurs épouses, animaient de ce fait la bonne société indienne de Calcutta. Tout président de Praha qu'il fût, l'attention d'Arun, à qui on l'avait présenté un jour, aux courses, le flattait. Il se souvenait très bien que ce garçon avait une splendide créature pour épouse, mais quant à son nom... « Arun Mehra, dit Arun, admettant mal que quelqu'un pût ne pas se souvenir de lui.

— Oui, oui, bien sûr – Bentsen Pryce.

— M'accorderiez-vous quelques instants d'entretien, Mr Khandelwal ? »

D'un geste, Khandelwal l'invita à s'asseoir.

« Un verre ? proposa-t-il, le doigt sur le timbre en cuivre.

— Non, merci, j'en ai déjà pris un. »

La belle affaire, songea Mr Khandelwal. « En quoi puis-je vous être utile ? demanda-t-il.

— Comme vous le savez sans doute, notre maison, ainsi que plusieurs autres, a engagé des Indiens – des Indiens convenables, bien entendu – à des postes de direction, sur un contrat progressif. Et l'on raconte que vous songez à en faire autant. »

Khandelwal opina du chef.

« D'une certaine façon, nous sommes vous et nous dans la même situation, poursuivit Arun. C'est difficile de trouver le genre de personne dont on a besoin. »

Khandelwal sourit.

« Pour vous peut-être, dit-il, mais pas pour nous. L'autre jour, par exemple, nous avons recruté un garçon avec de très bons antécédents. » Il passa à l'hindi. « Un garçon bien – il a étudié en Angleterre, possède une très bonne connaissance technique. Ils voulaient lui donner un poste subalterne, mais j'ai insisté – comment s'appelle-t-il déjà – ah oui, Haresh Khanna.

— De Kanpur ? s'enquit Arun, s'autorisant deux mots d'hindi.

— Je l'ignore. Ah si, de Kanpur. C'est Mukherji de la SCC qui me l'a amené. Pourquoi, vous avez entendu parler de lui ?

— C'est très curieux, Mr Khandelwal, mais je pense que ce doit être le jeune homme dont ma mère m'a parlé récemment, comme – comme d'un parti possible pour ma sœur. C'est un khatri, comme nous – bien que je n'attache aucune importance à ces histoires de castes. Mais pas question de discuter avec ma mère – elle croit à tout ce méli-mélo de khatri-patri. Ainsi il travaille pour vous ?

— Oui. Un garçon bien. Bonnes qualifications techniques. »

Au mot « technique », Arun frémit intérieurement.

« Nous ne serions pas contre le fait de l'inviter chez nous un jour ou l'autre, dit-il, mais peut-être vaudrait-il mieux qu'il ne soit pas seul. Je me demande : accepteriez-vous, Mrs Khandelwal et vous, de venir prendre le thé un jour ? Nous habitons Sunny Park, dans Ballygunge comme vous le savez : pas loin du tout de chez vous. Je voulais d'ailleurs vous inviter depuis déjà un certain temps ; je crois savoir que vous êtes un excellent joueur de bridge. »

Pure flatterie dans la bouche d'Arun, car, de notoriété publique, Mr Khandelwal était un joueur irréfléchi – sa seule habileté consistant à perdre sur de fortes enchères (quoique parfois pour faire rebondir le jeu).

Tout à fait conscient du charme roublard que déployait Arun, Mr Khandelwal n'en fut pas moins sensible à la flatterie. Mais comme il aimait recevoir – et étaler les splendeurs de sa demeure – il fit ce qu'Arun espérait : il renvoya l'invitation.

« Non, non, venez plutôt chez nous. Je demanderai à ce garçon – Khanna – de se joindre à nous. Et ma femme sera très heureuse de connaître Mrs Mehra.

— C'est très aimable à vous, Mr Khandelwal.

— Pas du tout, pas du tout. Vous êtes sûr que vous ne voulez rien boire ?

— Non merci.

— Nous discuterons de nos procédés de recrutement.

— Ah oui, le recrutement. Quel jour vous conviendrait ?

— N'importe lequel. » On n'était pas très strict sur les principes chez les Khandelwal. Les gens débarquaient, et il n'était pas rare que plusieurs réceptions se tiennent en même temps. Six gros bergers allemands se fondaient dans la mêlée, terrifiant les invités.

« Que diriez-vous de mardi prochain ? insista Arun.

— Mardi si vous voulez, ou un autre jour...

— Cinq heures ?

— Cinq heures – ou une autre heure.

— Eh bien, donc, mardi prochain à cinq heures. Je m'en réjouis à l'avance. » Arun se demanda néanmoins si Mr Khandelwal n'aurait pas tout oublié dans cinq minutes.

« Voilà, c'est ça, mardi à cinq heures, dit Mr Khandelwal, plongé dans les vapeurs de l'alcool. Abdar – »

13.30

Avant même le second hurlement de la sirène de huit heures, tout le monde avait pointé ; directeurs et chefs de service empruntaient une entrée différente. On conduisit Haresh à sa place, une table dans le grand hall, à côté de la chaîne. De là, il surveillerait tout en faisant le travail de bureau nécessaire. Seuls les chefs d'atelier avaient droit à un habitacle clos. Haresh ne vit pas où visser la plaque en cuivre portant son nom qu'il avait ôtée de la porte de son bureau à la SCC.

Peut-être, de toute façon, n'aurait-il pu l'utiliser : chez Praha, l'uniformité régnait, et il en allait des plaques comme de tout le reste. C'est ainsi que les Tchèques avaient toujours refusé d'employer autre chose que le système métrique, sans se soucier de ce qui prévalait sous le Raj ou actuellement dans l'Inde indépendante. Quant au système monétaire – « trois pices pour une paisa, quatre paisas pour un anna, seize annas pour une roupie », comme le chantaient tous les petits écoliers indiens – ils ne s'en souciaient pas davantage. Ils avaient décimalisé la roupie à l'intérieur de l'entreprise des décennies avant que le gouvernement ne commence même à l'envisager.

Haresh, qui aimait l'ordre, approuvait sans réserve. Heureux de travailler dans une entreprise bien organisée, aux rouages bien huilés, dans un environnement clair et agréable, il était résolu à faire de son mieux.

Les conditions de son engagement avaient suscité de multiples rumeurs parmi les ouvriers, rumeurs qui renchérirent quand on apprit que Mr Khandelwal l'avait invité à prendre le thé. On raconta que ce petit homme râblé, au teint clair et aux vêtements élégants était en réalité un Tchèque qui, pour des raisons connues de lui seul, avait décidé de se faire passer pour un Indien. D'une autre source, on affirma qu'il était le beau-frère de Khandelwal. Haresh se garda de dissiper ces rumeurs, qui lui servaient à obtenir ce qu'il voulait.

Quand il se présenta à la grille de l'immense maison de Theatre Road – la « Résidence Praha », comme on l'appelait – les gardiens le saluèrent avec élégance. La pelouse immaculée, les cinq voitures garées dans l'allée (dont l'Austin qu'il avait forcée à s'arrêter quelques jours auparavant), les palmiers bordant cette allée, la grande demeure elle-même, tout l'impressionna beaucoup. Une seule chose le dérangea : le léger défaut d'alignement de l'un des palmiers.

Mr Khandelwal l'accueillit de façon amicale. Il s'exprima en hindi : « Ainsi vous êtes devenu un Prahaman. C'est très bien.

— C'est grâce à votre gentillesse –

— Vous avez raison, l'interrompit Mr Khandelwal, méprisant toute fausse modestie. C'est grâce à ma gentillesse. » Il se mit à rire. « Ces fous de Tchèques vous auraient fichu à la porte s'ils l'avaient pu. Entrez, entrez... Mais ce sont vos capacités qui l'ont emporté. J'ai entendu parler de cette paire de chaussures. »

Haresh fut présenté à Mrs Khandelwal, femme étonnante de séduction, proche de la quarantaine, vêtue d'un sari blanc et or. Un clou en diamant dans l'aile du nez, des boucles d'oreilles en diamant et un sourire plein de vivacité ajoutaient à l'éblouissement.

Au bout de quelques minutes, elle l'avait envoyé réparer un robinet dans la salle de bains. « Il faut qu'il marche avant l'arrivée des autres invités, dit-elle en déployant tout son charme. On me dit que vous êtes très habile de vos mains. »

Interloqué, Haresh ne s'en exécuta pas moins. Il ne s'agissait pas d'un test – comme celui de Pavel Havel – pas plus que l'hôtesse n'essayait de vérifier l'empire de son sourire. Simplement, quand il y avait quelque chose à faire, Mrs Khandelwal attendait de quiconque se trouvait là qu'il le fasse. Tous les employés indiens de Praha savaient qu'ils pouvaient être appelés à n'importe quelle heure pour satisfaire les besoins de la Reine. Haresh ne s'en formalisa d'ailleurs pas : il aimait que les choses fonctionnent. Il ôta son veston et suivit un domestique qui le conduisit au robinet défectueux. Il se demanda qui pouvaient être ces invités.

Pendant ce temps, lesdits invités étaient en route, Meenakshi brûlant d'impatience. Après l'ennui mortel de Brahmpur, c'était si bon de retrouver Calcutta. Les quelques jours qu'Aparna avait passés chez sa grand-mère Chatterji (où on l'avait parquée également ce soir) l'avaient un peu calmée ; même le paresseux Varun faisait partie du bonheur de rentrer chez soi, après Brahmpur et ses odeurs de bébé, ses cousins campagnards et ses Maitra gâteux.

La soirée s'annonçait grandiose : thé chez les Khandelwal, suivi de deux cocktails (où elle rencontrerait forcément Billy – quelle serait sa réaction, se demanda-t-elle, quand, en riant, elle lui annoncerait la nouvelle ?) ; pour finir ils iraient dîner et danser. Elle était curieuse de voir les Khandelwal avec leur grande maison, leurs six chiens et leurs cinq voitures, et attendait avec intérêt de rencontrer ce petit cordonnier parvenu qui avait des vues sur Luts.

Les pelouses et les fleurs de la Résidence Praha faisaient grande impression, surtout en cette saison où presque rien ne fleurissait.

Haresh avait réenfilé son veston quand on le présenta au jeune et grand gentleman et à son élégante épouse, qui parurent le toiser d'une hauteur pas seulement physique. Il comprit pourquoi en entendant le nom. Ainsi c'était là le frère de Calcutta.

« Très heureux de faire votre connaissance », dit-il en serrant peut-être un peu trop la main d'Arun. C'était la première fois qu'il rencontrait vraiment un de ces sahibs au teint foncé. A l'époque où il vivait à Patiala, il s'était souvent demandé pourquoi les gens faisaient tant d'histoires à propos de tel ou tel jeune homme de chez Imperial Tobacco, Shell ou toute autre firme étrangère, résidant en ville ou la traversant, ne se rendant pas compte que pour un simple commerçant un représentant de la classe des compradores était un personnage important quel que soit son âge ; il pouvait ouvrir ou fermer une succursale, faire ou défaire une fortune. Il se déplaçait en voiture avec chauffeur, spectacle peu courant dans une petite ville.

Arun, de son côté, réfléchissait : petit ; exubérant ; quelque chose de voyant dans sa façon de s'habiller ; a une trop bonne opinion de lui-même.

Tout le monde s'assit pour le thé, les femmes menant la conversation. Meenakshi nota que le service Rosenthal blanc et or était exactement assorti au sari de son hôtesse. Typique de ces gens ! se dit-elle. Ils en font trop.

Elle chercha des yeux ce qu'elle pourrait admirer. Sûrement pas le lourd mobilier, trop somptueux, mais la petite peinture japonaise, là-bas, oui, lui plaisait bien : juste deux oiseaux et de la calligraphie.

« C'est un merveilleux tableau, Mrs Khandelwal. Où l'avez-vous trouvé ?

— Au Japon. Mr Khandelwal y est allé en voyage –

— En Indonésie », corrigea Mr Khandelwal. Cadeau d'un homme d'affaires japonais qu'il avait rencontré pendant une conférence à Djakarta, à laquelle il assistait pour le compte de Praha Inde.

Sous le regard acéré que lui décocha son épouse, Mr Khandelwal battit en retraite.

« Je sais très bien où et quand tu l'as eu, dit-elle.

— Oui, oui, bien sûr – approuva son mari.

— Quel beau mobilier ! » s'exclama Haresh, croyant que c'est ce genre de choses qu'il convient de dire en de telles circonstances.

Meenakshi s'abstint de tout commentaire.

Mais Mrs Khandelwal le gratifia de sa plus charmante, de sa plus douce expression. Il venait de lui fournir l'occasion qu'elle attendait depuis le début : « Vraiment, vous trouvez ? Il a été fabriqué chez Kamdar – Kamdar de Bombay. Nous leur devons la décoration de la moitié de la maison. »

Meenakshi regarda le canapé d'angle – en bois lourd et sombre, recouvert d'une tapisserie bleu foncé. « Si vous aimez ce genre de choses, vous en trouverez facilement à Calcutta. A la salle des ventes de Chowringhee, par exemple, si vous voulez des meubles vieux style. Et si vous voulez quelque chose de plus moderne, il y a toujours Mozoomdar. C'est un peu moins – elle chercha le mot – pesant. C'est une question de goût. Ces pakoras sont délicieux », ajouta-t-elle à titre de compensation, en se resservant.

Son rire tinta sur la porcelaine, sans raison évidente.

« A mon avis, susurra Mrs Khandelwal, la qualité du travail et la qualité du bois, chez Kamdar, sont imbattables. »

Et la qualité de la distance, se retint de dire Meenakshi. Si vous habitiez Bombay, vous feriez venir vos meubles de Calcutta. Et tout haut : « Bien entendu, Kamdar, c'est Kamdar.

— Encore un peu de thé, Mrs Mehra », proposa Mrs Khandelwal, qui le versa sans attendre.

Elle continuait à déployer tout son charme, sur lequel elle comptait pour conquérir les gens, femmes incluses. Si elle manquait un peu de confiance en soi en raison de son passé, elle ne se montrait jamais agressive. Que la douceur échouât, et elle se transformait volontiers en furie.

L'impatience sembla gagner Mr Khandelwal. Au bout d'un moment, il s'excusa et sortit pour respirer un peu d'air. Quand il revint, il sentait la cardamome et paraissait beaucoup plus heureux. Mrs Khandelwal lui lança un regard soupçonneux auquel il opposa un visage innocent.

Soudain, sans autre avertissement, trois chiens déboulèrent dans la pièce, aboyant frénétiquement. Haresh faillit en renverser son thé, Arun bondit sur sa chaise, Mr Khandelwal se demanda comment ils avaient pu entrer. Seules les deux femmes restèrent calmes. Meenakshi était habituée aux agissements de Cuddles, et d'ailleurs adorait les chiens. Quant à Mrs Khandelwal, elle leur intima à voix basse : « Couchés ! Couché Cassius – couché Crystal – couché Jalebi ! »

Les trois bêtes obéirent, pantelantes, sachant très bien qu'en cas contraire, leur maîtresse n'aurait pas hésité à les fouetter sans pitié.

« Voyez – voyez comme il est gentil mon Cassius, regardez-le mon petit chien, comme il a l'air malheureux. Il ne voulait faire peur à personne.

— Eh bien, dit Arun, c'est que ma femme est dans une situation – euh – délicate, et ces chocs – »

Horrifiée, Mrs Khandelwal s'en prit à son mari : « Mr Khandelwal, savez-vous ce que vous avez fait ? En avez-vous la moindre idée ?

— Non, dit-il affolé.

— Tu as laissé la porte ouverte. Voilà comment les bêtes ont pu entrer. Ramène-les dehors immédiatement, et ferme la porte. »

S'étant ainsi débarrassée des chiens et de son mari, elle se tourna vers Meenakshi, pleine de sollicitude.

« Ma pauvre Mrs Mehra, je ne sais comment m'excuser. Prenez un autre pakora. Deux. Vous devez prendre des forces.

— Excellent thé, Mrs Khandelwal, s'aventura Haresh.

— Prenez-en une autre tasse. Nous faisons venir notre mélange directement de Darjeeling », dit Mrs Khandelwal.

13.31

Après un certain silence, Haresh décida d'affronter le lion.

« Vous devez être le frère de Lata, dit-il à Arun. Comment va-t-elle ?

— Très bien.

— Et votre mère ?

— Très bien, je vous remercie.

— Et le bébé ?

— Le bébé ?

— Votre nièce.

— A merveille, sans aucun doute. »

Le silence retomba.

« Avez-vous des enfants ? demanda Haresh à Meenakshi.

— Oui, une fille. »

Ce cordonnier, se dit-elle, quel piètre rival pour Amit !

Arun s'adressa à Haresh : « Que faites-vous exactement, Mr Khanna ? Je crois comprendre que Praha vous a engagé. A un poste de direction, j'imagine.

— Non, pas pour le moment. J'exerce une fonction de surveillance, alors que dans ma place précédente j'avais un poste de direction. Mais je n'y avais pas d'avenir, c'est pourquoi j'ai accepté l'offre de Praha.

— De surveillance ?

— Je suis contremaître.

— Ah ! contremaître.

— D'habitude, on démarre à l'atelier chez Praha.

— Hmm. » Arun avala une gorgée de thé.

« James Hawley m'avait proposé un poste de cadre –

— Je n'ai jamais compris pourquoi le groupe Cromarty n'avait pas installé sa direction à Calcutta, dit Arun avec morgue. Etonnant qu'ils veuillent rester une entreprise provinciale. Enfin ! »

Meenakshi trouva qu'Arun se montrait par trop hostile. « Vous êtes originaire de Delhi, n'est-ce pas, Mr Khanna ?

— En effet. J'ai fait mes études à St Stephen.

— Et ensuite, vous êtes allé en Angleterre parfaire votre éducation ? A Oxford ou Cambridge ?

— A l'Institut de technologie de Middlehampton. »

Le silence tomba à nouveau, interrompu par le retour de Mr Khandelwal. Il paraissait encore plus heureux. Il s'était arrangé avec le portier pour qu'il lui garde en permanence une bouteille de whisky, et il ne lui fallait que cinq secondes pour en descendre un verre...

Arun reprit sa conversation avec Haresh. « Quelles pièces avez-vous vues récemment, Mr Khanna ? » Il en nomma quelques-unes qui se donnaient à Londres.

« Des pièces ?

— Puisque vous revenez d'Angleterre, je suppose que vous en avez profité pour aller au théâtre.

— Je n'ai pas eu beaucoup d'occasions d'aller au théâtre dans les Midlands. En revanche, j'ai vu bon nombre de films. »

Arun ne réagit pas à cette information. « J'espère que

vous avez visité Stratford ; ça n'est pas loin de Middle-hampton.

— Oui », souffla Haresh, soulagé. C'était pire que Novak, Havel et Kurilla réunis.

Arun se mit à disserter sur la restauration du cottage d'Anne Hathaway et finit par en venir à la reconstruction de Londres depuis la fin de la guerre.

Meenakshi cita des amis à elle qui étaient en train d'aménager une ancienne écurie, derrière Baker Street. La conversation porta alors sur les hôtels. En entendant mentionner le Claridge, Mr Khandelwal, qui y réservait toujours une suite quand il se rendait à Londres, se réveilla :

« Ah oui, le Claridge. Je suis en très bons termes avec le Claridge. Le directeur me demande toujours : "Est-ce que tout est à votre convenance, Mr Khandelwal ?" et moi je réponds toujours : "Oui, tout est à ma convenance." » Il sourit, comme à une bonne plaisanterie.

Le regard que lui jeta Mrs Khandelwal exprimait une colère muette. Elle le soupçonnait d'aller à Londres autant pour les filles que pour les affaires, et à juste titre. Il lui arrivait de lui téléphoner en plein milieu de la nuit pour vérifier qu'il était bien là où il prétendait être, et quand il se plaignait, ce qu'il osait rarement faire, elle affirmait s'être embrouillée dans le décalage horaire.

« Qu'est-ce qui vous séduit le plus à Londres – quand il vous arrive d'y aller ? dit Arun, s'adressant à Haresh.

— Les pubs, bien sûr. Où qu'on aille, on tombe toujours sur un pub. L'un de mes favoris est celui qui forme un angle, près de Trafalgar Square – le Marquis d'Anglesey – ou le Marquis de Granby ? »

Renseignement qui parut intéresser Mr Khandelwal, mais qui fit passer une sorte de frisson chez les trois autres. Haresh se comportait vraiment comme un éléphant dans un magasin de porcelaine.

« Où achetez-vous les jouets pour votre fille ? se hâta de demander Mrs Khandelwal. Je dis toujours à Mr Khandelwal d'acheter des jouets en Angleterre. De si beaux cadeaux. Il naît toujours des gens en Inde, et je ne sais jamais quoi offrir. »

Arun donna le nom de trois boutiques à Londres, pour finir par un hymne à Hamleys :

« Je prétends néanmoins, Mrs Khandelwal, qu'il faut s'en tenir aux magasins dont la réputation n'est plus à faire. Et, réellement, rien ne peut se comparer à Hamleys. Des jouets de bas en haut – que des jouets, à chaque étage. Et c'est si beau au moment de Noël. C'est sur Regent Street – pas loin de chez Jaeger –

— Jaeger ! l'interrompit Mrs Khandelwal. J'y ai acheté une douzaine de pull-overs le mois dernier.

— A quand remonte votre dernier voyage en Angleterre, Mr Mehra ? » s'enquit Haresh, essayant de rentrer dans la conversation.

Mais quelque chose parut s'être coincé dans la gorge d'Arun qui, sortant son mouchoir, se mit à tousser, montrant du doigt sa pomme d'Adam.

Son hôtesse s'empressa, commanda qu'on lui apporte un verre d'eau. Le domestique apparut avec un gobelet grossier posé sur un thali d'acier inoxydable. Captant le regard horrifié de Meenakshi, Mrs Khandelwal hurla après le domestique :

« C'est comme ça qu'on t'a appris à apporter de l'eau ? Je devrais te renvoyer dans ton village. » Le plateau d'acier jurait abominablement avec le service à thé blanc et or. Meenakshi parut encore plus horrifiée par l'éclat de son hôtesse.

Arun rétabli et la conversation sur le point de repartir, Haresh, persuadé que celui-ci apprécierait l'intérêt qu'il lui portait, répéta sa question :

« A quand remonte votre dernier voyage en Angleterre ? »

Arun vira au rouge puis reprit son sang-froid. Il n'y avait plus d'échappatoire possible, il devait répondre.

« Eh bien, dit-il, appelant toute sa dignité à la rescousse, il se trouve que, cela vous surprendra, je n'ai en fait encore jamais eu l'occasion d'y aller – mais, bien entendu, nous irons dans quelques mois. »

Haresh fut médusé. Il ne lui serait même pas venu à l'idée de demander à Arun s'il s'était déjà rendu en Angleterre. Il se retint de rire, mais ses yeux ne furent plus qu'une fente dans son visage amusé. Mr et Mrs Khandelwal parurent eux aussi stupéfaits.

Meenakshi se dépêcha de parler de bridge, il fallait absolument que les Khandelwal viennent jouer chez elle. La conversation se poursuivit quelques minutes, au terme desquelles les Mehra consultèrent leur montre, échangèrent un regard, remercièrent leurs hôtes et s'esquivèrent.

13.32

Meenakshi ne s'était pas trompée. Elle tomba sur Billy Irani à la seconde cocktail-party de la soirée. Shireen était avec lui, mais Meenakshi réussit, en jouant à flirter, à l'attirer à l'écart sous les yeux de tous.

« Sais-tu, dit-elle à mi-voix, le ton rieur et avec une mimique affichant qu'ils parlaient de tout et de rien, sais-tu que je suis enceinte ?

— Oui, Arun me l'a dit, fit Billy, l'air nerveux.

— Alors ?

— Alors – tu veux que je te félicite ? »

Meenakshi, le regard froid, actionna son rire en carillon.

« Non, je ne crois pas que ce soit une bonne idée. C'est toi-même que tu pourras peut-être féliciter dans quelques mois. »

Le pauvre Billy prit une mine hagarde.

« Mais nous avons fait attention (sauf une fois, se dit-il).

— Moi, j'ai fait attention avec chacun.

— Chacun ?

— Je veux dire Arun et toi. Bon, changeons de sujet, le voilà qui s'amène. »

Mais Arun, qui avait remarqué Patricia Cox et voulait jouer les galants, se contenta d'un signe de tête en passant près d'eux. Meenakshi était en train de dire :

« – bien entendu je ne comprends rien à ces histoires de handicap et autres, mais j'adore les mots, deux coups, birdies etc. Ils sonnent si – si – bon, il est parti. Alors, Billy, quand nous voyons-nous ?

— Mais c'est impossible, pas après ça ! » Billy, au bord de l'épouvante, fixait les petites boucles d'oreilles de Meenakshi, en forme de poire, comme si elles le fascinaient.

« Je ne peux pas tomber enceinte une deuxième fois. Aucun danger, maintenant. »

Comme malade, Billy jeta un rapide coup d'œil vers Shireen, à l'autre bout de la pièce.

« Vraiment, Meenakshi !

— Il n'y a pas de "vraiment, Meenakshi" qui tienne, dit-elle la voix coupante. Nous allons continuer comme avant, Billy, ou je ne réponds pas des conséquences.

— Tu n'irais quand même pas lui dire – »

Meenakshi étira son long cou, sourit et ne répondit pas.

« Et le – euh – bébé ?

— Je vais voir ce que je peux faire. Je deviendrai folle, sinon. De ne pas savoir. Il se pourrait que j'aie besoin d'une aide. Alors, disons, vendredi après-midi ? »

Billy hocha la tête, impuissant.

« Très bien, vendredi donc. C'est vraiment merveilleux de te revoir. Mais tu as l'air un peu patraque. Mange un œuf dur avant de venir. » Elle le quitta sur ces derniers mots, et, arrivée au milieu de la pièce, se retourna pour lui envoyer un baiser du bout des doigts.

13.33

Ils dînèrent, dansèrent un peu (« Je ne sais pas si tu pourras continuer comme ça encore longtemps, ma chérie », dit Arun) et rentrèrent chez eux. Meenakshi alluma, ouvrit le réfrigérateur pour y prendre de l'eau froide, Arun regarda la pile de disques sur la table de la salle à manger.

« C'est la troisième fois que Varun fait ça, gronda-t-il. Cette maison n'est pas une porcherie. Où est-il d'ailleurs ?

— Il a dit qu'il rentrerait tard, chéri. »

Arun se dirigea vers sa chambre, dénouant sa cravate tout en marchant, alluma – et se figea de stupeur.

La pièce avait été cambriolée. La grande malle de fer noir qui, recouverte d'un matelas et d'une pièce de tissu, servait de banquette, béait grande ouverte, serrures forcées. La serviette de cuir qu'elle renfermait avait été délestée de son contenu. N'ayant pas réussi à forcer le fermoir de sécurité de la serviette, les voleurs avaient tailladé le cuir et extrait les coffrets à bijoux, qui gisaient, vides, éparpillés sur le sol. Jetant un regard alentour, Arun vit que rien d'autre n'avait été touché. Tous les bijoux offerts par les deux familles, y compris la médaille d'or désormais unique de son père, avaient disparu. Seuls rescapés : le collier que Meenakshi portait la veille, et qu'elle avait simplement posé sur sa coiffeuse, et bien entendu les bijoux qu'elle portait ce soir. Nombre des joyaux volés avaient une grande valeur sentimentale et surtout – alors qu'Arun travaillait au département assurance de Bentsen Pryce – aucun n'était assuré.

Quand il revint dans le salon, il était blanc comme un linge.

« Que se passe-t-il chéri ? demanda Meenakshi en se dirigeant vers la chambre.

— Rien, ma chérie, dit Arun en lui barrant la route. Rien. Assieds-toi.

— Mais quelque chose ne tourne pas rond, Arun. »

Il l'entoura de son bras et, avec précaution, lui raconta.

« Dieu merci, Aparna est chez ses parents. Mais où sont les domestiques ?

— Je les ai laissés partir de bonne heure.

— Allons voir si Hanif dort. »

Le marmiton fut affolé. Il dormait, n'avait rien vu, rien entendu. Terrifié à l'idée qu'on pût le soupçonner. A l'évidence, les voleurs savaient où se trouvaient les bijoux, on les avait renseignés. Peut-être le balayeur, suggéra-t-il.

Arun téléphona au poste de police. Personne ne répondit. Il lâcha une série de jurons, qui le calma. Avant tout, ne pas bouleverser sa femme.

« Chérie, tu ne bouges pas d'ici. Je vais jusqu'au poste de police. »

Mais Meenakshi ne voulut pas rester seule dans la maison. Elle tremblait. Dans la voiture, elle posa la main sur l'épaule d'Arun.

« Calme-toi, chérie. Du moins, nous sommes tous sains et saufs. Ne t'inquiète pas. Tâche de ne pas y penser. Ce n'est bon ni pour toi ni pour le bébé. »

13.34

La perte de ses bijoux perturba tant Meenakshi qu'elle alla se réfugier chez ses parents. Aussi triste qu'il fût de son absence et de celle d'Aparna, Arun comprit qu'elle avait besoin de s'éloigner de la maison. Varun réapparut le lendemain matin, pour s'entendre dire que « s'il n'avait pas passé la nuit en ville à bambocher, les voleurs n'auraient pas trouvé une maison vide ». Il rougit de colère, mais se rendant compte que son frère était au bout du rouleau, il se tut et se réfugia dans sa chambre.

Arun écrivit à Mrs Rupa Mehra, lui raconta le vol, la rassura sur la santé de Meenakshi, et fut bien forcé d'avouer que la seconde médaille avait disparu. Il imaginait aisément la peine que cela allait lui causer. Lui aussi avait chéri son père et tenait beaucoup à cette médaille, mais que pouvait-on faire sinon espérer que les policiers attrapent le ou les coupables ? Ils étaient en train d'interroger le balayeur : de le tabasser pour être plus précis. Quand il l'apprit, Arun tenta de les arrêter.

« Mais comment sans ça découvrirons-nous ce qui s'est passé – qui a renseigné les voleurs ? demanda l'officier.

— Ça m'est égal. Je ne veux pas de ces méthodes. » Mais, en réalité, Arun soupçonnait le garçon d'être de mèche avec les malfaiteurs. Il paraissait fort improbable que ce fût la Vieille Edentée ou Hanif. Quant au mali, employé à mi-temps, et au chauffeur, ils n'entraient jamais dans la maison.

Arun raconta également à sa mère sa rencontre avec Haresh. L'humiliation que celui-ci lui avait infligée chez les

Khandelwal lui cuisait encore. Il dit donc à Mrs Rupa Mehra ce qu'il pensait exactement de son éventuel beau-frère : que ce petit jeune homme était un arriviste, vulgaire et plein de suffisance. Que le vernis encrassé des Midlands recouvrait à peine l'odeur puante des ruelles de Neel Darvaza. Ni St Stephen ni Londres ne lui avaient procuré une véritable éducation. Il avait l'air endimanché ; manquait d'usage en société ; parlait un anglais vraiment peu courant pour quelqu'un qui avait fréquenté l'université et avait vécu deux ans dans le pays. Quant à se mêler à la société que fréquentait Arun (celle du Calcutta Club, du champ de courses de Tolly : l'élite de la société de Calcutta, indienne et européenne), il n'y fallait pas songer. Khanna était contremaître – contremaître ! – dans cette fabrique tchèque de chaussures. Mrs Rupa Mehra ne pouvait pas croire sérieusement avoir trouvé l'échantillon idéal pour quelqu'un de leur famille et de leur milieu, à moins d'accepter qu'il tire sa femme vers le bas. Arun ajouta que Meenakshi, dans l'ensemble, était de son avis.

Ce qu'il ne dit pas, parce qu'il l'ignorait, c'est que Meenakshi avait d'autres projets pour Lata. Profitant de son séjour chez ses parents, elle entreprit de travailler Amit au corps, secondée par Kakoli. Toutes deux aimaient beaucoup Lata, qui, à leur idée, ferait une compagne parfaite pour leur frère aîné. Elle saurait s'accommoder de ses bizarreries, apprécierait son travail. Intelligente, elle possédait une culture littéraire ; et bien qu'Amit pût aisément se passer de conversation (au contraire de ses sœurs ou même de Dipankar), quand il lui arrivait de parler ce ne pouvait être pour échanger des propos idiots et vides – sauf, bien entendu, avec ses frères et sœurs, avec qui il se laissait aller.

Kakoli – qui lui avait un jour déclaré qu'elle plaignait vrêêêment la femme qu'il épouserait – décréta qu'il n'y avait pas lieu de plaindre Lata, une femme capable à la fois de comprendre leur excentrique de frère et de lui tenir tête.

Pour une fois, les deux sœurs renoncèrent à la méthode des couplets-Kakoli et décidèrent de prendre Amit par la gentillesse. Meenakshi lui dit qu'un Autre était apparu dans le paysage. Au début elle avait cru qu'il s'agissait d'un dénommé Akbar ou quelque chose de ce genre, qui jouait avec Lata dans *Comme il vous plaira,* mais voilà que le principal prétendant se révélait être un cordonnier plein de morgue, aussi peu assorti à Lata que possible ; en intervenant, Amit sauverait donc Lata d'une union malheureuse. Kakoli se contenta de lui dire que Lata l'aimait bien, qu'elle savait que lui aimait bien Lata, et qu'elle ne comprenait pas tout cet embrouillamini. Pourquoi ne lui envoyait-il pas une lettre d'amour, et un de ses livres ?

Les deux sœurs comprenaient que, pour pouvoir agir de manière efficace, elles devaient connaître l'état exact des sentiments d'Amit à l'égard de Lata. Elles ne savaient pas grand-chose de son séjour à Cambridge, s'il y avait eu ou non des aventures, mais ce qu'elles savaient, c'est qu'il avait découragé toutes les filles de Calcutta, et leurs mères, qui avaient tenté de lui manifester leur intérêt. Il était resté fidèle à Jane Austen. Il paraissait se plaire dans une vie contemplative. Très volontaire, mine de rien, il ne faisait jamais que ce qu'il voulait. Ce qu'il voulait, par exemple, c'était ne pas exercer le droit, malgré les exhortations de Biswas Babu et le mécontentement de son père.

Pour justifier sa paresse, il tenait un raisonnement simple : je n'ai pas à me soucier de questions d'argent : je n'en manquerai jamais vraiment. Pourquoi vouloir gagner plus que ce dont j'ai besoin ? Si je décidais de me mettre à travailler, outre l'ennui que j'éprouverais et le personnage désagréable que je deviendrais, je ne créerais rien de valable. Je ne serais qu'un avocat parmi des milliers d'autres. Mieux vaut écrire un seul sonnet éternel que gagner une centaine de procès spectaculaires. Je pense être capable d'écrire un tel sonnet – si je m'en donne le temps et les moyens. Je m'occuperai donc le moins possible de choses matérielles, me consacrerai à mon roman ou à un poème, quand l'inspiration me saisira.

Sur ce plan, malheureusement, planait une menace : l'ultimatum de son père, aggravé par la disparition de Dipankar.

Par ailleurs, le refus de gagner son pain s'accompagnait d'un retrait de la vie mondaine. Il avait quelques bons amis, connus à l'université, mais qui vivaient tous à l'étranger et avec qui il correspondait sur le ton décousu de leurs conversations d'autrefois. De tempérament réservé, il se liait difficilement, mais réagissait vite une fois les premiers pas accomplis. A Calcutta, toutefois, il se gardait de ce genre de contacts. En fait de société, sa famille lui suffisait. C'est parce que Lata appartenait à leur clan, par alliance, qu'il s'était senti obligé, lors de la soirée chez ses parents, de s'occuper un peu d'elle. Et c'est en raison de ce lien quasi familial qu'il avait adopté avec elle, dès le début, un ton détendu qui ne lui venait en général qu'après des mois de relations. Plus tard, il s'était mis à l'apprécier pour ce qu'elle était. L'énergie inhabituelle qu'il avait dépensée pour la sortir, lui montrer Calcutta, avait sidéré ses sœurs, et Dipankar lui-même. Peut-être qu'Amit lui aussi avait trouvé son Idéal.

Mais les choses en étaient restées là. Depuis le départ de Lata, ils ne s'étaient pas écrit. Lata avait trouvé Amit aimable et réconfortant ; il l'avait aidée à surmonter sa tristesse, l'avait fait pénétrer dans le monde de la poésie et – tout aussi important – lui avait fait respirer l'air du dehors (que ce soit celui du cimetière ou de College Street). Amit pour sa part s'était retenu de lui déclarer son affection. Il était peu doué pour le bonheur. Durant son séjour à Cambridge, il avait aimé, sans mot dire, la pétulante et explosive sœur d'un de ses amis ; plus tard, il avait appris qu'elle l'avait aimé également, pour finir en désespoir de cause par s'attacher à quelqu'un d'autre. « Sans mot dire », mais pas sans écrire. Des milliers de mots qu'il avait alignés, il avait détruit la plupart, publié quelques-uns, ne lui en avait montré aucun.

La famille ignorait tout de cette aventure (ou non-aventure) mais se doutait bien qu'il existait une cause à ces tristes poèmes d'amour qui avaient fait le succès de son premier recueil publié. Gare cependant à celles, sœurs ou non, qui tentaient d'approcher de trop près cet esprit fertile, sensible et paresseux : Amit avait la langue acerbe.

Son second volume témoignait d'une sorte de résignation philosophique peu courante chez un homme d'à peine trente ans – et plutôt célèbre. A quoi, grand dieu, s'étonnait un de ses amis anglais dans une lettre, était-il donc résigné ? Il ne pouvait savoir, et Amit lui-même ne se rendait peut-être pas compte, qu'il y avait derrière tout cela une grande solitude. Certes, il en était seul responsable, par son refus de frayer en société, mais le résultat était là : une lassitude qu'il cachait sous une apparence rieuse, et parfois un profond découragement.

Son roman, situé à l'époque de la grande famine du Bengale, le forçait à sortir de lui-même et à plonger dans la vie des autres. Il lui arrivait toutefois de se demander s'il n'avait pas choisi un sujet trop sinistre : l'homme contre l'homme, l'homme contre la nature, la ville contre la campagne, les tragiques situations nées de la guerre, un gouvernement étranger contre une paysannerie inorganisée – peut-être aurait-il mieux valu écrire une comédie satirique. Sa famille lui fournissait tout le matériau nécessaire, et il avait du goût pour ce genre. Il lui arrivait souvent de se délecter à la lecture de romans policiers, de l'inévitable Wodehouse ou de bandes dessinées.

« Un mariage arrangé avec une jeune fille réservée, voilà la solution », avait affirmé Biswas Babu, avec son emphase habituelle. Amit avait répondu qu'il y réfléchirait tout en sachant qu'il préférait rester célibataire toute sa vie plutôt que de se retrouver dans les filets du bon chic bon genre féminin. Or la promenade qu'il avait faite avec Lata dans le cimetière, la façon dont elle avait accueilli ses bizarreries et son discours échevelé, sa vivacité surprenante, les reparties qu'elle avait lancées, tout cela l'avait fait douter du bien-fondé de sa réputation de « jeune fille réservée ». La célébrité d'Amit ne lui en avait pas imposé, et elle n'avait pas éprouvé le besoin de se défendre en exagérant ses opinions. Il se rappelait avec quel plaisir, quelle gratitude spontanée elle avait accepté la guirlande de fleurs qu'il lui avait offerte à la suite de l'horrible conférence à la Mission Ramakrishna. Peut-être, se dit-il, mes sœurs ont-elle raison, pour une fois. Mais, bon, Lata viendra à Calcutta pour Noël, et je lui montrerai le grand banian du Jardin botanique, et nous verrons comment les choses évolueront. Il n'éprouvait aucun sentiment d'urgence, à la rigueur un très vague pressentiment à propos du cordonnier et pas la moindre inquiétude en ce qui concernait le dénommé Akbar.

La mine languissante, mélancolique, Kuku roucoulait tout en s'accompagnant au piano :

> *Que je me sens seule dans cette maison,*
> *Seul Cuddles me marque de l'affection.* »

« Oh, la ferme, Kuku, protesta Amit en posant son livre. N'arrêteras-tu jamais ces absurdités ? J'essaie de lire cet illisible de Proust, et tu aggraves son cas. »

Mais Kuku estima qu'abandonner serait trahir son inspiration – et le pauvre Cuddles, attaché au pied du piano.

> *Les Chatterji peuvent aller au ciel,*
> *Moi je vivrai au Grand Hôtel.*
>
> *Peu importe la chambre ou le local,*
> *Avec mon Cuddles, ça m'est égal.* »

Le rythme de la main gauche s'accéléra, la mélodie vaguement schubertienne prit des allures de jazz :

> *J'aimerais la chambre 21 :*
> *Avec mon Cuddles, ce sera bien.*
>
> *J'aimerais la chambre 22 :*
> *Avec mon Cuddles, ce sera mieux.*
>
> *J'aimerais la chambre 23 :*
> *Avec mon Cuddles, on n'aura pas froid.*
>
> *J'aimerais la chambre 24 :*
> *Avec mon Cuddles...* »

Ses doigts s'envolèrent : trilles, accords brisés, à la recherche d'une nouvelle mélodie – « Ce sera bath », conclut Amit, ne pouvant plus supporter le suspense.

Ils se mirent alors à improviser en chœur :

« J'aimerais la chambre 25 :
Avec mon Cuddles, quel brindezingue.

J'aimerais la chambre 26 :
Avec mon Cuddles, quel délice.

J'aimerais la chambre 27 :
Avec mon Cuddles, ma joie est complète.

J'aimerais la chambre 28 :
Avec mon Cuddles, jamais de fuite.

J'aimerais la chambre 29 :
Avec mon Cuddles, tout est neuf.

J'aimerais la chambre 30 :
"Désolé, cette pièce est repoussante." »

Ils éclatèrent de rire, savourant leur stupidité réciproque, accompagnés par les aboiements rauques de Cuddles. Soudain ses oreilles se dressèrent, il tira frénétiquement sur sa laisse.

« C'est Pillow ? dit Amit.

— Non, il a l'air content. »

On sonna à la porte d'entrée, et Dipankar apparut.

« Dipankar !

— Dipankar Da ! Bienvenue à la maison.

— Bonjour Kuku, bonjour Dada – Oh, Cuddles !

— Il a su que tu étais là avant même que tu sonnes. Pose ce sac.

— Chien intelligent, très intelligent.

— Eh bien !

— Eh bien !

— Regarde-le – noir et décharné – pourquoi t'es-tu rasé la tête ? dit Kuku, en la lui caressant. On dirait une taupe.

— As-tu jamais caressé une taupe, Kuku ?

— Oh, ne sois pas pédant, Amit Da, tu étais si gentil il y a quelques minutes. Le retour de l'enfant prodigue – ça signifie quoi "prodigue" ?

— Peu importe – c'est comme "blafard", tout le monde

l'utilise sans savoir ce que ça veut dire. Alors, pourquoi t'es-tu rasé la tête ? Ma va en faire une attaque.

— Parce qu'il faisait si chaud – vous n'avez pas reçu mes cartes postales ?

— Si, dit Kuku, mais dans l'une d'elles tu écrivais que tu allais te laisser pousser les cheveux et qu'on ne te reverrait jamais. Nous avons adoré tes cartes postales, n'est-ce pas Amit Da ? Tout ce que tu racontais sur la Quête de la Source et le sifflet des trains enceints.

— Les trains enceints ?

— Tu écris si mal, c'est ce que j'ai lu. Bienvenue à la maison. Tu dois mourir de faim.

— Oui –

— Au fait, dis-nous la substantifique moelle ! dit Amit.

— Raconte, est-ce que tu as trouvé un autre Idéal ? »

Dipankar cligna des yeux.

« Est-ce le Principe féminin que tu y vénères ? Ou y a-t-il plus que cela ?

— Amit Da, comment oses-tu ! s'écria Kuku qui, prenant la pose de la Grande Dame de la Culture, déclama : Dans notre Inde natale, tout comme le stupa, le sein nourrit, gonfle... le sein n'est pas un objet de désir pour nos jeunes gens, c'est un symbole de fécondité.

— Mais – dit Dipankar.

— Nous flottions sur les ailes de la musique quand tu es entré, Dipankar Da, l'interrompit Kuku :

> *Auf Flügel des Gesanges...*
> *Fort nach den Fluren des Ganges*

et maintenant tu peux nous ramener sur terre –

— Oui, nous avons besoin de toi, dit Amit. Nous qui sommes des ballons d'hélium – »

> « *Le bain matinal dans le Gange*
> *Est une garantie de jouvence,*

chanta Kuku. Est-ce que c'est vraiment très sale ? Ila Kaki sera furieuse –

— Tu veux bien ne pas m'interrompre après que moi je

334

t'ai interrompue ? dit Amit. Je disais donc, Dipankar, que tu es le seul qui puisses garder cette famille saine d'esprit. Du calme, Cuddles ! Bon, maintenant, déjeune, prends un bain et repose-toi. Ma est sortie faire des courses, mais elle sera là dans une heure... Pourquoi ne nous as-tu pas écrit que tu revenais ? Où es-tu allé ? Une de tes cartes postales venait de Rishikesh ! Qu'as-tu décidé à propos des affaires de la famille ? Est-ce que tu vas t'en occuper et me laisser travailler à mon satané roman ? Comment pourrais-je l'abandonner ou le remettre à plus tard quand tous ces personnages tournicotent dans ma tête ? Quand je suis enceint, affamé, plein d'amour et d'indignation ? »

Dipankar sourit. « Je dois laisser mes Expériences imprégner mon Etre, Amit Da, avant de pouvoir trouver une Réponse.

— Ne le bouscule pas, Amit Da, intervint Kuku. Il vient juste de rentrer.

— Je sais que je suis un indécis, mais Dipankar pousse vraiment le bouchon trop loin. Ou, plus exactement, il ne sait même pas s'il doit le pousser. »

13.36

Comme de coutume, le parlement Chatterji se réunit autour de la table du petit déjeuner. A l'exception de Tapan, retourné dans son internat, ils étaient tous là, y compris Aparna, surveillée par son ayah, et le vieux Mr Chatterji, qui s'était joint à eux après avoir promené son chat.

« Où est Cuddles ? demanda Kakoli.

— Dans ma chambre, dit Dipankar. A cause de Pillow.

— Pelote et Coussin, comme l'éléphant-requin, chantonna Kakoli, en référence à son roman bengali favori, *Abol Tabol*.

— Qu'est-ce qu'il y a à propos de Pillow ? s'inquiéta le vieux Mr Chatterji.

— Rien, le rassura Mrs Chatterji. Dipankar dit seulement que Cuddles a peur de lui.

— Je comprends. Pillow peut tenir tête à n'importe quel chien.

— Ce n'est pas aujourd'hui que Cuddles doit aller chez le vétérinaire ? demanda Kakoli.

— Oui, dit Dipankar. J'aurai donc besoin de la voiture. » Grise mine de Kakoli : « Mais j'en ai besoin aussi. Celle de Hans est en panne.

— Kuku, tu as toujours besoin de la voiture. Tu l'auras, si tu conduis Cuddles chez le vétérinaire.

— Pas question, c'est mortellement ennuyeux, et il mord quand on le tient.

— Eh bien alors, prends un taxi pour aller chez Hans, conclut Amit, que ces éternelles discussions à propos de la voiture insupportaient. Arrêtez de vous chamailler à ce sujet. Passe-moi la marmelade, Kuku.

— Je crains que vous ne puissiez l'avoir ni l'un ni l'autre, déclara Mrs Chatterji. J'emmène Meenakshi chez le Dr Evans. Elle a besoin d'une consultation.

— Mais non, Mago, protesta l'intéressée. Arrête de t'inquiéter.

— Tu as reçu un choc, chérie, et je ne veux courir aucun risque.

— C'est vrai, Meenakshi, une consultation ne te fera pas de mal, intervint Mr Chatterji, par-dessus son *Statesman*.

— Oui, approuva Aparna, enfournant avec énergie son œuf mollet dans sa bouche. Pas de mal.

— Tais-toi et mange, ma chérie, dit Meenakshi, légèrement énervée.

— La marmelade, Kuku, pas la confiture de groseilles, grogna Amit. Pas le gazpacho, pas les anchois, pas le sandesh, pas le soufflé : juste la marmelade.

— Quelle mouche te pique ? dit Kakoli. Tu es d'une humeur massacrante ces derniers temps. Pire que Cuddles. Ça doit être la frustration sexuelle.

— Quelque chose que tu ne risques pas de connaître.

— Kuku ! Amit ! dit Mrs Chatterji.

— Mais c'est vrai, insista Kakoli. Et il s'est mis à sucer

des cubes de glace, signe infaillible de la chose, à ce que j'ai lu quelque part.

— Kuku, je te défends de parler ainsi au petit déjeuner – avec A à côté de nous. »

Aparna, très intéressée, posa sa cuiller pleine de jaune d'œuf sur la nappe brodée.

« Mago, A ne comprend pas le premier mot de ce que nous disons.

— D'ailleurs, je n'en suis pas là, dit Amit.

— Je suis sûr que tu rêves d'elle.

— De qui ? s'enquit Mrs Chatterji.

— De l'héroïne de ton premier livre. La Dame blanche de tes sonnets, poursuivit Kakoli.

— Tu peux parler ! » dit Amit.

> « *Si l'étrangère est effrontée,*
> *La femme indienne est culottée* »,

murmura Kakoli.

C'était plus fort qu'elle. Les rimes lui sortaient de la bouche sans qu'elle le veuille.

« La marmelade, s'il te plaît, Kuku. Mon toast refroidit. »

> « *L'étrangère avide créature*
> *Dévore notre vieille culture* »,

laissa échapper Kakoli, qui enchaîna : « C'est bien que tu aies fait des poèmes avec cette aventure, plutôt que des petits Chatterji. Epouse une gentille Indienne, Dada ; ne suis pas mon exemple. As-tu envoyé ton livre à Luts ? Elle m'a dit que tu le lui avais promis.

— Moins d'esprit, plus de marmelade », supplia Amit.

Kuku la lui passa enfin, et Amit entreprit d'en tartiner son toast avec application. « Elle t'a dit ça, vraiment ?

— Oui, Meenakshi peut en témoigner.

— C'est exact, approuva Meenakshi, les yeux dans sa tasse de thé. Tout ce que dit Kakoli est vrai. Nous nous faisons du souci à ton sujet. Tu as presque trente ans –

— Ne m'en parle pas, dit Amit, et passe-moi le sucre avant que j'en aie trente et un. Qu'a-t-elle dit d'autre ? »

Sagement, Meenakshi se retint d'inventer quelque chose de si peu plausible que cela aurait risqué d'annuler l'effet de sa déclaration précédente.

« Rien de particulier. Mais avec Lata, un simple commentaire vaut une longue tirade. Et elle a cité ton nom à plusieurs reprises.

— D'un air songeur, m'a-t-il semblé, appuya Kakoli.

— Comment expliquez-vous, demanda Amit, que Dipankar, moi et Tapan soyons si honnêtes et réservés et vous les filles des menteuses si éhontées ?

— Et comment se fait-il, répliqua Kakoli, que Meenakshi et moi, quelles que soient nos fautes, sachions prendre et appliquer des décisions alors que tu refuses d'en prendre et que Dipankar ne sait jamais laquelle prendre ?

— Ne t'énerve pas, dit Dipankar, elles essaient de te faire sortir de tes gonds.

— Aucun risque. Je suis de trop bonne humeur. »

13.37

Le retard, je le reconnais, mais mieux vaut tard que pas
[/ jamais,
Aqui peut / sait / apprécier la valeur d'un cadeau
Le livre ci-joint / gourd / lourd / brûlant / c'est un homme
[ivre de mots qui vous l'envoie
Avec son air de vieux cheval barde, c'est un célibataire
[bardé / de droit.

Amit interrompit ses griffonnages. Il essayait de trouver une dédicace pour Lata. En panne d'inspiration, il se demanda lequel de ses deux livres lui envoyer. A moins qu'il ne lui envoie les deux ? Le premier, ce n'était peut-être pas la bonne solution. La Dame blanche de ses sonnets risquait de lui donner de fausses idées. De plus, le second, même s'il contenait quelques poèmes d'amour, parlait surtout de Calcutta, d'endroits qui lui rappelaient Lata, et qui inciteraient peut-être Lata à penser à lui.

D'avoir résolu ce problème aida Amit à écrire son poème. A l'heure du déjeuner il était prêt à inscrire sa dédicace sur la page de garde de *L'oiseau fièvre*. Il le fit lentement, avec le stylo d'argent que son grand-père lui avait offert pour son vingt et unième anniversaire, sur l'un des trois exemplaires qui lui restaient de l'édition anglaise – luxeuse comparée à l'édition indienne.

Là, je l'admets, mais mieux vaut tard que jamais,
Ayez la bonté d'accepter avec ses défauts
Tout ce fatras d'un homme ivre de mots,
Ah, ce vieux barde, célibataire aux marches du palais.

La chance de cet homme serait que vous le trouviez
Assurément moins cynique que celui que vous connaissiez,
Tant il est vrai qu'au vin, aux rêves et aux nouveau-nés,
Aux poèmes aussi, on assigne la vérité.

Les mensonges il y en a, des mots que je n'ose
A haute voix, de peur qu'ils ne sentent le désespoir,
Tout en paix, je poursuis ma cause,
Avec sérénité, et me replie dans l'air du soir.

L'amour et souvenir, larmes et mystère,
Ah, les paniers d'ananas ou de félicité,
Ta courbe, univers, la boucle des années,
Apprivoisés par la main qui a ciselé ces vers.

Il signa, data, relut son poème pendant que l'encre séchait, referma le livre à la couverture bleu foncé et or, et l'expédia l'après-midi même à Brahmpur en recommandé.

Il eût été vain d'espérer que Mrs Rupa Mehra ne serait pas à la maison quand le paquet arriverait. Occupée comme elle l'était par Savita et le bébé, elle ne sortait presque pas ces jours-ci. Même le Dr Kishen Chand Seth, s'il voulait la voir, devait se déplacer.

Lata se trouvant à une répétition, c'est Mrs Rupa Mehra qui signa le récépissé. Etant donné que le courrier en provenance de Calcutta n'apportait que de mauvaises nouvelles ces temps derniers, sa curiosité, toujours débordante, ne connut plus de bornes lorsqu'elle découvrit le nom de l'expéditeur. Elle fut à deux doigts d'ouvrir le paquet. Seule la crainte de se voir condamnée par Lata, Savita et Pran réunis l'en empêcha.

La nuit tombait quand Lata revint.

« Où étais-tu passée ? Pourquoi n'es-tu pas rentrée plus tôt ? J'étais folle d'inquiétude.

— J'étais à ma répétition, tu le sais bien, Ma. Il n'est pas beaucoup plus tard que d'habitude. Comment va tout le monde ? Le bébé dort, à ce qu'il semble.

— Ce paquet est arrivé il y a deux heures – de Calcutta. Ouvre-le tout de suite. »

Lata faillit protester, mais en voyant l'inquiétude sur le visage de sa mère, en pensant au chagrin qu'elle éprouvait depuis qu'elle avait appris la disparition de la seconde médaille, elle décida de ne pas faire valoir son droit à la vie privée. Elle ouvrit le paquet.

« C'est le livre d'Amit, dit-elle, toute contente. *L'oiseau fièvre* par Amit Chatterji. Quelle belle couverture. » Oubliant un instant la menace qu'Amit avait représentée, Mrs Rupa Mehra s'empara du livre. La couverture simple, bleu et or, le papier, d'une qualité bien supérieure à celle qu'ils avaient connue pendant la guerre, les grandes marges, la typographie, claire et aérée, le luxe de cette édition la ravirent. Elle était tombée un jour dans une librairie sur l'édition indienne, beaucoup plus minable, y avait jeté un coup d'œil ; les poèmes ne lui ayant pas paru très édifiants, elle avait reposé le volume. Au fond, elle aurait préféré que le beau livre qu'elle tenait dans ses mains ne contînt que des pages blanches, sur lesquelles elle aurait recopié les pensées et les poèmes qu'elle aimait.

« Quelle merveille. Ils font vraiment de belles choses en Angleterre », dit-elle. Elle l'ouvrit, se mit à lire la dédicace, sa mine s'allongeant au fil des lignes.

« Lata, que signifie ce poème ?

— Comment puis-je le savoir, tu ne m'as même pas laissé le temps de le lire ? Passe-le-moi.

— Qu'est-ce que tous ces ananas font là-dedans ?

— Oh, c'est probablement Rose Aylmer. Elle est morte d'une indigestion d'ananas.

— Tu veux dire, "Une nuit de souvenirs et de soupirs" ? Cette Rose Aylmer-là ?

— Oui Ma.

— Ça a dû être affreux ! » Le nez de Mrs Rupa Mehra rougit de compassion. Soudain une idée la frappa : « Lata, ça n'est pas un poème d'amour, n'est-ce pas ? Je n'y comprends rien, ça pourrait être n'importe quoi. Pourquoi cette allusion à Rose Aylmer ? Ces Chatterji sont très intelligents. »

Mrs Rupa Mehra venait de souffrir d'un accès d'animosité à l'égard des Chatterji : elle attribuait le vol des bijoux à l'insouciance de Meenakshi, qui ouvrait la malle en présence des domestiques, les induisant ainsi en tentation. Non qu'elle fût indifférente à l'état de santé de Meenakshi (que cette affaire avait dû bouleverser), qui allait à coup sûr lui donner un petit-fils. Sans le bébé de Savita, Mrs Rupa Mehra se serait précipitée à Calcutta pour proposer son aide et sa sollicitude. Sans compter qu'elle voulait vérifier un certain nombre de choses contenues dans la lettre d'Arun, découvrir quel était le salaire de Haresh – et ce qu'il faisait exactement. Le jeune homme avait écrit qu'il travaillait « dans la catégorie des surveillants et (vivait) dans la colonie européenne de Prahapore ». Il n'avait pas dit qu'il était un simple contremaître.

« Je ne crois pas que ce soit un poème d'amour, Ma.

— D'ailleurs il n'a pas écrit "tendresse" ou quelque chose de ce genre à la fin. Juste sa signature, remarqua Mrs Rupa Mehra, se rassurant elle-même.

— Ça me plaît, mais il faudra que je le relise, réfléchit tout haut Lata.

— C'est trop intelligent pour mon goût. "Barde" et "marches du palais", et quoi d'autre. Ces poètes modernes sont tous les mêmes. Et il n'a pas eu la politesse d'écrire ton nom, ajouta-t-elle, de plus en plus rassurée.

— Eh bien, il figure sur l'enveloppe, et ça m'étonnerait qu'il parle d'ananas à tout le monde. » Mais Lata, elle aussi, trouva cela un peu étrange.

Plus tard, allongée sur son lit, elle relut le texte. Elle était secrètement ravie qu'on eût écrit un poème à son intention, mais elle y découvrait de nombreuses obscurités. Quand il disait qu'il poursuivait sa cause avec sérénité, cela signifiait-il qu'il écrivait une poésie froide ? Qu'il empruntait sa voix à l'oiseau du titre, mais sans fièvre ? Ou cela faisait-il allusion à son imagination ? A moins que cela n'ait aucun sens ?

Elle se mit donc à lire le livre, en partie pour lui-même, en partie pour découvrir une explication à la dédicace. Dans l'ensemble, les poèmes n'étaient pas plus obscurs que leur complexité ne l'exigeait ; ils avaient un sens littéral, ce dont Lata sut gré à l'auteur. Certains, loin d'être sans passion, exprimaient des sentiments profonds, au-delà d'une écriture classique. Elle aima un poème d'amour de huit vers, et un autre, plus long, une sorte d'ode, sur une promenade solitaire dans le cimetière de Park Street. Il y avait même un sonnet humoristique sur les libraires de College Street. En fait, elle les aima presque tous, émue de découvrir qu'Amit l'avait conduite dans des endroits qui signifiaient tant pour lui et où il avait l'habitude de se rendre seul.

Il usait néanmoins d'un ton très assourdi, qui frôlait parfois l'auto-dénigrement. Sauf pour le poème-titre, dont le sujet, loin de faire entendre une voix étouffée, semblait en proie à une sorte de folie. Lata connaissait le papiha, le coucou épervier, l'oiseau fièvre, dont le chant certaines nuits d'été l'empêchait de dormir, aussi le poème la troubla-t-il profondément.

L'oiseau fièvre

L'oiseau fièvre a chanté l'autre nuit.
Jusqu'au matin j'ai souffert d'insomnie.

L'esprit déchiré, l'âme rompue,
J'ai contemplé le jardin et j'ai vu

L'ombre des amaltas
Frissonner sur l'herbe grasse.

Caché, l'oiseau a crié son chagrin,
Sa folie, jusqu'au matin :

Trois notes répétées,
Qui s'élèvent et retombent comme une flambée

Pour aspirer la nuit et s'élancer,
Sauvages toujours et désespérées.

Dans la chaleur de minuit je frissonnai
Humant la sueur qui m'inondait.

Et voilà que ce soir me parvient à nouveau
L'appel qui vrille mon cerveau.

Le cri, la triple note affolée –
Boule de douleur dans la gorge nouée.

Je suis si fatigué que je pourrais mourir,
Oiseau fou, je t'en prie, laisse-moi dormir.

Pourquoi pleures-tu comme un possédé ?
Quand daigneras-tu te reposer ?

Pourquoi chaque nuit attends-tu pour crier
Que moi seul, ici, reste éveillé ?

L'esprit encombré d'images et de questions, Lata relut le poème cinq ou six fois. Il était beaucoup plus clair que la plupart des autres dans le recueil, plus clair que la dédicace qu'il lui avait faite, et pourtant beaucoup plus mystérieux et inquiétant. Elle connaissait le cytise jaune, l'amaltas qui abritait sous son ombre la cabane aux méditations de Dipankar, dans le jardin de Ballygunge, et elle imaginait Amit en contemplant les branches, la nuit. (Pourquoi, se demanda-t-elle, avoir utilisé le mot hindi plutôt que le nom bengali de l'arbre ? Seulement pour les besoins de la rime ?) Mais l'Amit qu'elle connaissait – aimable, cynique, joyeux – ressemblait encore moins à l'auteur de ce poème qu'à celui du petit sonnet d'amour qui lui plaisait tant.

D'ailleurs, pouvait-elle dire qu'elle aimait cet « Oiseau fièvre » ? La pensée d'un Amit transpirant la dérangeait – il était plutôt pour elle une présence réconfortante et désincarnée. Pourtant, maintenant qu'il faisait nuit, elle le voyait allongé sur son lit, incapable de trouver le repos, écoutant le papiha lancer ses triples notes.

Elle relut la dédicace, se demanda pourquoi il avait choisi le mot « ciselé » à la dernière ligne. Pour que ça s'accorde avec les « courbe » et « boucle » du vers précédent ? Il y avait là une sorte de maniérisme, ce qu'on appelle probablement la licence poétique.

Et soudain, sans savoir comment, elle se rendit compte, effrayée et ravie, que la dédicace était effectivement ciselée, personnalisée, et comprit pourquoi il n'avait pas eu besoin d'écrire son nom. Cela allait bien au-delà de la référence aux ananas ou au moment qu'ils avaient passé ensemble dans le cimetière. Il lui suffisait de considérer les premières lettres de chaque vers dans chaque quatrain pour découvrir qu'elle appartenait à la structure même du poème d'Amit.

Quatorzième partie

14.1

Début août, Mahesh Kapoor partit pour sa ferme de Rudhia, en compagnie de Maan. D'avoir quitté le gouvernement lui laissait le temps de s'occuper de ses propres affaires. Outre la surveillance des travaux agricoles – on était en pleine saison de repiquage du riz –, il s'était assigné deux autres buts : voir si Maan, qui avait connu un tel échec à Bénarès, serait plus heureux et efficace à la tête de l'exploitation ; s'assurer la meilleure circonscription possible pour un affrontement avec le candidat du Congrès – à présent que lui-même avait rejoint le nouveau Parti des Travailleurs et des Paysans, le PTP. Celle où se trouvait sa ferme – la subdivision de Rudhia dans le district de Rudhia – paraissait s'imposer d'elle-même.

Tout en parcourant son domaine, il évoquait une fois de plus les grandes figures du Congrès qui, à Delhi, s'entre-déchiraient et déchiraient le parti.

L'aile droite, hindoue et chauviniste, vomissait Rafi Ahmad Kidwai, le sage, le rusé, le joyeux représentant de l'Uttar Pradesh – responsable d'une avalanche de démissions à l'intérieur du parti, dont celle de Mahesh Kapoor – en partie parce qu'il était musulman, en partie parce qu'il avait à deux reprises fait échouer la candidature de Purushottamdas Tandon à la présidence du parti. Battu de peu en 1948, Tandon avait fini par l'emporter – de peu – en 1950, dans une bataille douteuse, d'autant plus âpre que celui qui prendrait le contrôle de la machine du parti superviserait la sélection des candidats aux prochaines élections générales.

Tandon, l'homme aux pieds nus, barbu, austère, intolérant, venait d'Allahabad, comme Nehru dont il était l'aîné de sept ans. Les conservateurs tenant déjà le parti dans la plupart des Etats, il avait recruté son Comité directeur dans leurs rangs et, ayant affiché sa décision de ne supporter aucun contradicteur, en avait exclu Kripalani, son adversaire vaincu, et Kidwai, l'organisateur de la campagne de Kripalani. Le Premier ministre, Nehru, déjà furieux de l'élection de Tandon, qu'il interprétait à juste titre comme une victoire du conservateur Sardar Patel, son grand rival, avait refusé d'adhérer à un Comité directeur qui excluait Kidwai. Puis, dans l'intérêt de l'unité, parce que le Congrès lui paraissait la seule force cohésive dans l'écheveau emmêlé, morcelé de la politique indienne, il avait fini par céder.

Pour préserver sa politique de toute attaque éventuelle du président du Congrès, Nehru proposa, sur chacun des principaux chapitres de cette politique, des résolutions que l'assemblée générale du parti avait adoptées à une majorité écrasante. Mais voter par acclamation est une chose, contrôler le personnel du parti – et la sélection des candidats – en est une autre. Nehru eut le sentiment désagréable que l'hommage rendu à la politique de son gouvernement ne pèserait rien une fois que l'aile droite aurait envoyé son flot de députés au parlement fédéral et aux assemblées locales. Les élections gagnées grâce à son immense popularité, on l'abandonnerait sur le rivage, échoué et impuissant.

La mort de Sardar Patel, deux mois après l'élection de Tandon, priva la droite du Congrès de son principal stratège. Mais Tandon se révéla un formidable manipulateur. Au nom de la discipline et de l'unité, il entreprit de supprimer les groupes dissidents à l'intérieur du parti, tel le Front démocratique créé par Kidwai et Kripalani (le groupe KK), le plus virulent de ses critiques. Ou vous restez dans le parti, leur dit-il, et vous soutenez le Comité directeur, ou vous sortez. Rompant avec l'attitude conciliatrice de son prédécesseur, Tandon affirma que l'organisation du parti, représentée par son président, avait sans conteste le droit de superviser la politique du gouvernement issu du Congrès, et donc de son chef Nehru, sur tous les sujets y compris les plus infimes, comme l'interdiction d'employer de l'huile de cuisine hydrogénée. Or dans les domaines importants, Tandon avait des opinions diamétralement opposées à celles de Nehru et de ses partisans – des hommes comme Kripalani, Kidwai, ou Mahesh Kapoor.

Les divergences entre Nehruites et Tandonites portaient non seulement sur les problèmes économiques mais aussi sur la question musulmane. Tout au long de l'année, des escarmouches avaient eu lieu sur la frontière indo-pakistanaise ; on avait cru à l'imminence d'une guerre à propos du Cachemire. Alors que Nehru, persuadé qu'un conflit entre ces deux pays pauvres aurait des effets désastreux pour l'une et l'autre partie, s'efforçait de parvenir à une entente avec le Premier ministre pakistanais Liaquat Ali Khan, à l'intérieur du parti nombreux étaient ceux qui poussaient à la guerre. Un membre de son gouvernement avait démissionné, formé son propre parti du renouveau hindou, et parlait de reconquérir le Pakistan. En outre l'afflux régulier au Bengale de réfugiés en provenance du Pakistan oriental constituait un fardeau insupportable pour l'économie de l'Etat. L'insécurité et les mauvais traitements qu'ils fuyaient poussaient les bellicistes indiens à réclamer des mesures de réciprocité, comme d'expulser un musulman par hindou réfugié. Ils ramenaient tout à l'hindouisme et à l'islamisme, en termes de culpabilité et de revanche collectives. La théorie de la nation double – prônée par la Ligue musulmane pour justifier la Partition – les possédait si bien qu'ils voyaient dans les citoyens musulmans de l'Inde d'abord des musulmans, ensuite et le cas échéant des Indiens, sur qui ils se déclaraient prêts à venger les actes commis par leurs coreligionnaires de l'autre pays.

De tels discours répugnaient à Nehru. La pensée d'une Inde devenue un Etat hindou avec ses minorités traitées en citoyens de seconde zone le rendait malade. Qu'une telle situation prévalût au Pakistan ne justifiait pas qu'elle s'imposât en Inde. Après la Partition, il avait supplié nombre de fonctionnaires musulmans de demeurer à leur poste. Il avait accueilli, même si ce n'était pas de grand cœur, dans la famille du Congrès d'anciens chefs de la

Ligue musulmane, pratiquement disparue en Inde ; s'était efforcé de rassurer la population musulmane qui, apeurée, en butte à des vexations, continuait à gagner le Pakistan occidental, via le Rajasthan et d'autres Etats frontaliers. Dans chacun de ses discours, il avait prêché l'entente entre communautés – et Nehru discourait beaucoup. Il avait refusé de sanctionner tous ceux qui, réfugiés sikhs et hindous, membres des partis de droite ou de l'aile droite de son propre parti, réclamaient des mesures de représailles à son encontre. Il avait tenté d'assouplir certaines décisions draconiennes prises par le Conservateur des Biens des Evacués, qui avait souvent agi davantage dans l'intérêt de ceux qui convoitaient ces biens que dans celui des propriétaires qu'il était chargé de défendre. Il avait signé un accord avec Liaquat Ali Khan, réduisant ainsi considérablement les risques de guerre avec le Pakistan. D'où l'animosité à son encontre de ceux qui voyaient en lui un Indien déraciné, coupé de la majorité hindoue dont il était issu par son attachement sentimental à un laïcisme promusulman.

Là où le bât blessait, c'est que ses concitoyens aimaient Nehru et allaient certainement voter pour lui comme ils l'avaient toujours fait depuis que, dans les années trente, il avait accompli sa grande tournée à travers le pays, conquérant par son charme les masses venues l'écouter. Mahesh Kapoor savait cela – comme le savait quiconque possédant la plus infime connaissance de la scène politique.

Tout en parcourant son domaine et en discutant avec son intendant des problèmes d'irrigation dus à une saison des pluies décevante, Mahesh Kapoor revivait en esprit les événements qui, il en était convaincu, ne lui avaient pas laissé d'autre choix que de quitter le parti auquel il avait consacré trente années de sa vie. Comme bien d'autres, il avait espéré que Nehru finirait par admettre l'inutilité de ses efforts pour maintenir sa ligne politique face à la détermination de Tandon, et prendrait des mesures en conséquence ; mais le Premier ministre, malgré l'hémorragie qui vidait le parti de nombre de ses partisans, inquiets de la dérive à droite, refusait de quitter le Congrès, se contentant en guise d'action de plaider, réunion après réunion du Comité du Congrès pan-indien, l'unité et la réconciliation.

Plus il vacillait, plus ses partisans cafouillaient. Si bien qu'à la fin de l'été, la crise éclata.

En juin se tint à Patna une convention spéciale du parti, puis une convention parallèle qui présida au lancement du PTP par plusieurs dirigeants, dont Kripalani, qui démissionnèrent en accusant le Congrès de « corruption, népotisme et affairisme ». Kidwai, bien que n'étant pas officiellement démissionnaire, fut élu au Comité exécutif du PTP, ce qui lui attira les foudres des députés de droite du Congrès. Comment (écrivit l'un d'eux à Tandon) pouvait-il demeurer un des principaux ministres du gouvernement tout en appartenant à l'exécutif d'un des plus vindicatifs partis d'opposition ?

Début juillet, le Comité directeur et le Comité pan-indien se réunirent de nouveau à Bangalore. Kidwai fut prié de s'expliquer. Il biaisa, proclama avec son habileté coutumière qu'il n'avait pas l'intention de démissionner dans l'immédiat, qu'il avait essayé, en vain, de faire repousser la convention du PTP, exprima l'espoir que l'actuelle session du Congrès permettrait de mieux comprendre sa position et de purifier l'atmosphère.

On fut loin du compte. Comprenant enfin que de simples résolutions de soutien ne suffisaient pas, Nehru exigea quelque chose de plus concret : la reconstitution complète des deux plus puissants comités du Congrès – le Comité directeur et le Comité électoral – de façon à réduire l'influence de l'aile droite en leur sein. Sur quoi, Tandon offrit sa démission et celle de tout le Comité directeur. Craignant l'éclatement, Nehru recula. On adopta quelques résolutions conciliantes. D'un côté le Congrès désapprouvait l'existence de groupes fractionnels dans ses rangs ; de l'autre il ouvrait la porte à ceux des « sécessionnistes » qui partageaient les options générales du parti. Or au lieu de s'engouffrer dans cette brèche, deux cents députés supplémentaires quittèrent le Congrès pour le PTP. L'atmosphère se fit plus trouble que jamais, et Rafi Ahmad Kidwai décida que le temps des tergiversations était révolu. Il fallait se lancer dans la bataille.

Revenu à Delhi, il envoya par lettre au Premier ministre sa démission de ministre des Communications et de membre du Congrès. Il écrivit que lui et son ami Ajit Prasad Jain, le ministre de la Réinsertion (également démissionnaire), ne supportaient ni la personne, ni la politique, ni les méthodes d'action antidémocratiques de Tandon. Il affirma qu'ils n'avaient aucune animosité à l'égard de Nehru lui-même. Sur quoi, Nehru les pria de reconsidérer leur décision.

Le jour suivant, ils annoncèrent que, tout bien considéré, ils avaient décidé de ne pas démissionner du gouvernement, mais qu'ils ne renonçaient pas à s'opposer sinon au parti, du moins au président du parti et à ses affidés, dont les opinions et la stratégie allaient à l'encontre des principales résolutions ou déclarations du parti :

> Existe-t-il dans le monde une situation semblable, qui voit un chef de l'exécutif, en l'occurrence le Président d'une organisation, défendre des vues exactement opposées à celles prônées par ladite organisation ? Qu'y a-t-il de commun entre Shri Purushottamdas Tandon et la politique poursuivie par le Congrès – en matière économique, communale, internationale, et sur la question des réfugiés ? Au moment même où nos chemins se séparaient nous avons néanmoins continué de souhaiter, d'espérer que le Congrès mettrait ses actes en conformité avec ses professions de foi.

Furieux de ce qu'ils considéraient comme une marque absolue de déloyauté et d'indiscipline, Tandon et la vieille garde exigèrent de Nehru qu'il mette ses ministres en devoir de choisir entre leur fonction et leur appartenance à leur parti. Jain céda et resta au gouvernement, Kidwai en revanche offrit à nouveau sa démission, que cette fois Nehru accepta.

Le Premier ministre se retrouva plus isolé que jamais dans son propre parti. Ployant sous les problèmes énormes incombant à sa charge – ravitaillement, menaces de guerre, multiples lois (sur la presse, sur le Code hindou etc.) à faire voter par le Parlement, relations entre le Centre et les Etats (qui s'envenimèrent grandement avec le passage du Pendjab sous l'administration centrale), gestion quotidienne de l'administration, mise au point du premier plan quinquennal, affaires étrangères (un domaine qui le préoccupait au premier chef), sans parler des cas d'urgence divers et variés – il dut aussi admettre, et ce fut le plus pénible, que ses adversaires à l'intérieur du parti l'avaient emporté. Ils avaient élu Tandon, forcé ses partisans à quitter le Congrès et à former un parti d'opposition, ils s'étaient emparés des comités de district, du Comité directeur et du Comité électoral, avaient obligé à démissionner celui de ses ministres dont les opinions étaient les plus proches des siennes, allaient sélectionner leurs candidats pour les prochaines élections générales. Nehru avait le dos au mur, une situation qu'il reconnaissait peut-être ne devoir qu'à sa propre indécision.

14.2

C'est en tout cas ce que pensait Mahesh Kapoor. Et comme il avait l'habitude de se décharger de ses tourments sur quiconque passait à portée et que Maan se trouvait à ses côtés ce jour-là, c'est sur lui que le fardeau tomba.

« Nehru nous a tous usés – et lui aussi par la même occasion. »

Le désespoir qu'il perçut dans la voix de son père fit sortir Maan de sa rêverie – il était en train de revivre la chasse au loup qui s'était déroulée dans la région.

« Oui, Baoji », dit-il. Il réfléchit puis ajouta : « Je suis sûr qu'il va en sortir quelque chose. C'est allé si loin dans un sens que ça ne peut que se corriger de soi-même.

— Tu es un idiot », le coupa son père, repensant à l'irritation de S.S. Sharma quand il avait appris que Mahesh Kapoor et certains de ses collègues quittaient le parti. Le Premier ministre se plaisait à opposer entre elles les factions Agarwal et Kapoor, ce qui lui laissait une liberté d'action maximum.

Maan garda le silence. Il cherchait un moyen de s'échapper pour aller rendre visite à son ami, le sous-chef de district, qui avait organisé la chasse.

« Croire que les choses vont rentrer dans l'ordre une fois

qu'elles ont été bouleversées est une conception enfantine de la vie, dit son père. Nehru n'a plus les moyens de dominer le Congrès. Et s'il ne le domine plus, ni moi, ni Rafi Sahib, ni les autres ne pouvons le réintégrer. C'est aussi simple que ça.

— Oui, Baoji », dit Maan, couchant de sa canne une mauvaise herbe et priant de n'avoir pas à subir un cours sur les défauts et les qualités des différents partis. Il eut de la chance. Un homme vint en courant à leur rencontre annoncer qu'on avait aperçu la jeep du sous-chef de district, Sandeep Lahiri, se dirigeant vers la ferme.

« Dis-lui que je me promène », grogna l'ex-ministre.

Mais Sandeep Lahiri apparut quelques minutes plus tard, marchant avec précaution (et sans son escorte habituelle de policiers) le long des levées de terre séparant les rizières couleur émeraude. Casque colonial sur la tête, un sourire nerveux dissimulait son menton fuyant.

Il salua Mahesh Kapoor d'un simple « Bonjour, Monsieur », et Maan, qu'il ne s'attendait pas à voir, d'un « Bonjour ! ».

Habitué à ce qu'on s'adresse à lui en l'appelant par son ancien titre, Mahesh Kapoor lui jeta un regard scrutateur.

« Oui ? fit-il d'un ton bref.

— Une belle journée –

— Etes-vous venu uniquement pour me saluer ?

— Oh non, Monsieur, se récria Sandeep Lahiri.

— Vous n'êtes pas venu me rendre vos devoirs ?

— Eh bien, c'est-à-dire que – je suis venu vous demander aide et conseil, Monsieur. J'ai appris que vous veniez d'arriver, alors j'ai pensé –

— Oui, oui – » Mahesh Kapoor marchait en tête, suivi sur l'étroit sentier par un Sandeep Lahiri au pas mal assuré.

« Voilà ce qu'il en est, Monsieur. Le gouvernement nous a autorisés – nous les SCD – à collecter l'argent public – des dons volontaires – pour une petite célébration le jour de l'Indépendance – qui se trouve être – dans quelques jours. Est-ce que le parti du Congrès possède un droit particulier sur ces fonds ?

— Je n'ai rien à voir avec ce parti, rétorqua Mahesh

Kapoor, que le seul nom de "Congrès" irritait. Vous savez très bien que je ne suis plus ministre.

— Oui, Monsieur. Mais je pensais –

— Vous feriez mieux de vous adresser à Jha. C'est lui qui, en fait, dirige le Comité de district du Congrès. Il peut parler au nom du parti. »

Président du Conseil législatif, adhérent de longue date au parti, Jha avait déjà causé beaucoup d'ennuis au SCD, depuis que celui-ci avait arrêté son neveu pour vandalisme et bagarre. Avec sa manie de se mêler de toutes les décisions administratives, il était à l'origine de la moitié des problèmes de Sandeep Lahiri.

« Mais Mr Jha est –

— C'est ça, c'est ça, demandez à Jha. Cette question ne me concerne absolument pas. »

Sandeep Lahiri soupira. « Un autre problème, Monsieur –

— Oui ?

— Je sais que vous n'êtes plus ministre du Trésor et que cela ne vous concerne plus directement désormais, mais, Monsieur, l'augmentation du nombre des évictions de fermiers depuis le vote de la loi sur les zamindars –

— Qui a dit que ça ne me concerne pas ? » Mahesh Kapoor se retourna et faillit rentrer dans Sandeep Lahiri. « Qui dit ça ? » S'il était un sujet qui faisait bouillir de rage Mahesh Kapoor, c'était cet ignoble effet secondaire de sa loi chérie. Partout où elle avait été votée, sur l'ensemble du territoire national, des paysans se retrouvaient privés de leur maison et de leurs champs. Dans la majorité des cas, le propriétaire entendait ainsi démontrer qu'il avait toujours cultivé directement sa terre et que personne d'autre que lui n'avait de droit sur elle.

« Mais, Monsieur, vous venez de dire –

— Peu importe ce que j'ai dit. Que faites-vous dans ces cas-là ?

— Monsieur, l'étendue du problème défie l'imagination. Je ne peux pas être partout à la fois.

— Suscitez une agitation. »

Sandeep Lahiri en laissa choir son menton. Non seulement il lui paraissait impensable que lui, un fonctionnaire, pût fomenter des troubles, mais que la suggestion lui vînt d'un ex-ministre le stupéfiait littéralement. S'il en avait appelé à Mahesh Kapoor, qui s'était fait le champion des paysans, c'était avec le secret espoir que celui-ci prendrait les choses en main.

« Avez-vous parlé à Jha ?

— Oui, Monsieur.

— Et que dit-il ?

— Monsieur, ce n'est un secret pour personne que Mr Jha et moi-même ne sommes pas dans les meilleurs termes. Ce qui me navre a toutes les chances, pour cette raison même, de le ravir. Et comme il tire une large part de ses revenus des propriétaires terriens –

— Bien, bien, je vais réfléchir à la situation. Je viens tout juste d'arriver. Je n'ai même pas encore eu le temps de vérifier certaines choses – de m'entretenir avec mes électeurs –

— Vos électeurs, Monsieur ? » Que Mahesh Kapoor pensât à se présenter dans la subdivision de Rudhia plutôt que dans son habituelle circonscription urbaine parut combler d'aise Sandeep Lahiri.

« Qui sait, qui sait ? dit Mahesh Kapoor, soudain de bonne humeur. Tout ceci est très prématuré. Puisque nous voici à la maison, venez prendre une tasse de thé. »

Maan et Sandeep purent enfin se parler. Maan fut déçu d'apprendre qu'il n'y avait aucun projet de chasse dans l'immédiat. Sandeep détestant ce genre d'occupation n'en organisait une que lorsqu'il ne pouvait faire autrement.

Ce qui n'était pas le cas actuellement. Bien que peu abondantes, les pluies avaient recréé la chaîne alimentaire naturelle, faisant ainsi disparaître la menace des loups. Certains villageois attribuaient cependant cette sécurité retrouvée à l'intercession personnelle du SCD. Cela, ajouté à la bonne volonté qu'il manifestait envers ses administrés, son habitude de démêler les affaires *in situ* (même si cela signifiait tenir un banc de justice sous un arbre), son honnêteté en matière d'impôts, son refus de cautionner les évictions illégales dont il avait connaissance, sa capacité de faire régner l'ordre et la loi dans sa subdivision, conférait à Sandeep Lahiri une grande popularité. Son casque colonial demeurait néanmoins un objet de moquerie pour les plus jeunes.

Au bout d'un moment, Sandeep demanda la permission de se retirer. « J'ai rendez-vous avec Mr Jha, Monsieur, et c'est quelqu'un qui ne supporte pas d'attendre.

— A propos des évictions dans la région, j'aimerais en avoir la liste.

— Mais, Monsieur – » Le SCD ne possédait pas cette liste, et même s'il l'avait eue, était-il correct, d'un point de vue éthique, de s'en séparer ?

« Même insuffisante, même incomplète », dit Mahesh Kapoor, qui raccompagna le jeune homme à la porte avant que celui-ci n'ait eu le temps d'émettre une nouvelle objection.

14.3

La visite de Sandeep Lahiri chez Jha fut un échec.

Personnage politique important, ami du Premier ministre, président de la Chambre haute de l'Etat, Jha attendait que le SCD le consulte sur tous les sujets importants. Lahiri, pour sa part, ne voyait pas la nécessité d'en référer à un chef de parti en matière de routine administrative. Frais issu de l'université, il était imprégné des grands principes de droit constitutionnel, la séparation du parti et de l'Etat, le libéralisme à la Laski. Il s'efforçait de tenir à distance les politiciens locaux.

Une année de poste à Rudhia l'avait convaincu cependant qu'il ne pouvait échapper aux convocations des grands chefs politiques régionaux. Quand Jha écumait, il fallait obéir. Sandeep traitait ces obligations comme il l'aurait fait d'une épidémie de peste : quelque chose d'imprévisible et de fâcheux, mais qui nécessitait sa présence.

Inutile d'attendre du politicien de cinquante-cinq ans qu'il se rendît dans les bureaux du jeune homme, même si le strict règlement l'exigeait. C'était d'ailleurs plus par respect pour l'âge de son interlocuteur que par déférence envers le parti du Congrès que Sandeep se déplaçait, arborant un air niais qui dissimulait ce qu'il pensait réellement. En une occasion, Jha ne lui ayant pas proposé de s'asseoir – apparemment par étourderie, plus vraisemblablement pour prouver à ses subordonnés qu'il avait le pas sur le représentant de l'Etat –, Lahiri, jouant lui aussi l'étourdi, s'était emparé d'une chaise en regardant Jha d'un air bonasse.

Aujourd'hui, Jha paraissait d'humeur joviale, un large sourire aux lèvres, son calot blanc de membre du Congrès de guingois sur sa grosse tête.

« Ne restez pas debout, ne restez pas debout », dit-il. Ils étaient seuls, il n'avait personne à impressionner.

« Merci Monsieur.

— Une tasse de thé ?

— Merci Monsieur. J'aurais volontiers accepté, mais je viens juste d'en prendre. »

La conversation languit, puis se raviva.

« Je viens de voir la circulaire, dit Jha.

— La circulaire ?

— Sur la collecte de fonds pour le jour de l'Indépendance.

— Ah oui. Je me demandais si je pouvais vous demander votre aide. Si vous, respecté comme vous l'êtes, encouragiez les gens à y contribuer, cela aurait un effet considérable. Nous réunirions une grosse somme et ferions une belle fête – distribution de bonbons, de nourriture aux pauvres etc. En fait, Monsieur, je compte sur votre aide.

— Et moi, je compte sur la vôtre. C'est la raison pour laquelle je vous ai convoqué.

— Mon aide ?

— Oui, oui. Le Congrès, voyez-vous, a lui aussi des projets pour le jour de l'Indépendance. Nous prendrons la moitié des fonds que vous aurez collectés et leur donnerons une autre affectation – pour venir en aide aux gens et ainsi de suite. Voilà donc ce que j'attends de vous. L'autre moitié, vous l'utiliserez comme vous voudrez, ajouta-t-il généreusement. Naturellement, j'encouragerai les gens à contribuer. »

C'était exactement ce que Sandeep redoutait. Des hommes de l'entourage de Jha l'avaient d'ailleurs approché dans ce sens, quelques jours auparavant, qu'il avait rabroués vertement. A présent, il continuait à afficher son sourire niais, mais son silence mit mal à l'aise le politicien.

« Nous sommes bien d'accord, n'est-ce pas ? dit-il d'une voix un peu énervée. Nous aurons besoin de cet argent bientôt car il nous faudra quelques jours pour organiser les choses, et vous n'avez pas encore commencé votre collecte.

— Eh bien – » soupira Sandeep, levant les mains dans un geste signifiant que, si ça ne dépendait que de lui, il serait ravi de remettre à Jha la totalité de la somme, mais que, hélas, l'univers se liguait pour l'empêcher de lui donner satisfaction.

La mine de Jha s'assombrit.

« Voyez-vous, Monsieur, expliqua Sandeep, décrivant de grandes courbes avec ses mains, j'ai les mains liées. »

Jha le fixa quelques instants, puis explosa.

« Que voulez-vous dire ? Personne n'a les mains liées. Le Congrès dit que personne n'a les mains liées. Le Congrès vous déliera les mains.

— Voilà, il se passe que – »

Mais Jha ne le laissa pas continuer. « Vous êtes un serviteur du gouvernement, rugit-il, et le parti du Congrès dirige le gouvernement. Vous ferez ce que nous vous dirons. » Il rajusta son calot et, sous la table, retroussa son dhoti.

« Hum », dit Sandeep d'une voix neutre, affichant une grimace aussi sotte que son sourire.

Comprenant qu'il ne progressait pas, Jha décida de jouer la persuasion et la conciliation. « Le Congrès est le parti de l'Indépendance. Sans le Congrès il n'y aurait pas de jour de l'Indépendance.

— C'est vrai, tout à fait vrai, opina le SCD. Le parti de Gandhi », ajouta-t-il.

Commentaire qui ramena la bonne humeur sur la vaste figure de Jha.

« Donc, nous nous comprenons ?

— J'espère, Monsieur, qu'il en sera toujours ainsi –

qu'aucune incompréhension ne viendra jamais troubler nos relations.

— Nous sommes deux bœufs sous un même joug, dit Jha d'un ton rêveur, se référant au symbole électoral du Congrès. Le parti et le gouvernement tirant ensemble.

— Hum, répéta Sandeep Lahiri, le dangereux sourire imbécile réapparaissant sur son visage.

— Combien croyez-vous pouvoir ramasser ? demanda Jha, fronçant les sourcils.

— Je l'ignore, Monsieur, c'est la première fois que je fais ce genre de collecte.

— Disons, cinq cents roupies. Deux cent cinquante pour nous, deux cent cinquante pour vous – et tout le monde sera content.

— Monsieur, je suis dans une position difficile. »

Jha ne dit rien, se contentant de fixer ce présomptueux imbécile.

« Si je vous donne une partie de l'argent, reprit Sandeep, le Parti socialiste voudra sa part, le PTP –

— Oui, oui, je sais, vous êtes allé voir Mahesh Kapoor. Vous a-t-il demandé de l'argent ?

— Non, Monsieur –

— Alors où est le problème ?

— Mais, Monsieur, pour être justes –

— Juste ! répéta Jha avec mépris.

— Pour être justes, Monsieur, nous devrions verser une somme équivalente à tous les partis – le Parti communiste, le Bharatiya Jan Sangh, le Ram Rajya Parishad, l'Hindu Mahasabha, le Parti socialiste révolutionnaire –

— Comment ! Comment ! Vous osez nous comparer au Parti socialiste ? » Jha remonta à nouveau son dhoti.

« C'est-à-dire –

— A la Ligue musulmane ?

— Certainement, Monsieur, pourquoi pas ? Le Congrès n'est qu'un parti parmi les autres. »

Profondément outragé, l'image de la Ligue musulmane tournoyant dans sa tête comme un pétard de Divali, Jah dévisagea Sandeep Lahiri.

« Si c'est ainsi, explosa-t-il enfin, je vous montrerai. Je vous montrerai ce que signifie le Congrès. Je ferai en sorte que vous ne puissiez pas collecter un sou. Pas une paisa. Vous verrez, vous verrez. »

Sandeep se tut.

« Je n'ai rien d'autre à dire, continua Jha, sa main droite agrippant un œuf de verre bleu clair qui lui servait de presse-papiers. Mais vous verrez, vous verrez.

— Très bien, Monsieur, nous verrons. » Sandeep se leva, Jha ne bougea pas de sa chaise. Arrivé à la porte, le SCD se retourna et lui adressa son sourire niais. L'homme du Congrès ne le lui rendit pas.

14.4

Persuadé qu'il n'y avait pas de temps à perdre, redoutant que la prédiction de Jha ne se réalise, Sandeep Lahiri se rendit l'après-midi même sur la place du marché de Rudhia, vêtu de sa chemise et de son short kaki, son casque en sola sur la tête. Une petite foule se rassembla autour de lui, qu'intriguait sa présence en ce lieu, la visite du SCD constituant toujours un événement.

Aux questions des boutiquiers, Sandeep Lahiri répondit : « Je collecte des fonds pour la célébration du jour de l'Indépendance, j'ai reçu l'autorisation de faire appel au public. Voulez-vous donner quelque chose ? »

Les commerçants se regardèrent et, simultanément, comme s'ils s'étaient consultés auparavant, sortirent chacun un billet de cinq roupies. On savait Lahiri honnête homme et peu coutumier des pressions d'aucune sorte, mais mieux valait, se dirent-ils, répondre favorablement même si cet argent était destiné à un événement patronné par le gouvernement.

« Oh, mais c'est beaucoup trop, dit le SCD. Une roupie par personne me paraît être le maximum. Je ne veux pas que les gens dépensent plus qu'ils ne peuvent se le permettre. »

Les boutiquiers ne se le firent pas dire deux fois. Ils

récupérèrent leur billet qu'ils remplacèrent par une pièce d'une roupie. L'esprit ailleurs, le SCD prit les pièces et les fourra dans sa poche.

La nouvelle se répandit sur tout le marché que le SCD en personne demandait de l'argent pour le jour de l'Indépendance, que cela servirait à nourrir les enfants et les pauvres, qu'il n'exerçait pas de contrainte et qu'il avait porté la contribution maximum à une roupie. Ces précisions, s'ajoutant à sa popularité, firent merveille. Partout où il alla – lui qui détestait parler en public dans son mauvais hindi et que mettait mal à l'aise toute cette affaire de collecte d'argent – il fut assiégé par des donateurs souriants, dont certains avaient entendu dire que Jha s'opposait à sa démarche. Force était de reconnaître, songea Sandeep, que, si peu de temps après l'Indépendance, les représentants locaux du Congrès – par leur vénalité, leur outrecuidance et leur trafic d'influence au grand jour – s'étaient déjà rendus impopulaires et que la population le soutenait dans sa lutte contre les politiciens. S'il s'était présenté, dans une élection, contre Jha il aurait probablement gagné, comme la plupart des SCD. Pendant ce temps, les hommes de main de Jha, qui se répandaient en nombre pour essayer de convaincre les gens de donner leur obole au Congrès et non au gouvernement, se heurtaient à une forte résistance. Certains, qui avaient déjà déposé leur roupie dans la cagnotte de Sandeep, renouvelèrent leur geste sans que celui-ci pût les en empêcher.

« Non, Monsieur, ceci c'est de la part de ma femme, et ça de la part de mon fils », expliqua l'un d'entre eux.

Quand ses poches furent pleines, Sandeep en versa le contenu dans son célèbre casque, avec lequel il continua à quêter. Tout le monde était ravi. L'argent pleuvait, les gamins du marché le suivaient en procession, criant « SCD Sahib ki jai ! », regardant le tas de pièces grossir – plus d'argent qu'ils n'en avaient jamais vu en une seule main – et pariant sur le montant final.

Il faisait chaud, et Sandeep s'arrêtait de temps en temps sous l'auvent d'une échoppe pour souffler.

Maan, descendu en ville en voiture, intrigué par cette foule, vint aux nouvelles.

« A quoi jouez-vous ? demanda-t-il à Sandeep.

— A m'enrichir, soupira le SCD.

— J'aimerais pouvoir gagner de l'argent aussi facilement, dit Maan. Vous avez l'air épuisé, laissez-moi vous aider. » Lui prenant le casque des mains, il se mit à le tendre à la ronde.

« Croyez-moi, ne faites pas ça, dit Sandeep. Si Jha l'apprend, il n'appréciera pas.

— Salopard de Jha !

— Non, non, mon vieux, rendez-le-moi. » Maan lui rendit son couvre-chef.

Au bout d'une demi-heure, casque et poches remplis, Sandeep s'arrêta pour faire les comptes. Il avait réuni la somme inimaginable de huit cents roupies.

Il décida d'en rester là. Il disposait de plus qu'il ne lui en fallait pour organiser une très grande fête. Il fit un petit discours, truffé de fautes d'hindi, remerciant les gens de leur générosité, les assurant que cet argent serait bien employé.

C'est un Jha rouge de colère qui eut vent de la chose. « Je lui montrerai, déclara-t-il tout haut, je lui montrerai qui est le patron à Rudhia. »

14.5

Il fulminait encore quand il reçut la visite de Mahesh Kapoor.

« Oh, Kapoorji, Kapoorji, bienvenue, bienvenue dans ma pauvre demeure », s'écria Jha.

L'ex-ministre n'y alla pas par quatre chemins. « Votre ami Joshi a chassé des fermiers de sa terre. Dites-lui d'arrêter. Je ne le laisserai pas faire. »

Son calot toujours de guingois, Jha regarda Mahesh Kapoor d'un air finaud. « Je n'ai rien entendu de tel. D'où tenez-vous cette information ?

— Peu importe, elle est fiable. Je ne veux pas de ce genre

de chose à ma porte. Ça donne une très mauvaise réputation au gouvernement.

— Et en quoi ça vous concerne, puisque vous n'en faites plus partie ? Agarwal et Sharma m'ont dit l'autre jour que vous vous êtes joint à Kidwai et Kripalani essentiellement pour former le groupe des K-K-K.

— Vous vous moquez de moi ?

— Non, non, non, je vous assure.

— Parce que si c'est le cas, laissez-moi vous dire que je suis prêt à me présenter dans cette circonscription et à me battre pour que les fermiers ne soient pas maltraités par vos amis. »

Jha en demeura bouche bée. Le nom de Kapoor était tellement associé au Vieux Brahmpur que personne ne l'imaginait se présentant dans une circonscription rurale. Par ailleurs, l'ex-ministre ne s'étant que rarement mêlé des affaires de Rudhia, Jha supportait très mal ce qu'il considérait comme une intrusion.

« C'est pour ça que votre fils tenait des discours aujourd'hui sur la place du marché ?

— Quels discours ?

— Avec ce Lahiri, ce fonctionnaire du district.

— De quoi parlez-vous ? Cette histoire ne m'intéresse pas. Ce que je vous dis, moi, c'est que vous feriez mieux de conseiller à Joshi de laisser tomber, ou je lui intente un procès. Que je sois ou ne sois plus au gouvernement, je ne veux pas que la loi sur les zamindars se retrouve sans crocs, et je suis prêt à devenir le dentiste local.

— J'ai une meilleure suggestion, Maheshji, dit Jha en remontant son dhoti d'un air de défi. Si vous tenez tellement à une circonscription rurale, pourquoi ne pas vous présenter à Salimpur/Baitar ? Ainsi vous pourrez veiller à ce que votre ami le Nawab Sahib ne renvoie pas ses fermiers, acte pour lequel, à ce qu'on raconte, il est très doué.

— Merci, je prends bonne note de votre suggestion.

— Et surtout prévenez-moi quand votre parti – comment s'appelle-t-il déjà ? on se perd avec toutes ces initiales – le PTP, c'est cela ? – quand le PTP, donc, obtiendra une centaine de voix. » De pouvoir parler ainsi à un homme si puissant quelques semaines seulement auparavant ravissait Jha. « Pourquoi nous avoir privés, au Congrès, de votre présence et de votre sagesse ? Pourquoi avez-vous quitté le parti de Nehru ? Chacha Nehru – notre grand chef – comment s'en sortira-t-il sans la présence de gens comme vous ? Des gens à la pensée éclairée ? Et, surtout, comment vous, ferez-vous sans lui ? Quand il demandera au peuple de voter pour le Congrès, qui croyez-vous que celui-ci écoutera ?

— Vous devriez avoir honte d'utiliser le nom de Nehru. Vous ne partagez aucune de ses idées, mais vous vous servirez de lui pour attraper des voix. Jha sahib, sans Nehru, vous ne seriez rien.

— Sans, sans –

— J'ai entendu assez d'idioties. Prévenez Joshi que je possède la liste des fermiers qu'il a mis à la porte. Comment je l'ai obtenue n'est pas votre affaire, ni la sienne. Il a intérêt à les avoir repris d'ici le jour de l'Indépendance. C'est tout ce que j'ai à vous dire. »

Mahesh Kapoor se leva pour s'en aller. Sur quoi le dénommé Joshi fit son apparition, l'air si préoccupé qu'il ne remarqua Mahesh Kapoor que lorsqu'il faillit lui rentrer dedans. Levant la tête – c'était un petit homme à la moustache blanche bien taillée – il s'écria :

« Oh, Kapoor Sahib, Kapoor Sahib, quelle terrible nouvelle !

— Quelle nouvelle ? Vos fermiers ont-ils graissé la patte à la police avant que vous ne puissiez le faire vous-même ?

— Les fermiers ? répéta Joshi sans comprendre.

— Kapoorji vient d'écrire son propre Ramayana, dit Jha.

— Le Ramayana ? dit Joshi.

— Vas-tu cesser de répéter ? s'impatienta Jha. Quelle est cette terrible nouvelle ? Je sais que ce Lahiri a réussi à extorquer un millier de roupies aux gens. C'est ça que tu es venu me dire ? Je vais m'occuper de lui à ma façon.

— Non, non – Joshi avait du mal à s'exprimer tant la nouvelle qu'il transportait était capitale – c'est que Nehru – »

La détresse se lisait sur son visage.

« Quoi ? demanda Jha.

— Est-il mort ? s'exclama Kapoor, prêt au pire.

— Non, bien pis, il a démissionné – démissionné –

— Du gouvernement ? s'enquit Mahesh Kapoor. Du Congrès ? De quoi ?

— Du Comité directeur du Congrès et du Comité électoral, s'écria Joshi. On raconte qu'il pense à quitter le parti également – et à en rejoindre un autre. Dieu sait ce qui nous attend. Le chaos, le chaos. »

Mahesh Kapoor comprit sur-le-champ qu'il allait devoir regagner Brahmpur – et peut-être même Delhi – pour des consultations. Avant de franchir la porte, il jeta un dernier regard à Jha. La bouche ouverte, tenant son calot à deux mains, celui-ci était à l'évidence en état de choc.

14.6

Mahesh Kapoor se précipita donc à Brahmpur, laissant Maan à la ferme. Ainsi, la crise qui couvait depuis un an au sein du Congrès avait fini par éclater. Le Premier ministre du pays avait en quelque sorte déclaré qu'il n'avait plus confiance dans les dirigeants du parti qu'il représentait au parlement. Et il avait choisi de faire cette déclaration quelques jours avant la fête de l'Indépendance – le 15 août – où il devait s'adresser à la nation du haut des remparts du Fort rouge de Delhi.

Sandeep Lahiri, pour sa part, s'adressa brièvement à la population de Rudhia du haut d'une estrade dressée à l'extrémité de l'esplanade. Aidé de diverses organisations féminines, il organisa la distribution de nourriture aux pauvres, distribua de ses mains des friandises aux enfants – une tâche à laquelle il n'était pas habitué mais qu'il trouva agréable. Il reçut le salut des scouts et des forces de police défilant devant lui, hissa le drapeau national, d'où se déversa sur son visage renversé et surpris une pluie de pétales d'œillets d'Inde.

Jha et ses partisans boycottèrent l'ensemble des manifestations. Pour finir, une fanfare locale joua l'hymne national, Sandeep Lahiri s'écria « Jai Hind ! » sous les vivats d'une foule enthousiaste, et il procéda à une nouvelle distribution de friandises, à laquelle Maan prêta son concours, apparemment tout heureux. On eut beaucoup de mal à empêcher les enfants de briser les rangs. Pendant ce temps-là, un facteur s'approcha du SCD et lui tendit un télégramme. Il faillit le fourrer dans sa poche sans l'ouvrir, se ravisa et, comme il avait les mains poisseuses, demanda à Maan, qui avait réussi à garder les siennes propres, de le faire à sa place et de le lire.

Au début, Sandeep parut ne pas très bien saisir la teneur du message, mais bientôt, sa mine prit un air chagrin. Jha n'avait pas perdu de temps. Emanant du Secrétaire général du gouvernement du Purva Pradesh, le télégramme informait Shri Sandeep Lahiri de son changement d'affectation avec effet immédiat : un poste l'attendait au ministère des Mines à Brahmpur, qu'il devrait gagner le jour même de l'arrivée de son successeur à Rudhia, soit le 16 août.

14.7

A peine débarqué à Brahmpur, Sandeep Lahiri sollicita un entretien avec le Secrétaire général. Quelques mois plus tôt, celui-ci lui avait envoyé un mot pour le féliciter de l'excellent travail qu'il accomplissait dans son district, notamment en ayant résolu – par des enquêtes personnelles sur le terrain – des querelles entre propriétaires terriens réputées depuis des années intraitables, et l'avait assuré de son total soutien. Or il venait de lui retirer le tapis sous les pieds.

Le Secrétaire général le reçut le soir même, chez lui.

« Je sais ce que vous allez me demander, jeune homme, et je serai très franc avec vous. Mais je vous préviens, il n'est pas question d'annuler cette décision.

— Je vois, Monsieur.

— L'ordre est venu directement du Premier ministre d'Etat.

— Est-ce que Jha a un rapport quelconque avec ça ?

— Jha ? Oh, j'y suis, Jha de Rudhia. Vraiment, je n'en sais rien. C'est tout à fait possible. Je commence à penser que tout est possible de nos jours. Vous lui avez marché sur les pieds ?

— Je suppose, Monsieur – et lui a marché sur les miens. »

Sandeep fit au Secrétaire général l'historique de sa querelle avec Jha.

« Vous vous rendez compte que vous êtes l'objet d'une promotion, n'est-ce pas ? Il n'y a pas de quoi être mécontent.

— Oui, Monsieur. » Effectivement le poste de sous-secrétaire au ministère des Mines, bien qu'assez subalterne dans la hiérarchie de l'administration indienne, se situait à un échelon supérieur à celui de SCD, malgré la liberté d'action et les plaisirs d'une vie au plein air qu'offrait celui-ci.

« Eh bien ?

— Est-ce que – si je peux me permettre – vous avez dit un mot au Premier ministre d'Etat en ma faveur, pour l'empêcher de se débarrasser de moi ?

— Lahiri, j'aimerais que vous ne voyiez pas les choses ainsi. Personne ne s'est débarrassé de vous, et personne n'a l'intention de le faire. Une brillante carrière vous attend. Je ne veux pas entrer dans les détails, mais sachez que dès que j'ai reçu les instructions du Premier ministre – qui m'ont surpris, effectivement – j'ai demandé qu'on m'apporte votre dossier. Vous avez un excellent état de service, avec une seule mauvaise note. A mon avis, c'est à cause du prochain anniversaire de la naissance du Mahatma Gandhi que le Premier ministre vous a retiré de Rudhia. Il semble qu'il n'ait pas apprécié votre attitude, lors de la célébration de l'année dernière ; quelque chose a dû lui rafraîchir la mémoire récemment, et il a jugé que votre présence à Rudhia constituerait une provocation. Quoi qu'il en soit, passer quelques mois à Brahmpur en début de carrière ne saurait vous nuire. Puisque vous êtes destiné à y passer au moins un tiers de votre vie active, autant voir comment les choses fonctionnent dans ce labyrinthe. Mon seul conseil précis – le Secrétaire général prit soudain un ton morne –, ne vous montrez pas trop souvent au bar du Subzipore Club. En gandhien véritable qu'il est, Sharma n'aime pas les buveurs ; chaque fois qu'il apprend que je suis au club, il prend un malin plaisir à me convoquer pour un travail urgent, tard dans la nuit. »

L'incident qu'évoquait le Secrétaire général s'était déroulé l'année précédente au sein de la colonie des chemins de fer de Rudhia : des jeunes gens, anglo-indiens, fils d'employés des chemin de fer, avaient cassé le verre protégeant un portrait du Mahatma Gandhi, qu'ils avaient entrepris ensuite de lacérer. Cela avait déclenché une émeute, les fautifs avaient été arrêtés, tabassés par la police et déférés devant Sandeep Lahiri. Jha avait exigé qu'on les juge pour sédition ou en tout cas pour injure grave au sentiment religieux de la population. Sandeep, comprenant qu'il avait affaire à des têtes brûlées, inconscients de la portée de leur acte mais pas mauvais bougres, attendit qu'ils se calment, leur passa un savon, les obligea à s'excuser publiquement, puis les relâcha. Compte tenu des charges qu'on aurait voulu lui voir retenir contre eux, son jugement fut très succinct :

> Il ne s'agit pas à l'évidence d'un cas de sédition : Gandhiji, avec toute la révérence que nous portons à sa mémoire, n'est pas le Roi-Empereur. Il n'est pas davantage un chef religieux, ce qui fait que l'accusation d'injure au sentiment religieux ne tient pas non plus. Quant aux dommages, le verre brisé et le portrait abîmé ne coûtent guère plus de huit annas, et de minimis non curat lex. Les accusés sont relaxés avec un avertissement.

Sandeep brûlait d'envie depuis longtemps d'employer cette formule latine, et voilà que l'occasion idéale se présentait : la loi ne s'intéresse pas aux vétilles, et, en termes financiers du moins, cette affaire n'était guère plus qu'une vétille. Tandis que son plaisir linguistique n'avait pas de prix. Le Premier ministre d'Etat, lui, n'avait pas apprécié, et avait ordonné au précédent Secrétaire général d'inscrire une mauvaise note dans le dossier de Sandeep. « Le gouvernement a estimé mal fondée la décision de Mr Lahiri dans la récente affaire des désordres de Rudhia. Le gouvernement note avec regret qu'il a choisi d'afficher ses instincts libéraux au détriment du maintien de l'ordre et du respect de la loi, dont il est chargé. »

« Qu'auriez-vous fait, Monsieur, si vous aviez été à ma place ? dit Sandeep. Quel article du Code pénal indien pouvais-je invoquer pour faire couper les têtes de ces jeunes idiots, à supposer que je l'aie voulu ?

— Ecoutez, je ne veux pas revenir sur cette histoire, éluda le Secrétaire général, soucieux de ne pas critiquer son prédécesseur. Quoi qu'il en soit, comme vous le dites, c'est probablement à un récent accrochage avec Jha que vous devez votre transfert, et non pas à cet incident. Je sais ce que vous pensez : que j'aurais dû prendre votre défense. Eh bien, je l'ai fait. Je me suis assuré que ce changement de poste s'accompagnait d'une promotion. C'est ce que je pouvais faire de mieux. Je sais quand il convient ou non d'argumenter avec le Premier ministre – qui, il faut lui rendre justice, est un excellent administrateur qui apprécie les bons fonctionnaires. Un jour, quand vous occuperez une position semblable à la mienne – ce qui, compte tenu de vos capacités, vous arrivera sûrement –, vous devrez procéder à de semblables, disons, ajustements. Et maintenant, que puis-je vous offrir à boire ? »

Sandeep accepta un whisky. Le Secrétaire général devint de plus en plus expansif, n'en finissant plus d'évoquer ses souvenirs :

« Le problème, voyez-vous, date de 1937 – quand les hommes politiques ont commencé à se mêler des affaires à l'échelon local. Sharma a été élu Premier ministre des Provinces sous Protectorat – ce qui était le statut de notre Etat. Très vite il m'a paru évident que d'autres considérations que le mérite présideraient aux promotions et aux transferts. Quand les ordres suivaient la filière : vice-roi – gouverneur – commissaire – magistrat de district, les choses étaient claires. C'est quand les législateurs se sont immiscés à tous les échelons, à l'exception du tout premier, que le pourrissement a commencé. Patronage, fiefs personnels, agitation, politique, flagornerie à l'égard des députés du peuple : tout ce genre de micmac. Il fallait faire son devoir, bien sûr, mais parfois le spectacle auquel on assistait était effarant. Une transgression éhontée des règles, le cricket réinterprété selon les besoins, si vous voyez ce que je veux dire. A propos, saviez-vous que Nehru – que Tandon s'efforce de faire déclarer hors jeu en fonction des règles pratiquées par le Congrès – était un très bon joueur de cricket à l'époque de ses études à l'université d'Allahabad ? Je crois bien qu'il a été capitaine d'équipe. Et maintenant, on le voit aller barbu et pieds nus comme un rishi du *Mahabharata*. Un autre verre ?

— Non, merci.

— Le fait qu'il ait été président de l'Assemblée législative de l'Uttar Pradesh pendant toutes ces années compte aussi pour beaucoup. Règlements, règlements et très peu de flexibilité. J'ai toujours pensé que c'est à nous les bureaucrates de veiller au respect des règles. Voilà, le pays brûle et les politiciens fricotent. C'est à nous de faire marcher les choses. Le cadre de fer : même s'il rouille et se gondole. Moi j'arrive à la fin de ma carrière et je ne peux pas dire que je le regrette. J'espère que vous aimerez votre nouveau poste, Lahiri – les Mines, c'est ça ? Donnez-moi de vos nouvelles.

— Merci, Monsieur. » Sandeep se leva, le visage sévère. Il commençait à trop bien comprendre comment marchaient les choses. Etait-ce le futur lui-même à qui il venait de parler ? A cette idée, il se sentit submergé par la consternation – pire même, par le dégoût.

14.8

« Sharmajì est passé te voir ce matin, dit Mrs Mahesh Kapoor à son mari, quand il revint à Prem Nivas.

— Il est venu lui-même ?

— Oui.

— A-t-il dit quelque chose ?

— Que me dirait-il à moi ? »

D'un petit claquement de langue, Mr Mahesh Kapoor marqua son irritation. « Bon, fit-il, j'irai le voir. » Il se doutait fort bien de ce qui avait poussé le Premier ministre d'Etat à faire ce geste, plus que courtois. Tout le pays, maintenant, parlait de la crise du Congrès, que la démission de Nehru de toutes ses charges dans le parti avait officialisée.

Après avoir annoncé sa visite, Mahesh Kapoor se rendit chez le Premier ministre. Il portait toujours la calotte blanche, emblème vestimentaire du Congrès. En le voyant entrer dans le jardin, Sharma se leva de sa chaise de rotin blanc pour le saluer. Il paraissait reposé, et s'éventait avec un journal dont les gros titres annonçaient les tentatives de rapprochement avec Nehru. Il offrit à son ex-collègue un siège et une tasse de thé.

« Je n'irai pas par quatre chemins, Kapoor Sahib, dit-il. Je veux que vous m'aidiez à persuader Nehru de réintégrer le Congrès.

— Mais il ne l'a jamais quitté, remarqua Mahesh Kapoor, souriant en constatant que le Premier ministre avait déjà une longueur d'avance.

— Je voulais dire à y reprendre toutes ses fonctions.

— Je compatis, Sharmaji ; le Congrès doit vivre des moments difficiles. Mais que puis-je faire puisque je n'en suis plus membre ?

— Le Congrès est votre vraie famille, protesta Sharma, dont la tête commença à branler. Vous lui avez tout donné, lui avez sacrifié les meilleures années de votre vie. A l'Assemblée, vous êtes assis à la même place qu'avant. Que cette enclave s'appelle maintenant le PTP ou autre chose ne m'empêche pas de la considérer avec affection. Vous et vos amis êtes toujours mes collègues. Il y a plus d'idéalistes parmi vous que parmi ceux qui sont restés avec moi. »

Il faisait ainsi, sans le dire, référence à Agarwal et à ses semblables. Mahesh Kapoor but une gorgée de thé. S'il éprouvait une grande sympathie pour l'homme dont il avait récemment quitté le gouvernement, il espérait bien voir Nehru le rejoindre dans son nouveau parti ; comment Sharma avait-il pu s'imaginer que lui, Kapoor, entre tous,

accepterait de faire cette démarche auprès de Nehru ?
« Sharmaji, dit-il tranquillement, j'ai sacrifié toutes ces
années pour mon pays plus que pour un parti. Si le Congrès
a trahi ses idéaux et forcé tant de ses vieux adhérents à
partir – » Il s'interrompit. « Néanmoins, je ne crois pas que
Panditji le quitte dans l'immédiat.

— Vraiment ? »

Il y avait deux lettres devant lui sur la table. Il en prit une,
la plus longue, et la tendit à Mahesh Kapoor, lui indiquant
du doigt les deux derniers paragraphes. Kapoor la lut lentement, de bout en bout. Il s'agissait d'une des lettres
bimensuelles que Nehru adressait à ses principaux ministres. Elle était datée du 1er août – soit deux jours après la
nouvelle démission de Kidwai. Après un long développement sur les différents sujets de politique intérieure et
étrangère, elle se terminait ainsi :

24. La presse, récemment, a fait de fréquentes allusions à
des démissions du gouvernement fédéral. J'avoue avoir été
profondément peiné par cette affaire, car les deux personnes
concernées étaient des collègues de valeur dont l'appartenance au gouvernement était pleinement justifiée. Ils sont
partis non en raison d'opinions divergentes sur la politique
gouvernementale, mais à cause de problèmes soulevés par la
ligne du Congrès. Je ne m'étendrai pas ici sur ce sujet car vous
verrez probablement bientôt dans la presse des déclarations
qui vous expliqueront ma position. Cette position n'affecte
qu'indirectement le gouvernement. Elle concerne essentiellement l'avenir du Congrès. Qui n'intéresse pas seulement les
membres du parti mais l'Inde tout entière, car le Congrès a
tenu un grand rôle.

25. La prochaine session parlementaire commence lundi
prochain, 6 août. Ce sera la dernière avant les élections. Un
lourd travail l'attend, dont une partie devra trouver sa solution. Cette session durera probablement deux mois.

Sincèrement vôtre,
JAWAHARLAL NEHRU.

Lisant cette lettre avec en tête la démission de Nehru,
moins d'une semaine plus tard, celle du Comité directeur et
du Comité électoral, Mahesh Kapoor comprenait pourquoi
Sharma – ou quiconque – pouvait penser que Nehru ne

tarderait pas à quitter le parti lui-même. Il ne fit aucun commentaire.

« Les membres du Congrès de l'Uttar Pradesh, dit Sharma rompant le silence, vont essayer de persuader Nehru de reprendre sa démission – ou du moins de convaincre Nehru et Tandon de parvenir à un compromis. Je pense qu'un certain nombre d'entre nous devraient également aller lui parler. Je suis prêt à me rendre moi-même à Delhi. Mais je veux que vous veniez avec moi.

— Je suis désolé, Sharmaji. Je ne peux pas vous aider. Panditji vous respecte, et vous serez aussi persuasif que quiconque. Pour ma part, à l'instar de Kidwai, Kripalani et tous les autres qui ont quitté le Congrès, j'espère que Nehru nous rejoindra. Comme vous le dites, il nous reste un certain idéalisme. Il est peut-être temps que la politique se fonde sur des idéaux pour trouver des solutions et n'ait pas simplement pour but le contrôle de la machinerie du parti. »

Sharma recommença à branler du chef. Un domestique arriva, porteur d'un message, mais il le renvoya. Il resta un moment le menton appuyé dans ses mains puis il parla, de sa voix haut perchée mais persuasive :

« Maheshji, vous devez vous interroger sur mes motifs, peut-être même sur la logique de ma pensée. Peut-être n'ai-je pas clairement exprimé ma vision de la situation. Voici plusieurs possibilités. Premièrement : supposons que Nehru quitte le Congrès. Supposons que je ne veuille pas m'opposer à lui dans les prochaines élections, peut-être parce que je le respecte, peut-être parce que je crains de perdre et que, étant donné mon âge, je me soucie trop de mon amour-propre. Quoi qu'il en soit, je démissionne du Congrès. Ou en tout cas renonce à toute participation active dans les affaires de l'Etat. Il faudra donc trouver un nouveau Premier ministre. Telles que se présentent les choses, et à moins que l'ex-ministre du Trésor ne réintègre le Congrès et ne persuade ses amis d'en faire autant, il n'y aura qu'un seul prétendant à la fonction.

— Vous ne permettriez pas qu'Agarwal devienne Premier ministre, s'exclama Mahesh Kapoor, outré. Vous ne remettriez pas l'Etat entre ses mains. »

Sharma laissa errer son regard sur le jardin. Une vache piétinait le carré de radis, mais il ne s'en soucia pas.

« Je ne fais que brosser un tableau imaginaire, dit-il. En voici un second. Je vais à Delhi. J'essaie de parler à Nehru, de le convaincre de reprendre sa démission. Lui, de son côté, renouvelle ses assauts : il me veut dans la capitale, dans son gouvernement – un gouvernement affaibli par les départs. Nous connaissons vous et moi Jawaharlal, son pouvoir de persuasion. Il dira que l'important n'est pas le parti mais l'Inde, le gouvernement du pays. Il veut de bons administrateurs au gouvernement central, des gens à la stature, à la compétence dûment prouvées. Je ne fais que répéter les mots qu'il m'a dits à d'innombrables reprises. Jusqu'à présent, j'ai toujours trouvé une excuse pour ne pas rester à Delhi. Les gens pensent que je suis ambitieux, que je préfère être roi à Brahmpur plutôt que baron à Delhi. Peut-être ont-ils raison. Mais cette fois, Jawaharlal me dira : "Vous me demandez d'agir contre mes propres inclinations pour le bien du pays, et vous refusez de faire la même chose." C'est un argument imparable. Donc je deviens membre du gouvernement central, et L.N. Agarwal prend le poste de Premier ministre du Purva Pradesh.

— Si tel était le cas, reprit Mahesh Kapoor après un instant de réflexion, et si ce – cet homme prenait le pouvoir, ça ne durerait que quelques mois. Le peuple le rejetterait à l'occasion des élections.

— Je crois que vous sous-estimez le ministre de l'Intérieur, dit S.S. Sharma en souriant. Mais, bon, mettons de côté cet épouvantail et pensons en termes plus vastes : pensons au pays lui-même. Vous ou moi souhaitons-nous assister à la bataille qui ne manquera pas d'éclater après la démission de Nehru du Congrès ? Si vous vous rappelez ce qui s'est passé au Congrès après l'élection de Tandon – ce n'est pas un secret que moi aussi j'ai voté pour lui plutôt que pour Kripalani –, vous imaginez l'âpreté de la lutte pendant les élections générales si Nehru se présente d'un côté et le Congrès de l'autre ? Vers qui se tournera le peuple ? Ces gens auront le cœur déchiré, ne sauront plus à qui rester fidèles. Le Congrès, après tout, est le parti de Gandhiji, le parti de l'Indépendance. »

Mahesh Kapoor s'abstint de rétorquer que c'était le parti de bien d'autres choses : népotisme, corruption, inefficacité, suffisance – et que Gandhiji lui-même avait voulu qu'il cesse d'être un mouvement politique après l'Indépendance. « S'il devait y avoir une bataille, dit-il, il faudrait qu'elle se déroule à l'occasion des élections. Si le Congrès se sert de Nehru pour aller au combat puis se retourne contre lui parce que la droite du parti l'aura emporté, au plan local comme au plan central, ce sera bien pire. Le plus tôt on débattra de l'affaire, le mieux ce sera. Il vaudrait mieux, je le reconnais, que vous et moi combattions du même côté. J'aimerais, Sharmaji, vous convaincre d'adhérer à mon parti – puis vous convaincre d'aller persuader Nehru de faire de même. »

Le Premier ministre sourit à ce qu'il choisit d'interpréter comme une repartie humoristique. Puis il attrapa la deuxième lettre :

« Celle-ci est une lettre spéciale, en principe secrète, que Nehru a adressée aux Premiers ministres d'Etat. Deux jours avant qu'il n'écrive à Tandonji pour remettre sa démission des comités. Si vous la lisez, vous verrez pourquoi je m'inquiète tant d'une possible division dans le pays. Je ne l'ai encore montrée à personne, bien que j'aie dit à Agarwal de venir la lire parce qu'elle le concerne en sa qualité de ministre de l'Intérieur. Et j'en discuterai bien entendu avec le Secrétaire général. Il ne faudrait pas que le contenu s'en répande. »

Sur quoi, il se leva et, s'appuyant sur sa canne, alla dire au jardinier de chasser la vache du jardin potager. Mahesh Kapoor lut alors la lettre, dont les passages suivants :

New Delhi, 9 août 1951.

Mon cher Premier ministre,

La situation indo-pakistanaise ne montre aucun signe d'amélioration. Le mieux qu'on puisse en dire c'est qu'elle ne s'est pas aggravée. Du côté pakistanais, on se livre à de fiévreux préparatifs de guerre...

Si je considère la question d'un point de vue logique, je ne crois pas la guerre probable. Mais la logique n'explique pas tout et, de toute façon, nous ne pouvons pas fonder nos actes sur la pure logique. La logique n'expliquerait pas le flot de propagande, pleine de haine et de mensonges, qui provient du Pakistan...

Des meuglements chagrins mais résignés s'élevèrent au fond du jardin. Mahesh Kapoor parcourut rapidement les lignes suivantes pour arriver au passage où Nehru parlait des musulmans indiens :

... On dit parfois qu'il y a parmi eux de mauvais éléments qui pourraient semer le trouble. C'est tout à fait possible, mais je crois hautement improbable qu'ils déclenchent des désordres majeurs. Nous devons être prudents bien entendu en ce qui concerne les zones stratégiques ou les points d'intérêt vital.

Je crois beaucoup plus à des ennuis venant de certains éléments des communautés hindoues ou sikhs. Ils pourraient vouloir profiter de l'occasion pour maltraiter les musulmans. Si une telle chose se produisait, elle aurait de très graves conséquences et nous affaiblirait. Il faut donc l'empêcher de se produire. C'est d'une importance considérable et nous devons protéger au maximum nos minorités. Cela signifie également que nous devons interdire toute propagande des organisations hindoues et sikhs, qui ferait pendant à la propagande pakistanaise. Des incidents se sont récemment produits, dus à des membres du Mahasabha qui, sans la moindre originalité, ont essayé d'imiter les Pakistanais. Sans grand résultat. Mais si nous nous montrons imprévoyants et que des troubles éclatent, certains éléments des communautés en question risqueraient d'en profiter. Je ne saurais trop, dans ces conditions, vous recommander de rester sur vos gardes...

Ce sont des spéculations que je tenais à partager avec vous. Nous devons nous préparer à tous les dangers et, sur le plan militaire, nous y sommes préparés dès maintenant. J'espère toujours et crois en partie qu'il n'y aura pas de guerre, je souhaite que rien ne soit fait de notre côté qui risquerait de faire pencher la balance du côté de la guerre.

Je vous prie donc instamment de ne tolérer ou de n'encourager aucune activité publique ayant des relents de guerre, tout en vous y préparant en esprit. Vous voudrez bien garder cette lettre secrète et ne la partager avec personne, à quelques rares exceptions près, éventuellement.

Sincèrement vôtre,
JAWAHARLAL NEHRU.

Ayant chassé la vache hors des limites du jardin, Sharma revint vers Mahesh Kapoor, qu'il trouva faisant les cent pas, l'air tourmenté. « Vous voyez, dit Sharma, vous voyez pourquoi nous ne pouvons pas laisser le pays plonger dans des divisions inutiles en ce moment, surtout en ce moment. Et pourquoi je tiens tellement à vous persuader de réintégrer les rangs du Congrès. L'attitude d'Agarwal envers les musulmans est bien connue. Comme il est ministre de l'Intérieur, je suis bien obligé de le laisser s'occuper de certaines affaires. Et le calendrier, cette année, aggrave encore les choses.

— Le calendrier ? répéta Mahesh Kapoor, étonné.

— Tenez – je vais vous montrer. » Sortant un petit agenda marron de sa poche, le Premier ministre pointa le début octobre. « Les dix jours de Moharram et les dix jours précédant Dussehra coïncident presque cette année. Sans compter Gandhi Jayanti qui tombe dans la même période. » Il eut un petit rire amer. « Rama, Mahomet et Gandhiji ont peut-être été chacun un apôtre de la paix – mais la combinaison des trois risque de faire le mélange le plus explosif qui soit. Si, en plus, il y a la guerre avec le Pakistan et que le seul parti vraiment constitué se déchire férocement – je n'ose penser à ce qui se passera entre hindous et musulmans. Ce sera aussi terrible que les émeutes au moment de la Partition. »

Mahesh Kapoor garda le silence. Les arguments du Premier ministre l'avaient profondément touché, il se devait de le reconnaître. Il accepta de reprendre une tasse de thé, s'assit, finit par dire : « Je vais réfléchir. » Il tenait toujours à la main la lettre de Nehru, qu'inconsciemment il avait repliée plusieurs fois dans le sens de la longueur.

Par malchance, L.N. Agarwal choisit ce moment pour rendre visite au Premier ministre. Mahesh Kapoor lui fit un signe de tête mais ne se leva pas pour l'accueillir, plus par distraction, d'ailleurs, que par volonté de se montrer discourtois.

« A propos de la lettre de Panditji », commença Agarwal.

Sharma tendit la main, Mahesh Kapoor lui remit la lettre, l'esprit ailleurs. Agarwal prit un air désapprobateur : Sharma semblait traiter Mahesh Kapoor comme s'il était encore membre du gouvernement, et non pas un renégat.

Devinant peut-être ces pensées, le Premier ministre se lança dans une explication, sur un ton quelque peu contrit : « J'étais justement en train de discuter avec Kapoor Sahib de l'urgence qu'il y a à convaincre Panditji de reprendre toutes ses fonctions au sein du Congrès. Nous ne pouvons nous passer de lui, le pays ne peut se passer de lui, et nous devons le persuader par tous les moyens. Il faut serrer les rangs. Vous n'êtes pas d'accord ? »

Une lueur de dédain passa sur le visage d'Agarwal. Quelle marque de dépendance, pensait-il, de faiblesse, de servilité.

« Non, dit-il tout haut. Je ne suis pas d'accord. Tandonji a été élu démocratiquement. Il a constitué son propre Comité directeur, qui fonctionne très bien. Nehru a participé aux réunions, il n'a pas le droit de vouloir en changer maintenant la composition. Ce n'est pas sa prérogative. Il se proclame démocrate ; qu'il le prouve en agissant comme il faut. Il affirme croire à la discipline de parti ; qu'il s'incline devant elle. Il prétend croire à l'unité ; qu'il reste fidèle à ses croyances. »

Sharma ferma les yeux. « Tout ça est très bien, murmura-t-il. Mais si Panditji – »

Agarwal faillit exploser. « Panditji – Panditji – pourquoi tout un chacun va-t-il pleurnicher et quémander n'importe quoi auprès de Nehru ? Oui, c'est un grand chef – mais n'y en a-t-il pas d'autres au Congrès ? Prasad n'existe pas ? Pant non plus ? Et Patel n'existait pas ? » En prononçant le nom de Sardar Patel sa voix s'étrangla. « Attendez de voir ce qui se passera s'il nous quitte. Il n'a pas la moindre idée de la façon d'organiser une campagne, de ramasser des fonds, de sélectionner des candidats. Et ses fonctions de Premier ministre ne lui laisseront pas le temps de parcourir le pays – c'est évident. Qu'il rejoigne Kidwai – il récoltera les voix des musulmans, c'est vrai. Mais nous verrons ce qu'il récoltera d'autre. »

Mahesh Kapoor se leva, salua le Premier ministre d'Etat d'un bref signe de tête, et s'éloigna. Sharma ne tenta pas de le retenir : Kapoor et Agarwal au même endroit, l'alliage ne prenait pas. Il lui cria néanmoins : « Kapoor Sahib, je vous en prie, pensez à ce que je vous ai dit. Nous en reparlerons bientôt. Je viendrai à Prem Nivas. » Puis s'adressant à Agarwal, le mécontentement accentuant son ton nasillard : « Une heure de bon travail détruite en une minute. Pourquoi voulez-vous le heurter à tout prix ?

— Personne n'ose dire le fond de sa pensée », dit Agarwal. Et d'ajouter que la situation au Purva Pradesh était beaucoup plus claire depuis que les gauchistes et les laïcs du Congrès ne pouvaient plus se pendre à la kurta de Mahesh Kapoor.

Sans relever la méchanceté de cette dernière remarque, S.S. Sharma reprit d'une voix calme : « Voici la lettre. Quand vous l'aurez lue vous me direz quelles mesures vous jugez bon de prendre. Certes, nous ne sommes pas proches des frontières du Pakistan. Mais peut-être serait-il bon de museler les journaux les plus surexcitables – en cas de panique, je veux dire. Ou d'incitation.

— Il faudrait aussi surveiller certaines processions.

— Nous verrons, nous verrons », conclut le Premier ministre d'Etat.

14.10

A Brahmpur, les petites certitudes du calendrier s'ajoutèrent aux incertitudes du vaste monde. Deux jours après les défilés et les prières du jour de l'Indépendance – le plus inquiétant des cinq que l'Inde eût déjà célébrés – commença le mois de Shravan avec sa pleine lune et la plus tendre des fêtes de famille – celle où frères et sœurs réaffirment les liens qui les unissent.

Aussi éprise de fêtes qu'elle le fût, Mrs Mahesh Kapoor désapprouvait la célébration de Rakhi, à laquelle elle ne croyait pas. A ses yeux, c'était une fête typique du Pendjab. Ses ancêtres venaient d'un endroit de l'Uttar Pradesh où, selon elle, en tout cas chez les khatris, la fête au cours de laquelle frères et sœurs se redisent leur affection était Bhai Duj – l'une des multiples petites fêtes satellites des grandes célébrations de Divali, qui se tiendraient dans deux mois et demi, par des nuits sans lune. Mais elle ne convainquait aucune de ses parentes, certainement pas la vieille Mrs Tandon, qui ayant vécu à Lahore, au cœur du Pendjab, avait célébré Rakhi toute sa vie, ni Mrs Rupa Mehra qui ne manquait jamais une occasion de marquer le prix qu'elle attachait aux sentiments. Mrs Rupa Mehra croyait d'ailleurs aussi à Bhai Duj, et en profitait pour renvoyer des cartes de vœux à tous ses frères – le terme incluant ses cousins mâles –, confirmations en quelque sorte de ses précédentes.

Mrs Mahesh Kapoor avait des idées claires, mais non dogmatiques, sur différents points relatifs aux jeûnes et aux fêtes ; et des idées non moins personnelles sur les légendes sous-tendant le Pul Mela. Pour Veena, avoir passé plusieurs années à Lahore avec les Tandon n'avait rien changé : elle célébrait Rakhi depuis la naissance de Pran. Et Mrs Kapoor n'avait pas essayé de doucher l'enthousiasme de sa fille, enfant, pour les fils de couleur et les ornements scintillants en forme de fleur*. Quand Maan et Pran venaient lui montrer ce que leur sœur leur avait donné, le plaisir qu'elle laissait voir n'était qu'à demi feint.

Veena se rendit le matin à Prem Nivas pour nouer un rakhi autour du poignet de Pran, une petite fleur en lamé d'argent sur un fil rouge. Elle lui fit manger un laddu et le bénit, en échange de quoi il lui promit sa protection, lui donna cinq roupies et l'embrassa. Elle lui trouva, malgré sa déficience cardiaque chronique, bien meilleure mine qu'avant ; la naissance de sa fille, loin d'ajouter à ses contraintes, semblait au contraire avoir allégé la tension qui pesait sur ses épaules. Uma était un bébé heureux, et Savita s'était vite remise de la dépression qui avait suivi la naissance. Les difficultés de santé que Pran venait de subir lui avaient causé trop d'inquiétude, et l'étude du droit

* Les sœurs offrent à leurs frères des bracelets formés de fils et d'ornements divers. *(N.d.T.)*

l'intéressait trop pour qu'elle se paie le luxe d'une dépression prolongée. Elle vivait parfois sa maternité avec passion, heureuse à en pleurer.

Veena avait amené Bhaskar avec elle.

« Où est mon rakhi ? réclama-t-il à Savita.

— Ton rakhi ?

— Oui, celui que m'offre le bébé ?

— Tu as raison, dit Savita en souriant. Tout à fait raison. Je vais aller t'en acheter un sur-le-champ. Ou plutôt, je vais t'en fabriquer un. Ma doit avoir dans son sac de quoi en fabriquer une centaine. Et toi – j'espère que tu as apporté un cadeau pour le bébé ?

— Oh oui. » Et il montra un dodécaèdre brillant et multicolore qu'il avait taillé dans une simple feuille de papier ; pendu au-dessus du berceau, Uma pourrait en suivre les mouvements des yeux. « Je l'ai colorié moi-même. Mais je n'ai pas essayé d'utiliser le minimum de teintes, ajouta-t-il en s'excusant.

— Mais c'est très bien, dit Savita en l'embrassant. Plus il y a de couleurs, mieux c'est. » Elle acheva le rakhi, qu'elle attacha au poignet droit de Bhaskar tout en tenant la main d'Uma dans la sienne.

Veena se rendit aussi à Baitar House, comme chaque année, afin de nouer un rakhi autour des poignets de Firoz et d'Imtiaz. Les deux garçons l'attendaient.

« Où est ton ami Maan ? » demanda-t-elle à Firoz.

Comme il ouvrait la bouche pour répondre, elle y enfourna un bonbon.

« Tu devrais le savoir ! dit Firoz, un sourire illuminant ses yeux. C'est ton frère.

— Inutile de me le rappeler, protesta-t-elle. C'est Rakhi, mais il n'est pas là. Il n'a aucun sens de la famille. Si j'avais su qu'il était toujours à la ferme, je lui aurais envoyé son rakhi. Et maintenant c'est trop tard. »

De son côté, la famille Mehra avait expédié ses rakhis à Calcutta, où ils étaient arrivés en temps voulu. Etant donné que seul un simple fil d'argent peut se dissimuler sous la manche d'un costume, avait averti Arun, il était hors de question qu'il porte quelque chose de plus conséquent pour aller travailler chez Bentsen Pryce. Varun, comme pour afficher un mauvais goût qu'il savait exaspérer son frère, insistait toujours au contraire pour recevoir des rakhis couvrant la moitié de son bras. Savita, qui n'avait pas vu ses frères depuis le début de l'année, leur écrivit de longues et affectueuses lettres, leur reprochant d'être des oncles peu empressés. Lata, trop occupée par *La Nuit des Rois*, se contenta de quelques lignes tendres. Elle avait une répétition le jour même de la fête. Plusieurs acteurs portaient des rakhis, et elle ne put s'empêcher de sourire, pendant un dialogue entre Olivia et Viola, à la pensée de ce que Shakespeare aurait tiré d'une telle fête, si elle avait existé dans l'Angleterre élisabéthaine, une Viola se lamentant sur la disparition de son frère dans un naufrage, l'imaginant inanimé, nul fil lamé n'ornant son bras écartelé, sur quelque plage d'Illyrie éclairée par la pleine lune du mois d'août.

14.11

Elle pensa aussi à Kabir et à cette soirée de concert – il y avait des siècles, semblait-il – où il lui avait parlé d'une sœur qu'il aurait eue jusqu'à l'année précédente. Lata ne savait toujours pas ce que signifiait cette phrase, mais chaque fois qu'elle tentait d'en percer le sens, elle débordait de compassion pour Kabir.

Or, au même moment, Kabir pensait à elle et en parlait avec son jeune frère. Il était rentré épuisé de la répétition, n'avait presque pas dîné, et tentait de décrire l'étrangeté de la situation dans laquelle lui et Lata se trouvaient. Ils jouaient ensemble, passaient des heures dans la même pièce pendant les répétitions, et ne se parlaient pas. De passionnée, Lata semblait être devenue un bloc de glace – Kabir avait du mal à croire qu'il s'agissait de la fille avec laquelle il avait remonté le Gange un certain matin – en pull-over gris dans la brume grise, les yeux brillants d'amour.

Certes le bateau avait avancé à contre-courant de la société en remontant jusqu'au Barsaat Mahal, mais il y avait certainement une solution. Devaient-ils ramer plus vigoureusement, ou accepter de dériver ? Devaient-ils ramer sur un autre fleuve ou tenter de changer la direction de celui sur lequel ils se trouvaient ? Devaient-ils sauter du bateau et s'efforcer de nager ? Mettre un moteur ou une voile ? Prendre un batelier ?

« Pourquoi ne la jettes-tu pas simplement par-dessus bord ? suggéra Hashim.

— Aux crocodiles ? dit Kabir en riant.

— Oui. Elle ne peut qu'être stupide ou insensible – pourquoi se plaît-elle à te rendre malheureux, Bhai-jaan ? Je crois que tu ne devrais plus perdre de temps à penser à elle. Ça n'a pas de sens.

— Je sais. Mais, comme on dit, tu ne peux pas raisonner quelqu'un qui n'a jamais eu de raison.

— Mais pourquoi elle ? Il y a plein de filles qui sont folles de toi –

— Je ne sais pas. Je ne comprends pas. Peut-être à cause de ce premier sourire dans la librairie – qui ne cesse de me hanter. Je crois que ce n'était même pas à moi qu'elle souriait. Je ne sais pas. Pourquoi est-ce sur toi qu'a fondu Saeeda Bai le soir de Holi ? On m'a raconté l'histoire. »

Hashim rougit jusqu'à la racine des cheveux, mais sans répondre à la question.

« Ou bien, regarde Abba et Ammi – y eut-il jamais couple mieux assorti ? Et maintenant – »

Hashim hocha la tête. « Je viendrai avec toi jeudi prochain. Je n'ai pas pu hier –

— D'accord. Mais, tu sais, il ne faut pas te forcer... Je me demande si elle remarque ton absence.

— Mais tu as dit qu'elle sent quelque chose à propos – à propos de Samia.

— Je pense qu'elle le sent.

— Abba l'a poussée par-dessus bord. Il ne lui a donné ni temps, ni sympathie, ni véritable compagnonnage.

— Abba est Abba, et ça ne sert à rien de se plaindre de ce qu'il est. » Il bâilla. « Je crois que je suis fatigué, au bout du compte.

— Eh bien, bonne nuit, Bhai-jaan.

— Bonne nuit, Hashim. »

14.12

Juste une semaine après Rakhi ce fut Janamashtami, le jour de la naissance de Krishna. Mrs Rupa Mehra ne le célébra pas (Krishna lui inspirait des sentiments mitigés), mais Mrs Mahesh Kapoor oui. Dans le jardin de Prem Nivas se dressait l'arbre vulgaire, aux feuilles épaisses, le harsingar que Krishna est censé avoir dérobé au paradis d'Indra pour les beaux yeux de sa femme Rukmini. Il n'était pas encore fleuri – et ne le serait pas avant deux mois – mais Mrs Mahesh Kapoor se tint quelques instants devant lui, à l'aube, l'imaginant paré des petites fleurs odorantes, blanc-orange, en forme d'étoile, qu'on retrouve après une seule nuit d'existence éparpillées sur l'herbe. Puis elle rentra, appela Veena et Bhaskar. Ils s'étaient installés à Prem Nivas pour quelques jours, ainsi que la vieille Mrs Tandon. Kedarnath se trouvait quelque part dans le sud, profitant du ralentissement saisonnier de la production de chaussures, en raison de l'humidité de l'air, pour aller chercher des commandes. Toujours parti, toujours parti, se plaignait Veena à sa mère.

Mrs Mahesh Kapoor avait choisi pour faire ses dévotions un moment de la journée où son mari ne serait pas là et ne pourrait donc se moquer d'elle. Elle pénétra dans une petite pièce, une simple alcôve séparée de la véranda par un rideau, posa sur le sol deux tabourets en bois. Elle s'assit sur l'un, disposa sur l'autre une lampe d'argile, un petit socle en cuivre supportant une bougie, un plateau, une clochette de bronze, un bol en argent à demi plein d'eau, un bol plus quelconque contenant des grains de riz crus et une poudre rouge foncé. Elle s'assit face à un buffet bas surmonté d'une corniche sur laquelle s'alignaient plusieurs statuettes en bronze de Shiva et d'autres dieux, ainsi qu'un beau portrait de Krishna enfant jouant de la flûte.

Elle mouilla la poudre rouge puis, concentrée, se pencha en avant et du doigt l'appliqua sur le front des dieux, se redressa, se pencha de nouveau en avant, ferma les yeux et en appliqua sur son propre front. D'une voix calme, elle dit :

« Veena, les allumettes.

— Je vais aller les chercher, Nani, dit Bhaskar.

— Tu restes ici », ordonna sa grand-mère, qui voulait dire une prière spéciale pour lui.

Veena revint de la cuisine avec une énorme boîte d'allumettes. Sa mère alluma la lampe et la bougie. Des gens, les invités toujours renouvelés de Prem Nivas, marchaient à grand bruit sur la véranda, mais cela ne la dérangeait pas. Elle plaça lampe et bougie allumées sur le plateau. Agitant la clochette de la main gauche, elle prit le plateau dans la droite, le fit tourner autour du portrait de Krishna – ne décrivant pas à proprement parler un cercle mais une figure plus irrégulière, comme pour circonscrire une présence devant ses yeux. Puis elle se leva lentement et avec peine, et répéta les mêmes gestes devant les statuettes et calendriers des autres dieux éparpillés dans la pièce : statue de Shiva ; portrait de Lakshmi et de Ganesh côte à côte, avec une petite souris grignotant un laddu ; un calendrier de chez « Paramhans and Co., chimistes et droguistes » montrant Rama, Sita, Lakshman et Hanuman, auxquels fait face le sage Valmiki, assis par terre, en train d'écrire leur histoire ; et beaucoup d'autres.

Elle leur adressa ses prières, ne leur demandant rien pour elle-même mais la santé pour toute la famille, une longue vie pour son mari, des bénédictions pour ses deux petits-enfants et le repos pour les âmes de ceux qui n'étaient plus là. Elle agitait la bouche en silence, inconsciente de la présence de sa fille et de son petit-fils, tout en faisant tinter sans arrêt la clochette.

Quand la puja fut terminée, elle rangea les objets dans le buffet, se rassit et s'adressa à Veena en utilisant le mot affectueux qui désigne le « fils » :

« Bété, téléphone à Pran et dis-lui que je veux qu'il m'accompagne au temple de Radhakrishna de l'autre côté du Gange. »

C'était astucieux. Si elle avait téléphoné elle-même à Pran, il aurait essayé de se défiler. Mais Veena, sachant qu'il se portait assez bien pour y aller, lui dit qu'il ne pouvait faire de peine à leur mère le jour de Janamashtami. Or donc, peu de temps après, ils se retrouvèrent tous – Pran, Veena, Bhaskar, la vieille Mrs Tandon et Mrs Mahesh Kapoor – en train de traverser le Gange dans une barque.

« Franchement, Ammaji, dit Pran, mécontent d'être ainsi traîné, si tu penses au personnage de Krishna – coureur de filles, adultère, voleur – »

Sa mère leva la main, non pas tant fâchée que troublée par la remarque de son fils.

« Tu ne devrais pas te montrer si fier, fils. Et t'humilier devant Dieu.

— Autant m'humilier devant une pierre. Ou... ou une pomme de terre. »

Sa mère réfléchit. Après un silence martelé par le plongeon des rames dans l'eau, elle dit doucement : « Tu ne crois même pas en Dieu ?

— Non. »

Nouveau silence.

« Mais quand nous mourons – dit-elle, ne finissant pas sa phrase.

— Même si tous ceux que j'aime venaient à mourir, protesta Pran, irrité soudain, je ne croirais pas.

— Je crois en Dieu, intervint Bhaskar. Spécialement Rama, Sita, Lakshman, Bharat et Shatrughan. » Il ne faisait pas encore de réelle distinction entre les dieux et les héros, et il espérait tenir le rôle d'un des cinq swaroops dans la Ramlila qui se jouerait un peu plus tard dans l'année. Sinon, il serait en tout cas enrôlé dans l'armée des singes, il se battait et s'amuserait beaucoup. « Qu'est-ce que c'est ? » dit-il, pointant le doigt vers l'eau.

Le large dos, gris-noir, de quelque chose de plus gros qu'un poisson avait affleuré à la surface du Gange, pour replonger aussitôt après.

« Qu'est-ce que c'est quoi ? demanda Pran

— Ça, là-bas », dit Bhaskar, pointant de nouveau le doigt. Mais la chose avait redisparu.

« Je n'ai rien vu.

— C'était là, c'était là, moi je l'ai vu. C'était noir et brillant, avec une tête allongée. »

A ce mot, et comme par magie, trois grands dauphins au museau pointu surgirent à la droite du bateau et se mirent à jouer dans l'eau. Bhaskar rit de bonheur.

« Il y a des dauphins dans ce couloir du fleuve, expliqua le batelier avec son accent de Brahmpur. Ils ne sortent pas souvent, mais ils y sont bel et bien. Des dauphins, voilà ce que c'est. Ils sont tranquilles, les pêcheurs les protègent et tuent les crocodiles à cet endroit. C'est pourquoi il n'y a pas de crocodiles jusqu'à cette courbe-là-bas, bien après le Barsaat Mahal. Vous avez de la chance de les voir. Rappelez-vous ça à la fin de la traversée. »

Mrs Mahesh Kapoor sourit et lui tendit une pièce. Elle se souvenait du pèlerinage qu'elle avait effectué, l'année où son mari avait vécu à Delhi, dans la région sanctifiée par Krishna. Là, dans les profondeurs de la Yamuna, juste sous le temple de Gokul, elle et les autres pèlerins avaient regardé, fascinés, évoluer paresseusement les grosses tortues noires. Créatures qu'elle considérait, comme les dauphins, bonnes, innocentes et bénies. C'est pour protéger l'innocent, homme ou bête, pour soigner les maladies cycliques du monde et instituer la justice que Krishna est descendu sur terre. Il a révélé sa gloire dans la Bhagavad-Gita sur le champ de bataille du Mahabharata. La façon qu'avait Pran de le nier – comme si l'on pouvait juger Dieu selon des normes humaines, lui en qui il faut mettre sa confiance et que l'on doit adorer – la bouleversait. Que s'était-il passé, se demandait-elle, en l'espace d'une génération, pour que sur ses trois enfants un seul continuât à croire à ce en quoi leurs ancêtres avaient cru pendant des centaines, des milliers d'années même ?

Un matin, quelques semaines avant Janamashtami, le pandit Jawaharlal Nehru, la tête penchée sur ses dossiers, se prit à penser à l'époque où, très jeune, et malgré les cajoleries et les reproches de sa mère, il ne parvenait pas à rester éveillé jusqu'à minuit, heure de la naissance de Krishna dans une cellule de prison. A présent, il ne se couchait presque jamais avant minuit.

Dormir ! C'était un de ses mots favoris. Du temps de son emprisonnement à Almora, alors que lui parvenaient souvent des nouvelles inquiétantes de la santé de sa femme Kamala et que son impuissance le tourmentait, il réussissait pourtant à dormir profondément. Sur le point de glisser dans le sommeil, il s'émerveillait de cette chose mystérieuse. Pourquoi devait-il en émerger ? Et s'il ne se réveillait pas ? Assis au chevet de son père malade, il avait pris sa mort pour un profond sommeil.

Installé à son bureau, le menton dans ses mains, il s'accorda quelques secondes pour regarder la photo de sa femme avant de se remettre à dicter son courrier. Des milliers de lettres chaque jour, des sténographes se relayant continuellement, le travail sans fin au parlement, dans ses bureaux du bloc sud, dans son bureau ici, chez lui, sans arrêt, sans arrêt, sans arrêt. Il avait pour principe de ne pas aller se coucher sans avoir annoté tous les papiers, répondu à toutes les lettres. Et pourtant il ne pouvait s'empêcher de penser que cette activité cachait une sorte d'irrésolution. Il s'analysait trop bien pour ne pas se rendre compte qu'il évitait d'affronter des sujets moins faciles à traiter – plus confus, plus humains, plus porteurs d'amertume et de conflit – que celui de la situation dans son propre parti. On cache d'autant mieux son indécision que l'on est occupé.

Il avait toujours été très occupé, sauf en prison. Mais non, c'était faux : la plupart de ses lectures, la grande majorité de ses écrits, ses trois livres publiés, il les devait aux multiples prisons qu'il avait fréquentées. Et c'était là aussi qu'il avait eu le loisir d'observer ce qu'il n'avait plus le temps de faire à présent : le feuillage chaque jour plus abondant sur les branches nues des arbres dépassant les hauts murs d'Alipore, les moineaux nichant dans l'immense grange barricadée qui l'avait abrité à Almora, le vert des champs entr'aperçu quelques secondes, quand les gardiens ouvraient la porte de sa cellule à Dehradun.

Il quitta sa table et s'approcha de la fenêtre d'où il avait une vue imprenable sur le jardin de Teen Murti House, la résidence du commandant des forces armées sous le Raj, devenue celle du Premier ministre. Le jardin n'était que verdure sous l'effet de la mousson. Un petit garçon de quatre ou cinq ans, le fils d'un des domestiques peut-être, tâchait en sautant d'attraper quelque chose sur une branche basse d'un manguier. La saison des mangues n'était-elle pas passée ?

Et Kamala : il avait le sentiment qu'elle avait plus souffert de ses divers emprisonnements que lui-même. Ils s'étaient mariés – avaient été mariés par leurs parents – très jeunes, et il n'avait trouvé le temps de s'occuper d'elle que lorsqu'elle était déjà incurable. Il lui avait dédié son autobiographie – trop tard. C'est quand il l'avait su perdue qu'il avait compris combien il l'aimait. « Elle ne va pas me laisser au moment où j'ai le plus besoin d'elle, s'était-il écrié, désespéré. Nous commencions juste à nous connaître et à nous comprendre ; c'est maintenant que commençait vraiment notre vie commune. Nous comptions tant l'un sur l'autre, nous avions tant de choses à faire ensemble. »

Cela se passait il y a longtemps. Et si l'absence avait été longue, douloureuse, le sacrifice important, à l'époque où il était l'hôte des prisons du roi, du moins savait-on clairement pourquoi on se battait. A présent tout était si confus, les buts pour lesquels il avait combattu disparaissant, de vieux compagnons devenant des rivaux politiques ; peut-être en portait-il la responsabilité, pour avoir laissé glisser les choses trop longtemps. Ses partisans quittaient le Congrès, le parti tombait aux mains des conservateurs qui, pour la plupart, considéraient l'Inde comme un Etat hindou ; aux autres de s'adapter ou d'en subir les conséquences.

Il n'avait personne pour le conseiller. Son père mort ; Gandhiji mort ; Kamala morte. Et l'amie à laquelle il aurait pu se confier, avec qui il avait fêté le minuit de l'Indépendance, était loin. Elle-même si élégante et qui le taquinait souvent sur sa coquetterie. Il toucha la rose rouge – en cette saison elle venait du Cachemire – qui ornait la boutonnière de son achkan de coton blanc, et sourit.

Las de sauter en vain, l'enfant nu était allé prendre quelques briques dans un parterre de fleurs, qu'il ajoutait péniblement l'une à l'autre pour s'en faire un socle. Il grimpa dessus, tendit la main, ne réussit toujours pas à attraper la branche, dégringola en même temps que ses briques.

Le sourire de Nehru s'élargit.

« Monsieur ? dit le sténographe, son crayon en suspens.

— Oui, oui, je réfléchis. »

D'immenses foules et la solitude. Prisonnier et Premier ministre. Intense activité et désir non moins intense de ne rien faire. « Nous aussi sommes fatigués. »

Il allait pourtant devoir faire quelque chose, et très vite. Après les élections ce serait trop tard. La bataille la plus triste qu'il eût jamais livrée.

Il revit une scène qui s'était déroulée à Allahabad plus de quinze ans auparavant. Libéré de prison depuis cinq mois, il s'attendait chaque jour à être de nouveau arrêté, sous un prétexte ou un autre. Ils venaient de prendre le thé, Kamala et lui, Purushottamdas Tandon les avait rejoints, et ils parlaient assis dans la véranda. Une voiture était arrivée, d'où était sorti un officier de police, et ils avaient su immédiatement ce que cela signifiait. Tandon avait secoué la tête et grimacé un sourire, lui, Nehru, avait dit au policier gêné : « Je vous attendais depuis longtemps », formule d'hospitalité qui, en l'occurrence, ne manquait pas d'ironie.

En bas, sur la pelouse, le petit garçon avait empilé ses briques d'une façon différente et regrimpait dessus. Dans un ultime effort, au lieu d'essayer simplement d'attirer la branche, il sauta pour attraper le fruit. En vain. Il tomba, se fit mal en heurtant les briques, s'assit sur l'herbe humide et se mit à pleurer. Alerté par le bruit, le mali surgit, apprécia la scène en un instant et, conscient de la présence du Premier ministre derrière la fenêtre de son bureau, se précipita en criant sur l'enfant auquel il flanqua une bonne gifle. Le bambin pleura de plus belle.

L'œil noir de colère, le Pandit Nehru descendit en courant, fonça sur le mali, le frappa à plusieurs reprises.

« Mais Panditji – » La stupeur de l'homme était telle qu'il n'essaya même pas de se protéger. Il voulait simplement donner une leçon à l'intrus.

Toujours furieux, Nehru souleva l'enfant sale et terrifié dans ses bras, lui parla doucement, puis le reposa à terre. Il ordonna au mali de cueillir des fruits pour le garçonnet, et menaça de le chasser sur-le-champ.

« Barbare », murmura-t-il en retraversant la pelouse, s'apercevant avec déplaisir que son achkan blanc était à présent entièrement maculé de boue.

14.14

Delhi, 6 août 1951.

Cher monsieur le Président,
Je vous présente ma démission de membre du Comité directeur du Congrès et du Bureau électoral. Je vous serai reconnaissant de bien vouloir accepter ces deux démissions.

Sincèrement vôtre,
JAWAHARLAL NEHRU.

Il fit accompagner cette lettre officielle au président du Congrès, Mr Tandon, d'une autre commençant par *Mon cher Purushottamdas*, et finissant par :

Tu me pardonneras si ma démission te met dans l'embarras. Mais cet embarras existait déjà pour nous et pour les autres, et la meilleure façon de le résoudre est d'en supprimer la cause.

Affectueusement à toi,
JAWAHARLAL NEHRU.

Mr Tandon lui répondit aussitôt après avoir lu la lettre, deux jours plus tard. Il écrivit notamment :

Tu as toi-même, en ta qualité de chef de la nation, appelé le Congrès et le pays à affronter unis la situation qui se présente devant nous tant sur le plan extérieur qu'intérieur. Le pas que tu envisages de franchir, c'est-à-dire démissionner du Comité directeur et du Bureau parlementaire, contredit directement cet appel à la solidarité et menace de créer dans le Congrès un schisme d'où sortirait pour le pays un mal plus grand qu'aucun de ceux que le parti a eu jusqu'ici à affronter.

Je te supplie de ne pas précipiter de crise dans l'état actuel des choses et de ne pas hâter ta démission. Je ne peux l'accepter. Si tu insistais néanmoins, je n'aurais d'autre solution que de la présenter à la discussion du Comité directeur. Je veux croire qu'en tout état de cause tu participeras à la réunion du Comité directeur le 11 courant.

Si, pour te garder au Comité directeur, il était nécessaire ou souhaitable que je démissionne de la présidence du Congrès, je suis prêt à le faire avec grand plaisir et du meilleur gré.

Affectueusement à toi,
PURUSHOTTAMDAS TANDON.

Le Pandit Nehru lui répondit le jour même, précisant avec plus de clarté encore ce qu'il avait à l'esprit :

Depuis longtemps je souffre de l'attitude de certaines personnes, d'où il ressort qu'elles souhaitent évincer du Congrès ceux dont les idées ou la façon de voir générale ne cadrent pas...

J'ai le sentiment que le Congrès dérive de plus en plus, que de mauvaises gens ou plutôt des personnes ayant de mauvaises idées, y gagnent de plus en plus d'influence. Le Congrès plaît de moins en moins au public. Il peut gagner les élections, les gagnera probablement. Mais, ce faisant, il peut aussi perdre son âme...

J'ai pleinement conscience des conséquences de mon acte et des risques qu'il comporte. Mais je pense qu'il faut courir ces risques, car il n'y a pas d'autre moyen de s'en sortir...

Je suis plus conscient que quiconque de la situation critique à laquelle est confronté le pays aujourd'hui. Je dois me mesurer à elle jour après jour...

Il n'y a aucune raison que tu démissionnes de la présidence du Congrès. Il ne s'agit pas d'une affaire personnelle.

Je ne crois pas convenable d'assister à la réunion du Comité directeur. Ce serait une source d'embarras pour moi et pour les autres. Je crois préférable que les problèmes qui se posent soient discutés en mon absence.

Mr Tandon répliqua le lendemain, soit la veille du jour prévu pour la réunion du Comité directeur. Il reconnut qu'il « *ne sert à rien de gagner les élections si, comme tu le dis, le Congrès doit y "perdre son âme"* ». Mais il ressortait clairement de sa lettre que les deux hommes ne se faisaient pas la même idée de l'âme du Congrès. Tandon prévint qu'il soumettrait la lettre de démission de Nehru à la discussion du Comité. « *Mais ça ne devrait pas t'empêcher de prendre part à d'autres discussions. Je suggère que tu assistes à la réunion ne serait-ce que pendant un moment et que les sujets qui te concernent soient débattus hors de ta présence.* »

Nehru assista à la réunion, s'expliqua sur sa lettre de démission, puis se retira afin que les autres puissent en discuter. L'idée inimaginable de ne plus compter le Premier ministre dans ses rangs poussa le Comité à essayer de trouver des accommodements. Mais toutes les tentatives de médiation échouèrent. Une solution possible consistait à changer la composition du Comité et à nommer de nouveaux secrétaires généraux du parti de façon que Nehru se sentît plus « en harmonie » avec eux. Tandon s'y opposa. Il affirma qu'il préférerait démissionner plutôt que de laisser le bureau du président du Congrès assujetti à celui du Premier ministre. Il revenait au premier de nommer le Comité directeur ; qui ne pouvait être tripatouillé au gré des désirs du second. Le Comité vota une résolution appelant Nehru et Tandon à résoudre la crise en commun, mais n'alla pas au-delà.

Deux jours plus tard, le jour de la fête de l'Indépendance, Maulana Azad démissionna du Comité directeur. La décision de cet homme érudit conforta Nehru dans la sienne, qu'avait suscitée le départ du Congrès de Kidwai, le populaire dirigeant musulman. Puisque c'est principalement vers ces deux dirigeants nationaux que se tournaient les musulmans, dans l'état d'incertitude où ils se trouvaient depuis la Partition – Kidwai en raison de sa grande popularité chez les hindous autant que chez les musulmans, Azad en raison du respect qu'on lui portait et parce qu'il avait l'oreille de Nehru –, le risque apparaissait à présent de voir le Congrès perdre la totalité de ses partisans musulmans.

S.S. Sharma fit tout son possible pour dissuader Nehru d'entrer en conflit ouvert avec Tandon, imité par d'autres dirigeants comme Pant de l'Uttar Pradesh et B.C. Roy du Bengale-Occidental. Ils trouvèrent Nehru aussi inflexible et vague que jamais. Mais, cette fois, Sharma repartit blessé : Nehru ne lui proposa pas de se joindre à son gouvernement. Soit parce que le Premier ministre savait que Sharma refuserait comme d'habitude – soit parce qu'il n'appréciait pas les tentatives de Sharma pour minimiser les défauts du parti – soit parce que des affaires plus urgentes l'occupaient.

Au nombre de celles-ci figurait une réunion des députés du Congrès, qu'il avait organisée afin de s'expliquer sur les événements qui avaient conduit à la rupture et à sa démission. Il leur demanda un vote de confiance. Quelle que fût leur sensibilité politique (et il y avait parmi eux, comme Nehru allait le découvrir au moment du vote de la loi de réforme du droit hindou, de nombreux conservateurs bon teint), les députés du Congrès percevaient la dispute en termes de conflit entre un parti de masse et un parti de gouvernement. Ils refusaient de voir le président du Congrès leur dicter une politique, comme il en avait maintes fois revendiqué le droit. De plus, ils savaient que, sans l'image de Nehru pour les soutenir, ils auraient beaucoup de mal à se faire réélire. Que ce fût par crainte de perdre leur âme, leur pouvoir ou les élections, ils votèrent la motion de confiance à une écrasante majorité.

La confiance en Nehru n'ayant jamais été réellement mise en cause, les partisans de Tandon considérèrent ce vote comme une mauvaise action, qui détruisait au lieu de consolider. Les surprit aussi le comportement inhabituel de Nehru, son refus de faire machine arrière, de comprendre leur point de vue, de rechercher un compromis. Il insistait maintenant sur la nécessité d'un « changement de conception » et d'un « verdict clair et net ». Des rumeurs se répandaient sur l'intention de Nehru d'assumer la présidence du Congrès en même temps que sa charge de Pre-

mier ministre, une lourde – et d'une certaine façon dange-
reuse – responsabilité contre laquelle il s'était élevé jadis.
N'avait-il pas, en 1946, démissionné de la présidence du
Congrès pour devenir Premier ministre ?

« Je continue à penser qu'il est mauvais, d'un point de
vue pratique et autre, pour le Premier ministre d'être aussi
le président du Congrès, déclara-t-il fin août, une semaine
avant la réunion décisive du Comité du Congrès pan-indien
à Delhi. Mais ceci étant la règle générale, je ne sais pas ce
que la nécessité pourrait obliger quelqu'un à faire dans le
cas particulier où se creuserait un hiatus, ou quelque chose
de ce genre. »

La chute, typiquement nehruvienne dans son impréci-
sion, ne contredisait pas réellement la surprenante intran-
sigeance de la déclaration.

14.15

Les jours passant, il devint de plus en plus évident qu'on
ne pourrait sortir de l'impasse que par un acte désespéré.
Tandon refusait de changer la composition du Comité
directeur sous la férule de Nehru, lequel y mettait la condition essentielle à son retour au sein dudit Comité.

Le 6 septembre, l'ensemble du Comité remit sa démission à Tandon, essayant par cette démarche dramatique
d'empêcher que n'éclate un conflit ouvert, aussi insoutenable pour lui que pour eux. L'idée était que le Comité pan-
indien, organisme bien plus vaste que le Comité directeur
(qui allait se réunir dans deux jours), vote une résolution
demandant à Nehru de revenir sur sa démission et d'exprimer sa confiance en Tandon, et à Tandon de faire procéder
à l'élection d'un nouveau Comité directeur. Dont Tandon et
Nehru choisiraient conjointement les candidats. Tandon
pourrait demeurer président ; il n'aurait cédé aucune de
ses prérogatives au Premier ministre ; il aurait simple-

ment, comme c'était son devoir, soumis une résolution au Comité pan-indien.

Cette idée qui, selon le Comité directeur, devait plaire aux deux hommes, déplut à l'un et à l'autre.

Le soir même, au cours d'une réunion publique, Nehru déclara que le Comité pan-indien devrait décider clairement de la voie à suivre par le Congrès et choisir celui à qui il en confierait les rênes. Il était d'humeur combattante.

Le lendemain soir, ce fut à Tandon de s'exprimer à l'occasion d'une conférence de presse. « Si le Comité du Congrès pan-indien devait me demander de reconstituer le Comité directeur en consultant X, Y ou Z, je prierais le Comité pan-indien de me décharger de ma fonction. »

Il plaça sans ambages la responsabilité de la crise sur les épaules de Nehru qui, en liant sa démission à la réforme ou non du Comité directeur, avait forcé les membres du Comité à présenter la leur.

Il n'était pas question, déclara Tandon, qu'il accepte cette démission. Il fit quelques références à « mon frère et vieil ami, le Pandit Nehru », et ajouta : « Nehru n'est pas un membre ordinaire du Comité directeur ; il représente la nation plus qu'aucun autre individu. » Mais il réaffirma l'inflexibilité de sa position, et annonça qu'en cas d'échec des médiateurs il démissionnerait dès le lendemain de la présidence du Congrès.

Et c'est ce qu'il fit.

Après quoi, dans un geste dont la noblesse devait effacer toute trace d'amertume subsistante, il rejoignit les rangs du Comité directeur dirigé par le président du Congrès nouvellement élu, Jawaharlal Nehru.

Il s'agissait bien d'un coup d'Etat, que Nehru venait de réussir.

En apparence.

A peine la jeep arriva-t-elle au Fort de Baitar que Maan et Firoz firent seller des chevaux pour aller chasser. L'obséquieux munshi, tout sourire, ordonna à Waris de s'en occuper.

« J'irai avec eux, dit Waris, qui paraissait encore plus mal dégrossi qu'avant, peut-être parce qu'il ne s'était pas rasé depuis plusieurs jours.

— Mais mangez un morceau avant de partir », dit le Nawab.

Les deux garçons, trop impatients, refusèrent.

« Nous avons mangé pendant tout le trajet, expliqua Firoz. Nous serons revenus avant la nuit. »

Prenant Mahesh Kapoor à témoin, le Nawab haussa les épaules.

Le munshi, débordant de sollicitude, conduisit Mahesh Kapoor à son appartement. Que le grand homme qui, d'un trait de plume, avait rayé de la carte de vastes domaines, fût là, en personne, était d'une signification incalculable. Peut-être reviendrait-il au pouvoir en menaçant de faire pire. Or non seulement le Nawab l'invitait mais il se conduisait envers lui avec une grande cordialité. Le munshi, léchant les bords de sa moustache tombante et ébouriffant ses plumes, grimpa la volée de marches raides tout en murmurant de profondes platitudes. Mahesh Kapoor garda le silence.

« Voilà, Sahib ministre, j'ai reçu pour instruction de vous installer dans le meilleur appartement du Fort. Comme vous voyez, il donne sur le verger de manguiers et plus loin sur la jungle – pas de dérangement, pas le tohu-bohu de la ville, rien qui puisse gêner votre contemplation. Et là, Sahib ministre, voici votre fils et le Nawabzada qui chevauchent côte à côte. Comme votre fils monte bien. J'ai eu l'occasion de faire sa connaissance la dernière fois qu'il est venu au Fort. Quel jeune homme juste, honnête. Dès que mes yeux se sont posés sur lui, j'ai su qu'il venait d'une famille remarquable.

— Qui est le troisième ?

— Celui-là, Sahib ministre, c'est Waris. » Par le ton de sa voix, le munshi indiqua en quelle piètre estime il tenait ce rustre.

« A quelle heure le déjeuner ? demanda Mahesh Kapoor en regardant sa montre.

— Dans une heure, Sahib ministre, dans une heure. Et je veillerai personnellement à ce que quelqu'un vienne vous prévenir. A moins que vous ne vouliez faire un tour dans la propriété ? Le Nawab Sahib a dit que vous vouliez être dérangé le moins possible pendant quelques jours – que vous souhaitiez réfléchir dans un environnement calme. Le jardin est vert et frais en cette saison – peut-être un peu trop touffu – mais de nos jours, avec les nouvelles rigueurs financières – Huzoor le sait bien, les temps ne sont pas favorables pour des propriétés comme la nôtre – mais nous ferons tous nos efforts, tous nos efforts pour vous assurer un heureux séjour, un séjour tranquille, Sahib ministre. Comme Huzoor en a probablement déjà été averti, Ustad Majeed Khan va arriver par le train cet après-midi, et chantera pour le plaisir de Huzoor, aujourd'hui et demain. Le Nawab Sahib a beaucoup insisté pour qu'on vous laisse le temps de vous reposer et de penser, de vous reposer et de penser. »

Ce caquetage ne suscitant pas de réponse, le munshi continua :

« Le Nawab Sahib lui-même croit beaucoup à la vertu du repos et de la pensée, Sahib ministre. Il passe la majorité de son temps dans la bibliothèque. Mais puis-je me permettre d'indiquer à Huzoor quelques sites de la ville qu'il pourrait trouver intéressants : le Lal Kothi et, bien sûr, l'hôpital, qui a été fondé et agrandi par les précédents Nawabs, mais que nous continuons d'entretenir pour le bien du peuple. J'ai déjà organisé une visite –

— Plus tard », le coupa Mahesh Kapoor. Tournant le dos au munshi il regarda par la fenêtre. On apercevait encore, par intervalles, les trois hommes qui chevauchaient en forêt, puis ils devinrent de plus en plus difficiles à suivre.

Comme c'était bon, se dit Mahesh Kapoor, de se retrouver chez son vieil ami, loin de Prem Nivas et de l'agitation de la maison, des récriminations de sa femme, des incursions incessantes de la famille de Rudhia, des affaires de la ferme, loin – surtout – de la confusion politique de Delhi et de Brahmpur. Car il était, fait étrange, fatigué de la politique. Il suivrait, bien entendu, les événements par la radio ou les journaux, même vieux d'un jour, mais il allait pouvoir s'épargner l'ennui et le cassement de tête des rencontres avec ses camarades politiciens et avec ses électeurs bouleversés ou importuns. Il ne travaillait plus au secrétariat, s'était mis en congé, pour quelques jours, de l'Assemblée législative, n'assistait même pas aux réunions de son nouveau parti, dont la prochaine se tiendrait à Madras dans une semaine. Il n'était même plus sûr d'appartenir vraiment à ce parti, même s'il en restait membre. Considérant la victoire de Nehru sur les Tandonites, Mahesh Kapoor éprouvait le besoin de réviser son attitude à l'égard du Congrès. Comme nombre de ceux qui avaient fait sécession, il était déçu que Nehru ne les ait pas rejoints. D'un autre côté, le Congrès semblait un endroit beaucoup moins hostile aux gens de sa trempe, qui partageaient ses idées. Il attendait avec un intérêt tout particulier de voir quelle serait la décision du changeant Rafi Ahmad Kidwai si Nehru demandait aux sécessionnistes de revenir.

Jusqu'à présent, Kidwai était demeuré évasif comme à son habitude, se contentant de déclarations contradictoires. Il avait annoncé, de Bombay, qu'il se réjouissait de la victoire de Nehru, mais qu'il n'envisageait pas de réintégrer le bercail du Congrès. « Comprenant que leurs perspectives électorales n'étaient pas brillantes ils ont laissé tomber Mr Tandon et soutenu la candidature du Pandit Nehru. C'est du pur opportunisme. L'avenir du pays s'annonce sombre si l'on tolère un tel opportunisme. » Roublard, il ajouta cependant que si le Pandit Nehru se débarrassait de certains « éléments indésirables » toujours embusqués dans les appareils exécutifs d'Etats comme l'Uttar Pradesh, le Purva Pradesh, le Madhya Pradesh et le Pendjab, « alors tout irait bien ». Et pour ajouter à la confusion, il indiqua que le PTP songeait à une alliance électorale avec le Parti socialiste et que « le PTP a de fortes chances de l'emporter dans la plupart des Etats ». (Le Parti socialiste, pour sa part, n'afficha aucun désir de s'allier avec qui que ce soit.)

Deux jours plus tard, Kidwai laissa entendre qu'une purge des « éléments corrompus » du Congrès pourrait inciter son propre parti à se fondre dans le Congrès, tandis que Kripalani, l'autre moitié de l'alliance K-K, affirmait que pour sa part il n'était pas question qu'il quitte le PTP et rejoigne les rangs du Congrès.

Pendant ce temps, les autres partis commentaient avec plus ou moins de vigueur la reprise en main du Congrès par Nehru. Un dirigeant socialiste dénonça dans la réunion sous une même casquette de la présidence du Congrès et du poste de Premier ministre la marque du totalitarisme ; un autre affirma qu'il n'y avait pas de souci à se faire car Nehru n'avait rien d'un dictateur en puissance ; un troisième souligna simplement qu'il s'agissait d'une manœuvre tactique, qui augmentait les chances du Congrès aux élections générales.

A droite, le président de l'Hindu Mahasabha fulmina contre « la proclamation de la dictature », ajoutant que « cette dictature qui a haussé le Pandit Nehru au sommet de la gloire contient en elle-même les germes de sa chute ».

S'efforçant de chasser de son esprit toute cette confusion, Mahesh Kapoor tenta de résoudre trois questions directes. Puisqu'il était écœuré de la politique, ne devait-il pas simplement s'en retirer ? Sinon, quel parti lui convenait le mieux – à moins qu'il ne se présente comme Indépendant ? Enfin, s'il décidait de se battre pour son parti, quel était le meilleur endroit pour faire campagne ? Il monta sur le toit, effrayant une chouette réfugiée dans une des tours ; descendit dans la roseraie, avec ses arbustes en boutons entourant la pelouse vert tendre ; parcourut les pièces du Fort, y compris l'immense imambara au rez-de-chaussée. Il se remémorait les paroles de Sharma, dans un autre jardin. Mais quand le munshi, inquiet, le découvrit et lui annonça que le Nawab Sahib l'attendait pour le déjeuner, il n'avait pas avancé dans la solution de son problème.

Le Nawab avait passé l'heure précédente dans sa bibliothèque, cette magnifique pièce voûtée aux vitraux verts, envahie par la poussière, à travailler sur les manuscrits et les documents destinés à son édition des poèmes de Mast. La détérioration des lieux, le piètre état des trésors qu'elle contenait le remplissaient de tristesse. Ses moyens ne lui permettant plus de l'entretenir, il envisageait de transférer les livres les plus précieux dans sa bibliothèque de Brahmpur.

Il y pensait encore quand il accueillit son ami dans la grande et obscure salle à manger, décorée des sombres portraits de la reine Victoria, du roi Edouard VII et de ses propres ancêtres.

« Je vous emmènerai dans la bibliothèque après le déjeuner, dit-il.

— D'accord, dit Mahesh Kapoor, mais la dernière fois que j'ai pénétré dans une de vos bibliothèques, ça s'est terminé par la destruction d'un de vos livres.

— Je me demande, fit le Nawab d'un ton pensif, ce qui est pire : les crises du Raja de Marh ou le cancer dû aux vers.

— Vous devriez prendre mieux soin de vos livres, c'est l'une des plus belles bibliothèques privées du pays. Ce serait une tragédie si les livres s'abîmaient.

— Vous diriez, j'imagine, que c'est un trésor national.

— Oui.

— Mais je doute que la nation ouvre les cordons de sa bourse pour m'aider à l'entretenir.

— Non.

— Et grâce à des pillards comme vous, je ne peux plus le faire. »

Mahesh Kapoor se mit à rire. « Je me demandais où vous vouliez en venir. Il n'empêche que même si vous perdez votre recours devant la Cour suprême, vous serez encore mille fois plus riche que moi. Moi je travaille pour vivre – vous, vous êtes simplement décoratif.

— Et vous une personne inutile, contre-attaqua le

Nawab en se servant de biryani. A quoi sert un politicien, sinon à causer des ennuis aux autres ?

— Ou à empêcher les autres de causer des ennuis. »

Ni l'un ni l'autre n'eut besoin de préciser à quoi Mahesh Kapoor faisait allusion. Alors qu'il était encore au Congrès, il avait réussi à obtenir, via le ministre de la Réinsertion qui avait l'oreille du Premier ministre, que le gouvernement accorde au Nawab sahib et à la begum Abida Khan des certificats reconnaissant leur droit sur leurs propriétés de Brahmpur. Ceci afin de contrer un ordre émanant du Conservateur des Biens des Evacués et qui se fondait sur le fait que l'époux de la begum était un émigré permanent. De nombreux cas semblables avaient nécessité le même type d'intervention à l'échelon gouvernemental.

« Sur quoi vont porter vos économies, reprit l'ex-ministre du Trésor, quand la moitié de vos loyers aura disparu ? J'espère sincèrement que votre bibliothèque n'aura pas à en souffrir.

— Kapoor Sahib, je m'inquiète moins pour ma propre maison que pour celle des gens qui dépendent de moi. Les habitants de Baitar comptent sur moi pour organiser le spectacle à l'occasion de nos fêtes, spécialement Moharram. Il faut que je maintienne cette tradition. Et puis il y a les autres dépenses – l'hôpital, les monuments, les écuries, les musiciens qui, comme Ustad Majeed Khan, attendent mon invitation deux fois par an, les poètes, les fondations, les pensions ; Dieu – et mon munshi – sait quoi encore. Du moins, mes fils ne réclament pas grand-chose ; ils exercent une profession, ne sont pas des bons à rien comme certains que je connais – »

Il s'interrompit, pensant à Maan et à Saeeda Bai.

« Mais dites-moi, reprit-il au bout d'un instant, vous, qu'allez-vous faire ?

— Moi ?

— Pourquoi ne vous présentez-vous pas aux élections ici ?

— Après ce que je vous ai fait – vous voulez que je me présente ici ?

— Je vous assure, Kapoor Sahib, vous devriez.

— C'est ce que dit mon petit-fils.

— Le fils de Veena ?

— Oui. Il a calculé que cette circonscription est celle qui m'est le plus favorable – parmi les circonscriptions rurales. »

Le Nawab sourit, sa pensée alla à ses propres petits-fils, Hassan et Abbas – prénommés ainsi d'après les frères de Hussein, le martyr de la fête de Moharram –, à sa fille Zainab, si malheureuse en mariage, à son épouse, enterrée dans le cimetière juste à l'extérieur du Fort.

« En quoi cette idée vous paraît-elle si bonne ? » lui demanda Mahesh Kapoor.

Un domestique proposa des fruits au Nawab – y compris des corossols dont la courte saison venait de commencer –, que celui-ci refusa. Puis, changeant d'avis, il palpa trois ou quatre sharifas, en prit un. Coupant en deux le fruit bosselé, il en racla la délicieuse pulpe blanche, recrachant les pépins noirs dans sa cuiller et les déposant sur le bord de son assiette. Mahesh Kapoor se servit lui aussi de sharifas.

« Je vais vous expliquer, Kapoor Sahib, dit le Nawab d'un ton pensif, réunissant les deux moitiés de son sharifa puis les séparant de nouveau. Si vous regardez la population de cette circonscription, elle se divise à peu près à égalité entre musulmans et hindous. Exactement le genre d'endroit où les partis communalistes hindous peuvent pousser les gens à de violentes manifestations antimusulmanes. Ils ont déjà commencé. Et chaque jour apporte aux deux communautés de nouvelles raisons d'apprendre à se haïr. Si ce n'est pas quelque idiotie au Pakistan – une menace sur le Cachemire, un complot, réel ou imaginaire, pour détourner les eaux de la Sutlej ou capturer le Sheikh Abdullah ou imposer une taxe aux hindous – c'est une de nos brillantes inventions comme la querelle à propos de cette mosquée d'Ayodhya, qui flambe soudain après des décennies d'assoupissement, et dont nous avons une version à Brahmpur, guère différente. Dans quelques jours, ce sera Bakr-Id ; on peut être sûr que quelqu'un quelque part tuera une vache à la place d'une chèvre, et qu'il y aura de nouveaux troubles. Sans compter le pire de tout : Moharram et Dussehra qui tombent en même temps, cette année. »

Mahesh Kapoor approuva d'un hochement de tête, et le Nawab continua : « Je sais que cette maison a été une des citadelles de la Ligue musulmane. Je n'ai jamais partagé les vues de mon père et de mon frère sur ce sujet, mais les gens ne font pas la différence. Sur quelqu'un comme Agarwal, le nom même de Baitar fait l'effet d'un chiffon rouge – ou peut-être vert – sur un taureau. La semaine prochaine, il va essayer de faire voter sa loi sur l'hindi, et l'ourdou, ma langue, la langue de Mast, celle de la plupart des musulmans de cette région, deviendra encore plus inutile qu'avant. Qui peut nous protéger, nous et notre culture ? Seuls des gens comme vous, qui nous connaissent, qui ont des amis parmi nous, qui n'ont pas de préjugés mais de l'expérience. »

Mahesh Kapoor ne répondit pas, ému par cette confiance que le Nawab mettait en lui.

Répartissant ses pépins de sharifa en deux petits tas, le Nawab poursuivit : « La situation est peut-être pire dans cette partie du pays qu'ailleurs. Elle a été autrefois le cœur de la lutte pour le Pakistan, qui a laissé tant d'amertume, mais ceux d'entre nous qui ont choisi (ou ont été dans l'incapacité) de ne pas quitter leur terre natale constituent maintenant une petite minorité dans un territoire largement hindou. Moi, quelle que soit la violence des troubles qui risquent d'éclater, je m'en sortirai ; comme Firoz, Imtiaz et Zainab – ceux qui ont de l'argent surnagent toujours. Mais la plupart des gens ordinaires avec qui je parle sont déprimés, effrayés ; ils se sentent assiégés. Ils ne font pas confiance à la majorité, qui se méfie d'eux. Je voudrais que vous vous présentiez ici, Kapoor Sahib. Non seulement vous avez mon soutien, mais j'entends dire que votre fils s'est rendu très populaire dans la région de Salimpur. Qu'en pensez-vous ?

— Pourquoi ne pas vous présenter vous-même ? Très franchement, je préférerais, si je devais le faire, représenter ma vieille circonscription urbaine de Misri Mandi, même redécoupée comme elle l'a été – ou bien celle de Rudhia ouest, où se trouve ma ferme. Je connais trop mal

Salimpur-Baitar. Rien de personnel ne m'y rattache – je n'ai pas de compte personnel à régler. Présentez-vous, et vous gagnerez haut la main.

— J'y ai pensé, acquiesça le Nawab. Mais je ne suis pas un politicien. J'ai mon travail – mon travail littéraire à défaut d'autre chose. Ça ne me plairait pas de siéger à l'Assemblée. J'y suis allé, j'ai vu comment on procède et – je ne suis pas fait pour ce genre de vie. D'ailleurs, je ne suis pas sûr de gagner. Pour commencer, j'aurais des problèmes avec le vote hindou. Et, surtout, je ne pourrais pas parcourir les rues de Baitar, les villages, en quémandant le vote des gens – en tout cas je ne pourrais pas le faire pour moi. Je ne me résoudrais jamais à faire ça. »

Il reprit son souffle, contempla le portrait à l'épée sur le mur. « Mais je tiens à ce qu'un homme honnête, un homme convenable l'emporte. En dehors de ceux du Mahasabha, il y a quelqu'un ici pour qui j'ai eu des bontés et qui, du coup, me déteste. Il veut obtenir l'investiture du Congrès, et s'il est élu, il peut me faire beaucoup de mal. S'il obtient cette investiture, j'ai décidé de nommer un candidat de mon choix, qui se présentera en Indépendant. Présentez-vous, au titre du Congrès, du PTP, ou en Indépendant, et vous aurez tout mon soutien. Et celui de mon candidat.

— Ce doit être un candidat très complaisant, dit Mahesh Kapoor en souriant. Ou plein d'abnégation. Un oiseau rare en politique.

— Vous l'avez croisé en descendant de la jeep. C'est Waris.

— Waris ! Votre domestique, ou palefrenier ou que sais-je, ce garçon pas rasé qui a accompagné Firoz et mon fils à la chasse ?

— Oui.

— Quelle sorte de député croyez-vous qu'il ferait ?

— Meilleur que celui qu'il remplacerait.

— Vous voulez dire, mieux vaut un imbécile qu'un salaud.

— Mieux vaut un rustre, certainement.

— Ce n'est pas sérieux.

— Ne sous-estimez pas Waris. Il est peut-être un peu grossier, mais il est capable et coriace. Il divise les choses en noir et blanc, ce qui est très utile quand on fait campagne. Il adorerait ça, que ce soit pour lui ou pour vous. Il est très populaire par ici. Notamment parmi les femmes. Il est d'une loyauté absolue envers moi et la famille, surtout Firoz. Il ferait n'importe quoi pour nous. Vraiment n'importe quoi : il menace de tuer tous ceux qui nous ont fait du mal. » Mahesh Kapoor eut l'air un peu inquiet. « Tenez !, il aime beaucoup Maan. Il lui a montré le domaine la dernière fois que votre fils est venu. Et s'il a les joues hirsutes, c'est parce qu'il ne se rase pas depuis l'apparition de la nouvelle lune jusqu'à Bakr-Id, dix jours plus tard. Non qu'il soit vraiment religieux, mais, à son idée, autant profiter de l'occasion de ne pas se raser !

— Hmm.

— Réfléchissez.

— J'y songerai, j'y songerai. Mais la question de la circonscription n'est qu'une des trois qui me préoccupent.

— Quelles sont les deux autres ?

— Eh bien – pour quel parti ?

— Le Congrès, dit le Nawab, nommant sans hésiter le parti qui avait tant fait pour le déposséder.

— Vous le pensez réellement ? Vous le croyez vraiment ? »

Le Nawab hocha la tête, regarda les débris dans son assiette et se leva. « Quelle est votre troisième question ?

— Est-ce que je ne devrais pas abandonner la politique ? »

Le Nawab fixa sur son ami des yeux stupéfaits. « Vous avez mangé quelque chose ce matin qui ne passe pas. Ou bien j'ai de la cire dans les oreilles », dit-il.

14.18

Waris, pendant ce temps, passait un bon moment loin de ses tâches habituelles et du regard scrutateur du munshi. Portant le fusil pour lequel il avait obtenu une licence, il se contentait de galoper gaiement, la chasse ne faisant pas partie de ses prérogatives. Maan et Firoz appréciaient autant la chevauchée que la chasse ; le gibier abondait d'ailleurs suffisamment pour qu'ils le repèrent sans avoir besoin de le chercher. Sur cette partie du domaine, les bois alternaient avec les terrains rocailleux et des espaces que la saison rendait marécageux. En début d'après-midi, Maan vit au loin, pateaugeant sur les bords d'un étang, un troupeau de nilgauts. Il visa, tira, les manqua, jura, le tout dans la bonne humeur. Un peu plus tard, Firoz tua un grand cerf tacheté avec des bois magnifiques. Waris repéra l'endroit et, lorsqu'ils traversèrent un hameau non loin de là, demanda à un paysan de transporter la bête au Fort dans la soirée.

En plus des cerfs et de quelques sangliers, la forêt regorgeait de singes, spécialement des langurs, et de diverses variétés d'oiseaux, dont des paons. Ils virent même un paon danser, ce qui transporta Maan de joie.

Il faisait chaud, mais il ne manquait pas d'endroits ombragés où se reposer. Waris nota le plaisir qu'avaient les deux jeunes gens à se trouver dans la compagnie l'un de l'autre ; il avait aimé Maan dès leur première rencontre, sentiment que confortait l'affection que montrait Firoz pour son compagnon.

A présent, ils étaient assis à l'ombre d'un gros banian et bavardaient.

« Avez-vous déjà mangé du paon ? demanda Waris à Maan.

— Non.

— C'est une viande excellente.

— Allons, Waris, tu sais bien que le Nawab Sahib n'aime pas qu'on tue les paons sur son domaine, dit Firoz.

— Non, mais si on en tue un par accident, autant le manger. Pas la peine de le laisser aux chacals.

— Par accident !

— Oui, oui, affirma Waris, se rappelant ou inventant une histoire. Un jour que j'étais assis sous un arbre, tout comme maintenant, j'ai entendu un grand froissement dans les buissons, j'ai cru que c'était un sanglier, j'ai tiré et c'était un paon. Pauvre chose. Délicieuse. »

Firoz prit un air sévère, Maan rit.

« Voulez-vous que je vous prévienne la prochaine fois que ça arrivera ? Vous aimerez ça, Chhoté Sahib, je vous le dis. Ma femme est une excellente cuisinière.

— Oui, je sais.

— Chhoté Sahib croit qu'il faut toujours agir correctement, c'est pour ça qu'il est avocat.

— Je pensais que c'était une disqualification, dit Maan.

— S'il devient juge, il fera annuler les dispositions de la loi sur les zamindars », assura Waris.

Il y eut un soudain mouvement dans les fourrés, à moins de trente mètres. Un gros sanglier, défenses baissées, fonça dans leur direction, soit pour les charger, soit pour les dépasser. Sans réfléchir, Maan épaula, et sans même viser, tira – l'animal n'était qu'à une douzaine de mètres.

Le sanglier s'effondra. Les trois hommes sautèrent sur leurs pieds – par peur, tout d'abord – puis, demeurant à une distance prudente, le regardèrent se débattre, grognant, criant, son sang imprégnant les feuilles et la boue alentour.

« Seigneur – dit Firoz, fasciné par les énormes défenses.

— Autre chose qu'un foutu paon », commenta Waris.

Maan exécuta quelques pas de danse, l'air un peu médusé mais très content de lui.

« Bon, qu'allons-nous en faire ? demanda Firoz.

— Le manger, bien sûr, dit Maan.

— Ne sois pas stupide – nous ne pouvons manger ça. Nous le donnerons à – peu importe qui. Waris nous dira lequel des domestiques ne refusera pas d'en manger. »

Ils hissèrent le sanglier sur le cheval de Waris. La journée tirait à sa fin et ils étaient tous fatigués. Maan, son fusil rangé dans la sacoche de selle, tenait les rênes de la main gauche et de la droite mimait des gestes de polo. Ils étaient à moins de cinq cents mètres du verger de manguiers et aspiraient à prendre un peu de repos avant le dîner. Le cerf devait les avoir précédés, peut-être était-on en train de le préparer. Le soir tombait. De la mosquée du Fort leur parvint la belle voix du muezzin appelant à la prière. Firoz s'arrêta de siffler.

Ils arrivaient à la lisière du verger quand Maan, qui

chevauchait en tête, aperçut un chat sauvage – soixante-dix centimètres de long, de longues pattes, une fourrure qui lui parut presque dorée, des yeux verts, étroits, qui vrillèrent sur lui un regard intense, acéré, presque cruel. Le cheval renâcla, s'arrêta, Maan, instinctivement, épaula son fusil.

« Non – non – ne tire pas », cria Firoz.

Le chat disparut dans les hautes herbes à droite du chemin.

« Qu'est-ce qui te prend ? s'exclama Maan, furieux. Je l'aurais eu.

— Ce n'est ni un tigre ni une panthère – il n'y a rien d'héroïque à tuer un chat. De toute façon, mon père n'aime pas qu'on tue ce qu'on ne peut pas manger – sauf, bien entendu, en cas de danger.

— Allons, Firoz, je sais que tu as tué une panthère.

— Peut-être, mais je ne tire pas sur les chats sauvages. Ils sont trop beaux et inoffensifs. J'aime ces animaux.

— Quel idiot tu fais.

— Toute la famille les aime, dit Firoz qui ne voulait pas que son ami reste fâché. Imtiaz en a tué un, un jour, et Zainab a refusé de lui parler pendant plusieurs jours. »

Se portant à la hauteur de Maan, Firoz lui passa le bras autour des épaules. Le temps de traverser le verger, et la colère de Maan avait fondu.

« Est-ce que tu as vu passer une carriole transportant un cerf ? demanda Waris à un vieil homme qui marchait un bâton à la main.

— Non, Sahib, je n'ai pas vu ça. Mais il n'y a pas longtemps que je suis arrivé dans le verger.

— Il est probablement déjà à la cuisine, dit Waris, tout content d'avoir été appelé Sahib. Et nous allons être en retard pour la prière du soir. Trop triste !

— J'ai besoin d'un bain, dit Firoz. As-tu fait porter nos affaires dans ma chambre ? Maan Sahib dort dans ma chambre.

— Oui, j'ai donné des ordres juste avant de partir. C'est là qu'il a dormi la dernière fois. Mais ça m'étonnerait qu'il dorme cette nuit avec ce type sinistre qui va se gargariser jusqu'à l'aube. La dernière fois, il a eu droit à la chouette.

— Waris se fait plus grossier qu'il n'est, expliqua Firoz. Ustad Majeed Khan va chanter après le dîner.

— Très bien.

— Quand j'ai suggéré de faire venir ta chanteuse favorite, mon père s'est fâché. Je ne disais pas ça sérieusement.

— Veena étudie le chant avec Khan Sahib, alors nous avons l'habitude de ce genre de gargarismes.

— Ouf, nous y voici », soupira Firoz, en mettant pied à terre et en s'étirant.

14.19

On leur servit un cuissot de gibier rôti, entre autres plats, pour le dîner qui fut excellent et qu'ils prirent, non dans la salle à manger, mais en plein air, dans la cour supérieure, sous un ciel clair. Quand ils eurent fini de manger, ils se rendirent dans l'imambara pour écouter Ustad Majeed Khan. « Tout cet argent ? s'était indigné le munshi, devant les émoluments réclamés par le maître. Tant d'argent pour chanter ? »

La fête de Moharram ne devant avoir lieu que dans quelques semaines, on continuait à se réunir dans l'imambara, la pièce sacrée, dont le père du Nawab lui-même s'était déjà servi comme d'une sorte de durbar. De nombreuses peintures représentant des scènes du martyre de Hussein en décoraient les murs – chose impensable pour quiconque suivait les strictes injonctions interdisant l'art figuratif, surtout des sujets religieux – et avaient été recouvertes de linges blancs. Au bout de la pièce, quelques tazias – répliques en différents matériaux de la tombe de Hussein – se dissimulaient derrière les hauts piliers blancs ; les lances et bannières de Moharram reposaient dans un coin.

Des lustres pendaient au plafond, rouge et blanc, mais non allumés. Afin que le bruit lointain des générateurs ne gêne pas, la pièce était éclairée aux bougies. On savait

Ustad Majeed Khan très irritable quand il s'agissait de son art. S'il est vrai que, chez lui, il s'exerçait souvent au milieu d'un incroyable vacarme, résultat de l'amour excessif qu'avait sa femme pour les mondanités, quand il donnait une représentation, même la nécessité de gagner sa vie ne le faisait pas transiger sur l'attention qu'il exigeait de son auditoire – et sur le calme, qu'il voulait absolu. On disait qu'il chantait pour lui et pour Dieu seuls, mais ça marchait d'autant mieux que le public était connaisseur, d'autant moins que l'auditoire était chahuteur. Le Nawab n'avait invité personne de Baitar, notamment parce qu'il n'y avait trouvé personne capable d'apprécier la musique.

Ustad Majeed Khan arriva accompagné de son joueur de tabla et d'Ishaq Khan, en qualité de voix de soutien et non de joueur de sarangi. À présent, le maître traitait Ishaq non plus en élève ou même en neveu, mais en fils. Ishaq possédait toute la musicalité qu'attendait Majeed Khan de ses élèves et, en plus, ce sentiment passionné de révérence à l'égard de ses maîtres – y compris son propre père – qui l'avait fait se heurter à Majeed Khan lors de leur première rencontre. Ils avaient été les premiers étonnés de la réconciliation qui avait suivi. Le maître y avait vu la main de Dieu. Ishaq ne savait à qui l'attribuer, mais sa reconnaissance était profonde. La pratique du sarangi l'ayant habitué à s'adapter instinctivement au principal exécutant, il n'avait aucun mal à s'adapter au style de son professeur ; et comme ce style traduisait une certaine tournure d'esprit, une forme particulière de créativité, quelques mois après sa première leçon, Ishaq chantait avec une assurance et une aisance qui, après avoir inquiété Majeed Khan – doté d'un ego considérable – le réjouirent. Le maître avait enfin un disciple digne de ce nom, et qui par l'honneur qu'il lui faisait compensait largement certains déshonneurs dont il avait pu se rendre coupable dans le passé.

Il était tard quand la soirée commença : sans se chauffer la voix par un raga un peu léger, Ustad Majeed Khan attaqua directement le raga Darbari. Comme ces sonorités conviennent à l'environnement, songea le Nawab, et comme son père, dont un des vices était la musique, aurait aimé celle-ci. Le lent et majestueux développement de l'alaap, les amples vibratos sur les troisième et sixième degrés, les somptueux decrescendos alternant modulations hautes et basses, la richesse de la voix de Khan Sahib, soutenue par moments par celle de son jeune disciple, le battement invariable, sourd du tabla, tout cela créait une aura de noblesse et de perfection qui hypnotisait les musiciens et l'auditoire. A peine entendait-on, à des passages particulièrement brillants, quelques « wah ! wah ! ». Plus de deux heures s'étaient écoulées quand le chant s'acheva, bien après minuit.

« Surveille les bougies, elles coulent, dit le Nawab à un domestique. Ce soir, Khan Sahib, vous vous êtes surpassé.

— Grâce à Lui et à vous.

— Voulez-vous vous reposer un peu ?

— Non, il reste de la vie en moi. Et le désir de chanter devant un tel public.

— Qu'allez-vous nous donner, maintenant ?

— Qu'en penses-tu ? dit le maître s'adressant à Ishaq. C'est beaucoup trop tôt pour Bhatiyar, mais je suis d'humeur à ça : Dieu nous pardonnera. »

Le Nawab, qui n'avait encore jamais entendu Ishaq accompagner Majeed Khan, et n'avait en tout cas jamais vu le Maître consulter quiconque sur ce qu'il devait ou ne devait pas chanter, fut stupéfait et demanda qu'on lui présente le jeune homme.

Soudain Maan se rappela d'où il connaissait Ishaq.

« Nous nous sommes déjà rencontrés, dit-il, sans prendre le temps de réfléchir. Chez la begum Sahiba, n'est-ce pas ? Vous étiez son joueur de sarangi, je ne me trompe pas ? »

Il y eut un brusque silence, glacé. Tout le monde, sauf le joueur de tabla, braqua sur Maan un regard gêné ou choqué. Comme s'ils voulaient que rien, en ce moment magique, ne leur rappelle le monde extérieur. Client, employé, amant, simple relation, artiste, ils étaient tous à un titre ou à un autre liés à Saeeda Bai.

Ustad Majeed Khan se leva pour, dit-il, se dégourdir. Le Nawab avait courbé la tête. Ishaq parlait à voix basse avec le joueur de tabla. Chacun semblait vouloir exorciser la muse indésirable.

Puis Ustad Majeed Khan chanta le raga Bhatiyar, avec autant de beauté que s'il ne s'était rien passé. Il s'arrêtait de temps à autre pour boire un verre d'eau. A trois heures, il s'arrêta et bâilla. Comme pour lui répondre, chacun fit de même.

14.20

Allongés chacun sur son lit, un peu plus tard, Maan et Firoz bavardaient.

« Je suis épuisé. Quelle journée, dit Maan.

— Heureusement que je n'ai pas ouvert, avant le dîner, la bouteille de scotch que je garde en réserve, sinon nous aurions ronflé pendant le Bhatiyar. »

Petit silence.

« Qu'est-ce que j'ai fait de mal en mentionnant le nom de Saeeda Bai ? demanda Maan. Tout le monde s'est figé, toi y compris.

— Vraiment ? » S'appuyant sur son bras, Firoz jeta à son ami un regard tendu.

« Oui. » Et avant que Firoz ait trouvé quoi répondre, il poursuivit : « J'aime cette photographie, celle qui est près de la fenêtre, de toi et de ta famille. Tu n'as absolument pas changé.

— C'est absurde, dit Firoz en riant. J'avais cinq ans. Et je suis beaucoup plus beau maintenant, constata-t-il. Beaucoup plus beau que toi.

— Ce que je voulais dire, c'est que tu as en quelque sorte la même apparence. Avec ta tête qui penche et cette mine sévère.

— A propos de tête qui penche, ça me rappelle le Président du tribunal. Pourquoi pars-tu demain ? Reste quelques jours de plus. »

Maan haussa les épaules. « Je voudrais bien. Nous ne passons pas beaucoup de temps ensemble, et j'aime beaucoup ton Fort. Et puis, nous irions chasser. Mais j'ai promis à des gens que je connais à Debaria d'être revenu pour Bakr-Id. Et j'ai pensé y conduire Baoji, lui qui cherche une circonscription. De toute façon, à Baitar la fête importante c'est Moharram, n'est-ce pas ?

— Oui, oui, c'est vrai. Mais cette année, je n'y assisterai pas, je serai à Brahmpur.

— Pourquoi ?

— Nous nous partageons, Imtiaz et moi : une année, Burré Sahib, la suivante, Chhoté Sahib. Il faut que l'un d'entre nous soit à Brahmpur pour prendre part aux processions.

— Ne me dis pas que tu te frappes la poitrine et que tu te flagelles !

— Non. Mais tu devrais voir ça au moins une fois. Sans compter ceux qui marchent dans le feu.

— J'y assisterai peut-être cette année. Bonne nuit. C'est toi qui éteins ?

— Sais-tu que même Saeeda Bai ferme boutique pendant Moharram ?

— Quoi ? Comment le sais-tu ?

— Tout le monde le sait. Elle est très pieuse. Ce qui rend le Raja de Marh furieux. Il compte toujours prendre du bon temps au moment de Dussehra. Mais elle, tout ce qu'elle consent à chanter, ce sont des marsiyas, des lamentations pour les martyrs de la bataille de Karbala. Pas très excitant.

— Non, reconnut Maan.

— Elle ne chantera même pas pour toi.

— Je suppose que non. » Maan se demanda pourquoi Firoz insistait si lourdement.

« Ni pour ton ami.

— Mon ami ?

— Le Rajkumar de Marh.

— Oh, lui ! s'exclama Maan en riant.

— Oui, lui. » Quelque chose dans la voix de Firoz ramena Maan bien des années en arrière.

« Firoz ! Tout ça est terminé. Nous n'étions que des gosses. Ne me dis pas que tu es jaloux.

— Comme tu me l'as fait remarquer un jour, je ne te dis jamais rien.

— Oh ! » Roulant sur le côté, Maan prit Firoz dans ses bras.

« Je croyais que tu avais sommeil, dit Firoz, souriant dans le noir.

— C'est vrai. Et alors ?

— Tu vas croire que j'avais planifié tout ça.

— Tu l'as peut-être fait. Mais ça m'est égal. » Poussant un petit soupir, il passa la main dans les cheveux de Firoz.

14.21

Empruntant une jeep au Nawab, Mahesh Kapoor et son fils partirent pour Debaria. Pendant la mousson, la petite route menant au village était défoncée, quasiment impraticable, mais comme il n'avait pas trop plu depuis quelques jours, ils atteignirent néanmoins leur but.

La plupart des gens qu'ils croisèrent manifestèrent leur plaisir de revoir Maan, ce qui – et bien qu'en ayant été averti par le Nawab – laissa Mahesh Kapoor proprement stupéfait. Des deux qualités indispensables à un politicien – le talent de récolter des voix et la capacité de faire quelque chose de son mandat après la victoire – Maan, à l'évidence, possédait la première en abondance.

Rasheed n'était pas là, retenu à Brahmpur par ses cours, mais sa femme et ses filles habitaient chez son père. Meher, tous les gamins du village y compris Moazzam l'ébouriffé, accueillirent Maan à grands cris. Sa présence leur paraissait encore plus amusante que le spectacle des chèvres noires attachées à des poteaux ou à des arbres, et qui seraient sacrifiées le lendemain. Moazzam, toujours aussi fasciné par la montre de Maan, demanda à la voir. Même Mr Biscuit s'arrêta de manger pour pousser un azaan triomphant sinon orthodoxe, avant que Baba, furieux de cette marque d'impiété, ne vienne lui frotter les oreilles.

Lequel Baba, s'il n'alla pas jusqu'à sourire, laissa néanmoins deviner son contentement. Il n'avait jamais vraiment cru que Maan reviendrait pour Bakr-Id.

« C'est un bon garçon, dit-il à Mahesh Kapoor.

— Vous trouvez ?

— Oui. Il respecte notre façon de vivre. Il a gagné nos cœurs par sa simplicité. »

Simplicité ? Mahesh Kapoor ne répondit pas.

La venue au village de l'homme à qui l'on devait la loi d'abolition était en soi un événement, mais qu'il y arrive dans la jeep du Nawab avait encore plus de signification. Le père de Rasheed n'était pas très versé en politique, se contentant de qualifier de communiste toute action lésant ses intérêts. Mais Baba, dont l'influence s'étendait aux villages alentour, respectait Mahesh Kapoor pour avoir démissionné du Congrès à peu près en même temps que Kidwai.

A présent, pourtant, il pensait – et il s'en ouvrit à Mahesh Kapoor – que tous les hommes de bonne volonté devaient rallier le Congrès. Nehru avait repris les choses en main et, avec lui, dit-il, les gens de sa communauté étaient en sécurité. Quand Maan évoqua la possibilité que son père se présente dans la circonscription de Salimpur-Baitar, Baba l'y encouragea.

« Mais obtenez l'investiture du Congrès. Les musulmans voteront pour Nehru, et les chamars aussi. Quant aux autres, ça dépendra des événements – et de la façon dont vous mènerez votre campagne. La situation est très fluide. »

Cette phrase, Mahesh Kapoor allait l'entendre, la lire et la répéter lui-même bien des fois durant les jours à venir.

Assis sur un charpoy sous le margousier devant la maison du père de Rasheed, il reçut la visite séparée des brahmanes et des banias du village. Football se montra particulièrement prévenant ; il parla des expulsions opérées par Baba afin de contourner la loi d'abolition (oubliant de mentionner ses propres tentatives) et s'offrit à seconder Mahesh Kapoor s'il choisissait de se présenter ici. L'ex-ministre resta dans le vague. Le matois Football ne lui disait rien qui vaille ; il se rendait compte aussi que Debaria, comme le village jumeau de Sagal ou d'autres, ne comptaient pas beaucoup de familles brahmanes ; à l'évidence, Baba était l'homme le plus important. Ce qu'il apprit des expulsions lui déplut, mais il n'en laissa pas trop paraître. Il est difficile de se faire le procureur de la personne dont on est l'hôte, surtout si l'on pense à requérir son aide dans un proche avenir.

Entre thé et sorbets, Baba lui posa un certain nombre de questions.

« Combien de temps nous ferez-vous l'honneur de votre présence ?

— Je dois partir ce soir.

— Comment ? Vous ne restez pas pour Bakr-Id ?

— Je ne peux pas, j'ai promis de me rendre à Salimpur. Et s'il pleut, la jeep risque d'être immobilisée ici, peut-être pendant plusieurs jours. Mais Maan, lui, va rester. » Mahesh Kapoor n'avait pas besoin de dire que, s'il cherchait un fief, Salimpur, avec son importante concentration de population, constituait un arrêt obligatoire, et que sa présence aux fêtes d'Id lui assurerait de riches dividendes pour l'avenir. D'après Maan, la ville appréciait son comportement laïque.

Une personne en tout cas accueillit la visite de Mahesh Kapoor avec des sentiments très mélangés : le jeune Netaji. En apprenant que l'ex-ministre se trouvait au village, il arriva de Salimpur pleins gaz sur sa Harley Davidson. Pressenti pour se porter candidat au Comité de district du Congrès, cette occasion qui se présentait à lui de prendre contact avec une telle personnalité lui paraissait incroyable. Il pouvait espérer qu'un peu du renom et de l'aura de l'ex-ministre rejaillirait sur lui. D'un autre côté, Mahesh Kapoor n'était plus justement le puissant ministre du Trésor, mais un simple député à l'Assemblée régionale, membre d'un parti à l'avenir incertain, menacé de mort par ses dissensions. L'oreille toujours rivée au sol et le doigt prenant le vent, Netaji avait des preuves concrètes de l'affaiblissement de Mahesh Kapoor. Il avait entendu parler de la montée en puissance de Jha à Rudhia, le propre fief de Kapoor, et avait appris avec une particulière satisfaction la disgrâce et le départ précipité de l'arrogant fonctionnaire qui l'avait humilié sur le quai de la gare de Salimpur.

Mahesh Kapoor fit un tour du village en compagnie de Maan, de Baba – et de Netaji qui s'imposa à eux. L'ex-ministre semblait d'excellente humeur : peut-être grâce à son éloignement de Prem Nivas – au bon air – au chant de Majeed Khan – ou simplement parce qu'il se voyait un avenir politique dans cette circonscription. Leur emboîtaient le pas un groupe bigarré de gosses du village et une petite chèvre noire, bêlant sans arrêt, au poil lustré, aux cornes pointues, aux épais sourcils noirs et aux tendres, sceptiques yeux jaunes. Partout, on accueillit Maan avec amitié et son père avec respect.

Le vaste ciel au-dessus des villages jumeaux – en fait au-dessus de toute la plaine du Gange – charriait d'énormes nuages, faisant craindre aux villageois que la pluie ne vienne gâcher les fêtes de Bakr-Id. Mahesh Kapoor évita de parler politique, remettant cela à la période électorale. Il tenait simplement pour le moment à ce qu'on le connaisse. Il saluait, par un namasté ou un adaab, selon les cas, buvait du thé, bavardait de choses et d'autres.

« Dois-je aussi aller à Sagal ? demanda-t-il.

— Non, ce n'est pas la peine. Laissez la rumeur faire son travail », dit Baba.

Sur le point de repartir, et après avoir remercié Baba, Mahesh Kapoor dit à son fils : « Bhaskar et toi avez peut-être raison. Même si tu n'as pas appris beaucoup d'ourdou, tu n'as pas perdu ton temps. »

Maan ne se rappelait plus quand, pour la dernière fois, son père lui avait fait des compliments. Content, étonné encore plus, il en eut même deux larmes aux yeux !

Feignant de ne pas s'en apercevoir, Mahesh Kapoor regarda le ciel, hocha la tête, et, tandis que la jeep démarrait en faisant gicler la boue, salua la populace d'un grand geste.

Maan dormit sur la véranda à cause des risques de pluie. Il se réveilla tard, mais le Baba qu'il trouva à son réveil n'était plus celui qui, naguère, lui avait reproché avec colère de ne pas avoir assisté à la prière du matin.

« Ainsi vous voilà réveillé, dit le nouveau Baba. Venez-vous à l'Idgah ?

— Oui, pourquoi pas ?

— Alors habillez-vous vite. »

Les autres membres de la famille les avaient précédés, et ils gagnèrent Sagal en coupant à travers champs. L'Idgah était en fait une partie de l'école de Sagal, près du lac. Sous l'amas de nuages perçait une lumière qui avivait le vert émeraude du riz repiqué. Des canards barbotaient dans une rizière, à la recherche de vers et d'insectes. Spectacle plein de fraîcheur et rafraîchissant.

De toutes les directions, venant de plusieurs villages, convergeaient vers l'Idgah des hommes, des femmes, des enfants, en habits de fête – vêtements neufs ou, pour ceux qui n'avaient pas les moyens, d'une propreté impeccable. Les hommes, en majorité, étaient vêtus de kurtas et de pantalons blancs, mais certains portaient un lungi, d'autres une kurta de couleur, sobre il est vrai, et sur la tête un étroit calot d'un blanc filigrané ou d'un noir brillant. Femmes et enfants arboraient des couleurs vives – rouge, vert, jaune, rose, marron, bleu, indigo, pourpre. Sous les burqas noirs ou bleu foncé que portaient la plupart des femmes, Maan aperçut la bordure des saris colorés ou des salwaars, ainsi que les séduisants bracelets de cheville et les chappals ornant des pieds enduits de henné rouge vif et éclaboussés de boue.

Ils longeaient un étroit sentier quand un vieil homme, maigre et l'air affamé, vêtu d'un dhoti sale, se dressa devant Baba. Les mains jointes, d'une voix suppliante, il dit : « Khan Sahib, que vous ai-je fait pour que vous agissiez ainsi envers moi et ma famille ? Comment nous en sortir ? »

Baba le dévisagea un intant puis : « Tu veux avoir les jambes brisées ? Peu m'importe ce que tu racontes maintenant. Tu aurais dû y penser avant d'aller te plaindre au kanungo. »

Et il continua sa marche. Profondément troublé par le regard de l'homme – moitié haine teintée de traîtrise, moitié supplication –, Maan fixa le visage creusé de rides en se demandant où il l'avait déjà vu.

« Quelle histoire se cache derrière tout ça, Baba ?

— Aucune. Il voulait accaparer ma terre, c'est tout. » A l'évidence, Baba ne voulait pas s'appesantir sur le sujet.

En approchant de l'école, ils entendirent la voix du haut-parleur répétant les louanges de Dieu ou appelant les gens à ne pas traîner à la foire et à se préparer pour les prières. « Mesdames, s'il vous plaît, tenez-vous convenablement ; nous allons commencer ; dépêchez-vous tout le monde. »

Mais il est difficile de faire se hâter une foule qui s'amuse. Alors que certains pratiquaient leurs ablutions rituelles au bord du réservoir d'eau, la plupart se pressaient autour des échoppes et du marché improvisé qui s'était installé devant les grilles de l'école et sur toute la longueur du remblai. Colifichets, bracelets, miroirs, ballons – et surtout, nourriture, les aliments les plus variés, allant des alu tikkis au chholé et aux jalebis nageant dans des tawas chauds en passant par des bonbons d'un rose fluorescent, des paans, des fruits – tout ce que Mr Biscuit pouvait imaginer dans ses rêves les plus fous. Lequel Mr Biscuit baguenaudait dans la foule, un demi barfi à la main, tandis que Meher, à qui son grand-père avait offert des sucreries, les partageait avec des copains, et que Moazzam cajolait des enfants sans défense – « pour leur argent », comme le fit remarquer à Maan le moustachu, mais imberbe, Netaji.

Les femmes et les petites filles disparurent dans l'école, d'où elles allaient assister et participer aux cérémonies, tandis que les hommes et les garçonnets s'alignaient sur de longs rouleaux de tissus disposés dans la cour. Ils étaient plus d'un millier. Maan aperçut parmi eux certains des dignitaires de Sagal qui avaient causé tant d'ennuis à Rasheed, mais ne vit pas le vieil homme malade à qui Rasheed et lui avaient rendu visite – encore que, dans une telle foule, il fût bien difficile d'affirmer qu'un tel était ou n'était pas là. On le pria de s'asseoir sur le rebord de la véranda, à côté de deux gendarmes en uniforme kaki qui, d'un air ennuyé, observaient la scène. Ils devaient assurer le maintien de l'ordre et témoigner pour le cas où l'Imam prononcerait un sermon trop enflammé, mais la foule n'appréciait pas leur présence, et leur comportement révélait qu'ils le savaient.

L'Imam commença les prières, les hommes se levèrent et s'agenouillèrent avec cette terrifiante unanimité que requiert le rituel islamique. Au milieu d'une belle envolée, on entendit distinctement au loin le roulement du tonnerre, et quand l'Imam attaqua son sermon, les fidèles semblèrent porter plus d'attention au ciel qu'à ses paroles.

Un petit crachin se mit à tomber, les gens à bouger. Ils finirent néanmoins par se calmer, sur les injonctions de l'Imam qui interrompit son sermon pour les tancer :

« Comment ! N'avez-vous donc aucune patience sous le regard de Dieu – le jour où nous nous réunissons pour rappeler le sacrifice d'Abraham et d'Ismaël ? Vous travaillez sous la pluie dans les champs, et en ce jour vous vous comportez comme si quelques gouttes d'eau allaient vous faire fondre. Ignorez-vous les souffrances des pèlerins qui, cette année, traversent les sables arides d'Arabie ? Certains sont morts de coups de chaleur – et vous êtes terrorisés par quelques gouttes tombées du ciel. Je vous parle d'Abraham sacrifiant son fils, et tout ce à quoi vous pensez c'est à vous mettre au sec – vous ne voulez même pas sacrifier quelques minutes de votre temps. Vous êtes comme ces impatients qui ne viennent pas à la prière parce que les marchands sont arrivés. Dans la sourate al-Baqarah, la sourate qui a donné son nom à cette fête, il est dit :

> *Qui donc se dérobe à la religion*
> *d'Abraham, sinon l'insensé ?*

Et plus loin :

> *Nous servirons ton Dieu et le Dieu de tes pères*
> *Abraham, Ismaël et Isaac, un seul Dieu.*
> *A lui, nous nous rendons.*

Est-ce ainsi que vous vous rendez ? Assez, assez, bonnes gens ; restez tranquilles, cessez de vous agiter !

> *Sûrement Abraham fut une nation*
> *Obéissant à Dieu, un homme de pure foi*
>   *et pas un idolâtre,*
> *Exprimant sa gratitude pour Ses bienfaits ;*
> *Dieu le choisit, et Il le guida*
>   *sur un étroit chemin.*
> *Et Nous lui avons donné le bien dans ce monde,*
> *et dans le monde futur il sera parmi les justes.*
> *Alors Nous t'avons révélé : "Suis la croyance*
> *d'Abraham, un homme de pure foi*
>   *et pas un idolâtre." »*

Emporté par ses citations en arabe, l'Imam revint plus paisiblement ensuite à son sermon en ourdou. Il parla de la grandeur de Dieu et de son Prophète, adjura chacun de pratiquer la bonté et la dévotion à l'esprit d'Abraham et des autres prophètes de Dieu.

Quand ce fut fini, toute l'assemblée supplia Dieu de lui accorder sa bénédiction, puis chacun s'en retourna, veillant à regagner son village par un chemin différent de celui de l'aller.

« Et comme demain c'est vendredi, nous aurons droit à un autre sermon », maugréèrent certains. D'autres estimèrent que l'Imam avait été au mieux de sa forme.

14.23

Sur le chemin du retour, Maan tomba sur Football, qui le prit à part.

« Où êtes-vous allé ? s'enquit-il.

— A l'Idgah. »

Football eut l'air malheureux. « Ce n'est pas un endroit pour nous, dit-il.

— Je suppose que non. Pourtant personne ne m'a fait sentir que je n'étais pas le bienvenu.

— Et maintenant, vous allez assister à ce truc cruel avec les chèvres ?

— Si ça me tombe sous les yeux, je le verrai. » Maan se dit qu'après tout il y avait autant de cruauté dans la chasse que dans le sacrifice d'une chèvre. Par ailleurs, il ne tenait pas à ce que s'établisse une sorte de solidarité entre lui et Football, qu'il n'estimait guère.

Mais il n'aima pas du tout ce qu'il vit.

Dans certains foyers de Debaria, c'était le maître de maison lui-même qui procédait au sacrifice de la chèvre, ou du mouton. (Depuis l'époque de l'occupation britannique, on ne sacrifiait plus de vaches au Purva Pradesh, par crainte d'émeutes religieuses.) Dans d'autres maisons, c'était un homme ayant une formation de boucher qui tuait l'animal symbolisant celui que Dieu avait mis à la place du fils d'Abraham. La tradition populaire voulait qu'il se fût agi d'Ismaël et non d'Isaac, mais les autorités islamiques divergeaient sur le sujet. Les chèvres du village paraissaient deviner ce qui les attendait, à en juger par leurs bêlements pitoyables et apeurés.

Les enfants, que le spectacle réjouissait, suivaient le boucher de maison en maison. Il arriva chez le père de Rasheed. On plaça la chèvre noire et grasse face à l'ouest, et tandis que Netaji et le boucher la tenaient couchée, Baba dit une prière. Puis, un pied sur la poitrine de l'animal, le boucher l'attrapa par la bouche et lui trancha la gorge. Il y eut des gargouillis, de l'entaille jaillit un magma de sang rouge et d'herbe verte à demi digérée.

Maan se détourna, ses yeux tombèrent sur Mr Biscuit qui, une guirlande d'œillets d'Inde autour du cou, qu'il avait dû se procurer à la foire, observait le massacre d'un air flegmatique.

A présent, les choses allaient très vite. On coupa la tête, on dépeça les cuisses et le ventre, la peau fut entièrement dégraissée. On ligota les pattes arrière après les avoir sectionnées à la hauteur du genou, et l'on suspendit la chèvre à une branche. Le ventre ouvert, on en sortit les entrailles, puis on ôta le foie, les poumons et les reins, enfin on coupa les pattes avant. De la bête il ne restait plus qu'une carcasse, qu'on allait diviser en trois parties, une pour le propriétaire, l'autre pour sa famille, la troisième pour les pauvres.

Les enfants, toujours aussi ravis, observaient la répartition, le quartier supérieur mis de côté pour la famille, le reste sectionné en morceaux en suivant les côtes, puis pesé sur une balance. C'est le père de Rasheed qui se chargea de la distribution.

Les petits pauvres – qui mangeaient rarement de la viande – se pressèrent pour avoir leur part, certains réussissant à prélever des morceaux sur les plateaux de la balance, d'autres se faisant repousser ; les filles, qui n'avaient pas bougé de l'endroit où elles étaient assises, furent servies ensuite. Nombre de femmes, y compris les épouses des chamars, avaient du mal à surmonter leur timidité et à aller chercher leur part. Après quoi, portant les morceaux à pleine main ou enveloppés dans des chiffons ou des bouts de papier, chantant les louanges du Khan Sahib, le remerciant de sa générosité ou se plaignant d'avoir été mal servies, elles se dirigeaient vers la maison suivante pour y obtenir leur part du sacrifice.

14.24

Le repas de la veille au soir avait été vite expédié en raison des préparatifs de la fête ; celui de cette fin d'après-midi fut plus détendu. On y servit le plat le plus apprécié, composé du foie, des reins et des tripes de la chèvre. Puis on installa les charpoys sous le margousier à l'ombre duquel, naguère encore, l'animal broutait tranquillement.

Le déjeuner réunit Maan, Baba et ses deux fils, Qamar – le sarcastique instituteur de Salimpur – ainsi que l'Ours, l'oncle de Rasheed. La conversation porta naturellement sur Rasheed. L'Ours demanda de ses nouvelles à Maan.

« Je ne l'ai pas vu depuis mon retour à Brahmpur,

confessa celui-ci. Il était très occupé par ses cours privés, je suppose, et moi-même, entre une chose et l'autre – »

Non pas que Maan eût négligé volontairement son ami, mais ainsi allait sa vie.

« J'ai entendu dire qu'il a adhéré au Parti socialiste étudiant, reprit-il. Mais Rasheed étant ce qu'il est, on n'a pas à craindre qu'il néglige ses études. »

L'Ours semblait le seul à se préoccuper vraiment du sort du jeune homme. Au bout d'un moment, et alors qu'on était depuis longtemps passé à d'autres sujets, il dit : « Il fait tout trop sérieusement. Il aura les cheveux blancs avant trente ans, si personne ne lui apprend à rire. »

Chacun prenait un ton contraint pour parler de Rasheed, Maan s'en rendait parfaitement compte. Mais comme nul – pas même l'intéressé – ne lui avait raconté ce qui s'était passé, il ne comprenait pas les raisons de cette disgrâce. Quand Rasheed lui avait lu la lettre de Saeeda Bai, qui lui interdisait un prompt retour à Brahmpur, Maan avait été pris d'un tel désarroi qu'il avait plié bagage et s'était lancé sur les routes. Peut-être étaient-ce ses propres préoccupations qui l'avaient rendu sourd à la tension existant dans la famille de son ami.

14.25

Netaji envisageait de donner une fête la nuit suivante – une fête de la viande pour laquelle il disposait d'une autre chèvre – en l'honneur de différentes personnalités du sous-district : officiers de police, petits fonctionnaires, etc. Il essaya de convaincre Qamar de faire venir le directeur de son école. Lequel Qamar non seulement refusa tout de go mais ne dissimula pas le mépris que lui inspiraient les misérables efforts de Netaji pour se concilier les bonnes grâces des personnages influents. Tout l'après-midi, il ne cessa de l'asticoter, disant à un moment à Maan, sur un ton amical tout nouveau : « Je suppose que votre père, quand il est venu ici, n'a pas réussi à se débarrasser de notre Netaji.

— Eh bien – Baba et lui ont très gentiment montré Debaria à mon père, reconnut Maan en réprimant un sourire.

— J'étais sûr qu'il s'était passé quelque chose de ce genre. Il prenait le thé avec moi à Salimpur quand il a appris d'un de mes amis qui passait par là que le grand Mahesh Kapoor visitait son village natal. Fini le thé avec moi. Netaji sait parfaitement quelle est la tasse qui contient le plus de sucre. Il est aussi futé que les mouches sur les crachats de Baba. »

Affectant le dédain envers de telles vulgarités, et dans l'espoir de voir Qamar lui amener son directeur, Netaji refusa de se fâcher. Qamar se retira, déçu.

Peu de temps après la fin de ce déjeuner tardif, Maan se fit conduire en rickshaw à Salimpur afin d'attraper le train qui le ramènerait à Baitar. A un moment, il dépassa une jeune femme, séduisante, le visage découvert, les pieds passés au henné, qui chantonnait pour elle-même :

« *O mon mari, rapporte-moi quelque chose de la foire,*
Du vermillon pour enduire la raie de mes cheveux,
Des bracelets de Firozabad, du jagré à manger,
Des sandales de Praha pour mes pieds teints de henné. »

Il la dévisagea sans vergogne, ce qui lui valut un regard à la fois amusé et furieux, dont le souvenir l'accompagna jusqu'à la gare de Salimpur.

14.26

Son succès ne valut cependant pas à Nehru la soumission totale qu'il escomptait.

Au parlement, à Delhi, l'opposition des députés de tout bord, y compris du sien, l'obligea à abandonner son projet de code hindou, cette loi si chère à son cœur – et à celui du

Dr Ambedkar, son ministre de la Justice – qui visait à rendre les règles du mariage, du divorce, de l'héritage et de la tutelle plus rationnelles et plus justes, notamment pour les femmes.

A l'Assemblée législative de Brahmpur, les députés hindous les plus orthodoxes poursuivirent leur offensive. L.N. Agarwal avait cautionné un projet de loi visant à faire de l'hindi la langue officielle de l'Etat à dater de la nouvelle année, et les députés musulmans, l'un après l'autre, se levaient pour exiger du Premier ministre, de la Chambre, qu'ils protègent le statut de la langue ourdoue. Mahesh Kapoor, revenu de la campagne, ne prit pas part au débat, mais Abdus Salaam, son ancien secrétaire parlementaire, fit quelques brèves interventions.

La begum Abida Khan, bien sûr, déploya tous ses talents oratoires :

LA BEGUM ABIDA KHAN : L'honorable ministre a beau jeu de se réfugier derrière le nom de Gandhiji pour épouser la cause de l'hindi. Je n'ai rien contre l'hindi, mais pourquoi refuse-t-il de protéger le statut de l'ourdou, la seconde langue de cette province, la langue mère des musulmans ? L'honorable ministre s'imagine-t-il que le Père de la Patrie, qui était prêt à donner sa vie pour protéger la communauté minoritaire, soutiendrait une loi comme celle-ci qui signifie à terme la mort de notre communauté, de notre culture, de nous-mêmes ? Déjà, à cause de l'obligation d'utiliser l'écriture devanagari, les portes des services gouvernementaux se ferment aux musulmans. Ce qui a suscité une crise économique majeure dans la population musulmane, dont une bonne partie tire ses moyens d'existence de l'administration. C'est un péché que de se servir du nom de Gandhi dans ce contexte. J'en appelle à votre humanité : vous qui nous avez tués, chassés jusque dans nos maisons, ne soyez pas les auteurs de nos nouveaux malheurs.

L'HONORABLE MINISTRE DE L'INTÉRIEUR (Shri L.N. Agarwal) : J'ignorerai, comme, j'en suis sûr, le souhaite la Chambre, cette dernière remarque, et me contenterai de remercier l'honorable député pour son conseil venu du cœur. Conseil qui, s'il venait également de la tête, aurait peut-être des chances de se faire entendre. La réalité, c'est qu'il est impossible au gouvernement de travailler dans l'obligation de tout rédiger en deux langues, d'employer deux écritures. Voilà toute la question.

LA BEGUM ABIDA KHAN : Je n'en appellerai pas au président des expressions de l'honorable ministre. Il proclame à la face du monde que les musulmans n'ont aucun droit et les femmes pas de cerveau. J'aimerais en appeler à ses instincts les meilleurs, mais quel espoir ai-je de me faire entendre ? Il est l'instigateur de cette politique gouvernementale qui, en étouffant la langue ourdoue, a conduit à la disparition de plusieurs publications en ourdou. Pourquoi traiter cette langue en bâtarde ? Pourquoi ne pas mettre sur un pied d'égalité les deux langues sœurs ? La sœur aînée doit protéger sa cadette, non pas la tourmenter.

L'HONORABLE MINISTRE DE L'INTÉRIEUR *(Shri L.N. Agarwal)* : Aujourd'hui vous soutenez la thèse des deux langues, demain vous soutiendrez la thèse des deux nations.

SHRI JAINENDRA CHANDLA *(Parti socialiste)* : Je suis désolé du tour donné au débat par l'honorable ministre. Alors que la begum Abida Khan, dont le patriotisme ne peut être mis en doute, a seulement demandé qu'on cesse d'étouffer la langue ourdoue, l'honorable ministre tente d'introduire dans le débat la théorie des deux nations. Moi non plus je n'aime pas la progression de l'hindi. Alors que, malgré les nombreuses résolutions, réglementations, c'est toujours l'anglais qui prévaut dans les bureaux, c'est à l'anglais que nous devrions faire changer de statut, et non pas aux langues de nos deux communautés.

SHRI ABDUS SALAAM *(Congrès)* : Certains de mes électeurs ont attiré mon attention sur le fait que les nouveaux programmes d'enseignement sont conçus de telle sorte que les jeunes de langue ourdoue n'ont aucune chance de pouvoir étudier leur langue. Si un petit pays comme la Suisse peut avoir quatre langues officielles, il n'y a aucune raison pour que cet Etat, dont la superficie est plusieurs fois celle de la Suisse, ne traite pas l'ourdou au moins comme une langue régionale. Il faut faciliter l'enseignement de l'ourdou dans les écoles, en pratique et pas seulement en parole.

L'HONORABLE MINISTRE DE L'INTÉRIEUR *(Shri L.N. Agarwal)* : Nos ressources, malheureusement, ne sont pas illimitées. Il existe de nombreuses madrasas, de nombreux établissements religieux dans tout l'État où l'on peut enseigner l'ourdou. Quant à la langue officielle du Purva Pradesh, les choses doivent être clairement établies, de façon qu'il n'y ait pas de confusion, que les gens ne se fourvoient pas dès l'enfance et ne découvrent, trop tard, qu'ils sont désavantagés.

LA BEGUM ABIDA KHAN : L'honorable ministre parle de rendre les choses claires. Mais la Constitution indienne elle-même n'est pas claire quant à la langue officielle. Elle établit que dans quinze ans l'administration centrale ne devra plus employer l'anglais. Mais, même alors, cela ne se fera pas automatiquement. Il faudra nommer une commission qui informera le gouvernement des progrès de l'hindi et la décision de ne plus employer l'anglais se prendra alors, fondée sur des arguments raisonnables et non sur des décrets et des préjugés. Si l'on tolère ainsi une langue étrangère, pourquoi ne tolère-t-on pas l'ourdou ? C'est une des gloires de notre province, la langue de son plus grand poète, Mast. La langue d'écrivains hindous comme Premchand et Firaq. Malgré cette riche tradition, l'ourdou ne réclame pas un statut égalitaire avec l'hindi. Qu'on le traite comme toute autre langue régionale, mais qu'on ne l'élimine pas comme on le fait.

L'HONORABLE MINISTRE DE L'INTÉRIEUR *(Shri L.N. Agarwal)* : L'ourdou n'est pas éliminé, comme le suppose l'honorable député. Quiconque apprendra l'écriture devanagari saura se débrouiller.

LA BEGUM ABIDA KHAN : L'honorable ministre peut-il affirmer du fond du cœur devant cette Chambre qu'il n'y a pas d'autre différence entre les deux langues que celle de l'écriture ?

L'HONORABLE MINISTRE DE L'INTÉRIEUR *(L.N. Agarwal)* : Du fond du cœur ou pas, c'est ce qu'envisageait Gandhi : son idéal était l'hindoustani, qui aurait les deux langues pour source.

LA BEGUM ABIDA KHAN : Je ne parle pas d'idéal, ni de ce que voulait Gandhi. Je parle de faits, et de ce qui se passe autour de nous. Ecoutez All India Radio et essayez de comprendre ses bulletins d'informations. Lisez les versions en hindi de nos lois et décrets – ou si, comme moi et d'autres musulmans, voire même de nombreux hindous, de cette province, vous en êtes incapables, faites-les vous lire. Vous n'en comprendrez pas un mot sur trois. C'est imprégné de sanskrit. On extrait de vieux textes religieux des mots obscurs qu'on réintroduit dans notre langue moderne. C'est un complot des fondamentalistes religieux, qui détestent tout ce qui a trait à l'islam, y compris des mots arabes ou persans que la population utilise depuis des centaines d'années.

L'HONORABLE MINISTRE DE L'INTÉRIEUR *(L. N. Agarwal)* : L'honorable député a un don d'imagination qui force mon admiration. Mais, comme d'habitude, elle pense de droite à gauche.

LA BEGUM ABIDA KHAN : Comment osez-vous me parler de la sorte ? Je voudrais que le sanskrit devienne la langue officielle de l'Etat – vous verriez alors ! Le jour où vous serez obligé de lire et de parler le sanskrit, vous n'en finirez plus de vous arracher les cheveux. Vous aussi vous sentirez étranger dans votre propre pays. Oui, que le sanskrit devienne la langue officielle : les garçons hindous et musulmans auront le même point de départ et pourront lutter sur un pied d'égalité.

Le débat se poursuivit ainsi, des vagues de protestations venant se heurter à un mur inflexible. Finalement, un député du Congrès demanda qu'on lève la séance, et la Chambre s'ajourna jusqu'au lendemain.

14.27

Dans le couloir, Mahesh Kapoor empoigna son ancien secrétaire parlementaire.

« Alors, fripon, toujours au Congrès ? »

Abdus Salaam se retourna, heureux d'entendre la voix de son ex-ministre.

« Nous devons en parler, dit-il, jetant des regards furtifs autour de lui.

— Il y a longtemps que nous n'avons pas parlé, si je ne me trompe – pas depuis que je suis dans l'opposition.

— Ce n'est pas pour ça, Sahib ministre –

— Ah, au moins vous me donnez mon ancien titre –

— Mais bien sûr. C'est seulement que vous étiez parti – à Baitar. Vous associer avec des zamindars, à ce qu'on raconte.

— Vous n'êtes pas retourné chez vous pour Id ?

— Oui c'est vrai. Ainsi nous avons été absents tous les deux. Et avant ça, j'étais à Delhi, pour le Comité pan-indien du Congrès. A présent nous pouvons parler. Allons à la cantine.

— Pour manger ces abominables samosas pleins de graisse ? Vous, les jeunes, vous avez des estomacs plus résistants que les nôtres. » Mahesh Kapoor semblait décidément de bonne humeur.

« Mais où pouvons-nous aller, Sahib ministre ? Votre bureau, hélas – » En réalité, Abdus Salaam adorait les samosas.

« Quand j'ai quitté le gouvernement, dit Mahesh Kapoor en riant, Sharma aurait dû vous nommer ministre d'Etat. Ainsi, vous auriez un bureau bien à vous. A quoi rime de rester secrétaire parlementaire de personne ? »

Abdus Salaam se mit à rire lui aussi. Il préférait l'étude à la politique, se demandait souvent comment il avait pu y faire son chemin, et pourquoi il y demeurait. Il s'était néanmoins découvert un flair de somnambule en la matière.

« A défaut d'autre chose, il me reste un sujet à traiter. Et le Premier ministre d'Etat me laisse libre de m'en occuper.

— Mais jusqu'à ce que la Cour suprême ait statué, il n'y a pas grand-chose que vous puissiez faire. Et même quand ils auront décidé si le Premier amendement s'applique ou non en la matière, il faudra encore examiner l'appel du jugement de la Haute Cour déposé par les zamindars. D'ici là, on est voué à l'immobilisme.

— Ce n'est qu'une question de temps ; nous gagnerons les deux affaires. Et à ce moment-là, je suis sûr que vous serez redevenu ministre du Trésor – sinon plus. Tout peut arriver. Sharma pourrait être propulsé au gouvernement à Delhi, et Agarwal assassiné par une des œillades meurtrières de la begum Abida Khan. Et comme vous auriez réintégré le Congrès, vous seriez le Premier ministre d'Etat tout désigné.

— Vous croyez ? Vous le croyez vraiment ? dit Mahesh Kapoor, jetant sur son protégé un regard perçant. Si rien d'autre ne vous retient, venez chez moi prendre une tasse de thé. Vos rêves me plaisent bien.

— Oui, j'ai beaucoup rêvé – et beaucoup dormi – ces temps-ci. »

Ils continuèrent à bavarder tout en se dirigeant vers Prem Nivas.

« Pourquoi n'êtes-vous pas intervenu dans la discussion cet après-midi, Sahib ministre ? demanda Abdus Salaam.

— Pourquoi ? Vous le savez très bien. Je ne lis pas un mot d'hindi, et je ne veux pas attirer l'attention là-dessus. Je suis assez populaire chez les musulmans – c'est le vote hindou qui me posera un problème.

— Même si vous ralliez le Congrès ?

— Même.

— Est-ce que vous y songez ?

— C'est ce dont je veux parler avec vous.

— Je ne suis peut-être pas la personne idoine.

— Pourquoi ? Vous n'envisagez pas de quitter le parti ?

— C'est ce dont je veux vous parler.

— Eh bien, il nous faudra plusieurs tasses de thé », conclut Mahesh Kapoor.

Ignorant l'art de parler pour ne rien dire, Abdus Salaam, à peine son thé avalé, lança sa première question.

« Croyez-vous vraiment que Nehru est remis en selle ?

— En doutez-vous vraiment ?

— D'une certaine façon, oui. Regardez cette histoire du Code hindou. Ça a été une grande défaite pour lui.

— Oh, pas nécessairement. Pas s'il gagne les prochaines élections. Il dira alors que ce projet figure au nombre de ses mandats. Ce dont il s'est déjà assuré, puisqu'il en fait un des thèmes électoraux.

— Vous ne pouvez pas dire qu'il a voulu cela. Ce qu'il voulait, c'était que la loi passe.

— Vous n'avez pas tort.

— Et il n'a pas obtenu que ses propres députés, encore moins l'ensemble de la Chambre, la votent. Tout le monde sait ce que le Président de l'Inde pense de ce projet. A supposer que le parlement l'ait voté, vous croyez qu'il aurait signé ?

— Ça c'est une autre histoire.

— Vous avez raison, reconnut Abdus Salaam. A mon sens, ça a été une question d'approche et de calendrier. Pourquoi avoir déposé le projet dèvant le parlement alors qu'on disposait de si peu de temps pour en discuter ? Quelques discussions, une obstruction, et il ne pouvait que disparaître. »

Mahesh Kapoor acquiesça de la tête. Il pensait à autre chose. On était en pleine célébration de shraadh, ces rites qui pendant quinze jours sont destinés à apaiser l'esprit des morts. Il se refusait toujours à accomplir ce rituel, ce qui navrait Mrs Mahesh Kapoor. Immédiatement après viendraient les nuits de la Ramlila qui déboucheraient sur Dussehra. Bref, c'était la grande saison des fêtes hindoues, qui dureraient jusqu'à Divali. Nehru n'aurait pu choisir pire période, du point de vue psychologique, pour présenter un projet visant à bouleverser le droit et à transformer la société hindoue.

N'obtenant pas de réponse, Abdus Salaam continua : « Vous avez vu ce qui s'est passé à l'Assemblée : c'est ainsi que tous les Agarwal du monde agissent. Quoi qu'il arrive au Centre, dans les Etats, les choses prendront cette tournure. Du moins c'est mon avis. Ceux qui ont en main les leviers de commande du parti – des gens comme Sharma et Agarwal – ne laisseront pas facilement Nehru les écarter. Voyez comme ils se dépêchent de former leurs comités électoraux et de sélectionner leurs candidats. Pauvre Nehru – il me fait penser à un riche marchand qui, après avoir traversé les mers, se noie dans un cours d'eau.

— D'où tirez-vous cette citation ?

— D'une traduction de votre Mahabharata, Sahib ministre.

— J'aimerais mieux que vous vous en absteniez. J'en entends assez comme ça chez moi sans que vous – vous surtout – vous y mettiez.

— Je voulais simplement souligner que ce sont les conservateurs, et non notre Premier ministre libéral, malgré sa grande victoire, qui contrôlent toujours la situation. A mon avis, du moins. »

Abdus Salaam ne semblait pas autrement affecté par son histoire, comme si le plaisir d'exposer son scénario contrebalançait la tristesse du scénario lui-même.

Pourtant, se disait Mahesh Kapoor, à y regarder de près, les choses étaient sinistres. Moins d'une semaine après la victoire de Nehru sur Tandon – une des deux résolutions décisives avait reçu le soutien d'un des dirigeants du parti du Bengale-Occidental – les Comités exécutif et électoral du Congrès au Bengale-Occidental avaient commencé à s'occuper du choix des candidats. Leur but était clair : prévenir les effets de tout changement au sommet, et mettre le Centre devant le fait accompli : une liste électorale complète avant que les sécessionnistes n'aient le temps de regagner le bercail et ne présentent leurs propres candidats. Il avait fallu que la Haute Cour de Calcutta mette le holà.

Au Purva Pradesh également, le Comité électoral s'était constitué avec une vitesse stupéfiante, ne laissant pas un siège vacant pour un dissident repenti.

Mahesh Kapoor s'en rendait parfaitement compte, mais voulait encore croire – espérer serait plus juste – que Nehru veillerait à ce que les hommes proches de lui sur le plan idéologique ne se retrouvent pas écartés et marginalisés. Puisque, expliqua-t-il à Abdus Salaam, Nehru était inexpugnable, il ferait en sorte que les assemblées législatives de la nation ne soient pas remplies, pour les cinq prochaines années, de ceux qui ne défendaient ses idées que du bout des lèvres.

« Sahib ministre, dit Abdus Salaam, je crois déceler à travers vos propos votre intention de vous rallier au Congrès. »

Mahesh Kapoor haussa les épaules. « Dites-moi plutôt ce qui vous rend aussi dubitatif. Pourquoi êtes-vous si sûr qu'il ne reprendra pas la maîtrise des choses ? Il a repris les rênes du parti alors que personne ne s'y attendait. Il peut nous surprendre encore.

— Ça s'est passé pendant la réunion du Comité panindien du Congrès, comme vous le savez. J'étais à Delhi et j'y ai assisté de très près. Un sacré spectacle. Voulez-vous que je vous le raconte ?

— Oui.

— Eh bien, voilà, c'était le deuxième jour. Nous étions tous là, au club de la Constitution. La veille, Nehru avait été élu président – mais bien sûr il n'avait pas encore formellement accepté. Il a dit qu'il avait besoin de la nuit pour réfléchir. Tout le monde en a fait autant, et le lendemain après-midi nous avons attendu qu'il s'exprime. Il n'avait pas accepté, mais il occupait le fauteuil. Tandon se trouvait sur l'estrade avec les autres dirigeants, mais Nehru occupait le fauteuil. Peut-être parce que Tandon avait capitulé et refusé de s'asseoir sur un siège où à l'évidence on ne souhaitait pas le voir.

— Tandon, reconnut Mahesh Kapoor, fut un des rares à refuser d'approuver la Partition votée par le Congrès. Personne ne dit qu'il n'a pas de principes.

— La création du Pakistan a été une bonne chose. »

Voyant l'air choqué de Mahesh Kapoor, Abdus Salaam s'expliqua : « Etant donné la puissance de la Ligue musulmane, si l'Inde était demeurée unie, vous ne vous seriez jamais débarrassés de petits Etats princiers comme celui de Marh et vous n'auriez jamais fait voter la loi d'abolition des zamindars. Chacun le sait, même si personne ne le dit. Mais ceci est du passé, de l'histoire ancienne. Revenons au présent, Sahib ministre, à cette estrade vers laquelle nous levons des yeux respectueux, attendant que le conquérant nous dise qu'il ne supportera plus les humeurs des gens, qu'il fera en sorte que l'appareil du parti réponde au moindre signe, que les candidats aux élections seront tous des hommes à lui.

— Et des femmes.

— Oui, des femmes. Panditji tient beaucoup à la représentation féminine.

— Passons, passons. Venez-en au fait.

— Eh bien, au lieu d'avoir un ordre de bataille ou à la rigueur le plan d'un pragmatiste nous avons écouté un discours sur l'Unité du Cœur. Nous devons nous élever au-dessus des divisions, des fractions, des cliques ! Nous devons avancer de front, comme une équipe, une famille, un bataillon. Cher Chacha Nehru, avais-je envie de dire, ici c'est l'Inde, l'Hindoustan, le Bharat, le pays où la fraction a été inventée avant le zéro. Si même le cœur est divisé en quatre parties, pouvez-vous vous attendre à ce que nous, Indiens, nous divisions en moins de quatre cents partis ?

— Mais qu'a-t-il dit à propos des candidats ?

— Que vouliez-vous qu'il dise, étant le Jawaharlal que nous connaissons ? Qu'il ne savait pas, et ne se souciait pas de savoir, qui appartenait à quel groupe. Qu'il partageait l'avis de Tandonji selon lequel la meilleure façon de choisir un candidat est de prendre quelqu'un qui ne se présente pas. Bien sûr, il comprenait que ça n'était pas toujours possible en pratique. A ces mots, j'ai vu Agarwal – assis à côté de moi – se détendre, se détendre et sourire. Je vous le dis, Sahib ministre, ce sourire ne m'a pas paru très rassurant. »

Mahesh Kapoor hocha la tête. « Et ensuite Panditji a accepté la présidence ?

— Pas tout à fait. Mais il a dit qu'il y avait réfléchi. Heureusement pour nous, il avait pu dormir un peu cette nuit. Il nous a confié que la veille, quand son nom avait été avancé et accepté d'emblée, il ne savait vraiment pas quoi faire. Ce sont ses propres mots : "Je ne savais vraiment pas quoi faire." A présent, après une nuit de sommeil, il comprenait qu'il lui était difficile d'échapper à sa responsabilité. Très difficile.

— Alors vous avez tous poussé un soupir de soulagement.

— C'est exact, Sahib ministre. Seulement, nous l'avions poussé trop tôt. Un doute le taraudait. Un doute mineur, mais taraudant. Il avait dormi et pris sa décision. Ou presque, oui, presque pris sa décision. Mais la question était la suivante : nous avions dormi et pris notre décision : la même, ou en avions-nous changé ? Comment pouvions-nous lui montrer que nous n'avions pas changé d'idée ? Comment pouvions-nous l'en persuader ?

— Bon, qu'avez-vous fait ? » Mahesh Kapoor commençait à s'impatienter.

« Que pouvions-nous faire ? Nous avons de nouveau levé la main. Mais ça ne suffisait pas. Alors certains d'entre nous ont levé les deux mains. Encore pas suffisant. Panditji ne voulait pas d'un vote formel, que ce soit avec les mains ou les pieds. Il voulait que ça vienne "du fond du cœur et de l'esprit". Alors seulement, il déciderait ou non d'accepter. »

Abdus Salaam s'interrompit, attendant une réaction à la Socrate, que Mahesh Kapoor, comprenant que les choses n'avanceraient pas sans cela, lui fournit.

« Ça a dû vous poser un problème ?

— Effectivement. J'ai remarqué que Pant, Tandon et Sharma le regardaient d'un air perplexe. Et qu'Agarwal avait toujours son petit sourire tordu.

— Poursuivez, poursuivez.

— Nous avons applaudi.

— Et ça n'a pas suffi, n'est-ce pas ?

— Non, Sahib ministre, ça n'a pas suffi. Alors nous avons décidé de voter une résolution. Mais le Pandit Nehru ne voulut pas en entendre parler. Nous aurions crié "Longue vie au Pandit Nehru", jusqu'à n'avoir plus de voix, mais chacun savait que cela l'aurait énervé. Il ne supporte pas le culte de la personnalité. Il ne supporte pas la flatterie. C'est un dé-mo-crate.

— Comment avez-vous résolu le problème, Salaam ? Voulez-vous, s'il vous plaît, achever votre histoire sans attendre que je vous pose des questions ?

— Eh bien, il n'y avait qu'une façon de le résoudre. Epuisés, et ne voulant pas passer une nouvelle nuit de réflexion, nous nous sommes adressés à Nehruji lui-même. Nous avions raclé nos cellules grises, nous étions vidés de notre substance, et rien de ce que nous lui avions proposé ne lui avait convenu. Nous ferait-il la grâce d'une suggestion ? Comment voulait-il que nous lui prouvions que nous étions de cœur et d'esprit avec lui ? Là, notre chef suprême prit un air perplexe. Il ne savait pas.

— Non ! s'exclama Mahesh Kapoor.

— Il ne savait pas. » Une des expressions les plus mélancoliques de Nehru se peignit sur le visage d'Abdus Salaam. « Pourtant, après quelques minutes de profonde réflexion, il a trouvé la solution. Nous allions crier tous en chœur avec lui : "Vive l'Inde !" Ce cri patriotique lui prouverait que nos cœurs et nos esprits étaient à la bonne place.

— Et c'est ce que vous avez fait ?

— C'est ce que nous avons fait. Mais notre premier cri n'était pas assez enthousiaste. Devant l'air malheureux de Panditji, nous avons cru voir le Congrès, le pays tout entier, s'effondrer sous nos yeux. Alors nous avons poussé un autre cri, un "Jai Hind !" si puissant qu'il a failli faire s'écrouler les murs du club de la Constitution. Et Jawaharlal a souri. Il a souri. Le soleil s'est levé.

— Et c'est tout ?

— Et c'est tout. »

14.29

Chaque année, au moment de shraadh, Mrs Rupa Mehra menait contre son fils aîné un combat, que, d'une certaine façon, elle finissait par gagner. Chaque année, Mrs Mahesh Kapoor menait contre son époux le même combat, qu'elle perdait. Mrs Tandon, pour sa part, ne luttait avec personne, sinon avec les souvenirs qu'elle gardait de son mari ; car Kedarnath accomplissait, comme son devoir le lui commandait, les rites à la mémoire de son père.

Raghubir Mehra étant mort le second jour d'une quinzaine lunaire, on aurait dû, le second jour de la « quinzaine annuelle des ancêtres », faire venir des pandits dans la maison du fils aîné, leur offrir un festin et des cadeaux. Mais à l'idée de voir son appartement de Sunny Place envahi par des bonshommes dodus, la poitrine nue et portant dhoti, psalmodiant des mantras, se goinfrant de riz et de daal, de puris et de halva, de lait caillé et de kheer, Arun frémissait d'horreur. Toutes ces histoires de rites à accomplir par le fils aîné, il les tenait pour un fatras d'absurdités. Alors Mrs Rupa Mehra se tournait vers Varun et lui envoyait l'argent nécessaire, et Varun acceptait – en partie parce qu'il savait que cela ennuierait son frère, en partie par amour pour son père (il avait néanmoins du mal à croire que le karhi, l'un des mets favoris de son père, qu'il devait à ce titre inclure dans le festin des pandits, finirait par parvenir à Mr Raghubir Mehra), mais surtout parce qu'il aimait sa mère et ne voulait pas lui faire de peine.

« Je ne tolérerai pas ces fumisteries chez moi, je te prie de le croire ! dit Arun.

— C'est pour l'esprit de Papa.

— L'esprit de Papa ! Ridicule ! Bientôt nous ferons des sacrifices humains pour t'aider à passer ton concours d'entrée dans l'administration.

— Je t'interdis de parler ainsi de Papa ! Ne peux-tu donner quelque satisfaction mentale à Ma ?

— Mentale ! Sentimentale, oui. »

Varun n'adressa plus la parole à son frère pendant plusieurs jours, rôdant dans la maison l'air sinistre ; même Aparna ne réussissait pas à l'égayer. Chaque fois que le téléphone sonnait, il bondissait. Meenakshi n'en pouvait plus, Arun finit par avoir honte de lui-même.

Varun reçut l'autorisation de nourrir un seul pandit, dans le jardin. Il donna le reste de l'argent à un temple voisin, avec instruction de fournir de quoi manger à de pauvres enfants, et il écrivit à sa mère pour lui dire que tout s'était accompli selon les règles.

Mrs Rupa Mehra, les larmes aux yeux, traduisit la lettre pour sa samdhin, sa commère, Mrs Mahesh Kapoor, qui écouta, l'air abattu. Elle n'avait pas de souci à se faire pour ses propres parents : c'était le fils aîné de son frère qui se chargeait du shraadh. Elle aurait voulu qu'il en fût de même pour l'esprit de sa belle-mère et de son beau-père, et se heurtait à l'hostilité non seulement de son mari mais aussi de ses fils.

« Oh, Seigneur, lui dit son époux, ça fait trente ans que nous sommes mariés, et tu deviens chaque année plus ignorante. »

N'obtenant pas de réaction, il poursuivit de plus belle :

« Comment peux-tu croire à de telles idioties ? A ces pandits cupides avec leur galimatias ? "Ça, c'est pour la vache. Ça pour le coq. Ça pour le chien. Et le reste je le mange. Encore ! Encore ! Encore des puris, encore du halva." Après quoi, ils rotent et tendent la main pour les aumônes. "Donnez, selon votre bon vouloir et vos sentiments, pour ceux qui sont partis. Comment ? Seulement cinq roupies ? C'est ça votre amour pour eux ?" Je connais même quelqu'un qui a donné du tabac à la femme d'un pandit parce que sa propre mère aimait priser ! Eh bien, je ne troublerai pas l'âme de mes parents avec de telles grossièretés. Et j'espère que personne n'osera accomplir ces rites pour moi.

— Si Pran refuse de faire shraadh pour toi, il ne sera plus mon fils, protesta Mrs Mahesh Kapoor, ulcérée.

— Pran a trop de bon sens. Et je commence à croire que Maan est un garçon intelligent, lui aussi. Même pour toi, ils ne le feraient pas. »

Soit intentionnellement, soit parce qu'il ne pouvait plus s'arrêter, Mr Mahesh Kapoor continua sur le même ton. Sa femme, qui pourtant supportait beaucoup de choses, était au bord des larmes.

« Bété, dit-elle à Veena, qui avait assisté à la scène.

— Oui, Ammaji.

— Si cela devait se passer ainsi, tu diras à Bhaskar de célébrer shraad pour moi. Mets-lui le fil sacré si nécessaire.

— Le fil sacré ! tonna Mahesh Kapoor, Bhaskar ne portera pas de fil sacré. Il s'en servira pour faire voler son cerf-volant. Ou comme queue pour Hanuman. » Il gloussa à l'idée de ce sacrilège.

« C'est au père de décider, répliqua tranquillement Mrs Mahesh Kapoor.

— De toute façon, il est trop jeune.

— Ça aussi, c'est à son père de décider. Quoi qu'il en soit, je ne suis pas encore morte.

— Mais tu parais absolument déterminée à mourir. Chaque année à la même époque, nous avons ce même genre de discussion stupide.

— Bien sûr que je suis déterminée à mourir. Comment sinon pourrais-je renaître et épuiser toutes mes vies successives ? Voudrais-tu que je sois immortelle ? Je n'imagine rien de pire que l'immortalité, rien de pire. »

Quinzième partie

15.1

Moins d'une semaine après avoir reçu la lettre de son cadet, Mrs Rupa Mehra en reçut une autre, de son aîné. Illisible comme d'habitude – au point même de donner l'impression d'un certain mépris pour l'éventuel lecteur. Elle contenait pourtant des nouvelles importantes qui, au fur et à mesure qu'elle les découvrait, en déchiffrant les courbes et les pics, ne firent aucun bien à la tension de Mrs Rupa Mehra.

Ces nouvelles surprenantes avaient trait principalement aux enfants Chatterji. Des deux filles, Meenakshi et Kakoli, l'une avait perdu son fœtus, l'autre gagné un fiancé. Dipankar était revenu du Pul Mela, toujours incertain « mais à un plus haut niveau ». Le jeune Tapan avait envoyé chez lui une lettre assez désespérée mais somme toute banale – la mélancolie typique des adolescents, d'après Arun. Et Amit avait laissé tomber, un soir qu'il était passé prendre un verre, qu'il aimait bien Lata, ce qui, compte tenu de son extrême réserve, signifiait de toute évidence qu'elle l'« intéressait ». Il ressortait des gribouillages suivants qu'Arun trouvait que ce n'était pas une si mauvaise idée et que ça permettrait, en tout cas, d'éloigner Lata de ce Haresh, absolument pas convenable. Consulté, Varun avait froncé les sourcils et dit « J'étudie », comme si l'avenir de sa sœur ne l'intéressait pas le moins du monde. Varun, dont l'humeur s'aggravait de jour en jour, la préparation de ses examens le privant de la compagnie de ses frères en shamshu. Il s'était comporté de façon encore plus bizarre à propos du shraadh de Papa, essayant de transformer Sunny Park en un restaurant pour prêtres obèses, leur demandant même (Meenakshi l'avait entendu) si l'on pouvait accomplir le shraadh dans le cas d'un suicide.

Après quelques remarques sur les futures élections en Angleterre (« Chez Bentsen Pryce, nous considérons qu'Attlee est puéril et Churchill sénile ») mais rien à propos des élections en Inde, une phrase, au passage, pour recommander à sa mère de surveiller son diabète, de saluer ses sœurs pour lui, et une autre assurant tout le monde que Meenakshi se portait bien et n'avait pas subi de dommage irréparable, Arun terminait et signait.

Mrs Rupa Mehra, son cœur battant à un rythme beaucoup trop rapide, demeura clouée sur place. Elle avait l'habitude de relire ses lettres une douzaine de fois, examinant sous tous les angles telle remarque faite par quelqu'un à quelqu'un d'autre à propos de quelque chose qu'à son avis quelqu'un avait presque commis. Tant de nouvelles à la fois, et si substantielles – elle était incapable de les absorber d'un coup. La fausse couche de Meenakshi, l'apogée de la relation Kakoli-Hans, le danger que représentait Amit, le dédain pour Haresh dont le nom n'était mentionné qu'au passage, l'attitude troublante de Varun – Mrs Rupa Mehra, ne sachant si elle devait en pleurer ou en rire, réclama un verre de nimbu pani.

Et pas de nouvelles de son Aparna chérie. Qui, vraisemblablement, allait bien. Mrs Rupa Mehra se souvint d'une de ses répliques, devenue légendaire dans la famille : « S'il entre un autre bébé dans cette maison, je le jetterai dans la corbeille à papiers. » La précocité semblait être de mise chez les enfants, ces temps-ci. Pourvu qu'Uma fût aussi adorable, moins cinglante si possible.

Mrs Rupa Mehra mourait d'envie de montrer à Savita la lettre de son frère, mais elle opta pour la divulgation, bribe par bribe, des informations. Laissée dans l'ignorance de l'opinion d'Arun et de l'indifférence de Varun, quel jugement porterait Savita sur l'histoire Amit ? Ainsi, se dit Mrs Rupa Mehra, voilà ce que cachait le cadeau du livre de poèmes à Lata.

Lata, justement : elle avait montré ces jours-ci un intérêt plus fort que d'habitude pour la poésie, allant jusqu'à assister à une réunion de la Société littéraire de Brahmpur. Cela ne présageait rien de bon. Il est vrai qu'elle avait également écrit à Haresh, mais Mrs Rupa Mehra ignorait le contenu de ces lettres. Lata devenait terriblement jalouse de son intimité. A la question « Suis-je ta mère ou non ? » qu'elle lui avait posée un jour, Mrs Rupa Mehra s'était vu répondre un « Oh, Ma, s'il te plaît ! » excédé.

Et la pauvre Meenakshi ! Mrs Rupa Mehra décida de lui écrire sur-le-champ. Un papier à lettres luxueux s'imposait, que, les yeux humides de compassion, elle alla chercher dans son sac. A l'image de Meenakshi, la fondeuse de médaille au cœur de pierre, se substitua celle de la vulnérable, tendre mère blessée, porteuse du troisième petit-enfant de Mrs Rupa Mehra, qui, elle en était sûre, aurait été un garçon.

Que n'eût-elle pas dit si elle avait su la vérité ? Terrifiée à l'idée que ce bébé ne fût pas d'Arun – et, à un moindre degré, soucieuse des effets de cette seconde grossesse sur sa silhouette et sur sa vie mondaine –, Meenakshi avait pris des mesures immédiates. Son médecin miracle, le Dr Evans, ayant refusé de l'aider, elle demanda conseil à ses meilleures amies du club des Coquines, leur faisant jurer le secret.

Drogues abortives, mouvements de gymnastique compliqués, sans compter l'inquiétude et les avis contradictoires, finirent par la rendre malade jusqu'à ce que, miracle, elle fît l'avortement dont elle rêvait. Elle téléphona immédiatement à Billy, qu'elle rassura sur son état : ç'avait été brutal, indolore, tout juste un peu inquiétant et, hem, terriblement malpropre. Billy parut malheureux pour elle.

Quant à Arun, il se montra si tendre et protecteur pendant des jours qu'elle se prit à penser qu'il y avait du bon dans toute cette regrettable histoire.

Eût-elle pu chevaucher ses rêves, Mrs Rupa Mehra se serait retrouvée dans le train pour Calcutta, et bientôt à pied d'œuvre pour interroger toutes ses connaissances sur leurs occupations, leurs idées, leurs projets. Mais, outre le prix du voyage, d'autres raisons la retenaient à Brahmpur. Uma, tout d'abord, qui était encore un tout petit bébé et avait besoin de sa grand-mère. Alors que Meenakshi s'était montrée avec Aparna tantôt possessive tantôt distante (très heureuse de la laisser aux soins de sa belle-mère, qu'elle traitait comme une sorte de super-ayah), Savita partageait tout naturellement sa fille avec Mrs Rupa Mehra (et avec Mrs Mahesh Kapoor, quand elle venait les voir).

Ensuite, comme pour ajouter aux nouvelles dramatiques que contenait la lettre d'Arun, il y avait la représentation de *La Nuit des rois*. Qui se déroulerait ce soir même dans l'auditorium de l'université, juste après les cérémonies marquant la Fête annuelle, avec, dans les principaux rôles, sa Lata et Malati, une autre fille pour elle (ces temps-ci, Mrs Rupa Mehra était très bien disposée envers Malati, en qui elle voyait plus un chaperon qu'une complice). Et ce garçon, K ; grâce à Dieu, il n'y aurait en tout cas plus de répétitions. Et grâce aux vacances de Dussehra, commençant dans deux jours, plus guère de risque de rencontres sur le campus. Mrs Rupa Mehra avait le sentiment, néanmoins, qu'elle devait rester à Brahmpur, juste au cas où... Elle n'abandonnerait son poste que lorsque toute la famille – Pran, Savita, Lata, Mademoiselle bébé, la mater familias – irait à Calcutta pour Noël.

La salle était comble : étudiants, anciens élèves, professeurs, parents proches ou lointains, sans compter quelques échantillons de la bonne société de Brahmpur, dont des avocats et des juges se piquant de littérature. Mr et Mrs Nowrojee étaient là, ainsi que le poète Makhijani et la mugissante Mrs Supriya Joshi. Ainsi que la Taiji de Hema, entourée d'une douzaine de filles piaillantes, qu'elle avait sous sa garde. Le professeur et Mrs Mishra. Et, des membres de la famille, Pran (que rien n'aurait pu empêcher de venir et qui, du reste, se sentait beaucoup mieux), Savita (qui avait laissé Uma aux bons soins de son ayah), Maan, Bhaskar, le Dr Kishen Chand Seth et Parvati.

Le silence se fit soudain, le rideau se leva et, aux accents d'un luth qui rappelaient ceux d'un sitar, le Duc commença : « Si la musique est la pâture de l'amour, jouez encore – »

Mrs Rupa Mehra se laissa bientôt emporter par la magie de la pièce. Dont la première partie, il est vrai, en dehors de quelques propos paillards incompréhensibles et de quelques bouffonneries, lui parut tout à fait convenable. Quand Lata apparut, elle put à peine croire qu'il s'agissait de sa fille.

L'orgueil gonfla sa poitrine, les larmes lui vinrent aux yeux. Comment Pran et Savita, entre lesquels elle était assise, pouvaient-ils demeurer aussi indifférents ?

« Lata ! Regardez, c'est Lata ! murmura-t-elle.

— Oui, Ma », dit Savita, Pran se contentant d'un signe de tête.

Quand Olivia, amoureuse de Viola, s'écria :

> « Destinée montre ton pouvoir. Nous-mêmes ne
> nous possédons point.
> Ce qui est décrété doit être ; et que ceci soit ! »

Mrs Rupa Mehra hocha tristement la tête, pensant à tout ce qui lui était arrivé dans sa vie. Comme c'est vrai, se dit-elle, conférant à Shakespeare l'honneur de la citoyenneté indienne.

Pendant ce temps, Malati tenait le public sous le charme. A la réplique de Sir Toby, « Voici venir la petite coquine – Eh bien, ma pépite des Indes », tout le monde applaudit, notamment un groupe d'étudiants en médecine. Une autre salve d'applaudissements salua Maria et Sir Toby au moment de l'entracte (que Mr Barua avait placé au milieu du troisième acte). Il fallut empêcher Mrs Rupa Mehra de se précipiter en coulisses pour féliciter Lata et Malati. Même Kabir-Malvolio, jusqu'à présent, paraissait inoffensif : elle avait ri, comme tout le monde, à ses niaiseries et ses fanfaronnades.

Kabir avait pris l'accent du zélé, et impopulaire, secrétaire de l'université, ce qui – bien qu'on pût douter de l'effet que cela aurait sur l'avenir de Mr Barua – réjouissait encore davantage les étudiants. Le Dr Kishen Chand Seth se révéla le seul partisan de Malvolio, protestant pendant l'entracte contre la façon indéfendable dont on le traitait.

« Manque de discipline, tout le pays en est affligé », décréta-t-il.

Bhaskar trouvait la pièce ennuyeuse, bien moins excitante que la Ramlila, dans laquelle il avait obtenu le rôle d'un des singes-soldats de Hanuman.

La seconde partie commença, Mrs Rupa Mehra sourit. Et faillit jaillir de sa chaise en entendant sa fille dire à Kabir : « Veux-tu aller au lit, Malvolio ? » et l'odieuse, l'impudente réponse de ce dernier.

« Arrêtez ça – arrêtez ça immédiatement ! voulut-elle crier. Est-ce pour cela que je t'ai envoyée à l'université ? Jamais je n'aurais dû te laisser jouer. Jamais. Si Papa avait vu ça, il aurait eu honte de toi. »

« Ma ! murmura Savita. Tu te sens bien ? »

« Non ! voulut hurler sa mère. Je ne me sens pas bien. Comment peux-tu laisser ta sœur dire de telles choses ? Effrontée ! » Shakespeare perdit sur-le-champ sa citoyenneté indienne.

Mais elle se tut.

Rien, cependant, dans son attitude n'approcha de celle de son père pendant cette deuxième partie. K.C. Seth et Parvati étaient assis à quelques rangs du reste de la famille. Il éclata en sanglots incontrôlables lors de la scène où le capitaine de vaisseau reproche à Viola, croyant qu'elle est son frère :

> « M'allez-vous renier maintenant ?
> *Refuser de voir mes mérites ? Ne tentez pas ma détresse*
> *Jusqu'à me rendre assez impie de cœur*
> *Pour vous faire reproche*
> *De mes bontés pour vous.* »

Des têtes stupéfaites, des cous indignés se tournèrent vers le Dr Seth, mais rien n'y fit.

« Laissez-moi dire un mot.
Vous voyez ce jeune homme-là ?
Je l'ai sauvé des mâchoires de la mort,
Et je l'ai secouru, avec quel amour sacré,
Et j'ai rendu à son image, y pensant voir
Les marques d'un mérite insigne, un culte pieux. »

Le Dr Seth étouffait, cherchant son souffle comme un asthmatique. Pour se soulager, il frappa le sol de sa canne.

« Kishy ! dit Parvati en la lui ôtant des mains, ce n'est pas *Deedar* ! », ce qui le ramena brutalement sur terre.

Mais un peu plus tard, la détresse de Malvolio – claquemuré dans une chambre et passant de l'hébétude à la quasifolie – évoqua d'autres détresses, et le Dr Seth se mit à pleurer sur lui-même, à s'en fendre le cœur. Autour de lui les gens s'arrêtèrent de rire, le foudroyant du regard.

Sur quoi Parvati lui rendit sa canne. « Kishy, ordonnat-elle, partons. Tout de suite ! Immédiatement ! »

Mais Kishy ne voulut rien entendre. Il réussit à reprendre son sang-froid et assista, extasié et quasiment sans pleurer, à la fin de la représentation. Quant à sa fille, plus elle assistait à la déconfiture de Malvolio, plus elle se réconciliait avec la pièce. D'autant que, signe de succès indéniable aux yeux de Mrs Rupa Mehra, elle se terminait par trois heureux mariages (et même par une chanson, comme dans les films indiens).

Après les multiples rappels et l'apparition sur la scène du timide Mr Barua aux cris de « Le metteur en scène ! Le metteur en scène ! », elle se précipita dans les coulisses, prit Lata dans ses bras, et la couvrit de baisers sans se soucier du maquillage, disant :

« Tu es ma fille chérie. Je suis si fière de toi. Et de Malati aussi. Si seulement ton – »

Elle s'interrompit, le temps d'essuyer quelques larmes, se reprit, souffla : « Maintenant va te changer, rentrons vite à la maison. Il est tard, tu dois être fatiguée d'avoir tant parlé. »

Elle venait d'apercevoir Malvolio qui, s'écartant de deux autres acteurs avec lesquels il bavardait, se dirigeait vers Lata.

« Ma – Je ne peux pas ; je vous rejoindrai tous plus tard, dit Lata.

— Non ! Tu viens maintenant. Tu enlèveras ton maquillage à la maison. Savita et moi t'aiderons. »

Mais, soit qu'elle eût puisé dans l'art dramatique un courage tout neuf, soit qu'elle ne se fût pas encore dépouillée du personnage d'Olivia, à l'attitude « lisse, discrète et ferme », Lata se contenta de dire d'une voix calme : « Je suis désolée, Ma, il y a une fête pour les acteurs. Malati et moi avons travaillé pendant des mois, nous nous sommes fait des amis que nous ne reverrons pas d'ici le retour des vacances de Dussehra. Ne t'inquiète pas : Mr Barua veillera à ce que je rentre en toute sécurité. »

Mrs Rupa Mehra n'en crut pas ses oreilles.

Et voici que Kabir s'approchait d'elle :

« Mrs Mehra ? s'enquit-il.

— Oui ? » fit-elle d'un ton d'autant plus belliqueux que Kabir était, malgré son maquillage et son curieux costume, un très beau garçon et que Mrs Rupa Mehra, en général, croyait aux apparences.

« Mrs Mehra, je voudrais me présenter. Je suis Kabir Durrani.

— Oui, je sais. J'ai entendu parler de vous. Et j'ai rencontré votre père. Vous voyez un inconvénient à ce que ma fille n'assiste pas à la fête ? »

Kabir rougit. « Non, Mrs Mehra, je –

— Je veux y assister, le coupa Lata. Et ça n'a rien à voir avec qui que ce soit. »

L'envie démangea Mrs Rupa Mehra de leur flanquer une bonne gifle à chacun. Elle se contenta de leur décocher un regard noir, ainsi qu'à Malati pour faire bonne mesure, leur tourna le dos et partit sans ajouter un mot.

« Eh bien, dit Firoz, les occasions d'émeutes ne manquent pas. Chiites contre chiites, chiites contre sunnites, hindous contre musulmans –

— Et hindous contre hindous, ajouta Maan.

— Ça, c'est nouveau à Brahmpur.

— Ma sœur raconte que les jatavs ont essayé de s'infiltrer dans le Comité de la Ramlila. Ils ont prétendu qu'au moins un des cinq swaroops devait être choisi parmi les garçons des castes répertoriées. Naturellement, personne ne les a écoutés. Mais ça pourrait dégénérer. J'espère que tu ne vas pas participer à trop de cérémonies. Je ne veux pas avoir à me faire de souci pour toi.

— Du souci ! s'esclaffa Firoz. Je ne t'imagine pas en train de t'inquiéter pour moi. En tout cas, c'est gentil d'y penser.

— Mais est-ce que tu ne dois pas marcher en tête d'une de ces processions de Moharram – une année toi, une année Imtiaz, à ce que tu m'as dit ?

— C'est seulement pendant les deux derniers jours. Avant ça, je me tiens tranquille. Et cette année, je sais où je passerai au moins une ou deux soirées, conclut-il, l'air mystérieux.

— Où ?

— Quelque part où toi, incroyant, ne seras pas admis ; bien que, naguère, tu te sois prosterné dans ce sanctuaire.

— Mais je croyais – je croyais qu'elle refusait de chanter pendant ces dix jours.

— Effectivement. Mais elle organise de petites réunions chez elle où elle psalmodie des marsiyas et interprète un soz – c'est quelque chose. Pas tant les marsiyas que le soz – il paraît que c'est stupéfiant. »

De ses cours avec Rasheed, Maan savait que les marsiyas sont des lamentations à la mémoire des martyrs de la bataille de Karbala : de Hussein surtout, le petit-fils du Prophète. Mais il ignorait tout du soz.

« C'est une sorte de complainte musicale, dit Firoz. Je ne l'ai entendu que quelquefois, et jamais par Saeeda Bai. Ça te prend le cœur. »

L'idée d'une Saeeda Bai pleurant et se lamentant sur quelqu'un mort depuis treize siècles paraissait à Maan incongrue et pourtant très séduisante. « Pourquoi ne puis-je y aller ? demanda-t-il. Je resterais tranquille, à regarder – je veux dire à écouter. J'ai assisté à Bakr-Id, tu sais, au village.

— Parce que tu es un kafir, pauvre idiot. Même les sunnites ne sont pas vraiment bienvenus dans ces réunions, bien qu'ils participent à certaines processions. Saeeda Bai s'efforce de tenir son auditoire, à ce qu'on dit, mais certains se laissent emporter par le chagrin et se mettent à injurier les trois premiers califes, qu'ils accusent d'avoir usurpé le droit d'Ali au califat, et naturellement ça rend les sunnites furieux. Parfois les injures sont ponctuées de gestes.

— Et tu vas assister à ça ? Depuis quand es-tu devenu si religieux ?

— Je ne le suis pas. En fait – et tâche de ne pas le raconter – je ne suis pas un grand fan de Hussein. Et Muawiyah, celui qui l'a fait tuer, n'était pas un type aussi horrible qu'on veut bien le dire. Avec tous les califes, ou presque, qu'on assassinait, la succession était devenue un sacré pétrin. Muawiyah a rétabli l'ordre dynastique, et l'Islam a pu se constituer en empire. Sans son intervention, tout serait retombé dans l'état précédent, les tribus se seraient mangé le nez, et on ne parlerait plus d'Islam. Mais si mon père m'entendait, il me renierait. Et Saeeda Bai m'étriperait de ses douces petites mains.

— Alors pourquoi vas-tu chez elle ? insista Maan, pris d'un vague soupçon. Ne m'as-tu pas dit qu'on ne t'y a pas très bien reçu ?

— Comment pourrait-elle refuser un pénitent de Moharram ?

— Et pourquoi est-ce précisément là que tu veux aller ?

— Pour boire à la fontaine du Paradis.

— C'est très drôle !

— Je veux dire, pour voir la jeune Tasneem.

— Eh bien, fais mes amitiés à la perruche. » Maan afficha une mine morose, qu'il conserva quand Firoz, debout derrière sa chaise, lui passa le bras autour des épaules.

« Vous imaginez, dit la vieille Mrs Tandon. Rama, ou Bharat, ou Sita – un chamar ! »

Veena n'apprécia pas cette sortie à propos de leurs voisins.

« Et les balayeurs veulent que la Ramlila continue après le retour de Rama à Ayodhya et sa rencontre avec Bharat et après le couronnement. Ils veulent qu'on intègre tous ces épisodes honteux concernant Sita. »

Maan demanda pourquoi.

« Oh, ils se voient en Valmiki ces temps-ci, et ils prétendent que le Ramayana de Valmiki, qui n'en finit plus de raconter ces épisodes, est le véritable texte du Ramayana. Juste pour semer le désordre.

— Personne ne discute le Ramayana. Et Sita a eu effectivement une vie abominable après son retour de Lanka. Mais la Ramlila a toujours été fondée sur les Ramcharitmanas de Tulsidas et non sur le Ramayana de Valmiki. Le pire de tout, c'est que Kedarnath doit perdre son temps à donner des explications aux deux parties et endosser les troubles. A cause de ses contacts avec les castes répertoriées.

— Et aussi, je suppose, dit Maan, à cause de son sens civique ? »

Veena fronça les sourcils, se demandant si son frère faisait de l'ironie.

« Je me souviens quand nous habitions Lahore – intervint la vieille Mrs Tandon, la voix pleine de nostalgie – rien de tout ceci n'aurait pu arriver. Les gens donnaient de l'argent sans qu'on le leur demande, le Conseil municipal lui-même fournissait l'éclairage gratuitement, et on fabriquait des effigies de Ravana si effrayantes que les enfants se cachaient dans les genoux de leur mère. Notre quartier célébrait la meilleure Ramlila de la ville. Et tous les swaroops étaient des jeunes brahmanes, ajouta-t-elle, le ton approbateur.

— Mais alors, Bhaskar n'aurait pas été choisi, remarqua Maan.

— Non, c'est vrai. » C'était la première fois que la vieille dame envisageait la question sous cet angle. « Effectivement. Mais les gens étaient vieux jeu à l'époque. Les choses changent, certaines en mieux. Bhaskar aura sûrement un rôle l'année prochaine. Il en connaît déjà la moitié par cœur. »

15.5

Dans cette affaire des swaroops, les acteurs-dieux, Kedarnath avait eu la surprise de découvrir, parmi les chefs des intouchables, le jatav Jagat Ram de Ravidaspur. Il avait du mal à imaginer, mêlé à un mouvement d'agitation, cet homme calme, dévoué à son travail et à sa grande famille, et qui n'avait joué aucun rôle actif dans la grève de Misri Mandi. Mais compte tenu de sa relative prospérité – si l'on peut employer ce mot –, du fait de son minimum de culture, Jagat Ram s'était vu presser par ses voisins de les représenter. Ayant fini par accepter, il agit du mieux qu'il le put, sachant qu'il devait surmonter deux écueils. D'une part, s'il voulait jouer un rôle dans ce qui se déroulait à Misri Mandi, il fallait qu'il tire un peu sur la ficelle. D'autre part, sa subsistance dépendant de Kedarnath et de ses semblables, il devait y aller avec prudence.

Kedarnath, pour sa part, ne voyait pas de raison de s'opposer, en théorie, à ce qu'on élargisse le recrutement des acteurs. Mais la Ramlila, selon lui, n'était pas une compétition ou un acte politique, simplement un acte de foi accompli par la communauté. La plupart des garçons qui l'interprétaient se connaissaient depuis l'enfance, et des centaines d'années de tradition sanctionnaient les scènes représentées. La Ramlila de Misri Mandi était célèbre dans toute la ville. Annexer d'autres scènes, après le couronnement de Rama, paraissait un acte inutilement offensif – une invasion de la religion par la politique, une incursion moralisatrice dans le tableau des moralités. Quant à établir une sorte de système de quotas parmi les swaroops, cela ne conduirait qu'à un conflit politique et à un désastre artistique.

Jagat Ram argua que puisque la mainmise des brahmanes sur les rôles de héros avait été levée en faveur des autres castes supérieures, il était logique de franchir un pas supplémentaire et d'accueillir des représentants des prétendues basses castes et des castes répertoriées. Ils participaient au succès de la Ramlila à la fois comme spectateurs et même, dans une faible mesure, comme financiers ; alors pourquoi pas comme acteurs ? Kedarnath répondit que, pour cette année, il était trop tard, mais qu'il aborderait le sujet, l'année prochaine, devant le Comité de la Ramlila. En attendant, il suggérait à la population de Ravidaspur – émanant en grande partie d'une caste répertoriée et qui faisait entendre le plus fortement sa voix – de monter sa propre représentation de la Ramlila, de façon que sa réclamation ne passe pas pour un acte de pure malveillance mais comme une façon de poursuivre, par d'autres armes, le conflit qui avait culminé dans la grève désastreuse du début de l'année.

Rien ne fut réellement résolu, l'incertitude continua de régner, et Jagat Ram ne s'en montra pas autrement surpris. C'était sa première irruption en politique, il n'en avait éprouvé aucun plaisir. Son enfance terrible dans un village, son adolescence brutale dans une usine, le monde corrompu des acheteurs et des intermédiaires, la pauvreté et la saleté qui étaient son lot quotidien, en avaient fait une sorte de philosophe. On ne raisonne pas un troupeau d'éléphants qui déferle sur vous dans la jungle, on ne tente pas de raisonner tous ces fous meurtriers de la circulation à Chowk. On s'écarte du chemin des premiers, on met sa famille à l'abri des seconds. En gardant un maximum de dignité. Le monde est un espace de cruauté et de brutalité, et l'exclusion des gens de son espèce des rites religieux en constitue la moindre des barbaries.

L'an passé, un des jatavs de son village, qui avait vécu de nombreux mois à Brahmpur, était revenu chez lui à la saison des moissons. Il avait cru qu'à la suite de ce long séjour en ville, et de la relative liberté qu'il y avait connue, il ne serait plus un objet d'aversion pour les villageois de haute caste. A dix-huit ans, il avait aussi l'imprudence de la jeunesse. Toujours est-il qu'on le vit faire le tour du village, chantant des airs de films, sur la bicyclette qu'il s'était payée avec ses gains. Un jour, ayant soif, il eut l'audace de demander un verre d'eau à une femme de haute caste qui cuisinait devant sa maison. La nuit même, un groupe d'hommes fondit sur lui, l'attacha à sa bicyclette, le força à manger des excréments humains, puis s'acharna sur son vélo et sur son crâne. Tout le monde connaissait les responsables, personne n'osa témoigner ; même les journaux n'osèrent pas imprimer d'aussi horribles détails.

Dans les villages, les intouchables étaient virtuellement réduits à l'impuissance, à peu près aucun ne possédant ce garant de dignité et de statut social, la terre. Bien peu travaillaient comme fermiers, et parmi ceux-ci il n'y en avait guère qui fussent capables de se servir des textes de la réforme agraire à venir. Dans les villes aussi, ils formaient la lie de la société. Même Gandhi, avec sa soif de réformes, sa haine de l'idée qu'un être humain pût passer intrinsèquement pour intouchable, avait estimé que les gens devaient continuer à exercer le métier que l'hérédité leur prescrivait : un cordonnier devait rester cordonnier, un balayeur, balayeur. « Celui qui est né éboueur doit gagner sa vie comme éboueur, et par ailleurs faire ce qui lui plaît. Car un éboueur mérite autant son salaire qu'un avocat ou votre Président. Selon moi, c'est ça l'hindouisme. »

Selon Jagat Ram, qui n'aurait pourtant pas osé le dire tout haut, c'était la plus fallacieuse des condescendances. Il savait qu'il n'y a aucun mérite inné à nettoyer des cabinets ou à tremper dans une fosse puante de tannage – et cela parce que vos parents l'ont fait avant vous. Mais la plupart des hindous le croyaient, et malgré l'évolution des croyances et des lois, les roues du grand char continueraient encore à broyer plusieurs générations avant de s'arrêter, tachées de sang.

C'est sans réelle conviction que Jagat Ram avait posé la question de donner des rôles de swaroops aux castes répertoriées. Ce n'était peut-être pas tant une affaire de logique que de sentiments. Peut-être, comme l'avait affirmé le ministre de la Justice de Nehru, le Dr Ambedkar, le grand, presque mythique chef des intouchables, l'hindouisme n'avait-il rien à offrir à ceux qu'il avait évincés si cruellement de son sein. Le Dr Ambedkar avait dit que, né hindou, il ne mourrait pas hindou.

Neuf mois après l'assassinat de Gandhi, l'Assemblée constituante avait voté la disposition constitutionnelle abolissant l'intouchabilité, et ses membres avaient hurlé avec enthousiasme « Victoire au Mahatma Gandhi ». Aussi peu que signifiât cette mesure sur le plan pratique comparé à sa portée symbolique, Jagat Ram estimait que sa formulation en revenait moins au Mahatma Gandhi, qui se préoccupait rarement de ces détails juridiques, qu'à un autre homme – tout aussi courageux.

15.6

Le 2 octobre, jour de congé public et par ailleurs date anniversaire de la naissance de Gandhi, toute la famille Kapoor se retrouva à Prem Nivas pour le déjeuner. Auquel se joignirent deux visiteurs occasionnels : Sandeep Lahiri, à la recherche de Maan, et un politicien de l'Uttar Pradesh qui venait de se rallier au Congrès et voulait persuader Mahesh Kapoor d'en faire autant.

Maan arriva en retard, ayant passé la matinée à jouer au polo. Quant à sa soirée, il espérait la passer avec Saeeda Bai : après tout, on n'apercevait pas encore la lune de Moharram.

Il commença par faire l'éloge de Lata qui, devenue le centre de l'attention, piqua un fard.

« Ne rougis pas, dit Maan. Je ne te flatte pas. Tu étais excellente. Bhaskar, bien sûr, ne s'est pas amusé, mais ce n'était pas de ta faute. Moi, j'ai trouvé la pièce merveilleuse. Et Malati – très brillante. Et le Duc. Et Malvolio. Et Sir Toby, bien entendu. »

Devant des éloges aussi généreusement répartis, Lata éclata de rire :

« Tu as oublié le troisième laquais, dit-elle.

— Exact. Et aussi le quatrième meurtrier.

— Pourquoi n'es-tu pas venu à la Ramlila, Maan Maama ? demanda Bhaskar.

— Mais ça n'a commencé qu'hier !

— Tu as déjà manqué la jeunesse et l'éducation de Rama.

— Oh, désolé.

— Tu dois venir ce soir, ou je serai kutti avec toi.

— Tu ne peux pas être kutti avec ton oncle, fit remarquer Maan.

— Si je peux. Aujourd'hui c'est la victoire de Sita. La procession partira de Khirkiwalan jusqu'à Shahi Darvaza. Et tout le monde les regardera défiler.

— Oui, Maan, viens, dit Kedarnath, et puis tu resteras dîner avec nous.

— Eh bien, ce soir –» Maan s'interrompit, sentant le regard de son père posé sur lui. « Je viendrai à la première apparition des singes », promit-il en tapotant la tête de Bhaskar. Qu'il jugea, en fait, plus singe que grenouille.

« Passe-moi Uma », dit Mrs Mahesh Kapoor qui, pour la millième fois, essaya de discerner dans les traits du bébé lesquels lui appartenaient, lesquels venaient de son époux, de Mrs Rupa Mehra, ou ressortaient sur la photographie que Mrs Rupa Mehra extrayait à tout bout de champ de son grand sac.

Pendant ce temps, Mr Mahesh Kapoor interrogeait Sandeep Lahiri : « Je crois savoir que l'année dernière, à cette époque, vous avez eu des histoires à cause de certains portraits de Gandhi ?

— Hum, oui. Un portrait en réalité. Mais enfin les choses se sont réglées d'elles-mêmes.

— Réglées d'elles-mêmes ? Est-ce que Jha n'a pas réussi à se débarrasser de vous ?

— Eh bien, j'ai eu une promotion –

— Oui, oui, c'est ce que je voulais dire. Mais vous êtes très populaire à Rudhia. Si vous n'étiez pas fonctionnaire, j'aurais fait de vous mon agent électoral. Grâce à vous, je gagnerais facilement.

— Vous pensez vous présenter à Rudhia ?

— Pour l'instant, je ne pense rien. Tout le monde pense pour moi. Mon fils. Mon petit-fils. Mon ami le Nawab. Et mon secrétaire parlementaire, et sahib Rafi, et le Premier ministre. Sans oublier ce très obligeant gentleman », ajouta-t-il, indiquant le politicien, petit homme tranquille avec qui il avait partagé une cellule de prison bien des années auparavant.

« Je ne dis qu'une chose, protesta celui-ci. Nous devons tous rejoindre le parti de Gandhiji. Changer de parti ne signifie pas nécessairement changer de principes – ou être un homme sans principes.

— Ah, Gandhiji, soupira Mahesh Kapoor refusant de se laisser entraîner sur ce terrain, il aurait quatre-vingt-deux ans aujourd'hui, et serait très malheureux. Il ne souhaiterait plus vivre jusqu'à cent vingt-cinq ans. Pour ce qui est de son âme, nous la nourrissons de laddus un jour par an, après quoi nous nous dépêchons de l'oublier. » Sans transition il s'adressa à sa femme : « Il en met du temps à fabriquer les phulkas ! Va-t-on laisser notre estomac gargouiller jusqu'à quatre heures ? Au lieu de faire hurler ce bébé, tu ferais mieux d'aller secouer ce demeuré de cuisinier.

— J'y vais », dit Veena.

Mrs Mahesh Kapoor baissa de nouveau la tête sur le bébé. Elle tenait Gandhiji pour un saint, plus qu'un saint, un martyr – et ne supportait pas qu'on parle de lui avec amertume. Elle fredonnait toujours les chansons que l'on chantait dans l'ashram, avait acheté les trois cartes postales émises par le ministère des Postes et Télégraphes, montrant, l'une Gandhi en train de filer, l'autre Gandhi avec sa femme Kasturba, la troisième le Mahatma avec un enfant.

Mais ce que disait son mari était probablement vrai. Ecarté du pouvoir à la fin de sa vie, quatre ans à peine après sa mort, son message de générosité et de réconciliation semblait tombé dans l'oubli. Pourtant, elle croyait qu'il aurait encore aimé vivre. Il avait supporté des années de désespoir et de frustration, c'était un homme bon, un homme sans peur. Et cette absence de crainte, elle l'aurait sûrement accompagné encore longtemps.

Le déjeuner terminé, les femmes sortirent marcher dans le jardin, dont la petite pluie tombée le matin imbibait le sol et avivait les parfums. Le madhumalati rose, grimpant, près de la balançoire, s'était ouvert. Sous le harsingar, tombées à l'aube, de nombreuses petites fleurs blanc-orange gardaient encore une trace fugitive de leur odeur. De rares gardénias portaient encore quelques fleurs. Mrs Rupa Mehra, qu'on n'avait guère entendue pendant le déjeuner, à présent berçait le bébé dans ses bras. Elle s'assit sur un banc près du harsingar. Dans l'oreille gauche d'Uma une délicate petite veine se ramifiait en d'autres veines encore plus petites, formant un ravissant dessin que Mrs Rupa Mehra contempla en soupirant.

« Aucun arbre ne vaut le harsingar, dit-elle à Mrs Mahesh Kapoor. J'aimerais en avoir un dans notre jardin. »

Mrs Mahesh Kapoor hocha la tête. Arbre modeste dans la journée, le harsingar s'épanouit durant la nuit, répandant un parfum délicat, attirant une myriade d'insectes saisis d'enchantement ; à l'aube ses minuscules fleurs à six pétales dénudent en tombant un cœur orange. Et le soir, il ploie à nouveau sous les fleurs que le soleil, en se levant, fera tomber doucement.

« Non, approuva Mrs Mahesh Kapoor, un sourire grave aux lèvres, aucun arbre ne le vaut. Je demanderai à Gajraj de planter une bouture dans le jardin de Pran, à côté du citronnier. Comme ça il aura l'âge d'Uma. Et il devrait fleurir dans deux ou trois ans au plus tard. »

15.7

A peine Bibbo avait-elle ouvert au Nawabzada qu'elle lui glissa une lettre dans les mains.

« Comment au nom du ciel savais-tu que je viendrais ce soir ? Je n'étais pas invité.

— Ce soir, tout le monde est invité, dit Bibbo. J'ai pensé que le Nawabzada saisirait l'occasion. »

Firoz rit. Si Bibbo n'avait pas autant aimé l'intrigue, il n'aurait jamais pu communiquer avec Tasneem. Il n'avait vu la jeune fille que deux fois, mais elle le fascinait. Et elle devait sûrement éprouver quelque chose pour lui car, même si ses lettres étaient gentilles et innocentes, il lui fallait du courage pour les écrire sans l'autorisation de sa sœur.

« Le Nawabzada a-t-il une lettre à me donner en échange ? demanda Bibbo.

— Bien sûr, et quelque chose en plus, dit Firoz, tendant la missive et un billet de dix roupies.

— Oh, mais ça n'est pas nécessaire –

— Oui, je sais que c'est inutile... Qui d'autre est là ? » Il parlait à voix basse, d'en haut lui parvenaient les échos d'une psalmodie.

Bibbo cita quelques noms, dont celui de Bilgrami Sahib. Ansi, il y avait des sunnites !

« Des sunnites aussi ? demanda-t-il.

— Pourquoi pas. La begum Saeeda ne fait pas de différence. Il y a même quelques femmes – le Nawabzada reconnaîtra que c'est inhabituel. Et elle interdit ces imprécations qui gâchent l'atmosphère de la plupart des réunions.

— Si j'avais su, j'aurais demandé à mon ami Maan de m'accompagner.

— Oh non. Dagh Sahib est hindou ; c'est impossible. Qu'il assiste à Id, oui, mais pas à Moharram. C'est tout à fait différent. Tous ceux qui le désirent peuvent suivre une procession, mais pas participer à une réunion privée.

— N'importe. Il m'a prié de faire ses amitiés à la perruche.

— Oh, cette misérable créature, j'aimerais lui rompre le cou.

— Et Maan – Dagh Sahib, je veux dire – se demandait – moi aussi je me le demande – si la légende est vraie de Saeeda Begum étanchant de ses jolies mains la soif des voyageurs perdus dans l'aridité du Karbala.

— Le Nawabzada sera heureux de savoir que ce n'est pas une légende », protesta Bibbo, fâchée que l'on pût mettre en question la piété de sa maîtresse. Mais le souvenir du billet de dix roupies la radoucit aussitôt. « Le jour où l'on sort les tazias, elle se tient à l'angle de Khirkiwalan et de Katra Mast. Sa mère, Mohsina Bai, le faisait déjà. Bien sûr, vous ne devineriez jamais que c'est elle, elle porte un burqa. Et elle y reste même quand elle est fatiguée. C'est une dame très pieuse. Certains pensent qu'une chose empêche l'autre.

— Je crois ce que tu me dis. Mes propos n'avaient rien d'offensant.

— Le Nawabzada va recevoir une récompense pour sa propre piété.

— Et c'est quoi ?

— Il le découvrira lui-même. »

Contrairement à Maan, Firoz ne s'arrêta pas à mi-palier pour ajuster sa coiffure. En pénétrant dans la pièce où Saeeda Bai – en sari bleu foncé, le visage et les mains sans le moindre bijou – tenait sa réunion, il aperçut aussitôt, assise au fond, Tasneem. Vêtue d'un salwaar-kameez brun, elle était aussi belle, aussi délicate que la première fois qu'il l'avait vue.

L'auditoire avait déjà atteint un haut niveau d'émotion : hommes et femmes pleuraient, des femmes se frappaient la poitrine en criant le nom de Hussein. Saeeda Bai semblait avoir mis toute son âme dans le marsiya, mais une partie de son esprit surveillait l'assistance et remarqua l'arrivée du fils du Nawab. Le trouble qu'elle en ressentit décupla la force qu'elle mit à vilipender le meurtrier de l'Imam Hussein :

« Et tandis que le mercenaire maudit tirait l'épieu
[sanglant,
Le Prince des Martyrs courba la tête en remerciant Dieu.
L'infernal, le féroce Shamr dégaina son glaive et avança –
Les cieux vacillèrent, la terre trembla devant des actes si
[odieux.
Shamr mit son glaive sur la gorge, comment le raconter,
C'était comme s'il piétinait le Saint Livre lui-même ! »

« Toba ! Toba ! »« Ya Allah ! »« Ya Hussein ! Ya Hussein ! » hurla l'assistance. Terrassés de chagrin, certains ne pouvaient même plus parler, et lorsque s'élevèrent les incantations suivantes racontant la douleur de Zainab – son évanouissement – sa stupeur, lorsqu'elle revient à elle, en voyant la tête de son frère, la tête du Saint Prince des Martyrs, brandie au bout d'une lance – un silence de mort tomba, une pause avant de nouvelles lamentations. Firoz regarda Tasneem ; les yeux baissés, ses lèvres formaient les mots que psalmodiait sa sœur :

« Anis, rien ne peut décrire les lamentations de Zainab !
Le corps de Hussein reposait là, sans sépulture, au soleil ;
Hélas, le Prophète ne trouva nulle paix dans son dernier
[repos !
Sa sainte descendance emprisonnée et sa maison
[incendiée !
Combien de foyers la mort de Hussein laissa-t-elle désolés !
La descendance du Prophète, jamais après lui n'a
[prospéré. »

Saeeda Bai s'arrêta, ses yeux firent le tour de la pièce, se posèrent sur Firoz puis sur Tasneem. D'un ton détaché, elle dit à sa sœur : « Va nourrir la perruche, et demande à Bibbo de venir. Elle aime assister au soz-khwani. » Tasneem quitta la pièce, les autres, reprenant leurs esprits, se mirent à parler entre eux.

Firoz suivit Tasneem du regard, plongé dans une sorte d'étourdissement. Jamais elle ne lui avait paru aussi belle, sans aucun ornement, les joues mouillées de larmes. Il se rendit à peine compte que Bilgrami Sahib le saluait. Mais comme celui-ci lui faisait le récit d'une de ses visites à Baitar pendant les fêtes de Moharram, Firoz fut ramené en esprit au Fort et à l'imambara, avec son lustre rouge et blanc, les peintures sur les murs et les marsiyas chantés sous les centaines de lumières tremblotantes.

Le grand héros du Nawab était Al-Hur, l'officier dépêché en premier pour se saisir de Hussein, mais qui, emmenant avec lui trente cavaliers, avait déserté les forces ennemies et s'était rallié au plus faible, affrontant une mort inévitable. Firoz avait essayé une ou deux fois de discuter du sujet avec son père, mais y avait renoncé. Firoz le soupçonnait de nourrir un sentiment particulier pour l'échec noble.

A présent, Saeeda Bai chantait un marsiya qui convenait particulièrement pour un soz. Pas d'introduction, pas d'élucubration sur la beauté physique du héros, pas de péan du héros, sur le champ de bataille, sur sa lignée, ses prouesses et ses exploits, pas de longues scènes de batailles ni de description de cheval ou d'épée, rien sinon les parties les plus émouvantes de l'histoire : les scènes de séparation d'avec ceux qu'il aime, sa mort, les lamentations des femmes et des enfants. Pour ces lamentations, la voix de Saeeda Bai s'éleva en sanglots d'une étrange beauté, d'une suprême intensité musicale.

Jamais Firoz n'avait entendu chanter un soz d'une façon aussi dramatique. Tournant les yeux vers l'endroit où s'était tenue Tasneem, il vit Bibbo, la frivole Bibbo, les cheveux défaits, pleurant toutes les larmes de son corps, se frappant la poitrine et comme prête à s'évanouir de douleur. De nombreuses autres femmes se trouvaient dans le même état. Bilgrami Sahib sanglotait dans son mouchoir, qu'il étreignait en un geste de prière. Saeeda Bai, paupières closes, tremblait de douleur : aussi maîtresse de son art qu'elle fût, elle ne le contrôlait plus. Et sur le visage de Firoz, sans qu'il s'en rende compte, les larmes coulaient en un flot continu.

15.8

« Pourquoi n'es-tu pas venu la nuit dernière ? » demanda Bhaskar, qui venait d'obtenir le rôle d'Angad, un prince-singe, en remplacement d'un garçon devenu aphone, probablement d'avoir trop hurlé les soirs précédents. Bhaskar connaissait le texte, mais malheureusement il n'y avait rien à dire aujourd'hui – il fallait juste courir et se battre.

« Je dormais, dit Maan.

— Tu dormais ! Tu es comme Kumbhkaran. Tu as manqué la meilleure partie de la bataille, et la construction du pont vers Lanka – il s'étendait du temple jusqu'aux maisons ici – et tu n'as pas vu Hanuman aller chercher l'herbe magique – et tu as manqué l'incendie de Lanka.

— Mais je suis là, maintenant. Rends-moi justice.

— Et ce matin, quand Daadi vénérait les armes, les plumes et les livres, où étais-tu ?

— Je ne crois pas à tout ça. Je ne crois pas aux armes, aux tirs et à la violence. Est-ce qu'elle a vénéré aussi tes cerfs-volants ?

— Aré, Maan. Serrons-nous la main », dit une voix familière dans la foule. Maan se retourna. C'était le Rajkumar de Marh accompagné du jeune frère de Vakil Sahib. Maan fut surpris de le voir assister à cette Ramlila de quartier. Il l'aurait cru à quelque célébration officielle, grandiose et sans âme, traînant derrière son père. Il lui serra la main avec cordialité.

« Prends un paan.

— Merci. » Maan en prit deux et faillit s'étouffer, tant la dose de tabac était forte. Le temps qu'il ait retrouvé sa voix, le jeune Goyal, qui semblait très fier de s'exhiber en compagnie d'une altesse de second rang, avait entraîné le Rajkumar pour le présenter à quelqu'un d'autre.

Maan resta en contemplation devant les effigies. Sur la bordure ouest de la place de Shahi Darvaza se dressaient trois immenses personnages – farouches et flamboyants –, faits de bois, de jonc et de papier de couleur, des ampoules rouges en guise d'yeux. Le Ravana à dix têtes exigeait vingt ampoules, qui clignotaient de façon plus menaçante que celles de ses lieutenants. Il incarnait le mal guerrier : chacune de ses vingt mains tenait une arme : arcs de jonc, masses de papier d'argent, épées et disques de bois, javelots de bambou, même un faux pistolet. Il avait à ses côtés, d'une part son frère, le gras, le méprisable, le méchant, le paresseux, le glouton Kumbhkaran ; de l'autre son fils, le courageux et arrogant Meghnad qui, la veille, avait frappé Lakshman de son javelot, le laissant à moitié mort. Chacun comparait les effigies avec celles des années précédentes, attendant dans la fièvre l'apogée de la soirée : la bataille qui verrait la destruction du mal et le triomphe du bien.

Mais avant cela, les acteurs jouant le rôle de ces personnages devaient affronter leur destin sous les yeux de la foule.

A sept heures du soir, les haut-parleurs laissèrent échapper une cacophonie de roulements de tambour, et les petits singes à la face rouge, à qui un savant maquillage à l'indigo et à l'oxyde de zinc donnait un air farouche et martial, jaillirent du temple à la recherche de l'ennemi, qu'ils trouvèrent sans peine et sur lequel ils fondirent à grand bruit. Hurlements pieux, « Jai Siyaram ! », cris démoniaques, « Jai Shankar ! ». Ils allaient même jusqu'à déformer, pour s'en moquer, la prononciation du nom du Seigneur Shiva, le grand protecteur de Ravana. Et l'on entendait alors le rire bizarre et sinistre de Ravana qui glaçait le sang des spectateurs – et déclenchait le rire des amis de l'acteur.

Deux gendarmes en kaki marchaient de long en large pour veiller à ce que la horde des singes et des démons ne dépasse pas les limites géographiques imposées, mais constatant bientôt leur impuissance devant les singes véloces, les forces de l'ordre choisirent de s'arrêter à une échoppe et de manger des paans. Autour des policiers, sur la place, sous le nez de leurs parents, dans les ruelles, partout couraient les singes et les démons, passant devant le grand magasin, les deux temples, la petite mosquée, la boulangerie, la maison de l'astrologue, l'urinoir public, les feux de signalisation ; parfois acculés dans les cours des maisons, d'où les forçaient à partir les organisateurs de la Ramlila. Leurs épées, lances et flèches se prenaient dans les banderoles colorées suspendues au-dessus des ruelles, déchirant l'une d'elles portant l'inscription en hindi : *Le comité d'assistance de la Ramlila vous accueille chaleureusement*. Finalement, épuisées, les deux armées se retrouvèrent sur la place, montrant les dents et échangeant des regards meurtriers.

L'armée des singes (parmi lesquels se glissaient quelques ours) était conduite par Rama, Lakshman et Hanuman. Ils avaient essayé d'abattre Ravana sous le regard suprêmement indifférent – du moins à ce qu'il semblait – de la belle

Sita, un garçon de douze ans, juché sur un balcon. Ravana, poursuivi par les singes, objet des tirs de son ennemi mortel Rama, fuyait et exigeait de savoir où était passé son frère Kumbhkaran – pourquoi ne défendait-il pas Lanka ? Apprenant que Kumbhkaran cuvait toujours sa gloutonnerie, il demanda qu'on le réveille. Démons et diablotins firent de leur mieux, passant de la nourriture et des douceurs au-dessus de l'énorme forme étendue jusqu'à ce que l'odeur la tire de son sommeil. Il rugit, s'étira, engloutit ce qu'on lui offrait. Plusieurs démons avalèrent quelques sucreries au passage. Puis la bataille sérieuse commença.

Au rythme des versets de Tulsidas, que dans son mégaphone le pandit avait du mal à faire entendre :

> « Ayant dévoré les buffles et bu tout le vin, Kumbhkaran rugit comme un éclair... Dès qu'ils l'entendirent, les puissants singes accoururent en criant de joie. Ils arrachèrent arbres et montagnes et les lancèrent contre Kumbhkaran, tout en grinçant des dents. Ours et singes jetèrent sur lui des myriades de pics montagneux. Mais pas plus qu'il n'eut l'esprit ébranlé il ne bougea de sa place, malgré tous les efforts des singes, tel un éléphant lapidé avec des graines de tournesol. Et voilà que Hanuman le frappa de son poing et qu'il tomba par terre, fracassant le sol de sa tête confuse. Se relevant, il frappa Hanuman à son tour, lequel tournoya et s'effondra immédiatement... La horde des singes s'enfuit en débandade ; aucun n'osa lui faire face. »

Même Bhaskar, qui jouait Angad, fut étendu pour le compte par le formidable Kumbhkaran et se retrouva, grognant piteusement, sous le figuier à l'ombre duquel il jouait d'habitude au cricket.

Malgré les flèches de Rama, le monstre blessé ne se découragea pas. « Il poussa un terrible rugissement, et saisissant des millions et des millions de singes, il les fracassa sur le sol à la manière d'un énorme éléphant, jurant au nom de son frère à dix têtes. » Les singes en détresse en appelèrent à Rama ; il banda son arc et fit pleuvoir encore plus de flèches sur Kumbhkaran. « Bien que touché par les flèches, le démon fonça devant lui, brûlant de rage ; dans sa course il fit chanceler les montagnes et trembler la terre. » Il arracha un rocher, mais Rama coupa le bras qui le portait. Il continua alors d'avancer, le rocher dans la main gauche ; mais le Seigneur trancha aussi ce bras, qui tomba sur le sol... « Poussant le plus terrible des hurlements, il s'élança la bouche grande ouverte. Dans les cieux les saints et les dieux terrorisés s'écrièrent : "Hélas ! Hélas !" »

Finalement, voyant la détresse des dieux, Rama-le-miséricordieux d'une dernière flèche coupa la tête de Kumbhkaran, qui roula sur le sol aux pieds de Ravana son frère horrifié. Le tronc continua à courir, jusqu'à ce qu'il soit fendu de haut en bas. Alors il tomba, écrasant sous lui singes, ours et démons.

La foule poussa des acclamations, éclata en applaudissements, Maan en fit autant, Bhaskar cessa de grogner, se leva et sauta de joie. Même le spectacle de la mort dans les batailles suivantes de Meghnad et de l'ennemi insigne ne put rivaliser avec celui de la mort de Kumbhkaran, interprété par un acteur aguerri qui avait l'art de terroriser aussi bien les adversaires que le public. Finalement, tous les acteurs-démons gisant morts dans la poussière et les cris de « Jai Shenker ! » s'étant éteints, le moment arriva de la pyromanie.

Un tapis rouge d'environ cinq mille petits pétards fut déroulé devant les effigies des démons, et allumé à l'aide d'une longue mèche fusante. A ce vacarme assourdissant, les saints et les dieux eurent certainement de quoi s'écrier. « Hélas ! Hélas ! » Le feu, les étincelles, la cendre montèrent jusqu'aux balcons, faisant s'étouffer et éternuer Mrs Mahesh Kapoor, puis le vent emporta cet air âcre et irrespirable. Rama tira une flèche sur chaque bras de Kumbhkaran, et les bras tombèrent un à un manipulés de derrière par le marionnettiste. De nouveau la foule clama sa joie. Mais au lieu de fendre la tête, le beau personnage bleu en peau de léopard sortit une fusée de son carquois et visa le corps sans bras de Kumbhkaran. La fusée atteignit son but, s'enflamma et se consuma en une série d'explosions. Les pétards qui bourraient Kumbhkaran à présent sifflaient autour de lui ; une bombe verte sur son nez explosa en une fontaine d'étincelles colorées. L'énorme squelette s'effondra, que les organisateurs de la Ramlila piétinèrent jusqu'à le réduire en cendres, et la foule acclama Rama.

Après que Lakshman eut dispersé l'effigie de Meghnad, Rama régla son compte à Ravana pour la deuxième fois de la soirée. Mais le papier, la paille et le bambou dont il était bourré refusèrent de brûler. Un frisson d'inquiétude passa dans la foule, comme si cela augurait mal de la victoire du bien. Et il fallut ajouter un peu de kérosène pour qu'on en finisse vraiment avec Ravana. Quelques coups de lathi donnés par les organisateurs, des pots d'eau déversés depuis les balcons par les spectateurs enthousiastes, et la malveillante effigie à dix têtes ne fut plus que cendres et joncs calcinés.

Rama, Lakshman et Hanuman s'étaient retirés dans un coin de la cour quand une voix moqueuse dans la foule leur rappela qu'ils avaient oublié de sauver Sita. Vite ils coururent sur le sol recouvert de cendres noires, à travers les résidus calcinés de cinq mille pétards, attrapèrent, lancée du balcon où elle se tenait, une Sita, vêtue d'un sari jaune, et que tout cela semblait importuner toujours autant, et la rendirent à son époux.

Rama, Lakshman, Hanuman et Sita enfin réunis, les forces du mal enfin vaincues, la foule put répondre aux instigations du pandit :

« Raghupati Shri Ramchandra ji ki –

— Jai !

— Bol, Sita Maharani ki –

— Jai !

— Lakshman ji ki –

— Jai !

— Shri Bajrangbali ki –

— Jai !

— Rappelez-vous, bonnes gens, continua le pandit, que la cérémonie de Bharat Milaap aura lieu demain, à l'heure annoncée sur les affiches, à Ayodhya, la capitale de Rama, soit, pour nous, la petite place près du temple de Misri Mandi. C'est là que Rama et Lakshman étreindront leurs frères Bharat et Shatrughan dont ils étaient séparés depuis si longtemps – et tomberont aux pieds de leurs mères. N'oubliez pas. Ce sera un spectacle très émouvant qui fera venir les larmes aux yeux de tous les dévots de Shri Rama. C'est le véritable apogée de la Ramlila, encore plus que le darshan que vous venez d'avoir ce soir. Dites à quiconque n'a pas eu la chance d'être là ce soir de se rendre à Misri Mandi demain soir. Bon, et maintenant où est le photographe ? Mela Ram ji, avancez s'il vous plaît. »

On prit des photos, on fit plusieurs aratis avec des lampes et des friandises servies sur un plateau d'argent, tous les bons personnages, dont beaucoup de singes et d'ours, furent nourris. Ils avaient repris leur sérieux. Les éléments les plus tapageurs de la foule s'étaient dispersés, ceux qui restaient, c'est-à-dire le plus grand nombre, acceptèrent les restes comme autant d'offrandes sanctifiées. Même les démons en eurent leur part.

15.9

Le transport en procession de la tazia depuis Baitar House jusqu'à l'Imambara de la ville n'était pas une mince affaire. La tazia de Baitar House était célèbre : fabriquée il y avait bien longtemps, tout en argent et cristal. Chaque année, le neuvième jour de Moharram, on la transportait à l'Imambara où elle restait exposée toute la nuit et la matinée du lendemain. Puis, l'après-midi du dixième jour, une nouvelle grande procession la portait, elle et les autres répliques de la tombe de l'imam Hussein, jusqu'au « Karbala », le champ où, à l'extérieur de Brahmpur, on enfouissait les tazias. Mais, contrairement à celles faites de papier et de simple verre, la tazia de Baitar (et ses semblables tout aussi précieuses) n'était pas cassée et enterrée dans une fosse à ciel ouvert creusée à cette intention. On la laissait dans le champ une heure ou deux, le temps de brûler ses ornements périssables, paillettes, papier de cerf-volant et mica, après quoi les serviteurs la rapportaient à la maison.

Cette année la procession de Baitar House se composait de Firoz (vêtu d'un sherwani blanc), de deux joueurs de tambour, de six jeunes gens (trois de chaque côté) portant les grosses perches en bois sur lesquelles était posée la tazia, de quelques serviteurs qui se frappaient la poitrine en criant le nom des martyrs (mais n'utilisaient ni fouets ni chaînes), et de deux gendarmes, représentant les forces de l'ordre. La route étant assez longue, ils partirent de bonne heure.

En début d'après-midi ils se trouvaient dans la rue devant l'Imambara, point de rencontre des différentes processions représentant les corporations, les quartiers et les grandes familles. A cet endroit se dressait un poteau, de près de vingt mètres de haut, au sommet duquel flottait un drapeau vert et noir, ainsi que la statue d'un cheval, le courageux destrier de Hussein, orné de fleurs et de tissus précieux pendant les fêtes de Moharram. Et là aussi, juste à côté du sanctuaire d'un saint local, se tenait une foire – où les processionnaires en pleurs se mêlaient aux vendeurs et aux acheteurs enfiévrés de colifichets et de livres saints, aux enfants mangeant toutes sortes de délicieuses friandises salées ou sucrées, de glaces, de la barbe à papa – rose et vert en l'honneur de Moharram.

La plupart des processions étaient beaucoup moins convenables que celle de la famille du Nawab : lourds sanglots, battements assourdissants des tambours, autoflagellations jusqu'au sang. On plaçait la sincérité avant le décorum, c'est la ferveur des sentiments qui comptait avant tout. Les joues mangées par la barbe, nus jusqu'à la taille, le dos ensanglanté, tailladé par les coups de chaînes qu'ils s'assenaient, les hommes accompagnant les tazias haletaient et gémissaient, répétant en une lamentation terrible le nom de Hussein et de son frère Hassan. Une douzaine de policiers entouraient les processions renommées pour leur extrême ferveur.

Les chemins qu'empruntaient tous ces cortèges avaient été soigneusement tracés par les organisateurs et la police. Il fallait éviter autant que possible les quartiers hindous, en particulier la zone qui abritait le temple si contesté ; on mesurait la hauteur des branches des figuiers sacrés par rapport à celle des tazias afin qu'aucune ne soit endommagée ; on interdisait aux processionnaires de maudire le nom des califes ; on faisait en sorte que toutes les processions arrivent à destination pour la tombée de la nuit.

Maan retrouva Firoz, comme convenu, un peu avant le crépuscule, près de la statue du cheval.

« Ah, te voilà mon kafir », dit Firoz, particulièrement beau dans son sherwani blanc.

« Oui, mais seulement pour faire ce que font tous les kafirs.

— Et c'est quoi ?

— Pourquoi ne portes-tu pas ta canne de Nawab ? demanda Maan après avoir inspecté Firoz des pieds à la tête.

— Ça n'allait pas avec la procession. Les gens auraient sûrement attendu que je me donne des coups avec. Mais tu n'as pas répondu à ma question.

— Oh – c'était quoi ?

— C'est quoi, ce que font les kafirs ?

— C'est une devinette ?

— Mais non. Tu m'as dit que tu es venu faire ce que font tous les kafirs. Alors je te demande ce que c'est.

— Me prosterner devant mon idole. Tu as dit qu'elle serait là.

— Eh bien, elle est là. » D'un signe de tête Firoz indiqua le croisement le plus proche. « J'en suis sûr. »

Une femme vêtue d'un burqa noir se tenait dans une baraque, distribuant des boissons glacées très parfumées aux processionnaires ou aux passants. Ils buvaient et rendaient le verre qu'une autre femme en burqa marron trempait rapidement dans un baquet d'eau. Le stand attirait beaucoup de monde, probablement parce qu'on savait qui était la dame en noir.

« A étancher la soif de Karbala, ajouta Firoz.

— Viens, dit Maan.

— Non, non, vas-y seul. Au fait, celle au burqa marron, c'est Bibbo, pas Tasneem.

— Viens avec moi, Firoz, je t'en prie. Je n'ai vraiment rien à faire ici, je me sens tout chose.

— Sûrement pas autant que moi hier, à sa réunion. Non, je vais aller voir la file des tazias. La plupart sont arrivées maintenant, et chaque année, il y a quelque chose de stupéfiant. L'an passé, il y en avait une qui avait la forme d'un paon à deux niveaux avec une tête de femme – et un demidôme pour rappeler que ça se voulait une tombe. Nous nous hindouisons.

— Si je t'accompagne pour voir les tazias, tu m'accompagneras au stand des boissons fraîches ?

— D'accord. »

Maan en eut vite assez des tazias, aussi remarquables qu'elles fussent. Autour de lui, les discussions s'enfiévraient pour déterminer la plus élégante, la plus élaborée, la plus coûteuse. « Je reconnais celle-ci », dit Maan en souriant. Il l'avait vue dans l'imambara de Baitar House.

« On s'en servira probablement pendant encore cinquante ans, dit Firoz. Je doute que nous ayons encore les moyens de faire fabriquer quelque chose de semblable.

— Viens, maintenant. Respecte ta part du marché.

— C'est bon. »

Ils se dirigèrent vers la baraque aux sorbets.

« Un tel manque d'hygiène – Maan, ne bois pas dans ces verres. »

Mais Maan, fendant la foule, tendait la main pour avoir un verre. La femme en noir en remplit un, le lui passa, et seulement alors le reconnut ; de stupeur elle lui en renversa la moitié sur les doigts.

« Excusez-moi, Monsieur, dit-elle à voix basse. Je vais vous en servir un autre. »

On ne pouvait pas se méprendre sur la voix. « Non, non, Madame, protesta Maan. Ne vous donnez pas ce mal. Ce qui reste dans le verre suffira à étancher ma soif, pourtant terrible. »

L'entendant parler, la femme au burqa marron se tourna vers lui, puis vers sa compagne. Maan sourit.

Si Bibbo ne fut pas trop surprise de le voir là, Saeeda Bai fut à la fois surprise et fâchée. Elle ne comprenait pas ce qu'il venait faire là, et la réponse désinvolte de Maan ne réussit qu'à augmenter sa colère. Pensant à la terrible soif des héros de Karbala – pris entre leurs tentes brûlant derrière eux et la rivière inaccessible devant eux – elle laissa éclater son indignation : « Je n'ai bientôt plus rien. Il y a une baraque à huit cents mètres d'ici. Je vous conseille d'y aller quand vous aurez fini votre verre. Elle est tenue par une femme d'une grande piété ; le sorbet y est plus doux, et la foule moins serrée. »

Et avant que Maan ait pu trouver une réponse convenable, elle s'intéressa aux trente autres assoiffés.

« Alors ? dit Firoz.

— Elle n'est pas contente.

— Ne te fais pas de bile, ça ne te va pas. Allons voir ce que le marché peut nous offrir. »

Maan regarda sa montre. « Je ne peux pas. Il faut que j'assiste au Bharat Milaap, ou mon neveu n'aura plus aucune considération pour moi. Pourquoi ne viendrais-tu pas ? C'est très touchant. Tout le monde est dans la rue, acclamant, pleurant et jetant des fleurs sur la procession. Rama et compagnie arrivent de la gauche, Bharat et compagnie de la droite. Et les deux frères tombent dans les bras l'un de l'autre à mi-chemin, juste devant la ville d'Ayodhya.

— J'imagine qu'il y a suffisamment de monde pour qu'on puisse se passer de moi. C'est loin ?

— C'est à Misri Mandi. A dix minutes de marche d'ici – tout près de chez Veena. Elle sera heureusement surprise de te voir.

— C'est ce que tu pensais à propos de Saeeda Bai », dit Firoz en riant. Main dans la main, ils traversèrent le bazar en direction de Misri Mandi.

15.10

Les processions du Bharat Milaap commencèrent à l'heure. Bharat n'ayant qu'à gagner les faubourgs de sa ville pour rencontrer son frère, il attendit que le pandit lui donne le signal du départ ; Rama, en revanche, avait un long voyage à faire pour atteindre Ayodhya, la capitale sainte – où il revenait triomphant après de nombreuses années d'exil ; c'est donc dès la tombée de la nuit qu'il quitta le temple situé à quelque huit cents mètres du lieu où les deux frères devaient enfin se trouver réunis.

Des guirlandes de fleurs, accrochées à quatre perches de bambou, festonnaient le périmètre de la scène, œuvre de toute la population du quartier ; des vaches, qui essayaient de manger les œillets d'Inde, se virent chassées par l'armée des singes. En général très bien accueillis – en tout cas libres d'aller et venir –, les pauvres ruminants durent se demander ce qui causait une telle baisse de leur popularité.

C'était un jour de joie pure et de fête ; qui célébrait non seulement les retrouvailles de Rama et Lakshman avec leurs frères Bharat et Shatrughan, mais aussi le retour du Seigneur qui allait régner sur son peuple d'Ayodhya et rétablir la justice dans le monde entier.

La procession sinuait dans les ruelles de Misri Mandi au son des tambours et des shehnais, et d'un discordant orchestre populaire. En tête venaient les lumières, cadeau de la Jawaharlal Light House, la société qui avait déjà fourni les yeux rouges des démons, la veille. De ce qui ressemblait à des ampoules recouvertes de tissu vaporeux émanait une lueur d'un blanc intense.

Mahesh Kapoor mit sa main en visière. Il se trouvait là en partie pour satisfaire le désir de sa femme, en partie parce qu'il songeait de plus en plus à rallier le Congrès et se disait qu'il fallait renouer ses liens avec sa vieille circonscription.

« Cette lumière est trop brillante, dit-il, elle va m'aveugler. Kedarnath, fais quelque chose, tu es un des organisateurs, non ?

— Baoji, attendez qu'ils soient passés, ça ira mieux après. » Kedarnath savait qu'une fois le défilé commencé, il n'y avait quasiment rien à faire. Mrs Mahesh Kapoor se couvrait les oreilles de ses mains, mais souriait néanmoins.

L'orchestre de cuivres était assourdissant, enchaînant chansons de films et mélodies religieuses. Les musiciens formaient un spectacle saisissant dans leurs pantalons rouges à lisérés blancs et leurs tuniques bleues à galons de coton dorés. Trompettes, trombones et cors, chacun jouait pour soi.

Ils étaient suivis des principaux fauteurs de bruit, les joueurs de tambour, qui avaient soumis leurs instruments à la chaleur de trois petits feux, près du temple, pour augmenter la dureté et la hauteur du son. Ils frappaient leurs salves à une vitesse incroyable, comme s'ils étaient devenus fous. Dès qu'ils reconnaissaient quelqu'un du Comité de la Ramlila, ils fonçaient sur lui, une démonstration qui ressemblait à du chantage, l'obligeant à leur donner des pièces et des billets. Bassin tendu, ils balançaient d'avant en arrière leur tambour accroché à la taille par une écharpe. Ils vivaient des jours heureux, réclamés à la fois par ceux qui fêtaient Dussehra et ceux qui observaient Moharram.

« D'où viennent-ils ? demanda Mahesh Kapoor.

— Quoi ?

— J'ai dit, d'où viennent-ils ?

— Avec ces satanés tambours, je ne vous entends pas.

— D'où viennent-ils ? hurla Mahesh Kapoor dans l'oreille de son gendre. Ils sont musulmans ?

— Ils viennent du marché – » brailla Kedarnath, ce qui revenait à admettre qu'ils l'étaient.

Avant même que n'apparaissent les swaroops – Rama, Lakshman et Sita – dans toute leur gloire et leur beauté, le maître du feu d'artifice sortit du sac volumineux qu'il avait en bandoulière un énorme paquet, en déchira le papier de couleur qui l'entourait, ouvrit la boîte en carton qu'il contenait et déroula un nouveau tapis rouge de cinq mille pétards, qui explosèrent en série. Sous l'effet du bruit et des lumières, les gens reculèrent, le visage enfiévré, se couvrant les oreilles de leurs mains ou y enfonçant un doigt. Si terrifiant était le bruit que Mahesh Kapoor décida que même l'obligation de se faire voir dans sa circonscription ne justifiait pas qu'il perdît l'ouïe et sa santé mentale.

« Viens, hurla-t-il à sa femme, on rentre. »

Incapable d'entendre un mot, Mrs Mahesh Kapoor continua à sourire.

Apparaissait maintenant l'armée des singes, Bhaskar inclus, et un grand frisson parcourut la foule : les swaroops n'allaient pas tarder à suivre. Les enfants se mirent à applaudir, les gens âgés se montrant les plus impatients, se rappelant peut-être le nombre de Ramlilas qu'ils avaient vu célébrer pendant leur vie. Certains enfants s'assirent sur un muret qui bordait le chemin, d'autres grimpèrent adroitement sur les corniches des maisons grâce à une prise ici, l'épaule d'un adulte là. Un père, embrassant le pied nu de sa petite fille de deux ans, la hissa sur le sommet plat d'une colonne décorative afin qu'elle ait une meilleure vue.

Enfin ils apparurent : le Seigneur Rama ; Sita dans son sari jaune ; et Lakshman, souriant, son carquois miroitant de flèches.

Les yeux des spectateurs se remplirent de larmes ; ils se mirent à lancer des fleurs sur les swaroops. Dégringolant de leurs perchoirs, les enfants suivirent la procession, psal-modiant « Jai Siyaram » et « Ramchandra ji ki jai ! », aspergeant les dieux de pétales de roses et d'eau du Gange. Les tambourineurs tambourinèrent de plus belle.

Rouge de contrariété, Mahesh Kapoor saisit la main de sa femme et la poussa de côté.

« Nous partons, lui hurla-t-il dans l'oreille. Tu m'entends ? J'en ai assez... Veena, ta mère et moi nous partons. »

Mrs Mahesh Kapoor regarda son mari d'un air stupéfait, incrédule, les yeux pleins de larmes à l'idée de ce dont il allait la priver. Elle avait vu une année le Bharat Milaap à Bénarès, et n'avait jamais oublié. La tendresse de la scène – quand les deux frères restés à Ayodhya se jetèrent aux pieds de leurs autres frères depuis si longtemps exilés – la masse de spectateurs – la dévotion dans les regards quand les petits personnages arrivèrent – tout lui restait en mémoire. Chaque fois qu'elle assistait au Bharat Milaap à Brahmpur, elle revoyait la scène dans tout son charme, ses merveilles et sa grâce. Non seulement au moment de la réunion des frères, mais dans le premier acte du Ram Rajya, le règne de Rama où, le temps de la violence et des factieux ayant disparu, les quatre piliers de la religion – vérité, pureté, pitié et charité – vont soutenir l'édifice du monde.

Elle se récita les paroles de Tulsidas qu'elle connaissait par cœur :

Attaché au devoir, le peuple suivit le chemin tracé par les Vedas, chacun selon sa caste et son stade de vie, et connut un bonheur parfait, débarrassé de la peur, du souci ou de la maladie.

« Attendons au moins que la procession ait atteint Ayodhya, supplia Mrs Mahesh Kapoor.

— Reste si tu veux, moi je m'en vais », aboya son mari ; abattue, elle le suivit, bien décidée à assister seule le lendemain au couronnement de Rama.

Pendant ce temps la procession continuait à progresser dans les ruelles tortueuses de Misri Mandi et des quartiers contigus. Lakshman marcha sur l'une des ampoules encore brûlantes de la Jawaharlal Light House et hurla de douleur. N'ayant pas d'eau sous la main, Rama ramassa des pétales de roses jetés sur son chemin et les appliqua sur la brûlure. Un grand soupir parcourut la foule à la vue de ce geste fraternel. Le maître du feu d'artifice lança quelques fusées vertes qui grondèrent avant d'exploser en une gerbe d'étincelles. Sur quoi Hanuman se mit à courir en agitant la queue, comme si cela lui rappelait ses activités d'incendiaire à Lanka, suivi par la foule des singes, jacassant et criant de joie. Ils atteignirent la scène aux guirlandes d'œillets d'Inde, devançant de deux cents mètres les trois principaux swaroops. Hanuman, encore plus rouge, grassouillet et gai que la veille, sauta sur la scène, bondit, gambada, dansa, puis en redescendit. Bharat, comprenant que Rama et Lakshman approchaient de la rivière Saryu et de la ville d'Ayodhya, se mit alors en marche vers la scène.

15.11

Soudain la procession de Rama s'arrêta, le bruit d'autres tambours, de terribles cris de désespoir, se fit entendre. Une vingtaine d'hommes essayaient de couper le défilé afin d'atteindre l'Imambara avec leur tazia. Certains se frappaient la poitrine, d'autres se lacéraient, en gestes convulsifs, avec des chaînes et des fouets aux lanières munies de canifs et de lames de rasoir. Ils avaient une heure et demie de retard sur l'horaire prévu – leurs tambourineurs s'étant trompés de procession – et ils tentaient désespérément d'atteindre leur destination. C'était la neuvième nuit de Moharram. Ils apercevaient au loin la flèche de l'Imambara environnée de lumières. Ils avançaient, les joues inondées de larmes...

« Ya Hassan ! Ya Hussein ! »« Ya Hassan ! Ya Hussein ! » « Hassan ! Hussein ! »« Hassan ! Hussein ! »

« Bhaskar, dit Veena à son fils qui lui étreignait la main, retourne à la maison immédiatement. Immédiatement. Où est Daadi ?

— Mais je veux voir – »

Il reçut une gifle, bien sèche, sur sa figure de singe. Levant sur sa mère un regard incrédule, il éclata en sanglots et s'éloigna.

Kedarnath s'était porté à l'avant pour parler avec les deux policiers qui accompagnaient la procession de la tazia. Sans se soucier de ce que penseraient les voisins, Veena s'approcha de lui et le tira par la main en disant :

« Rentrons à la maison.

— Mais il y a des problèmes ici – je devrais –

— Bhaskar est malade. »

Déchiré entre deux inquiétudes, Kedarnath céda.

Les deux policiers tentèrent de frayer un chemin aux porteurs de tazia, mais c'en fut trop pour le peuple de Misri Mandi, les citoyens de la ville sainte d'Ayodhya qui attendaient depuis si longtemps d'apercevoir le Seigneur Rama.

Comprenant le danger, les policiers ordonnèrent, supplièrent la procession de la tazia de rebrousser chemin, sans résultat. La troupe des affligés fonça à travers la cohorte des réjouis.

Cette abominable interruption – ces lamentations de fous qui semblaient tourner en ridicule le retour de Shri Ramachandra ji dans son foyer, vers ses frères et son peuple pour établir son règne de la perfection – était insupportable. Les singes qui l'instant d'avant gambadaient tout joyeux bombardèrent la tazia de fleurs, criant et grognant de colère, puis formèrent un cercle menaçant autour des intrus qui tentaient de traverser le chemin emprunté par Rama, Sita et Lakshman.

L'acteur jouant Rama avança de quelques pas, geste mi-agressif, mi-conciliant.

Une chaîne fendit l'air, il recula en titubant et s'effondra, gémissant de douleur, contre le montant d'une échoppe. Sur sa peau bleu foncé une tache rouge se forma et s'agrandit.

La folie s'empara de la foule. Ces musulmans assoiffés de sang venaient d'accomplir ce que toutes les forces de Ravana n'avaient pas réussi à faire. Ce n'était pas un jeune acteur, mais Dieu lui-même qui gisait là, blessé.

Arrachant un bâton à l'un des organisateurs, l'homme aux pétards chargea à la tête de ses congénères. Il ne fallut que quelques secondes pour que la tazia, filigrane de verre, de mica et de papier, résultat de plusieurs semaines de travail, s'éparpille fracassée sur le sol. On la bombarda de pétards auxquels on mit le feu, puis la foule la piétina, s'acharna sur elle à coups de lathi. Ses défenseurs frappèrent à leur tour avec couteaux et chaînes ces kafirs, sautant comme des singes, qui avaient osé profaner l'image sainte de la tombe du martyr.

Des deux côtés à présent le désir de tuer était le plus fort – quelle importance si eux aussi souffraient le martyre ? – la soif d'attaquer le mal intégral, de défendre ce qui leur était cher – quelle importance s'ils mouraient ? – soit pour recréer la passion de Karbala, soit pour réinstaller le Ram Rajya et débarrasser le monde des assassins, meurtriers de vaches, diables profanateurs de Dieu.

« Tuez ces bâtards – achevez-les – cette engeance du Pakistan – »

« Ya Hussein ! Ya Hussein ! » C'était devenu un cri de guerre.

On ne tarda pas à entendre, surmontant les cris de douleur et de terreur, les terribles hurlements du temps de la Partition – « Allah-u-Akbar » et « Har har Mahadeva ». Couteaux, javelots, haches et lathis avaient surgi des maisons environnantes, hindous et musulmans se tailladaient mutuellement les membres, les yeux, le visage, le ventre, la gorge. Des deux policiers, l'un était blessé dans le dos, l'autre réussit à s'enfuir. Mais c'était un quartier hindou et, après quelques minutes de cette boucherie, les musulmans s'enfuirent dans les ruelles adjacentes, qu'ils connaissaient mal. Certains furent poursuivis et tués, d'autres rebroussèrent chemin, d'autres encore se dirigèrent par des voies détournées vers l'Imambara – guidés par sa guirlande de lumières – vers le sanctuaire où ils trouveraient protection.

Bientôt les musulmans allaient se répandre dans d'autres quartiers de Brahmpur, incendiant les boutiques et massacrant tout hindou passant à leur portée, tandis qu'à Misri Mandi, trois des tambourineurs musulmans engagés pour le Bharat Milaap, qui n'étaient même pas chiites et ne s'intéressaient guère plus aux tazias qu'à la divinité de Rama, reposaient assassinés près du mur du temple, leur tambour fracassé, la tête à demi arrachée, leur corps inondé d'essence puis enflammé – tout cela, sans aucun doute, pour la plus grande gloire de Dieu.

15.12

Maan et Firoz flânaient dans Katra Mast, une des rues menant à Misri Mandi, quand Maan s'arrêta brusquement. Des sons leur parvenaient qui n'étaient pas ceux auxquels ils s'attendaient. Ni les lamentations d'une procession de tazia, ni les cris d'allégresse du Bharat Milaap, mais le grondement incohérent d'une foule que surmontaient des cris de douleur – ou des hurlements : « Har har Mahadeva. » Cette furieuse invocation de Shiva n'aurait pas paru déplacée la veille – aujourd'hui elle glaçait le sang.

Lâchant la main de Firoz, il le prit par les épaules et lui fit faire demi-tour. « Cours ! dit-il la bouche sèche de terreur, cours. » Firoz le fixa sans bouger.

La populace accourait vers eux, les bruits se rapprochaient. Maan regarda autour de lui : toutes les boutiques étaient fermées, rideaux baissés, il n'y avait pas de ruelle adjacente où se réfugier.

« Rebrousse chemin, Firoz. Va-t'en. On ne peut se cacher nulle part ici –

— Mais que se passe-t-il ? Ce n'est pas la procession ?

— Ecoute-moi, haleta Maan. Fais ce que je te dis. Cours ! Retourne vers l'Imambara. Je les retiendrai une ou deux minutes. Ça suffira.

— Je ne te quitte pas.

— Ne sois pas idiot, Firoz, c'est une populace hindoue. Je ne suis pas en danger, ce qui ne sera pas le cas si je vais avec toi. Dieu sait ce qui se passe là-bas. S'il y a des émeutes, ils vont tuer des hindous.

— Oh ciel – »

La foule arrivait sur eux, il était trop tard pour fuir.

Un jeune homme courait en tête, qu'on aurait pu croire ivre. La kurta déchirée, du sang coulant d'une blessure sur le côté, une lathi ensanglantée à la main, il fonça sur Firoz et Maan. Un groupe d'une vingtaine ou d'une trentaine d'hommes – c'était difficile à dire car il faisait noir – le suivait, armé d'épieux, de couteaux, de torches enflammées.

« Des musulmans – tuez-les –

— Nous ne sommes pas musulmans, protesta Maan, la voix aiguë de terreur.

— C'est facile à vérifier », ricana le jeune homme. Sur son beau visage – mince et imberbe – se lisaient la folie meurtrière, la haine. Qui était-il ? Et qui étaient ces gens ? Dans le noir, Maan ne reconnaissait personne. Qu'avait-il bien pu se passer pour que la paix du Bharat Milaap se transforme en émeute ? Soudain, comme par miracle, sa terreur se dissipa.

« Il n'y a rien à vérifier, dit-il d'une voix redevenue ferme. Nous avions peur car nous pensions que vous étiez des musulmans. On ne comprenait pas ce que vous criiez.

— Récite le mantra Gayatri. »

Maan se dépêcha de prononcer les syllabes sacrées. « Maintenant, partez – dit-il. Ne maltraitez pas des gens innocents. Poursuivez votre route. Jai Siyaram ! Har har Mahadeva ! »

Le jeune homme hésita.

Quelqu'un dans la foule cria : « L'autre est musulman. Sinon pourquoi serait-il habillé comme ça ?

— Oui, c'est sûr.

— Déshabillez-le.

— Voyons s'il est circoncis.

— Tuez-le, tuez le sacrificateur de vaches – coupez-lui la gorge, au niqueur de sa sœur.

— Qu'est-ce que tu es ? dit le jeune homme, poussant Firoz de sa lathi ensanglantée. Parle vite, avant que je te caresse la tête avec ça – »

Firoz recula en tremblant. Il ne manquait pas de courage en général, mais là, face à ces gens déchaînés, il ne pouvait même plus parler. « Je suis ce que je suis, réussit-il à articuler. Qu'est-ce qu'il vous faut d'autre ? »

Maan cherchait désespérément autour de lui un moyen de s'enfuir. Il savait que le temps n'était plus à la parole. A la lueur fantomatique des torches, il lui sembla reconnaître quelqu'un.

« Nand Kishor ! cria-t-il. Que fais-tu parmi ces gens ? N'as-tu pas honte ? Toi, un instituteur. » Le petit homme à lunettes se tut, l'air buté.

« La ferme – dit le jeune homme à Maan. Parce que tu aimes les queues circoncises, tu crois qu'on va laisser partir le musulman ? » Il poussa de nouveau Firoz de sa lathi, laissant une autre trace de sang sur le sherwani blanc.

Maan ignora l'interruption et continua à s'adresser à Nand Kishor. Il savait que les minutes leur étaient comptées – il était miraculeux qu'ils fussent encore vivants.

« Tu donnes des leçons à mon neveu Bhaskar. Il joue dans l'armée de Hanuman. C'est ça que tu lui apprends ? A attaquer des gens innocents ? C'est ce genre de Ram Rajya que tu veux fêter ? Nous ne faisons de mal à personne. Laissez-nous passer. Viens ! dit-il à Firoz en l'attrapant par les épaules. Viens. » Il essaya de se frayer un chemin dans la foule.

« Pas si vite. Tu peux y aller, sale traître, niqueur de ta sœur – mais pas lui », dit le jeune homme.

S'approchant de lui, Maan, soudain pris de rage, l'attrapa à la gorge.

« Niqueur de ta mère, gronda-t-il d'une voix basse qui s'entendit pourtant de loin. Sais-tu quel jour nous sommes ? Cet homme est mon frère, plus que mon frère, et aujourd'hui nous célébrions le Bharat Milaap. Si tu touches un cheveu de la tête de mon frère – un seul cheveu – le Seigneur Rama saisira ton âme immonde et l'enverra brûler en enfer – et tu renaîtras en serpent immonde, ce que tu es. Rentre chez toi lécher ton propre sang, niqueur de ta sœur, avant que je te casse le cou. » Il arracha sa lathi au jeune homme et, poussant Firoz devant lui, pénétra dans la foule qui, douchée par ses paroles, marqua un certain flottement. Avant qu'elle n'ait pu se ressaisir, Maan et Firoz avaient parcouru cinquante mètres jusqu'à un tournant.

« Maintenant, courons ! » dit-il.

Ils coururent comme des fous, sachant que leur vie en dépendait. Revenue de son hésitation, la populace, furieuse d'avoir laissé échapper sa proie, repartit à la chasse.

Il fallait, se dit Maan, qu'ils arrivent chez sa sœur en évitant à tout prix le chemin emprunté par la procession du Bharat Milaap. Qui sait quels fous ils allaient encore croiser ?

« Je vais essayer de retourner à l'Imambara, dit Firoz.

— Non, c'est trop tard. Tu ne peux plus rebrousser chemin et tu ne connais pas le quartier. Reste avec moi. Nous allons chez ma sœur. Son mari est membre du Comité de la Ramlila, personne n'attaquera leur maison.

— Mais je ne peux pas. Comment pourrais-je –

— Oh, la ferme ! Arrête avec tes scrupules ridicules. Il n'y a pas de purdah dans notre famille, grâce à Dieu. Franchis cette grille et pas un bruit. »

Ils se trouvaient au milieu d'une petite colonie de blanchisseurs et, quand ils l'eurent traversée, ils émergèrent dans la ruelle où habitait Kedarnath. A cinquante mètres à peine de l'endroit où l'on avait dressé la scène pour le Bharat Milaap. Dans ce voisinage presque exclusivement hindou, aucune foule musulmane ne s'aventurait.

Les deux garçons firent une entrée remarquée, Firoz avec son sherwani taché de sang, Maan agrippant la lathi ensanglantée. « Hai Ram ! Hai Ram ! » s'exclama horrifiée la vieille Mrs Tandon, portant la main à sa bouche.

« Firoz va rester avec nous jusqu'à ce qu'il puisse repartir en sécurité, dit Maan, regardant chacun tour à tour. Les émeutiers ne sont pas loin, mais personne ne songera à attaquer cette maison.

— Mais le sang – es-tu blessé ? » demanda Veena, s'adressant à Firoz.

Considérant le sherwani de Firoz et le bâton qu'il tenait toujours dans sa main, Maan éclata de rire. « Oui, c'est cette lathi qui l'a fait, mais pas moi – et ce n'est pas son sang. »

Firoz salua ses hôtes aussi courtoisement que son état de choc et le leur le lui permettaient.

Bhaskar, les joues toujours striées de larmes, regarda d'un air incertain Maan ranger le long bâton de bambou contre le mur.

« C'est le fils cadet du Nawab Sahib de Baitar », expliqua Maan à la vieille Mrs Tandon. Elle hocha la tête sans mot dire. Elle revoyait les jours de la Partition à Lahore, une terreur absolue s'était emparée de son esprit.

15.13

Firoz se débarrassa de sa longue veste et enfila un des ensembles kurta-pyjama de Kedarnath. Veena leur fit un thé très sucré. Au bout d'un moment, Maan et Firoz grimpèrent sur le toit, ce petit jardin encombré de fleurs et de plantes. Maan arracha une feuille de tulsi, qu'il se mit à mâchonner.

Ils contemplaient la ville, repérant les principaux bâtiments : la flèche de l'Imambara toujours resplendissante de lumières, celles du Barsaat Mahal, le dôme de l'Assemblée législative, la gare – et très loin la faible lueur du campus de l'université. Çà et là dans la vieille ville ce n'étaient pas les lumières qui éclairaient le ciel, mais des incendies. De la direction de l'Imambara leur parvenait le battement assourdi des tambours. Et ils entendaient des hurlements, plus ou moins distincts selon que le vent soufflait ou non vers eux, ainsi que des claquements qui auraient pu être ceux des pétards mais étaient plus probablement ceux des fusils de la police.

« Tu m'as sauvé la vie », dit Firoz.

Maan le serra contre lui. Il sentait la peur et la sueur.

« Tu aurais dû te laver avant de te changer. Toute cette course – Enfin, grâce à Dieu tu es sain et sauf.

— Maan je dois rentrer. Ils vont être fous d'angoisse à la maison. Ils vont risquer leur vie pour me chercher... »

Au même instant, les lumières de l'Imambara s'éteignirent.

« Qu'a-t-il bien pu se passer ?

— Rien. » Maan pensait à Saeeda Bai, se demandant si elle avait pu rejoindre Pasand Bagh.

Ils restèrent un moment sans parler. La nuit était chaude, agrémentée toutefois d'une légère brise.

A huit cents mètres environ vers l'ouest, une grande lueur à présent éclairait le ciel, à l'emplacement, situé dans une zone à majorité musulmane, d'un dépôt de bois qui appartenait à un commerçant hindou bien connu. D'autres incendies s'élevaient aux alentours. Les tambours s'étaient tus, on entendait très clairement les tirs intermittents. Maan, hébété, trop épuisé pour avoir peur, éprouvait un terrible sentiment d'isolement et d'impuissance.

Firoz ferma les yeux, comme pour effacer l'atroce vision de la ville en flammes, mais d'autres images de feu lui vinrent à l'esprit – les acrobates de la foire de Moharram sautant au milieu des flammes ; les bûches et les broussailles se consumant pendant dix jours dans la tranchée creusée à l'extérieur de l'imambara de Baitar House ; la lueur vacillante des bougies dans les candélabres de l'imambara du Fort, pendant qu'Ustad Majeed Khan chantait le raga Durbari et que son père hochait la tête de plaisir.

Il se leva soudain, tout agité.

D'un toit voisin, quelqu'un cria que le couvre-feu avait été décrété.

« Comment est-ce possible ? s'enquit Maan. Les gens

n'ont pas eu le temps de rentrer chez eux. Firoz, assieds-toi, ajouta-t-il.

— Je ne sais pas, répondit l'homme. On vient de l'annoncer à la radio, et que dans une heure la police a l'ordre de tirer à vue. D'ici là, elle ne tire qu'en cas de violence.

— Oui, ça se comprend, cria Maan à son tour, tout en se demandant s'il y avait quoi que ce soit de compréhensible désormais.

— Qui êtes-vous ? Qui est avec vous ? Kedarnath ? Tout le monde est sain et sauf dans votre famille ?

— Ce n'est pas Kedarnath – c'est un ami venu assister au Bharat Milaap. Je suis le frère de Veena.

— Vous avez intérêt à ne pas sortir cette nuit si vous ne voulez pas vous faire trancher la gorge par les musulmans – ou vous faire tirer dessus par la police. Quelle nuit ! Et cette nuit parmi toutes les autres.

— Maan, dit Firoz d'un ton pressant, je peux téléphoner ?

— Ma sœur n'a pas le téléphone.

— Un voisin alors. Il faut que j'appelle Baitar. Mon père s'y trouve, il va avoir entendu la nouvelle du couvre-feu et va s'affoler complètement. Imtiaz pourrait essayer de revenir et d'obtenir un laissez-passer. Si ça se trouve, Murtaza Ali a peut-être déjà envoyé des gens à ma recherche, ce qui est de la folie. Tu crois que tu pourrais téléphoner de chez un ami de Veena ?

— Il faut que personne ne sache que tu es là. Mais ne t'inquiète pas, je trouverai un moyen. Je vais en parler à Veena. »

Veena, elle aussi, gardait des souvenirs de Lahore, mais elle se souvenait surtout de ce qu'elle avait ressenti quand Bhaskar avait disparu, au Pul Mela, et comprenait très bien ce que pourrait éprouver le Nawab en apprenant que Firoz n'était pas rentré.

« Et si on essayait Priya Agarwal ? dit Maan. Je pourrais aller chez elle.

— Tu n'iras nulle part, lui intima Veena. Es-tu fou ? C'est à cinq bonnes minutes de marche. Non, moi j'irai chez la voisine dont j'utilise le téléphone en cas d'urgence. A deux toits d'ici. Tu l'as vue l'autre jour – c'est une brave femme, le seul ennui c'est qu'elle est viscéralement antimusulmane. Laisse-moi réfléchir. Quel est le numéro de Baitar House ? »

Maan le lui donna.

Veena monta sur le toit, traversa les deux toits voisins, descendit jusque chez sa voisine, téléphona, sous le regard inquisiteur de l'imposante et volubile matrone. L'appareil était dans la chambre à coucher. Veena lui dit qu'elle essayait de joindre son père.

« Mais je l'ai vu au Bharat Milaap, près du temple –

— Il a dû rentrer. Le bruit était trop fort pour lui. Sans compter la fumée qui n'était pas bonne pour ma mère. Ni pour les poumons de Pran – d'ailleurs il n'y est pas allé. Maan est chez moi – il a réussi à échapper à une bande de musulmans. »

Le téléphone n'étant pas automatique, Veena dut passer par une opératrice.

« Oh, vous n'appelez pas Prem Nivas ? remarqua la femme, qui connaissait le numéro pour avoir entendu Veena le demander souvent.

— Non, Baoji devait aller chez des amis ce soir. » A la voix qui décrocha, elle dit : « Je voudrais parler au Sahib.

— Quel Sahib ? Le Nawab Sahib ou le Burré Sahib ou le Chhoté Sahib ?

— N'importe lequel.

— Mais le Nawab Sahib est à Baitar avec le Burré Sahib, et Chhoté Sahib n'est pas encore revenu de l'Imambara. » La voix, celle d'un homme âgé – Ghulam Rasool en fait –, était agitée, entrecoupée. « On dit qu'il y a eu des troubles en ville, qu'on peut voir les incendies même du toit de cette maison. Je dois raccrocher. Il y a des mesures à prendre –

— Je vous en prie, attendez. Je parlerai à n'importe qui – le secrétaire du Sahib, ou quelqu'un d'autre de responsable. Passez-moi quelqu'un, je vous en prie. Je suis la fille de Mahesh Kapoor et j'ai un message urgent. »

Après quelques secondes de silence, elle eut Murtaza Ali au bout du fil. Choisissant avec soin ses mots, elle dit : « Je suis Veena, la fille de Mahesh Kapoor. J'appelle à propos du jeune fils du Sahib.

— Le Chhoté Sahib ?

— Exactement. Ne vous faites pas de souci. Il est sain et sauf et passera la nuit à Misri Mandi. Rassurez le Sahib.

— Dieu est miséricordieux !

— Il rentrera à la maison demain matin, quand le couvre-feu aura été levé. Que personne ne parte à sa recherche, n'aille au poste de police demander un laissez-passer, ou ne vienne ici – ou ne dise à quiconque qu'il est ici. Dites simplement qu'il est avec moi – avec sa sœur.

— Merci Madame, merci. Nous allions partir à sa recherche, avec des armes – ç'aurait été terrible – nous imaginions le pire –

— Je dois raccrocher maintenant. » Veena savait qu'elle aurait du mal à rester plus longtemps dans l'ambiguïté.

« Oui, oui, dit Murtaza Ali. Khuda haafiz.

— Khuda haafiz », répondit Veena, étourdiment, et elle raccrocha.

Sa voisine lui jeta un regard étrange.

Afin de couper court à toute conversation, Veena raconta qu'elle devait se dépêcher de rentrer pour soigner Bhaskar qui s'était tordu la cheville, nourrir Maan et son mari et calmer la vieille Mrs Tandon, perdue dans ses souvenirs du Pakistan.

15.14

En fait, elle trouva sa belle-mère au rez-de-chaussée, dans un véritable état d'égarement. Kedarnath était sorti, dans la nuit, pour essayer de calmer tous ceux qui, n'ayant pas entendu la nouvelle du couvre-feu, seraient encore dans la rue.

Veena faillit s'évanouir et elle dut s'appuyer au mur pour s'empêcher de tomber. Sa belle-mère finit par reprendre ses esprits. « Il a dit, murmura-t-elle, que par ici il n'y avait pas à craindre les musulmans. Il n'a pas voulu m'écouter. Il disait qu'on n'était pas à Lahore – qu'il serait vite de retour. Très vite. »

Veena se mit à trembler. C'était la phrase qu'aimait à répéter Kedarnath quand il partait pour ses interminables tournées de vente.

« Pourquoi ne l'avez-vous pas empêché ? s'écria-t-elle. Pourquoi Maan ne l'a-t-il pas arrêté ? » Elle était furieuse contre son mari, avec son héroïsme égoïste et irresponsable. Est-ce qu'ils n'existaient pas, Bhaskar, elle, sa mère ?

« Maan était sur le toit », dit la vieille dame.

Sur ce, Bhaskar arriva. Quelque chose le préoccupait depuis un moment.

« Pourquoi Firoz Maama avait-il tant de sang sur lui ? demanda-t-il. Est-ce que Maan Maama l'a battu ? Il a dit que non, mais il tenait la lathi à la main.

— Calme-toi, Bhaskar, dit Veena d'une voix désespérée. Remonte immédiatement. Remonte et recouche-toi. Tout va bien. Je suis là si tu as besoin de moi. »

Mais Bhaskar tenait à savoir ce qui se passait. « Rien, le rassura sa mère. Je dois faire un peu de cuisine – ne reste pas dans mes jambes. » Si Maan apprenait que Kedarnath était sorti, il irait à la recherche de son beau-frère, risquant les pires dangers. Kedarnath, du moins, connaissait les limites de la zone hindoue.

Elle fit réchauffer quelques plats à la hâte pour Maan et Firoz et les monta, s'arrêtant quelques secondes sur les marches afin de se donner bonne figure.

Maan sourit en la voyant.

« Il fait très doux, dit-il. Nous dormirons sur le toit. Avec un matelas et un léger édredon, ce sera parfait. Firoz a besoin de se laver, et moi aussi, je crois bien. Quelque chose ne va pas ?

— Il manque être tué et il me demande si quelque chose ne va pas ! »

Elle sortit un édredon d'une malle, et le secoua pour en faire tomber les feuilles séchées de margousier qui protégeaient les vêtements d'hiver contre les insectes.

« Attention, les fleurs de nuit attirent les bêtes.

— Nous serons parfaitement bien, dit Firoz. Je vous suis si reconnaissant.

— Dormez bien. » Et elle les quitta.

Kedarnath revint quelques minutes avant l'entrée en

vigueur du couvre-feu. Veena se mit à pleurer, refusant de lui parler. Elle enfouit son visage dans les mains couturées de son mari.

Maan et Firoz restèrent éveillés un bon moment, avec le sentiment que le monde s'effondrait sous eux. Les coups de feu avaient cessé, probablement en raison du couvre-feu, mais la lueur des incendies, surtout vers l'ouest, continuait à illuminer la nuit.

15.15

La nuit de Sharad Purnima, la plus scintillante nuit de l'année, Pran et Savita louèrent une barque et remontèrent le Gange pour contempler le Barsaat Mahal. Le couvre-feu avait été levé le matin même. Mrs Rupa Mehra leur avait pourtant déconseillé la promenade, ajoutant : « Ce n'est pas bon pour l'asthme de Pran. » D'après elle, son gendre devait se confiner à son lit et à son fauteuil à bascule.

Pran s'était rétabli peu à peu. Il ne pouvait pas encore jouer au cricket, mais avait repris des forces grâce à la marche, d'abord autour du jardin, puis en faisant quelques centaines de mètres, enfin en traversant le campus ou en longeant le Gange. Il avait évité les célébrations enfumées de Dussehra, il lui faudrait éviter les pétards de Divali. Il avait recommencé à donner ses cours, sous la surveillance de ses étudiants qui se montraient très protecteurs ; même ses collègues du comité de discipline s'efforçaient, malgré leur propre travail, de le décharger autant que possible.

Ce soir, en particulier, il se sentait beaucoup mieux.

« Ne vous inquiétez pas, Ma, dit-il à sa belle-mère. L'air du fleuve, plus que tout, me fera du bien. Il fait encore très doux.

— Ce ne sera plus le cas sur l'eau. Prenez chacun un châle. Ou une couverture. » Puis s'adressant à Lata : « Tu en as une mine ! Que se passe-t-il, tu as mal à la tête ?

— Non, Ma. Je t'en prie laisse-moi lire. » Elle pensait : Dieu merci Maan est sain et sauf.

« Qu'est-ce que tu lis ? insista sa mère.

— Ma !

— Bonsoir, Lata, bonsoir Ma, dit Pran. Ne laissez pas vos aiguilles à tricoter à portée de main d'Uma. »

Mrs Rupa Mehra grogna : elle détestait qu'on évoque de telles horreurs. Elle tricotait des chaussons pour le bébé en prévision de l'hiver.

Pran et Savita descendirent vers le fleuve, Pran devant avec une torche, tendant la main à Savita quand le chemin se faisait plus escarpé, l'avertissant de faire attention aux racines de banian.

Le batelier qu'ils engagèrent près du dhobi-ghat se trouva être celui qui avait transporté Lata et Kabir, quelques mois auparavant. Comme d'habitude, il demanda un prix exorbitant, que Pran fit légèrement baisser, mais il n'avait pas envie de marchander davantage. Il était heureux de se retrouver seul avec Savita.

Le niveau du fleuve était encore haut, une agréable brise soufflait.

« Ma avait raison – il fait froid – tu devrais te réchauffer contre moi, dit Pran.

— Tu ne veux pas me réciter un ghazal de Mast ? demanda Savita, cherchant du regard, après les ghats, plus loin que le Fort, la vague silhouette du Barsaat Mahal.

— Désolé, tu n'as pas épousé le bon frère.

— Non, je ne crois pas. » Elle nicha sa tête dans le creux de son épaule. « C'est quoi ce qu'on voit là-bas, avec des murs et une cheminée, après le Barsaat Mahal ?

— Je ne sais pas trop. Peut-être la tannerie, ou la fabrique de chaussures. Tout a l'air différent vu de ce côté, surtout la nuit. »

Ils se turent.

« Quelles sont les dernières nouvelles du front ? demanda Pran.

— Tu veux dire, Haresh ?

— Oui.

— Je ne sais pas. Lata devient si secrète. Mais il écrit, et elle répond. Tu dis qu'il t'a plu ?

— Oh, c'est difficile de juger quelqu'un sur une seule rencontre. A propos, je suppose que c'est ce qui va bientôt m'arriver.

— Bientôt !

— Les choses commencent réellement à progresser –

— Du moins à en croire le Pr Mishra.

— Non, non – dans un mois ou deux au plus tard les audiences auront lieu – quelqu'un qui travaille à l'état civil en a parlé à l'un des anciens assistants parlementaires de mon père – donc à la mi-octobre – » Son regard s'égara au-delà du ghat des crémations, lui faisant perdre le fil de sa pensée.

« Comme la ville a l'air calme, soupira-t-il. Et quand on pense que Maan et Firoz auraient pu être tués –

— Arrête.

— Pardon, chérie. Que disais-tu ?

— J'ai oublié.

— Dans ces conditions.

— Je crois que tu risques de devenir suffisant.

— Qui – moi ? » Il paraissait surpris plutôt qu'offensé. « Comment pourrais-je être suffisant ? Un humble universitaire au cœur malade, qui va souffler comme un phoque en remontant la pente à la fin de cette promenade.

— Bon, peut-être pas. N'importe, qu'est-ce que ça fait d'avoir une femme et un enfant ?

— Qu'est-ce que ça fait ? C'est merveilleux. »

Savita sourit, heureuse d'avoir récolté le compliment qu'elle cherchait.

« Voilà, c'est d'ici que vous aurez la meilleure vue, dit le batelier, enfonçant profondément sa perche dans l'eau. Je ne peux pas remonter davantage le courant. Le fleuve est trop haut.

— Et j'imagine que c'est très agréable d'avoir un mari et un enfant, enchaîna Pran.

— Oui. Ça l'est. C'est triste pour Meenakshi, ajouta-t-elle.

— Oui. Mais tu ne l'as jamais beaucoup aimée, n'est-ce pas ? »

Savita ne répondit pas.

« Est-ce que sa fausse couche t'a rapprochée d'elle ?

— Quelle question ! Attends, laisse-moi réfléchir. Je le saurai à l'instant même où je la reverrai.

— Ça ne me dit pas grand-chose d'aller passer le Nouvel An chez ton frère et ta belle-sœur, murmura Pran, goûtant, les yeux fermés, la brise légère.

— Je ne suis pas sûre qu'il y aura assez de place pour tout le monde à Sunny Park. Ma et Lata resteront à l'intérieur comme d'habitude. Et toi et moi nous pourrions camper dans le jardin, le bébé dans son berceau accroché à un arbre.

— Du moins, elle ne ressemble pas à ton frère, s'esclaffa Pran.

— Lequel ?

— L'un ou l'autre. Mais je pensais à Arun. Il faudra bien qu'ils nous mettent quelque part – je suppose chez les Chatterji. J'ai bien aimé ce garçon, comment s'appelle-t-il –

— Amit ?

— Non, l'autre – le saint homme amateur de whisky.

— Dipankar.

— Oui, c'est ça... En tout cas, tu le rencontreras quand nous irons à Calcutta en décembre.

— Mais je l'ai déjà rencontré. Et il n'y a pas longtemps. Au Pul Mela.

— Je voulais dire Haresh. Tu pourras le juger tout à loisir.

— Mais tu parlais de Dipankar –

— Vraiment ?

— Franchement, Pran, est-ce que tu pourrais essayer de ne pas t'égarer ainsi ? C'est très gênant. Je suis sûre que c'est ainsi que tu fais tes cours.

— Je suis un bon professeur. Mais si tu ne me crois pas, demande à Malati.

— Certainement pas. La dernière fois qu'elle a écouté un de tes cours, tu t'es évanoui. »

Le batelier commençait à se fatiguer de maintenir sa barque immobile contre le courant. « Vous voulez parler ou regarder le Barsaat Mahal ? demanda-t-il. Vous me payez en bon argent pour vous amener ici.

— Oui, oui, bien entendu, dit Pran, sans plus de précision.

— Vous auriez dû venir il y a trois nuits, reprit le batelier. Il y avait des incendies tout du long. C'était très beau à voir, l'odeur arrivait jusqu'ici. Et le lendemain, plein de cadavres sur le ghat. Beaucoup trop pour un seul ghat. Ça fait des années que la municipalité envisage d'aménager un autre ghat de crémation, mais ils ne pourront jamais décider où le mettre.

— Pourquoi ? ne put s'empêcher de demander Pran.

— Si c'est sur la rive de Brahmpur, il sera face au nord comme celui-ci. D'après la loi, il devrait être face au sud, dans la direction de Yama. Mais ça le mettrait sur l'autre rive, et ils devraient transporter les corps – et les passagers.

— Ils. Vous voulez dire vous.

— J'imagine. Je ne m'en plaindrais pas. »

Pran et Savita restèrent un moment à contempler le Barsaat Mahal, éclairé par la pleine lune, et que cette lumière rendait encore plus beau. La lune frémissait doucement dans l'eau.

Une barque les dépassa. Pran frissonna.

« Qu'y a-t-il, chéri ?

— Rien. »

Savita prit une pièce dans son sac, la mit dans la main de Pran.

« Je pensais à quel point tout cela a l'air paisible. »

Savita secoua la tête, et Pran se rendit compte qu'elle pleurait.

« Qu'est-ce que tu as ? Qu'est-ce que j'ai dit ?

— Rien. Simplement, je suis heureuse. Je suis si heureuse.

— Quelle étrange fille tu fais », fit Pran en lui caressant les cheveux.

Le batelier relâcha la pression sur sa perche, et la barque, à peine guidée, se mit à redescendre le courant. Tranquillement, ils se laissèrent porter par le fleuve sacré tombé sur terre afin que ses eaux puissent submerger les cendres des anciens morts, et qui continuerait à couler bien longtemps après que l'humanité, au prix de la haine et de la connaissance, se serait consumée elle-même.

Mahesh Kapoor avait vécu ces dernières semaines l'esprit déchiré. Cet homme aux idées si tranchées se débattait dans une tempête d'incertitude – ne sachant s'il devait ou non rejoindre les rangs du Congrès.

Trop d'arguments s'agitaient dans sa tête qui, lorsqu'ils cessaient de tourner, formaient une nouvelle configuration.

Les propos que lui avait tenus le Premier ministre d'Etat dans son jardin ; ceux du Nawab Sahib au Fort ; la visite à Prem Nivas du dissident qui s'était rallié au parti ; les conseils de Baba à Debaria ; le coup de force de Nehru ; le retour au bercail de Rafi Sahib ; la loi, sa bien-aimée loi, dont il voulait à tout prix empêcher la ruine ; l'opinion, non exprimée, mais manifeste de sa femme ; tout cela lui disait de réintégrer le parti qui avait constitué son foyer, jusqu'à ce que le désenchantement l'en chasse.

Certes les choses avaient changé depuis, encore que, à bien y réfléchir, on avait toutes les raisons de se demander jusqu'à quel point. Pouvait-il appartenir à un parti – éventuellement à un gouvernement – qui comprenait dans son sein des gens comme l'actuel ministre de l'Intérieur ? La liste en cours d'élaboration des candidats du Congrès dans l'Etat n'avait rien pour le réconforter. Pas plus qu'après sa conversation avec son ancien secrétaire parlementaire il ne pouvait s'abuser et prétendre que Nehru était devenu soudain un être de décision. Nehru qui n'était même pas capable de faire adopter son projet de loi favori. Au règne du compromis et de l'embrouille succéderait le règne du compromis et de l'embrouille.

Et cette indécision qu'il condamnait tant, n'en ferait-il pas preuve lui-même en revenant après sa rupture ? Lui, le défenseur des principes et de la fermeté, aurait retourné deux fois sa veste en quelques mois. Kidwai était revenu, mais pas Kripalani. Quelle était la voie la plus honorable ?

Assez, décréta Mahesh Kapoor. Quelle que soit sa décision, elle comporterait des éléments qu'il aurait du mal à supporter. Ce qu'il fallait, c'était examiner le cœur de l'affaire et dire Oui ou Non.

Certes, mais quel était le cœur, si tant est qu'il y en eût un ?

La loi sur les zamindars ? Sa crainte de la haine et de la violence entre communautés ? La perspective, délicieuse et tout à fait plausible, de devenir Premier ministre ? La crainte, en restant en dehors du Congrès, de perdre son siège à la Chambre – et de conserver sa pureté dans le désert ? Tous ces arguments, à l'évidence, allaient dans la même direction. Qu'est-ce qui le retenait, sinon l'incertitude et l'orgueil ?

Assis dans son petit bureau de Prem Nivas, il regardait, sans le voir, le jardin. Sa femme lui avait fait porter du thé, qu'il n'avait pas bu.

Elle vint elle-même lui en porter une autre tasse et dit : « Ainsi, tu as décidé de rejoindre le Congrès. C'est bien.

— Je n'ai rien décidé du tout, répliqua-t-il exaspéré. Qu'est-ce qui te fait croire ça ?

— Après que Maan et Firoz ont failli...

— Maan et Firoz n'ont rien à voir avec cette histoire. Ça fait des semaines que je réfléchis sans parvenir à une conclusion. »

Mrs Mahesh Kapoor remua le thé, posa la tasse sur la table, chose devenue plus facile depuis que celle-ci n'était plus encombrée de dossiers.

Mahesh Kapoor but en silence. Puis : « Laisse-moi seul. Je n'ai pas l'intention de discuter de ça avec toi. Ta présence me distrait. J'ignore d'où te viennent tes intuitions, mais elles sont encore moins fiables que l'astrologie. »

Moins d'une semaine après les émeutes de Brahmpur, le Premier ministre du Pakistan, Liaquat Ali Khan, fut assassiné lors d'une réunion publique qu'il tenait à Rawalpindi. La foule s'empara du meurtrier et le tua sur-le-champ.

A l'annonce de la nouvelle, le gouvernement de Brahmpur ordonna de mettre les drapeaux en berne, l'université exprima ses condoléances. Mesures qui eurent un effet apaisant sur une population encore très traumatisée.

Le Nawab, revenu dans l'intervalle à Brahmpur, connaissait bien Liaquat Ali, puisque aussi bien Baitar House que le Fort avaient servi de lieu de réunion aux chefs de la Ligue musulmane du temps de son père. Regardant des photographies de ces rencontres, parcourant la correspondance entre son père et Liaquat Ali, il se rendit compte – mais que pouvait-il y faire ? – qu'il vivait de plus en plus dans le passé.

La Partition avait été pour lui une tragédie multiple : nombre de ses connaissances, musulmans et hindous, avaient été tués, blessés, mutilés ; l'émigration avait fait éclater sa famille ; au nom des lois sur les biens des évacués, on avait essayé de lui arracher Baitar House ; la loi sur les zamindars, qui n'aurait jamais pu être votée dans une Inde unie, allait le priver de la plupart des terres entourant le Fort ; une grave menace pesait sur la langue de ses ancêtres et de ses poètes favoris ; même son patriotisme était mis en doute. Il remercia Dieu d'avoir encore des amis comme Mahesh Kapoor, il Le remercia de permettre à son fils d'avoir un ami comme le fils de Mahesh Kapoor. Il se sentait assiégé, assailli par les événements, tout en se disant que ce devait être bien pire pour ses coreligionnaires moins préservés que lui des duretés du monde.

Je me fais vieux, se dit-il, l'habitude de s'apitoyer continuellement sur soi est un signe de sénilité. Pourtant il ne pouvait s'empêcher de pleurer sur Liaquat Ali, homme pondéré et cultivé, ni de s'inquiéter pour le sort du Pakistan, bien qu'à une époque il eût détesté l'idée même de sa création. En l'occurrence, il ne s'agissait pour lui que du

Pakistan occidental. Là ou vivaient nombre de ses vieux amis, une bonne partie de sa famille, qui abritait les lieux dont le souvenir lui était le plus cher. La mort de Jinnah dans la première année d'existence du pays, celle de Liaquat Ali quatre ans après, auguraient mal de l'avenir du Pakistan qui avait besoin, avant tout, de dirigeants expérimentés et d'une action politique modérée, et qui semblait à présent privé des deux.

Tout à ces tristes pensées, le Nawab téléphona à Mahesh Kapoor pour l'inviter à déjeuner le lendemain.

« Je vous en prie, persuadez Mrs Mahesh Kapoor de vous accompagner. Je ferai venir de la nourriture de l'extérieur, bien entendu.

— C'est impossible. Cette folle va jeûner pour ma santé. C'est Karva Chauth, et elle ne mangera pas du lever au coucher du soleil. Ne boira même pas une goutte d'eau. Sinon, je mourrais.

— Ce serait très malheureux, Kapoor Sahib. Il y a eu trop de meurtres et de morts ces temps derniers. A propos, comment va Maan ?

— Toujours pareil. Mais j'ai arrêté de lui répéter trois fois par jour de retourner à Bénarès. Il y a quelque chose qui plaide en sa faveur.

— Beaucoup de choses plaident en sa faveur.

— Oh, votre garçon en aurait fait autant. Quoi qu'il en soit, j'ai réfléchi à ses conseils à propos de ma circonscription, et au vôtre, bien entendu.

— Et à la question des partis aussi, j'espère. »

Il y eut un grand blanc.

« Oui, oui, j'ai décidé de rejoindre le Congrès. Vous êtes le premier à l'apprendre.

— Présentez-vous à Baitar, Kapoor Sahib, dit le Nawab d'une voix joyeuse. Vous gagnerez, Inch'Allah – et avec l'aide de vos amis.

— Nous verrons, nous verrons.

— Donc, je vous attends demain pour déjeuner ?

— Oui, oui. Y a-t-il une raison particulière ?

— Aucune. Faites-moi simplement la faveur de m'écouter me plaindre et regretter le temps passé.

— D'accord.

— Transmettez mes salutations à la mère de Maan. » Le Nawab Sahib s'interrompit. Il aurait été plus correct de dire « la mère de Pran », ou même « la mère de Veena ». Se caressant la barbe, il reprit : « Mais, Kapoor Sahib, est-ce bien raisonnable de jeûner dans son état de santé ?

— Raisonnable ! Raisonnable ! Mon cher Nawab Sahib, vous employez un langage qui lui est étranger. »

15.18

Un langage qu'ignorait probablement aussi Mrs Rupa Mehra, qui s'arrêta de tricoter le jour de Karva Chauth. En fait, elle mit sous clef ses aiguilles à tricoter et toutes les autres aiguilles qui traînaient dans la maison. Pour une raison très simple. Savita jeûnait pour la santé et la longévité de son mari, et toucher une aiguille en un tel jour, même par inadvertance, serait désastreux.

Une année, une malheureuse jeune femme, affamée par son Jeûne, crut que la lune était levée alors que ses frères, inquiets pour elle, avaient simplement allumé un feu derrière un arbre. Quand elle découvrit le stratagème, elle avait déjà mangé un peu, et ne devait pas tarder à apprendre la mort soudaine de son époux. Il avait été percé de part en part par des milliers d'aiguilles. En pratiquant nombre d'austérités et d'offrandes aux déesses, la jeune veuve leur arracha la promesse de lui rendre son mari vivant à condition qu'elle respecte convenablement le jeûne l'année suivante. Chaque jour cette année-là elle ôta une à une les aiguilles du corps inanimé de son époux. La toute dernière, cependant, fut retirée le jour de Karva Chauth par une servante à l'instant même où son maître revenait à la vie. Comme ce fut la première femme qui s'offrit à sa vue quand il ouvrit les yeux, il crut qu'il lui devait sa renaissance. Il n'avait pas d'autre choix que de répudier sa femme et d'épouser la servante. On en conclut donc que les aiguilles le jour de Karva Chauth étaient particulièrement maléfiques : tu en touches une et tu perds ton mari.

Ce que Savita, fortifiée en matière de logique par l'étude du droit et ancrée dans la réalité par son bébé, pensait de tout cela, n'était pas évident. Mais elle observa Karva Chauth à la lettre, jusqu'à guetter l'apparition de la lune à travers un tamis.

Le Sahib et la Memsahib de Calcutta, pour leur part, considéraient Karva Chauth comme une idiotie crasse, et demeurèrent totalement insensibles aux objurgations de Mrs Rupa Mehra, suppliant Meenakshi – bien que brahmo par sa famille – d'observer la fête. « Vraiment Arun, dit Meenakshi, ta mère devient impossible. »

Ainsi s'écoulèrent une à une les fêtes hindoues, certaines observées avec ferveur, d'autres avec tiédeur, simplement remarquées ou totalement ignorées. Se succédèrent pendant cinq jours consécutifs, vers la fin octobre, Dhanteras, Hanuman Jayanti, Divali, Annakutam et Bhai Duj. Le lendemain, ce fut au tour de Pran de montrer un fervent respect religieux, l'oreille collée à la radio pendant des heures : c'était le jour du premier match international de la saison de cricket, opposant à Delhi l'équipe indienne et une équipe anglaise.

Une semaine plus tard, les dieux se réveillèrent enfin de leur assoupissement de quatre mois, ayant sagement dormi le temps d'une épreuve assommante et à très faible score.

15.19

Si le match Inde-Angleterre fut d'une monotonie extrême, on ne put en dire autant de celui qui opposa ce dimanche, sur le terrain de cricket de l'université, l'équipe universitaire et les Anciens Brahmpuriens.

Comptant deux blessés dans ses rangs, l'équipe universitaire n'était pas au mieux de sa forme. Quant aux Anciens

Brahmpuriens, composés des habituels joueurs récupérés ici et là et de deux anciens capitaines de l'équipe universitaire, ils n'avaient rien de renversant.

Au nombre des récupérés figurait Maan, parmi les non-blessés il y avait Kabir, et parmi les arbitres, Pran.

C'était une journée claire, lumineuse et fraîche de début novembre, avec une herbe drue et verte. L'ambiance était à la fête, les étudiants – à mille lieues de penser à leurs examens –, venus en masse, criaient, applaudissaient, bavardaient avec les joueurs éloignés du guichet, bref créaient autant d'excitation à l'extérieur que sur le terrain lui-même. Quelques professeurs s'étaient joints à eux.

Dont le Pr Durrani : il trouvait le cricket particulièrement enrichissant. Pour le moment, indifférent au fait que son fils venait de sortir Maan d'une balle à la jambe, il passait en revue les systèmes octal, hexadécimal, décimal et duodécimal, pour en peser les avantages respectifs.

Il interpella un de ses collègues :

« Intéressant, euh, ne trouvez-vous pas, Patwardhan, que le nombre six qui, bien que "parfait", a, euh, une existence éphémère en mathématiques – sauf, euh, en géométrie bien entendu, doive, hem, être le – le chiffre régulateur, pourrait-on dire, le chiffre suprême, hem, du cricket, vous ne trouvez pas ? »

Sunil Patwardhan ne trouvait rien, hypnotisé qu'il était par ce qui se passait sur le terrain. A peine entré, le nouveau joueur venait d'être sorti, expédié par la balle de Kabir, une balle tordue. Un rugissement d'enthousiasme s'éleva de la foule.

Le joueur suivant n'eut guère le temps de s'équiper. Le batteur qui l'avait précédé avait déjà regagné le pavillon lorsqu'il sortit, brandissant sa batte, l'air menaçant. C'était l'un des deux anciens capitaines, et il voulait bien être damné s'il allait faire un cadeau à Kabir. Il s'avança et son regard féroce enroba le lanceur, inquiet et nerveux, son partenaire à la batte, les piquets d'en face, l'arbitre et même quelques inoffensifs mainates.

Tout comme Arjun visant de sa flèche l'œil de l'oiseau invisible, Kabir fixa résolument son regard sur l'invisible piquet central de son adversaire. La balle traversa le ter-

rain, tout droit mais avec une lenteur trompeuse. Le batteur tenta de l'intercepter. En vain, le bruit sourd de la balle
sur la jambière évoquait le son étouffé du destin.

Onze voix hurlèrent de bonheur, et Pran, souriant, leva le
doigt.

Il fit un signe de tête à Kabir que congratulaient ses
coéquipiers. Sunil, pour marquer sa joie, exécuta quelques
pas de gigue, tout en regardant le Dr Durrani pour s'assurer
qu'il partageait le triomphe de son fils.

Sourcils montant et descendant, le Dr Durrani était en
pleine réflexion :

« Curieux pourtant, hem, Patwardhan, que le nombre,
euh, six soit incarné dans l'une des plus, euh euh, belles,
hem, formes de la nature : je veux dire, hem, bien entendu,
le noyau de benzène avec son unique et, euh, sa double
chaîne de carbone. Mais est-il, hem, réellement symétrique, Patwardhan, ou hem, asymétrique ? Ou asymétrique-
ment symétrique, peut-être, comme ces, euh, sous-super-
opérations du euh, du lemme de Pergol... pas exactement
comme, euh, le système, pas très satisfaisant, des pétales
d'un, hem, iris. Curieux, non ?...

— Très curieux », reconnut Sunil.

Savita disait à Firoz :

« Bien sûr, c'est différent pour vous Firoz, non pas parce
que vous êtes un homme, mais parce que, eh bien, vous
n'avez pas un bébé qui vous absorbe et vous distrait. Ou
peut-être que ça revient au même... Je parlais avec Jaya
Sood l'autre jour, et elle me disait qu'il y a des chauves-
souris dans les toilettes de la Haute Cour. Quand je lui ai dit
que cette idée me terrifiait, elle m'a répondu, "Si vous avez
peur des chauves-souris, au nom du ciel pourquoi faites-
vous du droit ?" Or, figurez-vous, jamais je ne l'aurais imaginé, je trouve le droit intéressant, vraiment intéressant.
Pas comme cet horrible jeu... ils n'ont pas marqué un point
depuis dix minutes... Oh zut, je viens de sauter une maille,
je m'engourdis toujours au soleil... Je ne comprends tout
simplement pas ce que Pran trouve dans ce jeu, pourquoi il

reste cinq jours l'oreille collée à la radio, sans plus se soucier de nous, et tient absolument à faire l'arbitre toute la journée en plein soleil, mais vous croyez que mes protestations ont le moindre effet ? "Rester au soleil me fait du bien", affirme-t-il... Et Maan : avant le déjeuner, il fait sept fois l'aller-retour d'un guichet à l'autre, maintenant, après le déjeuner, il fait le tour du terrain au pas de course, et voilà, et encore, et voilà : la journée du dimanche est terminée ! Vous êtes très raisonnable de vous en tenir au polo, Firoz – au moins, en une heure c'est fini – et vous avez pris de l'exercice. »

Firoz pensait à Maan :

Mon cher, mon très cher Maan, tu m'as sauvé la vie et je t'aime tendrement, mais si tu continues à bavarder avec Lata, ton capitaine laissera passer ton tour.

Maan parlait à Lata :

« Non, non, on peut parler, les balles ne viennent jamais de mon côté. Ils savent quel fantastique joueur je suis, alors ils m'ont placé ici sur la touche où il n'est pas question de louper une balle ou de la mettre hors jeu. Et si je m'endors, ça n'a pas d'importance. Tu sais quoi, je te trouve très belle aujourd'hui, non ne rougis pas. Je l'ai toujours pensé – le vert te va bien. Tu te fonds avec l'herbe comme... une péri ! une nymphe du paradis... A mon sens, ils n'ont aucune chance... Les Anciens Brahmpuriens n'ont pas gagné un match depuis dix ans. Ça sera une grande victoire ! Le seul danger est ce misérable Durrani toujours à la batte... Dès que nous nous serons débarrassés de lui, le tour sera joué. »

Lata pensait à Kabir :

> *O esprit de l'amour ! Si rapide et fougueux*
> *Que nonobstant ses capacités*
> *Personne ici ne se présente*
> *Qui ne s'affaisse et ne déchante...*

Quelques mainates siégeaient sur le terrain, la tête tournée vers les batteurs, et Lata, qu'assoupissait le bruit régulier de la batte contre la balle – mêlé à des acclamations –, se laissait pénétrer des doux, des chauds rayons de ce soleil de fin d'après-midi. Elle arracha un brin d'herbe et le passa doucement le long de son bras.

Kabir parlait à Pran :
« Merci ; non, la lumière est bonne, Dr Kapoor... oh, merci – c'était juste un coup de chance, ce matin... »
Pran pensait à Savita :
« Je sais, ton dimanche est gâché, ma chérie, mais dimanche prochain je ferai tout ce que tu voudras. Je le promets. Si tu veux, je tiendrai une énorme pelote de laine pendant que tu tricoteras vingt barboteuses pour le bébé. »

C'était maintenant l'avant-dernière balle, cinq points pour égaliser et six pour gagner. Chacun retint son souffle. Personne ne savait ce que Kabir avait l'intention de faire – pas même le lanceur d'ailleurs ! Kabir passa sa main gantée dans sa chevelure ondulée. Sur la ligne du lanceur, Pran lui trouva un air anormalement calme.

Sans doute le lanceur avait-il succombé aux tensions et à la frustration car, étonnamment, la balle suivante fut réceptionnée de plein fouet. Kabir, le sourire aux lèvres, l'expédia droit en l'air, de toutes ses forces, et la suivit du regard dans sa sereine parabole jusqu'à la victoire. Un murmure, pas encore tout à fait une acclamation, se fit entendre dans les rangs, qui se transforma en onde triomphale.

Mais alors que Kabir contemplait la balle, il arriva une chose épouvantable. Maan, qui lui aussi fixait la petite boule rouge, bouche ouverte, comme en transe, placé à l'extrémité du terrain, fut tout étonné, soudain, de découvrir la balle dans le creux de sa main.

Les acclamations firent place au silence, puis à un grondement collectif et enfin à un cri inattendu de victoire de la part des Anciens Brahmpuriens. Les joueurs ahuris hochaient la tête et se serraient la main. Et Maan fit cinq cabrioles de joie dans la direction des spectateurs.

Quel toqué ! se dit Lata en regardant Maan. Je devrais peut-être m'enfuir avec lui le 1er avril prochain.

« Qu'est-ce que tu en dis ? Qu'est-ce que tu en dis ? » demanda Maan à Firoz en l'étreignant, avant de repartir en flèche vers son équipe pour se faire acclamer comme le héros du jour.

Firoz vit Savita hausser les sourcils. Il haussa les siens en retour.

« Toujours éveillée – ou presque », dit Savita, souriant à Pran qui revenait du terrain, quelques minutes plus tard.

Un chic type – beaucoup de cran, pensa Pran en voyant Kabir se détacher de ses amis et se diriger vers eux, sa batte sous le bras. Quel dommage...

« Un coup de veine », murmura Kabir d'un ton dégoûté en passant devant Lata pour regagner le vestiaire.

15.20

La saison des fêtes hindoues était à peu près terminée. Il ne manquait plus que celle de Kartik Purnima, observée à Brahmpur avec plus de dévotion que partout ailleurs en Inde. La pleine lune de Kartik intervient à la fin du troisième des mois où il convient particulièrement de s'immerger ; et comme Brahmpur est construite au bord du plus sacré des fleuves, nombreux sont les gens pieux qui, pendant tout le mois, se baignent une fois par jour, prennent un seul repas, vénèrent le tulsi et suspendent des lampes, placées dans de petits paniers, à l'extrémité de perches de bambou pour guider les âmes des morts à travers le ciel. Les Puranas le disent bien : « Ce que l'on obtenait à l'Age de la Perfection en faisant des austérités pendant cent ans, on l'obtient en se baignant dans les Cinq Fleuves durant le mois de Kartik. »

Peut-être pourrait-on dire aussi que Brahmpur attache une importance particulière à cette fête à cause du dieu dont elle porte le nom. Selon un commentateur du Mahabharata du dix-septième siècle : « Tous célèbrent la fête de Brahma, qui a lieu à l'automne quand le blé commence à pousser. » A Pushkar, le plus grand sanctuaire actuel de Brahma dans toute l'Inde (celui, en tout cas, d'une réelle signification à l'exception de Gaya et – peut-être – Brahmpur), c'est à l'époque de Kartik Purnima que se tient la grande foire aux chameaux et qu'arrivent des dizaines de milliers de pèlerins. Dans le temple, ses dévots enduisent l'image de Brahma de peinture orange et la décorent de paillettes, comme celle des autres dieux. Il se peut que la particulière observance de cette fête à Brahmpur soit une relique de l'époque où, ici, dans sa propre ville, l'on vénérait Brahma comme un dieu de bhakti, un dieu de dévotion personnelle, rôle dans lequel le supplanta ensuite Shiva – ou Vishnu, dans l'une ou l'autre de ses incarnations.

Une relique, c'est bien tout ce qu'il est, car durant la majeure partie de l'année, personne n'imaginerait la présence de Brahma à Brahmpur. Ce sont ses rivaux – ou ses collègues – de la Trinité qui occupent le devant de la scène. Le Pul Mela ou le temple de Chandrachur célèbrent la puissance de Shiva, soit en qualité de source du Gange soit comme le grand ascète sensuel symbolisé par le linga. Quant à Vishnu : l'existence notable de nombreux dévots de Krishna (tels que Sanaki Baba) et la célébration fervente (par les semblables de Mrs Mahesh Kapoor) de Janamashtami témoignent de sa présence en tant que Krishna ; quant à sa présence en tant que Rama, elle est indubitable non seulement durant le Ramnavami au début de l'année mais durant les neuf nuits qui culminent avec Dussehra, périodes où Brahmpur se situe sur une île de célébrants de Rama au milieu d'une mer de célébrants de la déesse, qui s'étend du Bengale au Gujarat.

Pourquoi Brahma, l'Auto-Manifesté, celui qui est Né-de-l'œuf, et préside au sacrifice, le Créateur Suprême, le vieux dieu aux quatre faces qui a mis en mouvement le triple monde, a-t-il subi une éclipse au cours des siècles, voilà qui n'est pas clair. A une époque, Shiva lui-même, dans le Mahabharata, s'humilia devant lui. Mais à la date des derniers Puranas, pour ne rien dire des temps modernes, son influence avait décru jusqu'à n'être plus qu'une ombre.

Peut-être est-ce parce que – contrairement à Shiva, Rama, Krishna, Durga ou Kali – son nom n'a jamais été associé à la jeunesse, à la beauté ou à la terreur, ces sources de dévotion personnelle. Peut-être se situe-t-il beaucoup trop au-dessus de la souffrance et du désir pour satisfaire l'aspiration à un idéal humain identifiable ou à un intercesseur – quelqu'un qui descendrait sur terre pour souffrir avec le reste de l'humanité afin d'établir le règne de la vertu. Peut-être certains mythes dont il est l'objet – celui, par exemple, qui attribue la naissance de l'humanité à l'inceste de Brahma avec sa propre fille – furent-ils trop difficiles à accepter tout au long des siècles et compte tenu de l'évolution des mœurs.

A moins qu'il ne soit tombé en défaveur parce que, lassé d'être pris pour un robinet que l'on ouvre et que l'on ferme selon qu'on a ou non besoin de lui, il ait fini par refuser de fournir ce que lui réclamaient des millions de mains tendues. Il est rare que le sentiment religieux soit totalement transcendant, et les hindous, autant que quiconque, peut-être même plus que quiconque, aspirent à des bienfaits terrestres et pas seulement post-terrestres. Nous voulons des résultats spécifiques, qu'il s'agisse de guérir un enfant ou de lui garantir de bons résultats à ses examens d'entrée dans l'administration, de nous assurer de la naissance d'un fils ou de trouver un parti convenable pour une fille. Nous allons au temple avant d'entreprendre un voyage pour nous faire bénir par la déité que nous avons choisie, et faisons sanctifier nos livres de comptes par Kali ou Saraswati. A Divali, les mots « shubh laabh » – heureux profits – apparaissent sur les murs de toutes les boutiques que l'on vient de reblanchir, tandis que sur une affiche, Lakshmi, la déesse tutélaire, assise sur son lotus, sereine et belle, sourit et d'un de ses quatre bras fait pleuvoir des pièces d'or.

Certains, principalement des shivaïtes et des vishnuïtes, affirment que Brahmpur n'a rien à voir avec le dieu Brahma – que le nom est une déformation de Bahrampur ou Brahmanpur ou Berhampur ou quelque autre nom de ce genre, islamique ou hindou. Mais il convient de répudier ces théories. Pièces de monnaie, inscriptions, documents historiques et récits de voyageurs, de Hsuen Tsang à

Al-Biruni, de Babur à Tavernier, sans parler des voyageurs britanniques, prouvent à l'évidence l'origine ancienne du nom de la ville.

Mentionnons au passage que de Brumpore, orthographe imposée par les Anglais, on revint à la transcription plus phonétique quand l'Etat lui-même changea son nom en Purva Pradesh à la suite de l'ordonnance de 1949 qui prit effet quelques mois avant l'application de la Constitution.

Certains, enfin, se fourvoient jusqu'à affirmer que le nom de Brahmpur est une variante de Bhrampur – la cité de l'illusion ou de l'erreur. A ceux-là, on ne peut faire qu'une seule réponse : il y aura toujours des gens désireux de croire n'importe quoi, même le plus improbable, par esprit de contradiction.

15.21

« Pran chéri, s'il te plaît éteins cette lumière. »

Le bouton se trouvait près de la porte.

Pran bâilla. « J'ai trop sommeil, dit-il.

— Mais je ne peux pas dormir la lumière allumée.

— Et si j'étais resté travailler dans l'autre pièce. Tu ne l'aurais pas éteinte toi-même ?

— Bien sûr, chéri, mais tu es le plus près de la porte. »

Pran se leva, alla éteindre, tituba vers son lit.

« Dès que le cher Pran apparaît, dit-il, on lui trouve quelque chose à faire.

— Tu es si adorable.

— Evidemment ! N'importe qui l'est du moment qu'il rend service. Mais quand Malati Trivedi me trouve adorable...

— Tant que ce n'est pas l'inverse... »

Et ils s'endormirent.

Le téléphone sonna à deux heures du matin.

La sonnerie persistante finit par percer leurs rêves. Pran

se réveilla en sursaut, le bébé se réveilla et se mit à pleurer, Savita le calma.

Pran trébucha vers l'autre pièce, prit le combiné.

« Allô ? Allô, Pran Kapoor à l'appareil. »

A l'autre bout du fil, il y eut un bruit de respiration puis une voix rauque disant :

« Bien ! Ici Marh.

— Oui ? » Pran secoua la tête pour rassurer Savita qui s'était approchée et, quand elle sortit, referma la porte derrière elle.

« C'est Marh. Le Raja de Marh.

— Oui, oui, je comprends. Que puis-je faire pour vous, Votre Altesse ?

— Vous le savez très bien.

— Je suis désolé, mais si c'est à propos de l'expulsion de votre fils, je ne peux rien vous dire. Vous avez reçu une lettre de l'université –

— Vous – vous – savez-vous qui je suis ?

— Parfaitement, Votre Altesse. Maintenant il est plutôt tard –

— Ecoutez-moi si vous ne voulez pas qu'il vous arrive quelque chose – ou à quelqu'un qui vous est cher. Vous annulez cet ordre.

— Votre Altesse, je –

— A cause d'une espièglerie – et je sais que votre frère est dans le même cas – mon fils me dit qu'il l'a secoué pour faire tomber l'argent de ses poches pendant qu'il jouait – vous allez dire à votre frère – à votre voleur de père –

— Mon père ?

— Toute votre famille mérite une leçon – »

Le bébé se remit à pleurer.

« C'est votre enfant ? » demanda le Raja d'une voix furieuse.

Pran ne répondit pas.

« Vous m'entendez ?

— Votre Altesse, je voudrais oublier cette conversation. Mais si vous me rappelez à une heure pareille sans raison, ou si vous me menacez encore, je me verrai obligé d'en aviser la police.

512

— Sans raison ? Vous expulsez mon fils pour une facétie –

— Votre Altesse, il ne s'agissait pas d'une facétie. Les autorités universitaires l'ont clairement indiqué dans leur lettre. Participer à une émeute n'est pas une facétie. Votre fils a de la chance d'être encore en vie et en liberté.

— Il doit avoir son diplôme. Il le doit. Il s'est baigné dans le Gange – c'est un snaatak maintenant.

— C'était quelque peu prématuré, remarqua Pran, s'efforçant de ne pas laisser paraître son mépris. Et ne comptez pas que votre détresse pèsera sur la décision du comité. Bonne nuit, Votre Altesse.

— Pas si vite ! Je sais que vous avez voté pour l'expulsion.

— Là n'est pas la question – Je lui ai déjà évité des ennuis, mais –

— C'est tout à fait la question. Quand mon temple sera achevé – savez-vous que c'est mon fils, mon fils que vous essayez de martyriser, qui conduira les cérémonies – et que la colère de Shiva – »

Pran raccrocha. Il resta assis à la table de la salle à manger, fixant l'appareil et secouant la tête.

« Qui c'était ? demanda Savita, quand il revint au lit.

— Oh, personne, un fou qui voulait faire admettre son fils à l'université. »

15.22

Le parti du Congrès s'attela à la sélection des candidats. Les comités électoraux y passèrent tout octobre et tout novembre, tandis que les fêtes se succédaient, que les émeutes éclataient et se calmaient, et qu'à l'aube les flocons blanc-orange tombaient doucement des branchages.

District par district ils choisirent ceux qui auraient l'investiture du Congrès pour les assemblées législatives locales et pour le Parlement. Au Purva Pradesh, le comité, fermement guidé par L.N. Agarwal, fit de son mieux pour écarter les « dissidents » de la compétition, usant à cet effet de tous les arguments imaginables – procéduriers, techniques, personnels.

Avec une moyenne de six candidats pour chaque siège à pourvoir, il n'était pas difficile d'orienter la décision vers quelqu'un de sa propre sensibilité politique sans avoir besoin d'avoir recours à des procédés frauduleux trop voyants. Le bureau du comité siégea pendant des semaines, dix heures par jour, pesant caste et statut social, argent et nombres d'années passées dans les geôles britanniques. Considérant surtout la faction à laquelle le candidat appartenait et les chances qu'il (très rarement elle) avait de l'emporter. L.N. Agarwal fut très safisfait de la liste, non moins que S.S. Sharma, heureux d'avoir récupéré le populaire Mahesh Kapoor, mais soucieux d'éviter que celui-ci n'entraîne à sa suite une trop longue cohorte de partisans.

Finalement, guettant l'approbation du Premier ministre et des comités de Delhi qui éplucheraient sa liste, le comité électoral du Purva Pradesh fit un geste remarqué en direction des dissidents en invitant trois de leurs représentants (dont Mahesh Kapoor) à ses réunions des deux derniers jours. La vue de la liste laissa les trois hommes stupéfaits. Elle ne comprenait quasiment personne de leur groupe. On avait même éliminé les députés en fonction, du moment qu'ils appartenaient à la faction minoritaire. Mahesh Kapoor ne disposait plus de sa circonscription urbaine et se voyait refuser Rudhia – promise à un membre du Parlement de Delhi qui avait décidé de rejoindre l'Assemblée législative de son Etat. Si Mahesh Kapoor n'avait pas quitté le Congrès (lui dit-on), on n'aurait pas ainsi disposé de son siège, mais maintenant il était trop tard. Néanmoins au lieu de l'obliger à accepter une circonscription de leur choix, les gens du comité se montreraient accommodants et le laisseraient choisir parmi les sièges non encore attribués.

Le matin du second jour, les trois dissidents écœurés, au sortir de la salle, qualifièrent ces réunions de dernière heure de sinistre farce destinée à duper Delhi, à lui faire croire qu'on les avait consultés. Le comité électoral de son côté déclara à la presse qu'il avait sincèrement recherché l'avis des dissidents, dans un esprit de conciliation.

Au groupe des dissidents furieux s'ajouta celui des cinq candidats non retenus sur les six se présentant, et tout ce petit monde en appela à l'arbitrage des comités de Delhi.

Delhi, où les choses ne s'arrangeaient pas. Nehru, parmi d'autres, était dégoûté de voir cette soif non déguisée de pouvoir, cette volonté de blesser, cette insouciance de l'effet d'un tel comportement sur le parti lui-même, qui caractérisèrent les opérations de pointage et de repêchage. Toutes sortes de candidats et de partisans assiégeaient les bureaux du parti, glissaient des pétitions dans des mains influentes et déblatéraient les uns sur les autres. Même les vieux tâcherons du Congrès, qui avaient passé des années en prison et tout sacrifié à leur pays, léchaient les bottes des jeunes employés du bureau électoral pour essayer d'obtenir un siège.

Quoique du côté des dissidents, son écœurement devant un tel étalage général d'égoïsme, d'ambition et de cupidité empêchât Nehru de les soutenir comme il convenait, de mener un combat répugnant avec les forces retranchées de la machinerie de l'Etat. Chez les dissidents, l'inquiétude alternait avec l'optimisme. Il leur semblait parfois que Nehru, épuisé par sa précédente bataille, serait heureux de quitter la politique et de se retirer parmi ses roses et ses livres. A d'autres moments, le Premier ministre se jetait avec fureur sur ces fameuses listes. On crut un temps qu'une liste présentée par les dissidents du Purva Pradesh allait remplacer la liste officielle soumise par le comité électoral. Mais à la suite d'une conversation avec S.S. Sharma, Nehru changea une nouvelle fois d'avis. Sharma, en fin psychologue qu'il était, avait offert d'accepter la liste indésirable et même de faire campagne pour elle si c'était ce que Nehru voulait, mais dans ce cas il demandait à être relevé de ses fonctions de Premier ministre ou de tout autre poste au gouvernement. Or, cela, Nehru n'en voulait en aucun cas. Sans l'aide des partisans personnels de Sharma, sans son habileté à forger une coalition et à mener une campagne, le Congrès au Purva Pradesh connaîtrait de graves ennuis.

Si longue avait été cette lutte pour la sélection des candidats à tous les échelons que les résultats ne furent connus à Delhi que deux jours avant la date limite de la publication des noms au Purva Pradesh. Des jeeps sillonnèrent le pays, les lignes télégraphiques bourdonnèrent avec frénésie, les candidats se précipitèrent de Delhi à Brahmpur ou de Brahmpur vers les circonscriptions qui leur avaient été attribuées. Deux d'entre eux furent même forclos, l'un parce que ses partisans tinrent tellement à l'étouffer sous les guirlandes d'œillets d'Inde tout le long du chemin menant à la gare qu'il manqua son train. Quand l'autre, après s'être trompé à deux reprises de bureau, finit par trouver le bon et fonça en brandissant ses papiers de nomination, il était quinze heures et deux minutes. Il fondit en larmes.

Il ne s'agissait là que de deux circonscriptions. Le pays dans son ensemble en comprenait près de quatre mille. Chacune à présent avait son candidat et le parti ses symboles. Le Premier ministre avait déjà fait quelques visites rapides ici et là pour parler au nom du Congrès ; bientôt le Purva Pradesh aussi allait entrer sérieusement en campagne.

Et finalement ce serait les électeurs qui compteraient, l'immense foule des bon chic bon genre et des pouilleux, sceptique et crédule, jouissant du suffrage universel, six fois plus nombreuse que celle qui avait pu voter en 1946. Ce serait la plus grande élection à s'être jamais déroulée sur terre. Un sixième de la population mondiale.

Eliminé de Misri Mandi et de Rudhia (Ouest), Mahesh Kapoor avait réussi à se faire sélectionner comme candidat du Congrès à Salimpur/Baitar. Un résultat qu'il n'aurait jamais imaginé six mois auparavant. Désormais, à cause de Maan, de L.N. Agarwal, du Nawab, de Nehru, de Bhaskar, de S.S. Sharma, de Jha et probablement d'une centaine d'autres facteurs, il allait se battre pour sa carrière politique et pour ses idéaux dans une circonscription où il était un quasi-étranger. C'est peu de dire qu'il était inquiet.

Seizième partie

A la vue de Malati entrant au Danube Bleu, le visage de Kabir s'éclaira. Il avait déjà bu deux tasses de café, et il en commanda une troisième. Derrière les vitres couvertes de givre, les réverbères de Nabiganj éclairaient d'une lueur brillante mais floue les formes indistinctes des passants.

« Ainsi, vous êtes venue.

— Oui. Bien sûr. J'ai reçu votre mot ce matin.

— Ce n'est pas une mauvaise heure pour vous ?

— Pas pire qu'une autre. Oh, ça n'est pas très gentil. Ce que je voulais dire, c'est que la vie est si agitée que je me demande pourquoi je ne m'effondre pas. Quand je vivais à Nainital, très loin des gens que je connais, j'avais la paix.

— Ça ne vous ennuie pas d'être assise dans un coin ? On peut changer, si vous voulez.

— Non, j'aime mieux ça.

— Bien. Que prenez-vous ?

— Juste une tasse de café. Je dois aller à un mariage. C'est pourquoi je suis sur mon trente et un. »

Malati portait un sari de soie verte à large bordure vert foncé et or. Elle était ravissante. Ses yeux semblaient d'un vert plus profond que d'habitude.

« J'aime votre toilette, dit Kabir, impressionné. Vert et or, c'est éblouissant. Et ce collier avec ces petites choses vertes et ce dessin cachemire.

— Ces petites choses vertes sont des émeraudes, répliqua Malati, avec un petit rire indigné mais ravi.

— Oh, vous voyez, je ne suis pas très habitué à tout ça. En tout cas, c'est adorable. »

Le café arriva. Ils le burent en parlant de choses et

d'autres, des photographies de la pièce, qui étaient bien sorties, des stations de montagne qu'ils connaissaient, de patinage et d'équitation, des récents événements politiques y compris les émeutes. L'aisance de Kabir, sa gentillesse, sa beauté aussi surprenaient Malati. Maintenant qu'il n'était plus Malvolio, on pouvait plus facilement le prendre au sérieux. D'un autre côté, depuis qu'il avait été Malvolio, elle éprouvait pour lui une sorte de sentiment de solidarité, comme entre membres d'une même confrérie.

« Saviez-vous qu'il y a plus de neige et de glace en Inde que dans n'importe quel autre endroit du globe à l'exception des pôles ?

— Vraiment ? dit Malati. Non, je l'ignorais. Mais il y a des tas de choses que j'ignore. Par exemple, la raison de ce rendez-vous. »

Kabir fut bien obligé d'en venir au fait.

« C'est à propos de Lata.

— Ça ne m'étonne qu'à moitié !

— Elle ne veut pas me voir, ne répond pas à mes lettres. Comme si elle me haïssait.

— Bien sûr que non, ne soyez pas aussi mélodramatique. Je crois qu'elle tient à vous, mais vous connaissez le problème.

— Je n'arrête pas de penser à elle, je me demande toujours si elle ne va pas rencontrer quelqu'un d'autre, tout comme elle m'a rencontré moi – qu'elle finira par aimer mieux que moi. Alors je n'aurai plus aucune chance. Je suis complètement à plat, ce n'est pas une plaisanterie. J'ai dû faire cinq fois le tour du terrain de l'université hier, pensant la trouver là – ou là – le banc, la descente vers le fleuve, les marches à l'extérieur de la salle d'examens, le terrain de cricket, l'auditorium – vraiment elle m'obsède. C'est pourquoi je veux que vous m'aidiez.

— Moi ?

— Oui. C'est difficile à expliquer, vous savez. Avec elle, j'éprouvais un sentiment de joie – de bonheur, que je ne connaissais plus depuis au moins un an. Mais ça n'a pas duré. Dites-lui que je m'enfuirai avec elle si elle veut – non, c'est ridicule, dites-lui... Pourquoi se comporte-t-elle ainsi, elle n'est même pas croyante. » Il reprit son souffle. « Je n'oublierai jamais son expression quand elle a compris que j'étais Malvolio ! Bref, je m'en remets à vous.

— Que puis-je faire ? » Malati eut envie de lui caresser les cheveux. Il semblait lui attribuer un pouvoir absolu sur Lata, ce qui était plutôt flatteur.

« Vous pouvez vous faire mon avocate.

— Mais elle vient de partir pour Calcutta avec sa famille.

— Oh, encore Calcutta ? Ecrivez-lui alors.

— Pourquoi l'aimez-vous ? » Elle lui jeta un regard pensif. En l'espace d'une année, le nombre des amoureux de Lata était passé de zéro à au moins trois. A ce rythme, il atteindrait la douzaine l'année prochaine.

« Pourquoi ? Pourquoi ? Parce qu'elle a six doigts. Je ne sais pas pourquoi je l'aime, Malati. Mais là n'est pas la question. Vous m'aiderez ?

— D'accord.

— Tout ça a un effet étrange sur mon jeu au cricket. Je fais plus de six, mais je sors plus tôt. Quand j'ai su qu'elle regardait le match, j'ai bien joué contre les Anciens Brahmpuriens. Bizarre, non ?

— Très, dit Malati, limitant son sourire à ses yeux.

— Je ne suis pas vraiment un demeuré, vous savez, répliqua-t-il, vexé de son air amusé.

— J'espère bien que non ! » Pour le coup, Malati rit franchement. « Bon, je vais lui écrire à Calcutta. Restez dans le jeu. »

16.2

Arun avait réussi à cacher à sa mère les préparatifs de la petite réception qu'il voulait donner pour son anniversaire. Il avait invité à prendre le thé quelques vieilles dames – les amies de Mrs Rupa Mehra avec qui elle jouait au rummy – et poussé la gentillesse jusqu'à ne pas inviter les Chatterji.

Mais Varun vendit la mèche. N'en pouvant plus de préparer ses examens d'entrée dans l'administration – il estimait en avoir absorbé pour dix ans – il entendait résonner dans ses oreilles le bruit des sabots des chevaux : la saison d'hiver avait commencé.

Un jour qu'il étudiait le programme des courses, il laissa échapper : « Mais je ne pourrai pas y aller parce que c'est le jour de ta réception – oh zut ! »

Mrs Rupa Mehra leva la tête de son tricot – 3, 6, 10, 3, 6, 20 – « De quoi s'agit-il, Varun ? Tu vas me faire tromper. Quelle réception ?

— Rien, je me parlais à moi-même, Ma. Mes amis donnent, euh, une fête et ça se passera en même temps qu'une réunion de courses. » Le soulagement de s'en être si bien sorti se peignit sur son visage.

Préférant après tout qu'on lui réserve la surprise, Mrs Rupa Mehra n'insista pas. Mais elle eut beaucoup de mal à dissimuler son excitation dans les jours suivants.

Le matin de son anniversaire, elle ouvrit toutes les cartes (les deux tiers illustrées de roses) et les lut une par une à Lata, Savita, Pran, Aparna, sans oublier le bébé. (Meenakshi avait trouvé une excuse pour y échapper.) Puis se plaignant d'avoir les yeux fatigués, elle demanda à Lata de les lui relire. Celle de Parvati disait ceci :

> Très chère Rupa,
> Ton père et moi te souhaitons des millions de bonheurs à l'occasion de ton anniversaire, et espérons que tu te rétablis bien à Calcutta.
> Kishy se joint à moi pour te souhaiter aussi à l'avance la Bonne Année.
>
> Avec ma plus grande affection
> PARVATI SETH.

« Et de quoi suis-je censée me rétablir ? s'interrogea Mrs Rupa Mehra. Non, je ne veux pas relire celle-ci. »

L'après-midi, Arun partit tôt de son bureau. Il alla chercher le gâteau qu'il avait commandé chez Flury, ainsi que d'autres pâtisseries et des petits pâtés. Tandis qu'il attendait à un feu rouge, il remarqua un homme qui vendait des roses par douzaines. Abaissant sa vitre, il lui en demanda le prix, lequel lui parut si extravagant qu'il s'empressa de remonter sa vitre en insultant le bonhomme.

La voiture avança, Arun pensa à sa mère et faillit dire au chauffeur de s'arrêter. Mais non ! Pas question de revenir sur ses pas et de marchander avec ce vendeur.

Toujours aussi furieux, il se rappela un collègue de son père, de dix ans plus âgé, qui s'était récemment suicidé, alors qu'il venait de prendre sa retraite. Un soir, son domestique lui avait monté son verre sans le poser sur un plateau. Fou de rage, le vieux monsieur avait hurlé, appelé sa femme et lui avait ordonné de renvoyer le domestique sur-le-champ. Ce genre de chose s'étant déjà produit bien souvent, la femme dit au serviteur de redescendre, promit à son mari qu'elle ferait le nécessaire le lendemain, et lui conseilla, d'ici là, de boire son whisky. « Tu ne t'intéresses qu'à tes domestiques », lui dit-il. Elle-même redescendit et, comme à son habitude, alluma la radio.

Quelques minutes plus tard, un coup de feu retentit, suivi d'un autre. Elle trouva son mari baignant dans une mare de sang. Le premier coup lui avait arraché l'oreille, le second lui avait traversé la gorge.

En apprenant la nouvelle, personne chez les Mehra n'avait pu comprendre la raison d'un tel acte, Mrs Rupa Mehra moins que quiconque, elle qui avait connu l'homme. Personne sauf Arun. Il savait, lui, que la rage fonctionne ainsi. Il lui arrivait, dans sa colère, de vouloir se tuer ou tuer quelqu'un d'autre, et peu lui importait ce qu'il disait ou faisait.

Une fois encore, Arun pensa à ce qu'aurait été sa vie si son père n'était pas mort. Certainement beaucoup plus insouciante qu'elle ne l'était aujourd'hui – avec toute la famille à soutenir financièrement ; Varun à placer quelque part, puisqu'il était problable qu'il ne réussirait pas ses examens ; Lata à marier à un garçon convenable avant que Ma ne lui fasse épouser ce Haresh.

Mais à présent, il était arrivé chez lui. Il fit porter ses achats à la cuisine puis, l'air guilleret, souhaita de nouveau bon anniversaire à sa mère. Emue aux larmes, elle le pressa dans ses bras. « Tu es revenu de bonne heure juste pour moi », s'exclama-t-elle. Il remarqua néanmoins, ce qui l'intrigua, qu'elle portait son beau sari de soie fauve. Mais quand les invités arrivèrent, elle manifesta l'étonnement et la joie qui convenaient.

« Et je ne suis même pas habillée convenablement – mon sari est tout fripé ! Oh, Asha Di, c'est si gentil à vous d'être venue – quel amour a été Arun de vous inviter – et moi qui ne me doutais de rien, de rien ! »

Asha Di était la mère d'une des anciennes passions d'Arun, et Meenakshi s'empressa de lui raconter à quel point Arun s'était domestiqué. « Il passe la moitié de ses soirées par terre, à faire des puzzles avec Aparna. »

La soirée fut pleinement réussie. Mrs Rupa Mehra mangea plus de gâteau au chocolat que son docteur ne l'aurait souhaité. Arun lui dit qu'il n'avait pas réussi à trouver des roses malgré tout le désir qu'il en avait.

Après le départ des invités, Mrs Rupa Mehra se mit à ouvrir ses cadeaux, tandis qu'Arun, sans prévenir Meenakshi, repartait en voiture essayer de retrouver le vendeur de fleurs.

En découvrant le cadeau d'Arun et Meenakshi, Mrs Rupa Mehra fondit en larmes, profondément blessée. Il s'agissait d'une coûteuse boîte de laque japonaise, que quelqu'un avait offert à Meenakshi, laquelle, Mrs Rupa Mehra l'avait entendue, s'était récriée : « Quelle horreur, mais je suppose que je pourrai toujours la donner à quelqu'un d'autre ! »

Mrs Rupa Mehra, quittant le salon, se retira dans sa petite chambre, où elle demeura assise sur son lit, une expression traquée sur le visage.

« Qu'y a-t-il, Ma ? demanda Varun.

— Mais la boîte est très belle, Ma, dit Savita.

— Tu peux la garder si ça te chante, sanglota Mrs Rupa Mehra. Ça m'est égal d'avoir ou non des fleurs, je sais ce qu'il ressent, quel amour il a pour moi, vous pouvez dire ce que vous voulez, moi je sais. Maintenant sortez, je veux rester seule. »

L'incrédulité les figea sur place – c'était comme si Garbo avait décidé de participer au Pul Mela.

« Oh, Ma fait vraiment la difficile, dit Meenakshi. Arun la traite beaucoup mieux qu'il ne me traite moi.

— Mais, Ma – hasarda Lata.

— Toi aussi, va-t'en. Je le connais, il est comme son père.

Malgré son caractère, ses accès de colère, ses crises, son côté tatillon, il a un grand cœur. Mais Meenakshi, avec son style, ses mercis, ses au-revoir, son rire élégant, ses boîtes de laque, ses Chatterji de Ballygunge, ne se soucie de personne. Et de moi encore moins.

— C'est exact, Ma, dit Meenakshi. Si vous n'arrivez pas à pleurer du premier coup, essayez encore, n'hésitez pas. »

Impossible ! se dit-elle en sortant de la chambre.

Mrs Rupa Mehra hocha la tête.

Lentement, l'air tourmenté, ses enfants quittèrent la pièce.

Mrs Rupa Mehra se remit à pleurer. Personne ne la comprenait, aucun de ses enfants, aucun, pas même Lata. Elle ne voulait plus avoir d'autre anniversaire. Pourquoi son mari l'avait-il laissée, elle qui l'aimait tant ? Plus jamais personne ne l'enlacerait comme un homme enlace une femme, ne l'encouragerait comme on encourage un enfant, cela faisait huit ans qu'il était mort, bientôt cela en ferait dix-huit, bientôt vingt-huit.

Elle avait rêvé d'une vie joyeuse, dans sa jeunesse. Mais sa mère était morte et elle avait dû s'occuper de ses cadets. Son père avait toujours été insupportable. Elle avait connu quelques heureuses années de mariage, et puis Raghubir lui aussi était mort, la laissant veuve et accablée de charges.

La colère la saisit contre son défunt mari, qui lui apportait une brassée de roses rouges à chaque anniversaire, contre le destin, contre Dieu. Quelle justice y a-t-il en ce monde, se dit-elle, quand je dois passer mes anniversaires de naissance, notre anniversaire de mariage, dans une solitude que même mes enfants ne peuvent comprendre ? Sortez-moi de cet horrible monde, pria-t-elle. Simplement le temps de voir cette stupide Lata mariée, Varun installé dans un emploi, mon premier petit-fils, et je mourrai heureuse.

Dipankar sortit de sa cabane dans le jardin, au bout d'une petite heure de méditation, fort d'une décision concernant la prochaine étape de sa vie. Cette décision était irrévocable, sauf changement d'idée.

Le vieux jardinier et son assistant, joyeux garçon court sur pattes et au teint sombre, étaient à l'œuvre parmi les roses. Dipankar s'arrêta pour leur parler, et eut droit à une litanie de plaintes. Le fils du chauffeur, un gamin de dix ans, s'était de nouveau livré à des déprédations ; il avait décapité les quelques chrysanthèmes encore en fleur qui poussaient contre la clôture séparant le jardin des quartiers des domestiques. L'envie démangea Dipankar, nonobstant sa méditation et sa non-violence, de flanquer une raclée au chenapan. Parler au père n'avait servi à rien ; en fait c'est la mère qui régentait la famille, et elle laissait son fils agir à sa guise.

Cuddles bondit vers Dipankar, aboyant comme un fou. Son maître lui lança un bâton, qu'il rapporta derechef en réclamant des caresses : chien lunatique, tour à tour meurtrier et aimant. Un mainate dépenaillé tenta de fondre en piqué sur Cuddles ; Cuddles n'en eut cure.

« Je peux l'emmener promener, Dada ? » demanda Tapan, au pied de la véranda. Depuis son retour à la maison pour les vacances d'hiver, Tapan paraissait encore plus déboussolé qu'il ne l'était d'habitude après le long voyage en train.

« Oui bien sûr. Tâche de ne pas croiser Pillow... Qu'est-ce qui ne va pas, Tapan ? Ça fait quinze jours que tu es revenu, et tu as l'air toujours aussi malheureux. Je sais que depuis une semaine tu n'appelles plus Ma et Baba "Madame" et "Monsieur" – »

Tapan sourit.

« – mais tu continues à éviter tout le monde. Viens m'aider au jardin si tu ne sais pas quoi faire, mais ne reste pas dans ta chambre à lire des bandes dessinées. Ma dit qu'elle a essayé de te parler et que tu affirmes qu'il n'y a rien, que simplement tu ne veux plus jamais retourner à l'école. Pourquoi ? Qu'est-ce qui ne va pas avec Jheel ? Je sais que tu as eu des migraines ces derniers mois, et que c'est très douloureux, mais ça pourrait arriver n'importe où –

— Je n'ai rien. » Tapan gratta de son poing la tête à poils blancs de Cuddles. « R'voir, Dada. On se voit au déjeuner. »

Dipankar bâilla. La méditation avait souvent cet effet sur lui. « Et même si tu as eu un mauvais bulletin de notes ? Celui du trimestre dernier n'était pas très bon non plus, et tu ne te comportais pas ainsi. Tu n'as pas passé une seule journée avec tes amis de Calcutta.

— Baba a été très sévère quand il a vu mon bulletin. »

Si les garçons accordaient beaucoup d'importance aux reproches modérés du juge Chatterji, les filles les traitaient avec la plus totale désinvolture.

Dipankar réfléchit. « Peut-être devrais-tu méditer un peu. »

Une expression de dégoût se peignit un instant sur le visage de Tapan. « J'emmène Cuddles, dit-il. Il a l'air fatigué.

— Je te parle. Je ne suis pas Amit, tu ne peux pas m'avoir avec de fausses excuses.

— Désolé, Dada.

— Monte dans ma chambre. » D'avoir été « préfet » à Jheel avait inculqué à Dipankar un certain sens de l'autorité – qu'il exerçait à présent d'une manière plutôt rêveuse.

« Même les plats favoris de Bahadur, continua-t-il dans l'escalier, semblent ne plus te plaire. Il a dit hier que tu l'avais rembarré. C'est un vieux serviteur.

— Je suis désolé. » Tapan avait effectivement l'air malheureux et, maintenant qu'il se trouvait dans la chambre de Dipankar, presque piégé.

Il n'y avait pas de chaise, juste un lit, une grande variété de tapis (y compris des tapis de prière bouddhistes), et un grand tableau peint par Kuku, représentant les marais des Sundarbans. L'unique rayonnage supportait des livres religieux, quelques manuels d'économie et une flûte rouge en bambou – dont Dipankar, quand l'humeur l'y poussait, tirait avec ferveur des sons tout à fait discordants.

« Assieds-toi sur ce tapis, dit-il en indiquant un morceau

de tissu bleu carré avec un cercle mauve et jaune au milieu. Et maintenant, de quoi s'agit-il ? Ça a quelque chose à voir avec l'école, je le sais, mais ce ne sont pas tes notes.

— Ce n'est rien, s'écria Tapan d'un ton désespéré. Dada, pourquoi ne puis-je pas partir ? Je n'aime pas cet endroit. Pourquoi je n'irais pas à St Xavier, ici, à Calcutta, comme Amit Da ? On ne l'a pas envoyé à Jheel.

— Ma foi, si tu veux. » Dipankar haussa les épaules.

Amit était déjà bien avancé à St Xavier, se rappela-t-il, quand des collègues du juge Chatterji lui avaient si chaudement recommandé Jheel qu'il avait décidé d'y envoyer son second fils. Dipankar s'y était plu, y avait réussi mieux même que ses parents ne s'y attendaient, et tout naturellement on y avait mis Tapan.

« Quand j'ai dit à Ma que je voulais partir, elle s'est fâchée et m'a dit d'en parler à Baba – et je ne peux pas parler à Baba. Il va me demander mes raisons. Et il n'y en a pas. Je déteste cet endroit, c'est tout. C'est pourquoi j'ai eu tous ces maux de tête. A part ça, je ne suis pas un incapable.

— La maison te manque ?

— Non – je veux dire, pas vraiment.

— Quelqu'un t'a maltraité ?

— S'il te plaît, laisse-moi partir. Je ne veux pas parler de ça.

— Non, je veux t'aider Tapan, mais tu dois me raconter ce qui s'est passé. Je te promets de ne pas le répéter. »

Désolé, il s'aperçut que Tapan avait pleuré et que maintenant, furieux contre lui-même, il essuyait ses larmes en jetant des regards de reproche à son frère aîné. Pleurer à treize ans est mortifiant. Dipankar entoura Tapan de ses bras et, petit à petit, au milieu des sanglots, de cris, de longs silences, l'histoire émergea, et ce n'était pas une histoire plaisante, même pour Dipankar qui savait pourtant, depuis son séjour à Jheel, qu'on pouvait s'attendre à beaucoup de choses.

Une bande de trois garçons plus âgés s'en était prise à Tapan. Dirigée par le capitaine de l'équipe de hockey, qui était en même temps le préfet en second de l'internat. Obsédé sexuellement par Tapan, il l'obligeait chaque nuit, pendant des heures, à faire des culbutes sur la véranda, c'était ça, disait-il, ou bien il en faisait quatre, nu, dans son bureau. Sachant ce que cela signifiait, Tapan avait refusé. Parfois il devait sauter devant tout le monde sous prétexte d'un grain de poussière sur ses chaussures, parfois il devait courir autour du lac (d'où l'école tirait son nom) pendant une heure ou deux, jusqu'à ce qu'il soit sur le point de s'effondrer – pour aucune autre raison que la lubie du préfet. Protester n'aurait servi à rien, puisque l'insubordination entraînait ses sanctions spécifiques. Parler au préfet de l'internat était inutile – la solidarité entre puissants lui aurait valu de nouvelles tortures. En référer au directeur de l'école, un authentique idiot avec ses chiens, sa belle épouse et son « laissez-moi vivre en paix », aurait catalogué Tapan parmi les mouchards – chassé et fui même par ceux qui pour le moment se montraient compatissants. Ses pairs, souvent, ne résistaient d'ailleurs pas à l'envie de le taquiner sur l'obsession de son puissant admirateur, sous-entendant que Tapan y prenait un secret plaisir.

D'un physique râblé, Tapan n'hésitait pas à employer ses poings ou sa langue acérée, la langue Chatterji, pour se défendre ; mais la combinaison de grandes et de petites cruautés avait eu raison de lui.

Dipankar connaissait d'expérience les faibles ressources dont dispose un garçon de treize ans face à trois brutes de dix-sept investies d'un pouvoir absolu. Mais il n'imaginait pas ce qui allait suivre, le pire, dont Tapan, presque incohérent dans sa détresse, fit le récit.

L'un des sports nocturnes de la bande des trois était la chasse aux civettes, qui couraient sous le toit de leur internat. Ils leur fracassaient la tête, les dépiautaient puis, sautant le mur avec la complicité du veilleur de nuit, allaient les vendre pour leur peau et leurs glandes à sécrétion. Ayant découvert que Tapan était terrifié par ces bêtes, ils prenaient un plaisir particulier à lui faire ouvrir les malles dans lesquelles les animaux morts étaient empilés. Fou furieux, Tapan se ruait sur les garçons, les poings en avant. Ce qu'ils trouvaient aussi très réjouissant puisque cela leur permettait de le peloter par la même occasion.

Un jour ils ligotèrent la civette encore vivante et, forçant Tapan à regarder, firent chauffer une barre de fer avec laquelle ils lui tranchèrent la gorge de part en part. Puis ils jouèrent avec son larynx.

Dipankar resta sans bouger, presque paralysé d'horreur. Tapan tremblait, secoué de haut-le-cœur.

« Fais-moi sortir de là, Dada – je n'y passerai pas un autre trimestre – je sauterai plutôt du train – tous les matins quand la cloche sonne, je souhaite être mort. Un jour je le tuerai. » Il y avait une telle haine dans la voix de Tapan que Dipankar en eut la chair de poule. « Je n'oublierai jamais son nom, je n'oublierai jamais son visage, je n'oublierai jamais ce qu'il a fait. Jamais. Pourquoi ne m'as-tu pas dit que cette école était comme ça ?

— Mais – elle n'était pas comme ça pour moi – dans l'ensemble mes années d'école n'ont pas été déplaisantes. La nourriture était mauvaise, les omelettes ressemblaient à des cadavres de lézards, mais – Je suis désolé, Tapan. Je vivais dans un autre internat et – eh bien les temps changent. Mais ton chef d'internat devrait être sacqué immédiatement. Quant à ces garçons, on devrait – Il y a toujours eu des bandes pour terroriser les plus jeunes, même de mon temps, mais ça – Est-ce que d'autres garçons subissent le même traitement ?

— Non – enfin il s'en est pris à un autre, et après une semaine de traitement, le garçon a cédé. Il a accepté d'aller dans son bureau.

— Ça dure depuis combien de temps ?

— Depuis plus d'une année, mais ça a empiré quand on l'a nommé préfet. Ces deux derniers trimestres –

— Pourquoi ne me l'as-tu pas dit plus tôt ? »

Tapan ne répondit pas, puis il supplia :

« Dada, promets-moi, je t'en supplie promets-moi que tu ne le diras à personne.

— Je le promets. Non, attends ; il faut que je prévienne Amit.

— Non ! »

Tapan révérait Amit et ne supportait pas l'idée qu'il puisse entendre de telles horreurs.

« Tu dois me faire confiance, Tapan. Nous devons réussir à convaincre Ma et Baba de te retirer de l'école sans leur donner de détails. Moi tout seul je n'y arriverai pas. Amit et moi, à nous deux, nous y parviendrons. Je le dirai à Amit, mais à personne d'autre. C'est promis. »

Tapan acquiesça de la tête, se leva, se remit à pleurer et se rassit.

« Tu veux te laver la figure ? »

Tapan fit signe que oui, et gagna la salle de bains.

16.4

« J'écris, dit Amit, sèchement. Va-t'en. » Il leva les yeux de son bureau à cylindre, et les rabaissa aussitôt.

« Dis plutôt à ta Muse de s'en aller, Dada, et de revenir quand nous aurons fini. »

Amit fronça les sourcils. Pour que Dipankar se montre si brusque, il fallait qu'il se passe quelque chose. Mais il sentait son inspiration le fuir, et il ne cacha pas son mécontentement.

« Qu'y a-t-il ? Comme si les interruptions de Kuku ne suffisaient pas. Elle est venue me raconter je ne sais déjà plus quoi à propos de Hans, une chose si gentille qu'il avait faite... Il fallait absolument qu'elle le dise à quelqu'un, et tu étais dans ta cabane. Bon, de quoi s'agit-il ?

— D'abord, les bonnes nouvelles. J'ai décidé d'entrer dans une banque. Par conséquent, ta Muse pourra continuer à te rendre visite. »

Amit sauta de son siège et lui serra les mains.

« Tu ne parles pas sérieusement !

— Si. Pendant que je méditais aujourd'hui, ça m'est apparu clairement. Une limpidité de cristal. C'est irrévocable. »

Amit fut si soulagé qu'il ne lui demanda même pas ses raisons. De toute façon, il les aurait exprimées sous forme d'abstractions majuscules et incompréhensibles.

« Et ça restera irrévocable combien de temps ? »

Dipankar parut blessé.

« Bon, je suis désolé, s'excusa Amit en recapuchonnant

son stylo. Tu ne fais pas ça pour moi, n'est-ce pas ? Un sacrifice sur l'autel de la littérature ? » Amit avait un air reconnaissant et penaud.

« Non, affirma Dipankar, pas du tout. » Ce qui n'était pas totalement vrai ; l'effet de sa décision sur la vie d'Amit avait compté pour beaucoup dans sa réflexion. « Mais c'est de Tapan que je veux te parler. Ça t'ennuie ?

— Non, de toute façon je suis déconcentré. Il ne semble pas très heureux ces temps-ci.

— Ah, tu l'as remarqué ? »

La sensibilité d'Amit à l'égard de sa famille était indirectement proportionnelle à celle qu'il éprouvait à l'égard des personnages de son roman.

« Oui, je l'ai remarqué. Et Ma dit qu'il veut quitter l'école.

— Eh bien, c'est de ça que je veux discuter avec toi. Tu permets que je ferme la porte ? Kuku –

— Kuku est capable de roucouler à travers n'importe quelle porte. Mais fais-le si tu veux. »

Ce que lui raconta Dipankar mit Amit au bord du vomissement.

« Ça dure depuis combien de temps ? finit-il par demander.

— Une année au moins.

— Ça me rend malade. Tu es sûr qu'il n'a pas – tu vois – imaginé ça – du moins en partie ? Ça paraît si –

— Il n'imagine rien, Dada.

— Pourquoi ne s'est-il pas plaint aux autorités de l'école ?

— Ce n'est pas un externat, Dada, les garçons lui auraient fait une vie encore plus infernale –

— C'est abominable. Vraiment abominable. Où est-il en ce moment ? Il va bien ?

— Dans ma chambre. A moins qu'il soit allé promener Cuddles.

— Il va bien ? répéta Amit.

— Oui, mais ce ne sera plus le cas s'il doit retourner à Jheel dans un mois.

— Etrange. Je n'avais pas la moindre idée de tout ça. Pas la moindre. Pauvre Tapan. Il n'en a jamais dit un mot.

— Peut-on s'en étonner ? Il a dû penser que nous en

ferions un couplet. Personne ne parle à personne dans notre famille, nous nous contentons de briller. »

Amit acquiesça.

« Veut-il aller dans un autre pensionnat ?

— Je ne crois pas. Jheel est aussi bon ou aussi mauvais qu'un autre ; ils forment tous des conformistes ou des brutes.

— En tout cas, Jheel t'a formé.

— Je parle de la tendance générale, Amit Da. C'est à nous de faire quelque chose, à nous deux. Ma deviendra hystérique si elle apprend cette histoire, et Tapan n'osera pas affronter Baba s'il pense qu'il est au courant. Kuku a parfois de bonnes idées, mais ce serait idiot de croire en sa discrétion. Quant à Meenakshi, la question ne se pose même pas : les Mehra le sauraient dans la minute, et ce que sait la mère d'Arun aujourd'hui, le monde entier le sait le lendemain. J'ai promis à Tapan de n'en parler qu'à toi. »

Décapuchonnant son stylo, Amit traça un cercle sur le poème qu'il était en train d'écrire. « Ça ne va pas être difficile de le faire admettre ailleurs, à ce stade ? dit-il en ajoutant deux yeux et deux grandes oreilles à son cercle.

— Pas si tu t'en occupes. St Xavier est ta vieille école et ils n'arrêtent pas de répéter comme ils sont fiers de toi.

— C'est probable. Mais quelle raison invoquer ? Pas sa santé – tu dis qu'il peut traverser ce lac à la nage dans les deux sens. Ses maux de tête ? Peut-être en prétendant qu'ils sont dus aux longs voyages. J'irai après le déjeuner. Est-ce que la voiture a été kukuïsée ?

— Je ne sais pas.

— Et comment convaincrons-nous Ma ?

— Ça, c'est le problème. Qu'est-ce qu'il pourrait bien faire ici à Calcutta qu'il ne pourrait pas faire à Jheel ? Etre pris d'une soudaine passion pour l'astronomie au point de ne pouvoir vivre sans un télescope sur le toit ?

— Je n'ai pas l'impression que Ma apprécierait : un poète, un prophète et un astronome. Pardon, un banquier/prophète. »

Dipankar s'abîma dans une profonde réflexion.

« Et la culture bengali ? suggéra-t-il.

— La culture bengali ?

— Oui, tu sais bien, le livre de chants de Jheel ne contient qu'un malheureux chant de Tagore et ils n'envisagent pas d'enseigner le bengali.

— Dipankar, tu es un génie.

— Oui.

— C'est exactement ça. Tapan perd son âme bengali dans le marais de la Grande Sensibilité indienne. En tout cas ça vaut la peine d'essayer. Mais je ne crois pas qu'il faille laisser les choses en l'état, à Jheel. Nous devrions nous plaindre au directeur et, si nécessaire, aller plus loin. »

Dipankar secoua la tête. « Je me soucie plus de Tapan pour le moment que de mettre fin aux brutalités de Jheel. Mais Amit Da, parle-lui, et passe un peu de temps avec lui. Il t'admire. »

Amit accepta le reproche sous-entendu. « Nous formerions une formidable équipe toi et moi. Grande expérience en matière de droit et d'économie. Solutions instantanées : Intrépides, Immédiates, Irrévocables –

— Je parlerai à Ma à l'heure du thé, le coupa Dipankar. Tapan ne doit pas supporter ce qu'il endure un jour de plus. Si toi, moi et, j'espère, Ma présentons un front uni, je pense que Baba cédera. D'ailleurs, Tapan lui manque. Il est le seul de ses enfants à ne pas constituer un Problème – à l'exception de son carnet de notes.

— Laissons-lui le temps d'atteindre l'âge de la responsabilité avant qu'il n'étale sa variante personnelle d'irresponsabilité. S'il est un Chatterji, il le fera. »

16.5

« Mais je croyais que tu l'appelais Shambhu », dit Mrs Chatterji à son jardinier. Elle faisait allusion au jeune valet qui, juste après dix-sept heures, venait de cesser son travail.

« Oui, approuva vigoureusement le vieil homme. Memsahib, à propos des chrysanthèmes –

— Mais je t'ai entendu l'appeler Tirru quand il est parti. Je croyais que c'était Shambhu.

— Oui, Memsahib, c'est ça.

— Et alors Tirru ?

— Il a abandonné ce nom, Memsahib. Il fuit la police.

— La police ?

— Oui, Memsahib. Il n'a rien fait. La police a juste décidé de le harceler. Je crois que ç'est à cause de sa carte d'alimentation. Il a peut-être fait quelque chose d'illégal pour l'obtenir, parce qu'il n'est pas d'ici.

— Il ne vient pas du Bihar, ou quelque chose de ce genre ?

— Oui, Memsahib. Ou du Purva Pradesh. Ou peut-être de l'Uttar Pradesh. Il n'aime pas en parler. Mais c'est un brave garçon, on voit bien qu'il n'y pas de mal en lui. » De sa binette, il montra la plate-bande que Tirru avait bêchée. « Mais pourquoi ici ?

— Il a pensé qu'il serait plus en sécurité dans la maison d'un juge, Memsahib. »

Mrs Chatterji s'inclina devant une telle logique. « Qu'est-ce que tu disais à propos des chrysanthèmes ? »

Tout en écoutant d'une oreille distraite son jardinier lui raconter les méfaits du fils du chauffeur, Mrs Chatterji se demandait si elle devait parler de cette histoire de valet à son mari. Sur quoi apparut Dipankar.

Dans son kurta-pyjama, il paraissait très sérieux.

« Il est arrivé quelque chose d'extraordinaire, Dipankar. Je voudrais ton avis.

— Et il fait ça avec les arbres aussi, Memsahib, continua le jardinier. Il a cassé tous les litchis, et puis les goyaviers, et puis le petit jaquier au fond là-bas. J'ai été très fâché. Seul un jardinier peut comprendre la douleur d'un arbre. On transpire pour qu'ils poussent, et ce monstre les casse à coups de bâton et de pierres. J'ai montré ça au chauffeur, et qu'est-ce qu'il a fait ? Pas même une claque, rien que : "Fils, on ne fait pas ça." Si mon gosse abîmait sa grosse voiture blanche, il comprendrait.

— Oui, oui, c'est très triste, approuva Mrs Chatterji. Dipankar, sais-tu que le jeune homme au teint sombre qui travaille dans le jardin se cache de la police ?

— Vraiment ?

— Mais ça ne te gêne pas ?

— Non, pourquoi ?

— Eh bien, nous pourrions être assassinés dans nos – dans nos lits.

— Qu'est-ce qu'il a fait ?

— Ça peut être n'importe quoi. D'après le mali, c'est à propos d'une carte d'alimentation. Mais il n'en est pas sûr. Que faire ? Ton père sera bouleversé quand il apprendra que nous avons abrité un fugitif. Et, comme tu sais, il n'est même pas du Bengale.

— C'est un brave garçon, ce Shambhu –

— Non, pas Shambhu, Tirru. C'est son vrai nom, semble-t-il.

— Ce n'est pas la peine de troubler Baba –

— Mais un juge de la Haute Cour – avec un criminel traqué travaillant dans ses chrysanthèmes – »

Dipankar jeta un coup d'œil aux grands chrysanthèmes blancs – ceux que la saison et le fils du jardinier avaient épargnés. « Je conseillerais l'inaction, dit-il. Baba en aura déjà bien assez avec le départ de Tapan de Jheel.

— Certes, ce n'est pas que la police soit toujours – quoi ? Qu'est-ce que tu as dit ?

— Et son entrée à St Xavier. C'est un bon choix. Et peut-être qu'ainsi il pourra aller à Shantiniketan.

— Shantiniketan ? » Mrs Chatterji ne comprenait pas ce que ce mot saint avait à voir avec l'affaire en question. Une image d'arbres s'imposa à elle – de grands arbres sous lesquels elle s'était assise pour écouter les leçons de Gurudeb, son maître, l'ensemenceur de la culture du Bengale.

« C'est d'être coupé du Bengale qui le rend si malheureux. Son âme est déchirée, tu ne t'en rends pas compte, Ma ?

— Il est vrai qu'il a deux noms. Mais qu'est-ce que c'est que cette histoire de Tapan et de St Xavier ? »

Dipankar se fit sentimental. La voix empreinte de tristesse, il expliqua :

« C'est de Tapan que je parlais, Mago. Ce n'est pas du lac de Jheel qu'il a besoin, mais de tes "mares profondes, accueillantes et fraîches comme le ciel de minuit". C'est pourquoi il va si mal. Et pourquoi ses notes sont si mauvaises. Il se languit de ça et des chants de Tagore – de toi et de Kuku chantant Rabindrasangeet quand tombe le soir, entre chien et loup... » Dipankar parlait avec conviction, s'étant convaincu lui-même.

Il récita les vers magiques :

« Si grande fut ma nostalgie de mon pays que je ne pus lui
[résister...

Je te salue, je te salue Bengale belle terre où je suis né !
Les rives de tes fleuves, tes vents qui rafraîchissent et
[savent consoler ;
Tes plaines poussiéreuses que le ciel ploie pour embrasser ;
Tes villages dérobés, nids d'ombre et de paix ;
Tes forêts de manguiers touffus, où jouent les jeunes
[bouviers ;
Tes mares profondes, accueillantes et fraîches comme le
[ciel de minuit ;
Tes femmes au cœur aimant qui rapportent l'eau au foyer ;
Mon âme tremble et je pleure quand je dis ton nom, Mère. »

Mrs Chatterji prononçait les mots en même temps que son fils. Elle était profondément émue. Dipankar était profondément ému.

(Non que Calcutta recelât aucun des traits ci-dessus mentionnés.)

« Voilà pourquoi il pleure, conclut-il simplement.

— Mais il ne pleure pas, remarqua Mrs Chatterji. Il est simplement maussade.

— C'est pour vous éviter, à Baba et toi, d'avoir de la peine, qu'il ne pleure pas devant vous. Ma, je jure sur ma vie et mon âme qu'aujourd'hui il a pleuré.

— Franchement, Dipankar ! » dit Mrs Chatterji, sidérée par cette ferveur. Puis elle pensa à Tapan, dont le bengali s'était bien détérioré depuis qu'il fréquentait Jheel, et à l'idée qu'il était malheureux, elle fondit.

« Mais quelle école l'acceptera, à ce stade ?

— Oh, ça ? » D'un geste, Dipankar écarta cette objection insignifiante. « J'ai oublié de te dire qu'Amit a déjà consulté

St Xavier, qui accepte de le prendre. Il ne manque plus que le consentement de la mère... "Mon âme tremble et je pleure quand je dis ton nom, Mère " », répéta-t-il à mi-voix.

Au mot « Mère » Mrs Chatterji, aussi bonne brahmo qu'elle fût, écrasa une larme.

« Et Baba ? » dit-elle soudain. Elle était encore dépassée par les événements – en fait, elle n'était pas certaine de les avoir tous assimilés. « Tout cela est si soudain – et les frais scolaires – il pleurait vraiment ? Et ça ne troublera pas ses études ?

— Amit a accepté de lui servir de répétiteur, si nécessaire, affirma Dipankar (qui n'avait pas consulté l'intéressé). Et Kuku lui apprendra une chanson de Tagore par semaine. Et tu pourras lui faire faire des progrès en écriture bengali.

— Et toi ?

— Moi ? Moi, je n'aurai pas le temps de lui apprendre quoi que ce soit parce que je commence chez Grindlays le mois prochain. »

Sa mère le regarda médusée, n'osant en croire ses oreilles.

16.6

Sept Chatterji et sept non-Chatterji, assis à la longue table ovale, dînaient à Ballygunge.

Par chance, Amit et Arun n'étaient pas trop près l'un de l'autre. Chacun professait des opinions très arrêtées, Amit sur certains sujets, Arun sur d'autres, et Amit étant chez lui, il se montrait moins réservé qu'à l'extérieur. La compagnie était de celles avec lesquelles il se sentait à l'aise, les sept non-Chatterji appartenant au clan par extension – ou étant sur le point d'y appartenir. Ils comprenaient Mrs Mehra avec ses quatre enfants plus Pran, et le jeune diplomate allemand, prétendant heureux à la main de Kakoli. Meenakshi Mehra, quand elle se trouvait à Ballygunge, était incluse dans le lot Chatterji. Le vieux Mr Chatterji avait fait dire qu'il ne pourrait se joindre à eux.

« Ce n'est rien, dit Tapan, qui revenait du jardin. Il est peut-être fatigué d'être attaché. Pourquoi je ne le libérerais pas ? Il n'y a pas d'autres champignons dans le coin.

— Quoi ? Pour qu'il morde à nouveau Hans ? s'écria Mrs Chatterji. Non, Tapan. »

Hans avait l'air grave et quelque peu ahuri.

« Champignons ? demanda-t-il. Que viennent faire les champignons dans ce contexte ?

— Autant que vous le sachiez, intervint Amit. Puisque vous avez été mordu par Cuddles, vous êtes déjà une sorte de frère de sang pour nous. Ou un frère de salive. Un champignon est un jeune homme plein d'attentions pour Kuku. Il en jaillit de partout. Certains apportent des fleurs, d'autres simplement la lune et la mélancolie. Vous ferez bien d'avoir l'œil quand vous serez son mari. A votre place, je ne ferais confiance à aucun champignon, comestible ou non.

— Effectivement, dit Hans.

— Comment va Krishnan, Kuku ? s'enquit Meenakshi, qui n'avait entendu qu'une partie de la conversation.

— Il prend les choses très bien. Il occupera toujours une place spéciale dans mon cœur. »

Hans prit un air encore plus grave.

« Ne vous inquiétez pas pour ça, Hans, dit Amit. Ça ne signifie pas grand-chose. Le cœur de Kuku est plein de places réservées.

— Ce n'est pas vrai, protesta Kuku. Et tu n'as pas le droit de parler.

— Moi ?

— Oui, toi. Tu es totalement sans cœur. Hans prend tout ce bavardage très au sérieux. C'est une âme pure. »

Meenakshi, qui avait bu un peu trop, murmura :

> « *Les messieurs que j'attire,*
> *Ont toujours les idées pures.* »

Hans rougit.

« Absurde, Kuku, dit Amit. Hans est une âme forte, il peut prendre tout sans problème. Sa poignée de main le prouve. »

Hans tressaillit.

Mrs Chatterji jugea nécessaire d'intervenir. « Hans, il ne faut pas prendre au sérieux ce que dit Amit.

— Exact. Seulement ce que j'écris.

— C'est quand il n'arrive pas à écrire qu'il est de cette humeur. Vous avez des nouvelles de votre sœur ?

— J'en attends d'un jour à l'autre.

— Trouvez-vous que nous sommes une famille typique ? » demanda Meenakshi.

Hans soupesa la question et opta pour une réponse diplomatique : « Je dirais que vous êtes une famille atypiquement typique.

— Pas typiquement atypique ? suggéra Amit.

— Il n'est pas toujours comme ça, glissa Kuku à Lata.

— Vraiment ?

— Oh non – il est beaucoup moins –

— Beaucoup moins quoi ? s'enquit Amit.

— Moins égoïste ! » lâcha Kuku, fâchée. Elle avait essayé de défendre son frère aux yeux de Lata. Mais Amit semblait dans un de ces jours où peu lui importaient les sentiments des autres.

« Si j'essayais d'être moins égoïste, dit-il, je perdrais toutes ces qualités qui font de moi un donneur de plaisir. »

Mrs Rupa Mehra le regarda, abasourdie.

« Je veux dire, Ma, que je me laisserais complètement dévorer par mes sœurs et que mes écrits en souffriraient, et comme mes écrits donnent du plaisir à beaucoup plus de gens que je n'en connais, ce serait une perte nette pour l'univers. »

Déclaration que Mrs Rupa Mehra trouva d'une arrogance stupéfiante. « Est-ce une raison pour mal vous comporter envers les gens qui vous entourent ?

— Oui, je le crois, dit Amit, emporté par la force de son argumentation. Certainement. J'exige mes repas à des heures bizarres, et je ne réponds pas aux lettres en temps voulu. Il m'arrive même, quand je suis en pleine inspiration, de ne pas y répondre pendant des mois. »

Voilà qui, pour Mrs Rupa Mehra, était impardonnable. Imaginez qu'une telle attitude se répande, et ce serait la fin de la vie civilisée. Un coup d'œil à Lata lui apprit que sa fille semblait beaucoup s'amuser de cette conversation, bien que n'y participant pas.

« Je suis sûre qu'aucun de mes enfants ne ferait jamais ça. Même quand je voyage, mon Varun m'écrit chaque semaine.

— J'en suis sûre moi aussi, affirma Kuku. Mais nous avons tellement dorloté Amit qu'il croit pouvoir faire n'importe quoi et s'en laver les mains.

— Tout à fait exact, intervint le père d'Amit de l'autre bout de la table. Savita était juste en train de me dire à quel point elle trouve le droit fascinant et qu'elle est impatiente de l'exercer. A quoi sert un diplôme si on ne s'en sert pas ? »

Amit garda le silence.

« Dipankar s'est enfin fixé, ajouta M. le juge Chatterji avec satisfaction. La banque est exactement l'endroit qui lui convient.

— Et toi, Amit, tu crois que j'ai pris la bonne décision ? » Dipankar avait arrêté son choix si soudainement, frappé par l'idée qu'il fallait être *du* monde avant d'en sortir, qu'il commençait à se poser des questions.

« Eh bien – dit Amit, pensant à l'avenir de son roman.

— Eh bien quoi ? Tu approuves ou pas ?

— Oh oui. Mais je ne te le dirai pas. Parce que ce serait le meilleur moyen de te donner le sentiment qu'on te l'a imposée – et que tu changerais d'avis. Mais – si ça peut t'aider – tu clignes beaucoup moins des yeux ces jours-ci.

— C'est vrai, dit M. le juge Chatterji. Je crains, Hans, que vous ne trouviez notre famille très spéciale.

— Non, pas très spéciale. » Kuku et lui échangèrent des regards affectueux.

« Nous espérons vous entendre chanter après le dîner, continua Mr Chatterji.

— Volontiers. Du Schubert ? proposa Hans.

— Quoi d'autre ? demanda Kuku.

— Eh bien –

— Pour moi, il n'y a que Schubert, minauda Kuku. Schubert est le seul homme de ma vie. »

A l'autre extrémité de la table, Savita parlait avec Varun, que cette conversation semblait revigorer un peu.

Pour leur part, Pran et Arun étaient engagés dans une

discussion politique. Arun, d'un ton docte, expliquait l'avenir de l'Inde et pourquoi le pays avait besoin d'une dictature. « Nous ne méritons pas le modèle Westminster de gouvernement. Les Anglais non plus d'ailleurs. Notre société en est encore au stade des avancées sur la voie du progrès – comme nos porteurs de dhotis aiment à nous le répéter.

— Oui, les gens sont toujours en train de faire des avancées dans notre société », approuva Meenakshi, roulant des yeux.

Kuku s'esclaffa.

Arun lui décocha un regard furieux. « Meenakshi, il est impossible d'avoir une discussion intelligente quand tu es soûle. »

Se faire ainsi tancer dans la maison de ses parents par un « Etranger » la stupéfia tellement qu'elle se tut.

Après le dîner, tandis que tout le monde émigrait au salon pour le café, Mrs Chatterji prit Amit à part. « Meenakshi et Kuku ont raison. C'est une gentille fille, bien qu'elle ne parle pas beaucoup. Elle pourrait s'épanouir à ton contact, j'imagine.

— Mago, on dirait qu'il s'agit d'un champignon. Je vois que Kuku et Meenakshi t'ont gagnée à leur façon de penser. Néanmoins, ce n'est pas parce que vous voulez que je lui parle que je vais m'en abstenir. Je ne suis pas Dipankar.

— Qui prétend le contraire, chéri ? J'aurais toutefois aimé que tu sois plus aimable au dîner.

— Quiconque m'aime doit avoir la chance de me voir sous mon meilleur jour.

— Je ne crois pas que ce soit la façon la plus utile de considérer les choses.

— C'est vrai. Mais considérer les choses en termes d'utilité quant à la façon de les considérer n'est peut-être pas non plus une chose utile. Pourquoi ne vas-tu pas parler à Mrs Mehra ? Je l'ai trouvée éteinte. Elle n'a pas mentionné une seule fois son diabète. Et moi je parlerai à sa fille et m'excuserai pour ma grossièreté.

— Comme un bon garçon.

— Comme un bon garçon. »

Amit s'approcha de Lata, qui bavardait avec Meenakshi.

« Il est parfois terriblement grossier – sans raison aucune », était en train de dire Meenakshi.

« On parle de moi ? demanda Amit.

— Non, dit Lata, de mon frère, pas du sien.

— Mais ça vaut aussi pour toi, ajouta Meenakshi. Tu as écrit ou tu as lu quelque chose de bizarre, je serais prête à le jurer.

— Tu as raison. Je voulais inviter Lata à jeter un coup d'œil à quelques livres que j'ai promis de lui prêter, mais que je n'ai pas expédiés. Le moment vous convient, Lata ? Ou préférez-vous une autre fois ?

— Non, non, ça me convient très bien. Mais quand vont-ils chanter ?

— Pas avant un quart d'heure, je pense... Je m'excuse d'avoir été grossier au dîner.

— C'était de la grossièreté ?

— Oh, vous n'avez pas trouvé ? Peut-être pas après tout. Je ne sais plus. »

Ils passaient devant la pièce où était confiné Cuddles, qui se mit à grogner.

« A-t-il vraiment mordu Hans ? demanda Lata.

— Oh oui, très fort. Plus fort qu'Arun. Sans compter que tout paraît plus livide sur une peau pâle. Mais Hans a supporté ça en homme. C'est une sorte de rite de passage pour ceux qui entrent dans la famille.

— Est-ce que je fais partie des mordables en puissance ?

— Je ne sais pas. Vous voulez essayer ? »

Arrivée dans la chambre d'Amit, Lata la regarda sous un jour nouveau. C'est là qu'il a écrit « L'oiseau fièvre », songea-t-elle, là qu'il a dû rédiger ma dédicace. Des papiers jonchaient le sol, une pile de vêtements et des livres recouvraient le lit.

« Je frissonnai dans la chaleur de minuit », se récita Lata. Et tout haut : « Est-ce que d'ici vous voyez l'amaltas ?

— Pas très bien. C'est de la chambre de Dipankar qu'on a la meilleure vue. Mais assez pour apercevoir son ombre –

— Trembler légèrement sur l'herbe au clair de lune.

— Oui. » Amit n'aimait guère s'entendre citer ses vers, mais venant de Lata, il ne s'en offusqua pas. « Venez à la fenêtre, tendre est l'air de la nuit. »

Ils y restèrent un moment. Tout était très tranquille, et l'ombre de l'amaltas ne tremblait pas. Des feuilles sombres et de longues cosses sombres en pendaient, mais pas des bouquets de fleurs jaunes.

« Il vous a fallu longtemps pour écrire ce poème ?

— Non. Je l'ai écrit d'un seul jet quand ce maudit oiseau m'a empêché de dormir. J'ai compté jusqu'à seize trilles successifs, s'élevant jusqu'au point d'orgue. Vous imaginez : seize ! Ça me rendait fou. Ensuite, dans les jours qui ont suivi, je l'ai affiné. Je ne voulais pas vraiment le reprendre, je me cherchais des excuses. Je fais toujours ça. Je déteste écrire, vous savez.

— Vous – quoi ? » Décidément Amit avait le don de désarçonner. « Pourquoi écrivez-vous alors ?

— C'est mieux que de passer ma vie à rendre la justice, comme mon père et mon grand-père. La principale raison, c'est qu'il m'arrive souvent d'aimer ce que j'ai écrit, quand c'est terminé – c'est la fabrication qui est fastidieuse. Pour un poème, l'inspiration aide, mais avec ce roman, je dois me faire violence pour me clouer à ma table – Travailler, travailler, Macbeth renâcle. »

Lata se souvint qu'Amit comparait son roman à un banian. A présent l'image semblait quelque peu sinistre. « Peut-être avez-vous choisi un sujet trop sombre.

— Oui, et trop contemporain. » La Grande Famine qu'avait connue le Bengale à peine une dizaine d'années auparavant hantait encore les mémoires. « Quoi qu'il en soit, je ne peux plus revenir en arrière. Ce serait aussi fastidieux que d'avancer – j'ai déjà fait les deux tiers du chemin. Bon, et si je vous montrais les livres – » Il s'interrompit. « Vous avez un joli sourire. »

Lata éclata de rire. « Dommage que je ne puisse pas le voir.

— Mais non, ce serait gâcher la marchandise. Vous ne sauriez pas l'apprécier – pas autant que moi.

— Vous êtes donc un connaisseur en sourires.

— Loin de là. » Brusquement, Amit prit un air sombre. « Vous savez, Kuku a raison ; je suis trop égoïste. Je ne vous ai pas posé une seule question sur vous-même, alors que je veux savoir tout ce qui s'est passé depuis que vous m'avez écrit pour me remercier du livre. Comment était la pièce ? Comment vont vos études ? Et le chant ? Vous m'avez dit avoir écrit un poème "sous mon influence" : où est-il ?

— Je l'ai apporté. » Elle ouvrit son sac. « Mais je vous en prie, ne le lisez pas maintenant. C'est déprimant, et ça m'embarrasserait. C'est seulement parce que vous êtes un professionnel –

— D'accord. » Soudain Amit n'osait plus ouvrir la bouche. Il avait eu l'intention de faire une sorte de déclaration, de laisser entendre son affection pour Lata, et il ne savait plus quoi dire.

« Avez-vous écrit des poèmes récemment ? demanda Lata, en s'éloignant de la fenêtre.

— Tenez, en voilà un, dit Amit en fouillant dans une pile de papiers. Un qui ne dénude pas mon âme. C'est sur un ami de la famille – vous l'avez peut-être rencontré à la réception, la dernière fois que vous étiez là. Kuku lui a demandé de monter voir ses tableaux, et les deux premiers vers lui sont venus à l'esprit. C'est un homme passablement gros. Elle a ensuite commandé un poème au poète résident. »

Le poème s'intitulait « Le grassouillet » :

Le grassouillet Mr Kohli
Gravit lentement l'escalier.
Mais la pieuse Mrs Kohli
L'attrape sur le palier.

Doigt pointé, pestant, menaçant :
Quoi, tu n'as pas dit tes prières ?
Pourquoi te vois-je montant et descendant ?
Quelle magie te retient sur ces degrés de pierre ?

Mr Kohli, le professeur,
Toujours plongé dans les problèmes,
Répond doucement à son agresseur :

Sur les degrés, je vois les théorèmes.

Quelle idiotie. Arrête tes additions.
Viens manger. Ton repas n'est plus chaud.
De venir telle est mon intention,
Dit son époux, doux comme un agneau.

Lata ne put s'empêcher de sourire, bien que trouvant ça parfaitement idiot. « Sa femme est-elle si féroce ?

— Oh non, c'est juste une licence poétique. Les poètes créent des épouses à leur convenance. Kuku estime que seule la première strophe est valable, et elle en a inventé une seconde bien meilleure que la mienne.

— Vous vous en souvenez ?

— Vous devriez demander à Kuku de la réciter.

— Il faudra que j'attende – elle a commencé à jouer. »

Le son du piano monta jusqu'à eux, suivi de la voix de baryton de Hans.

« Nous ferions mieux d'y aller, dit Amit. En descendant lentement l'escalier. »

Aucun bruit ne leur parvint du côté de Cuddles. La musique ou le sommeil avaient eu raison de lui. Ils entrèrent dans le salon, ce que voyant, Mrs Rupa Mehra fronça les sourcils.

Kuku et Hans interprétèrent deux romances, s'inclinèrent, l'audience applaudit.

« J'ai oublié de vous montrer les livres, dit Amit.

— Je les ai oubliés moi aussi.

— Peu importe, vous êtes là pour un moment. Dommage que vous ne soyez pas arrivée le 24, comme vous l'aviez envisagé. Je vous aurais emmenée à la messe de minuit à la cathédrale St Paul. On se croit en Angleterre – très troublant.

— Mon grand-père n'était pas très bien, nous avons donc reporté notre départ.

— Que faites-vous demain ? J'ai promis de vous montrer le Jardin botanique. Venez avec moi – voir le banian – si vous êtes libre.

— Je ne pense pas avoir quelque chose –

— Prahapore, dit une voix, celle de Mrs Rupa Mehra, dans leur dos.

— Ma ?

— Prahapore. Nous allons tous à Prahapore demain », expliqua Mrs Rupa Mehra à l'adresse d'Amit. Puis se tournant vers sa fille : « Comment peux-tu être si étourdie ? Haresh nous a invités à déjeuner, et tu ne penses qu'à batifoler au Jardin botanique.

— J'ai oublié, Ma – la date m'est sortie de l'esprit. Je pensais à autre chose.

— Oublié ! Oublié. La prochaine fois, c'est ton nom que tu oublieras. »

16.8

Il s'était passé beaucoup de choses à Prahapore depuis que Haresh avait été engagé, en fait depuis sa rencontre avec Meenakshi et Arun chez le président. Il s'était plongé dans son travail, acquérant un esprit Praha digne de celui des Tchèques – auxquels ne le liait d'ailleurs pas un amour excessif.

Il ne regrettait pas son ancien statut – bien trop passionné par les batailles à livrer, les défis à relever. On lui avait confié la nouvelle ligne de chaussures, la plus prestigieuse de la maison – le modèle aux cent opérations dont il avait fabriqué un exemplaire – Havel, Kurilla et les autres sachant qu'il mettrait le doigt sur les difficultés dans la production comme dans les contrôles de qualité.

Et des problèmes, il en eut dès le départ. De son passage à la SCC il n'avait pas conçu des sentiments très favorables aux Bengalis ; maintenant, il s'apercevait que les ouvriers bengalis étaient pires que les patrons bengalis. Ils avaient un slogan, dont ils ne faisaient pas mystère : « Chakri chai, kaaj chai na » : Nous voulons un emploi, pas du travail. Ils s'efforçaient de fixer leur norme de production quotidienne à 200 paires – norme ridicule par rapport à ce qu'il était possible de faire – et cela par une logique très simple :

obtenir des primes au-delà de ce chiffre – ou à tout le moins avoir le temps de boire une tasse de thé, cancaner, manger des samosas et chiquer des paans, priser.

Assis à sa table près de la chaîne de production, Haresh rongea son frein pendant quelques semaines. Il remarqua que toute la production s'arrêtait quand une machine ou une autre marchait mal – à en croire du moins les ouvriers. En tant que contremaître, il avait le droit de les obliger à nettoyer, pendant qu'ils étaient à l'arrêt, la bande convoyeuse et les machines. Moyennant quoi, une fois les machines bien rutilantes, ils passaient devant lui l'air insolent, et restaient à bavarder sans rien faire. Ça mettait Haresh hors de lui.

De plus, tous ces hommes ou presque étaient bengalis, parlaient le bengali, langue qu'il ne comprenait guère. Sauf les insultes, dont les termes sont les mêmes qu'en hindi. Malgré son tempérament prompt à s'enflammer, il choisit de ne pas relever la chose.

Un jour il décida, plutôt que d'attendre en s'énervant que le service technique envoie quelqu'un réparer la machine défectueuse, d'aller rendre une petite visite à ce service. Ce fut le début d'une grande bataille, qui se livra sur de nombreux fronts, contre plusieurs niveaux d'opposition, y compris celui des Tchèques.

Les mécaniciens, habitués à recevoir des billets leur ordonnant de venir effectuer les réparations, furent heureux de voir Haresh se déplacer, parler et plaisanter avec eux (musulmans pour la plupart ils étaient de langue ourdoue que Haresh pratiquait couramment), les appeler « Dada », en signe de respect pour leur âge et leurs capacités. En combinaison de travail – sans manches, sans col, et s'arrêtant au genou – par-dessus ses vêtements élégants, il apprit le fonctionnement et les méthodes d'entretien des machines, réfléchit aux innovations qu'il pourrait proposer pour améliorer leurs performances.

Les hommes lui dirent, ce qui ne le surprit guère, que les ouvriers le menaient en bateau : neuf fois sur dix, les machines fonctionnaient parfaitement. Mais que faire ? leur demanda-t-il. Ils promirent, puisqu'ils étaient amis, de le prévenir quand il y aurait vraiment quelque chose de cassé – et de faire passer ses réparations en premier.

La production s'établit ainsi à 250 paires par jour – encore loin des 600 possibles et des 400 auxquelles voulait parvenir Haresh. Les ouvriers trouvèrent alors un autre moyen d'arrêter la chaîne. Ils avaient l'autorisation de s'absenter cinq minutes à la fois, pour satisfaire « un besoin naturel ». Désormais ils étageaient leurs besoins naturels de telle façon qu'ils réussissaient à bloquer les machines pendant une demi-heure d'affilée. Haresh connaissait maintenant les meneurs – ceux qui avaient la tâche la plus facile. Il s'abstint de tout commentaire, mais à présent une ligne était tracée, derrière laquelle chaque partie observait la force de l'autre. Quand, au bout de deux mois, la production tomba à 160, Haresh décida que le moment était venu d'agir.

Il convoqua tous les ouvriers un beau matin et, dans un mélange d'hindi et de bengali rudimentaire, leur indiqua quels étaient ses buts.

« Qu'avez-vous contre la productivité ? leur dit-il. Avez-vous vraiment peur d'être licenciés si la production s'accroît ?

— La "productivité", répliqua un des meneurs, est un mot qu'aime beaucoup la direction, mais pas nous. Savez-vous qu'avant le vote des lois sur le travail, l'année dernière, Novak faisait venir les gens dans son bureau, leur disait qu'ils étaient virés et déchirait tout simplement leur carte de pointage ? "On peut faire le même travail avec moins d'hommes, disait-il. Nous n'avons plus besoin de vous."

— Ne revenez pas sur des choses qui se sont passées avant que je sois là. Maintenant, vous avez les nouvelles lois, et vous continuez délibérément à sous-produire.

— Ça prendra du temps pour rétablir la confiance, rétorqua quelqu'un.

— Qu'est-ce qui vous inciterait à produire davantage ?

— Eh bien – »

Les hommes discutèrent entre eux, et Haresh en retira le sentiment qu'à deux conditions – la certitude de ne pas être licenciés et la promesse d'une augmentation substantielle de leur salaire – ils accepteraient d'augmenter la production.

Il alla ensuite trouver Novak, son vieil adversaire, le chef du personnel. Serait-il possible, demanda-t-il, de faire passer les ouvriers travaillant sur sa chaîne à un niveau supérieur – et donc à un salaire supérieur – s'ils produisaient une moyenne de 400 paires par jour ? Novak le dévisagea et dit froidement : « Praha ne peut prendre une telle décision pour une seule ligne de produits.

— Pourquoi pas ?

— Parce que ça mécontenterait les dix mille autres ouvriers. »

Haresh avait entendu parler de la sacro-sainte hiérarchie de Praha, pire que celle régnant dans l'administration : elle s'étalait sur dix-huit niveaux.

Il résolut d'écrire à Khandelwal pour lui expliquer son plan et demander son approbation. Pour un rendement de 400 paires par jour, les ouvriers monteraient d'un cran dans l'échelle des grades avec augmentation subséquente de leur paie hebdomadaire. Au-delà de 400, ils recevraient une prime, et loin de procéder à des licenciements on engagerait pour les postes où le rythme de 400 était notoirement difficile à tenir.

Ayant réussi le mois précédent une mission de conciliation dans un dépôt de Praha à Kanpur pour le compte de Khandelwal, Haresh savait qu'il avait l'oreille du président. Il se rendit donc un matin à Calcutta (avant que Khandelwal ait eu le temps de prendre son premier whisky à son club) et plaça sous ses yeux une seule feuille de papier. Au bout de deux minutes, ayant tout calculé, les coûts, les bénéfices éventuels, la perte de clients qu'entraînait une stagnation de la production, Khandelwal lui dit :

« Vous croyez réellement pouvoir doubler la production ?

— Je le crois. En tout cas, avec votre permission, je peux essayer. »

Khandelwal inscrivit deux mots en haut de la feuille de papier : « Oui. Essayez », et la rendit à Haresh.

Il ne dit rien à personne, en particulier à Novak. Sans le prévenir – une erreur qu'il paierait cher plus tard – il rencontra les chefs syndicalistes de Prahapore. « Il y a un problème dans mon service, et je veux que vous m'aidiez à le résoudre. » Le secrétaire général du syndicat, Milon Basu, homme corrompu mais très intelligent, le regarda d'un air soupçonneux.

« Que proposez-vous ? » demanda-t-il.

Haresh proposa une réunion avec ses ouvriers le lendemain dans les locaux du syndicat, et conseilla de n'en parler à Novak que lorsqu'on serait parvenu à une solution.

Le lendemain était un samedi, jour de repos.

« Messieurs, dit Haresh, je suis convaincu que vous pouvez sortir 600 paires par jour. En tout cas vos machines en sont capables. Avec peut-être quelques hommes supplémentaires aux postes clefs. Maintenant qui, ici, prétend qu'il ne peut pas tenir ce rythme ? »

Le colleur de semelles, porte-parole professionnel, dit d'un ton belliqueux : « Ram Lakhan ne peut pas. » Du doigt, il indiquait un Bihari moustachu, préposé à la pose des trépointes. Ici, comme partout, c'étaient les Biharis qui effectuaient les travaux les plus durs. Ouvriers chauffeurs ou policiers de nuit.

« Je ne vous demande pas votre opinion, répliqua Haresh. Si Ram Lakhan ne peut faire ce que je demande, qu'il le dise.

— Sahib, dit Ram Lakhan en riant, vous parlez de 600 paires. Moi je dis que même 400, c'est impossible.

— Et si moi je les fais ?

— Alors, dans ce cas, j'en ferai 450.

— Et 500 ?

— J'en ferai 550. » A l'évidence, le défi l'excitait.

« 600 ?

— 650.

— D'accord ! C'est parti, dit Haresh en levant la main. Passons sur le champ de bataille ! Lundi matin, je vous montrerai à tous ce que l'on peut faire. Mais restons-en pour le moment à 400. Je vous garantis que si vous atteignez ce niveau, il n'y aura pas un seul licenciement, et je me battrai pour que vous montiez tous d'un grade. Si j'échoue, je suis prêt à démissionner. »

Un murmure d'incrédulité parcourut les rangs. Milon Basu se dit que Haresh était un imbécile. Mais il ignorait l'existence des deux mots : « Oui. Essayez », sur la feuille de papier que Haresh avait dans sa poche.

16.10

Le lundi suivant, vêtu d'une longue combinaison de travail, il ordonna à ses ouvriers de rassembler les chaussures prêtes pour la pose des trépointes. 600 éléments en huit heures, cela faisait environ 90 à l'heure, et laissait encore une heure à perdre. Chaque casier mobile contenait cinq paires, ce qui signifiait dix-huit paniers à l'heure. Les hommes s'attroupèrent, ceux des autres chaînes ne résistant pas à miser sur sa réussite.

Quatre-vingt-dix paires arrivèrent et repartirent avant la fin de l'heure. Essuyant la sueur qui lui coulait sur le front, Haresh dit à Ram Lakhan : « Maintenant que je l'ai fait – tu tiens ton pari ?

— Sahib, vous avez travaillé une heure. Mais moi je dois le faire chaque heure, chaque jour, chaque semaine, chaque année. Je serai usé, fini, si je travaille à ce rythme.

— Comment te prouver le contraire ?

— Montrez-moi que vous pouvez tenir toute une journée.

— D'accord, mais pas question d'arrêter la chaîne. Chacun travaillera à sa place. C'est entendu ? »

Amusés, quoique réprobateurs, par l'aspect éminemment non conventionnel de l'affaire, ils travaillèrent tous autant que possible. 450 paires furent fabriquées ce jour-là. Haresh était mort de fatigue, ses mains tremblaient d'avoir porté toutes ces formes qu'une aiguille, fonctionnant à grande vitesse, piquait et repiquait. Mais il avait vu les ouvriers d'une usine en Angleterre accomplir ce geste d'une seule main, et il savait donc qu'on pouvait le faire.

« Alors, Ram Lakhan ? En voilà 450. Maintenant, bien entendu, tu en fais 500 ?

— Je l'ai dit et je le maintiens. »

Au bout de deux semaines, Haresh obtint un assistant pour Ram Lakhan – chargé de lui passer les formes – et la production atteignit le chiffre maximal de 600. Haresh avait gagné sa bataille, les normes de production et de profit de Praha avaient augmenté, il était très content de lui.

16.11

Ce qui n'était pas le cas de tout le monde. Une des conséquences de cette histoire – et notamment du fait qu'il eût court-circuité Novak – fut que les Tchèques, comme un seul homme, le tinrent en grande suspicion. Toutes sortes de rumeurs sur son compte circulèrent dans la colonie. On l'avait vu recevoir chez lui un chauffeur – l'autoriser à s'asseoir sur une chaise, comme un égal. De cœur, c'était un communiste. Un espion des syndicats, le véritable directeur du journal syndical *Aamaar Biplob*. Haresh se rendait compte qu'on lui battait froid, mais que pouvait-il y faire ? Il continua à produire ses 3 000 paires hebdomadaires – au lieu de 900 précédemment – et à insuffler son énergie à tous ceux qui dépendaient de lui – y compris les hommes chargés du nettoyage des machines ; persuadé que la firme – Jan Tomin lui-même, peut-être – tôt ou tard lui rendrait justice.

Le réveil fut rude.

Un jour qu'il s'était rendu au bureau d'études discuter avec le numéro deux du service, un Indien, d'idées concernant l'amélioration des modèles qu'il produisait, le chef du service, Mr Bratinka, entra.

« Que faites-vous ici ? lui demanda-t-il, le regardant comme s'il était le virus de la rébellion tentant de contaminer ses ouailles.

— Que voulez-vous dire, Mr Bratinka ?

— Je ne vous ai pas autorisé à venir.

— Je n'ai pas besoin d'autorisation pour améliorer la productivité.

— Sortez.

— Mr Bratinka ?

— SORTEZ ! »

Son assistant se permit de dire à Mr Bratinka que les suggestions de Mr Khanna n'étaient pas dénuées d'intérêt. « Taisez-vous », lui intima Mr Bratinka.

Haresh, furieux, exposa ses griefs dans le livre des plaintes institué par Khandelwal aux fins de réparer les injustices, et Bratinka dénonça Haresh à ses supérieurs.

Le résultat ne se fit pas attendre : Haresh fut convoqué devant le Directeur général et une commission de quatre autres personnes – une inquisition tchèque, motivée par toutes sortes d'allégations étranges excepté celle de s'être rendu au bureau d'études sans autorisation.

« Khanna, dit Pavel Havel, vous avez parlé à mon chauffeur.

— Effectivement, Monsieur. Il est venu me trouver à propos de l'éducation de son fils. » Du chauffeur de Havel, homme à l'élocution calme, à la politesse extrême, toujours impeccablement mis, Haresh aurait volontiers dit qu'il était, dans tous les sens du terme, un gentleman.

« Pourquoi s'est-il adressé à vous ?

— Je l'ignore. Peut-être a-t-il pensé qu'en ma qualité d'Indien je saurais compatir – ou comprendre les difficultés d'un jeune homme pour faire carrière.

— Qu'est-ce que ça signifie ? demanda Kurilla qui, ancien élève lui aussi de Middlehampton, avait aidé Haresh à obtenir son poste.

— Juste ce que j'ai dit. Il a peut-être pensé que je pouvais l'aider.

— Par la fenêtre, on l'a vu assis.

— Il l'était. C'est un homme convenable, et beaucoup plus âgé que moi. Je lui ai dit de s'asseoir, j'ai insisté, et nous avons discuté. Son fils a un travail temporaire dans la maison, payé au jour le jour, et je lui ai suggéré de lui faire suivre des cours du soir. Je lui ai prêté quelques livres. Là s'arrête l'incident.

— Vous prenez l'Inde pour l'Europe, Mr Khanna ? dit Mr Novak. Avec l'égalité entre les dirigeants et le personnel ? Tout le monde au même niveau ?

— Mr Novak, permettez-moi de vous rappeler que je ne suis pas un dirigeant. Ni un communiste, si c'est ce que vous sous-entendez. Mr Havel, vous connaissez votre chauffeur, vous savez qu'il est digne de confiance. Demandez-lui ce qui s'est passé.

— Eh bien, dit Havel, l'air gêné, comme si c'était Haresh qu'on avait accusé d'être indigne de confiance, eh bien, certaines rumeurs ont couru, d'après lesquelles vous seriez le directeur du journal des syndicats. »

Haresh secoua la tête, médusé.

« Vous dites que vous ne l'êtes pas ? » La question venait de Novak.

« Je ne le suis pas. Je ne suis même pas syndiqué – à moins de l'être devenu automatiquement.

— Vous avez incité les gens du syndicat à travailler dans notre dos.

— Pas du tout. Que voulez-vous dire ?

— Vous vous êtes rendu dans leurs bureaux et y avez tenu une réunion sans que je le sache.

— C'était une réunion ouverte. Rien ne s'y est fait secrètement. Je suis un homme honnête, Mr Novak, et je n'aime pas ces calomnies.

— Comment osez-vous parler ainsi ? explosa Kurilla. Comment osez-vous agir ainsi ? C'est nous qui fournissons du travail aux Indiens, et si vous n'aimez pas ce boulot et la façon dont nous gérons les choses, vous pouvez partir. »

A ces mots, Haresh vit rouge. La voix tremblante, il répliqua :

« Mr Kurilla, vous fournissez du travail non seulement aux Indiens mais à vous-même. Quant à votre deuxième point, je quitterai peut-être l'usine, mais je vous assure que vous quitterez l'Inde avant. »

Kurilla faillit éclater. Jamais on n'avait vu un freluquet

de subordonné se dresser contre les puissants Tchèques de Praha. Pavel Havel le calma puis s'adressa à Haresh : « Cette audition est terminée. Nous avons examiné tous les points. Je vous reparlerai plus tard. »

Le lendemain, il fit venir Haresh et lui dit de continuer comme avant. Ajoutant qu'il ne pouvait que se louer de son travail.

Chose stupéfiante, les Tchèques, Kurilla notamment, se montrèrent très amicaux envers Haresh après cet incident. Cela avait en quelque sorte éclairci l'atmosphère : ils savaient maintenant qu'il n'était ni communiste ni agitateur. Hommes fondamentalement équitables, qui croyaient avant tout aux résultats, le triplement de la production, une fois officiellement reconnu dans le bulletin d'entreprise mensuel, leur fit le même effet que la paire de chaussures que Haresh avait réalisée – et qu'il avait eue sous les yeux tout le temps de son audition dans le bureau du Directeur général.

16.12

En sortant de la bibliothèque de l'université pour se rendre à une réunion du Parti socialiste, Malati tomba sur une de ses amies – une fille qui étudiait le chant à Haridas.

Celle-ci lui raconta, entre autres potins, qu'on avait vu Kabir, quelques jours plus tôt au Renard Rouge, en conversation intime et animée avec une fille. La camarade qui les avait vus était absolument digne de foi et avait dit –

« Ça ne m'intéresse pas ! la coupa Malati avec une véhémence surprenante. Je n'ai pas le temps de t'écouter, on m'attend à une réunion. » Et elle lui tourna le dos, ses yeux lançant des éclairs.

Elle avait le sentiment d'avoir été personnellement insultée. Ce qui l'exaspérait le plus c'est que Kabir avait rencontré cette fille au Renard Rouge au même moment ou presque où il lui parlait de son amour éternel pour Lata au

Danube Bleu. Il y avait de quoi se mettre dans une Fureur Noire.

Cela confirmait tout ce qu'elle avait toujours pensé des hommes.

O perfidie.

16.13

La veille du jour prévu pour leur rencontre, pendant que Lata se trouvait à Ballygunge, Haresh procéda aux derniers préparatifs au club des cadres de Prahapore, déjà décoré de guirlandes de papier crépon à l'occasion des fêtes de Noël.

« Ainsi Khushwant, dit Haresh en hindi, vous êtes sûr qu'il n'y aura pas de problème si nous avons une demi-heure de retard ? Ils arrivent de Calcutta et on ne sait jamais.

— Aucun problème, Mr Khanna. Ça fait cinq ans que je dirige le club, et je sais m'adapter aux emplois du temps des gens. » De simple porteur, Khushwant était devenu aide-cuisinier puis dirigeant de fait.

« Et pour les plats végétariens ? Je sais que ce n'est pas l'habitude au club.

— Ne vous faites pas de souci.

— Et le Christmas pudding avec la sauce au cognac.

— Oui, oui.

— Vous croyez qu'un strudel aux pommes serait préférable ? » Khushwant savait préparer divers desserts et plats tchèques.

« Non, le Christmas pudding est plus recherché.

— Ne regardez pas à la dépense.

— Mr Khanna, avec dix-huit roupies par tête au lieu de sept, la question ne se pose pas.

— Quel dommage que la piscine soit à sec en cette période de l'année. »

Khushwant dissimula un sourire, tout en se demandant

quelle occasion particulière justifiait que Mr Khanna dépense en deux heures son salaire de deux semaines.

Haresh regagna son petit appartement – à deux minutes de marche du club –, s'assit à son bureau et contempla, encadrée, la photographie voyageuse de Lata, que Mrs Rupa Mehra lui avait donnée à Kanpur. Ce faisant, il se rappela l'autre photo, toujours dans son cadre d'argent, mais rangée à présent avec tendresse et regret dans un tiroir. Après en avoir recopié de sa petite écriture penchée quelques paragraphes, il avait renvoyé à Simran toutes ses lettres. Il n'aurait pas été honnête, s'était-il dit, de les conserver.

Le lendemain, à midi pile, deux voitures (la Humber blanche des Chatterji que Meenakshi avait capturée pour la journée, et la petite Austin bleue d'Arun) franchirent les grilles blanches de la colonie des cadres de Prahapore et s'arrêtèrent devant la maison numéro 6, troisième rangée. En sortirent Mrs Rupa Mehra, ses deux fils et un gendre, ses deux filles et une bru, toute la mafia Mehra que Haresh accueillit et conduisit dans son appartement de trois pièces.

Il s'était assuré qu'il y aurait assez de bière, de scotch (du White Horse, pas du Black Dog) et de gin pour contenter tout le monde, ainsi que du nimbu pani et d'autres boissons douces. Son domestique, un garçon de dix-sept ans à qui il avait expliqué qu'il s'agissait d'une occasion très importante, ne cessait de grimacer des sourires tout en servant les invités.

Pran et Varun prirent une bière, Arun un scotch, Meenakshi un Tom Collins, Mrs Rupa Mehra et ses deux filles du nimbu pani. Haresh s'affaira un bon moment autour de Mrs Rupa Mehra. Il était, ce qui ne lui ressemblait pas, et contrairement à sa première rencontre avec Lata, très nerveux. Peut-être avait-il retiré de la réception chez les Khandelwal le sentiment qu'Arun et Meenakshi se montraient très critiques à son égard. A présent, ils avaient échangé, Lata et lui, suffisamment de lettres pour qu'il sache qu'elle était la femme qui lui convenait. Sa lettre la plus affectueuse, elle la lui avait adressée après avoir appris qu'il avait perdu son travail, et Haresh en avait été profondément touché.

Il s'enquit de Brahmpur, dit à Pran qu'il avait très bonne mine, demanda des nouvelles de Veena, Kedarnath et Bhaskar. Et Sunil Patwardhan, comment allait-il ? Il s'entretint quelques minutes avec Savita et Varun, qu'il n'avait encore jamais rencontrés, s'efforça de ne pas parler à Lata, qu'il sentait aussi nerveuse que lui, peut-être même en retrait.

Parfaitement conscient d'être un objet d'examen profond, il ne savait pas bien comment se comporter. Il n'avait pas affaire à des Tchèques avec lesquels il pouvait parler semences en cuivre et production. Il convenait ici de montrer de la subtilité, et Haresh n'était pas très doué pour la subtilité.

Il raconta quelques histoires sur « Cawnpore », jusqu'à ce qu'Arun fît un commentaire méprisant sur les villes industrielles de province. Middlehampton eut droit à semblable traitement. De toute évidence, depuis sa déconvenue chez les Khandelwal, Arun avait récupéré tout son amour-propre et sa morgue.

Haresh remarqua que Lata regardait ses chaussures avec, sur le visage, une expression qui pouvait passer pour une sorte d'aversion. Mais quand elle vit ses yeux posés sur elle, elle détourna la tête, l'air vaguement coupable, et s'absorba dans la contemplation des romans de Hardy, rangés dans leur reliure marron sur la petite étagère. Haresh se sentit un peu déprimé ; il avait longuement réfléchi à ce qu'il devait mettre.

Mais le repas restait encore à venir, et Haresh était sûr que les Mehra seraient très impressionnés par le festin que Khushwant avait préparé, ainsi que par la grande salle parquetée à quoi se résumait, en fait, le club des cadres de Prahapore. Grâce à Dieu, il ne vivait pas à l'extérieur des grilles, comme les autres contremaîtres. Le contraste entre ces humbles quartiers et le mouchoir de soie rose enfoncé dans la poche du costume gris d'Arun, le rire perlé de Meenakshi, et la Humber blanche, eût été désastreux.

Pourtant, quand les huit convives se dirigèrent vers le club sous le chaud soleil d'hiver, Haresh avait retrouvé

son optimisme. Il indiqua qu'au-delà des murs qui cei-
gnaient l'ensemble des bâtiments coulait le Hooghly et que
la grande haie qu'ils longeaient entourait la maison de
Mr Havel, le directeur général. Ils passèrent devant un
terrain de jeux pour enfants et une chapelle. Elle aussi
décorée pour Noël.

« Les Tchèques sont fondamentalement de chics types,
expliqua Haresh à Arun. Ils croient aux résultats, à ce qu'on
leur montre plutôt qu'à ce qu'on leur dit. Je suis sûr qu'ils
accepteront mon projet de faire fabriquer les bottines à
Brahmpur – et pas par l'usine Praha mais par de petits
ateliers. Ils ne sont pas comme les Bengalis, qui veulent
discuter de tout et en faire le moins possible. C'est stupéfiant de voir ce que les Tchèques ont réussi à entreprendre
– au Bengale aussi. »

Lata écoutait parler Haresh, médusée par son franc-
parler. A une époque, elle partageait assez son opinion sur
les Bengalis, mais depuis que sa famille s'était alliée aux
Chatterji, elle se gardait de telles généralisations. Haresh
n'avait-il pas saisi que Meenakshi était bengali ? Apparemment non, car il continuait :

« C'est dur pour eux, sûrement, d'être loin de chez eux et
de ne pas pouvoir y retourner. Ils n'ont même pas de pas-
seport. Juste ce qu'ils appellent des papiers blancs, qui
rendent les voyages très difficiles. La plupart ont tout
appris par eux-mêmes, encore que Kurilla soit allé à l'université – il y a quelques jours, Novak tenait le piano au
club. »

Mais Haresh n'expliqua pas qui étaient ces deux messieurs ; dans son esprit, tout le monde devait les connaître.
Sur ce, ils arrivèrent au club, et Haresh, en fier membre de
la maison Praha qu'il était devenu, leur montra les lieux
avec un air de propriétaire.

La piscine – asséchée et repeinte en bleu clair –, le bassin
pour enfants juste à côté, les bureaux, les palmiers en pots,
les tables à l'extérieur auxquelles, abrités sous des parasols,
mangeaient quelques Tchèques. C'était d'ailleurs tout ce
qu'il y avait à montrer, à l'exception de l'immense salle.
Arun, habitué à l'élégance feutrée du Calcutta Club, fut
stupéfié par l'assurance et la suffisance de Haresh.

Ils pénétrèrent dans la salle décorée, sombre par comparaison avec la vive lumière de l'extérieur ; quelques personnes y déjeunaient ici et là. Contre le mur du fond s'allongeait leur propre table de huit, obtenue par la juxtaposition de trois petites tables carrées.

« La salle sert à tout, dit Haresh. De salle de restaurant, de salle de danse, de salle de cinéma, on y tient même des réunions importantes. Quand Mr Tomin – une note de révérence passa dans la voix de Haresh – et Mrs Tomin sont venus l'année dernière, il a prononcé son discours sur l'estrade, là. En ce moment, c'est l'orchestre de danse qui l'occupe.

— Fascinant, rétorqua Arun.

— N'est-ce pas merveilleux », souffla Mrs Rupa Mehra.

16.14

Mrs Rupa Mehra fut effectivement très impressionnée par l'arrangement de la table. Une nappe blanche avec serviettes assorties, différentes sortes de couteaux et de fourchettes, beaux verres et belles assiettes, trois dispositions florales, constituées de divers pois de senteur.

Dès qu'ils virent entrer Haresh et ses invités, deux serveurs posèrent du pain sur la table, ainsi que trois assiettes contenant des tortillons de beurre. Khushwant avait supervisé la cuisson du pain, technique qu'il avait apprise des Tchèques. En attendant la soupe, Varun, qui avait un petit creux, en prit une tranche. C'était délicieux. Il en prit une autre.

« Varun, ne mange pas tant de pain, le tança sa mère. Tu ne vois pas le nombre de plats qu'il va y avoir ?

— Mm, Ma », dit Varun, l'esprit ailleurs. Quand on lui offrit à nouveau de la bière, il accepta avec empressement.

« Que ces arrangements floraux sont beaux », s'exclama Mrs Rupa Mehra. Les pois de senteur n'occuperaient jamais la place des roses dans son cœur, mais ce n'en étaient pas moins de jolies fleurs. Elle huma l'air, admira les délicates couleurs : rose pâle, blanc, mauve, violet, cramoisi, bordeaux, rose foncé.

Lata trouvait que les pois de senteur constituaient une décoration étrange.

Arun étala ses connaissances en matière de pain. Il parla de pain au cumin, de pain de seigle, de pumpernickel. « Mais si vous me demandez (ce que personne n'avait fait), rien n'égale en délicatesse le naan indien. »

Haresh se demanda s'il existait une autre sorte de naan.

Après la soupe (crème d'asperges) vint le premier plat, du poisson frit. Khushwant cuisinait quelques spécialités tchèques, mais en matière de cuisine anglaise se limitait aux plats les plus simples, les plus élémentaires. Pour la seconde fois en deux jours, Mrs Rupa Mehra se retrouva avec du gâteau de légumes au fromage dans son assiette.

« Délicieux, dit-elle en souriant à Haresh.

— Je ne savais pas quoi demander à Khushwant pour vous, Ma ; c'est lui qui a pensé que ce serait une bonne idée. Et le second plat sera un régal, à ce qu'il assure. »

Devant tant de gentillesse et de considération, dont elle s'estimait privée ces derniers temps, les larmes faillirent envahir les yeux de Mrs Rupa Mehra. Sunny Park ressemblait à un zoo, d'où des explosions d'Arun encore plus fréquentes qu'à l'ordinaire. Ils vivaient tous dans la petite maison, certains dormant sur des matelas étendus pour la nuit dans le salon. Les Chatterji avaient bien offert de loger les Kapoor à Ballygunge, mais Savita avait voulu qu'Uma et Aparna aient l'occasion de se connaître. Elle avait souhaité aussi, ce qui n'était guère raisonnable, recréer l'ambiance des anciens jours à Darjeeling – ou dans les wagons-salons – quand les quatre frères et sœurs partageaient le même toit, serrés joyeusement autour de leur père et de leur mère.

On discuta politique. Les résultats commençaient à arriver des Etats où les élections s'étaient déjà déroulées. D'après Pran, le Congrès allait tout rafler. Arun ne mit pas en doute l'issue du scrutin, comme il l'avait fait la veille. A la fin du plat de poisson, on avait épuisé le sujet de la politique.

Le temps qu'on mit à manger le second plat fut occupé par Haresh et ses histoires sur Praha. Il mentionna au passage que Pavel Havel l'avait félicité de « travailler si durement ». Haresh avait beau ne pas être communiste, quelque chose en lui rappelait le joyeux Héros stakhanoviste du Travail. Il leur dit avec orgueil qu'il était le deuxième Indien à vivre dans la colonie et qu'il avait hissé la production hebdomadaire à 3000 paires. « Je l'ai triplée, ajouta-t-il, tout heureux de faire partager son sentiment de réussite. L'opération de couture des trépointes était le véritable goulet d'étranglement. »

Lata avait toujours gardé à l'esprit une phrase de Haresh, pendant qu'il leur faisait visiter la tannerie. « Toutes les autres opérations – lustrage, repassage, etc. – sont accessoires, bien entendu. » Elle se la rappelait à présent, et revoyait les puits de trempage, où des hommes maigres en gants de caoutchouc orange et munis de crochets retiraient d'un liquide noirâtre les peaux gonflées. Elle considéra la chair succulente de son poulet rôti. Je ne peux pas l'épouser, se dit-elle.

Pendant ce temps, Mrs Rupa Mehra avait beaucoup progressé dans la direction opposée, aidée par un délicieux vol-au-vent aux champignons. Elle avait décidé que non seulement Haresh ferait un mari idéal pour Lata mais que Prahapore, avec son terrain de jeux, ses pois de senteur et ses murs protecteurs, était l'endroit idéal pour élever ses petits-fils.

« Lata m'a dit à quel point elle était impatiente de vous revoir dans votre nouvel environnement, mentit-elle. Et maintenant que nous l'avons vu, vous devez venir dîner chez nous à Sunny Park, le soir du Nouvel An. » Arun écarquilla les yeux, mais se tut. « Et vous devez me dire s'il y a un plat particulier que vous aimeriez manger. Je suis si heureuse que ce ne soit pas Ekadashi aujourd'hui : je n'aurais pas pu prendre de la pâtisserie. Venez l'après-midi, ça vous donnera l'occasion de parler à Lata. Vous aimez le cricket ?

— Oui, fit Haresh, s'efforçant de suivre les rebonds de la conversation. Mais je ne joue pas très bien. » Il passa la main sur son front perplexe.

« Oh, je ne parle pas de jouer, se récria Mrs Rupa Mehra. Arun vous emmènera le matin voir le match. Il a eu des tickets. Pran aussi adore le cricket. Et puis vous viendrez chez nous l'après-midi. » Elle regarda Lata qui, pour une raison inconnue, paraissait bouleversée.

Qu'est-ce que peut bien avoir cette fille ? se demanda Mrs Rupa Mehra, irritée. Maussade, voilà ce qu'elle est. Elle ne mérite pas sa chance.

Peut-être ne la méritait-elle pas. Dans l'immédiat, réfléchissait Lata, des éléments quelque peu mitigés concouraient à sa bonne fortune. Un curry de viande et de riz ; des phrases en tchèque lui parvenant d'une autre table, suivies d'un rire gras ; un pudding de Noël à la sauce au cognac dont Arun se servit deux fois et Mrs Rupa Mehra trois, nonobstant son diabète (« Mais c'est une journée particulière ») ; du café ; Varun silencieux et tanguant ; Meenakshi flirtant avec Arun et ahurissant Haresh avec une conversation sur le pedigree des chiens de Mrs Khandelwal ; mentionnant soudain que son nom de jeune fille était Chatterji, à la consternation de Haresh – dont il se remit en replongeant dans un discours sur Praha ; trop, beaucoup trop de Praha et de Messieurs Havel, Bratinka, Kurilla, Novak ; l'image d'une paire de chaussures assorties cachées sous une lourde nappe blanche ; la vision soudaine d'un sourire charmant – les yeux de Haresh disparaissant presque totalement. Amit avait dit quelque chose à propos d'un sourire – son sourire – l'autre jour, n'était-ce pas hier ? L'esprit de Lata s'évada vers le Hooghly au-delà des murs, avec le Jardin botanique sur ses rives – un banian – des bateaux sur le Gange – un autre mur près d'une autre usine Praha – un champ bordé de bambous et le son paisible d'une batte contre une balle... Elle eut soudain très sommeil.

« Vous vous sentez bien ? » C'était Haresh, lui souriant avec affection.

« Oui, merci, Haresh.

— Nous n'avons pas eu l'occasion de parler.

— Ça n'a pas d'importance. Nous nous revoyons le Jour de l'An. » Elle ébaucha un sourire. Heureusement, elle s'était gardée de tout engagement dans ses dernières lettres. Elle lui était reconnaissante, d'ailleurs, de lui avoir très peu adressé la parole. De quoi auraient-ils pu parler ? Poésie ? Musique ? Théâtre ? Amis ou relations communes ? Quel soulagement que Prahapore fût à trente kilomètres de Calcutta !

« C'est très joli ce sari rose saumon que vous portez », risqua Haresh.

Lata se mit à rire. Son sari était vert pâle. Elle rit avec plaisir, pour le pur soulagement de s'entendre rire.

Les autres étaient stupéfaits. Qu'est-ce qui pouvait bien leur passer par la tête à ces deux-là ?

« Rose saumon ! s'exclama Lata. Je suppose que rose tout court n'est pas assez spécifique.

— Oh, se reprit Haresh, l'air déconfit, il n'est pas vert, c'est ça ? »

Varun poussa une sorte de grognement méprisant, Lata lui donna un coup de pied sous la table.

« Etes-vous daltonien ? demanda-t-elle gentiment.

— Je le crains. Mais je reconnais parfaitement neuf couleurs sur dix.

— Je porterai du rose la prochaine fois que nous nous verrons. Comme ça vous pourrez en faire l'éloge sans risque de vous tromper. »

Regardant s'éloigner les deux voitures après le déjeuner, Haresh, sachant qu'il serait l'objet des conversations pendant le trajet, espéra que dans chacun des véhicules se trouverait au moins un de ses partisans. Il se rendait compte qu'Arun et Meenakshi n'avaient pas changé d'opinion à son égard, mais n'imaginait pas ce qu'il aurait pu faire pour se les concilier.

En ce qui concernait Lata, en revanche, il était totalement optimiste. A sa connaissance, il n'avait pas de rival. Le repas avait peut-être été un peu trop copieux : elle avait paru légèrement endormie, mais tout s'était déroulé comme il l'avait espéré. Quant à son handicap, le daltonisme, elle s'en serait aperçue tôt ou tard. Il tenait de plus en plus à elle, sachant toutefois que l'épreuve d'aujourd'hui il l'avait passée devant sa famille – Ma en particulier. « Fais de 1951 l'année décisive de ta vie », avait-il écrit dans un de ses « Actions à accomplir ». Il ne restait plus que trois jours avant la nouvelle année. Il décida de repousser le délai d'une semaine ou deux, de le reporter au moment où Lata retournerait à Brahmpur pour ses études.

16.15

Savita s'était installée à l'avant de l'Austin, à côté d'Arun qui conduisait : elle voulait lui parler. Meenakshi s'assit à l'arrière, les autres revinrent dans la Humber.

« Arun Bhai, dit la douce Savita, pourquoi t'es-tu comporté ainsi ?

— Je ne vois pas ce que tu veux dire. Ne sois pas idiote. »

Savita était la seule personne de la famille que ne subjuguait pas la brutalité d'Arun. Elle n'allait pas laisser le débat se clore ainsi.

« Pourquoi as-tu délibérément choisi de te montrer déplaisant avec Haresh ?

— Tu devrais peut-être lui poser la question.

— Il ne m'a pas paru particulièrement désagréable envers toi.

— Il n'a pas hésité à dire que Praha est un nom connu dans l'Inde entière et que ce n'est pas le cas de Bentsen Pryce.

— C'est un fait.

— Rien ne l'obligeait à le dire, même si c'est vrai.

— C'est parce que tu n'as pas arrêté de déblatérer sur les Tchèques et leurs manières vulgaires. C'était de l'autodéfense.

— Je vois que tu as décidé de te mettre de son côté.

— Ce n'est pas ça. Tu ne pouvais pas au moins être poli ? N'as-tu aucun égard pour les sentiments de Ma – ou de Lata ?

— Bien au contraire, se rengorgea Arun. Et c'est précisément pourquoi je pense qu'il faut tuer cette affaire dans l'œuf. Ce n'est tout simplement pas le genre d'homme qui convient. Un cordonnier dans la famille ! »

Quand, sur la recommandation d'un ancien collègue de son père, Bentsen Pryce l'avait convoqué, lui, Arun, pour un entretien, ils avaient eu la sagesse de comprendre sur-le-champ qu'il était le genre d'homme qui convenait. Vous l'êtes ou vous ne l'êtes pas, conclut Arun à part lui.

« Je ne vois pas ce qu'il y a de mal à fabriquer des chaussures, dit Savita benoîtement. Nous sommes très heureux d'en porter. »

Arun grogna.

« Je crois que j'ai un peu mal à la tête, dit Meenakshi.

— Je conduis aussi vite que je peux, répliqua Arun, compte tenu du fait que je suis distrait par ma passagère. »

Savita se tint tranquille pendant quelques kilomètres.

« Dis-moi, Arun, qu'est-ce que tu as contre lui que tu n'avais pas contre Pran ? Tu n'as pas non plus pensé grand bien de l'accent de Pran la première fois que tu l'as rencontré. »

Arun savait qu'il se trouvait sur un terrain glissant, et que Savita ne supporterait pas qu'on dise n'importe quoi sur son mari.

« Pran est très bien, concéda-t-il, il apprend à connaître les us et coutumes de la famille.

— Il a toujours été très bien. C'est la famille qui s'est ajustée à lui.

— Comme tu voudras. Mais laisse-moi conduire en paix. Ou alors, veux-tu que j'arrête et que nous continuions cette dispute ? Meenakshi a mal à la tête.

— Ce n'est pas une dispute, Arun Bhai. Je suis désolée Meenakshi, je dois mettre les choses au clair avec lui avant qu'il n'entreprenne Ma. Qu'as-tu contre Haresh ? Le fait qu'il n'est pas "des nôtres" ?

— A coup sûr, il ne l'est pas. Ce petit homme pimpant avec ses chaussures de gandin domestique grimaçant à la grosse tête. J'ai rarement rencontré quelqu'un d'aussi arrogant, infatué de lui-même – et avec moins de raisons de l'être. »

Pour toute réponse, Savita se contenta de sourire, ce qui irrita Arun encore davantage.

« Je ne sais pas ce que tu espères retirer de cette discussion, dit-il après un temps de silence.

— Tout simplement ne pas gâcher les chances de Lata. Elle-même n'est pas très sûre de ce qu'elle souhaite, et je veux qu'elle se forme son opinion toute seule, et que le Grand Frère ne décide pas pour elle, ne dicte pas la loi comme à son habitude. »

A l'arrière Meenakshi se mit à rire : un rire argentin, dur comme de l'acier.

Un énorme camion arriva sur eux, les obligeant presque à quitter la route étroite. Arun redressa et poussa un juron.

« Ça t'ennuierait de continuer cette conférence à la maison ? demanda-t-il.

— Il y a des centaines de gens à la maison. Ce sera impossible de te ramener à la raison, avec toutes ces interruptions. Te rends-tu compte qu'il ne pleut pas une offre de mariage tous les jours ? Pourquoi veux-tu absolument repousser celle-ci ?

— Beaucoup d'autres s'intéressent à Lata – le frère de Meenakshi, par exemple.

— Amit ? C'est vraiment à Amit que tu penses ?

— Oui, Amit. C'est à Amit que je pense. »

Savita eut l'intuition immédiate qu'Amit ne convenait pas, mais n'en dit rien. « C'est à Lata de décider, répondit-elle. A elle seule.

— Avec Ma sans arrêt après elle, elle sera de toute façon incapable de se faire une opinion. Et Ma, comme on peut s'en apercevoir, a été dûment courtisée par le contremaître. Il ne s'est occupé que d'elle pendant tout l'après-midi. Il ne t'a guère parlé, par exemple.

— Peu importe. Il m'a plu. Et je veux que tu te conduises correctement le jour du Nouvel An.

— S'il te plaît, arrête-moi au Nouveau Marché, dit Meenakshi. Je vous rejoindrai plus tard.

— Mais ton mal à la tête, chérie ?

— Ça va mieux. J'ai certaines choses à acheter. Je prendrai un taxi pour rentrer. »

Une fois Meenakshi descendue de voiture, Arun s'en prit à Savita :

« Tu as inutilement blessé ma femme.

— Ne sois pas idiot, Arun Bhai, et ne parle pas de Meenakshi comme de "ma femme". A mon avis, l'idée de retrouver douze personnes chez elle lui est insupportable. Et je ne la blâme pas. Nous sommes trop nombreux à Sunny Park. Crois-tu que Pran, Uma et moi devrions accepter l'invitation des Chatterji ?

— C'est une autre histoire. Qu'a-t-il voulu dire en parlant des Bengalis de cette manière ?

— Je l'ignore. Mais tu en fais autant. »

Arun ne répliqua pas. Quelque chose le tracassait.

« Tu crois qu'elle est descendue parce qu'elle a pensé qu'on allait se mettre à parler d'Amit ? »

L'idée d'une telle délicatesse de la part de Meenakshi fit sourire Savita. « Non.

— Soit. En attendant tu t'exerces sur moi à ton futur métier d'avocat.

— Parfaitement. Et tu vas me promettre de ne pas intervenir.

— Allons, allons. » Arun eut le petit rire indulgent du gentil frère aîné. « Nous avons chacun nos opinions – toi les tiennes, moi les miennes. Ma peut élire qui ça lui chante, et Lata aussi, bien entendu. On en reste là d'accord ? »

Savita secoua la tête sans mot dire.

Arun essayait de l'emporter, mais elle n'était pas vaincue.

16.16

Meenakshi se dirigea droit sur la chambre de l'hôtel Fairlawn, où l'attendait un Billy à la fois impatient et inquiet.

« Meenakshi, tout ça me panique. Je n'aime pas ça du tout.

— Je n'en crois rien. Ça ne te panique pas en tout cas au point d'abaisser ta merveilleuse...

... prestation ?

— Prestation. C'est le mot. Alors jouons. Mais Billy sois gentil avec moi. Je suis désolée d'être en retard. J'ai vécu une abominable journée et j'ai un mal de tête aussi énorme que les *Buddenbrook*.

— Veux-tu que je te fasse monter de l'aspirine ?

— Non. Je crois que j'ai un meilleur remède. »

Tout en l'aidant à enlever son sari, Billy remarqua : « Je pensais que les femmes étaient censées dire : "Pas ce soir, cher, j'ai mal à la tête."

— Certaines femmes peut-être. Shireen, par exemple ?

— Ne parlons pas de Shireen, veux-tu. »

Maintenant Billy était prêt à soigner Meenakshi comme elle désirait l'être. Un quart d'heure plus tard, il reposait sur elle, haletant et épuisé, la tête blottie dans son cou. Faire l'amour rendait Meenakshi beaucoup plus douce qu'à l'ordinaire. Elle se montrait presque affectueuse ! Il tenta de se retirer.

« Non, Billy, reste où tu es, susurra Meenakshi. Je te sens si bien. » Billy avait été au mieux de sa forme.

« D'accord. »

Au bout de quelques minutes, cependant, se sentant mollir, il se retira.

« Ouaooh ! fit-il.

— C'était merveilleux. Pourquoi ce "ouaooh" ?

— Je suis désolé, Meenakshi – mais le truc a glissé. Il est toujours en toi.

— Mais ce n'est pas possible ! Je ne le sens pas.

— En tout cas, il n'est pas sur moi. Et je l'ai senti glisser.

— Ne sois pas ridicule. Ça ne s'est jamais produit auparavant – et tu crois que je ne le sentirais pas ?

— Je ne connais rien à tout ça. Tu ferais mieux de vérifier. »

Meenakshi alla prendre une douche d'où elle revint furieuse.

« Comment as-tu osé ?

— Osé quoi ?

— Osé le laisser t'échapper. Je ne veux plus jamais supporter ça. » Et elle fondit en larmes. Comme c'est horrible, horriblement vulgaire, songea-t-elle.

A présent, le pauvre Billy était très inquiet. Il essaya de la consoler en entourant de son bras ses épaules humides, mais elle le repoussa avec colère. Elle s'efforçait de se rappeler si cette journée tombait dans sa semaine la plus féconde. Billy était un véritable imbécile.

« Meenakshi, je ne peux pas continuer avec cette sorte de chose.

— Oh, reste tranquille, laisse-moi réfléchir. Mon mal de tête est revenu. »

Billy hocha la tête, l'air contrit. Meenakshi se rhabillait, avec des gestes brusques.

Quand, à la suite de ses calculs, elle eut la quasi-certitude qu'elle ne risquait rien, elle n'était plus d'humeur à renoncer à Billy. Et elle le lui dit.

« Mais quand Shireen et moi serons mariés –

— Qu'est-ce que le mariage vient faire là-dedans ? Je suis mariée, non ? Tu aimes ça, j'aime ça. Point. A jeudi prochain, donc.

— Mais Meenakshi –

— N'ouvre pas la bouche comme ça, on dirait un poisson. J'essaie d'être raisonnable.

— Mais Meenakshi –

— Je n'ai pas le temps de discuter, dit-elle, mettant une dernière touche à son maquillage. Il faut que je rentre. Le pauvre Arun doit se demander ce qui a bien pu m'arriver. »

16.17

« Eteins la lumière, dit Mrs Rupa Mehra à Lata qui sortait de la salle de bains. L'électricité ne pousse pas sur les arbres. »

Mrs Rupa Mehra était très fâchée. Au lieu de passer cette veille de Nouvel An avec sa mère comme elle l'aurait dû, Lata se comportait en Demoiselle et accompagnait Arun et Meenakshi dans leur tournée de réceptions. Le mal rôdait, elle le sentait.

« Est-ce qu'Amit vient avec vous ? demanda-t-elle d'un ton rogue à Meenakshi.

— Je l'espère, Ma – et Kuku et Hans, si nous réussissons à les persuader », ajouta Meenakshi pour noyer le poisson.

Ce qui ne trompa pas Mrs Rupa Mehra. « Dans ce cas, vous ne verrez pas d'objection à ce que Varun y aille aussi. » Sur quoi, elle enjoignit à son fils cadet de se préparer. « Et ne quitte pas la soirée une seconde », lui intimat-elle.

Cette situation n'était absolument pas du goût de Varun. Il avait espéré passer la soirée avec Sajid, Jason, Fesses Chaudes et ses autres relations de jeu et de shamshu. Mais la lueur dans les yeux de Mrs Rupa Mehra avertissait qu'elle ne supporterait pas la moindre protestation. « Et je ne veux pas que Lata s'en aille de son côté. Je n'ai confiance ni en ton frère ni en Meenakshi.

— Oh, pourquoi ?

— Ils s'amuseront bien trop pour penser à surveiller Lata.

— Je n'ai donc pas le droit moi de m'amuser.

— Non, pas si l'avenir de ta sœur est en jeu. Que dirait ton père ? »

Mrs Rupa Mehra et le reste de la famille – Pran, Savita, Aparna et Uma – devaient passer cette veille de Nouvel An à Ballygunge avec les parents Chatterji, y compris le vieux Mr Chatterji. Dipankar et Tapan seraient là également. Ce serait une tranquille soirée familiale, se dit Mrs Rupa Mehra, pas ce tournoiement sans fin si à la mode ces temps-ci. Frivoles, voilà le mot qui caractérisait Meenakshi et Kuku ; et cette frivolité était une tare dans une ville aussi pauvre que Calcutta – une ville où le Pandit Nehru, tout juste arrivé, allait parler du Congrès, de la lutte pour la liberté et du socialisme. Mrs Rupa Mehra ne se gêna pas pour dire ce qu'elle pensait d'elle à Meenakshi.

Laquelle lui répondit par un couplet à la manière de ces chansonnettes qu'on n'entendait que trop à la radio :

> « *Terminons l'année dans la joie et la frivolité.*
> *Fa-la-la-la-la, la-la-la-la !*
> *Tout le reste n'est que grisaille et stupidité.*
> *Fa-la-la-la-la, la-la-la-la !* »

« Tu n'as aucun sens des responsabilités, Meenakshi. Comment oses-tu chantonner ainsi sous mon nez ? »

Or, Mrs Arun Mehra était de trop bonne humeur pour que la colère de sa belle-mère puisse l'atteindre ; à la surprise générale, elle lui planta un baiser sur la joue. Ce geste d'affection, si rare chez Meenakshi, Mrs Rupa Mehra l'accepta de mauvaise grâce.

Sur quoi Arun, Meenakshi, Varun et Lata s'envolèrent pour faire la fête.

Passé onze heures du soir, ils atterrirent chez Bishwanath Bhaduri, où Meenakshi aperçut l'arrière du crâne de Billy.

« Billy ! » claironna-t-elle d'une voix étudiée, depuis l'autre extrémité de la pièce.

Billy se retourna, sa mine s'allongea. Meenakshi le rejoignit et l'entraîna le plus ouvertement du monde à l'écart, loin des oreilles de Shireen. « Ça n'ira pas pour jeudi, lui dit-elle. On m'a téléphoné de mon club pour m'annoncer une réunion spéciale.

— Oh, je suis désolé, mentit Billy, son visage exprimant un intense soulagement.

— Ce sera donc mercredi.

— Je ne peux pas, s'excusa Billy, avant d'ajouter, soudain pris d'un accès de colère : De quel droit m'as-tu séparé de mes amis ? Shireen va commencer à avoir des soupçons.

— Elle n'en aura pas, dit gaiement Meenakshi. Sauf si elle voyait ton visage en ce moment. Heureusement que tu lui tournes le dos. L'indignation ne te va pas, Billy. En fait rien ne te va, sauf ton costume d'anniversaire. Ne rougis pas, ou je vais être obligée de t'embrasser passionnément une heure avant le moment officiel. A mercredi donc. Ne cherche pas à fuir ton irresponsabilité. »

Horriblement malheureux, Billy ne savait que faire.

« As-tu vu le match aujourd'hui ? » demanda Meenakshi, pour changer de sujet. Pauvre Billy, il paraissait si abattu.

« A ton avis ? » dit Billy, tout ragaillardi à ce souvenir. L'Inde avait fait un bon score face à l'Angleterre.

« Alors, tu y seras demain ?

— Oh oui, j'attends avec impatience de voir cette équipe

anglaise prendre une leçon. Ce sera une façon agréable de passer la journée du Nouvel An.

— Arun a pu avoir des tickets. Je pense que j'irai moi aussi demain.

— Mais tu ne t'intéresses pas au cricket –

— Tiens, il y a une autre femme qui te fait signe – Tu n'es pas sorti avec d'autres femmes, n'est-ce pas ?

— Meenakshi ! s'exclama Billy, l'air si choqué que Meenakshi fut forcée de le croire.

— Je suis heureux que tu me sois fidèle. Fidèlement infidèle. Ou infidèlement fidèle. Ah non, c'est à moi qu'elle fait signe. Je te rends à Shireen ?

— S'il te plaît », supplia Billy.

16.18

Dans un autre coin de la pièce, Varun et Lata parlaient avec le Dr Ila Chattopadhyay. La dame aimait la compagnie de toutes sortes de gens, et le fait qu'ils fussent jeunes ne constituait pas un handicap à ses yeux. C'est cette façon de voir qui lui permettait d'être un bon professeur d'anglais, sans compter son intelligence diabolique. Elle se montrait aussi folle et passionnée avec ses étudiants qu'avec ses collègues. En réalité, elle respectait plus ses étudiants que ses collègues. Ils étaient à la fois intellectuellement beaucoup plus innocents et beaucoup plus honnêtes.

Lata se demanda ce qu'elle faisait à cette soirée. Servait-elle de chaperon à quelqu'un ? Si oui, elle remplissait sa tâche avec laxisme. Pour le moment, elle était absorbée dans une grande conversation avec Varun.

« Non, non, disait-elle, n'entrez pas dans l'administration. Une de ces professions tout juste bonnes pour les Sahibs bruns – vous deviendrez une variante de votre odieux sujet de frère.

— Mais que faire ? Je ne suis bon à rien.

— Ecrivez un livre ! Tirez un rickshaw ! Vivez ! Ne vous

excusez pas, s'écria le Dr Chattopadhyay, secouant avec vigueur sa chevelure grise. Renoncez au monde comme Dipankar. Non, il est entré dans une banque, n'est-ce pas ? Comment ont marché vos examens, de toute façon ?

— Très mal !

— Je ne pense pas que tu aies si mal réussi, intervint Lata. Je crois toujours moi aussi avoir fait pire que ce que j'ai fait. C'est une particularité Mehra.

— Non, ça a vraiment très mal marché. Je ne passerai sûrement pas l'oral.

— Ne vous inquiétez pas, dit le Dr Chattopadhyay. Ça pourrait être bien plus terrible. Un de mes amis vient juste de voir mourir sa fille de tuberculose. »

Lata jeta un regard médusé sur Mrs Chattopadhyay, puis rétorqua : « Bien plus terrible. Une de mes sœurs vient d'avoir ses triplés de deux ans décapités par son mari alcoolique.

— Votre visage a une expression tout à fait extraordinaire, dit Amit, en se joignant à eux.

— Oh Amit ! Bonjour. » Lata était contente de le voir.

« A quoi pensiez-vous ?

— A rien – à rien du tout. »

Le Dr Chattopadhyay expliquait à Varun l'idiotie que commettait l'université de Calcutta en faisant de l'hindi une matière obligatoire pour le doctorat. Amit sentit que l'esprit de Lata vagabondait très loin. Il voulut lui parler du poème qu'elle avait écrit, mais fut accosté par une femme qui lui déclara : « Je désire vous parler.

— Eh bien, me voici.

— Je m'appelle Bébé, dit la dame, dans la quarantaine.

— Et moi Amit.

— Je sais, je sais, tout le monde le sait. Vous essayez de m'impressionner avec votre modestie ? » Elle était d'humeur querelleuse.

« Non.

— J'adore vos livres, spécialement *L'arbre fièvre*. J'y pense toute la nuit. Je veux dire, *L'oiseau fièvre*. Vous paraissez plus petit que sur vos photos. Vous devez avoir de belles jambes.

— Plaît-il ? s'enquit Amit, ne sachant comment prendre ses derniers mots.

— Vous me plaisez, dit la dame d'un ton définitif. Je sais qui sont les gens qui me plaisent. Venez me voir à Bombay. Tout le monde me connaît. Vous n'avez qu'à demander Bébé.

— D'accord », promit Amit.

Bishwanath Bhaduri s'approcha pour saluer Amit, ignora Lata et même le Bébé prédateur. Il était en extase devant une nouvelle femme, qu'il montra du doigt : quelqu'un vêtu de noir et d'argent.

« On sent qu'elle a une belle âme, se pâma Bish.

— Répétez ça », dit Amit.

Bishwanath Bhaduri fit machine arrière. « De telles choses ne se répètent pas, protesta-t-il.

— Peut-être, mais on n'a pas souvent l'occasion de les entendre dire.

— Vous vous en serviriez pour votre roman. Il ne faut pas.

— Pourquoi pas ?

— Pur bavardage de Calcutta.

— Ce n'est pas du bavardage – c'est poétique ; très poétique ; incroyablement poétique.

— Vous vous moquez de moi », dit Bishwanath Bhaduri. Il regarda autour de lui. « On a besoin d'un verre, murmura-t-il.

— On a besoin de s'échapper, dit Amit à Lata. Nous avons besoin.

— Je ne peux pas. J'ai un chaperon.

— Qui ? »

Des yeux, Lata indiqua Varun, en conversation avec deux hommes qui buvaient ses paroles.

« Je crois que nous pouvons filer. Je veux vous montrer les lumières sur Park Street. »

En passant derrière Varun, ils l'entendirent dire : « Marrywallace, bien sûr, pour Gatwick ; et Simile pour le prix de l'Espoir. Pour l'Hazra, je ne sais pas. Quant à la Coupe Beresford, le mieux c'est My Lady Jean... »

Ils riaient encore en descendant l'escalier.

Amit héla un taxi.

« Park Street, dit-il.

— Pourquoi pas Bombay ? demanda Lata en riant. Pour rencontrer Bébé.

— C'est une épine dans mon cou, fit Amit, les genoux pris d'une agitation soudaine.

— Dans votre cou ?

— Comme dirait Biswas Babu.

— A quoi ressemble-t-il ? Tout le monde parle de lui, mais je ne l'ai jamais vu.

— Il m'a dit de me marier – afin de produire, espère-t-il, une quatrième génération de juges Chatterji. J'ai fait remarquer qu'Aparna est à moitié Chatterji et que, étant donné sa précocité, elle pourrait facilement siéger au banc de justice. A quoi il a rétorqué que c'est une autre bouilloire de thé.

— Mais son conseil a glissé sur vous comme l'eau sur les plumes d'un canard.

— Exactement. »

Ils avaient descendu Chowringhee, avec ses grands magasins, le Grand Hôtel et Firpos, le tout très éclairé. Maintenant, ils se trouvaient au croisement avec Park Street où se dressait un Père Noël dans son traîneau tiré par un renne, illuminé d'ampoules de couleur. Les gens déambulaient dans cette partie de Chowringhee adjacente au Maidan, goûtant l'ambiance de fête. Quand le taxi tourna dans Park Street, Lata fut saisie par le ruissellement de lumières. De chaque côté de l'artère couraient des guirlandes d'ampoules et de papier crépon multicolores, accrochées aux devantures des magasins et des restaurants : Flury, Kwality, Peiping, Magnolia. C'était superbe, et Lata se tourna vers Amit avec ravissement et gratitude.

« L'électricité poussant sur les arbres, dit-elle quand ils atteignirent le grand sapin de Noël, à côté de la pompe à essence.

— Qu'est-ce que ça veut dire ? demanda Amit.

— Oh, c'est Ma. "Eteins la lumière, l'électricité ne pousse pas sur les arbres." »

Amit éclata de rire. « Je suis très content de vous revoir, fit-il.

— Moi aussi. Mutatis Mutandis. »

Amit lui jeta un regard surpris. « La dernière fois que j'ai entendu cette expression, c'était au tribunal.

— Oh, j'ai dû piquer ça à Savita. C'est le genre de phrases qu'elle n'arrête pas de gazouiller au bébé.

— Au fait, à quoi pensiez-vous quand je vous ai interrompus, vous et Varun ? »

Lata lui répéta l'anecdote racontée par le Dr Chattopadhyay.

« A propos de votre poème, reprit Amit.

— Oui ? » Lata se raidit.

« J'ai parfois le sentiment qu'en période de grands chagrins c'est une consolation de savoir que le monde s'en fiche. »

C'était un sentiment étrange, pensa Lata, mais pas inapproprié. « Il vous a plu ? demanda-t-elle.

— Oui. » Il récita quelques vers.

« Le cimetière donne sur cette rue, n'est-ce pas ?

— Oui.

— L'aspect est très différent de celui de l'autre extrémité.

— Très.

— Quelle bizarre colonne striée que celle qui s'élève sur le tombeau de Rose Aylmer.

— Voulez-vous la voir de nuit ?

— Non ! Ce serait étrange, sous toutes ces étoiles. Une nuit de souvenirs et de soupirs.

— J'aurais dû vous les montrer de jour.

— Me montrer quoi ?

— Les étoiles.

— De jour ?

— Oui. Je connais en gros leur emplacement. Elles sont toujours dans le ciel, même de jour. Il est minuit. Vous permettez ? »

Avant qu'elle ait pu protester, Amit l'avait embrassée. La laissant muette de stupeur et de contrariété.

« Bonne année, dit-il.

— Bonne année », répondit-elle, dissimulant son mécon-tentement. Après tout, elle avait accepté d'échapper à son chaperon. « Vous n'aviez pas prémédité ça, n'est-ce pas ?

— Bien sûr que non. Voulez-vous que je vous ramène à Varun ? A moins que nous n'allions marcher du côté du Victoria Memorial ?

— Ni l'un ni l'autre. Je suis fatiguée, j'aimerais aller me coucher. 1952, ajouta-t-elle : que ça paraît nouveau. Comme si chaque chiffre reluisait.

— Une année bissextile.

— Je ferais mieux de retourner à la soirée. Varun va paniquer s'il s'aperçoit que je suis partie.

— Je vais vous déposer chez vous, puis j'irai rassurer Varun. Ça vous convient ?

— C'est parfait, merci Amit.

— Vous n'êtes pas fâchée contre moi ? Privilège du Nou-vel An. Je n'ai pas pu m'en empêcher.

— Du moment que vous ne vous réclamez pas du privi-lège des poètes, la prochaine fois. »

Boutade qui fit rire Amit, et qui rétablit leur bonne entente.

Pourquoi n'ai-je rien ressenti, se demanda-t-elle. Elle savait qu'Amit était épris d'elle, mais la seule émotion qu'avait suscitée son baiser était la stupeur.

Quelques minutes plus tard, elle était chez elle. Quand Mrs Rupa Mehra rentra, une demi-heure plus tard, elle trouva sa fille profondément endormie, d'un sommeil agité.

Lata rêvait – d'un baiser – mais de Kabir, du garçon que, plus que tout autre, elle devait éviter, le garçon qui lui convenait le moins.

1952 : les chiffres tout neufs sautèrent aux yeux de Pran quand il ouvrit le journal du matin. Le passé s'évanouissait alors que l'avenir émergeait, brillant et mystérieux, de sa chrysalide sale. Il pensa à son cœur, à son enfant, à Bhaskar qui avait frôlé la mort, à ces cadeaux plus ou moins heureux qu'avait apportés l'année précédente. Qu'allait lui apporter celle-ci : son poste d'enseignant ? un nouveau beau-frère ? un autre Premier ministre du Purva Pradesh en la personne de son père ? Ce dernier point n'avait rien d'impossible.

Alors qu'à six heures, personne n'était levé à l'exception de Mrs Rupa Mehra et de lui-même, à sept heures un ouragan d'activités déferla sur la maison. Le temps à passer dans les deux salles de bains étant strictement rationné, à huit heures trente tout le monde se retrouva fin prêt, petit déjeuner avalé. Les femmes avaient décidé de passer la journée chez les Chatterji – peut-être iraient-elles faire également quelques courses. Meenakshi avait renoncé à son idée d'assister au match de cricket.

A neuf heures, Amit et Dipankar passèrent prendre Arun, Varun et Pran dans la Humber, et ils se dirigèrent vers les Jardins d'Eden, où, comme prévu, les attendait Haresh à l'extérieur du stade.

C'était une splendide matinée, avec un ciel bleu sans nuages, de la rosée humectant encore le terrain. Le stade, dans son écrin d'arbres, avec sa pelouse vert émeraude, son immense tableau d'affichage, constituait un magnifique spectacle. Un des collègues anglais d'Arun chez Bentsen Pryce, qui avait acheté des tickets pour toute la saison, lui en avait offert pour la journée. Les six hommes étaient placés juste à côté des vestiaires, l'endroit réservé aux VIP et aux membres de l'Association de cricket du Bengale, d'où ils avaient une vue remarquable sur tout le terrain.

On s'attendait à ce que l'équipe indienne, déjà au mieux de sa forme, réussisse un beau match, et la foule de Calcutta – la plus passionnée de cricket de l'Inde entière – bouillait d'impatience.

Après des débuts prometteurs, la perte successive par les Indiens de leurs trois meilleurs guichets fit passer un frisson d'horreur parmi les spectateurs. Quand Amarnath – qui avait à peine eu le temps de s'équiper – arriva sur le terrain pour affronter Tattersall, le silence complet régna. Même les femmes cessèrent de tricoter.

Il était parti pour marquer.

Les joueurs indiens s'effondraient comme des quilles. Si le massacre continuait, l'Inde serait battue avant le déjeuner.

« Le jeu est à notre image, dit Varun sur un ton lugubre. Notre pays ne vaut rien. Nous savons toujours extraire une défaite d'une victoire. Je vais aller aux courses cet après-midi, ajouta-t-il la mine dégoûtée.

— Je vais me détendre les jambes, fit Amit.

— Je viens avec vous, dit Haresh. Oh – qui est cet homme là-bas – celui à la veste bleu marine avec le foulard bordeaux – quelqu'un d'entre vous le connaît ? Il me semble l'avoir déjà vu quelque part. »

Pran regarda en direction des vestiaires. « Oh, Malvolio ! s'exclama-t-il, comme s'il avait vu Banquo.

— Qu'est-ce que ça veut dire ? s'enquit Haresh.

— Rien. Je viens de me rappeler quelque chose qu'il faut que je mette dans mon cours le trimestre prochain. Non, je – je ne suis pas sûr de le reconnaître – vous feriez mieux de demander aux gens de Calcutta. » Pran ne maniait pas bien le mensonge, mais il voulait avant tout éviter une rencontre entre Haresh et Kabir. Avec toutes les complications qui risquaient d'en découler.

Heureusement, personne d'autre ne reconnut Kabir.

« Je suis sûr de l'avoir vu quelque part, insista Haresh. Je finirai bien par m'en souvenir. Un beau garçon. La même chose m'est arrivée avec Lata : j'étais certain de l'avoir déjà vue. Je vais aller lui dire bonjour. »

Pran ne pouvait plus rien faire. Amit et Haresh s'approchèrent de Kabir. « Bonjour, dit Haresh. Est-ce qu'on ne s'est pas déjà rencontrés quelque part ?

— Je ne crois pas, répliqua Kabir en souriant.

— Au travail – ou à Cawnpore ? J'ai le sentiment – bon, quoi qu'il en soit, je suis Haresh Khanna, de chez Praha.

— Heureux de vous connaître, Monsieur. » Kabir lui serra la main. « Nous nous sommes peut-être vus à Brahmpur, si vous venez à Brahmpur pour le travail.

— Non, je ne le pense pas. Vous êtes de Brahmpur ?

— Oui. Je suis étudiant à l'université. Je suis un mordu de cricket, alors je suis venu assister aux matches. Minable spectacle.

— Terrain humide, hasarda Amit.

— Terrain humide, tu parles. Nous arrivons toujours à nous trouver des excuses. Si nous perdons, c'est que nous ne méritons pas de gagner. Je commence à me dire que c'est une bonne chose que je parte demain. De toute façon, demain est une journée de repos.

— Où allez-vous ? demanda Haresh, qui aimait la tournure d'esprit du jeune homme. Vous rentrez à Brahmpur ?

— Non – il faut que j'aille à Allahabad, pour le tournoi interuniversitaire.

— Vous faites partie de l'équipe ?

— Oui. Mais je m'excuse, je ne me suis pas présenté. Je m'appelle Kabir. Kabir Durrani.

— Ah, dit Haresh, dont les yeux disparurent. Vous êtes le fils du Pr Durrani. »

Devant le regard stupéfait de Kabir, il précisa : « Nous nous sommes croisés un instant chez vous. J'amenais le jeune Bhaskar Tandon voir votre père. Et maintenant que j'y pense, vous portiez des vêtements de cricket.

— Bon sang. Ça me revient moi aussi. Je suis vraiment désolé. Vous ne voulez pas vous asseoir ? Ces deux chaises sont libres – mes amis sont allés chercher du café. »

Haresh présenta Amit, et ils s'assirent tous les trois.

« Vous savez, je suppose, ce qui est arrivé à Bhaskar au Pul Mela ? demanda Haresh.

— Effectivement, dit Kabir, et je suis heureux de savoir qu'il va bien maintenant. S'il avait été là, nous n'aurions pas eu besoin de lire ce tableau d'affichage de fantaisie.

— Non, reconnut Haresh en souriant. C'est le neveu de Pran, dit-il à Amit en guise d'explication.

— J'aimerais que les femmes n'apportent pas leur tricot au stade, continua Kabir. Hazare sorti. Une maille à l'endroit. Umrigar sorti. Une maille à l'envers. On dirait *le Conte de deux villes.* »

L'analogie fit rire Amit, qui crut cependant devoir prendre la défense de sa propre ville. « Si l'on excepte la catégorie des gens qui viennent autant pour être vus que pour voir, la population de Calcutta constitue un bon public pour le cricket. Surtout celle des places à quatre roupies. Ils commencent à faire la queue pour obtenir des tickets à partir de neuf heures du soir la veille d'un match.

— Vous avez raison, reconnut Kabir. Et c'est un très beau stade. Le vert de la pelouse fait presque mal aux yeux. »

Sur le stade, le service changea de camp une fois de plus, passant du côté orienté Maidan à celui de la Haute Cour.

« Chaque fois que je pense à ceux de la Haute Cour, je me sens coupable », confia Amit à Haresh. Parler avec son rival était un moyen de le jauger.

Haresh, que l'idée d'avoir un rival n'effleurait pas, demanda innocemment : « Pourquoi ? Vous avez fait quelque chose d'illégal ? Oh, j'oubliais, votre père est juge.

— Et je suis avocat, c'est là mon problème. Je devrais travailler, d'après lui – écrire des plaidoiries, pas des poèmes. »

Kabir se tourna vers Amit, l'air stupéfait.

« Vous n'êtes pas *l'*Amit Chatterji ?

— Si, admit Amit, qui avait appris à ses dépens que la modestie ne servait à rien.

— Ça alors ! je suis – j'aime ce que vous faites – en grande partie – je ne comprends pas tout.

— Moi non plus.

— Pourquoi ne viendriez-vous pas lire vos poèmes à Brahmpur ? Vous avez beaucoup d'admirateurs dans la Société littéraire. Mais j'ai entendu dire que vous ne donnez jamais de séance de lecture.

— C'est vrai, en règle générale. Mais si l'on m'invite à Brahmpur, et que ma Muse m'autorise à m'absenter, je viendrai peut-être. Je me suis souvent demandé à quoi ressemblait cette ville : le Barsaat Mahal, le Fort – et bien d'autres monuments beaux et pleins d'intérêt. » Il se tut, puis reprit : « Voulez-vous vous joindre à nous ? Mais je suppose que vous êtes mieux assis ici pour voir.

— Ce n'est pas ça. Mais je suis avec des amis – ils m'ont invité – et c'est mon dernier jour en ville. Je suis très honoré d'avoir fait votre connaissance. Et – vous êtes sûr que vous ne le prendriez pas mal si on vous invitait à Brahmpur ?

— Non, dit Amit, gentiment. Ecrivez à mon éditeur, il me transmettra. »

Le jeu continuait, un peu plus calmement. L'heure du déjeuner approchait. L'Inde n'avait pas perdu de nouveaux guichets, mais se trouvait néanmoins en situation périlleuse.

« C'est vraiment triste pour Hazare, dit Amit. Sa forme semble l'avoir quitté depuis qu'il a reçu ce coup sur la tête à Bombay.

— Il ne faut pas trop le blâmer. Il a été salement sonné. Je crois qu'on n'aurait pas dû l'obliger à jouer. J'imagine que Hazare est un indécis, poursuivit Kabir d'un ton rêveur – il lui a fallu un quart d'heure pour décider s'il allait prendre la batte ou courir dans le dernier match. Mais je découvre que je suis moi-même passablement indécis, alors je compatis. Depuis que je suis à Calcutta, je songe à rendre visite à quelqu'un, et je n'arrive pas à me décider. Je ne peux tout simplement pas. On raconte qu'il a perdu son courage, je crois que j'ai perdu le mien ! » Cette dernière remarque ne s'adressait à personne en particulier, mais Amit – sans savoir pourquoi – éprouva une grande sympathie pour Kabir.

L'aurait-il identifié à celui que Meenakshi, dans sa fantaisie, avait décrit comme le « Akbar de *Comme il vous plaira* », sa sympathie se fût peut-être singulièrement atténuée.

Pran s'attendait à ce qu'Amit ou Haresh ait découvert, au hasard de la conversation, que Kabir connaissait Arun ou lui-même, ou du moins avait entendu parler d'eux. Mais il n'en fut rien, aucun des deux noms n'ayant été prononcé. Pran poussa un soupir de soulagement : Kabir ne viendrait pas à Sunny Park bouleverser des plans bien établis.

Après un déjeuner rapide de sandwiches et de café, les six hommes se séparèrent pour prendre qui la voiture, qui un taxi. Il leur fallut se frayer un chemin au milieu de l'énorme foule qui se rassemblait sur le Maidan pour écouter parler le Pandit Nehru. Le Premier ministre – ou en l'occurrence le président du Congrès – effectuait une de ses tournées électorales éclair. La veille, on l'avait entendu à Kharagpur, Asansol, Burdwan, Chinsurah et Serampore ; juste avant il avait sillonné l'Assam.

Varun demanda qu'on l'arrête au champ de courses, où il se mit en quête de ses amis. Un instant, il se demanda s'il ne ferait pas mieux d'écouter le discours de Nehru, mais à l'issue d'une brève lutte de conscience, My Lady Jean et Windy Wold l'emportèrent de plusieurs longueurs sur le Combattant de la Liberté. Je lirai les journaux, se consola-t-il.

Pendant ce temps Haresh rendait visite à de lointains parents que son beau-père lui avait recommandé d'aller voir. Totalement absorbé par son travail à Prahapore, il n'avait pas encore trouvé le temps de s'exécuter. Il les trouva agglutinés autour du poste de radio, écoutant les commentaires du match de cricket. Ils s'efforcèrent de se montrer hospitaliers, mais à l'évidence leur esprit était ailleurs. Haresh finit par s'asseoir lui aussi auprès du poste : l'Inde terminait par un score de 257 à 6, s'évitant ainsi, par miracle, la honte totale.

C'est donc d'un cœur léger que Haresh arriva à Sunny Park, à l'heure du thé. On le présenta à Aparna, qui à ses tentatives de flatterie répondit par un air distant, et à Uma, qui lui décocha un sourire imprécis, lequel le ravit.

« C'est par politesse que vous ne mangez pas, Haresh ?

demanda Savita d'une voix chaleureuse. La politesse ne paie pas dans cette famille. Passe les gâteaux, Arun.

— Je dois m'excuser, dit celui-ci, s'adressant à Haresh. J'ai totalement oublié de le mentionner ce matin : Meenakshi et moi ne serons pas des vôtres au dîner.

— Oh ! » Haresh regarda Mrs Rupa Mehra dont le visage s'était empourpré.

« Oui. Nous étions invités depuis trois semaines et n'avons pas pu annuler au dernier moment. Mais tous les autres seront là, et Varun vous fera les honneurs. Meenakshi et moi nous réjouissions à l'idée de vous recevoir, cela va sans dire, mais en rentrant de Prahapore l'autre jour, nous avons regardé notre agenda et – voilà.

— Nous sommes absolument navrés, ajouta gaiement Meenakshi. Prenez une lichette de fromage.

— Merci », dit Haresh, quelque peu douché. Mais il ne tarda pas à rebondir : Lata, en tout cas, paraissait contente de le voir. Elle portait effectivement un sari rose. Aujourd'hui il allait, sans nul doute, avoir l'occasion de lui parler. Sans compter Savita, dont il devinait la chaleur et la sympathie. Peut-être valait-il mieux qu'Arun ne soit pas là, encore que cela parût bizarre de s'asseoir à la table de son hôte – et cela pour la première fois – en son absence. Il émanait d'Arun et de la radieuse Meenakshi de telles vibrations hostiles que Haresh n'aurait pas été détendu en leur présence. C'était quand même une étrange façon de lui rendre son hospitalité.

Varun était de joyeuse humeur : il avait gagné huit roupies aux courses.

« Nous ne nous en sommes pas si mal tirés, après tout, lui dit Haresh.

— Je vous demande pardon ?

— Après ce matin.

— Ah oui, le cricket. Quel est le score final ?

— 257 à 6, dit Pran.

— Humm ! fit Varun, qui s'approcha du gramophone.

— Non ! gronda Arun.

— Non, quoi, Arun Bhai ?

— Ne fais pas marcher cette maudite machine, ou je vais te caresser les oreilles, tes deux oreilles intoxiquées. »

Varun recula, une envie de meurtre se devinant derrière son apparente soumission. Haresh écoutait médusé l'échange entre les deux frères. Varun n'avait quasiment pas ouvert la bouche l'autre jour à Prahapore.

« Aparna aime ça, dit-il d'un ton rancunier. Et Uma aussi. » Aussi incroyable que cela pût paraître, c'était vrai : Savita, quand le latin juridique ne réussissait pas à endormir Uma, lui chantait cette chanson.

« Peu m'importe qui aime quoi, continua Arun, rouge de colère. Tu éteins ça, et tout de suite.

— Je ne l'ai même pas allumé ! » triompha Varun.

Lata posa en toute hâte à Haresh la première question qui lui vint en tête : « Avez-vous vu *Deedar* ?

— Oh oui, trois fois. Une fois tout seul, une autre avec des amis à Delhi, la troisième avec la sœur de Simran à Lucknow. »

Un silence tomba.

« A l'évidence vous avez aimé ce film, dit Lata.

— Oh oui, j'aime beaucoup le cinéma. Quand j'étais à Middlehampton, il m'arrivait de voir deux films par jour. Mais pas de pièces de théâtre, ajouta-t-il sans nécessité.

— Le contraire m'aurait étonné, constata Arun. Je veux dire – il y a si peu d'occasions, comme vous l'avez reconnu vous-même. Bon, si vous voulez nous excuser, nous allons nous préparer.

— C'est ça, c'est ça, dit Mrs Rupa Mehra. Allez vous préparer. Et nous, nous avons un certain nombre de choses à faire. Savita doit coucher le bébé, j'ai quelques cartes de vœux à écrire, et Pran – Pran...

— ... a un livre à lire ? suggéra l'intéressé.

— Voilà. Haresh et Lata peuvent aller dans le jardin. » Mrs Rupa Mehra ordonna à Hanif d'éclairer le jardin.

La nuit n'était pas encore tout à fait tombée. Les deux jeunes gens firent plusieurs fois le tour du petit jardin, sans savoir très bien quoi dire. La plupart des fleurs s'étaient refermées, à l'exception des giroflées blanches, qui embaumaient près du banc.

« On s'assoit ? demanda Haresh.

— Oui, pourquoi pas ?

— Il y a si longtemps que nous ne nous sommes pas vus.

— Vous ne comptez pas le déjeuner au club de Prahapore ?

— Oh, c'était pour votre famille. Vous et moi étions à peine là.

— Nous avons été tous très impressionnés », dit Lata en souriant. La présence de Haresh, en tout cas, avait été bien réelle.

« J'espérais que vous le seriez. Mais je ne suis pas sûr de ce que votre frère aîné pense de tout ça. Est-ce qu'il m'évite ? Ce matin, il a passé la moitié du temps à chercher un ami, et maintenant il sort.

— Bah, c'est Arun. Je suis désolée de la scène qui vient d'avoir lieu : ça aussi c'est typiquement Arun. Mais il lui arrive de se montrer très affectueux. Simplement, on ne sait jamais quand ça lui prendra. Vous vous y habituerez. »

Cette dernière phrase sortit d'elle-même. Lata en fut à la fois intriguée et furieuse contre elle-même. Elle aimait bien Haresh, mais ne voulait pas lui donner de faux espoirs. « Comme tous ses – tous ses collègues », se hâtat-elle d'ajouter, paroles inutilement distanciées et passablement illogiques.

« J'espère ne pas devenir un de ses collègues ! » répliqua Haresh. Il avait envie de prendre la main de Lata, mais sentait, malgré l'odeur des giroflées et le consentement tacite de Mrs Rupa Mehra, que ce n'était pas le moment. En réalité, il était un peu désorienté. En compagnie de Simran, il aurait su quoi dire, et ils se seraient entretenus en un mélange d'hindi, de punjabi et d'anglais. Mais parler avec Lata était très différent. C'était beaucoup plus facile d'écrire des lettres.

« J'ai relu un ou deux Hardy récemment, lança-t-il.

— Vous ne le trouvez pas un peu pessimiste ? » Elle aussi essayait de trouver un sujet de conversation.

« Eh bien, je suis quelqu'un d'optimiste – certains disent trop optimiste – ça ne me fait donc pas de mal de lire quelque chose d'un peu pessimiste.

— C'est une pensée intéressante. »

Haresh n'en revenait pas : ils étaient là, tous les deux, dans la fraîcheur du soir, avec la bénédiction, elle de sa mère, lui de son beau-père, et ils pouvaient à peine échanger trois mots. Décidément les Mehra formaient une famille compliquée.

« Voyons, ai-je des raisons de me sentir optimiste ? » demanda-t-il avec un sourire. Il s'était promis d'obtenir très vite une réponse claire. Lata avait dit que correspondre était un bon moyen d'apprendre à se connaître : leur correspondance, lui semblait-il, leur en avait appris beaucoup. Peut-être ses deux dernières lettres laissaient-elles apparaître un léger refroidissement, mais elle avait promis de passer le plus de temps possible avec lui durant les vacances.

Lata de son côté réfléchissait à ce qu'avaient été ses rencontres avec Haresh – des repas suivis de voyages en train suivis de visites d'usines. « Haresh, finit-elle par dire, je crois que nous devrions nous voir et parler encore un peu avant que je me décide. C'est la plus importante décision de ma vie. Je dois être totalement sûre.

— Moi, je suis sûr, répliqua Haresh d'une voix ferme. Je vous ai vue dans cinq endroits différents, et mes sentiments se sont amplifiés avec le temps. Je ne suis pas très éloquent –

— Ce n'est pas ça », le coupa-t-elle, tout en sachant que c'était en partie ça. De quoi parleraient-ils jusqu'à la fin de leur vie ?

« Quoi qu'il en soit, je sais que je m'améliorerai avec votre aide.

— Quel est ce cinquième endroit ?

— Cinquième endroit ?

— Oui, vous avez dit m'avoir vue dans cinq endroits différents : Prahapore, Calcutta aujourd'hui, Kanpur, quelques instants à Lucknow quand vous nous avez conduites à la gare... quel est le cinquième ?

— Brahmpur.

— Mais –

— Nous ne nous sommes pas vraiment rencontrés, mais j'étais sur le quai quand vous alliez prendre le train pour Calcutta. Pas cette fois-ci – il y a quelques mois. Vous portiez un sari bleu et votre visage avait une expression si intense, si sérieuse, comme si – bref, une expression très intense et sérieuse.

— Etes-vous sûr que mon sari était bleu ? dit Lata en souriant.

— Oui. » Il sourit à son tour.

« Que faisiez-vous là ? » Elle se revoyait sur ce quai, retrouvait les sentiments qui l'agitaient alors.

« Rien. Je repartais pour Cawnpore. Ensuite, après que nous nous sommes vraiment connus, je n'arrêtais pas de me demander : "Où nous sommes-nous déjà vus ?" Comme aujourd'hui au match avec ce garçon, le jeune Durrani.

— Durrani ?

— Oui. Mais je n'ai mis que quelques minutes à découvrir où nous nous étions rencontrés. C'était à Brahmpur également. J'avais conduit Bhaskar chez son père. Tout arrive à Brahmpur ! »

Il lui sembla que Lata le considérait avec enfin un semblant d'intérêt.

« Beau garçon, poursuivit-il. Très bon connaisseur en cricket. Dans l'équipe universitaire. Il part demain pour le tournoi interuniversitaire quelque part.

— Au match de cricket ? Vous avez rencontré Kabir ?

— Vous le connaissez ? » Haresh se rembrunit légèrement.

Lata contrôla sa voix. « Oui. Nous avons joué ensemble dans *La Nuit des Rois*. Comme c'est étrange. Que fait-il à Calcutta ? Depuis combien de temps est-il là ?

— Je l'ignore. Principalement pour le cricket, je suppose. Mais peut-être aussi pour affaires. Il a dit quelque chose à propos de quelqu'un qu'il hésitait à voir. Quoi qu'il en soit, de quoi parlions-nous ? Ah oui, les cinq villes. Brahmpur, Prahapore, Calcutta, Lucknow, Cawnpore.

— J'aimerais que vous ne disiez pas Cawnpore.

— Et que devrais-je dire ?

— Kanpur.

— D'accord. Et moi j'aimerais que vous appeliez Calcutta Kolkota. »

Lata ne répondit pas. A l'idée que Kabir se trouvait quelque part en ville, mais injoignable, et qu'il allait partir le lendemain, elle sentit ses yeux la brûler. Et voilà qu'elle était assise là, sur ce même banc où elle avait lu sa lettre – et en compagnie de Haresh ! Décidément, si ses rencontres avec Haresh étaient marquées par les repas, celles avec Kabir l'étaient par les bancs.

« Quelque chose ne va pas ? s'enquit Haresh.

— Rentrons. J'ai un peu froid. Si Arun Bhai est parti, Varun ne se fera certainement pas prier pour mettre des disques de chansons de films. J'ai envie d'en entendre.

— Je croyais que vous préfériez la musique classique.

— J'aime tout, ça dépend des moments. Et puis Varun vous offrira à boire. »

Haresh opta pour une bière, Varun mit un air de *Deedar* puis quitta la pièce ; sa mère lui avait donné pour instruction de se faire discret.

Le brusque changement d'humeur de Lata bouleversait Haresh. Il était pourtant convaincu, d'après ses lettres, qu'elle tenait à lui.

Le disque avait achevé sa course et tournait à vide, mais Lata ne se leva pas pour le changer. « Je suis fatiguée de Calcutta, dit-elle gaiement. Heureusement que je vais au Jardin botanique demain.

— Mais je m'étais réservé cette journée pour la passer avec vous.

— Vous ne me l'avez jamais dit, Haresh.

— Vous avez écrit que vous vouliez passer le plus de temps possible avec moi. » Haresh ne comprenait pas : leur conversation avait pris un tour différent.

« Il nous reste encore cinq jours avant mon départ pour Brahmpur.

— Mon congé s'achève après-demain. Annulez votre

visite au Jardin botanique. J'insiste ! » Il sourit et lui prit la main.

« Oh, ne soyez pas mesquin – »

Il lui lâcha immédiatement la main. Lata le regarda : son visage était devenu blême de colère. « Je ne suis pas mesquin. Personne encore ne m'a jamais dit ça. Je vous interdis d'employer ce mot à mon égard. Je – je m'en vais. » Il se leva. « Je trouverai mon chemin pour la gare. Remerciez votre famille pour moi. Je ne peux pas rester dîner. »

Stupéfaite, Lata n'essaya pourtant pas de l'arrêter. « Ne sois pas mesquine », était une expression que les filles, au couvent Sainte-Sophie, employaient au moins une vingtaine de fois par jour. Ça n'avait rien de blessant, et elle ne comprenait pas pourquoi il l'avait si mal pris.

Mais Haresh, déjà troublé par quelque chose qui lui échappait, avait été frappé au plus profond de lui-même. S'entendre traiter de « mesquin » – chiche, minable, petit – par la femme qu'il aimait et pour laquelle il était prêt à tant faire – il ne le tolérerait jamais. Chiche, il l'était certainement moins que son cavalier de frère, qui avait à peine eu un mot de remerciement pour le déjeuner de l'autre jour, et qui n'avait même pas la décence de passer une soirée avec lui. Quant à minable, son accent n'était peut-être pas aussi raffiné que le leur ni sa diction aussi distinguée, mais il était d'aussi bonne extraction qu'eux. Il n'avait plus rien à faire avec des gens qui osaient le traiter de « minable ».

16.23

L'annonce du départ de Haresh plongea Mrs Rupa Mehra dans une quasi-hystérie. « Quelle grossièreté de sa part », dit-elle, et elle éclata en sanglots. Après quoi elle s'en prit à sa fille. « Tu as dû faire quelque chose qui lui a déplu. Il ne serait jamais parti sans ça. Sans même dire au revoir. »

Savita entreprit de la calmer puis, s'apercevant que Lata

semblait avoir reçu un coup sur la tête, elle s'assit à côté d'elle et lui tint la main. Heureusement qu'Arun n'était pas là pour jeter de l'huile sur le feu. Peu à peu, elle comprit ce qui s'était passé, la mauvaise interprétation par Haresh de la petite phrase de Lata.

« Mais si nous ne nous comprenons pas en paroles, comment pouvons-nous envisager un avenir commun ? dit Lata.

— Ne te tracasse pas trop pour le moment. Avale un peu de soupe. Et lis quelque chose d'apaisant.

— Un manuel de droit par exemple ? » Lata sourit à travers ses larmes.

« Oui. Ou – puisque toute cette confusion a pour origine le couvent – reprends ton livre d'autographes de l'école. C'est plein de vieux amis et d'affectueuses pensées. Je ne blague pas. Je feuillette souvent le mien quand je me sens triste. »

Une tasse de soupe chaude aux légumes fit son apparition, et Lata, bien que trouvant le remède idiot, feuilleta son livre. Sur les petites pages roses, crème et bleu pâle, en anglais et (de la main de ses tantes et, une fois, d'un Varun d'humeur nationaliste) en hindi, même en chinois (une inscription incompréhensible mais belle par sa camarade de classe Eulalia Wong), les phrases moralisatrices, émouvantes, amusantes ou facétieuses, dans leurs écritures et leurs encres différentes, firent surgir des souvenirs, apaisèrent son désarroi.

Elle trouva même, collé sur une page, un fragment de lettre de son père, qui se terminait par un dessin assez grossier de quatre petits singes, son « bandar-log », disait-il. Plus que jamais, en cet instant, il lui manquait. Le livre s'ouvrait par une inscription de sa mère :

Quand le monde t'a fait de la peine, que les ennuis de la vie
                              [assombrissent ton esprit,
Ne reste pas à gémir, soupirer, rêver et languir.
Va marcher dans la rue, remplis tes poumons de l'air pur
                              [que Dieu nous fournit,
Puis retourne en sifflant travailler, espérer, sourire.

Souviens-toi, Lata chérie, que chaque homme (et chaque femme) est responsable de son destin.

Celle qui t'aimera toujours,
MA.

Sur la page suivante, une amie avait écrit :

Lata...
L'amour est l'étoile vers laquelle les hommes lèvent les yeux tout en marchant, le mariage est la cave dans laquelle ils tombent.

Avec ma tendresse et tous mes vœux
ANURADHA.

Ce n'est pas le Parfait mais l'Imparfait qui a besoin d'Amour.

Une autre encore avait tracé, sur une page bleue d'une écriture légèrement penchée vers l'arrière :

De froides paroles peuvent briser un cœur aimant comme le premier gel d'hiver brise un vase de cristal. Un faux ami ressemble à l'ombre du cadran solaire qui se manifeste par beau temps mais disparaît au premier nuage.

Les filles de quinze ans, songea Lata, prennent la vie très au sérieux.

Savita, pour sa part, avait noté :

Dans une vie qui n'est que mousse et futilité,
Deux choses de la pierre ont la solidité :
La bonté pour les soucis d'autrui,
Le courage pour tes propres ennuis.

A sa surprise, les larmes lui revinrent aux yeux.

Je vais me transformer en Ma avant d'avoir vingt-cinq ans, se dit-elle. Pensée qui arrêta net le flot.

Le téléphone sonna. C'était Amit qui demandait Lata.

« Tout est prêt pour demain, dit-il. Tapan vient avec nous. Il aime le banian. Rassurez Ma : je prendrai bien soin de vous.

— Amit, je suis de très méchante humeur. Je crains d'être une désastreuse compagnie. Remettons ça à une autre fois. » Sa voix, un peu voilée, sonna bizarrement à ses propres oreilles, mais Amit ne s'attarda pas à ce détail.

« Ce sera à moi d'en décider, dit-il. Ou plutôt à nous deux. Si, quand je viendrai vous chercher demain, vous décidez de ne pas y aller, je ne vous y obligerai pas. Ça vous va ? Tapan et moi irons seuls. Je le lui ai promis – et je ne veux pas le décevoir. »

Lata se demandait quoi répondre quand il ajouta : « Ça ne m'arrive que trop souvent : vagues à l'âme du petit déjeuner, dépressions du déjeuner, cafards du dîner. Mais pour un poète, c'est sa matière première. Je suppose que telle était l'origine du poème que vous m'avez donné.

— Mais pas du tout ! s'indigna Lata.

— Très bien, très bien, je vois que vous allez déjà mieux. » Et il raccrocha.

Apparemment, se dit Lata, le combiné toujours à la main, certaines personnes ne la comprenaient pas assez et d'autres beaucoup trop.

16.24

Très chère Lata,

Je pense à toi depuis que tu es partie, mais tu me connais, je réussis toujours à être surchargée de travail, même en vacances. Toutefois, il s'est passé quelque chose dont je crois devoir t'informer. Après en avoir longtemps débattu avec moi-même, j'ai décidé que le mieux était de foncer. J'ai été si contente de recevoir ta lettre, et je déteste l'idée de te rendre malheureuse. Peut-être cette lettre se perdra-t-elle au milieu de tout le courrier de Noël et de celui des élections, ou disparaîtra-t-elle tout bonnement. Je ne le regretterais probablement pas.

Désolée de ces incohérences. J'écris au fil de la plume. Je feuilletais mes papiers hier, et je suis tombée sur le mot que tu m'avais adressé à Nainital, où tu disais avoir retrouvé la fleur séchée. Je l'ai relu, et j'ai essayé de me rappeler pourquoi je te l'avais donnée, ce jour où nous étions allées nous promener au zoo. Je pense que c'était, inconsciemment, pour sceller notre amitié. Elle exprimait mes sentiments, et je suis heureuse de pouvoir partager mes joies et mes soucis avec cette personne merveilleuse, affectueuse, si loin de moi et en même temps si proche.

Bon, Calcutta n'est pas si loin, en réalité, mais les amis s'inquiètent tout le temps, et c'est bon de savoir que tu ne m'as pas oubliée. Je regardais les photos prises pendant la représentation de la pièce tout en essayant de mettre de l'ordre dans mon esprit, et je me disais que tu avais été une merveilleuse actrice. J'en ai été stupéfaite à l'époque, et le suis toujours – surtout s'agissant d'une personne parfois si réservée, qui s'exprime rarement sur ses craintes, ses fantasmes, ses rêves, ses anxiétés, ses amours et ses haines – et que je n'aurais problablement jamais connue si je n'avais eu la chance de partager avec elle la même chambre d'hôpital – pardon ! d'hôtel.

Bon, assez de digressions, j'imagine l'anxiété sur ton visage. La nouvelle que je veux te donner concerne K et – allez, il faut en finir, je vais te la donner telle quelle, et j'espère que tu sauras me pardonner. Je ne fais que remplir un déplaisant devoir envers une amie.

Après ton départ pour Cal, K m'a envoyé un mot et nous nous sommes retrouvés au Danube Bleu. Il voulait que je te convainque de lui parler ou de lui écrire. Il m'a dit toutes sortes de choses sur son amour pour toi, ses nuits sans sommeil, ses errances sans repos, ses soupirs éperdus, etc. Il parlait avec beaucoup de conviction et je me sentais désolée pour lui. Mais il doit avoir une grande habitude de ce genre de blabla, car on l'a vu avec une autre fille – au Renard Rouge – le même jour ou presque. Tu m'as dit qu'il n'a pas de sœur, et, de toute façon, il est clair d'après mon informatrice, tout à fait fiable, qu'il ne se conduisait pas en frère. J'ai été surprise de ma propre colère à ce récit, tout en me disant qu'au fond cela avait le mérite d'éclaircir la situation. J'avais décidé de l'affronter, mais j'ai appris qu'il avait disparu pour se rendre à quelque tournoi universitaire de cricket ; à présent, je me dis que ça ne méritait pas toute cette tension et tout cet ennui.

Je t'en prie, Lata, ne laisse pas se rouvrir les vieilles blessures. Vois dans cette nouvelle la confirmation de la décision que tu as prise. Je suis convaincue que nous autres femmes nous compliquons la vie en ressassant éternellement des choses qui ne méritent pas qu'on s'en préoccupe. J'ai la même opinion sur le plan professionnel. Rêver à la lune, soit, mais par pitié pas de langueurs éternelles ! Il ne le mérite pas, et cette histoire le prouve. A ta place je l'écraserais avec le dos de ma cuiller dans mon assiette de purée, et l'oublierais à jamais.

Bon, passons à d'autres nouvelles.

A l'approche des élections, tout mousse et tourbillonne par ici, et le Parti socialiste échafaude toutes sortes de stratégies, de charlatanismes, de sorcelleries. J'assiste à toutes les réunions, je pointe, je fais campagne, mais sans illusion. Chacun ne cherche qu'à se pousser en avant, crie des slogans, fait des promesses, sans se soucier de la façon dont il pourra les payer, encore moins les tenir. Même les gens intelligents semblent avoir perdu la tête. Il y a un type qui parlait beaucoup d'intelligence avant, mais il tient tant de discours creux à présent et ouvre de si « gros-gros yeux » que je suis sûre qu'il est fou à lier.

Ah, j'allais oublier : on a redécouvert les femmes : un agréable effet secondaire de la fièvre électorale. « Le temps est venu où la Femme doit retrouver la position qu'elle occupait dans l'Inde ancienne : nous devons associer le meilleur du passé et du présent, de l'Occident et de l'Orient... » Voici, cependant, ce que disait notre ancien livre de droit, la Manu-smriti. Respire à fond :

« Nuit et jour, les femmes doivent rester sous la dépendance des mâles de la famille. Dans son enfance, la femme doit être soumise à son père, dans sa jeunesse à son mari, dans sa vieillesse à son fils ; une femme ne doit jamais être indépendante parce qu'elle est de nature aussi impure que fausse... Le Seigneur a fait de la femme une créature de mauvaise conduite, pleine de sensualité, de courroux, de malhonnêteté, de malice. » (Et maintenant, hélas, qui vote.)

Je suppose que rien ne te ramènera ici avant le début du trimestre, mais tu me manques beaucoup, quoique, comme je l'ai déjà dit, je sois si occupée que j'ai à peine le temps de rassembler la moitié d'une pensée.

Toute mon affection à toi, à Ma, Pran, Savita et au bébé – tu peux t'abstenir de la leur transmettre si tu crains qu'ils ne commencent à te questionner sur le contenu de ma lettre Transmets-la quand même à Uma.

MALATI

P.S. Parmi les pensionnaires du Paradis, les femmes seront la minorité, parmi ceux de l'Enfer, la majorité. Je dois quand même faire preuve d'impartialité et te donner aussi une citation du Hadith. « Cible ou mythe » : telle est, en gros, l'attitude de toutes les religions à l'égard de la femme.

P.P.S. Puisque je suis en humeur de citation, en voilà une tirée d'une nouvelle parue dans un magazine féminin, qui décrit les symptômes que tu dois éviter : « Elle devint une invalide, une fleur mitée... Un nuage de désespoir s'installait sur son visage pâle et rond... Une colère rouge et violente bouillonnait en elle, émanait de la migraine qui tenaillait son cœur... Comme un monarque déchu, courbant la tête, la voiture s'éloigna à reculons, soulevant des tourbillons de poussière à l'image de ses émotions. »

P.P.P.S. Si tu décides de te débarrasser de lui à coups de chansons, je te recommande d'éviter tes ragas favoris et « sérieux », comme Shri, Lalit, Todi, Marwa, etc., et de chanter quelque chose de plus mélodieux, comme Behag ou Kamod ou Kedar.

P.P.P.P.S. C'est tout, Lata chérie. Dors bien.

16.25

Lata ne dormit pas bien. Elle resta éveillée des heures durant, en proie à une jalousie si intense qu'elle lui coupait le souffle, à une détresse si totale qu'il lui paraissait incroyable qu'elle pût l'éprouver. Il n'existait aucun endroit dans la maison – aucun endroit nulle part – où elle pût se retirer seule et chasser de son esprit l'image de Kabir qu'elle avait, malgré elle, enfouie parmi les plus précieux de ses souvenirs. Malati ne disait rien de cette femme, qui elle était, à quoi elle ressemblait, ce qu'ils s'étaient dit, qui les avait vus. S'étaient-ils rencontrés par hasard, comme elle et lui ? L'emmenait-il à l'aube admirer le Barsaat Mahal ? L'avait-il embrassée ? Non, il ne pouvait pas l'avoir fait, il ne pouvait pas, cette pensée était intolérable.

Des propos tenus par Malati à propos du sexe, dans leurs discussions, revenaient la tourmenter.

Il était plus de minuit. Sans bruit, pour ne pas déranger sa mère ou le reste de la maisonnée, elle gagna le petit jardin, s'assit sur le banc où, l'été, environnée de l'odeur des lis tigrés, elle avait lu sa lettre. Au bout d'une heure, elle se mit à frissonner de froid, mais n'en eut cure.

Comment avait-il osé ? Tout en se posant la question elle fut bien forcée d'admettre qu'elle ne lui avait guère prodigué d'encouragements ou de réconfort. Et maintenant il était trop tard. Epuisée, elle finit par rentrer se recoucher. Elle dormit, d'un sommeil agité. Kabir la tenait dans ses bras, l'embrassait passionnément, lui faisait l'amour, et elle était en plein ravissement. Et soudain à cette extase se substitua la terreur. Car le visage de Kabir était maintenant celui, grimaçant, de Mr Sahgal, qui murmurait tout en haletant sur elle : « Tu es une bonne fille, une très bonne fille. Je suis fier de toi. »

Dix-septième partie

Savita n'était pas allée tout de go à Calcutta pour conseiller Lata et contrecarrer Arun sur le chapitre du mariage. Son initiative avait fait l'objet d'une querelle de famille.

Un matin de la mi-décembre, alors qu'ils étaient encore au lit, Pran avait dit à Savita : « Je crois, chérie, que nous devrions rester à Brahmpur. Baoji est submergé de travail avec les élections, et il faut que je l'aide au maximum. »

Uma dormait dans son berceau, ce qui fournit à Pran un autre argument.

« Par ailleurs, est-il sage de faire voyager un bébé si petit ? »

Encore endormie, Savita saisit vaguement le sens des paroles de Pran, tenta d'y réfléchir et dit : « Nous en parlerons plus tard. »

Habitué à la façon de sa femme de formuler ses désaccords, Pran se tint tranquille. Après que Mateen eut apporté le thé, Savita reprit : « Peut-être penses-tu que toi non plus tu ne devrais pas voyager à cette époque ?

— Effectivement, reconnut Pran, tout heureux de la tournure que prenaient les choses. Sans compter qu'Ammaji ne se porte pas très bien. Je m'inquiète pour elle, et toi aussi je le sais. »

Savita acquiesça, tout en pensant que Pran était à présent tout à fait rétabli et qu'il avait terriblement besoin de vacances, de changement. Il ne devait pas céder aux exigences paternelles. Le bébé ne souffrirait de rien à Calcutta ; quant à sa belle-mère, dont la santé, certes, laissait à désirer, elle prenait part à la campagne électorale avec autant de vigueur qu'elle s'était occupée des réfugiés du Penjab quelques années auparavant.

« Alors qu'en dis-tu ? poursuivit Pran. Les élections, ça n'arrive qu'une fois tous les cinq ans, et je sais que Baoji veut que je l'aide.

— Et Maan ?

— Il l'aidera lui aussi, bien entendu.

— Et Veena ?

— Tu connais les réactions de sa belle-mère. »

Ils burent leur thé. Le *Brahmpur Chronicle* restait plié sur le lit. Savita revint à la charge.

« Quelle aide peux-tu apporter ? Je ne veux pas que tu te trimbales en jeep ou en train jusqu'à Baitar, Salimpur et tous ces autres endroits barbares, les poumons remplis de poussière et de fumée. C'est aller au-devant d'une rechute.

— Je peux rester à Brahmpur et me rendre utile d'une autre façon. De plus, je redoute ce que Mishra va manigancer pour nuire à mon avancement. Le comité de sélection se réunit dans un mois. »

A l'évidence Pran ne tenait pas à se rendre à Calcutta, mais Savita avait du mal à discerner, au milieu de toutes les raisons avancées, laquelle – son père, sa mère, le bébé ou lui-même – lui importait le plus.

« Et moi ? demanda-t-elle.

— Toi, chérie ?

— Que crois-tu que j'éprouverai si Lata se fiance à un homme que je n'aurai jamais vu ?

— Il me semble, fit Pran après un instant de réflexion, que tu t'es fiancée à un homme que Lata n'avait jamais vu.

— La situation est très différente. Lata n'est pas ma sœur aînée. J'ai des responsabilités à son égard. Arun et Varun ne sont pas les meilleurs des conseillers.

— Dans ces conditions, pourquoi n'y vas-tu pas seule ? Tu me manqueras, bien entendu, mais ce n'est qu'une question de deux semaines. »

Savita lui jeta un coup d'œil : l'idée de leur séparation ne semblait pas le perturber outre mesure. « Si je pars, le bébé part aussi, dit-elle d'un ton raide. Par conséquent, tu viens aussi. Et tu as oublié le match ? »

C'est ainsi que tout le monde se retrouva à Calcutta.

Leur départ avait été retardé de deux jours par la maladie soudaine du Dr Kishen Chand Seth ; leur retour fut avancé de quelques jours en raison d'événements inattendus et dramatiques. Il ne s'agissait ni de maladie, ni des élections, ni des manigances du Pr Mishra, mais de Maan. Et à la suite de ces événements, la famille ne fut plus jamais la même.

17.2

Début décembre, Maan se trouvait toujours à Brahmpur, sans la moindre intention de retourner à Bénarès. A l'entendre, même si la ville entière – ghats, temples, commerce, fiancée, débiteurs, créanciers et tout le reste – sombrait dans le Gange, pas une ride ne viendrait troubler le cours du fleuve. Il se promenait dans Brahmpur, gagnant le Barsaat Mahal par les rues habituelles de la vieille ville, traversant Tarbuz ka Bazaar. Il joua un ou deux soirs au poker avec les amis du Rajkumar, lequel, depuis son expulsion de l'université, était retourné à Marh.

Il vint déjeuner ou dîner à Prem Nivas et à Baitar House, sa joyeuse présence agissant comme un remontant sur la santé de sa mère. Alla voir Veena, Kedarnath et Bhaskar, passa quelque temps en compagnie de Firoz, moins qu'il ne l'aurait voulu car son succès dans le procès des zamindars avait valu à son ami de nombreuses affaires. Il discuta campagne électorale et stratégie avec son père et le Nawab Sahib, qui soutenait la candidature de Mahesh Kapoor. Et il rendit visite à Saeeda Bai chaque fois qu'il le put.

Un soir, entre deux ghazals, Maan lui dit :

« Je voudrais revoir Abdur Rasheed, Saeeda, mais je crois comprendre qu'il ne vient plus ici.

— Il est devenu fou, je ne peux pas lui ouvrir ma porte. »

Maan se mit à rire et attendit qu'elle s'explique. Mais elle n'en fit rien.

« Qu'entendez-vous par fou ? demanda-t-il. Vous m'avez

dit, une fois, que vous le soupçonniez de s'intéresser à Tasneem, mais – certainement –

— Il lui a envoyé d'étranges lettres, Dag Sahib – Saeeda joua quelques mesures à l'harmonium –, que naturellement je ne lui laisse pas lire. Elles sont offensantes. »

Maan ne pouvait croire que Rasheed, dont il connaissait la droiture, notamment envers les femmes, ait pu écrire des lettres offensantes à Tasneem. Mais il connaissait aussi le sens de l'exagération de Saeeda, et son attitude excessivement protectrice à l'égard de sa sœur.

« Pourquoi voulez-vous le voir, d'ailleurs ? s'enquit Saeeda.

— J'ai promis à sa famille de le faire. Et je veux lui parler des élections. Mon père va se présenter dans la circonscription à laquelle appartient le village de Rasheed. »

Réponse qui eut le don de rendre Saeeda Bai furieuse. « Cette ville est donc devenue folle ! s'exclama-t-elle. Elections ! Elections ! N'y a-t-il rien d'autre au monde que du papier et des urnes ? »

De fait, Brahmpur ne parlait que de ça ou presque. La campagne proprement dite avait commencé. Redevenu, entre-temps, ministre du Trésor, Mahesh Kapoor avait décidé d'attendre quelques semaines avant de partir dans sa circonscription.

« Vous savez Saeeda, dit Maan en manière d'excuse, je dois aider mon père. Mon frère aîné n'est pas en très bonne santé, et il a ses cours. Et je connais la circonscription. Mais mon exil sera de courte durée. »

Saeeda Bai frappa dans ses mains pour faire venir Bibbo. Qui arriva en courant.

« Bibbo, sommes-nous inscrites sur les listes électorales de Pasand Bagh ? »

Bibbo l'ignorait, mais à son avis elles ne l'étaient pas. « Faut-il que je me renseigne ? demanda-t-elle.

— Non, ce n'est pas nécessaire.

— Comme vous voudrez, Begum Sahiba.

— Où étais-tu cet après-midi ? Je t'ai cherchée partout.

— J'étais sortie acheter des allumettes, Begum Sahiba.

— Il faut une heure pour acheter des allumettes ? »

Bibbo ne pouvait avouer à sa maîtresse, qui s'était mise

dans un tel état à propos de Rasheed, qu'elle avait servi d'intermédiaire entre Firoz et Tasneem.

La colère de Saeeda se porta sur Maan. « Pourquoi traînez-vous ici ? Il n'y a pas de votes à récolter dans cette maison.

— Saeeda Begum – protesta Maan.

— Qu'est-ce que tu fais à bayer aux corneilles ? dit-elle à Bibbo. Ne t'ai-je pas dit de partir ? »

Soudain Saeeda se leva et alla dans sa chambre d'où elle revint avec trois des lettres que Rasheed avait envoyées à Tasneem.

« Vous y trouverez son adresse », fit-elle en les jetant sur la table basse. Maan la copia de son écriture ourdoue malhabile, remarquant que celle de Rasheed était bien pire qu'il ne s'en souvenait.

« Il y a quelque chose qui ne va pas dans sa tête, reprit-elle. Vous aurez là un bon responsable pour votre campagne. »

Le reste de la soirée fut à l'avenant. La vie publique avait pénétré dans le boudoir, et avec elle toutes les craintes de Saeeda Bai concernant Tasneem.

Elle se replia dans une sorte de rêve.

« Quand partez-vous ? demanda-t-elle, d'une voix indifférente.

— Dans trois jours, Inch'Allah.

— Inch'Allah », répéta la perruche. Maan darda sur l'oiseau un regard furieux. Il n'était pas d'humeur à apprécier cet animal demeuré. Il venait de recevoir un coup : Saeeda Bai, apparemment, ne se souciait guère qu'il reste ou qu'il parte.

« Je suis fatiguée, dit-elle.

— Puis-je venir vous voir la veille de mon départ ?

— Plus jamais je ne désirai errer dans le jardin », murmura-t-elle, citant Ghalib.

Cette citation, Saeeda l'appliquait à Maan et à l'inconstance des hommes en général, mais Maan crut qu'elle se l'appliquait à elle-même.

Le lendemain, Maàn rendit visite à Rasheed dans sa chambre d'un quartier minable et surpeuplé de la vieille ville, aux ruelles défoncées et aux égouts puants. Rasheed vivait seul, n'ayant pas les moyens de faire venir sa famille à Brahmpur. Il donnait des leçons particulières, étudiait, travaillait pour le Parti socialiste et tentait d'écrire un ouvrage – mi-populaire, mi-universitaire – sur la signification et les risques du sécularisme dans l'Islam. Depuis des mois, à défaut de nourriture et d'affection, il tenait par la volonté. L'apparition de Maan sur le pas de sa porte le stupéfia et l'inquiéta. Maan nota les cheveux de plus en plus blancs, le visage hâve, les yeux dans lesquels brûlait encore une sorte de flamme.

« Allons marcher, proposa Rasheed. J'ai une leçon dans une heure. Il y a trop de mouches ici. Curzon Park est sur le chemin, nous pourrons nous y asseoir et parler. »

Ils s'assirent à l'ombre d'un ficus à petites feuilles, au doux soleil de la mi-décembre. Chaque fois que quelqu'un passait, Rasheed baissait la voix. Il paraissait terriblement fatigué, mais parla sans discontinuer. Dès le début, Maan sut qu'il refuserait d'aider son père. Il allait soutenir le Parti socialiste dans la circonscription de Salimpur-Baitar, consacrerait toutes ses vacances universitaires à faire campagne pour lui et contre le Congrès. Il discourut sans fin sur le féodalisme, la superstition, la structure oppressive de la société et tout particulièrement le rôle du Nawab de Baitar dans ce système. Affirma que les dirigeants du Congrès – Mahesh Kapoor y compris, probablement – avaient partie liée avec les grands propriétaires terriens, lesquels recevraient une compensation pour les terres que l'Etat allait leur prendre. « Mais le peuple ne se laissera pas duper, dit-il. Il ne comprend que trop bien les choses. »

Jusque-là, Rasheed s'était exprimé avec une grande conviction, peut-être un peu exagérée, et une animosité peut-être excessive à l'égard du principal propriétaire du district, qu'il savait être un ami de Maan, mais son discours n'avait rien de bizarre ou d'illogique. Le mot « dupe », toutefois, sembla marquer une fracture. Il s'en prit soudain à Maan : « Bien entendu, les gens dupés sont plus sages que vous ne le pensez.

— Bien entendu », agréa Maan, se forçant à l'amabilité, malgré sa déception. C'est par Rasheed qu'il avait connu Debaria et sa région, son soutien aurait constitué un atout précieux pour son père.

« Pour être honnête, reprit Rasheed, je dois avouer que je vous ai haï autant que les autres quand j'ai compris ce que vous tentiez de faire.

— Moi ? » Maan ne voyait pas quel rôle il jouait là-dedans, à part le fait d'être le fils de son père. Et, de toute façon, pourquoi la haine ?

« Mais j'ai remisé tout ça. On ne gagne rien par la haine. Et je dois vous demander votre aide. Puisque vous êtes en partie responsable, vous ne pouvez pas me la refuser.

— De quoi parlez-vous ? » Maan avait bien senti, lors de son séjour au village pour Bakr-Id, que Rasheed n'y était pas en odeur de sainteté, mais en quoi cela le concernait-il ?

« Je vous en prie, ne jouez pas les ignorants. Vous connaissez ma famille ; vous avez même rencontré la mère de Meher – et pourtant vous avez joué un rôle dans ces événements et ces projets. Vous-même, n'êtes-vous pas avec la sœur aînée ? »

Les paroles de Saeeda Bai prenaient à présent tout leur sens dans l'esprit de Maan.

« Tasneem ? demanda-t-il. Parlez-vous de Saeeda Baï et de Tasneem ?

— Si vous le savez, pourquoi citer son nom ? » Le visage de Rasheed se durcit, comme si Maan venait d'avouer sa culpabilité.

« Mais je ne sais rien – je ne sais pas de quoi il s'agit, protesta Maan.

— Moi je sais, dit Rasheed prenant un ton raisonnable, que vous et Saeeda Bai et les autres, y compris des membres importants du gouvernement, essayez de me marier à elle. Et elle a jeté son dévolu sur moi. La lettre qu'elle m'a écrite – les regards qu'elle m'a lancés – Un jour, au milieu de sa leçon, elle a fait une remarque qui ne pouvait signifier qu'une chose. Le souci m'empêche de dormir, je n'ai quasiment pas fermé l'œil depuis trois semaines. Je ne veux pas de ça, mais j'ai peur pour sa santé mentale. Elle deviendra folle si je ne lui rends pas son amour. Mais si je me lance là-dedans – ce que je dois faire par humanité – je veux une protection pour ma femme et mes enfants. Il faudra que vous obteniez confirmation totale de la part de Saeeda Bai. Je n'accepterai qu'à certaines conditions.

— Au nom du ciel, de quoi parlez-vous ? Je ne participe à aucun complot –

— Ne dites pas ça, l'interrompit Rasheed, tremblant de colère. Je ne supporte pas que vous me disiez de telles choses en face. Je sais qui fait quoi. Je vous ai déjà dit que je n'éprouve plus de haine envers vous. Je me suis convaincu que vous faites ça pour mon bien. Mais n'avez-vous jamais pensé à ma femme et à mes enfants ?

— J'ignore les intentions de Saeeda Begum, mais je doute qu'elle veuille que Tasneem vous épouse. Pour ma part, c'est la première fois que j'en entends parler. »

Une lueur de ruse passa sur le visage de Rasheed. « Alors pourquoi avez-vous mentionné son nom il y a une minute ?

— Saeeda Bai m'a dit quelque chose à propos de lettres que vous avez envoyées à sa sœur. Je vous conseillerais de ne plus écrire. Ça ne ferait que la fâcher. Et – ajouta-t-il, s'énervant lui-même mais s'efforçant de se contrôler car, après tout, il s'adressait à son professeur et, qui plus est, à celui qui avait été son hôte – je voudrais que vous cessiez d'imaginer que je fais partie d'un complot.

— D'accord, d'accord. Je n'en parlerai plus. Quand vous êtes allé voir le patwari avec ma famille, est-ce que je vous ai critiqué ? Fermons le chapitre. Je ne vous accuserai pas, et vous cesserez ces protestations, ces dénégations. D'accord ?

— Mais bien sûr que je nie – » Maan se demanda à peine ce que le patwari venait faire là-dedans. « Vous vous trompez complètement, Rasheed. J'ai toujours eu le plus grand respect pour vous, et je ne vois pas où vous êtes allé chercher ces idées. Pourquoi croyez-vous que Tasneem s'intéresse à vous ?

— Je ne sais pas. Peut-être à cause de mon apparence,

608

ou de mon honnêteté, ou parce que j'ai déjà tant fait dans ma vie et qu'un jour je serai célèbre. Elle sait que j'ai aidé beaucoup de gens. » Il baissa la voix. « Je n'ai sollicité aucune attention. J'ai une attitude religieuse envers la vie. Mais j'ai le sens du devoir. Je dois faire ce qui est nécessaire pour sa santé mentale. » Epuisé, il courba la tête et se pencha en avant.

« Je crois, dit Maan, en lui tapotant le dos, que vous devriez prendre plus grand soin de vous – ou vous en remettre à votre famille. Vous devriez retourner au village dès le début des vacances, ou même avant, et laisser la mère de Meher s'occuper de vous. Vous reposer. Dormir. Manger convenablement. Ne pas étudier. Et ne pas vous épuiser dans une campagne électorale, pour quelque parti que ce soit. »

Rasheed releva la tête et regarda Maan d'un air moqueur. « Ainsi c'est ce que vous voudriez ? Ainsi le chemin sera libre. Vous pourrez relouer mon champ. Envoyer la police me casser la tête avec une lathi. J'essuie peut-être quelques échecs, mais ce que je décide de faire, je le fais. Je comprends comment les choses sont liées entre elles. On ne me dupe pas facilement, surtout si l'on n'a pas la conscience nette.

— Vous parlez par énigmes. Et il se fait tard pour votre leçon. Et de toute façon, je ne veux plus entendre un mot sur ce sujet.

— Vous devez le confirmer ou le nier.

— Quoi, au nom du ciel ? s'écria Maan, exaspéré.

— La prochaine fois que vous verrez Saeeda Begum, dites-lui que je suis prêt à répandre le bonheur dans sa maison si elle insiste, que je veux une simple cérémonie, mais que les enfants que je pourrais avoir de mon second mariage n'usurperont pas les droits de ceux que j'ai déjà. Et le mariage avec Tasneem doit rester secret, même pour le reste de la famille. Je ne veux aucune rumeur – après tout elle est la sœur de – j'ai ma réputation et celle de ma famille à défendre. Seuls ceux qui savent déjà – »

Maan se leva, s'appuya contre l'arbre, fixant avec stupeur son ancien professeur et ami. Il soupira et finit par dire :

« Je ne retourne pas chez Saeeda Begum et je ne com-

plote pas contre vous. Je ne veux casser la tête de personne.
Je pars demain pour Salimpur avec mon père. Vous pouvez
adresser vos messages vous-même à Saeeda Begum – mais
je vous supplie d'y renoncer. Si vous le souhaitez, Rasheed,
je vous accompagnerai jusqu'à votre village – ou à celui de
votre femme. »

Rasheed ne bougea pas, se passa une main sur le front.

« Alors, que décidez-vous ? » Maan avait prévu d'aller
voir Saeeda Bai avant son départ. Maintenant il se sentait
obligé de lui raconter cette conversation, espérant de tout
cœur qu'il n'en sortirait rien de mal et que cela ne gâcherait
pas sa soirée.

« Je vais rester ici, dit Rasheed. Et penser. »

Il prononça ce dernier mot sur un ton étrangement
menaçant.

17.4

En réfléchissant aux propos de Rasheed, Maan se rappela que quelqu'un – le père ou le grand-père de Rasheed –
lui avait dit quelque chose à propos du patwari. Il connaissait la compassion de Rasheed envers les pauvres, mais
aussi sa rigidité d'esprit. Il exigeait tant des autres et de
lui-même, réagissait avec tant de colère et d'orgueil, fon-
çait avec une telle violence dans la voie qu'il choisissait –
qu'il avait atteint la limite de ses forces. Avait-il reçu un
choc particulier, qui l'avait fait craquer ainsi ?

Et sa famille, que pensait-elle de tout ça ? Etait-elle au
courant ? Si oui, comment pouvait-elle demeurer indifférente ? Maan résolut de leur poser directement la question
quand il se rendrait à Debaria.

Saeeda Bai fut si effrayée par ce que lui raconta Maan
qu'elle appela le portier et lui enjoignit de ne laisser entrer,
sous aucun prétexte, l'ancien professeur de Tasneem. Elle
lut à Maan un passage d'une lettre de Rasheed, qui ne
laissait guère de doute sur la passion qui le dévorait. Il

écrivait à Tasneem qu'il voulait enfouir son visage dans le nuage de ses cheveux, etc., etc. Même son écriture, à laquelle il s'appliquait tant, avait régressé jusqu'à n'être plus qu'un gribouillis. Maan comprit que, si on ajoutait à cela l'histoire du complot imaginaire qu'il venait de lui révéler, Saeeda Bai pût être incapable de se concentrer sur quoi que ce soit d'autre. Il aurait voulu la prendre dans ses bras pour l'apaiser – mais il sentit ce que sa vulnérabilité recelait d'explosif, et qu'il s'exposait à une douloureuse rebuffade.

« S'il y a quoi que ce soit que je puisse faire, dit-il, envoyez-moi chercher. Je serai dans le district de Rudhia, mais chez le Nawab, ils sauront où me trouver. » Maan ne mentionna pas Prem Nivas car Saeeda Bai n'y était plus persona grata. « Le Nawab Sahib a promis de soutenir la campagne de mon père, expliqua-t-il.

— Pauvre, pauvre enfant, dit-elle doucement. O Dieu, dans quel monde vivons-nous. Partez maintenant, Dagh Sahib, et que Dieu vous garde.

— Vous êtes sûre –

— Oui.

— Je ne pourrai penser à rien d'autre que vous, Saeeda. Au moins, donnez-moi un sourire avant que je m'en aille. »

Elle le lui donna, mais la tristesse aux yeux. « Ecoutez Maan – elle l'appela par son nom – réfléchissez bien. Ne placez jamais votre bonheur entre les mains d'une seule personne. Seulement dans les vôtres. Et même si je ne suis plus invitée à chanter à Prem Nivas pour Holi, venez ici, je chanterai pour vous.

— Mais Holi est dans plus de trois mois, et je serai de retour dans moins de trois semaines.

— Oui, oui », fit-elle d'un air absent. Elle secoua la tête, ferma les yeux. « Je ne sais pas pourquoi je suis si fatiguée, Dagh Sahib. Je n'ai même pas envie de nourrir Miya Mitthu. Que Dieu vous garde. »

Salimpur-Baitar comptait 70 000 électeurs, la moitié hindous, la moitié musulmans.

Outre les deux petites villes qui lui donnaient son nom, la circonscription comprenait plus d'une centaine de villages, dont les « jumeaux » Sagal et Debaria où vivait la famille de Rasheed, et n'élisait qu'un seul représentant à l'Assemblée législative. Dix candidats étaient en lice : six pour les différents partis, quatre au titre d'Indépendants. Au nombre des premiers figurait Mahesh Kapoor, le ministre du Trésor, candidat du Congrès national indien ; parmi les derniers, Waris Mohammad Khan, l'homme choisi par le Nawab Sahib de Baitar au cas où son ami n'aurait pas reçu l'investiture du Congrès ou aurait décidé de ne pas se présenter, pour une raison ou une autre.

Ravi de ce qui lui arrivait, Waris savait qu'on attendait de lui qu'il soutienne à fond Mahesh Kapoor. La seule vue de son nom sur la liste des candidats validés épinglée à la porte du bureau électoral le faisait sourire avec orgueil. Khan venait juste au-dessous de Kapoor sur la liste établie selon l'ordre alphabétique anglais. Waris y voyait une signification : une accolade suffisait à réunir les deux alliés. Bien que nul n'ignorât en quoi consistait son rôle, le fait que son nom figurât en compagnie de celui des citoyens les plus connus du district – de l'Etat, en réalité – lui conférait un certain statut au Fort. Le munshi continuait à lui donner des ordres, mais avec circonspection. Et quand Waris voulait se défiler, il arguait de son travail électoral.

A l'arrivée au Fort de Maan et de son père, Waris les rassura :

« Bon, ministre Sahib, Maan Sahib, laissez-moi m'occuper de la zone de Baitar. J'arrangerai tout – transports, réunions, tambours, chanteurs, tout. Demandez simplement au Congrès de nous envoyer des tas d'affiches de Nehru, et des tas de drapeaux du parti. Nous veillerons à ce qu'ils soient mis partout. Et personne ne pourra dormir pendant un mois, ajouta-t-il, tout heureux. Les gens ne pourront même pas entendre l'azaan à cause des slogans.

Oui. Je me suis assuré que vous auriez de l'eau chaude pour votre bain. J'ai organisé une tournée dans quelques villages demain matin, et le soir nous retournerons en ville pour une réunion. Et si Maan Sahib désire chasser – mais je crains que nous n'en ayons pas le temps. Avant, je dois veiller à ce que beaucoup de nos partisans assistent à la réunion du Parti socialiste ce soir, pour la conspuer comme il faut. Ces haramzadas ne comprennent même pas que notre Nawab Sahib devrait obtenir une compensation pour la terre qu'on va lui enlever – vous imaginez ! C'est tellement injuste. Et voilà qu'ils veulent ajouter l'insulte à la blessure – » Waris s'interrompit, réalisant soudain qu'il s'adressait à l'auteur même de cette loi scélérate. Il secoua la tête avec vigueur, comme pour chasser cette idée de son esprit. Ils étaient alliés, à présent.

« Bon, maintenant j'y vais », dit-il. Et il disparut.

Quand Maan descendit, après s'être détendu longuement dans son bain, il trouva son père piaffant d'impatience. Ils passèrent en revue les candidats, les gens des différentes régions, castes ou religions dont ils pouvaient espérer le soutien, discutèrent de leur stratégie à l'égard des femmes et d'autres groupes particuliers, des dépenses électorales et du moyen de les couvrir, de la possibilité, infime, de convaincre Nehru de prononcer un discours dans la circonscription à l'occasion de sa brève tournée dans le Purva Pradesh à la mi-janvier. L'attention que lui prêta son père fit chaud au cœur de Maan. Mahesh Kapoor, contrairement à son fils, n'avait pas vécu dans cette circonscription, mais Maan s'attendait à le voir appliquer son expérience de sa ferme de Rudhia à cette partie nord de l'Etat. Or, s'il n'adhérait pas au système des castes et n'estimait guère les croyances religieuses, Mahesh Kapoor en connaissait parfaitement les implications électorales : il écouta avec attention Maan lui expliquer les contours démographiques de ce terrain difficile.

Aucun des candidats indépendants – Waris n'entrant pas dans le compte – ne constituait un adversaire sérieux pour Mahesh Kapoor. Et sa position de représentant du Congrès – même dans une circonscription qui ne lui était pas familière – lui conférait d'emblée un net avantage sur les candidats des autres partis. Parti de l'Indépendance, parti de Nehru, le Congrès jouissait d'une assise beaucoup plus vaste, d'une organisation bien mieux rodée, et reconnaissable au premier coup d'œil. Son drapeau – safran, blanc et vert, avec un rouet au milieu – ressemblait au drapeau national. Il possédait un ou deux militants dans chaque village ou presque – militants qui, actifs dans les services sociaux ces dernières années, consacreraient leur activité à la campagne électorale pendant les deux prochains mois.

Les cinq autres partis proposaient des programmes hétérogènes.

Le Jan Sangh promettait de « favoriser et répandre les plus hautes traditions du Bharatiya Sanskriti », terme à peine voilé pour signifier la culture hindoue plutôt qu'indienne. Il ne demandait qu'à en découdre avec le Pakistan à propos du Cachemire. Il exigeait du Pakistan des compensations pour les biens des hindous obligés d'émigrer en Inde. En tenait pour une Inde unie, qui incluait le territoire du Pakistan ; et donc probablement réunie, par la force.

Le Ram Rajya Parishad paraissait moins belliqueux mais encore plus éloigné de la réalité. Il avait pour objectif déclaré de replonger le pays dans une situation semblable à celle qui régnait à l'époque idyllique de Rama. Chaque citoyen devait être « vertueux et d'esprit religieux » ; des aliments artificiels comme le vanaspati ghee – une sorte d'huile végétale hydrogénée – seraient interdits, ainsi que les films obscènes ou vulgaires et l'abattage des vaches. L'ancien système de médecine hindoue serait « érigé en système national ». Et le projet de code hindou ne serait jamais voté.

Les trois partis qui se situaient à la gauche du Congrès étaient le PTP, auquel Mahesh Kapoor avait brièvement adhéré (qui avait une cabane pour symbole) ; le Parti socialiste (symbolisé par un banian) ; le Parti communiste (arborant une faucille et des épis de maïs). La Fédération des castes répertoriées, le parti du Dr Ambedkar (qui avait récemment démissionné du gouvernement de Nehru pour incompatibilité d'opinions et non-vote du code hindou), avait renoncé à présenter un candidat de son cru et conclu une alliance électorale avec les socialistes. Elle préférait concentrer ses efforts sur les circonscriptions bénéficiant de deux sièges dont l'un, au terme de la loi, devait obligatoirement revenir à un candidat des classes répertoriées.

« Ç'aurait été bien que ta mère soit là, dit Mahesh Kapoor. C'est encore plus important ici que dans mon ex-circonscription – il y a beaucoup plus de femmes qui respectent le purdah.

— Et les groupes féminins du Congrès ?

— Les volontaires ne suffisent pas ; ce qu'il nous faut, c'est un puissant tribun féminin.

— Ammaji n'est pas un puissant tribun. » Maan essaya d'imaginer sa mère sur une estrade, et n'y parvint pas. Elle excellait dans le travail en coulisses, surtout par l'aide qu'elle apportait aux gens, mais aussi – comme en période électorale – par son talent de persuasion.

« Non, mais elle est de la famille, et ça fait toute la différence.

— A mon avis, nous devrions demander à Veena de nous aider. Pour ça, il faut que tu parles à la vieille Mrs Tandon.

— La vieille dame n'apprécie pas mes façons de mécréant. C'est à ta mère de la convaincre. Tu retourneras à Brahmpur la semaine prochaine pour le lui demander. Et tant que tu y seras, dis à Kedarnath de s'adresser aux jatavs qu'il connaît à Ravidaspur afin d'y contacter les classes répertoriées. Caste, caste, caste, fit-il en hochant la tête. Encore une chose : durant les premiers jours, il vaut mieux que nous restions ensemble ; après, nous nous séparerons pour couvrir davantage de territoire. Il y a deux jeeps au Fort. Tu en partageras une avec Waris, je voyagerai dans l'autre avec le munshi.

— Prends plutôt Firoz, quand il sera là. » Connaissant le munshi, Maan craignait qu'il ne fît perdre des voix à son père. « Il y aura ainsi un hindou et un musulman dans chaque jeep.

— Qu'est-ce qui le retient ? C'est lui qui aurait dû nous accompagner dans Baitar. Je comprends qu'Imtiaz ne puisse pas quitter Brahmpur, mais Firoz...

— Il est surchargé de travail en ce moment. » Maan accorda une pensée à son ami, dont il occupait la chambre, comme d'habitude, tout en haut du Fort. « Et le Nawab Sahib ? Pourquoi nous abandonne-t-il ?

— Il n'aime pas les élections. En fait, c'est la politique qu'il n'aime pas. Etant donné le rôle qu'a joué son père dans l'éclatement du pays, je ne le blâme pas. Du moins, il a tout mis à notre disposition. Tu nous imagines conduisant ma voiture sur ces routes ? Ou nous déplaçant en char à bœufs ?

— Nous sommes tout à fait mobiles : deux jeeps, une paire de bœufs et une bicyclette. » Ils rirent tous les deux. La paire de bœufs était le symbole du Congrès et la bicyclette celui de Waris.

« Vraiment dommage l'absence de ta mère, répéta Mahesh Kapoor.

— Il reste encore un bon bout de temps avant le jour du vote, et je suis sûr qu'elle sera suffisamment rétablie dans une semaine ou deux pour nous donner un coup de main. » Maan attendait beaucoup de son retour à Brahmpur : pour la première fois de sa vie, son père lui faisait confiance ; d'une certaine façon, même, dépendait de lui.

Waris vint dire qu'il s'apprêtait à partir en ville pour la réunion du Parti socialiste. Le ministre sahib ou Maan Sahib voulaient-ils l'accompagner ?

Mahesh Kapoor estima qu'il n'était pas convenable qu'il y assiste, mais Maan n'eut pas de tels scrupules : il voulait voir tout ce qu'il y avait à voir.

17.6

La réunion, qui commença avec trois quarts d'heure de retard, se tenait, comme toutes les réunions importantes, sur le terrain de jeux de l'école publique de Baitar. Une poignée d'hommes, sur l'estrade abritée par un immense dais rouge et vert, tentaient de faire patienter le public. Plusieurs personnes se portèrent à la rencontre de Waris, ravi d'être le centre de l'attention. Il présenta Maan, saluant l'un d'un adaab, l'autre d'un namasté ou d'une claque amicale sur le dos. « Voici l'homme qui a sauvé la vie du Nawabzada », annonça-t-il avec tant de grandiloquence que Maan, malgré son flegme, en fut embarrassé.

Le cortège socialiste avait dû être retenu quelque part en ville, mais on entendait maintenant le son des tambours et, bientôt, le candidat, entouré de ses amis, grimpait les marches de la tribune. Une quarantaine d'années, professeur, il était depuis des années membre du Conseil de district. Bon tribun, il attirait la foule, venue d'autant plus nombreuse ce soir-là qu'une fausse rumeur avait annoncé la présence du grand dirigeant socialiste, Jayaprakash Narayan. Il était sept heures et il commençait à faire froid. Les auditeurs, presque en totalité mâles, villageois comme citadins, avaient apporté châles et couvertures ; pour les protéger de l'humidité et de la poussière, les organisateurs avaient fait recouvrir le sol de durries de coton.

Outre plusieurs luminaires un certain nombre de personnalités locales éclairaient l'estrade. Derrière eux, sur un drap faisant office de mur, apparaissait l'immense image d'un banian, le symbole du Parti socialiste. L'orateur avait une voix si puissante, habituée à imposer le silence à des jeunes gens turbulents, qu'il aurait pu se passer de micro. L'objet, d'ailleurs, fonctionnant très irrégulièrement, n'émit que des vibrations gémissantes quand le candidat se trouva au plus fort de sa péroraison. Lequel candidat, après avoir été présenté, avoir reçu les guirlandes rituelles, s'était lancé dans un discours du plus pur style oratoire hindi :

« ... Et ce n'est pas tout. Non seulement ce gouvernement du Congrès n'utilisera pas nos impôts pour des canalisations qui nous apporteraient de l'eau potable, mais il le dépensera jusqu'à la dernière paisa en babioles inutiles. Chacun d'entre vous est passé devant cette horrible statue de Gandhiji sur la place de la ville. Je suis désolé d'avoir à dire que, quels que soient le respect, la révérence que nous avons pour l'homme que cette statue est censée représenter, c'est une façon honteuse de dépenser l'argent public. Cette âme grandiose, nous la portons dans notre cœur ;

avons-nous besoin qu'elle dirige la circulation sur la place du marché ? Mais comment peut-on discuter avec le gouvernement de cet Etat ? Ils n'ont rien voulu entendre, ils ont poursuivi leur chemin. C'est ainsi qu'ils ont dépensé notre argent pour une statue inutile, qui n'est bonne qu'à recueillir la fiente des pigeons. S'ils l'avaient utilisé pour construire des toilettes publiques, nos mères et nos sœurs ne seraient pas obligées de déféquer en plein air. Et toutes ces dépenses inutiles obligent ce gouvernement inutile à imprimer encore plus de billets de banque inutiles, qui à leur tour font augmenter les prix de toutes les denrées, de tous les produits de première nécessité que nous, les pauvres, devons acheter. » Sa voix prit un ton angoissé. « Comment faire face ? Certains d'entre nous, professeurs ou employés, ont un salaire fixe, d'autres dépendent de la générosité du ciel. Comment tolérer cette dépense insupportable – l'inflation, le seul véritable cadeau que le Congrès ait fait au peuple de ce pays durant les quatre dernières années. Qui va aider notre barque à traverser le fleuve de la vie dans ces temps désespérés de sous-rationnement, de raréfaction de biens d'habillement, de sauterelles, de corruption et de népotisme ? Je regarde mes élèves et je pleure –

— Montre-nous comment tu pleures ! Un, deux, trois, vas-y ! hurla une voix dans la foule.

— Je prierai mes frères respectés et prétendument doués d'intelligence, là-bas au fond, de ne pas m'interrompre. Nous savons d'où ils viennent, de quels nids ils sont tombés pour aider à opprimer le peuple de ce district... Je regarde mes élèves, et je pleure. Et pourquoi ? Je vous le dirai, si les artificiers du fond veulent bien me le permettre. Parce que ces pauvres étudiants ne trouvent pas de travail, aussi bons, aussi honnêtes, aussi intelligents, aussi travailleurs qu'ils soient. Voilà ce que le Congrès a fait, voilà où il a conduit l'économie. Réfléchissez, mes amis, réfléchissez. Qui parmi nous ne connaît l'amour d'une mère ? Et pourtant aujourd'hui, cette mère qui, le visage ruisselant de larmes, a regardé pour la dernière fois ses bijoux de famille, ses bracelets de mariage, son mangal-sutra – ces choses qui lui sont plus chères que la vie – et qui les a vendus pour assurer l'éducation de son fils – qui lui a permis de passer de l'école à l'université avec l'espoir de lui voir faire quelque chose de valable de sa vie – cette mère voilà qu'elle découvre qu'il ne peut même pas obtenir un poste de fonctionnaire sans connaître quelqu'un ou sans graisser la patte à quelqu'un. Est-ce pour cela que nous avons jeté les Britanniques dehors ? Est-ce cela que mérite le peuple ? Un tel gouvernement qui ne sait pas nourrir son peuple, ne sait pas procurer du travail à ses étudiants, un tel gouvernement devrait mourir de honte, un tel gouvernement devrait se noyer dans une flaque d'eau. »

L'orateur s'arrêta pour reprendre son souffle, et les organisateurs lancèrent un cri :

« Le député de Baitar, ce sera qui ? »

Et la foule des partisans de répondre :

« Ramlal Sinha, ce sera lui ! »

Ramlal Sinha leva les mains, en un humble geste de salutation. « Mais, mes amis, mes frères, mes sœurs, laissez-moi parler encore, laissez-moi vider mon cœur de toute l'amertume qu'il a dû avaler pendant ces quatre années de règne maléfique du Congrès – je n'aime pas employer un langage outrancier, mais je vous dis que si nous voulons empêcher une révolution d'éclater dans ce pays, il faut nous débarrasser du Congrès. Il faut le déraciner. Cet arbre dont les racines se sont enfoncées si profondément, qui a pompé toute l'eau de ce sol, cet arbre est si pourri et si creux qu'il est de notre devoir – du devoir de chacun d'entre nous, mes amis, de déraciner cet arbre pourri et creux du sol de notre Mère l'Inde et de le jeter – avec les chouettes rapaces et maléfiques qui ont édifié leur sale nid sur lui !

— Débarrassons-nous de l'arbre ! Ne votons pas pour l'arbre ! » hurla quelqu'un. Maan et Waris se regardèrent et éclatèrent de rire, imités par d'autres, y compris des sympathisants socialistes. Comprenant que cela nuisait à son image, Ramlal Sinha tapa sur la table et s'écria : « C'est typique de ces voyous du Congrès ! »

Puis se rendant compte que la colère avait un effet négatif, il continua d'une voix apaisée : « Typique, mes amis, typique. C'est dans ces conditions, dans cette sorte de clandestinité, que nous menons campagne. Le parti du Congrès tient dans ses mains tout l'appareil d'Etat. Le Premier ministre se déplace en avion aux frais de l'Etat. Les magistrats du district volent au secours du Congrès. Ils paient des gens pour troubler nos réunions. Mais nous devons nous élever au-dessus de ça, leur apprendre qu'ils peuvent bien hurler jusqu'à ne plus avoir de voix, ils ne nous étoufferont pas. Ce n'est pas à un parti de deux sous qu'ils ont affaire, c'est au Parti socialiste, le parti de Jayaprakash Narayan, d'Acharya Narendra Deva, de patriotes sans peur, non à des crétins vénaux. Nous mettrons nos bulletins de vote dans la boîte marquée du symbole du – du banian, véritable représentation du Parti socialiste. Un arbre vigoureux, un arbre touffu, ni creux ni pourri, l'arbre symbole de la force, de la générosité, de la beauté et de la gloire de notre pays – la terre du Bouddha et de Gandhi, de Kabir et de Nanak, d'Akbar et d'Ashoka, la terre de l'Himalaya et du Gange, la terre qui nous appartient à tous, hindous, musulmans, sikhs et chrétiens, à propos de laquelle Ikbal a écrit ces paroles éternelles :

Notre Hindoustan, plus beau que le reste du monde.
Nous sommes ses rossignols, il est notre jardin de roses. »

Emporté par son discours, Ramlal Sinha toussa et but un demi-verre d'eau.

« Est-ce que le rossignol a une politique personnelle, ou veut-il simplement abattre la statue du Congrès ? » hurla quelqu'un.

Sortez de ma classe ! faillit s'écrier Ramlal Sinha. Mais il garda son calme et dit :

« Je suis content que le buffle écervelé, là-bas au fond, ait posé cette question. Elle convient parfaitement à quelqu'un dont le symbole devrait consister en deux buffles plutôt qu'en deux bœufs, attelés au même joug. Chacun peut voir comment le ministre du Trésor s'est attelé avec le plus gros propriétaire terrien du district. S'il était besoin d'une preuve de la collusion du Congrès avec les zamindars, la voici. Regardez-les travailler ensemble comme les deux roues d'un vélo ! Voyez les zamindars devenir encore plus gras et plus riches grâce à la compensation que leur verse le gouvernement. Pourquoi le Nawab Sahib n'est-il pas là pour affronter le peuple ? A-t-il peur de son indignation ? Ou bien est-il trop fier, comme ceux de sa classe – ou trop honteux d'entendre bientôt l'argent du pauvre, les largesses publiques, résonner dans ses mains ? Vous me demandez quelle est notre politique. Je vais vous le dire, si vous m'en laissez la liberté. Le Parti socialiste a réfléchi à la question agraire beaucoup plus que n'importe quel autre parti. Nous ne sommes pas, comme le PTP, la queue mécontente du Congrès. Nous ne sommes pas l'outil doctrinaire des étrangers, comme les communistes. Non, braves gens, nous avons des idées propres, une politique indépendante. »

Il haussa la voix à chaque point du programme qu'il compta sur ses doigts : « Aucune famille rurale n'aura le droit de posséder une terre trois fois plus étendue que celle qui fait vivre un foyer. Personne n'aura le droit de posséder une terre qu'il n'exploitera pas lui-même. La terre appartiendra au cultivateur. Personne – ni un Nawab, ni un Maharaja, ni une fondation religieuse, – ne recevra une compensation, pour les terres qu'on lui aura prises, supérieure à la valeur de cinquante hectares. Le Droit à la Propriété inscrit dans la Constitution devra disparaître : c'est une barrière à la juste distribution des richesses. Aux ouvriers nous promettons la Sécurité sociale, qui comprendra une protection contre l'invalidité, la maladie, le chômage et la vieillesse. Aux femmes nous garantissons salaire égal pour travail égal, réelle éducation générale, et un code civil qui leur accordera l'égalité des droits.

— Vous voulez faire sortir nos femmes du purdah ? s'exclama quelqu'un.

— Laissez-moi finir. Ne tirez pas avant d'avoir chargé votre canon. Ecoutez ce que j'ai à vous dire, après quoi je serai très heureux de répondre à toutes vos questions. Aux minorités je dis ceci : nous garantissons entière protection, je répète entière protection, à votre langue, votre écriture et votre culture. Et nous devons rompre les derniers liens qui nous attachent encore aux Britanniques. Nous ne pouvons rester au sein de ce Commonwealth colonialiste et impérialiste chéri de l'anglophile Nehru, ce Commonwealth dont le chef, le roi George, l'a si souvent fait arrêter, et à qui il veut maintenant lécher les bottes. Finissons-en avec le passé une fois pour toutes. Réduisons en cendres, une fois pour toutes, le parti de la cupidité et du favoritisme, le Congrès, qui a conduit le pays au bord du désastre. Apportez votre ghee et votre bois de santal, mes amis, si vous pouvez encore en acheter, ou venez sans rien, simplement avec votre famille, au terrain de crémation le 30 janvier, le jour du vote, et brûlons le corps de ce parti démoniaque une fois pour toutes. Jai Hind.

— Jai Hind ! hurla la foule.

— Baitar ka MLA kaisa ho ? cria quelqu'un sur le podium.

— Ramlal Sinha jaisa ho ! » répondit la foule.

Cette incantation dura quelques minutes pendant que le candidat, joignant les mains en signe de respect, s'inclinait devant le public.

Maan regarda Waris, qui riait et ne semblait pas inquiet le moins du monde.

« La ville est une chose, dit Waris. C'est dans les villages que nous les écraserons. Notre travail commence demain. Je vais m'assurer que vous aurez un bon dîner. »

Maan eut droit à une tape dans le dos.

17.7

Avant de se coucher, Maan contempla la photo que Firoz gardait sur sa table : celle du Nawab, de sa femme et de leurs trois enfants, avec Firoz fixant intensément l'appareil, la tête penchée sur le côté. La chouette ulula, rappelant à Maan le discours qu'il venait d'entendre. Il aurait volontiers bu un verre de whisky, mais il avait oublié d'en apporter. Au demeurant, il n'en éprouva qu'une contrariété passagère, et quelques minutes plus tard, il dormait profondément.

Le jour suivant fut long, poussiéreux, et épuisant. Ils visitèrent, transbahutés en jeep sur des pistes effondrées, une suite ininterrompue de villages où Waris les présenta à une suite ininterrompue de personnages importants, militants du Congrès, chefs de confréries de castes, imams, pandits, et autres gros bonnets. Mahesh Kapoor, qui détestait l'onction des politiciens classiques, s'exprimait dans un style sec, abrupt, voire arrogant, mais direct, apprécié de la plupart. Il donna son opinion sur divers sujets, répondit aux questions des villageois. Il leur demanda tout simplement de voter pour lui. Maan, Waris et lui burent d'innombrables tasses de thé et de sorbet. Parfois les femmes sortaient, parfois elles restaient à l'intérieur, épiant derrière la porte. Partout, leur groupe constituait un merveilleux spectacle pour les enfants, qui ne les lâchaient pas et avaient droit à une promenade en jeep jusqu'à la lisière du village, au moment du départ.

Les hommes de la caste des kurmis, en particulier, s'inquiétaient fort à l'idée que leur femme pût hériter de leurs biens, comme le prévoyait le code hindou de Nehru. Cultivateurs prudents, ils ne voulaient pas voir leurs terres divisées en parcelles, une aberration sur le plan économique. Mahesh Kapoor reconnut qu'il était favorable à la loi et expliqua, de son mieux, pourquoi il la trouvait nécessaire.

Pour les musulmans, l'inquiétude portait sur le maintien de leurs écoles, de leur langue, de leur liberté religieuse ; ils parlèrent des récents troubles à Brahmpur et à Ayodhya. Waris les rassura, leur affirmant qu'en Mahesh Kapoor ils avaient un ami, sachant lire et écrire l'ourdou, proche du Nawab Sahib, et dont le fils – là il désignait Maan, qu'il regardait avec affection et orgueil – avait sauvé la vie du jeune Nawabzada pendant les émeutes qui s'étaient déroulées à l'occasion de Moharram.

Certains fermiers s'enquirent de l'abolition des zamindars, avec précaution toutefois, étant donné la présence de Waris, l'homme du Nawab Sahib. Mahesh Kapoor saisit la perche, en profita pour expliquer aux gens quels seraient leurs droits en vertu de la nouvelle loi. « Ce qui ne doit pas constituer une excuse pour ne pas payer vos loyers maintenant, dit-il. La Cour suprême doit trancher sur quatre recours : celui de l'Uttar Pradesh, du Purva Pradesh, du Madhya Pradesh et du Bihar – elle décidera bientôt si la nouvelle loi est conforme à la Constitution et peut entrer en application. Jusque-là, personne ne peut être expulsé de sa terre. Et des peines très strictes existent pour ceux qui trafiquent les registres – que ce soit au bénéfice du propriétaire ou du fermier. Le Congrès prévoit de déplacer les patwaris tous les trois ans, de façon qu'ils ne s'incrustent pas dans les villages et qu'ils n'en retirent pas des profits illicites. Ceux qui se laisseraient acheter doivent savoir qu'ils seront très sévèrement punis. »

Aux travailleurs agricoles ne possédant pas le moindre champ, si timides pour la plupart qu'ils osaient à peine se montrer et encore moins parler, Mahesh Kapoor promit la distribution du surplus de terres en jachère, partout où ce serait possible, sachant néanmoins qu'à ces démunis il ne pouvait apporter d'assistance directe : sa loi d'abolition ne les prenait absolument pas en compte.

Dans certains endroits, les gens étaient si pauvres, mal nourris et mal portants qu'ils ressemblaient à des sauvages en haillons. Leurs cahutes étaient délabrées, leur bétail à moitié mort. Dans d'autres villages, au contraire, la population avait les moyens de s'attacher un instituteur et de construire une petite école privée.

A sa surprise, Mahesh Kapoor s'entendit plusieurs fois demander s'il était vrai que S.S. Sharma allait être appelé à Delhi et que lui-même le remplacerait comme Premier ministre du Purva Pradesh. Il démentit la première rumeur, quant à la seconde, s'il reconnut qu'elle n'était pas fausse, il affirma que rien ne prouvait qu'elle se concrétiserait. Il était à peu près sûr de conserver un poste ministériel, mais ce n'était pas pour ça qu'il leur demandait de voter pour lui. Il voulait qu'ils l'élisent avant tout comme leur député. Propos dont la sincérité les toucha.

Dans l'ensemble, même ceux à qui allait profiter la loi d'abolition marquaient du respect envers le Nawab. « Rappelez-vous, disait Waris, qu'en votant pour moi comme vous le demande le Nawab Sahib, c'est en réalité pour le ministre sahib que vous votez. Alors glissez votre bulletin dans la boîte marquée des deux bœufs, pas dans celle où figure une bicyclette. Et mettez-le bien *dedans*, par la fente qui est sur le dessus. Ne le laissez pas *sur* la boîte, ou la personne qui vous succédera dans l'isoloir le glissera dans la boîte de son choix. Compris ? »

Heureux et honorés de voir Mahesh Kapoor, les volontaires et les militants du Congrès lui indiquèrent les villages où ils allaient travailler en sa faveur, et le meilleur moment pour lui d'y paraître, avec ou sans – laissant entendre que la seconde solution était préférable – Waris. Eux, que n'entravait pas la présence à leur côté d'un serviteur du Nawab, sauraient jouer la carte anti-zamindars mieux que l'auteur de la loi lui-même. Ils allaient de village en village, par groupes de quatre ou cinq, avec pour tout viatique un bâton, une bouteille d'eau et une poignée de céréales séchées, réunissaient les gens, entonnaient les chants du parti, des chants patriotiques ou même religieux, et récitaient la liste des réalisations accomplies par le Congrès depuis sa création. Ils passaient la nuit dans les villages, si bien que pas un sou ne sortait des fonds alloués à Mahesh Kapoor pour la campagne. La seule chose qu'ils regrettaient c'était que sa jeep ne fût pas chargée de drapeaux et d'affiches du Congrès, et ils lui firent promettre de leur en fournir une grande quantité. Ils l'instruisirent également des événements et faits importants de chaque village, des structures de caste spécifiques, sans oublier les plaisanteries et les références en usage, qu'il devrait sortir à bon escient.

De temps en temps, Waris criait un nom, de façon à réveiller l'enthousiasme de la foule :

« Nawab Sahib –

— Zindabad !

— Jawaharlal Nehru –

— Zindabad !

— Ministre Mahesh Kapoor Sahib –

— Zindabad !

— Parti du Congrès –

— Zindabad !

— Jai –

— Hind ! »

Au bout de quelques jours de ce régime, dans le froid, la chaleur et la poussière, ils souffraient tous d'enrouement. Finalement, après avoir promis de revenir dans la région de Baitar en temps voulu, Mahesh Kapoor et son fils dirent au revoir à Waris et, dans une jeep du Fort, gagnèrent Salimpur. Ils eurent pour quartier général la maison d'un dignitaire local du Congrès et, comme à Baitar, entreprirent la tournée des chefs de castes : les orfèvres musulmans et hindous qui régnaient sur le bazar de la joaillerie, le khatri qui dirigeait le marché des vêtements, le kurmi porte-parole des marchands de légumes. Netaji, qui avait séduit le comité du Congrès local, arriva sur sa motocyclette, bardée de drapeaux et autres symboles du parti, pour accueillir Maan et son père. Il serra Maan dans ses bras comme un vieil ami. Il commença par suggérer d'envoyer aux dirigeants des chamars, afin d'augmenter leur goût pour le Congrès, deux bidons de l'alcool local. Mahesh Kapoor ayant refusé, Netaji le considéra avec stupeur, se demandant comment il avait pu devenir une telle personnalité avec si peu de sens commun.

Cette nuit-là, Mahesh Kapoor se confia à son fils.

« Quel est ce pays dans lequel j'ai eu la malchance de naître ? Cette élection est pire que la précédente. Castes, castes, castes. Tout vient du suffrage universel. Il a rendu la situation cent fois pire qu'avant. »

Pour le consoler, Maan lui dit que d'autres choses comptaient également, mais il sentait son père profondément troublé, non par la crainte de perdre, son élection étant quasiment assurée, mais par l'état du monde. Maan éprouvait de plus en plus d'estime pour son père. Mahesh Kapoor mettait autant d'acharnement et d'honnêteté à mener sa campagne qu'il en avait mis à édifier sa loi sur les zamindars. Un travail qui commençait à l'aube pour se terminer après minuit, et beaucoup plus éreintant physiquement que sa tâche au ministère. Il répéta plusieurs fois qu'il regrettait l'absence de sa femme, s'inquiéta même à une ou deux reprises de sa santé, mais ne se plaignit jamais des circonstances qui l'avaient obligé à abandonner son ancienne circonscription du Vieux Brahmpur et à se lancer à la conquête d'un district rural où il n'avait quasiment jamais mis les pieds auparavant.

17.8

Mahesh Kapoor découvrit avec stupeur la popularité de Maan dans la région de Salimpur. L'intéressé n'en fut pas moins étonné. Son séjour à Debaria au début de l'année s'était transformé en une sorte de mythe, et il eut du mal à reconnaître dans les exploits qu'on lui attribuait certains de ses actes. A Salimpur, il chercha Qamar, l'instituteur sarcastique et maigrelet, et le présenta à son père. Sans autre explication, Qamar dit à Mahesh Kapoor qu'il pouvait compter sur sa voix, ce qui surprit d'autant plus Maan que ni lui ni son père n'avaient encore parlé élections. Il ignorait que Netaji avait raconté à Qamar, avec tout le dédain qu'il ressentait, l'histoire de Mahesh Kapoor refusant d'acheter les chamars avec de l'alcool, sur quoi Qamar avait conclu que, bien que hindou, Mahesh Kapoor était l'homme pour qui il voterait.

On n'avait pas non plus oublié à Salimpur la courte visite du ministre pendant les fêtes de Bakr-Id. Les gens en avaient gardé l'impression que, bien qu'étranger à la région, Mahesh Kapoor leur portait un véritable intérêt, n'était pas un de ces oiseaux migrateurs n'apparaissant que le temps d'une élection.

Maan apprécia ces rencontres avec la population, son rôle d'agent électoral de son père, ne s'offusquant pas de l'irritation que celui-ci manifestait parfois, dans ses moments de grande fatigue. De tout ce que j'ai fait jusqu'à présent, se disait-il, c'est certainement ce que je préfère. Peut-être vais-je devenir un homme politique. Mais en admettant que je sois élu au parlement local ou à Delhi, que ferai-je ensuite ?

Pour calmer ses nerfs, Maan prenait la place du chauffeur et conduisait la jeep, au capot orné de drapeaux, à tombeau ouvert sur ces routes tout juste bonnes pour des chars à bœufs. Ce qui provoquait chez lui un sentiment exaltant de liberté causait aux autres un véritable choc, physique et psychologique. Dans la jeep, censée transporter deux passagers à l'avant et quatre, tout au plus, à l'arrière, s'entassaient souvent dix à douze personnes, de la nourriture, des mégaphones, des affiches et bien d'autres choses encore. Klaxon sans arrêt en action, elle laissait derrière elle des nuages impressionnants de poussière et de gloire. Un jour que le radiateur fuyait, le chauffeur, pour lui apprendre à se tenir, mélangea du curcuma à l'eau. La fuite guérit miraculeusement.

Ils se dirigèrent un matin vers les villages « jumeaux » de Debaria et Sagal, dont la visite figurait à l'agenda. Plus ils en approchaient, plus Maan se renfrognait. Il pensait à ce qu'il allait bien pouvoir dire à la famille de Rasheed, se demandant s'ils étaient ou non au courant de son état. Il savait, au plus profond de lui-même, que Rasheed était un brave homme et non l'ogre que Saeeda Bai se plaisait à imaginer.

Cela faisait deux semaines maintenant qu'il n'avait pas vu la chanteuse. Durant la journée, il était si occupé qu'il n'en souffrait pas, mais la nuit, aussi épuisé qu'il fût, et juste avant de s'endormir, il songeait à elle. Il oubliait ses accès de colère froide pour ne se rappeler que sa gentillesse et sa douceur, le parfum d'essence de roses, le goût du paan de Bénarès sur ses lèvres, l'atmosphère envoûtante de ses deux pièces. N'était-ce pas étrange qu'il ne l'eût jamais rencontrée – à deux exceptions près – que dans ces deux pièces. Neuf mois s'étaient écoulés depuis cette soirée de Holi à Prem Nivas où, pour faire le bel esprit en public, il avait cité Dagh, et des siècles, lui semblait-il, depuis qu'il avait savouré le sorbet préparé de ses mains. Jamais une femme ne l'avait obsédé – sur le plan sexuel et affectif – aussi longtemps.

« Pour l'amour de Dieu, Maan, redresse ton volant. Veux-tu faire annuler les élections ? » La règle voulait qu'en cas de décès d'un candidat avant le jour du vote, tout le processus fût à recommencer.

Il se trouva que Maan n'eut guère le loisir de parler de

Rasheed à quiconque. A peine étaient-ils arrivés au village que Baba prit les choses en main.

« Ainsi, dit-il à Mahesh Kapoor, vous avez rejoint le Congrès.

— Oui, vous m'aviez donné un bon conseil.

— Vous gagnerez haut la main ici, même si Nehru lui-même se fait battre. » Il cracha un jet de salive rouge.

« Vous êtes sûr que je ne risque rien ? Il est vrai que le Congrès l'emporte partout où les élections ont déjà eu lieu.

— Rien du tout. Les musulmans vous soutiennent et soutiennent le Congrès, les classes répertoriées soutiennent le Congrès, avec ou sans vous, quelques hindous des hautes castes voteront pour le Jan Sangh et cet autre parti dont j'ai oublié le nom, mais ils ne représentent qu'une toute petite minorité de la population. La gauche est divisée en trois, et les Indépendants ne comptent pas. Vous voulez vraiment faire le tour des villages ?

— Oui, si ça ne vous ennuie pas. Même si tout est arrangé, je veux aller voir mes futures ouailles, m'enquérir de leurs besoins.

— Très bien, très bien. Alors Maan, qu'avez-vous fabriqué depuis Bakr-Id ?

— Rien, dit Maan, se demandant où tout ce temps avait bien pu passer.

— Vous devez faire quelque chose. Quelque chose qui marque le monde – dont les gens parleront.

— Oui, Baba.

— Je suppose que vous avez vu Netaji récemment, grogna le vieil homme, insistant sur le titre de son fils cadet.

— A Salimpur, opina Maan. Il a proposé de venir partout avec nous, de faire tout pour tout le monde.

— Mais vous ne voyagez pas avec lui ? gloussa Baba.

— Eh bien, non. Je crois qu'il tape sur les nerfs de Baoji.

— Bon, bon. Trop de poussière derrière sa motocyclette, et trop d'égoïsme derrière son altruisme. »

Maan rit.

« Ah, la jeep du Nawab Sahib, reprit Baba, approbateur. C'est plus rapide – et plus sûr. » A voir le ministre dans ce véhicule, les gens du village ne l'en respecteraient que davantage et en concluaient qu'il savait se montrer compréhensif avec certains propriétaires.

Maan jeta un coup d'œil à son père, qui mâchait un paan tout en parlant avec le père de Rasheed, et se demanda comment il aurait pris la remarque de Baba, s'il l'avait entendue.

« Baba, lança-t-il soudain, vous êtes au courant pour Rasheed ?

— Oui, oui. Jeté dehors. Nous lui avons interdit l'entrée de cette maison. » Devant l'air stupéfait de Maan, il ajouta : « Ne vous inquiétez pas. Il ne mourra pas de faim. Son oncle lui envoie de l'argent tous les mois.

— Mais, Baba, sa femme, ses enfants ?

— Oh, ils sont ici. Il a de la chance que nous aimions tant Meher – et la mère de Meher. Il n'a pas pensé à elle quand il s'est déshonoré, et il n'y pense pas davantage maintenant : est-ce qu'il se préoccupe des sentiments de sa femme ? Elle a déjà assez souffert dans sa vie. »

Maan ne saisit pas bien la dernière partie de la phrase, mais Baba ne lui laissa pas le temps de demander des explications. Il poursuivit : « Dans notre famille, on n'épouse pas quatre femmes en même temps, mais l'une après l'autre. Quand une meurt, on en épouse une autre : nous avons la décence d'attendre. Lui il parle d'une autre femme maintenant et il voudrait que la sienne comprenne. Il lui écrit qu'il veut se remarier mais lui demande son accord. Imbécile ! Marie-toi, je lui dis, marie-toi, mais ne tourmente pas ta femme en lui demandant sa permission. Qui est cette femme, ça il ne le dit pas. Nous ne savons même pas de quelle famille elle vient. Il est devenu secret dans tout ce qu'il fait. Ce n'était pourtant pas un enfant dissimulateur. »

Devant l'indignation de Baba, Maan n'essaya pas de prendre la défense de Rasheed, qui lui inspirait d'ailleurs à présent des sentiments mélangés.

« Baba, dit-il simplement, ce n'est pas en lui fermant votre porte que vous pourrez l'aider.

— Il n'y a pas que ça. Il est devenu complètement communiste.

— Socialiste.

— Oui, oui, dit Baba, trouvant ce chipotage ridicule. Il veut me prendre mes terres sans compensation. Quel genre de petit-fils ai-je produit ? Plus il étudie, plus il devient idiot. S'il s'en était tenu au Livre, son esprit se porterait mieux.

— Mais, Baba, ce ne sont que des idées.

— Que des idées ? Vous savez comment il a essayé de les réaliser ? »

Maan fit signe que non. Baba, ne discernant aucun signe de ruse sur son visage, soupira, marmonna quelque chose, regarda son fils toujours en conversation avec Mahesh Kapoor.

« Le père de Rasheed prétend, dit-il, que vous lui rappelez son fils aîné. Je vois que vous ignorez tout de cette malheureuse histoire, je vous la raconterai plus tard. Pour le moment, je dois emmener votre père dans le village. Venez aussi, nous parlerons après le dîner.

— Baba, nous n'aurons pas le temps. Baoji voudra partir bien avant le dîner. »

Baba n'écouta pas. Ils commencèrent leur tournée du village. Moazzam ouvrait le chemin (à coups de taloches sur l'impudent, plus jeune que lui, qui osait se mettre en travers), ainsi que Mr Biscuit (hurlant « Jai Hind ! ») et une bande de gamins braillards. « Lion, lion ! » criaient-ils, simulant la terreur. Baba et Mahesh Kapoor avançaient de front d'un pas énergique, suivis de leur fils respectif. Le père de Rasheed se montrait assez amical envers Maan, mais se servait de son paan comme d'une protection contre toute conversation prolongée. Accueilli par tous avec affection et gentillesse, Maan ne cessait de penser aux paroles de Baba.

« Je ne vous laisserai pas retourner à Salimpur ce soir, dit, sans ambages, Baba à Mahesh Kapoor. Vous mangerez avec nous et vous dormirez ici. Votre fils y a passé un mois, vous y resterez une journée. »

Mahesh Kapoor savait reconnaître plus fort que lui ; il s'inclina de bonne grâce.

Après le dîner, Baba prit Maan à part. Déjà en temps normal, il était impossible de jouir d'une intimité quelconque dans le village : l'événement extraordinaire que constituait la visite du ministre n'arrangeait rien. Baba prit donc une torche, conseilla à Maan d'enfiler quelque chose de chaud, et l'entraîna en direction de l'école. Tout en marchant, Baba raconta à Maan l'incident avec le patwari, lui dit que la famille au complet s'était réunie pour avertir Rasheed des conséquences de son acte, que Rasheed, refusant d'écouter, avait encouragé des chamars et des fermiers à en référer à des autorités supérieures à celle du patwari, et que ses plans avaient fait long feu. Quiconque avait osé échapper à l'obéissance avait été chassé de sa terre. Rasheed, ajouta Baba, avait soulevé contre les siens certains de leurs plus fidèles chamars, et n'en avait montré aucun remords. La famille n'avait donc eu d'autre choix que de l'expulser.

« Même Kachheru – vous vous en souvenez ? L'homme qui pompait l'eau pour votre bain – »

Maan ne se rappelait que trop bien, maintenant, ce qui lui avait échappé à Bakr-Id, l'identité de l'homme que Baba avait repoussé en se rendant à l'Idgah.

« Ce n'est pas facile de trouver de la main-d'œuvre permanente, constata Baba avec tristesse. Les jeunes ne veulent pas labourer. La boue, les efforts, le soleil. Mais les anciens ont fait ça depuis leur enfance. »

Ils avaient atteint le grand réservoir près de l'école, à côté duquel s'étendait un cimetière, pour les morts des deux villages. Les tombes blanches se dressaient dans la nuit. Baba et Maan gardèrent le silence un moment.

Se rappelant les propos de Rasheed sur les générations qui se succèdent en perpétuant le mal, Maan murmura avec un sourire amer : « Les barbares aïeux du hameau endormi.

— Je ne comprends pas l'anglais, dit Baba, la mine sévère. Nous sommes des gens simples. Nous n'avons pas beaucoup étudié. Mais Rasheed nous traite comme des ignorants fieffés. Il nous envoie des lettres de menaces, où il se vante de son propre humanisme. Il a tout perdu – logique, respect, décence ; sauf, dans sa folie, son orgueil et son égoïsme. Je pleure quand je lis ses lettres. » Il regarda l'école. « Un de ses camarades d'école est devenu un bandit. Même lui traite sa famille avec plus de respect. Rasheed dit que nous sommes des dupes, que notre seul dieu est l'argent, que la richesse et la terre sont tout ce qui nous intéresse. Cet homme malade qu'il vous a emmené visiter, il n'arrêtait pas de dire que nous devions l'aider, soutenir ses droits, l'obliger à faire un procès à ses frères. Cette folie, ce manque de réalisme – se mêler des affaires de famille des autres, susciter des querelles inutiles. Imaginez ce qui serait arrivé si nous avions suivi ses conseils. L'homme est mort aujourd'hui, mais l'inimitié entre les deux villages aurait duré éternellement. »

Maan ne répondit pas, à peine enregistra-t-il la nouvelle de cette mort. Il ne pouvait détacher son esprit de cet homme usé par le travail qui pompait de l'eau pour lui avec tant de calme et de gaieté, et qui avait perdu jusqu'à ses minables économies à cause de – à cause de quoi ? Peut-être de son père à lui, Maan. Les deux hommes ignoraient tout l'un de l'autre, mais Kachheru était l'exemple le plus triste du mal perpétré au nom de la loi, et Mahesh Kapoor portait quasiment la responsabilité de sa totale détresse, de sa relégation au rang de paysan sans terre.

On ne pouvait douter de la substance bénéfique de la loi, mais elle ne s'adressait pas à Kachheru et à ses semblables. Et, conclut Maan, avec un sérieux inhabituel chez lui, il n'y pouvait rien. Ni intercéder auprès de Baba, ni trahir sa confiance en portant le cas devant son père. Ce qu'il avait fait pour la vieille femme au Fort était une autre histoire.

Et Rasheed ? Pitoyable censeur, usé, déchiré entre la honte et l'orgueil familiaux, obligé de choisir entre la loyauté et la justice, quelles épreuves avait-il dû traverser ? N'était-il pas lui aussi une victime de la tragédie des campagnes, du pays lui-même ?

Or voilà que Baba disait, comme s'il avait lu dans les pensées de Maan : « Le garçon est profondément perturbé. Je n'aime pas cette idée. Il n'a presque pas d'amis en ville, pour autant que nous le sachions, personne à qui parler, excepté ces communistes. Pourquoi ne lui parleriez-vous pas, pour le ramener à la raison ? Nous ne savons pas ce qui l'a rendu si bizarre, si incohérent. Quelqu'un a dit qu'il avait reçu un coup sur la tête pendant une manifestation. Et puis nous avons découvert que ce n'était pas ça. Peut-être, comme dit son oncle, que l'important ce n'est pas la cause immédiate. Tôt ou tard, celui qui ne plie pas mordra. »

Maan acquiesça dans le noir. Qu'il l'eût ou non remarqué, le vieil homme continua : « Je ne suis pas contre le garçon. S'il change d'attitude et se repent, nous le reprendrons. Ce n'est pas pour rien qu'on appelle Dieu le compatissant, le miséricordieux. Il nous enjoint de pardonner à ceux qui se détournent du mal. Mais Rasheed – vous savez – il sera toujours aussi véhément, qu'il regarde vers le sud au lieu de regarder vers le nord. » Il sourit. « Il était mon favori. J'avais plus d'énergie à l'époque, quand il avait dix ans. Je l'emmenais sur le toit de mon pigeonnier, et il m'indiquait toutes nos terres, parcelle après parcelle, l'année où nous les avons acquises. Avec fierté. Et c'est ce même garçon... » Sa voix se cassa. « On ne connaît jamais personne dans ce monde, reprit-il, on ne peut lire dans le cœur de personne, on ne sait jamais qui croire et à qui faire confiance. »

Un faible appel leur parvint de Debaria, suivi d'un autre, plus proche, de Sagal.

« C'est l'appel à la prière du soir, dit Baba. Rentrons. Je ne veux pas y manquer ni prier dans la mosquée de Sagal. Allons-y, dépêchons, dépêchons. »

Maan se souvint de son premier matin à Debaria, où il s'était réveillé pour trouver Baba à son chevet le pressant d'aller à la prière. Il s'était excusé, au nom de la différence de religion. Ce soir, il dit simplement : « Baba, si vous n'y voyez pas d'inconvénient, je vais rester ici encore un peu. Je trouverai mon chemin pour rentrer.

— Vous voulez rester seul ? demanda Baba, surpris de cette requête inhabituelle, surtout chez Maan. Tenez, gardez la torche. Si, si, gardez-la. Je ne l'ai apportée que pour vous. Moi je peux traverser ces champs les yeux bandés à minuit et à la nouvelle lune d'Id. Je vais à nouveau mentionner son nom dans mes prières. Plaise au ciel que cela lui fasse du bien. »

Laissé seul, Maan demeura sans bouger à contempler l'étendue d'eau où se reflétaient les étoiles. Il pensa à l'Ours, qui s'était efforcé d'aider Rasheed, et eut honte de sa propre inaction. Il se promit, à son retour à Brahmpur, d'aller le voir, aussi difficile que s'annonçât la rencontre. Il était sorti de leur précédent entretien profondément troublé, et ne discernait pas encore si ce que venait de lui raconter Baba avait augmenté ou diminué sa perplexité.

Que de tourments et de dangers se dissimulent sous la surface placide des choses. Rasheed n'était certes pas son meilleur ami, mais il avait cru le connaître et le comprendre. Maan était enclin à la confiance, à la donner comme à la recevoir, mais Baba avait peut-être raison : peut-être ne peut-on jamais lire dans le cœur humain.

Quant à Rasheed, il fallait, pour son bien, l'obliger à considérer le monde et toutes ses vilenies d'un œil plus tolérant. Il n'était au pouvoir de personne de tout changer par la vertu de ses efforts, de sa véhémence et de sa volonté. Les étoiles poursuivaient leur course malgré sa folie, et le village sa vie, se contentant de se détourner légèrement pour éviter le gêneur.

17.10

Deux jours plus tard, ils retournèrent à Brahmpur pour un bref repos. Mrs Mahesh Kapoor les accueillit les yeux embués de larmes, ce qui n'était pas son habitude. Elle avait mené campagne parmi les femmes pour les candidats du Congrès à Brahmpur, y compris dans la circonscription de L.N. Agarwal, ce qui fâcha son époux. Avec Pran, Savita et Uma à Calcutta, Veena et Kedarnath tous deux occupés et n'ayant guère le temps de venir la voir, elle s'était sentie très seule. Mais elle discerna tout de suite la chaleur qui marquait les nouvelles relations entre son mari et son fils cadet, ce qui la remplit de joie. Elle se rendit à la cuisine superviser la préparation du tahiri favori de Maan, puis, après un bain, elle remercia la divinité de les avoir ramenés sains et saufs.

Bien que Mrs Mahesh Kapoor n'eût pas, ni n'eût de raison d'avoir, un sens de l'humour particulièrement développé, elle ne manquait jamais de sourire à la vue d'un objet qu'elle avait ajouté récemment à l'attirail de son oratoire. Il s'agissait d'un bol en cuivre rempli de fleurs et de quelques feuilles de harsingar. Le bol était posé sur un drapeau du Congrès en papier pelure, et les yeux de Mrs Mahesh Kapoor allaient d'un objet à l'autre, admirant le safran, blanc et vert de celui-ci puis de celui-là, tout en faisant tinter sa petite cloche de cuivre autour d'eux – et de tous les dieux – pour une bénédiction commune.

Le lendemain matin, Maan trouva sa mère et sa sœur en train d'écosser des petits pois dans la cour. Ceci afin de confectionner le nouveau tahiri qu'il avait réclamé. Attirant à lui un morha, il s'assit auprès d'elles, se rappelant le petit morha qu'on lui réservait dans son enfance, sur lequel il s'installait pour regarder sa mère écosser les petits pois et l'écouter lui raconter les histoires des dieux. Aujourd'hui la conversation portait sur des sujets beaucoup plus terrestres.

« Comment ça marche, Maan ? »

Elle allait enfin avoir les nouvelles que son mari aurait refusé de lui donner si elle le lui avait demandé, se contentant de lui livrer quelques généralités. Maan lui dressa un tableau de la situation aussi complet que possible.

« J'aurais aimé pouvoir vous aider, soupira-t-elle.

— Tu dois prendre soin de toi, Ammaji. C'est à Veena de venir s'occuper du vote des femmes. D'ailleurs l'air de la campagne lui ferait le plus grand bien après celui qu'on respire dans les ruelles fétides de la vieille ville.

— Voyez-vous ça ! s'exclama Veena. C'est la dernière fois qu'on t'invite dans cette maison. Ruelles fétides. Tu m'as l'air plutôt enroué pour quelqu'un qui a respiré tant d'air pur. Je sais ce que c'est, une campagne électorale auprès des femmes. Des gloussements à n'en plus finir, et combien j'ai d'enfants, et pourquoi je ne respecte pas le purdah ? C'est Bhaskar que tu devrais emmener, il déborde d'enthousiasme et d'envie de compter toutes ces têtes. Et il s'occupera du vote des enfants, ajouta-t-elle en riant.

— D'accord, je l'emmène, dit Maan, mais pourquoi ne viendrais-tu pas toi aussi ? La mère de Kedarnath s'y oppose à ce point ? » Il vida le contenu d'une cosse de petit pois dans sa bouche. « Délicieux.

— Maan – Veena fit un signe de tête imperceptible en direction de leur mère –, Pran et Savita ne rentreront pas de Calcutta avant le 8 janvier. Qui resterait ici, à Brahmpur ?

— Ne te réfugie pas derrière moi, Veena, répliqua Mrs Mahesh Kapoor. Je peux prendre soin de moi. Tu devrais aller aider ton père.

— Dans une semaine ou deux, peut-être, tu seras en état de t'occuper de toi – et Pran sera de retour. D'ici là, je ne bouge pas. Même la mère de Savita a retardé son départ pour Calcutta quand son père a été souffrant. De toute façon, tout a l'air de bien marcher dans la nouvelle circonscription.

— C'est exact, reconnut Maan. Mais la véritable raison de ton refus c'est ta paresse. Voilà ce que le mariage fait des gens.

— Paresseuse ! s'exclama Veena en riant, ajoutant en anglais : L'hôpital qui se moque de la charité. » Puis revenant à l'hindou : « Je note que tu manges plus que tu n'écosses.

— Ils sont si frais et si doux.

— Mange, mon fils, dit Mrs Mahesh Kapoor. Ne l'écoute pas.

— Maan devrait apprendre à se restreindre.

— Vraiment ? Je ne peux pas résister aux bonnes choses.

— C'est la maladie ou le diagnostic ?

— Je ne suis plus le même homme. Même Baoji me fait des compliments.

— Je le croirai quand je l'entendrai », dit Veena, enfournant des pois dans la bouche de son frère.

Ce soir-là, Maan se rendit en flânant chez Saeeda Bai. Il s'était fait couper les cheveux, avait pris un bain, enfilé un bundi sur sa kurta, car il faisait frais, mis une demi-bouteille de whisky dans sa poche et un calot blanc immaculé sur sa tête.

C'était bon d'être de retour. Les routes boueuses de la campagne avaient leur charme, sans aucun doute, mais il était un citadin. Il aimait la ville – du moins sa ville. Il aimait les rues – en tout cas cette rue, celle où se tenait la maison de Saeeda Bai – et dans cette maison, il aimait particulièrement les deux pièces de Saeeda Bai. Et de ces deux pièces, il aimait par-dessus tout celle du fond.

Il arriva à la porte tout juste après huit heures, salua familièrement le portier, qui le laissa entrer. Bibbo parut surprise de le trouver là, mais le fit monter. En découvrant Saeeda Bai plongée dans la lecture du livre qu'il lui avait offert, *Les œuvres illustrées de Ghalib*, Maan sentit son cœur bondir dans sa poitrine. Elle offrait un charmant tableau, son cou pâle et ses épaules inclinés vers l'avant, le livre dans les mains, une coupe de fruits et un bol d'eau à sa gauche, l'harmonium à sa droite. La pièce exhalait l'essence de rose. Beauté, parfum, musique, nourriture, poésie, et une source d'ivresse dans sa poche : voilà, se dit Maan, quand leurs yeux se rencontrèrent, voilà ce qu'est le bonheur.

Elle aussi parut surprise de le voir, et Maan se demanda si le portier ne l'avait pas laissé entrer par erreur.

« Venez, Dagh Sahib, venez, asseyez-vous, quelle heure est-il ? dit-elle en continuant à tourner tranquillement les pages.

— Un peu plus de huit heures, Saeeda Begum, mais l'année a changé depuis quelques jours.

— J'étais au courant, fit-elle en souriant. Ce sera une année intéressante.

— Qu'est-ce qui vous fait dire ça ? J'ai trouvé l'année passée très intéressante pour moi. » Il lui prit les mains entre les siennes, lui embrassa l'épaule. Elle ne résista ni ne répondit.

« Qu'y a-t-il ? demanda-t-il, blessé.

— Rien, Dagh Sahib, à quoi vous puissiez remédier. Vous rappelez-vous ce que j'ai dit la dernière fois que nous nous sommes vus ?

— Vaguement. » Il se souvenait du sens de la conversation – pas des mots exacts : sa peur pour Tasneem, son aspect vulnérable.

« Peu importe, reprit-elle, changeant de sujet. Je n'ai pas beaucoup de temps à vous consacrer ce soir. J'attends quelqu'un bientôt. J'aurais dû lire le Coran et pas Ghalib, mais comment savoir ce qu'on fera l'instant d'après ?

— J'ai rencontré la famille de Rasheed, dit Maan, soucieux de l'informer et pressé d'en finir avec ce désagréable sujet.

— Oui ? fit-il d'un ton presque indifférent.

— Je crois qu'ils ignorent tout de ce qui se passe dans sa tête. Ne s'en soucient pas non plus. Tout ce qui les intéresse c'est que ses idées politiques ne leur fassent pas perdre leur argent. Sa femme –

— Oui, oui, je sais qu'il est déjà marié. Et vous savez que je le sais. Mais tout ça ne m'intéresse pas. Pardonnez-moi, je dois vous demander de partir.

— Saeeda – pourquoi – »

Elle se remit à feuilleter le livre d'un air distrait.

« Il y a une page déchirée, dit Maan.

— Oui. J'aurais dû mieux la recoller.

— Laissez-moi m'en occuper pour vous. Comment s'est-elle déchirée ?

— Dagh Sahib, vous ne voyez pas dans quel état je suis ? Je ne peux répondre à des questions. Je lisais votre livre quand vous êtes arrivé. Pourquoi ne croyez-vous pas que je pensais à vous ?

— Saeeda, je veux bien le croire. Mais à quoi cela me sert-il que vous pensiez à moi simplement quand je ne suis pas là ? Je vois bien que quelque chose vous perturbe. Qu'est-ce que c'est ? Pourquoi ne pas me le dire ? Je ne comprends pas, je ne comprends pas – et je veux vous aider. Voyez-vous quelqu'un d'autre ? s'exclama-t-il, saisi soudain par l'idée que l'agitation de Saeeda avait peut-être l'excitation pour cause et non la détresse. C'est ça ? C'est ça ?

— Dagh Sahib – elle prit une voix épuisée – ça n'aurait pas d'importance pour vous si vous aviez plusieurs sakis au lieu d'une. Je vous l'ai dit la dernière fois.

— Je ne m'en souviens pas. Ne me parlez pas du nombre de sakis que je devrais avoir : vous êtes tout pour moi. Je veux savoir pourquoi vous me mettez à la porte sans même faire un effort de courtoisie – Pourquoi avez-vous dit que cette année allait être intéressante pour vous ? Pourquoi ? Que s'est-il passé depuis que je suis parti ?

— C'est ça qui vous préoccupe ? fit-elle avec un petit sourire moqueur. Il y a cinquante-deux cartes dans un jeu. Donc le jeu est complet. Le destin est supposé mélanger les choses d'une façon intelligente cette année. J'ai juste soulevé le coin de deux cartes qui sont tombées dans mes mains : une reine et un valet. Une begum et un ghulam.

— De quelle couleur ? » Ghulam pouvait signifier soit un jeune homme, soit un esclave. « De la même couleur ou de couleurs antagonistes ?

— Paan, peut-être (autrement dit, cœur). En tout cas, rouge tous les deux. Je ne peux rien voir d'autre. Mais je ne veux pas poursuivre cette conversation.

— Moi non plus, affirma Maan avec colère. Ce qui est sûr, c'est qu'il n'y aura pas de place cette année pour un joker dans le jeu. »

Soudain, Saeeda partit d'un rire désespéré, puis se couvrit le visage de ses mains. « Vous êtes libre de penser ce que vous voulez. Que je suis folle, si le cœur vous en dit. Je ne peux rien dire de plus. » Avant même qu'elle ait retiré ses mains, Maan se rendit compte qu'elle pleurait.

« Saeeda beghum – Saeeda – je suis désolé –

— Ne vous excusez pas. Pour moi, c'est la partie de la nuit la plus facile. Je redoute ce qui va suivre.

— Est-ce le Raja de Marh ?

— Le Raja de Marh ? Oui, oui, peut-être. » Elle baissa la tête sur le livre. « Je vous en prie, laissez-moi. » La coupe était pleine de pommes, de poires, d'oranges, et même de quelques grappes de raisin fripé. Elle en détacha des grains, qu'elle tendit à Maan. « Ceci vous nourrira mieux que le jus qui en sort. »

Maan en porta un à sa bouche et se rappela avoir mangé des petits pois le matin à Prem Nivas. Pour Dieu sait quelle raison, cela le rendit furieux. Il écrasa les grains de raisin dans sa main et les jeta dans le bol d'eau. Puis, le visage cramoisi, il se leva, franchit la porte, chaussa ses jutis et descendit. Arrivé en bas, il hésita quelques instants, se décida à sortir et commença à marcher. A peine avait-il fait deux cents mètres qu'il s'arrêta de nouveau. S'appuyant à un énorme tamarinier, il regarda dans la direction de la maison de Saeeda Bai.

17.12

Sortant la bouteille de whisky de sa poche, il se mit à boire. Il avait l'impression d'avoir le cœur broyé. Chaque nuit, pendant deux semaines, il avait pensé à elle ; chaque matin, en se réveillant, il s'était imaginé l'avoir à ses côtés dans le lit. Nul doute, aussi, qu'il avait dû rêver d'elle. Et voilà qu'elle lui accordait à peine un quart d'heure, lui laissant entendre que quelqu'un comptait beaucoup plus pour elle que lui-même ne pourrait jamais compter.

Il restait tant de choses dans ce qu'elle disait qu'il ne comprenait absolument pas, bien que Saeeda Bai s'exprimât presque toujours de façon indirecte, même à ses meilleurs moments. Etait-il l'esclave ou le jeune homme ? Que signifiait ce « je redoute » ? Qui attendait-elle ? Où le Raja de Marh se situait-il dans cette histoire ? Et Rasheed ? A présent, Maan était si ivre qu'il ne se souciait pas de ce qu'il faisait. Il revint vers la maison, s'arrêta à un endroit d'où il pouvait observer la porte sans être repéré.

Dans ce quartier tranquille, et bien qu'il ne fût pas tard, la rue était presque déserte. Il vit passer une ou deux voitures, quelques bicyclettes et quelques tongas, de rares piétons. Une chouette ulula au-dessus de sa tête. Au bout d'une demi-heure, personne n'était entré ni sorti de la maison. De temps à autre, le gardien faisait quelques pas sur le trottoir, ou cognait le bout de sa lance sur le trottoir, ou tapait des pieds pour se réchauffer. Le brouillard tomba, troué de quelques éclaircies, l'empêchant de bien voir. Maan finit par se dire que Saeeda Bai n'attendait personne, ni Bilgrami, ni Raja, ni Rasheed, aucun Autre mystérieux – que simplement elle était fatiguée de sa présence. Il ne signifiait plus rien pour elle.

Et puis un piéton approcha, s'arrêta devant la grille, qu'on lui ouvrit aussitôt. Le sang de Maan se glaça de stupeur : la brume s'était légèrement levée, il crut reconnaître Firoz. L'homme portait une canne, avait la même allure que son ami. Et à supposer que ce fût lui, essaya de raisonner Maan, ravagé de douleur, ne pouvait-il venir voir Tasneem, qui semblait tant le fasciner ? Mais force lui fut d'admettre que, quel que fût celui qui venait d'entrer, jamais il ne serait admis en présence de Tasneem. C'était donc Saeeda Bai qu'il venait voir. Maan se couvrit le visage de ses mains.

Il resta là encore une demi-heure, personne d'autre ne se présenta. Incapable de supporter plus longtemps cette incertitude, il traversa la rue, dit au gardien la première chose qui lui vint à l'esprit : « Le Nawabzada m'a demandé de lui apporter son portefeuille – et de prendre un message. »

Entendant Maan appeler Firoz par son titre, le gardien n'osa pas le repousser et frappa à la porte. Maan entra, sans attendre que Bibbo l'y autorise. « C'est urgent, expliqua-t-il. Est-ce que le Nawabzada est déjà arrivé ?

— Oui, Kapoor Sahib, il y a déjà un certain temps. Mais je ne peux pas ?

— Non, je dois le lui remettre personnellement. »

Il monta l'escalier, sans se regarder dans la glace. Peut-être ce simple coup d'œil, qui lui aurait révélé l'image de son visage halluciné, aurait-il suffi à empêcher ce qui allait suivre.

Il n'y avait pas de chaussures devant la porte. Saeeda Bai se trouvait seule dans sa pièce. Elle priait.

« Debout », dit Maan.

Elle se retourna, le dévisagea, le visage blême. « Comment osez-vous ? commença-t-elle. Qui vous a laissé entrer ? Otez vos chaussures.

— Où est-il ? gronda Maan.

— Qui ? dit-elle, la voix tremblante de colère. La perruche ? Sa cage est recouverte, comme vous pouvez le voir. »

Des yeux, Maan fit le tour de la pièce. Il remarqua la canne de Firoz dans un coin, fut saisi d'un accès de rage, ouvrit la porte de la chambre. Elle était vide.

« Sortez ! lui intima Saeeda Bai. Comment osez-vous penser – ne revenez plus jamais. Sortez, avant que j'appelle Bibbo –

— Où est Firoz ?

— Il n'est pas ici. »

Elle vit les yeux de Maan se poser sur la canne.

« Il est parti, murmura-t-elle, soudain effrayée.

— Qu'est-il venu faire ? Rencontrer votre sœur ? C'est de votre sœur qu'il est amoureux ? »

Brusquement, Saeeda Bai éclata de rire, comme s'il venait de dire quelque chose d'incongru et d'hilarant. L'attrapant par les épaules, Maan se mit à la secouer sans réussir à arrêter ce rire moqueur, insupportable.

« Arrêtez – arrêtez, cria-t-il. Dites-moi qu'il est venu voir votre sœur –

— Non –

— Il est venu vous voir au sujet de votre sœur –

— Ma sœur ! hoqueta-t-elle – ce n'est pas de ma sœur qu'il est amoureux, pas de ma *sœur*. » Elle essaya de le repousser, ils tombèrent sur le sol, les mains de **Maan** enserrèrent son cou, elle hurla. L'eau du bol les éclaboussa, la coupe de fruits se renversa, Maan n'en eut cure, fou de rage à la pensée de cette trahison.

« Je le savais – il resserra son étreinte – où est-il, où se cache-t-il ?

— Dagh Sahib – haleta Saeeda Bai.

— Où est-il ?

— Au secours ! »

De la main droite Saeeda Bai réussit à agripper le couteau à fruits, Maan le lui arracha, elle hurla de plus belle. Du rez-de-chaussée leur parvint le bruit d'une porte qu'on ouvrait, de voix effrayées, de pas se précipitant vers l'escalier. Maan se releva. Firoz fut le premier à atteindre la porte, Bibbo sur ses talons.

« Maan – » s'écria Firoz, embrassant la scène d'un seul coup d'œil : Saeeda Bai, allongée, haletant, des sons horribles s'échappant de sa gorge. En voyant l'air égaré, coupable de Firoz, Maan eut la certitude que le pire était vrai. Un nouvel accès de fureur le submergea.

« Ecoute, Maan – Firoz s'avança lentement vers lui – qu'y a-t-il, parle-moi, expliquons-nous – » Soudain, il bondit, essayant de désarmer son ami, mais Maan avait été plus rapide. Firoz se tint la poitrine, une tache de sang apparut sur son gilet, il s'écroula, hurlant de douleur. Le sang commença à tacher le drap blanc recouvrant le sol. Maan, pétrifié, regardait tour à tour le sang et le couteau, qu'il tenait toujours.

Pendant quelques minutes, on n'entendit que le souffle saccadé de Saeeda Bai, les faibles cris de douleur de Firoz, les sanglots de Maan.

« Posez-le sur la table », dit Bibbo calmement.

Maan posa le couteau et s'agenouilla auprès de Firoz.

« Partez, dit Bibbo. Tout de suite.

— Mais un médecin –

— Partez. Nous nous occuperons de tout. Quittez Brahmpur. Vous n'étiez pas ici ce soir. Filez.

— Firoz – »

Firoz bougea la tête.

« Pourquoi ? bégaya Maan.

— Pars – Vite –

— Qu'est-ce que je t'ai fait ? Qu'est-ce que j'ai fait ?

— Vite. »

Après un dernier regard autour de lui, Maan sortit en trombe, dévala l'escalier. Le portier marchait de long en large sur le trottoir, il avait bien entendu des bruits, mais rien qui lui parût menaçant.

« Que se passe-t-il, Sahib ? Est-ce qu'on a besoin de moi ?

— Quoi ?

— Est-ce qu'on a besoin de moi ? A l'intérieur, je veux dire ?

— Besoin ? Non, non – bonne nuit.

— Bonne nuit, Sahib. » Il tapa des pieds tandis que Maan disparaissait dans la brume.

17.13

Tasneem apparut à la porte de la chambre.

« Que se passe-t-il, Apa ? Oh, mon Dieu – s'écria-t-elle en découvrant toute l'horreur de la scène : le sang, sa sœur appuyée, haletante, contre le sofa, Firoz allongé sur le sol, le couteau sur la table.

— Je m'en vais », dit soudain celui-ci.

Saeeda Bai était incapable de parler. « Le Nawabzada ne peut pas partir comme ça, remarqua Bibbo. Il est gravement blessé. Il a besoin d'un médecin. »

Péniblement, Firoz se leva, le souffle coupé par la douleur, et aperçut sa canne.

« Bibbo, donne-moi ma canne.

— Le Nawabzada ne doit pas –

— La canne. »

Elle la lui tendit.

« Prends soin de ta maîtresse. De tes maîtresses, ajouta-t-il avec amertume.

— Laissez-moi vous aider à descendre les marches, dit Tasneem.

— Non. » Il la fixa d'un regard vitreux.

« Vous avez besoin d'aide, insista-t-elle.

— Non ! cria-t-il, avec une soudaine vigueur.

— Begum Sahiba – dit Bibbo, comprenant qu'il ne servait à rien d'insister. Ce châle ? » Sa maîtresse acquiesça. Bibbo entoura du châle les épaules de Firoz, puis le précéda dans l'escalier. Dehors, le brouillard était toujours là. S'appuyant sur sa canne, voûté comme un vieil homme, Firoz n'arrêtait pas de répéter : « Je ne peux pas rester ici. Je ne peux pas rester ici.

— Cours chez le Dr Bilgrami, ordonna Bibbo au portier.

Dis-lui que la begum Sahiba et une autre personne sont tombées malades. » Le portier regardait Firoz, bouche bée. « Allez, file », répéta Bibbo. L'homme détala.

Firoz fit un pas en direction de la grille. « Le Nawabzada n'est pas en état de marcher – je vous en prie, attendez ici – j'ai appelé un médecin, il va arriver d'une minute à l'autre.

— Vous ne pouvez pas partir – » La voix était celle de Tasneem, venue à la rescousse de Bibbo. Pour la première fois de sa vie, elle se tenait à la porte, ouverte, n'osant pas toutefois aller plus loin. Sans le brouillard, elle aurait été visible de la rue.

Firoz continua d'avancer, incapable à présent de retenir ses larmes. Pourquoi Maan l'avait poignardé – ce qui s'était passé entre lui et Saeeda Bai – il n'osait pas y penser. Mais rien ne pouvait être pire que ce qui lui était arrivé, à lui Firoz, avant. Saeeda Bai avait intercepté une de ses lettres et l'avait convoqué. Elle lui avait interdit d'écrire à Tasneem, d'avoir le moindre rapport avec elle. Et comme il protestait :

« Tasneem n'est pas ma sœur, lui avait-elle dit, le plus posément possible. C'est la vôtre. »

Firoz l'avait dévisagée, muet d'horreur. « Oui, avait-elle continué. Elle est ma fille, Dieu me pardonne. Et pardonne à votre père. A présent, allez en paix. Je dois dire mes prières. »

Firoz avait quitté la pièce, partagé entre le dégoût et l'incrédulité. En bas, il avait dit à Bibbo qu'il voulait voir Tasneem.

« Non – avait protesté Bibbo – Non, comment le Nawabzada peut-il croire –

— Tu savais tout depuis le début, fit-il, lui saisissant le bras.

— Je savais quoi ?

— Alors si tu ne le savais pas, ça ne peut être qu'un mensonge. Un cruel mensonge. Je dois voir Tasneem, avait-il crié, désespéré, je dois la voir. »

Entendant son nom, Tasneem était sortie de sa chambre. Il était monté vers elle, la dévisageant avec une telle intensité qu'elle avait fini par se mettre à pleurer.

« Que se passe-t-il ? Pourquoi le Nawabzada me regarde-t-il ainsi ? avait-elle demandé à Bibbo.

— Rentrez dans votre chambre, ou votre sœur sera furieuse contre vous. » Tasneem avait obéi.

« Je veux te parler, avait insisté Firoz, suivant Bibbo dans une autre pièce.

— Alors, parlez tout bas. » Mais il lui avait posé des questions si bizarres et si folles – si pleines de culpabilité et de honte – qu'elle était demeurée perplexe. « Je ne vois aucune ressemblance, avait-il dit. Ni avec Zainab, ni avec mon père. » Elle essayait de comprendre ce que cela signifiait quand ils avaient entendu des bruits au-dessus – celui d'une chute, puis Saeeda Bai appelant à l'aide.

Il faisait un froid mordant. Firoz marchait dans la nuit, s'arrêtait, repartait. La brume s'éclaircissait ici et là, puis s'enroulait autour de lui. Le châle était trempé de sang. Ses pensées, sa douleur, le brouillard, tout se dispersait pour se reconcentrer sur lui. Ses mains étaient poissées de sang, avaient du mal à tenir la canne. Parviendrait-il à rentrer chez lui, et même s'il y arrivait, comment pourrait-il supporter de regarder le visage bien-aimé de son père ?

Il n'avait guère parcouru plus d'une centaine de mètres quand une tonga émergea du brouillard. Il leva sa canne pour la héler, et s'effondra évanoui sur le trottoir.

17.14

La nuit était calme au poste de police de Pasand Bagh. L'officier responsable, un commissaire adjoint, bâillait, rédigeait quelques rapports, buvait du thé, échangeait des plaisanteries avec ses subordonnés.

« Celle-ci est très subtile, Hemraj, alors écoutez bien, dit-il à un agent qui notait quelque chose sur la main courante. Il y avait deux maîtres, chacun prétendant que son domestique était plus stupide que celui de l'autre. Alors ils parièrent. L'un convoqua le sien et lui dit : "Budhu Ram, il y a une Buick à vendre dans un magasin de Nabiganj. Voilà dix roupies. Va me l'acheter." »

Deux agents éclatèrent de rire. « Taisez-vous, imbéciles, j'ai à peine commencé... Donc l'autre maître dit : "Vous pensez qu'il est idiot, mais mon domestique, Ullu Chand, est encore plus idiot. Je vais le prouver." Il convoqua Ullu Chand. "Ecoute, lui dit-il, je veux que tu ailles au Subzipore Club voir si j'y suis. C'est urgent." Ullu Chand y fila sur-le-champ. »

Les agents repartirent à rire de plus belle. « Voir si j'y suis – se tordaient-ils – voir si j'y suis.

— La ferme, leur intima leur supérieur. Je n'ai pas fini. » Et il continua : « En chemin, les deux garçons se rencontrèrent et l'un dit à l'autre – »

Un tonga-wallah, l'air bouleversé, fit irruption dans la pièce et marmonna : « Daroga Sahib –

— Oh, la ferme, la ferme, s'irrita le commissaire adjoint. Donc, l'un des deux garçons dit à l'autre : "Ullu Chand, mon maître est un fieffé imbécile. Il m'a donné dix roupies pour aller lui acheter une Buick. Il ne sait donc pas qu'on est dimanche et que tous les magasins sont fermés ?" »

Là-dessus tout le poste se plia en deux de rire, y compris le commissaire adjoint. Mais il n'avait pas encore fini.

« Et l'autre domestique de répliquer : "Il est peut-être idiot, Budhu Ram, mais ce n'est rien comparé à mon maître. Il m'a demandé d'aller voir immédiatement s'il se trouvait au club. Mais si c'était si urgent, il ne pouvait pas tout simplement téléphoner de l'autre pièce ?" »

Quand l'ouragan de rire se fut calmé, le commissaire adjoint avala une grande gorgée de thé, s'essuya les moustaches. « Oui ? Qu'est-ce que tu veux ? demanda-t-il au tonga-wallah tout tremblant devant lui.

— Daroga Sahib, il y a un corps sur la chaussée, dans Cornwallis Road.

— Ce doit être un pauvre type mort de froid. La nuit est rude.

— Il est vivant. Il m'a fait signe, et puis il s'est évanoui. Il est couvert de sang. Je crois qu'il a été poignardé. Il a l'air d'être de bonne famille. Je ne savais pas si je devais le laisser ou l'emmener – à l'hôpital ou à la police. S'il vous plaît, venez vite. J'ai bien fait ?

— Imbécile ! s'écria le commissaire adjoint. Pourquoi ne l'as-tu pas dit plus tôt ? Prenez des pansements, ordonna-t-il aux autres. Et vous, Hemraj, téléphonez au médecin du dispensaire de nuit. Emportez la trousse d'urgence et des torches, et toi – il s'adressa au tonga-wallah – montre-nous le chemin.

— J'ai fait ce qu'il fallait ?

— Oui, oui. Tu n'as touché à rien ?

— Non, Daroga Sahib. Je l'ai juste retourné pour voir – pour voir s'il était vivant.

— Allons, vous autres, dépêchez-vous. C'est loin d'ici ?

— A deux minutes.

— On va monter dans ta tonga. Hemraj, prenez la jeep du poste pour aller chercher le docteur. Ne notez rien sur la main courante. S'il est encore vivant, j'espère qu'il me fournira de quoi faire un premier rapport d'information. J'emmène Bihari avec moi. »

Arrivé auprès de Firoz, à demi conscient et perdant toujours son sang, le commissaire adjoint comprit qu'il fallait le transporter d'urgence à l'hôpital.

« Bihari, quand le docteur arrivera, dis-lui de venir tout de suite à l'Hôpital civil. Nous prenons la tonga. Oui, donne-moi les pansements, je vais voir ce que je peux faire pendant le trajet pour arrêter l'hémorragie. Toi, suis la trace des taches de sang, garde deux torches. Vérifie la canne, des fois qu'il y aurait une lame dissimulée. Regarde si l'arme n'est pas par là, etc. Il a son portefeuille sur lui, apparemment on ne l'a donc pas dévalisé. Mais peut-être qu'on a essayé et que l'homme a réussi à s'enfuir. Sur Cornwallis Road ! » Le commissaire adjoint hocha la tête et lécha le côté droit de sa moustache, se demandant ce que Brahmpur était en train de devenir.

Ils hissèrent Firoz dans la tonga, y grimpèrent à sa suite, et la voiture disparut dans le brouillard. L'officier de police braqua avec précaution sa torche sur le visage de Firoz qui, malgré la lumière vacillante, sa pâleur et ses traits ravagés, lui parut familier. Remarquant qu'il portait un châle de femme, il fronça les sourcils. Mais quand, ayant ouvert le portefeuille, il vit le nom et l'adresse inscrits sur le permis de conduire, sa mine s'allongea. Cette affaire était synonyme d'ennuis et devait être menée avec prudence. Dès qu'il eut remis Firoz entre les mains du personnel des urgences, le commissaire adjoint téléphona au Surintendant de police, qui se chargea lui-même de prévenir Baitar House.

17.15

La salle des urgences – récemment rebaptisée service des accidentés – présentait un spectacle de confusion organisée. Dans un coin, une femme se tenait le ventre et hurlait de douleur. On amena deux hommes blessés à la tête à la suite d'un accident de camion – encore vivants, mais perdus de toute évidence. D'autres personnes souffraient de blessures légères, saignant plus ou moins abondamment.

Deux jeunes internes en chirurgie examinèrent Firoz. L'officier de police leur indiqua ce qu'il savait : l'endroit où il avait été trouvé, son identité et son adresse.

« Ce doit être le frère du Dr Imtiaz Khan, dit l'un des médecins. Est-ce que la police l'a prévenu ? Nous voudrions pouvoir le joindre, surtout si l'on a besoin d'une autorisation en cas d'opération. Il travaille à l'Hôpital universitaire Prince de Galles. »

Le policier leur apprit que le Surintendant allait avertir Baitar House. En attendant, pouvait-il parler au malade ? Il avait besoin de remplir un PRI.

« Pas maintenant, pas maintenant », dirent les médecins. Ils auscultèrent le blessé : pouls faible et irrégulier, pression artérielle basse, respiration saccadée, réflexes pupillaires normaux. Il avait perdu beaucoup de sang et paraissait en état de choc. Il laissait échapper quelques mots, des paroles incohérentes. L'officier de police, qui était un homme intelligent, essaya de leur trouver un sens.

Il repéra le nom de Saeeda Bai, les mots « Prem Nivas », et la mention « sœur » ou « sœurs », répétée plusieurs fois.

Il interrogea les médecins : « Vous me dites qu'il a un frère. A-t-il aussi une sœur ?

— Pas que je sache, dit l'un.

— Il me semble que si, fit l'autre. Mais elle n'habite pas Brahmpur. Il a perdu trop de sang. Infirmière, préparez un goutte-à-goutte, salinité normale. »

Ils déchirèrent les vêtements de Firoz.

« Je ne trouve pas de veine dans le bras, murmura l'un des chirurgiens. Il faut inciser plus bas. » Ils incisèrent une veine dans la cheville, prirent un peu de sang, introduisirent le goutte-à-goutte. « Infirmière, allez porter l'échantillon au labo. Qu'ils fassent une analyse complète, groupe sanguin, compatibilité etc. »

Quelques minutes passèrent. Du sang s'échappait toujours de la blessure, il parlait de moins en moins, l'état de choc semblait s'aggraver.

« Il y a un peu de saleté autour de la blessure, dit l'un des internes. Il faut lui faire du sérum antitétanique. » Il s'adressa au policier : « Avez-vous retrouvé l'arme ? Elle avait quelle longueur ? Etait-elle rouillée ?

— Nous ne l'avons pas retrouvée.

— Mademoiselle, s'il vous plaît, de la teinture d'iode, nettoyez autour de la plaie. Il y a du sang dans la bouche, dit-il à son collègue, ce doit être une blessure interne : estomac ou haut intestin. Ça nous dépasse, il faut alerter le chirurgien-chef. Mademoiselle, demandez au labo de se dépêcher, notamment en ce qui concerne le taux d'hémoglobine. »

Le chirurgien-chef arriva, jeta un coup d'œil à Firoz, un autre aux résultats de l'analyse de sang. « Il faut faire immédiatement une laparotomie exploratoire, dit-il.

— J'ai besoin d'un PRI », protesta le policier. Il était évidemment préférable d'établir ce document à partir de renseignements obtenus de la bouche même de la victime.

Le chirurgien lui jeta un regard incrédule. « Cet homme n'est pas en état de parler et ne le sera pas dans les vingt-quatre heures qui suivront l'opération – en supposant qu'il vive jusque-là. Demandez à celui qui l'a trouvé de vous fournir votre PRI. Ou attendez, et espérez. »

Habitué à la rudesse des médecins – comme nombre de ses collègues de Brahmpur il avait, entre autres, été en contact avec le Dr Kishen Chand Seth – le commissaire adjoint ne se formalisa pas. « Merci de vos conseils, docteur. Si le médecin de la police se présente, pourra-t-il examiner le malade pour le rapport médical ?

— Nous nous en chargerons. Il faut d'abord sauver cet homme. Laissez les formulaires ici. Qui est l'anesthésiste de service ? demanda-t-il à l'infirmière. Le Dr Askari ? Etant donné l'état de choc du malade, nous lui ferons d'abord de l'atropine. On le transporte en salle tout de suite. Qui a pratiqué l'incision à la cheville ?

— Moi, monsieur.

— Travail peu soigneux. Le Dr Khan est-il arrivé ? Ou le Nawab Sahib ? Nous avons besoin de signatures sur ces autorisations. »

Ni le frère, ni le père de Firoz n'étaient encore arrivés.

« Tant pis, nous ne pouvons attendre. »

Quand le Nawab, lui-même en quasi-état de choc, et Imtiaz arrivèrent, Firoz était déjà en salle d'opération.

« Je veux le voir, dit le Nawab à Imtiaz.

— Abba-jaan, ce n'est pas possible. » Il entoura son père de son bras. « Tout va aller bien, je le sais. C'est Bhatia qui opère, Askari qui pratique l'anesthésie. Ils sont très bien tous les deux.

— Qui a pu vouloir faire ça à Firoz ? »

Imtiaz, le visage défait, haussa les épaules. « Il ne vous a pas dit où il passait sa soirée ?

— Non. Mais Maan est en ville. Il le sait peut-être.

— Chaque chose en son temps. Ne vous agitez pas.

— Sur Cornwallis Road ! » Se couvrant le visage de ses mains, il se mit à pleurer doucement. « Nous devrions prévenir Zainab, dit-il un peu plus tard.

— Chaque chose en son temps, Abba-jaan. Attendons d'avoir les résultats de l'opération. »

Il était presque minuit. De temps à autre, un collègue d'Imtiaz s'approchait pour les saluer, leur dire un mot de sympathie. La nouvelle avait dû se répandre car un reporter du *Brahmpur Chronicle* débarqua bientôt. Le premier réflexe d'Imtiaz fut de le rembarrer, puis il réfléchit que, si quelqu'un avait remarqué quelque chose, un article de presse le déciderait peut-être à venir témoigner.

Vers une heure, les chirurgiens sortirent de la salle d'opération, l'expression indéchiffrable. En apercevant Imtiaz, le Dr Bhatia poussa un profond soupir.

« Content de vous voir, Dr Khan. J'espère que tout ira bien. Il était très sévèrement choqué quand nous avons opéré, mais on ne pouvait pas attendre. Nous avons trouvé une grave lacération de l'intestin grêle et après nettoyage de la cavité abdominale nous avons pratiqué plusieurs anastomoses. Votre beau garçon, dit-il en s'adressant au Nawab, est maintenant l'heureux propriétaire d'une belle cicatrice de 15 cm. Je suis désolé, nous avons dû nous passer de votre autorisation.

— Puis-je ? – commença le Nawab.

— Et à propos de – questionna Imtiaz simultanément.

— A propos de quoi ? demanda Bhatia.

— A propos du danger de septicémie, ou de péritonite ?

— Eh bien, prions que nous l'ayons écarté. Ce n'était pas très beau à voir là-dedans. Nous lui faisons de la pénicilline. Je vous demande pardon, Nawab Sahib, que vouliez-vous dire ?

— Puis-je le voir ? » Le vieil homme chancela. « Je sais qu'il voudra me parler.

— Il est encore sous chloroforme, vous savez. Même s'il dit quelque chose, ça n'aura pas grand sens. Sauf peut-être pour vous. On n'a pas idée de ce que les gens peuvent dire sous anesthésie. Votre fils n'arrêtait pas de parler de sa sœur.

— Imtiaz, tu dois appeler Zainab.

— Je le fais immédiatement, Abba. Dr Bhatia, nous ne vous remercierons jamais assez.

— Mais non, mais non. J'espère simplement qu'ils attraperont celui qui a fait ça. Une seule entaille, l'œuvre d'une seconde, et pas besoin de vous dire, Dr Khan, que si on ne nous l'avait pas amené directement, nous n'aurions pas pu le sauver. Etonnant, quand on y pense : il nous a fallu trois heures à nous sept pour défaire ce qu'un seul individu a fait en une seconde.

« — Qu'a-t-il dit ? demanda le Nawab après que le Dr Bhatia eut pris congé. Qu'ont-ils fait à Firoz ?

— Rien de très excitant, Abba. Ils ont coupé les parties abîmées de l'intestin et rabouté les parties saines. Mais nous possédons des mètres et des mètres de ce machin. Firoz ne s'apercevra même pas qu'il lui en manque.

— Donc il va bien ? » Le Nawab scruta le visage de son fils.

« Ses chances sont bonnes, Abba. Il n'y a pas eu de complications. La seule chose à craindre maintenant c'est l'infection, mais nous savons beaucoup mieux la traiter qu'il y a quelques années. Ne vous inquiétez pas. Je suis sûr que tout ira bien. Inch'Allah. »

17.16

Le commissaire adjoint aurait tenté, le lendemain, de suivre la trace des mots échappés à Firoz si une trace de sang n'avait conduit à quelques mètres de chez Saeeda Bai. Il décida d'agir sur-le-champ. Accompagné de Bihari et d'un autre policier, il se rendit chez la chanteuse. Le portier, qui avait déjà été questionné avec verdeur par la police, reconnut que la veille au soir il avait vu le Nawabzada, Kapoor Sahib de Prem Nivas, sans compter le Dr Bilgrami.

« Nous devons parler à Saeeda Bai, dit le commissaire adjoint.

— Daroga Sahib, pourquoi ne pas attendre le matin ?

— Tu m'entends ? » menaça le chef, caressant sa moustache à la manière du méchant de cinéma.

Le gardien frappa à la porte. Pas de réponse. Il cogna plusieurs fois du bout émoussé de sa lance. Bibbo apparut, vit la police, referma la porte et poussa le verrou.

« Laissez-nous entrer, ou nous cassons la porte. Nous avons des questions à vous poser à propos d'un meurtre. »

Bibbo rouvrit, le visage blême. « Un meurtre ?

— En tout cas, une tentative. Vous savez très bien de quoi nous parlons. Pas la peine de nier. Sans nous le fils du Nawab serait mort à l'heure qu'il est. D'ailleurs, il l'est peut-être.

— Je ne sais rien.

— Il était ici hier soir, et Kapoor aussi.

— Oh – Dagh Sahib – dit Bibbo en fusillant le portier du regard.

— Est-ce que Saeeda Bai est réveillée ?

— Saeeda Begum se repose, comme tout respectable citoyen de Brahmpur à cette heure-ci.

— Respectable citoyen. » L'expression fit rire le commissaire adjoint. « Réveillez-la. Nous devons lui parler. A moins qu'elle ne veuille venir au poste de police. »

Bibbo referma à nouveau la porte et revint cinq minutes plus tard.

« Saaeda Begum va vous recevoir. Mais elle est enrouée et ne peut pas parler. » La pièce de Saeeda était, comme toujours, parfaitement rangée, un drap propre sur le sol. Les trois uniformes kaki paraissaient déplacés dans cette atmosphère qu'embaumait l'essence de roses.

Saeeda Bai avait revêtu à la hâte un sari vert, drapé un dupatta autour de sa gorge. Elle avait la voix rauque d'un corbeau, mais offrait son sourire le plus charmant.

Elle commença par nier qu'il y eût eu une querelle. Mais quand le commissaire lui dit que Firoz avait mentionné Prem Nivas, que sa présence chez Saeeda était attestée non seulement par le portier, qui avait décrit son apparence quand il l'avait vu émerger de la maison, mais par les traces de sang sur la chaussée, elle reconnut qu'il y avait eu une bagarre.

« Où a-t-elle eu lieu ?

— Dans cette pièce.

— Pourquoi ne voit-on pas de sang, ici ? »

Saeeda Bai ne répondit pas.

« Avec quelle arme ? »

Saeeda Bai garda le silence.

« Répondez, je vous prie. Ou nous vous emmenons au

poste pour faire votre déclaration. De toute façon, vous devrez confirmer vos déclaration par écrit, demain.

— C'était un couteau à fruits.

— Où est-il ?

— Il l'a emporté avec lui.

— Qui ? L'attaquant ou la victime ?

— Dagh Sahib – » croassa-t-elle, en montrant sa gorge d'un air suppliant.

« Qu'est-ce que vient faire Prem Nivas dans cette histoire ?

— S'il vous plaît, intervint Bibbo, Saeeda Begum ne peut pas parler. Elle a trop chanté, et il a fait si mauvais temps ces jours derniers, le brouillard, la poussière, que sa gorge est très enflammée.

— Parlez-moi de Prem Nivas, insista le policier. C'est le domicile de Kapoor, n'est-ce pas ? »

Saeeda Bai hocha la tête.

« C'est la maison du ministre, ajouta Bibbo.

— Et cette histoire de sœur ? »

Saeeda Bai se raidit et se mit à trembler. Bibbo lui jeta un regard troublé. Saeeda avait détourné la tête. Les épaules secouées, elle pleurait. Mais elle ne dit pas un mot.

« Qu'est-ce que c'est que cette histoire de sœur ?

— Vous n'avez pas fini ? s'écria Bibbo. Vous n'avez pas fini de torturer Saeeda Begum ? Ça ne peut pas attendre le matin ? Nous nous plaindrons au Surintendant. Déranger d'honnêtes et respectables citoyens – »

Le commissaire adjoint s'abstint de préciser que le Surintendant lui avait dit de traiter cette affaire comme n'importe quelle autre, mais avec plus de célérité, et il se retint de tout commentaire sur cette façon qu'avaient les honnêtes et respectables citoyens de se poignarder dans leur salon.

Cela étant, peut-être pouvait-il effectivement remettre au lendemain cet interrogatoire. Même s'il restait des points à éclaircir, il avait à présent la certitude que le coupable était Maan Kapoor, le plus jeune fils de Mahesh Kapoor. Il se demandait, toutefois, s'il devait procéder maintenant à l'arrestation. D'un côté, Prem Nivas, comme Baitar House, était une des grandes demeures de Pasand Bangh, et

Mahesh Kapoor l'un des principaux personnages de la province. Qu'un simple commissaire adjoint se permît de réveiller une si auguste maisonnée aux premières heures de la journée – et dans un tel but – risquait d'apparaître comme une insolence inouïe, un formidable manque de respect. De l'autre, il s'agissait d'une affaire très grave. Même si la victime survivait, il y avait tentative d'homicide, peut-être même de meurtre prémédité.

Ayant déjà sauté les échelons hiérarchiques pour alerter directement le Surintendant, il ne pouvait recommencer afin d'obtenir des instructions supplémentaires. Par ailleurs, le criminel risquait de paniquer et de disparaître. Cette dernière considération l'emporta : il décida de procéder à l'arrestation sans attendre.

17.17

« Paniquer et disparaître », c'est exactement ce que Maan était en train de faire. Il était trois heures du matin quand Prem Nivas fut réveillé. Fatigué, irrité, Mahesh Kapoor faillit jeter la police dehors. Mais son indignation se transforma bien vite en incrédulité puis en consternation. Il alla chercher Maan, qu'il ne trouva pas dans sa chambre. Tandis que Mrs Mahesh Kapoor – horrifiée par ce qui était arrivé à Firoz et craignant pour son fils – errait à travers la maison, son mari n'hésita pas : il coopérerait avec la police. L'heure tardive et la soudaineté des événements expliquaient sans doute qu'on n'eût pas délégué un officier de plus haut rang.

Il autorisa le commissaire adjoint à fouiller la chambre de Maan. Le lit n'avait pas été défait, rien de ce qui pût ressembler à une arme ne traînait dans la pièce.

Le policier s'excusa avec profusion. « Si Mr Maan Kapoor revenait, le ministre sahib voudrait-il lui demander de se rendre au poste de police de Pasand Bagh ? Ça éviterait à la police de se représenter. » Mahesh Kapoor opina, dissimulant son accablement derrière un air calme et sarcastique.

La police partie, il tenta de réconforter sa femme en lançant l'idée qu'il s'agissait peut-être d'une erreur. Mais Mrs Mahesh Kapoor était convaincue qu'il s'était passé quelque chose d'épouvantable – et que Maan, emporté par son impétuosité, en était responsable. Son mari dut la retenir de se rendre sur-le-champ à l'hôpital voir Firoz.

« S'il rentre à la maison, nous ne pouvons pas le dénoncer, dit-elle.

— Ne sois pas stupide. Allons, va te coucher.

— Je ne pourrai pas dormir.

— Eh bien alors, prie. Mais couvre-toi, ta poitrine fait de drôles de bruits. J'appellerai le médecin demain matin.

— Appelle plutôt un avocat pour lui, sanglota-t-elle. On ne peut pas lui obtenir la libération sous caution ?

— Il n'a même pas encore été arrêté. » Néanmoins, et bien qu'on fût au milieu de la nuit, il téléphona au Bannerji à lunettes et lui demanda en quoi consistait une caution préalable.

« Le problème, dit l'avocat ravalant sa colère d'avoir été réveillé à une heure pareille, c'est qu'on n'accorde pas de caution en cas de tentative de meurtre ou de blessures graves avec une arme dangereuse. Est-il vraisemblable, je veux dire possible, que le chef d'accusation retenu soit blessures graves ordinaires ? Ou tentative d'homicide par négligence ? Dans ces cas-là, on peut obtenir une caution.

— Je vois.

— Ou blessures légères ?

— Non, je ne pense pas que ce soit possible.

— Vous dites avoir reçu un simple commissaire adjoint. Même pas un commissaire ?

— C'est un fait.

— Vous devriez peut-être en toucher un mot au Surintendant – pour clarifier les choses.

— Merci pour vos explications et – votre suggestion, dit Mahesh Kapoor d'un ton désapprobateur. Je suis désolé de vous avoir réveillé à cette heure.

— Pas du tout, pas du tout, répliqua Bannerji après un

temps de silence. N'hésitez pas à m'appeler à n'importe quel moment. »

En rentrant dans leur chambre, Mahesh Kapoor trouva sa femme en prière. Si seulement il pouvait en faire autant, se dit-il... Il avait toujours eu un faible pour son insouciant de fils, mais ce n'est que ces dernières semaines qu'il s'était rendu compte à quel point il l'aimait.

Où es-tu ? Pour l'amour de Dieu n'ajoute pas une autre idiotie à celle que tu viens déjà de commettre. A cette idée, une profonde angoisse le saisit à la fois pour son fils et pour le fils de son ami.

17.18

Maan avait disparu dans le brouillard et réapparu à la gare de Brahmpur, toujours ivre. Il savait qu'il devait quitter la ville, sans bien comprendre pourquoi, mais Firoz le lui avait dit, et Bibbo aussi. Il revoyait la scène, le couteau dans sa main, Firoz allongé sur le sol, blessé et en sang. L'horreur. Mais les tourments, le déchirement l'assaillaient de nouveau – Firoz et Saeeda Bai – les mots terribles, « ce n'est pas de ma sœur qu'il est amoureux ». Comme il s'en voulait de s'être laissé duper par son amour pour elle, par son affection pour son ami. Quel idiot je suis, se disait-il, quel idiot. Il regarda ses vêtements – nulle trace de sang, pas même sur son bundi. Il regarda ses mains.

Il acheta un billet pour Bénarès. Dans le train, il offrit le restant de sa bouteille de whisky à un jeune homme, qui refusa d'un signe de tête. A l'arrivée à Bénarès, Maan dormait profondément. Le jeune homme le réveilla et l'aida à descendre.

« Je n'oublierai jamais votre gentillesse, lui dit Maan – jamais. »

L'aube se levait. Il marcha le long des ghats, chantant un bhajan que sa mère lui avait appris quand il avait dix ans. Puis il se dirigea vers la maison où habitait sa fiancée, se mit à tambouriner à la porte. Ces braves gens prirent peur. La vue de Maan les rendit furieux : ils lui enjoignirent de partir, de ne pas se donner en spectacle. Il se rendit ensuite chez des gens à qui il avait prêté de l'argent. Ils n'avaient pas la moindre envie de le voir. « J'ai tué mon ami », leur dit Maan. « C'est ridicule, répliquèrent-ils.

— Vous verrez, ce sera dans tous les journaux. Je vous en prie, cachez-moi pour quelques jours. »

La plaisanterie leur parut fort drôle. « Que fais-tu à Bénarès ? lui demandèrent-ils. Un voyage d'affaires ? »

Soudain Maan ne put plus supporter cette situation. Il alla se rendre au commissariat de police local.

« Je suis l'homme – je – » bégaya-t-il, se lançant dans un discours incohérent.

Les policiers se moquèrent de lui, puis se fâchèrent, puis finirent par se demander s'il n'y avait pas quelque chose de vrai dans ce qu'il racontait. Ils essayèrent de téléphoner à Brahmpur, mais ne réussirent pas à avoir la communication. Alors ils envoyèrent un télégramme. « Attendez, s'il vous plaît, dirent-ils à Maan. Nous vous arrêterons si c'est possible.

— Oui – oui », fit Maan. Il avait très faim, n'ayant avalé que quelques tasses de thé de toute la journée.

Enfin un message parvint au commissariat disant que le fils cadet du Nawab Sahib de Baitar avait été trouvé gisant sérieusement blessé sur Cornwallis Road et que le principal suspect était Maan Kapoor. Ils regardèrent Maan comme s'ils avaient affaire à un fou, lui passèrent les menottes, et le remirent dans le train de Brahmpur, escorté par deux policiers.

« Pourquoi me mettez-vous les menottes ? Qu'est-ce que j'ai fait ?

— C'est le règlement », aboya le chef, furieux du surcroît de travail que lui causait cet individu.

Maan s'entendit mieux avec les simples policiers.

« J'imagine que vous devez être constamment sur vos gardes – au cas où je me libérerais et sauterais du train.

— Vous ne vous échapperez pas, répondirent les deux hommes en riant gentiment.

— Comment le savez-vous ?

— Ce n'est pas possible, expliqua l'un. Nous mettons les menottes la serrure vers le haut, comme ça vous ne pouvez pas les ouvrir en les frappant – sur la barre de la vitre, par exemple. Si vous voulez aller aux toilettes, vous devrez nous le demander.

— Nous prenons beaucoup de soin de nos menottes, dit l'autre.

— Oui, nous les laissons ouvertes quand nous ne nous en servons pas. Pour que les ressorts ne s'usent pas.

— Quelque chose m'échappe, reprit le premier. Pourquoi vous êtes-vous livré ? Vous êtes réellement le fils du ministre ?

— Oui, oui », dit Maan, l'air profondément malheureux. Puis il s'endormit.

Il rêva d'une plantureuse et variqueuse Victoria, semblable à celle du portrait accroché dans la salle à manger de Fort Baitar. Elle se débarrassait, l'un après l'autre, de ses insignes royaux et l'appelait d'une voix aguichante. « J'ai laissé quelque chose derrière moi, disait-elle. Je dois m'en retourner. » Le rêve devenait insoutenable. Il se réveilla. C'était la fin de l'après-midi, les deux policiers dormaient. Quand le train approcha de Brahmpur, ils se réveillèrent d'instinct et remirent Maan entre les mains d'une escouade du commissariat de police de Pasand Bagh, qui attendait sur le quai.

« Qu'allez-vous faire ? demanda Maan à ses deux anges gardiens.

— Reprendre le premier train pour Bénarès, dit l'un.

— Venez nous voir, la prochaine fois que vous passerez par là », dit l'autre.

Maan sourit à sa nouvelle escorte, mais les hommes étaient beaucoup moins enclins à plaisanter avec lui. L'officier moustachu, en particulier, semblait très sérieux. Arrivés au poste de police, ils lui donnèrent une mince couverture grise et l'enfermèrent dans une cellule. Une petite cellule froide, sale – avec quelques chiffons de jute sur le sol – ni matelas, ni paillasse, ni oreiller, et qui puait. Un grand récipient de terre dans un coin en guise de toilettes. Il y avait un autre homme, ivre et l'air tuberculeux. Les yeux rouges, il jeta un regard halluciné au policier puis, quand la porte se referma, à Maan.

Le commissaire adjoint s'excusa brièvement auprès de Maan. « Vous devrez rester ici cette nuit. Nous déciderons demain de vous garder ou non en prévention. Si vous nous faites des aveux complets, nous n'aurons pas besoin de vous garder plus longtemps. »

Maan s'assit par terre, enfouit la tête entre ses bras. Un instant il crut sentir le parfum d'essence de roses, et il se mit à pleurer violemment. Si seulement ce dernier jour n'avait pas existé, si seulement il n'avait rien su.

17.19

Outre Firoz, toujours inconscient, il y avait deux personnes dans la chambre d'hôpital : un commissaire adjoint, qui sommeillait sur sa chaise car il n'avait rien à faire (son supérieur avait exigé sa présence) ; et le Nawab. En sa qualité de médecin, Imtiaz avait l'autorisation d'entrer, ce qu'il faisait régulièrement. Le Nawab s'était installé au pied du lit et veillait son fils ; Ghulam Rasool, son serviteur, lui apportait sa nourriture et des vêtements de rechange. La nuit il s'allongeait sur un divan, ce qui ne le gênait en aucune manière. Il avait l'habitude, même en hiver, de ne dormir qu'avec une seule couverture. Aux heures requises, il étendait un petit tapis sur le sol et priait.

Imtiaz réussit à faire entrer Zainab, malgré le purdah, dans l'hôpital. La vue de Firoz – son visage pâle, ses épais cheveux frisés poisseux et collés au front, une perfusion au bras droit – la bouleversa tant qu'elle décida de ne pas amener ses enfants. Sans compter que le spectacle de leur grand-père désespéré et en larmes ne leur aurait fait aucun bien. Aussi troublée qu'elle fût, elle était néanmoins convaincue que l'état de Firoz allait s'améliorer. Il revenait à Imtiaz, généralement optimiste, d'imaginer les possibles complications et de s'inquiéter.

Chaque nouveau policier venant prendre la garde à la place de son collègue apportait au Nawab des nouvelles. A présent il savait que Firoz n'avait pas été poignardé par un inconnu dans la rue, mais par Maan à la suite d'une bagarre chez Saeeda Bai. Il n'avait pas voulu le croire au début, mais maintenant que Maan avait été arrêté et avait tout confessé, il était bien obligé de l'admettre.

De temps à autre, il se levait et essuyait le front de Firoz avec une serviette. Il répétait son nom, pas tant pour le réveiller que pour se rassurer lui-même, pour s'assurer que ce nom appartenait à un être vivant. Il pensait à Firoz enfant, et à sa mère à qui il ressemblait tant. Plus encore que Zainab, Firoz constituait le lien entre le Nawab et sa femme. Puis il se reprochait avec force de ne pas avoir empêché Firoz d'aller chez Saeeda Bai. Sa propre expérience aurait dû lui rappeler la séduction qu'exercent ces endroits sur des jeunes gens. Mais depuis la mort de sa femme, il avait du mal à parler à ses enfants. Sa bibliothèque l'accaparait de plus en plus. Une fois seulement, il avait ordonné à son secrétaire de repousser toute proposition de Firoz de se rendre là-bas à sa place. Pourquoi ne le lui avait-il pas lui-même interdit explicitement ? Mais à quoi cela aurait-il servi ? Il se serait laissé entraîner par Maan – ce garçon sans cervelle qui n'avait eu d'égards ni pour son propre père ni pour celui de son ami.

A certains moments, en écoutant les médecins et en voyant l'expression soucieuse d'Imtiaz qui s'entretenait avec eux, le Nawab se disait qu'il allait perdre son fils. Submergé de désespoir, il souhaitait alors tous les malheurs de la terre à Maan – et même à sa famille. Il lui souhaitait de souffrir comme souffrait son fils. Il lui était impossible de concevoir ce qu'avait bien pu faire Firoz qui lui valût d'être poignardé par l'ami qui, pensait-il, l'aimait.

Quand il priait, il avait honte de tels sentiments, sans parvenir toutefois à les dominer. Maan, certes, avait naguère sauvé la vie de Firoz, mais cela lui paraissait désormais si vague, si lointain, et en tout cas sans rapport avec le danger actuel.

Il avait également enfoui tout au fond de sa conscience la relation qu'il avait eue avec Saeeda Bai, si bien qu'il ne pensait plus jamais à ce qu'elle avait été pour lui. Il ignorait comment elle s'inscrivait dans ces événements. Il éprouvait à son endroit une très vague inquiétude, sans aller jusqu'à craindre des révélations sur le passé. La pension qu'il lui faisait ainsi qu'à la fille dont elle lui attribuait la paternité, il l'acceptait comme un acte nécessaire d'honnêteté, l'expiation partielle d'un péché très ancien et à demi oublié. Il était entendu que pour sa part, elle ne parlerait jamais de ce qui s'était déroulé deux décennies auparavant entre un homme marié de quarante ans et une fille de quinze ans. A l'enfant née de cette liaison, on avait toujours dit qu'elle était la sœur de Saeeda Bai ; en tout cas c'est ce qu'on avait donné à comprendre au Nawab. Seule la mère de Saeeda Bai était au courant, et elle était morte depuis longtemps.

Soudain, Firoz bredouilla quelques mots, et aussi incohérents qu'ils fussent, ils parurent miraculeux à son père. Le Nawab se rapprocha encore du lit, prit la main gauche de Firoz. Elle était d'une chaleur rassurante. Le policier aussi s'agita : « Que disait votre fils, Nawab Sahib ?

— Je ne sais pas. Mais il me semble que c'est un bon signe.

— Quelque chose à propos de sa sœur, il me semble, insista le policier, la plume posée sur une page blanche.

— Elle était ici avant que vous ne preniez votre garde. Mais elle était si malheureuse de le voir dans cet état qu'elle n'est pas restée longtemps.

— Tasneem – » entendirent-ils distinctement.

Le Nawab crut défaillir. C'était son nom, le nom de la fille de Saeeda Bai. Firoz l'avait prononcé avec une terrifiante tendresse.

Le policier continua à noter tout ce que disait Firoz.

Effrayé, le Nawab releva les yeux. Un lézard zigzaguait le long du mur, s'arrêtait, repartait. Il le fixa, éperdu.

« Tasneem – »

Le Nawab respira très lentement, comme si inspirer et expirer lui était un effort douloureux. Il relâcha la main de Firoz, inconsciemment joignit les siennes, puis les laissa retomber de chaque côté.

Il eut le sentiment que d'une façon ou d'une autre, Firoz avait appris la vérité, ou du moins une partie, et en ressentit un tel choc qu'il dut s'appuyer au dossier de sa chaise. Il avait rêvé que son fils, en ouvrant les yeux, le verrait à son chevet. A présent, cette pensée le terrorisait. Que va-t-il me dire en me découvrant là, et moi que lui dirai-je ?

Et le policier qui s'appliquait à prendre ses notes ? Que se passerait-il si quelqu'un s'avisait d'assembler les fragments de vérité ? Un passé mort depuis si longtemps allait resurgir, et des histoires si peu connues qu'elles en avaient perdu toute existence deviendraient une affaire publique.

Mais peut-être personne n'avait-il parlé, peut-être Firoz ne savait-il rien et avait-il simplement rencontré la jeune fille chez Saeeda Bai. C'est moi, se dit le Nawab, qui, dans ma culpabilité, réunis quelques bribes innocentes en un tout effrayant.

« Au nom de Dieu le Clément, le Miséricordieux, commença-t-il en toute hâte.

Louange à Dieu souverain de l'univers,
Le Clément, le Miséricordieux,
*   Souverain au jour de la rétribution.*

C'est Toi que nous adorons ; Toi dont nous implorons le
*   [secours.*
*   Dirige-nous dans le sentier droit – »*

Le Nawab s'interrompit. Si effectivement Firoz ignorait tout, ce n'était pas une raison pour se sentir soulagé. Il fallait que Firoz sache. Et ce serait à lui, son père, de tout lui raconter.

17.20

Varun lisait avec grand intérêt le résultat des courses dans le Statesman. Uma, que Savita tenait dans ses bras, lui avait attrapé une poignée de cheveux, mais il semblait n'en avoir cure. Un bout de langue pointait entre les lèvres du bébé.

« Ce sera une commère quand elle sera grande, dit Mrs Rupa Mehra. Une petite chugal-khor. Sur qui allons-nous raconter des histoires ? Sur qui allons-nous raconter des histoires ? Regardez sa petite langue.

— Aïe ! cria Varun.

— Allons, allons, Uma, dit Savita. Elle devient très fatigante, Ma. Elle a pleuré toute la nuit, ce matin elle était trempée. Comment faire la distinction entre la colère et le vrai chagrin ?

— Certains bébés pleurent ainsi plusieurs fois par nuit jusqu'à deux ans. De ceux-là, les parents ont le droit de se plaindre.

— Je ne suis pas un bébé qui pleure, n'est-ce pas ? demanda Aparna à sa mère.

— Non, chérie, dit Meenakshi, feuilletant l'*Illustrated London News*. Va jouer avec le bébé, tu veux bien ? »

Meenakshi, quand il lui arrivait d'y réfléchir, ne comprenait pas comment Uma, née dans un hôpital de Brahmpur forcément envahi de septicémie, avait pu devenir si vigoureuse.

Aparna pencha la tête de côté de façon que ses yeux se trouvent sur une même ligne verticale. Cela amusa le bébé, qui la gratifia d'un sourire généreux tout en tirant vigoureusement les cheveux de Varun.

« Cracknell premier, à nouveau gagnant, murmura celui-ci. Eastern Sea dans la Coupe du roi George VI. D'une demi-longueur. »

Uma attrapa le journal, Varun essaya de lui faire lâcher prise, elle lui agrippa un doigt.

« Tu avais misé sur le gagnant ? demanda Pran.

— Non, fit Varun d'une voix sinistre. Est-il besoin de poser la question ? Tout le monde a de la chance sauf moi. Mon cheval est arrivé quatrième, après Orcades et Fair Ray.

— Quels noms bizarres, remarqua Lata.

— Orcades est un des navires de l'Orient Line, dit Meenakshi d'un ton rêveur. Quand je serai en Angleterre, j'irai visiter le collège d'Amit à Oxford. Et j'épouserai un duc. »

Aparna redressa la tête. Elle se demandait ce qu'était un duc.

Mrs Rupa Mehra ne releva pas cette nouvelle marque d'idiotie de Meenakshi. Pendant que son fils se tuait à travailler pour faire vivre sa famille, sa décervelée de belle-fille se livrait à des plaisanteries imbéciles. Elle avait une mauvaise influence sur Lata.

« Tu es déjà mariée, observa-t-elle.

— C'est vrai, que je suis bête, soupira Meenakshi. Je voudrais tant qu'il se passe quelque chose d'excitant. Il ne se passe jamais rien nulle part. J'attendais tellement qu'il arrive quelque chose en 1952.

— Eh bien, c'est une année bissextile », la consola Pran.

Varun, ayant fini de lire la rubrique des courses, tourna la page. « Seigneur ! s'exclama-t-il soudain d'un ton si bouleversé que tout le monde se tourna vers lui.

— Pran, ton frère a été arrêté. »

Un instant, Pran fut tenté de croire à une plaisanterie de mauvais goût, mais quelque chose dans la voix de Varun l'incita à lui arracher le journal des mains. « Brahmpur, 5 janvier – commença-t-il à lire, le visage de plus en plus tendu.

— Qu'y a-t-il ? » s'écrièrent en chœur Lata et Mrs Rupa Mehra. Même Meenakshi releva une tête languide.

« Nous devons regagner Brahmpur immédiatement », dit Pran à Savita. Il se demandait pourquoi personne ne lui avait téléphoné ou télégraphié. Se pouvait-il que son père fût encore dans sa circonscription ? Impossible, il aurait été vite informé et serait rentré précipitamment.

« Chéri, je t'en conjure, dis-nous ce qui s'est passé. Ils n'ont pas réellement arrêté Maan ? »

Pran leur lut tout haut les quelques lignes. « L'imbécile, s'exclama-t-il en se frappant le front. Le pauvre, l'inconscient, le fou ! Pauvre Ammaji. Baoji a toujours dit – » Il s'interrompit. « Ma, Lata – vous devriez rester ici.

— Il n'en est pas question, protesta Lata. De toute façon nous devions rentrer dans deux jours. Nous voyagerons tous ensemble. Quelle horrible histoire ! Pauvre Maan – je suis sûre qu'il y a une explication – il ne peut pas avoir fait ça. Il doit y avoir – »

Mrs Rupa Mehra, pensant d'abord à Mrs Mahesh Kapoor puis au Nawab, sentit les larmes lui monter aux yeux. Mais les larmes, elle le savait, ne servaient à rien. Avec effort, elle les ravala.

« Nous irons directement à la gare, dit Pran, et essaierons d'avoir des places sur le Brahmpur Mail, le train postal. Il nous reste une heure et demie pour faire nos bagages. »

Uma se lança dans une joyeuse incantation. Meenakshi s'offrit à la tenir pendant qu'ils faisaient les valises, et à prévenir Arun à son bureau.

17.21

Quand Firoz reprit conscience, son père s'était endormi. Encore choqué, il remua – et une terrible douleur lui perça le flanc. Il vit le tube fiché dans son bras. Tourna la tête à droite. Un policier en kaki dormait sur une chaise. Sur son visage rêveur tombait une faible lumière.

Firoz se mordit la lèvre, essaya de comprendre cette douleur, cette chambre, ce qu'il faisait là. Il y avait eu une bagarre – Maan tenait un couteau – il avait été poignardé. Tasneem intervenait là-dedans, quelque part. Quelqu'un l'avait recouvert d'un châle. Sa canne lui glissait des mains, poissée de sang. Puis une tonga avait surgi du brouillard. Après, tout était noir.

La vue de son père le troubla profondément, sans qu'il pût saisir pourquoi. Quelqu'un avait dit quelque chose à propos de son père – il ne se rappelait plus quoi. Sa mémoire ressemblait à la carte d'un continent inexploré – les bords en étaient plus clairs que le centre. Il y avait quelque chose dans ce centre qu'il repoussait alors même qu'il s'en approchait. Penser le fatiguait, et il se laissa couler dans une pénombre apaisante, pour émerger de nouveau dans le présent.

Allongé sur le dos, il remarqua un lézard tout en haut du mur lui faisant face – un des habitants permanents de ces lieux. Que ressent-on, se demanda-t-il, quand on est un

lézard – vivant sur ces étranges surfaces – est-il plus difficile de se mouvoir dans une direction que dans une
autre ? Il avait toujours les yeux fixés sur le lézard quand
lui parvint la voix du policier : « Ah, Sahib, vous êtes
réveillé.

— Oui, s'entendit-il répondre. Je suis réveillé.

— Vous sentez-vous assez bien pour faire une déclaration ?

— Une déclaration ?

— Oui, votre assaillant a été arrêté.

— Je suis fatigué. Je crois que je vais dormir encore un
peu. »

La voix de son fils avait tiré le Nawab de son sommeil. Il
regarda Firoz sans mot dire, Firoz lui rendit son regard. Le
père paraissait supplier son fils, le fils semblait perdu dans
une réflexion déchirante. Puis il ferma les yeux, laissant le
Nawab déconcerté et bouleversé.

« Je pense qu'il sera capable de parler clairement dans
une heure ou deux, dit le policier. C'est important qu'il
fasse une déclaration le plus tôt possible.

— S'il vous plaît, ne le dérangez pas. Il a l'air très fatigué,
il a besoin de repos. »

Firoz dormit profondément pendant une bonne heure,
sans prononcer un seul mot. Quand il se réveilla de nouveau, le Nawab allait et venait dans la chambre.

« Abba, dit-il.

— Oui, fils.

— Abba – il y a quelque chose – »

Le Nawab resta silencieux.

« Qu'est-ce que c'est que tout ça ? demanda soudain
Firoz. Est-ce que Maan m'a attaqué ?

— Apparemment. On t'a trouvé sur Cornwallis Road. Tu
te rappelles ce qui s'est passé ?

— J'essaie...

— Vous souvenez-vous, intervint le policier, de ce qui est
arrivé chez Saeeda Bai ? »

Firoz vit son père sursauter à ce nom, et brusquement
resurgit ce qui se dissimulait au cœur de sa mémoire, ce
qu'il s'efforçait d'approcher et de toucher. Il observa son

père avec une telle expression de souffrance et de reproche que le vieil homme, le cœur transpercé, détourna la tête.

17.22

La calamité n'avait pas abattu Saeeda Bai. Le premier choc passé, elle – comme Bibbo – avait repris son sang-froid. Il fallait protéger la maison, sauver Maan des conséquences de son acte. La loi pouvait définir les choses à sa manière, Saeeda Bai savait que Maan n'était pas un criminel, qu'elle-même partageait la responsabilité de cette tragique explosion de violence.

Après que le Dr Bilgrami l'eut examinée, elle ne se soucia plus de sa propre santé. Elle vivait, quant à sa voix elle était entre les mains de Dieu. En revanche, elle eut peur pour Tasneem. Cette enfant qu'elle avait conçue dans la terreur, portée dans la honte et engendrée dans la douleur, elle lui avait donné le nom de cette source paradisiaque dont les eaux ont le pouvoir d'engloutir le passé et les tourments. Or passé et tourments revenaient l'assiéger. Elle pleura une fois de plus l'absence de sa mère, de son réconfort et de ses conseils. Mohsina Bai avait été une femme plus dure, plus indépendante que Saeeda ; sans son courage et son opiniâtreté, Saeeda Bai n'eût été à présent qu'une de ces prostituées vieillissantes et pauvres de Tarbuz ka Bazaar – et Tasneem la même chose, en plus jeune.

La nuit du drame, s'attendant à une visite de la police ou à un message du Nawab, elle était restée chez elle, veillant à ce que tout dans la maison, de sa pièce aux marches de l'escalier tachées de sang, reprît son aspect normal. Dors, se disait-elle, dors ; ou du moins allonge-toi sur ton lit et imagine que c'est une nuit comme toutes les autres. Mais incapable de tenir en place, elle aurait voulu aller dans la rue et laver de ses mains chaque tache de sang menant à sa porte.

Pour l'homme d'où s'écoulait tout ce sang et dont le

visage lui rappelait, hélas, celui de son père, elle n'éprouvait que froideur, tout demi-frère de Tasneem qu'il fût. Peu lui importait qu'il vive ou qu'il meure, dans la mesure où cela n'avait pas d'influence sur le destin de Maan. Et quand la police était arrivée, l'idée l'avait terrifiée de fournir un témoignage risquant de conduire son bien-aimé – elle devait se l'avouer maintenant – Dagh Sahib à l'échafaud.

Pour Maan, qui avait failli la tuer, son anxiété, sa tendre sollicitude ne connaissaient pas de limite – mais que pouvait-elle faire ? Elle se mit à réfléchir comme sa mère le lui avait appris. Qui connaissait-elle ? Et jusqu'à quel point ? Et ceux qu'elle connaissait, quelles étaient leurs relations ? Bientôt Bilgrami Sahib devint un émissaire porteur de messages elliptiques entre Saeeda et un ministre d'Etat à l'étoile montante, un Secrétaire adjoint au ministère de l'Intérieur, le kotwal de Brahmpur. Par ailleurs Bilgrami Sahib fit jouer ses propres relations, avec sagesse et persévérance, pour essayer de sauver son rival – avec persévérance, car il craignait pour la santé mentale et physique de Saeeda Bai si quelque chose de terrible arrivait à Maan ; avec sagesse, car il redoutait que Saeeda Bai, en s'efforçant d'étendre son réseau d'influence, n'incite un esprit malveillant à le détruire.

17.23

« Priya, promets-moi de parler à ton père. »

Cette fois, c'est Veena qui avait suggéré de monter sur le toit. Elle ne supportait pas les regards de satisfaction, d'aversion ou de pitié que portait sur elle la maisonnée Goyal. Pour se préserver du froid de cet après-midi, les deux jeunes femmes se drapaient dans un châle. Le ciel était couleur d'ardoise, à l'exception d'une portion de l'autre côté du Gange, qui, à travers la nuée des tourbillons de sable, prenait une teinte jaune sale. Veena pleurait.

« Mais quel effet ça aura ? demanda Priya, essuyant les larmes sur le visage de son amie.

— Le meilleur effet du monde si ça sauve Maan.

— Que fait ton père ? Il n'a vu personne ?

— Mon père, dit Veena d'un ton amer, se soucie plus de son image d'homme à principes que de sa famille. Je lui ai parlé ; il m'a dit de penser à ma mère plutôt qu'à Maan. Je me rends compte seulement maintenant à quel point c'est un homme froid. Maan sera pendu à huit heures, et à neuf heures il signera ses dossiers. Ma mère ne tient plus. Promets-moi de parler à ton père, Priya, promets-le-moi. Tu es son unique enfant, il ferait n'importe quoi pour toi.

— Je lui parlerai, c'est promis. »

Ce que Veena ignorait, et que Priya n'avait pas le courage de lui avouer, c'est qu'elle était déjà intervenue auprès de son père et que le ministre de l'Intérieur avait répondu qu'il refusait de s'en mêler. Il s'agissait, lui avait-il dit textuellement, d'une affaire sans importance : un voyou essayant d'en tuer un autre dans un établissement infâme. Peu importait ce qu'étaient les pères. Ça ne touchait pas à la sécurité de l'Etat, il n'avait donc aucune raison d'intervenir ; à la police et à la magistrature de s'occuper de cette histoire. Il avait même gentiment morigéné sa fille pour tentative d'abus d'influence, ce qui avait rendu Priya malheureuse et honteuse à la fois.

17.24

Mahesh Kapoor ne pouvait se résoudre à suivre les conseils de Bannerji : essayer de faire pression, directement ou par l'intermédiaire de son supérieur, sur le policier enquêteur, en l'occurrence le commissaire adjoint de Pasand Bagh. C'était impensable, alors que la bonne exécution de sa loi d'abolition et de réforme agraire dépendrait justement de sa capacité d'empêcher les propriétaires d'user de leur influence sur les fonctionnaires locaux chargés des archives. Il détestait la façon dont Jha, le politicien, sapait le pouvoir de l'administration dans la région de Rudhia, et il ne s'imaginait pas cédant à la tentation de l'imiter. Aussi quand sa femme lui demanda de « parler à quelqu'un, même à Agarwal », lui intima-t-il l'ordre de se taire.

Ces deux derniers jours, pour elle, avaient été atroces. De penser à Firoz dans son lit d'hôpital et à Maan dans sa cellule l'empêchait de trouver un instant de repos. Mrs Mahesh Kapoor avait supplié son mari de parler au Nawab – de lui exprimer son chagrin et ses regrets, de lui demander l'autorisation d'aller voir Firoz. Cela, Mahesh Kapoor l'avait tenté. En l'absence du Nawab, en permanence à l'hôpital, il avait eu le secrétaire, Murtaza Ali, qui, avec force politesses et embarras, lui avait nettement fait comprendre que son maître estimait une visite des parents de Maan en ce moment tout à fait inopportune.

Pendant ce temps les rumeurs allaient leur train. Ce qui méritait un simple paragraphe dans les journaux de Calcutta alimentait à gogo la presse et les conversations de Brahmpur, malgré la proximité des élections. La police n'avait toujours pas découvert la relation entre Saeeda Bai et le Nawab ; elle ignorait le versement de la pension mensuelle. Mais Bibbo n'avait pas tardé à additionner deux et deux ni, en se rengorgeant, résisté à la tentation de lâcher quelques bribes, sous le sceau du secret bien entendu, sur l'ascendance de Tasneem à deux de ses plus proches amies. Un reporter d'un journal hindi, bien connu pour son talent de fouineur, avait interrogé une vieille courtisane à la retraite qui avait travaillé dans le même établissement de Tarbuz ka Bazaar que la mère de Saeeda Bai. La vieille femme, contre de l'argent et la promesse d'en recevoir davantage, accepta de lui raconter tout ce qu'elle savait des jeunes années de Saeeda Bai. Certains faits étaient vrais, d'autres enjolivés, d'autres faux, tous en tout cas intéressèrent le journaliste. Elle affirma que Saeeda Bai avait perdu sa virginité à quatorze ou quinze ans, violée par un citoyen éminent et non moins ivre ; elle le tenait de la mère de Saeeda. Elle reconnut qu'elle ignorait l'identité de l'homme, ce qui ne l'empêchait pas d'avoir son idée.

Chaque fait vrai ou imaginaire publié dans la presse suscitait une dizaine de rumeurs, qui s'agglutinaient comme des abeilles sur une mangue pourrissante. Aucune des deux familles n'échappait aux murmures, aux doigts pointés sur elle partout où elle se déplaçait.

Veena, en partie pour être aux côtés de sa mère, en partie pour fuir ses aimables mais insatiables voisins, s'installa à Prem Nivas. Le même soir, Pran et les autres revinrent de Calcutta.

Dans les vingt-quatre heures suivant son arrestation, Maan avait été déféré devant un magistrat. Son père avait chargé un avocat à la Cour de demander la libération sous caution ou du moins un transfert dans une véritable prison, mais les chefs d'accusation retenus contre Maan ne permettaient pas l'une, et la police avait refusé le second. Frustré de n'avoir pu trouver l'arme, énervé par les trous de mémoire de Maan, l'inspecteur avait réclamé le prolongement de la garde à vue à des fins d'interrogatoire complémentaire. Le magistrat avait accordé deux jours, après quoi Maan serait transféré dans la prison, relativement décente, du district.

Mahesh Kapoor rendit deux fois visite à son fils, dans sa cellule du commissariat. Maan ne se plaignit de rien. Il parut si choqué, sous l'emprise de tels remords, que son père n'eut pas le cœur de l'accabler de reproches supplémentaires.

Maan ne cessa de lui demander des nouvelles de Firoz – terrorisé à l'idée qu'il pût mourir – et s'il s'était rendu à l'hôpital. Mahesh Kapoor dut avouer qu'on ne le lui avait pas permis.

Il avait conseillé à sa femme d'attendre que Maan fût en prison pour aller le voir – convaincu que les conditions de détention au commissariat la bouleverseraient trop. Mais elle ne supporta pas cette attente, affirma qu'elle irait seule si nécessaire, si bien que son mari céda et demanda à Pran de l'accompagner.

Elle vit Maan et pleura. Elle n'avait rien connu, de toute sa vie, d'aussi dégradant que ce qu'elle subissait depuis quelques jours. La police en faction à la porte de Prem Nivas, des fouilles pour trouver des preuves, l'arrestation d'une personne aimée – cela elle l'avait connu à l'époque des Anglais. Mais elle n'avait pas eu honte de l'homme qu'ils avaient jeté en prison au titre de prisonnier politique. Et lui n'avait pas dû supporter une telle puanteur, une telle ignominie.

Elle avait éprouvé une douleur au moins égale à se voir refuser l'accès auprès de Firoz, à ne pouvoir exprimer, par toute son affection, le terrible sentiment de culpabilité, la profonde tristesse qu'elle éprouvait à son égard et à celui de sa famille.

Maan ne ressemblait plus à son fils si beau mais à un homme sale et débraillé, dont les regards trahissaient honte et désespoir.

Elle le serra dans ses bras et sanglota comme si son cœur allait éclater. Maan pleura lui aussi.

17.25

Au milieu de ses remords et de son repentir, Maan ressentait encore le besoin de revoir Saeeda Bai, mais ne savait à qui s'adresser pour lui faire porter un message. Seul Firoz, se disait-il, aurait compris. Pran étant resté auprès de lui après le départ de leur mère pour Prem Nivas, Maan lui demanda de persuader Saeeda Bai de venir le voir. Pran dut lui expliquer que c'était impossible : en tant que témoin visuel dans l'affaire, elle n'obtiendrait pas l'autorisation.

Maan semblait ne pas comprendre sa situation – le fait qu'une tentative de meurtre, ou même une blessure grave à l'aide d'une arme dangereuse pouvaient entraîner une condamnation d'emprisonnement à vie. Il paraissait considérer comme incroyablement injuste d'être séparé de Saeeda Bai. Il griffonna quelques lignes en ourdou lui exprimant ses remords et son amour, supplia Pran d'aller les porter. Une mission que ce dernier n'apprécia guère, mais qu'il accepta néanmoins de remplir. Dans l'heure qui suivit, il remit le mot au portier.

Quand il rentra à Prem Nivas en fin d'après-midi il aperçut sa mère allongée sur un sofa dans la véranda. Elle regardait le jardin, où poussaient les premières fleurs de printemps : pensées, calendules, cosmos, gerberas, phlox et coquelicots de Californie ; des corbeilles d'argent bordaient les parterres qui jouxtaient la pelouse. Des abeilles bourdonnaient autour des fleurs de pamplemoussier à la senteur citronnée, un manga au plumage bleu-noir luisant voletait de branche en branche.

Pran s'arrêta un instant auprès du pamplemoussier, humant ce parfum qui lui rappelait son enfance, pensant avec tristesse aux événements dramatiques survenus depuis lors : Veena pauvre réfugiée du Pakistan, lui malade cardiaque et Maan en prison attendant son inculpation ; mais il y avait aussi le miraculeux sauvetage de Bhaskar, la naissance d'Uma, sa vie avec Savita. Apaisé, il traversa la pelouse en direction de la véranda.

« Pourquoi restes-tu allongée Ammaji ? Tu te sens fatiguée ? »

Mrs Mahesh Kapoor se redressa aussitôt.

« Tu veux que je t'apporte quelque chose ? » Elle essaya de lui répondre, bredouilla des paroles incompréhensibles. Elle resta la bouche ouverte, tordue sur le côté.

Inquiet, Pran appela Veena. Un domestique lui dit qu'elle était sortie en voiture avec Kapoor Sahib. Pran commanda du thé, tenta d'en faire boire à sa mère, qui le recracha. A l'évidence, elle avait eu une attaque.

Il songea tout d'abord à appeler Imtiaz à Baitar House puis opta pour le grand-père de Savita. Le Dr Kishen Chand Seth était sorti. Pran laissa un message le priant de téléphoner dès son retour, tenta en vain de joindre d'autres médecins et s'apprêtait à alerter l'hôpital quand le Dr Seth rappela.

« J'arrive, dit celui-ci. Mais contactez le Dr Jain – c'est un spécialiste de ce genre d'histoire. Numéro de téléphone : 873. Dites-lui que je lui demande de venir immédiatement. »

Veena et son père rentrèrent vers sept heures du soir. Mrs Mahesh Kapoor bredouilla quelque chose.

« C'est à propos de Maan ? » demanda son mari.

Elle secoua la tête. Ils finirent par comprendre qu'elle voulait dîner.

Elle tenta de boire sa soupe, en recracha la moitié. Ils voulurent lui faire manger un peu de riz et de daal, s'aperçurent qu'elle gardait tout en bouche sans avaler.

Le Dr Jain arriva une demi-heure plus tard, l'examina longuement. « C'est grave, conclut-il. Je crains que les septième, dixième et douzième nerfs ne soient touchés.

— Oui, oui, dit Mahesh Kapoor, mais qu'est-ce que cela signifie ?

— Eh bien, voyez-vous, ces nerfs excitent la principale zone du cerveau. Je crains que la malade n'ait plus ses facultés de déglutition ou ne subisse une seconde attaque. Ce qui serait la fin. Je suggère de la transporter sur-le-champ à l'hôpital. »

A ce mot, Mrs Mahesh Kapoor réagit violemment, bafouilla mais manifesta, sans doute possible, qu'elle refusait d'y aller. Si elle devait mourir elle voulait que ce soit chez elle. Veena décrypta les mots « Sundar Kenya ». Sa mère voulait qu'on lui lise son passage favori du Ramayana.

« Mourir ! s'écria son mari. Il n'est pas question que tu meures. »

Pour une fois Mrs Mahesh Kapoor défia son époux ; elle mourut la nuit même.

17.26

Veena, qui s'était endormie au chevet de sa mère, fut réveillée par un cri de douleur. Mrs Mahesh Kapoor avait le visage totalement distordu, le corps secoué par un violent spasme. Veena courut chercher son père. En quelques minutes toute la maison fut sur pied. On appela Pran et les médecins, on demanda aux voisins de Kedarnath de le prévenir, Lata, Mrs Rupa Mehra, Savita, portant le bébé, arrivèrent. Ils se rassemblèrent tous autour du lit.

Est-ce que Nani va mourir ? interrogea Bhaskar peu rassuré, à quoi sa mère, en larmes, répondit qu'elle le pensait, mais que tout reposait entre les mains de Dieu. Le médecin dit qu'il n'y avait plus rien à faire. Mrs Mahesh Kapoor, après avoir réclamé, par gestes et sons incohérents, la présence de Bhaskar à ses côtés, manifesta son désir de se voir poser sur le sol. Toutes les femmes se mirent à pleurer. Mr Mahesh Kapoor scruta le visage de sa femme, calme à présent, avec une tendresse irritée – comme si elle le laissait tomber délibérément. On alluma une petite lampe en terre qu'on plaça dans la main de la mourante. La vieille Mrs Tandon prononça le nom de Rama, Mrs Rupa Mehra récita des versets de la Gita. Soudain des lèvres de Mrs Mahesh Kapoor sortit un son qui ressemblait à « Maa – » ; elle pouvait aussi bien appeler sa mère, décédée depuis longtemps, que son fils cadet. Des larmes apparurent au coin de ses paupières, mais son visage, un instant agité, reprit son calme. Elle mourut un peu plus tard, à peu près à l'heure où elle se réveillait habituellement.

Dès la matinée, les visiteurs commencèrent à affluer pour rendre leurs derniers hommages ; parmi eux nombre de collègues de Mahesh Kapoor qui, quels que fussent leurs sentiments à l'égard du ministre, avaient toujours éprouvé de l'affection pour cette femme honnête, bonne et généreuse. Paisible, active, l'hospitalité chaleureuse, elle compensait par sa gentillesse le caractère acerbe de son époux.

Elle reposait à présent sur un drap à même le sol, du coton dans les narines et dans la bouche, un bandage passé sous le menton et lui entourant le visage. On l'avait habillée de rouge comme le jour de son mariage, et on lui avait enduit de sindoor la raie des cheveux. De l'encens brûlait dans un bol à ses pieds. Toutes les femmes de la famille étaient assises à ses côtés, certaines pleuraient, à commencer par Mrs Rupa Mehra.

S.S. Sharma se déchaussa et entra. Sa tête branlait légèrement. Il joignit les mains, dit quelques mots et s'éloigna.

Priya consolait Veena. Son père, L.N. Agarwal, attira Pran à l'écart.

« Quand a lieu la crémation, s'enquit-il ?

— A onze heures.

— Et votre jeune frère ? »

Pran ne répondit pas, les yeux remplis de larmes.

Le ministre de l'Intérieur demanda la permission d'utiliser le téléphone et appela le Surintendant de police. Apprenant que Maan allait être remis dans l'après-midi aux mains de la justice, il ordonna : « Dites-leur de le faire ce matin et de passer par le ghat des crémations. Son frère ira au commissariat et se joindra à l'escorte. Il n'y a aucun danger que le prisonnier s'échappe, les menottes ne seront donc pas nécessaires. Veillez à ce que les formalités soient terminées pour dix heures. » Il allait raccrocher quand : « Voulez-vous dire aussi au chef du commissariat de prévoir la présence d'un coiffeur – mais de ne rien dire au jeune homme. Son frère s'en chargera. »

En réalité quand Pran se trouva en présence de Maan, il n'eut pas besoin de prononcer un mot. Voyant le crâne rasé de son frère, Maan sut d'instinct qu'il s'agissait du décès de leur mère. Hoquetant, mais sans une larme, il se mit à se taper la tête contre les barreaux de la cellule.

Le commissaire adjoint arracha les clefs des mains du policier, que ce spectacle atterrait, et ouvrit la porte. Maan tomba dans les bras de Pran, continuant à pousser des cris de douleur.

Pran lui parla, doucement, sans arrêt, et finit par le calmer. « J'ai cru comprendre que vous avez convoqué un coiffeur, dit-il en s'adressant à l'officier de police. Il faut qu'il lui rase la tête maintenant car nous devons partir bientôt pour le ghat. »

Le policier s'excusa ; il y avait un problème. Un employé au guichet de la gare de Brahmpur devait se rendre à la prison afin de voir s'il reconnaissait Maan au milieu d'un groupe d'autres hommes. Pas question par conséquent que Maan eût la tête rasée.

« Mais c'est ridicule, s'exclama Pran tout en fixant la moustache foisonnante de son interlocuteur. J'ai entendu le ministre de l'Intérieur dire que –

— J'ai parlé au Surintendant il y a à peine dix minutes. »
A l'évidence pour le commissaire adjoint le Surintendant
comptait plus que le Premier ministre lui-même.

Ils arrivèrent au ghat à onze heures. Les policiers se
tinrent à l'écart. Le soleil était haut dans le ciel, la chaleur
inhabituelle pour la saison. Il n'y avait que des hommes. Ils
débarrassèrent le visage des tampons de coton, ôtèrent le
drap jaune et les fleurs qui couvraient la civière, posèrent le
corps sur deux longues perches et le recouvrirent d'autres
fleurs.

Guidé par un pandit, Mr Mahesh Kapoor accomplit les
rites d'usage, ne laissant rien paraître de ce que le rationa-
liste qu'il était pensait de cette abondance de ghee, de bois
de santal, de swahas, des exigences des prêtres qui travaillaient au bûcher. La fumée était oppressante, que ne
dispersait aucune brise venue du Gange, mais il semblait
ne pas en souffrir.

Maan se tenait à côté de son frère, qui dut le soutenir. Il
vit les flammes s'élever et lécher le visage de sa mère – la
fumée obscurcir celui de son père.

Ceci est mon œuvre, Ammaji, se dit-il ; c'est ce que j'ai
fait qui t'a conduite là. Je ne me le pardonnerai jamais et
personne dans la famille ne me le pardonnera jamais.

17.27

Cendres et os, voilà tout ce qui restait de Mrs Mahesh
Kapoor, cendres et os, encore tièdes mais bientôt froids,
qui seraient recueillis et jetés dans le Gange ici à Brahmpur. Pourquoi pas à Hardwar comme elle l'avait souhaité ?
Parce que son mari était un homme pratique. Que sont des
cendres et des os, de la chair et du sang même, quand la vie
a disparu ? Les eaux du Gange ne sont-elles pas les mêmes
à Gangotri, à Hardwar, à Prayag, à Bénarès, à Brahmpur,
voire à Sagar auquel il est lié depuis qu'il est tombé du
ciel ? Morte, Mrs Mahesh Kapoor ne ressentait plus rien,

les prêtres pouvaient fouiller dans ces cendres, le bois de santal et le bois ordinaire à la recherche des quelques bijoux fondus avec son corps et qui leur appartenaient de droit. Graisse, ligaments, muscles, sang, cheveux, affection, pitié, désespoir, anxiété, maladie : tout avait disparu. Elle s'était dissoute. Dans le jardin de Prem Nivas (qui allait bientôt concourir pour l'exposition annuelle), dans l'amour de Veena pour la musique, dans l'asthme de Pran, la générosité de Maan, les réfugiés qui grâce à elle avaient survécu, les feuilles de margousier qui protégeraient les couvertures rangées dans les grands coffres en zinc à Prem Nivas, la mue du héron, une clochette de cuivre qui ne tintait pas, le souvenir de la décence dans une période indécente, le caractère des arrière-petits-enfants de Bhaskar. Et pour le ministre du Trésor, qui avait montré tant d'impatience à son endroit, elle était son regret. Et il était juste qu'elle continuât de l'être, car il aurait dû mieux la traiter de son vivant, lui le pauvre imbécile, ignorant et désespéré.

17.28

Le chautha se tint l'après-midi du troisième jour suivant, sur la pelouse de Prem Nivas, à l'abri d'un vélum. Les hommes prirent place d'un côté, les femmes de l'autre, et quand tout l'espace fut plein les gens débordèrent sur la pelouse, jusqu'aux parterres de fleurs. Mahesh Kapoor, Pran et Kedarnath les accueillaient à l'entrée du jardin. Exilés du Pakistan au moment de la Partition, que la défunte avait aidés dans les camps où ils avaient trouvé refuge, leurs familles, tous ceux qu'elle avait soutenus quotidiennement, les parents de Rudhia et de simples fermiers, nombre d'hommes politiques qui, s'il s'était agi de Mahesh Kapoor, n'auraient rendu qu'un hommage de pure forme ou tout à fait hypocrite, sans compter des dizaines de personnes que ni Pran ni son père ne connaissaient. En passant devant la longue estrade recouverte d'un drap blanc, à une extrémité de la shamiana, ils saluaient, mains jointes, la photographie, entourée d'une guirlande d'œillets d'Inde, posée sur une table. Certains prononçaient quelques mots de condoléances avant de se laisser submerger par le chagrin. Mahesh Kapoor finit par s'asseoir, encore plus bouleversé que ces quatre derniers jours.

Personne de la famille du Nawab n'assista au chautha. L'état de Firoz avait empiré, une infection s'était déclarée que l'on tentait de juguler à coups de fortes doses de pénicilline. Imtiaz – connaissant les limites et les possibilités de ce traitement relativement récent – était malade d'inquiétude ; son père, voyant dans la maladie de son fils la punition de ses propres péchés, suppliait Dieu au moins cinq fois par jour d'épargner Firoz et de prendre sa propre vie en échange. Peut-être ne supportait-il pas les rumeurs qui l'accompagnaient partout où il allait, ni d'affronter cette famille dont l'amitié lui valait tant de douleur – toujours est-il qu'il ne se déplaça pas.

Quant à Maan, il ne reçut pas l'autorisation de venir.

Le pandit, grand homme au visage oblong, aux sourcils broussailleux et à la voix forte, commença à réciter des shlokas en sanskrit, tirés notamment de l'Isha Upanishad et du Yajurveda, qui constituaient, dit-il, un guide de vie, un modèle de comportement. Dieu était partout, dans chaque parcelle de l'univers ; rien ne se dissolvait définitivement ; il fallait l'admettre. Il parla de la défunte, rappela sa bonté, sa piété religieuse, confirmant que sa mémoire ne demeurerait pas seulement dans l'esprit de ceux qui l'avaient connue, mais dans tout son environnement – ce jardin, par exemple, cette maison.

Au bout d'un moment, le pandit se fit remplacer par son assistant.

Le jeune homme entonna deux chants de dévotion. Le public écouta le premier en silence, mais quand s'éleva le lent et majestueux « Twameva Mata cha Pita twameva » – « Vous êtes notre père et notre mère » – tous ou presque joignirent leur voix.

Le pandit pria les gens installés sous le vélum de s'avancer le plus possible afin de permettre aux autres de s'appro-

cher, puis il demanda si les chanteurs sikhs étaient arrivés.
Mrs Mahesh Kapoor ayant beaucoup aimé leur musique,
Veena avait convaincu son père de les faire venir. Apprenant qu'ils n'étaient pas encore arrivés, le pandit lissa sa
kurta et commença à raconter l'histoire suivante :

Il y avait une fois un villageois si pauvre, si pauvre qu'il
n'avait pas assez d'argent pour payer le mariage de sa fille
ni rien sur quoi emprunter. Il était désespéré. Finalement
quelqu'un lui dit : « A deux villages d'ici vit un prêteur qui
croit à l'humanité. Il ne demandera ni caution ni biens. Ta
parole sera ta garantie. Il prête aux gens en fonction de
leurs besoins, et il sait à qui faire confiance. »

L'homme se mit en route plein d'espoir et atteignit le
village du prêteur vers midi. En approchant, il remarqua
un vieil homme en train de labourer un champ, et une
femme, le visage voilé, qui, portant ses plats sur la tête, lui
apportait de la nourriture. Elle avait l'allure d'une femme
jeune. Il l'entendit dire : « Baba, voilà de quoi vous nourrir.
Mangez, puis, s'il vous plaît, revenez à la maison. Votre fils
n'est plus. » Levant les yeux au ciel, l'homme dit : « Comme
Dieu veut. » Après quoi il s'assit et mangea.

Le villageois, intrigué et troublé par cette conversation,
tenta d'en comprendre le sens. Si elle est la fille du vieil
homme, réfléchit-il, pourquoi se voile-t-elle la face en sa
présence ? Ce doit être sa belle-fille. Après quoi, il se
demanda qui était le mort. S'il s'agissait d'un des frères de
son mari, elle l'aurait appelé « jethji » ou « devarji » plutôt
que « votre fils ». Ce devait donc être son mari. Ce calme
avec lequel le père et l'épouse avaient accepté cette mort
était inhabituel, pour ne pas dire choquant.

Quoi qu'il en soit, le villageois, se rappelant le but de sa
démarche et ses propres problèmes, se rendit dans la boutique du prêteur. L'homme lui demanda ce qu'il voulait. Il
répondit qu'il avait besoin d'argent pour marier sa fille et
qu'il n'avait rien à proposer en échange.

« Ça n'a pas d'importance, dit le prêteur en scrutant son
visage. Combien veux-tu ?

— Beaucoup, dit le villageois. Deux mille roupies.

— Bien », dit le prêteur, qui demanda à son comptable
de compter l'argent sur-le-champ.

Tandis que le comptable s'exécutait, le pauvre villageois se sentit tenu de faire la conversation. « Vous êtes un homme très bon, dit-il, mais les autres habitants de ce village me paraissent bizarres. » Et il raconta ce qu'il avait vu et entendu.

« Eh bien, dit le prêteur, comment les gens de votre village auraient-ils réagi à une telle nouvelle ?

— Evidemment, dit le pauvre homme, tout le village se serait rendu chez les parents pour pleurer avec eux. Pas question de labourer son champ, encore moins de manger jusqu'à ce qu'on ait disposé du corps. Les gens se seraient lamentés en se battant la poitrine. »

Le prêteur se tourna vers son comptable et lui dit d'arrêter de compter l'argent. « Il ne convient pas de prêter de l'argent à cet homme.

— Mais qu'est-ce que j'ai fait ? » demanda le pauvre villageois, stupéfait.

Le prêteur répliqua : « Si tu pleures et te lamentes autant pour rendre ce que Dieu t'a confié, tu n'aimeras pas rendre ce que t'a confié un simple mortel. »

Le silence complet régna pendant que le pandit racontait son histoire. Personne ne savait où il voulait en venir, et à la fin ils comprirent qu'il leur reprochait leur chagrin. Ce qui fâcha Pran plutôt que de le consoler : ce que racontait le pandit était peut-être vrai, mais pour sa part il aurait préféré entendre chanter les ragis sikhs.

Enfin ils arrivèrent, tous les trois, sombres de peau et barbus, le blanc du turban rehaussé par un bandeau bleu. L'un jouait du tabla, les deux autres de l'harmonium, et ils chantaient les yeux fermés.

Pran les avait déjà entendus ; sa mère les invitait au moins une fois par an à Prem Nivas. Aujourd'hui, ce n'était pas à la beauté de leur chant ou aux paroles des saints qu'il songeait, mais à la dernière fois qu'il avait entendu jouer du tabla et de l'harmonium à Prem Nivas : cette soirée de Holi où s'était produite Saeeda Bai. Il jeta un coup d'œil vers les femmes. Savita et Lata étaient assises côte à côte, comme ce soir-là. Savita avait les paupières closes, Lata regardait Mahesh Kapoor, qui semblait une fois de plus étranger à ce qui se passait. Elle n'avait pas remarqué Kabir, assis loin derrière, à la limite de la partie couverte.

Elle songeait à cette femme, la mère de Pran, qu'elle avait beaucoup aimée sinon bien connue. Avait-elle eu une vie bien remplie ? Pouvait-on dire de son mariage qu'il avait été heureux, réussi : et si oui, que signifiaient ces mots ? Qui occupait le centre de sa vie conjugale : son époux, ses enfants ou le petit oratoire où elle priait chaque matin, s'en remettant à la routine et à la dévotion pour justifier son existence, ordonner la ronde des jours ? Il y avait là, aujourd'hui, tant de gens affectés par sa mort, et puis son mari, le sahib ministre, qui ne dissimulait pas son impatience devant la longueur de la cérémonie. Il essayait d'indiquer au pandit qu'il en avait assez, mais ne réussissait pas à capter son regard.

« Je crois que, maintenant, les femmes aimeraient chanter », dit au même moment le pandit. Aucune ne s'avança. « Veena, appela la vieille Mrs Tandon, approche-toi. » Le pandit lui demanda de monter sur l'estrade, mais Veena refusa. « Ici, dit-elle, en bas. » Elle était vêtue très simplement d'un sari de coton blanc bordé de noir, avec, autour du cou, une fine chaîne d'or, qu'elle touchait sans arrêt ; son tika rouge foncé était souillé. Des larmes coulaient sur ses joues et lui baignaient le dessous des yeux, gonflé et cerné. On lisait la tristesse mais aussi une étrange placidité sur son visage rond. Elle prit un petit livre et se mit à chanter, d'une voix claire, soulignant parfois de la main certaines paroles. Le premier chant terminé, elle entama aussitôt l'hymne favori de sa mère, « Uth, jaag, musafir » :

« *Debout, voyageur, l'aube est levée.*
Malheur à l'âme ensommeillée.
Debout voyageur, pour ton grand projet.

Ouvre les paupières, dessille tes yeux.
O insouciant, soucie-toi de Dieu.
Est-ce ta façon de montrer ton zèle ?
Toi tu dors en bas, lui, là-haut, veille.

Ce que tu as fait, tu dois l'endurer.
Où est-elle, la joie dans le péché ?
Quand sur ta tête pèsent tes péchés,
Pourquoi pencher la tête et pleurer ?

La tâche de demain, fais-la maintenant.
Aujourd'hui même, sur-le-champ.
Quand l'oiseau a volé le bon grain
A quoi sert de te tordre les mains ? »

Elle s'arrêta au milieu de la deuxième strophe – laissant les autres continuer – et se mit à pleurer sans bruit, utilisant d'abord le pan de son sari pour essuyer ses larmes puis y renonçant, se contentant de les chasser avec ses mains. Kedarnath, assis devant elle, lui lança son mouchoir, mais elle ne s'en aperçut pas. Quand elle se remit à chanter, la voix redevenue claire, et qu'elle reprit le premier verset, c'est son père qui fondit en larmes.

Ce chant, tiré du recueil d'hymnes de l'ashram du Mahatma Gandhi, lui faisait prendre conscience, plus que n'importe quoi d'autre, de ce qu'il avait perdu. Gandhi était mort, et ses idéaux avec lui. Ce prêcheur de la non-violence qu'il avait suivi et révéré avait succombé à une mort violente – et voilà que son fils, à lui Mahesh Kapoor – d'autant plus aimé qu'il était en danger –, se retrouvait en prison pour avoir usé de la violence. Firoz, qu'il connaissait depuis son enfance, allait peut-être mourir. Sa longue amitié avec le Nawab s'était rompue, cédant au poids du chagrin et des rumeurs. L'interdiction d'aller voir Firoz avait aggravé la douleur de la morte et – qui connaît l'œuvre de la douleur sur le cerveau ? – peut-être hâté son décès.

Trop tard, il commençait aussi à prendre pleinement conscience de son autre perte, la femme vers qui allait l'amour de tous ces gens réunis aujourd'hui. Il y avait tant à faire, et personne pour l'aider, le conseiller avec sagesse, tempérer son impatience. La vie de son fils et son propre avenir lui paraissaient sans espoir. Il aurait aimé tout abandonner, ne plus se soucier du monde. Mais il y avait Maan ; et la politique, qui était toute sa vie.

Elle ne serait plus là. L'oiseau avait volé le bon grain, et lui, il tordait ses mains vides. Que lui aurait-elle dit ? Rien de direct, mais quelques mots de réconfort déguisé, quelque chose qui, des jours ou des semaines plus tard, aurait allégé son désespoir. Lui aurait-elle conseillé de se retirer de la campagne électorale ? Que lui aurait-elle demandé de faire pour leur fils ? Quel était, de ses nombreux devoirs – comme il les concevait –, celui dont elle devinait ou attendait qu'il l'accomplirait, et celui qu'elle aurait souhaité qu'il accomplisse ? Or il ne disposait pas de semaines pour le comprendre, seulement de quelques jours, de très peu de jours.

17.29

En arrivant à la prison après la crémation, Maan reçut l'ordre de se laver et de laver ses vêtements, puis on lui donna une tasse et une assiette. Le médecin l'examina, le pesa, nota l'état de ses cheveux et de sa barbe. En détention préventive et n'ayant jamais été condamné auparavant, il aurait dû être séparé des autres prisonniers, en cours de jugement et récidivistes, mais, la prison étant pleine, il se retrouva dans une division où les hommes ne demandaient qu'à enseigner leur expérience de la vie carcérale. Ils accueillirent Maan avec une vive curiosité. Que faisait ici le fils d'un ministre – ils avaient appris la nouvelle dans le seul journal qu'ils étaient autorisés à lire – et pourquoi n'avait-il pas réussi à obtenir une liberté conditionnelle ? Pourquoi la police n'avait-elle pas reçu l'ordre d'alléger les charges pesant contre lui afin qu'il pût bénéficier de cette liberté conditionnelle ?

Dans son état d'esprit normal, Maan se fût certainement lié d'amitié avec certains de ses nouveaux collègues. A présent, c'est tout juste s'il se rendait compte de leur existence. Sa pensée n'allait qu'à ceux qu'il ne pouvait pas voir : sa mère, Firoz, Saeeda Bai. Les conditions de détention paraissaient luxueuses comparées à celles qu'il avait connues au commissariat. Il avait le droit de recevoir de la nourriture et des vêtements, de se raser et de faire de l'exercice. « Prisonnier de classe supérieure », sa cellule était équipée d'une petite table, d'un lit et d'une lampe. De Prem Nivas, on lui envoya des oranges et pour le protéger du froid un édredon bleu roi, qui le protégea, le réconforta, mais lui rappela aussi sa maison – tout ce qu'il avait détruit ou perdu.

Son statut de prisonnier de luxe lui évita les pires dégradations de la vie carcérale – les cellules surpeuplées et les salles communes où les détenus se livraient à toutes sortes d'horreurs les uns sur les autres. Le directeur veilla sur lui, autorisant les visites avec libéralité.

Pran vint le voir, et Veena, et son père, avant qu'il ne reparte, le cœur brisé, pour sa tournée électorale. Personne ne savait de quoi lui parler. Quand son père lui demanda ce qui s'était passé, Maan se mit à trembler et ne put proférer un mot. Et quand Pran lui dit : « Mais pourquoi, Maan, pourquoi ? » il le fixa d'un air égaré puis détourna la tête.

Il n'y avait pas de sujet innocent. Même quand la conversation s'orientait sur Bhaskar ou le bébé de Pran, elle avait des résonances douloureuses.

Maan parlait plus volontiers de la routine de la prison. Il dit qu'il voulait travailler un peu, peut-être au jardin potager, demanda des nouvelles du jardin de Prem Nivas, mais quand Veena entreprit de le lui décrire, il se mit à pleurer.

Il bâillait beaucoup pendant ces conversations, sans savoir pourquoi, sans fatigue réelle.

L'avocat engagé par son père rentrait souvent frustré de ses visites. A ses questions, Maan répondait qu'il avait tout raconté à la police et n'y reviendrait pas. Il fit la même réponse au commissaire adjoint et aux policiers qui vinrent lui demander d'étoffer sa confession. Ils lui parlèrent du couteau. Il dit qu'il ne savait plus s'il l'avait laissé chez Saeeda Bai ou emporté avec lui ; il penchait plutôt pour la deuxième solution. Pendant ce temps, l'accusation se gonflait de diverses déclarations et de présomptions.

Aucun de ses visiteurs ne mentionna l'aggravation de l'état de Firoz, mais il l'apprit en lisant *Adarsh*, le quotidien hindi local. Il eut vent aussi, par les racontars entre prisonniers, des rumeurs circulant sur le compte du Nawab Sahib et de Saeeda Bai. Le rituel de la vie carcérale l'empêcha de céder à des pulsions suicidaires. Rituel que prescrivait le *Manuel du prisonnier* et qu'appliquait en gros la prison de Brahmpur.

Ablutions matinales, etc. :	de l'ouverture des portes jusqu'à 7 heures.
Marche dans la cour :	de 7 à 9 heures.
Retour en cellule ou en salle commune :	de 9 à 10 heures.
Bain et repas de midi :	de 10 à 11 heures.
Retour en cellule ou en salle commune :	de 11 à 15 heures.
Exercice, repas du soir et retour en cellule :	de 15 heures jusqu'à l'heure prescrite.

Prisonnier modèle, il ne se plaignait jamais de rien. Parfois, assis à sa table, il contemplait une feuille de papier sur laquelle il envisageait d'écrire à Firoz. Il ne le fit jamais, se contentant de tracer des gribouillis. Il dormait beaucoup.

« S'il meurt, tu pourrais bien être pendu, dit un jour un de ses codétenus, fort de son expérience. Dans ce cas, nous serions tous bouclés pour la matinée. Alors je compte sur toi pour nous épargner cet inconvénient. »

Maan hocha la tête.

N'obtenant pas de réponse satisfaisante, l'autre continua : » Tu sais ce qu'ils font des cordes après chaque exécution ? »

Maan fit signe que non.

« Ils les enduisent de cire d'abeille et de ghee pour conserver leur souplesse.

— Dans quelle proportion ? demanda un autre.

— Moitié-moitié. Et ils ajoutent un peu d'acide phénique pour chasser les insectes. Ça serait trop dommage si les fourmis blanches ou les vers les mâchouillaient. Qu'est-ce que tu en penses ? »

Chacun regarda Maan.

Qui avait cessé d'écouter, indifférent au sens de l'humour du type comme à sa cruauté.

« Et afin de les préserver des rats, poursuivit l'expert, ils mettent les cinq cordes – ils ont cinq cordes dans cette prison, ne me demande pas pourquoi – dans une jarre d'argile, qu'ils ferment et suspendent au toit de la réserve. Imagine. Cinq cordes de chanvre, d'un pouce de diamètre chacune, et chacune graissée d'un mélange de ghee et de sang, se tortillant comme un serpent dans un pot, dans l'attente de la prochaine victime – »

Il rit avec délices et regarda Maan.

17.30

Si Maan s'intéressait peu à ce qui risquait d'arriver à son cou, il était impossible à Saeeda Bai de ne pas se soucier du sien. Pendant des jours, elle croassa plutôt qu'elle ne parla. Autour d'elle, les mondes s'étaient écroulés : le sien, fait de nuance et de séduction, celui de sa fille, innocent et protégé.

Bien qu'elle n'en fût pas consciente – non par manque d'intelligence mais parce que rien ne lui parvenait plus de l'extérieur – Tasneem était en butte aux rumeurs. Bibbo, dont le goût pour l'intrigue et les racontars avait pourtant causé bien des dégâts, avait pitié d'elle et évitait de dire quoi que ce soit qui pût la blesser. Mais depuis le drame, Tasneem s'était retirée en elle-même, s'absorbant dans ses lectures et dans ses travaux ménagers. Aux réponses qu'elle réussissait à obtenir de Bibbo, elle comprenait que la vie du Nawabzada, étoile lointaine et fuyante, était toujours en danger. Elle savait qu'il avait été blessé en tentant de désarmer Maan, mais ne cherchait pas à savoir ce qui avait poussé Maan à s'enivrer et à devenir un meurtrier. Des autres hommes qui s'étaient intéressés à elle, elle n'entendait plus parler. Ishaq, sous la coupe de Majeed Khan et craignant le scandale, ne lui écrivit ni ne vint la voir. Rasheed lui adressa une de ses lettres pleines de folie, mais sa sœur la déchira dès réception.

Avec plus d'ardeur encore qu'auparavant, Saeeda Bai s'efforça de protéger Tasneem. Tour à tour tendre et furieuse, elle continua, dans l'affliction, à feindre d'être la sœur de sa fille, à supporter cette vie que la volonté de sa mère lui avait imposée.

Pour le moment, elle ne pouvait plus chanter et avait l'impression qu'elle ne le pourrait plus jamais, même si sa gorge le lui permettait, tandis que la perruche, en une grotesque imitation de sa maîtresse, se répandait en un flot de paroles. Saeeda Bai trouvait dans l'animal une consolation, une autre lui étant fournie par Bilgrami Sahib, qui outre son assistance médicale lui avait apporté sa présence pendant ces jours de harassement, de peur et de douleur.

Elle savait désormais qu'elle aimait Maan.

Quand elle reçut ses deux lignes en mauvais ourdou, elle pleura amèrement, sans considération pour Bilgrami Sahib, qui se trouvait à ses côtés. Elle imaginait le sentiment de culpabilité qui devait être le sien, le traumatisme de l'emprisonnement, tremblait à l'idée de ce qui pouvait en résulter. En apprenant la mort de Mrs Mahesh Kapoor, elle pleura encore. N'étant pas le genre de femme à s'épanouir sous les mauvais traitements ou à révérer ceux qui la méprisent, elle comprenait mal pourquoi, après ce que Maan lui avait fait subir, elle éprouvait de tels sentiments. A moins que cela ne l'ait forcée à admettre ce qu'elle ne voulait pas comprendre avant. Dans son mot, il se contentait de lui dire son lancinant regret et son amour pour elle.

Bien qu'ayant désespérément besoin d'argent, elle renvoya sans l'ouvrir l'enveloppe mensuelle qui contenait le montant de la pension. Bilgrami Sahib, à qui elle se confia, lui dit qu'elle avait eu raison et qu'elle devait s'en remettre à lui désormais. Elle accepta son aide. Une fois de plus il lui demanda de l'épouser et de renoncer à sa profession. Une fois de plus elle refusa, sans même savoir si elle retrouverait jamais sa voix.

Comme l'avait redouté Bilgrami, leurs démarches auprès de personnages influents attirèrent l'attention du Raja de Marh, qui n'hésita pas à payer des journalistes afin qu'ils déterrent tout ce que le scandale n'avait pas encore révélé – et qui veilla à empêcher la famille et les amis du prévenu de circonvenir la police. Il avait aussi tenté de financer les candidats indépendants qui se présentaient contre Mahesh Kapoor, mais son investissement s'était révélé beaucoup moins profitable.

Une nuit le Raja de Marh, accompagné de trois gardes du

corps, pénétra quasiment de force chez Saeeda Bai. La honte que toute cette histoire faisait rejaillir sur elle le réjouissait autant que l'humiliation de Mahesh Kapoor, l'homme qui l'avait dépouillé de ses terres, et le malheur du Nawab, dont il abhorrait la religion et la supériorité intellectuelle.

« Chante ! ordonna-t-il. Chante ! J'ai entendu dire que ta voix a gagné en profondeur depuis qu'on t'a tordu le cou. »

Heureusement pour lui et pour Saeeda Bai, le portier avait alerté la police. Il fut obligé de déguerpir et ne sut jamais qu'il avait bien failli devenir la seconde victime du couteau à fruits.

17.31

Firoz demeura entre la vie et la mort pendant plusieurs jours, au terme desquels le Nawab, complètement épuisé, se laissa convaincre par Imtiaz de regagner son domicile.

C'est la crainte de voir mourir Firoz qui décida Mahesh Kapoor, si fier et si respectueux de la loi, à parler au Surintendant de police. Il avait perdu sa femme, il ne voulait pas perdre son fils. Si Firoz mourait, le magistrat instructeur pouvait décider d'inculper Maan au titre de l'article 302 du code pénal indien – idée si horrible – et si injuste à ses yeux – qu'il refusait de l'envisager. Le Surintendant de son côté n'ignorait pas qu'une même situation peut s'envisager sous différents angles. Le problème était difficile, remarqua-t-il, étant donné la publicité donnée à l'affaire par la presse, mais il allait y réfléchir. Il répéta à plusieurs reprises qu'il avait toujours eu le plus grand respect pour Mahesh Kapoor. A quoi Mahesh Kapoor répondit, horrifié par ce qu'il s'entendait dire, qu'il éprouvait des sentiments similaires à l'égard du Surintendant.

Il retourna voir Maan. Une fois de plus père et fils n'eurent pas grand-chose à se dire. Puis il partit pour Salimpur, n'informant personne de sa démarche auprès du

Surintendant, se reprochant tant de l'avoir faite que de ne pas l'avoir faite plus tôt.

Maan avait commencé à travailler au jardin de la prison, ce qui lui procurait un certain réconfort. Il continuait néanmoins à trouver pénibles les visites de son frère et de sa sœur. Un jour, il demanda à Pran d'envoyer, anonymement, un peu d'argent à Rasheed ; une autre fois, il pria Veena de lui apporter des fleurs de harsingar du jardin de Prem Nivas, malheureusement la saison était terminée. D'une façon générale, il ne savait pas quoi leur dire, convaincu d'être responsable de la mort de leur mère et persuadé qu'ils en jugeaient de même. Mais le temps passant, il retrouva une certaine paix de l'âme.

Firoz, lui aussi, commença à se sentir mieux, sauvé de justesse par les progrès de la médecine. Sans les antibiotiques et l'existence à Brahmpur de médecins sachant les administrer, il n'aurait plus jamais regardé courir les lézards sur le mur.

Avec le retour à la vie de son ami, Maan eut le sentiment d'émerger des abîmes de sa propre mort. Dès que Pran lui apprit que Firoz était définitivement tiré d'affaire, il s'épanouit. Il retrouva son appétit, pria qu'on lui apporte certains plats de Prem Nivas, mangea des chocolats au rhum, façon subtile dit-il en riant d'introduire de l'alcool en prison, demanda à recevoir certaines visites : des gens différents de sa proche famille, Lata par exemple et l'une de ses anciennes petites amies, mariée à présent. Elles vinrent toutes les deux, l'une avec Pran (après avoir vaincu les objections de sa mère), l'autre avec son mari (après avoir vaincu les siennes).

Malgré les tristes circonstances et le lieu sinistre où se déroulait cette rencontre, Lata fut contente de revoir Maan. Certes ils avaient toujours vécu dans deux mondes différents – que sa mère ait pu croire, en ce jour lointain de premier avril, que Maan et elle s'étaient enfuis ensemble l'avait toujours médusée – mais elle gardait l'image du Maan jovial et affectueux qu'il avait toujours été, et se réjouit de constater que lui non plus ne l'avait pas oubliée. Ils parlèrent de Calcutta, en particulier des Chatterji ; tant pour le détendre que pour qu'il continue à s'intéresser aux choses extérieures, elle s'exprima avec beaucoup plus de liberté qu'en temps ordinaire, ou qu'elle ne le faisait avec Pran. Les gardiens se tenaient à l'écart, leur jetant des regards étonnés à chacun de leurs éclats de rire. De tels sons étaient rares au parloir.

Ils se reproduisirent le lendemain, avec la visite de Sarla, l'ex-petite amie de Maan, et de son mari surnommé Pigeon par ses copains. Sarla régala Maan du récit de la soirée de Nouvel An à laquelle Pigeon et elle s'étaient rendus.

« Afin d'épicer un peu tout ça, dit-elle, ils décidèrent d'avoir toutes les audaces et de louer les services d'une danseuse de cabaret – une de ces filles qui travaillent dans les hôtels minables de Tarbuz ka Bazaar, où l'on annonce chaque semaine un spectacle de strip-tease avec une nouvelle Salomé et où la police fait des descentes régulières.

— Parle plus bas, dit Maan en riant.

— Donc, elle dansa, ôta quelques vêtements, dansa de nouveau – d'une façon si lascive, si suggestive, que les femmes en furent épouvantées. Quant aux hommes – eh bien, disons qu'ils éprouvaient des émotions mélangées. Pigeon, par exemple –

— Non, non, s'écria Pigeon.

— Elle s'est assise sur tes genoux et tu ne l'en as pas empêchée.

— Comment j'aurais fait ?

— Il a raison, dit Maan. C'est pas facile.

— Admettons – » Sarla le regarda de travers. « La voilà ensuite qui se jette sur Mala et Gopu, et qui se met à faire toutes sortes de caresses à Gopu. Il était complètement soûl et n'a pas protesté. Mais tu connais la jalousie de Mala. Elle tire Gopu d'un côté, la fille le tire de l'autre. Un vrai scandale. Le lendemain, Gopu s'est fait copieusement savonner, et toutes les épouses ont juré : "Plus jamais ça." »

Maan éclata de rire, imité par Sarla, Pigeon sourit, l'air vaguement coupable.

« Attends, tu n'as pas entendu la meilleure. La semaine suivante la police a fait une descente à l'hôtel de Tarbuz ka Bazaar et on a découvert que la danseuse était un garçon ! J'ai encore du mal à y croire. La voix, les yeux, l'allure, tout ce qui se dégageait de cette scène – il nous a tous eus !

— Moi je l'ai soupçonné depuis le début, dit Pigeon.

— Tu n'as rien soupçonné du tout. Si ç'avait été le cas et que tu te sois comporté comme tu l'as fait, je me serais bien plus inquiétée !

— Disons, pas depuis le début.

— Il a dû beaucoup s'amuser, reprit Sarla. Pas étonnant qu'il se soit comporté avec une telle impudeur. Aucune fille n'aurait osé !

— Aucune fille n'aurait osé, répéta Pigeon d'un ton sarcastique. Pour Sarla, toutes les femmes sont des parangons de vertu.

— Comparées aux hommes, elles le sont certainement. L'ennui avec toi, Pigeon, c'est que tu ne nous apprécies pas. Comme la plupart d'entre vous, d'ailleurs, à l'exception de Maan. Dépêche-toi de sortir d'ici, Maan, et de venir me sauver. Qu'est-ce que tu en penses, Pigeon ? »

Le temps de visite étant écoulé, son mari se vit épargner la peine de fournir une réponse. Une demi-heure après leur départ, Maan riait encore tout seul dans sa cellule, à la stupeur de ses codétenus.

17.32

Fin janvier, le magistrat instructeur dut décider s'il y avait lieu d'inculper Maan, et sous quel chef d'accusation.

A l'évidence, il fallait inculper. Aucun policier, aussi tenté qu'il fût de ne pas faire son devoir ou d'abuser de son autorité, n'aurait osé produire un rapport de fin d'enquête concluant sur un non-lieu. Le commissaire adjoint avait fait son travail correctement, supportant mal de voir ses supérieurs intervenir dans son enquête. Il savait que l'histoire occupait toujours les premiers rangs de l'actualité, il savait aussi qui serait le bouc émissaire au cas où le bruit courrait de tentatives d'entraves à la justice.

Maan et son avocat assistèrent à l'audience d'inculpation.

Le commissaire adjoint, debout devant le magistrat, raconta les événements à l'origine de l'enquête, fournit un résumé de l'enquête elle-même, produisit les documents relatifs à l'affaire, confirma que la victime était à présent hors de danger, conclut en déclarant que Maan tombait sous le coup d'une inculpation pour blessure grave avec intention de la donner.

« Et la tentative de meurtre ? s'étonna le magistrat, fixant le policier droit dans les yeux.

— Tentative de meurtre ? répéta le policier, tiraillant sa moustachè d'un air malheureux.

— Ou du moins tentative d'homicide. Malgré vos déclarations, je ne suis pas sûr qu'il n'y ait pas lieu de retenir la première. Même s'il y a eu provocation soudaine, elle n'a pas été du fait de la victime. Pas plus que prima facie la blessure ne semble avoir été le résultat d'une erreur ou d'un accident. »

Le policier hocha la tête sans mot dire.

« Nous sommes dans de sales draps, murmura à Maan son avocat.

— Et pourquoi l'article 325 au lieu du 326 ? » insista le magistrat.

L'article 325 relatif aux blessures graves prévoyait une sentence maximum de sept années d'emprisonnement et une possibilité de mise en liberté sous caution avant la tenue du procès. Le 326, qui traitait de blessures graves infligées à l'aide d'une arme dangereuse, interdisait la liberté sous caution et prévoyait une peine pouvant aller jusqu'à l'emprisonnement à vie.

Le commissaire adjoint marmonna que l'on n'avait pas retrouvé l'arme.

Le magistrat lui jeta un regard sévère. « Pensez-vous que ces blessures – il se reporta au certificat médical – ces lacérations de l'intestin et autres ont été causées par un bâton ? »

Silence du commissaire adjoint.

« Je crois que vous devriez, disons, poursuivre votre enquête, revoir vos preuves et les accusations qui en découlent. »

L'avocat de Maan se leva pour dire que ces questions étaient laissées à la discrétion d'un inspecteur de police.

« Je ne l'ignore pas, rétorqua sèchement le magistrat, et je ne lui dis pas quelle accusation choisir. » Il songea que, sans le certificat médical, le commissaire adjoint aurait probablement retenu une charge de simple blessure.

Un coup d'œil en direction de Maan lui montra un prévenu que ces événements ne semblaient pas affecter outre mesure. Ce devait être un de ces criminels qui ne tirent aucun enseignement de leur crime.

L'avocat de Maan, compte tenu des charges pesant sur son client, réclama la liberté provisoire. Le magistrat la lui accorda, sans dissimuler son irritation. Irritation qui trouvait sa source en partie dans une déclaration de l'avocat évoquant « la détresse profonde de mon client à la suite du décès de sa mère ».

« Grâce à Dieu, chuchota ledit avocat à Maan, ce n'est pas lui qui vous jugera.

— Je suis libre ? demanda Maan, qui commençait à s'intéresser à la procédure.

— Oui, pour le moment.

— De quoi serai-je accusé ?

— Malheureusement ce n'est pas très clair. Ce magistrat, pour je ne sais quelle raison, s'acharne contre vous et cherche à – à vous causer une blessure grave. »

Or il n'y avait pas d'acharnement chez le magistrat, simplement le désir de faire respecter la loi. Il avait le sentiment qu'on tentait d'influencer la justice et n'était pas homme à se laisser suborner. Ce qui était possible dans certains tribunaux ne le serait pas dans le sien.

17.33

« Le droit de vote est interdit à toute personne incarcérée à la suite d'une condamnation, d'une relégation ou pour toute autre raison, ou se trouvant en détention policière. »

Ainsi en avait décrété la loi électorale de 1951. Maan ne put donc pas participer à la grande consultation pour laquelle il s'était dépensé sans compter et qui, dans la circonscription de Brahmpur Est, dont il dépendait, se déroula le 21 janvier. Or, s'il avait été résident de Salimpur/Baitar, bizarrement, il aurait pu voter, car le manque de personnel qualifié obligeant à étaler les scrutins, celui-ci n'eut lieu là-bas que le 30 janvier.

La lutte y était devenue très dure, Waris finissant par combattre Mahesh Kapoor avec autant d'acharnement qu'il l'avait soutenu. Tout avait changé ; la loi sur les zamindars, les rumeurs, les scandales, la religion, tout fut exploité dans la bataille.

Le Nawab n'avait pas expressément demandé à Waris de se poser en rival de Mahesh Kapoor, mais il était clair qu'il ne voulait plus qu'il le soutienne. Et Waris, pour qui Maan n'était plus le sauveur du Nawabzada mais son quasi-meurtrier, mit toute sa passion à les dénoncer lui et son père, leur clan, leur religion, leur parti. Quand le bureau local du Congrès se décida, avec beaucoup de retard, à envoyer des affiches et des drapeaux à Fort Baitar, Waris les brûla.

Déjà très apprécié dans la région, il devint extrêmement populaire. Il était le champion du Nawab Sahib, le champion de son fils qui luttait encore entre la vie et la mort (comme on jugea plus habile de l'affirmer) du fait de la trahison de son prétendu ami. Le Nawab Sahib devait rester à Brahmpur, proclama Waris, mais s'il avait pu faire campagne, il aurait exhorté la population à bouter hors de cette circonscription dans laquelle il s'était introduit si récemment celui qui avait trahi son hospitalité, le vil Mahesh Kapoor et tout ce qu'il soutenait.

Et que soutenaient Mahesh Kapoor et son parti ? continua Waris, qui prenait goût à son rôle de dirigeant politique. Qu'avaient-ils donné au peuple ? Le Nawab Sahib et sa famille travaillaient pour le peuple depuis des générations, avaient participé à la Grande Mutinerie contre les Britanniques – bien avant que le Congrès eût été conçu –, étaient morts en héros, avaient souffert des souffrances du peuple, pris pitié de sa pauvreté, l'avaient aidé par tous les moyens dont ils disposaient. Voyez la centrale électrique, l'hôpital, les écoles fondées par le père et le grand-père du Nawab Sahib. Les fondations religieuses qu'ils ont créées ou auxquelles ils ont apporté leur contribution. Pensez aux grandes processions de Moharram – l'apogée des festivités de l'année à Baitar – que le Nawab Sahib a financées de son propre argent, un acte de charité publique et privée. Et voilà que Nehru et sa clique essayaient de détruire cet homme si aimé pour le remplacer par qui ? Une horde vorace de petits fonctionnaires gouvernementaux qui accapareraient les biens vitaux du peuple. A ceux qui dénonçaient l'exploitation du peuple par les zamindars il conseillait de comparer l'état des paysans sur le domaine de Baitar à celui de leurs semblables dans un certain village tout proche, plongés dans une telle misère qu'elle suscitait moins la pitié que l'horreur. Les paysans – spécialement les chamars sans terre – y étaient si pauvres qu'ils ramassaient les bouses de bœufs sur l'aire de battage, les lavaient, les séchaient et les mangeaient. Et pourtant beaucoup de ces chamars allaient voter aveuglément pour le Congrès, le parti d'un gouvernement qui les opprimait depuis si longtemps. Il suppliait ses frères des castes répertoriées d'ouvrir les yeux et de voter pour la bicyclette dont ils rêvaient plutôt que pour la paire de bœufs, symbole de scènes dégradantes qu'ils ne connaissaient que trop bien.

Mahesh Kapoor se retrouva entièrement sur la défensive. De toute façon, son cœur était à Brahmpur : dans une cellule de prison, une salle d'hôpital, la chambre de Prem Nivas où sa femme ne dormait plus. Peu à peu la lutte, opposant au début dix branches d'une étoile où se détachait un énorme point lumineux, le sien, s'était circonscrite en une bagarre entre deux hommes : celui qui se propulsait en se présentant comme le candidat du Nawab et celui qui comprenait que sa seule chance de victoire était de renoncer à toute individualité et de se poser comme le candidat de Jawaharlal Nehru.

A présent, il ne parlait plus de lui mais du Congrès. Apostrophé à chaque réunion, il se voyait sommé d'expliquer les actes de son fils. Etait-il vrai qu'il avait usé de son influence pour tenter de le faire sortir de prison ? Et si le jeune Nawabzada mourait ? S'agissait-il d'un complot pour éliminer les dirigeants musulmans l'un après l'autre ? Pour celui qui avait passé sa vie à combattre en faveur de l'entente entre communautés, de telles accusations étaient dures à supporter. S'il n'avait eu le cœur aussi affligé, il aurait répondu avec cette fureur que déclenchaient chez lui la stupidité et l'agressivité, ce qui aurait encore affaibli sa position.

Pas une fois il ne se laissa aller à mentionner les rumeurs qui couraient au sujet du Nawab, rumeurs qui commençaient cependant à atteindre Salimpur et Baitar, et l'arrière-pays entre les deux petites villes. Elles étaient plus dommageables que celles qui touchaient Mahesh Kapoor, bien que relatives à des faits vieux de vingt ans. Aussi les partis communalistes hindous s'efforcèrent-ils de les exploiter le mieux possible.

Pourtant, dans la population de Baitar et des environs, beaucoup refusaient de croire à ces histoires d'illégitimité et de viol ; ou bien, s'ils les croyaient, ils tenaient que Dieu, en lui infligeant tant de douleurs à propos de son fils, avait suffisamment puni le Nawab, que la charité voulait qu'il y eût une limite à la poursuite des péchés d'autrui.

Sur le plan pratique, Mahesh Kapoor était lui aussi à bout de course. Au lieu des deux jeeps, il ne disposait plus que d'un véhicule à moitié cassé fourni par le Congrès. Privé du soutien de son fils, de celui de sa femme, il avait le sentiment que seule une visite de Nehru pouvait le sauver. Il télégraphia à Delhi et à Brahmpur, demanda que la tournée de Nehru à travers le pays soit modifiée pour lui permettre de passer quelques heures à Baitar ; mais il savait que la moitié des candidats du Congrès en province présentaient la même supplique et que ses chances de réussite étaient très maigres.

Veena et Kedarnath vinrent le soutenir pendant quelques jours. Son père, pensait Veena, avait plus besoin d'elle que Maan. Son arrivée eut certaines répercussions dans les villes, notamment à Salimpur. Son visage sans réelle beauté mais vivant, ses manières chaleureuses, sa façon digne de supporter ses malheurs familiaux, touchèrent le cœur de nombre de femmes. Elles allèrent même assister aux réunions où Veena prenait la parole : elles constituaient à présent la moitié de l'électorat.

Les permanents du Congrès dans les villages travaillèrent le plus dur qu'ils purent, mais ils sentaient le vent tourner irrésistiblement et cachaient mal leur découragement. Même le vote des castes répertoriées ne leur était pas acquis depuis que les socialistes proclamaient leur alliance avec le parti du Dr Ambedkar.

Rasheed était retourné dans son village pour soutenir la campagne des socialistes. Agité, irritable, son instabilité était patente. Tous les deux jours il se précipitait à Salimpur, mais il n'était pas sûr qu'il constituât un atout pour Ramlal Sinha. Si sa qualité de musulman pratiquant parlait en sa faveur, le fait d'avoir été désavoué par la quasi-totalité des gens de Debaria, de n'avoir aucune position sociale, le desservait. Les vieux de Sagal, en particulier, se moquaient de ses prétentions. « Abd-ur-Rasheed », disait-on en riant, « l'Esclave du Directeur », croit avoir perdu la tête de son nom mais il a tout simplement perdu la sienne. Sagal avait versé dans le camp de Waris Khan.

A Debaria le tableau était plus compliqué, en raison notamment du nombre élevé d'hindous : un petit noyau de brahmanes et de banias, un groupe important de jatavs et autres membres des castes répertoriées. Chaque parti – le Congrès, le PTP, les socialistes, les communistes, les partis hindous – pouvait espérer récolter des voix. Chez les musulmans, la présence sporadique de Netaji jetait le trouble. Il exhortait les gens à voter en faveur du Congrès pour les élections au Parlement de Delhi, sans aborder la question des élections à l'Assemblée législative locale ; il allait fatalement y avoir des débordements à l'arrivée. Un paysan plaçant son bulletin pour l'élection du Parlement dans la boîte verte portant le symbole des bœufs attelés déposerait selon toute probabilité son autre bulletin dans la boîte marron portant le même symbole.

Le soir où Mahesh Kapoor, après de longues heures passées à battre la campagne, arriva à Debaria avec Kedarnath, Baba l'accueillit courtoisement mais lui dit d'un ton plaintif que la situation avait considérablement changé.

« Et vous, l'interrogea Mahesh Kapoor, avez-vous changé

aussi ? Croyez-vous qu'un père doit être puni pour la faute commise par son fils ?

— Je n'ai jamais cru ça. En revanche je crois qu'un père est responsable du comportement de son fils. »

Mahesh Kapoor s'abstint de remarquer que celui de Netaji ne parlait pas en faveur de Baba. Il n'avait plus la force de discuter. C'est à ce moment-là peut-être qu'il sentit qu'il avait perdu la partie.

En regagnant Salimpur plus tard dans la nuit, il dit à Kedarnath qu'il souhaitait rester seul. Sa chambre était plongée dans la pénombre, éclairée par de faibles ampoules à la lumière vacillante. Il mangea seul, réfléchit à sa vie, essayant de dissocier le domaine privé du domaine public. Plus que jamais il se dit qu'il aurait dû abandonner la politique en 1947. Les incertitudes et les faiblesses de l'Indépendance avaient eu raison de la détermination qui l'animait quand il combattait les Anglais.

Après dîner, il parcourut son courrier. Une première lettre contenait des précisions sur le déroulement du scrutin, la suivante était timbrée à l'effigie du roi George VI. Il la fixa quelques instants, complètement désorienté, comme s'il y voyait un présage. Puis, très soigneusement, il reposa l'enveloppe sur la carte postale du dessous, à l'effigie de Gandhi. Il contempla de nouveau le timbre, avec le sentiment du joueur qui a tiré sa meilleure carte.

L'explication, pourtant simple, ne lui vint pas à l'esprit. Craignant, avec la masse de courrier qu'entraînaient les élections, de manquer de timbres, le ministère des Postes et Télégraphes avait ordonné de sortir les vieux stocks en usage sous le roi George. Voilà tout. Le roi George VI n'avait pas quitté son lit de malade de Londres pour prédire à Mahesh Kapoor, dans les profondeurs de la nuit, qu'il le reverrait à Philippi.

Mahesh Kapoor se leva le lendemain avant l'aube et partit marcher dans la ville encore endormie. Le ciel était encore plein d'étoiles, des oiseaux commençaient à chanter, quelques chiens aboyaient. Couvrant la voix du muezzin appelant à la prière, un coq claironna. Puis tout retomba dans le silence.

> « *Debout voyageur, l'aube est levée.*
> *Pourquoi dors-tu ? Passé la nuit.* »

De fredonner les vers célèbres lui donna un regain, sinon d'espoir, du moins de détermination.

Il jeta un coup d'œil à la montre que lui avait offerte Rafi Sahib, se rappela quel jour on était et sourit.

Plus tard dans la matinée, alors qu'il s'apprêtait à repartir en campagne, il vit accourir vers lui le sous-chef du district de Salimpur.

« Monsieur, le Premier ministre sera ici demain après-midi. On m'a téléphoné de vous prévenir. Il prononcera un discours à Baitar et à Salimpur.

— Vous en êtes sûr ? Absolument sûr ?

— Oui, Monsieur, absolument certain. » L'homme paraissait à la fois excité et plein d'anxiété. « Je n'ai encore rien organisé. Rien du tout. »

En moins d'une heure l'extraordinaire nouvelle avait fait le tour de la ville, pour se répandre ensuite dans les villages.

Jawaharlal Nehru, un air de jeunesse surprenant pour ses soixante-deux ans, vêtu d'un achkan auquel la poussière des routes électorales avait déjà imprimé sa couleur, rencontra Mahesh Kapoor et le candidat du Congrès pour l'élection au Parlement à la Salle des fêtes de Baitar.

« Kapoor Sahib, dit Nehru, on m'a conseillé de ne pas venir parce que la bataille est, paraît-il, déjà perdue. Je n'en ai été que plus décidé à venir. Enlevez-moi ces trucs », dit-il d'un ton agacé à un homme se tenant près de lui et lui tendant les sept guirlandes d'œillets d'Inde qui ornaient son cou. « Ensuite on m'a raconté je ne sais quoi à propos d'ennuis dans lesquels se serait plongé votre fils. J'ai demandé si ça avait quelque chose à voir avec vous – à l'évidence ça n'en avait pas. Les gens s'acharnent toujours sur les fausses cibles, dans ce pays.

— Je ne vous remercierai jamais assez, Panditji. » Digne dans sa reconnaissance, Mahesh Kapoor était profondément ému.

« Me remercier ? Il n'y a pas de quoi. Au fait, je suis tout à fait désolé pour Mrs Mahesh Kapoor. Je me souviens de l'avoir rencontrée à Allahabad – ça devait être – quand ? – il y a cinq ans.

— Onze.

— Onze ans ! Mais que se passe-t-il ? Pourquoi mettent-ils tant de temps pour arranger les choses ? Je vais être en retard à Salimpur. » Il goba une pastille. « Oh, j'ai oublié de vous dire. J'ai demandé à Sharma de me rejoindre au gouvernement. Il ne peut continuer à me refuser. Je sais qu'il aime être Premier ministre d'Etat, mais j'ai besoin d'une équipe forte à Delhi. Voilà pourquoi il faut que vous gagniez ici et nous aidiez à prendre les choses en main au Purva Pradesh.

— Panditji – Mahesh Kapoor ne dissimula ni sa surprise ni son plaisir –, je ferai de mon mieux.

— Il n'est pas question de laisser les forces réactionnaires gagner des sièges sensibles, poursuivit Nehru, pointant le doigt dans la direction du Fort. Où est Bhushan – c'est bien son nom ? Ne sont-ils pas fichus d'organiser quoi que ce soit ? » Sortant sur la véranda il appela l'homme du comité du Congrès local chargé de la logistique. « Comment pouvons-nous espérer gouverner un pays si nous ne pouvons disposer d'un microphone, d'une estrade et de quelques policiers ? » Quand enfin on lui apprit que les questions de sécurité étaient réglées, il dévala les marches deux par deux et s'engouffra dans sa voiture.

Tous les cent mètres environ le cortège dut s'arrêter, bloqué par les foules en délire. Parvenu cependant à l'endroit prévu, Nehru grimpa sur l'estrade jonchée de fleurs, salua mains jointes la masse agglutinée à ses pieds. Cela faisait plus de deux heures que ces gens l'attendaient.

« Jawaharlal Nehru Zindabad ! se mirent-ils à hurler, parcourus d'une sorte de courant électrique.

— Jai Hind !

— Congress Zindabad !

— Maharaj Jawaharlal ki jai ! »

Pour le coup, c'en fut trop pour Nehru.

« Asseyez-vous, asseyez-vous, ne criez pas ! » hurla-t-il.

La foule s'esclaffa et continua à l'ovationner. Mécontent, Nehru sauta de l'estrade et, avant que quiconque ait pu l'en empêcher, entreprit de forcer les gens à s'asseoir. « Allons, dépêchons, asseyez-vous, nous n'avons pas l'éternité devant nous.

— Il m'a poussé – il m'a poussé fort ! » s'exclama un homme, débordant de fierté. Il s'en vanterait sûrement jusqu'à la fin de ses jours.

Ensuite, Nehru remonté sur l'estrade, un gros bonnet du Congrès se mit en devoir de lui présenter quelqu'un d'autre.

« Assez, assez, assez de tout ceci. Commençons la réunion », le coupa le Premier ministre.

Sur quoi, un troisième commença à parler de Jawaharlal Nehru lui-même, du privilège, de l'honneur qu'il leur faisait en étant parmi eux, lui l'Ame du Congrès, l'Orgueil de l'Inde, jawahar et lal du peuple, leur joyau, leur bien-aimé.

Nehru devint furieux. « Vous n'avez vraiment rien de mieux à faire ? siffla-t-il entre ses dents. Plus ils parlent de moi, dit-il à Mahesh Kapoor, moins je vous suis utile – à vous, au Congrès ou au peuple. Ordonnez-leur de se tenir tranquilles. »

L'orateur, vexé, se tut. Nehru se lança aussitôt dans un discours de trois quarts d'heure en hindi.

Il tint la foule sous le charme. Les gens le comprenaient-ils ? C'était difficile à dire car il sautait d'une idée à l'autre, dans un hindi approximatif, mais ils l'écoutèrent sans le quitter des yeux, fascinés, transfigurés.

En résumé, il leur dit ceci :

« M. le président, etc. – mes frères et mes sœurs – nous sommes réunis ici en une époque troublée, mais aussi en une époque d'espoir. Gandhiji n'est plus parmi nous, il est donc encore plus important que vous ayez confiance dans la nation et en vous-mêmes.

Le monde aussi traverse des temps difficiles. Il y a la crise en Corée et la crise dans le golfe Persique. Vous avez probablement entendu parler de la tentative des Anglais d'intimider les Egyptiens. Cela conduira à des troubles tôt ou tard. C'est mauvais et il faut l'empêcher. Le monde doit apprendre à vivre en paix.

Chez nous aussi nous devons vivre en paix. En peuple tolérant que nous sommes nous devons nous montrer tolérants. Nous avons perdu la liberté il y a bien des années parce que nous étions désunis. Il ne faut pas que cela se reproduise. Le désastre s'abattra sur le pays si les bigots de toute confession et les communalistes en tout genre se fraient leur chemin.

Nous devons réformer notre façon de penser. C'est ça le principal. La loi-code hindoue doit être votée, les lois sur les zamindars adoptées dans les différents Etats doivent entrer en application. Nous devons regarder le monde avec des yeux neufs.

L'Inde est un vieux pays de grandes traditions, mais l'heure nécessite de mêler la science à ces traditions. Il ne suffit pas de gagner les élections, nous devons gagner la bataille de la production. Il nous faut de la science et toujours plus de science, de la production et toujours plus de production. Chaque main doit manier la charrue, chaque épaule faire tourner la roue. Nous devons domestiquer les forces de nos puissants fleuves grâce à de grands barrages. Ces monuments de la science et de la pensée moderne nous donneront de l'eau pour l'irrigation et pour l'électricité. Il faut l'eau potable dans les villages, de la nourriture, des logements, la médecine, l'éducation. Nous devons faire des progrès ou nous serons laissés pour compte... »

Tantôt remâchant le passé, tantôt se voulant poète, tantôt emporté et secouant l'auditoire, il était bien, comme la foule l'avait senti et manifesté dans ses slogans, un démocrate autoritaire. Mais elle l'applaudit, sans se soucier vraiment de ce qu'il disait. Hurla d'enthousiasme quand il évoqua la taille du barrage de Bhakra, brailla quand il affirma que les Américains ne devaient pas opprimer la Corée – quoi que fût la Corée. Et elle hurla encore plus quand il lui demanda son soutien, ce qu'il fit comme si la pensée venait seulement de le traverser. Aux yeux du peuple, Nehru – le prince et le héros de l'Indépendance, l'héritier du Mahatma Gandhi – ne pouvait mal agir.

Dans tous ses discours, il ne consacrait que dix minutes,

les dix dernières, à solliciter les voix – pour le Congrès, le parti qui avait donné la liberté au pays et qui, malgré toutes ses fautes, était le seul à pouvoir maintenir l'unité de l'Inde ; pour le candidat du Congrès « qui est un homme honnête » (il avait oublié son nom) ; et, ce soir-là, pour son vieux compagnon Mahesh Kapoor, à qui le Purva Pradesh devait la conception de la loi sur les zamindars. Il rappela à son auditoire certains anachronismes en ces temps de république, ceux qui tentaient d'utiliser à leur profit personnel les vieilles loyautés féodales. Qui se présentaient à l'élection sous l'étiquette d'Indépendants. Qui, propriétaires d'énormes domaines, prenaient pour symbole l'humble bicyclette. (Cette référence à un fait local ne passa pas inaperçue.) Il pria tous ceux qui l'écoutaient de ne pas tenir pour argent comptant les professions d'idéalisme et d'humilité de tous ces notables, mais de les jauger à l'aune de leur passé, un passé d'opprimeurs du peuple et de fidèles serviteurs des Anglais, lesquels avaient protégé leurs domaines, leurs rentes et leurs méfaits. Le Congrès n'avait rien à faire de ces féodaux et de ces réactionnaires, il avait besoin du soutien des masses pour les combattre.

Quand la foule, emportée par l'enthousiasme, se mit à hurler « Congress Zindabad ! » ou, pire encore, « Jawaharlal Nehru Zindabad ! », Nehru lui intima de cesser et de crier plutôt « Jai Hind ! ».

Ainsi se terminaient ses meetings, après quoi il courait au suivant, toujours en retard, toujours impatient, l'homme au cœur si grand qu'il gagnait celui des autres, et qui à force de plaider pour la tolérance mutuelle sut préserver un pays frivole, non seulement en ces premières années, les plus dangereuses, mais tant que lui-même vécut, des griffes du fanatisme religieux.

Les quelques heures que Jawaharlal Nehru passa dans le district eurent une énorme répercussion sur la campagne électorale dans son ensemble et sur Mahesh Kapoor en particulier. Il reprit espoir, les permanents du Congrès reprirent courage. L'attitude de la population évolua de façon très perceptible, devint plus amicale. Du moment que Nehru, en qui les petites gens voyaient effectivement l'Ame du Congrès et l'Orgueil de l'Inde, adoubait son « vieux camarade et vieux compagnon », qui étaient-ils pour mettre en doute ses choix ? Si les élections avaient eu lieu le lendemain et non pas deux semaines plus tard, c'est probablement un Mahesh Kapoor grand vainqueur qui serait rentré chez lui, derrière l'achkan poussiéreux de Nehru.

Le Premier ministre avait également extirpé le dard communautaire, considéré qu'il était par les musulmans du pays tout entier comme leur véritable champion et protecteur. Il était l'homme qui, à Delhi, à l'époque de la Partition, avait sauté d'une jeep de police pour se précipiter, sans arme, au milieu des combattants fratricides et sauver des vies, qu'elles fussent hindoues ou musulmanes. L'homme dont les vêtements mêmes évoquaient la culture nawabi, aussi dur que fût son discours contre les Nawabs. Nehru s'était rendu au sanctuaire du grand saint soufi Moinuddin Chishti, à Ajmer, et avait reçu une robe en présent, un honneur rare ; il était allé à Amarnath, où les prêtres hindous avaient prié en son honneur. Le Président de l'Inde, Rajendra Prasad, s'était rendu à Amarnath, mais pas à Ajmer. Les minorités vivant dans la peur en avaient acquis la conviction que le Premier ministre ne faisait pas de différences entre elles.

Même l'étoile de Maulana Azad, le plus remarquable dirigeant musulman après l'Indépendance, pâlissait à côté du soleil de Nehru. Car c'est dans Nehru – ce qu'il n'aimait pas et dont il n'usait pas avec le maximum d'efficacité – que la popularité – le pouvoir national – s'investissait.

Certains, hindous et musulmans, allaient même jusqu'à

dire en ne plaisantant qu'à moitié qu'il aurait fait un meilleur dirigeant musulman que Jinnah. Jinnah n'avait pas de compassion pour eux – lui qui leur avait imposé de le suivre jusqu'au Pakistan. Or il y avait là un homme, Nehru, qui débordait positivement de compassion et continuait, sans amertume malgré la Partition, à les traiter – comme il traitait tout un chacun, qu'il eût ou non une religion – avec affection et respect. Ils se seraient sentis beaucoup plus en danger si quelqu'un d'autre avait gouverné à Delhi.

Mais, comme le dit la chanson, c'est loin Delhi. Et Brahmpur aussi – et même Rudhia, le chef-lieu de district. Les jours passant, les fidélités, les querelles, les problèmes locaux, les configurations locales de caste et de religion se réaffirmèrent. Les commérages sur le fils de Mahesh Kapoor et le Nawabzada, sur Saeeda Bai et le Nawab, reprirent de plus belle dans la petite boutique du barbier de Salimpur – plus un éventaire sur le trottoir qu'une boutique –, sur le marché aux légumes, autour d'un houka dans une cour de village, partout où les gens se rencontrent et bavardent.

Des hindous de haute caste statuèrent que Maan avait perdu sa caste en fréquentant – pire, en en tombant amoureux – cette prostituée musulmane. Par là même, son père avait perdu son droit à prétendre à leurs voix. De l'autre bord, bien des musulmans les plus pauvres – pauvres, la plupart d'entre eux l'étaient – se reposèrent la question de leur intérêt. Malgré leur traditionnelle loyauté à l'égard du Nawab, ils se demandèrent ce qui se passerait s'ils élisaient son candidat, Waris, à l'Assemblée législative. Si d'autres Indépendants que lui étaient élus. Si le Congrès n'obtenait pas une nette majorité. La loi sur les zamindars – du moins son application – ne risquait-elle pas de tomber en quenouille, même si elle passait la barrière de la Cour suprême ? Entre rester fermiers sous la férule cruelle du munshi et de ses hommes de main et devenir propriétaires, même assommés de dettes, le choix s'imposait.

Pendant ce temps, Kedarnath obtenait un certain succès auprès des jatavs de Salimpur et des villages alentour ; contrairement à la plupart des hindous de haute caste ou même de plus basse caste, il ne refusait pas de manger avec eux, et ils surent par leurs parents et relations de Brahmpur, comme Jagat Ram de Ravidaspur, qu'il était un des rares négociants de Misri Mandi à plutôt bien traiter leurs frères de caste. Que Mahesh Kapoor, au contraire de L.N. Agarwal avec sa charge de police, n'avait rien fait qui pût détruire leur affinité naturelle avec le Congrès. Veena, de son côté, continua à aller de maison en maison, de village en village, avec les comités féminins du Congrès, parler en faveur de son père. Cette tâche lui plaisait, elle était heureuse que son père se fût de nouveau immergé dans la campagne électorale. La vieille Mrs Tandon dirigeait Prem Nivas en son absence, et s'occupait de Bhaskar. Son fils lui manquait, mais elle n'y pouvait rien.

Plus que jamais la compétition se résumait maintenant à un affrontement entre le vieux camarade d'armes de Nehru et le laquais du Nawab réactionnaire ; ou, si l'on voulait, entre le père de l'infâme Maan et le solide, le fidèle Waris.

Sur bon nombre des affiches à l'effigie de Nehru couvrant les murs de Baitar et de Salimpur, on avait dessiné une grande bicyclette verte dont les deux roues cachaient les yeux du Premier ministre. Waris, consterné par les remarques de Nehru sur son maître révéré, était décidé à le venger, sans se montrer trop pointilleux sur les méthodes. Il soutira de l'argent au munshi, donna des festins, distribua des friandises et même de l'alcool, il corrompit et cajola selon les cas, promit ce qu'il fallait, parla au nom du Nawab et de Dieu, sans se soucier de leur possible désapprobation. Il avait érigé Maan, qu'il avait naguère aimé et qui s'était révélé un ami si faux et si dangereux, en archiennemi, mais l'intervention de Nehru et de sa baguette magique avait ébranlé sa certitude de battre Mahesh Kapoor.

Le jour précédant le scrutin, trop tard pour qu'on pût songer à une réfutation efficace, apparut un petit tract en ourdou, tiré à des milliers d'exemplaires sur un très mince papier rose. Bordé de noir. Sans auteur apparent, sans nom d'imprimeur. Il annonçait que Firoz était mort la nuit dernière et appelait tous les fidèles du Nawab, effondré de douleur, à exprimer par leur vote leur indignation envers le responsable d'un tel malheur. En ce moment même le meurtrier parcourait les rues de Brahmpur, libéré sous caution, libre d'étrangler d'autres femmes musulmanes sans défense et d'assassiner la fleur de la jeunesse musulmane. Sous quel régime une telle abomination, une telle prostitution des idéaux de justice pouvait-elle exister sinon sous le Raj du Congrès ? On prétendait que, quel que soit le candidat du Congrès – un chien ou un réverbère –, il ne pouvait que gagner. Mais la population de cette circonscription devait se rappeler que si Mahesh Kapoor arrivait au pouvoir, la vie ni l'honneur de quiconque ne seraient plus en sûreté.

Grâce à sa légèreté, le projectile fatal sembla voyager sur les ailes du vent : le soir, alors que toute campagne officielle avait cessé, il avait atteint presque tous les villages de la circonscription.

17.36

« De qui êtes-vous l'épouse ? demanda Sandeep Lahiri, qui présidait l'un des bureaux de vote de Salimpur.

— Vous voulez que je prononce son nom ? murmura, choquée, la femme au burqa noir. C'est écrit sur ce morceau de papier que je vous ai donné avant que vous quittiez la pièce. »

Sandeep regarda le bout de papier, puis la liste des inscrits. « Fakhruddin ? Vous êtes la femme de Fakhruddin ? Du village de Noorpur Khurd ?

— Oui, oui.

— Vous avez quatre enfants, n'est-ce pas ?

— Oui, oui, oui.

— Dehors ! » Sandeep venait de vérifier que la vraie femme portant ce nom n'avait que deux enfants. Selon le règlement, il aurait dû remettre celle-ci entre les mains de la police, mais il estima que l'offense ne méritait pas une telle sanction. Depuis le début de la campagne, il n'avait eu qu'une fois recours à la police, lorsque, à Rudhia, un homme ivre avait menacé un membre de son équipe électorale et déchiré les listes.

Sandeep était heureux de se retrouver loin de Brahmpur, de son travail si terne et si bureaucratique au ministère des Mines. Même si elle s'effectuait aussi derrière un bureau, cette tâche électorale lui donnait l'occasion de revoir une région que, malgré son côté arriéré, il avait appris à aimer. Il regarda autour de lui – une carte déchirée de l'Inde, un tableau de l'alphabet hindi : le bureau de vote était installé dans une école.

De la salle de classe adjacente, où se trouvaient les isoloirs pour les hommes, lui parvint le bruit d'une discussion. Il s'y rendit et découvrit une scène peu courante : un mendiant amputé des deux mains prétendait accomplir son devoir sans l'aide de quiconque, ne voulant pas, expliquait-il, qu'on puisse révéler pour qui il votait. Aucun argument n'y faisait, et la foule des votants piétinait à l'extérieur de la classe tandis qu'à l'intérieur le ton montait. Le mendiant exigeait que le fonctionnaire chargé de la surveillance du scrutin lui plaçât le bulletin de vote entre les dents, après quoi il se rendrait derrière le rideau et mettrait son bulletin dans la boîte de son choix.

« Je ne peux pas faire ça, dit le surveillant.

— Pourquoi pas ? Pourquoi je vous laisserais venir avec moi ? Qu'est-ce qui me dit que vous n'êtes pas un espion du Nawab ? Ou du ministre ? » s'empressa-t-il d'ajouter.

D'un geste, Sandeep indiqua au surveillant d'accepter la requête de l'homme. Le mendiant accomplit son devoir électoral, à la fois pour le Parlement et pour l'Assemblée législative. Lorsqu'il ressortit de derrière son rideau, il gratifia le surveillant d'un reniflement méprisant.

« Attends une seconde, dit un autre fonctionnaire. On a oublié de te faire la marque à l'encre.

— Vous me reconnaîtrez si vous me revoyez.

— Oui, mais tu pourrais essayer de voter ailleurs. C'est la règle. Chacun doit avoir une marque sur l'index gauche.

— Trouvez donc mon index gauche », répliqua le mendiant.

Un seul homme bloquait tout le déroulement du scrutin.

« J'ai la solution », dit Sandeep en souriant. Il prit le recueil d'instructions qu'on lui avait remis et lut :

> Toute référence dans cet article-ci ou dans l'article 23 à l'index gauche d'un électeur devra, pour le cas où son index gauche manquerait à l'électeur, être compris comme une référence à n'importe quel doigt de la main gauche et, au cas où tous les doigts de la main gauche manqueraient, comme une référence à l'index, ou n'importe quel autre doigt de la main droite, enfin, dans le cas où manquent tous les doigts des deux mains, à une référence à toute extrémité du bras, droit ou gauche, qu'il possède.

Il trempa la tige de verre dans le flacon d'encre, adressa un petit sourire au mendiant qui, vaincu par l'esprit tortueux des rédacteurs, entraînés sous le Raj, du ministère de la Justice, tendit de mauvaise grâce son moignon gauche.

Après quoi, le scrutin se déroula rapidement. A midi, trois inscrits sur dix avaient voté. Après une heure d'interruption pour le déjeuner, on entama la seconde période de quatre heures. Quand les bureaux fermèrent, à dix-sept heures, cinquante-cinq pour cent des inscrits sur les listes de ce bureau avaient voté. Ce qui représentait un bon pourcentage. Sandeep savait par l'expérience des jours précédents que, contrairement à ce qu'il croyait, le pourcentage était plus faible en ville que dans les zones rurales.

Les portes de l'école fermèrent donc à dix-sept heures et quand ceux qui faisaient encore la queue à l'intérieur eurent déposé leur bulletin, on scella les urnes et on y apposa un tampon à la laque rouge. Les agents électoraux des différents candidats y ajoutèrent leur propre sceau, puis Sandeep fit enfermer les urnes dans la salle de classe et poster un garde pour la nuit. Le lendemain les urnes et celles des autres bureaux furent rassemblées et transportées, sous la surveillance du sous-chef de district, à Rudhia et, là, placées dans la salle blindée de la perception.

En raison de l'étalement du vote, le dépouillement s'étala également : on commença par les circonscriptions qui avaient voté en premier. C'est ainsi qu'au Purva Pradesh il s'écoula de sept à dix jours entre le scrutin et le dépouillement.

Jours d'angoisse pour tout candidat qui s'imaginait avoir une chance de gagner, en l'occurrence pour Waris Khan, mais aussi pour Mahesh Kapoor, en dépit des nombreux autres tourments qui l'assaillaient.

Dix-huitième partie

18.1

Lata ne joua pas un rôle actif dans ces dramatiques événements de janvier. Se rappelant le souhait de Meenakshi de voir la nouvelle année lui apporter des aventures excitantes, elle se dit que si Brahmpur avait été Calcutta et la famille de Savita la sienne, sa belle-sœur n'eût pas été déçue : un scandale, un décès, une élection hargneuse – et tout cela chez des gens où il ne se passait rien de plus exaltant que des répliques appuyées entre une mère et sa fille – ou des propos plus durs entre un père et son fils.

C'est pendant ce trimestre que Lata devait passer ses derniers examens. Chaque jour elle se rendait à ses cours, n'écoutant qu'à moitié l'analyse qu'on y faisait de romans anciens et de pièces de théâtre encore plus anciennes. La plupart de ses camarades, y compris Malati, se concentraient sur leurs études, ne participant guère à des activités extra-scolaires mangeuses de temps. Les réunions hebdomadaires de la Société littéraire de Brahmpur se poursuivaient, mais Lata n'avait pas le cœur d'y assister. Maan avait certes été libéré sous caution, mais on craignait que les chefs d'accusation finalement retenus contre lui ne fussent plus sérieux qu'on n'avait voulu l'espérer.

Lata aimait s'occuper d'Uma, qui se révélait un bébé très obligeant, et dont les sourires lui faisaient oublier le monde douloureux qui l'entourait. Dotée d'une énergie inépuisable, Uma empoignait avec détermination la vie, son environnement et tout cheveu qui passait à sa portée. Elle s'adonnait au plaisir du chant tout en martelant vigoureusement les montants de son berceau d'osier.

Elle exerçait aussi un effet apaisant sur ses parents.

Quand il la berçait dans ses bras en lui déclamant « Le Bébé Mademoiselle » qu'il avait appris par cœur, Pran ne pensait plus à rien. Mrs Rupa Mehra levait alors le nez de son tricot, mi-soupçonneuse, mi-ravie.

Kabir n'avait pas essayé d'approcher Lata à Calcutta ; il ne le tenta pas davantage à Brahmpur. Il la vit au chautha et une fois, de loin, sur le campus de l'université. Elle lui parut calme et inaccessible. Il se dit qu'il y avait toujours eu quelque chose d'illogique, d'incomplet, de chimérique dans leurs rencontres. Ils se retrouvaient pour de courts moments, conscients du risque d'être découverts, par conséquent très embarrassés et maladroits l'un envers l'autre. Kabir parlait sans détour avec quiconque sauf avec Lata, et se demandait si ce qu'il y avait de plus complexe en elle ne ressortait pas en sa présence.

Il n'espérait plus qu'elle lui accordât beaucoup d'intérêt, ne s'y serait pas attendu davantage même si elle ne s'était pas trouvée environnée de tant de détresses. Il ignorait qu'elle avait appris sa présence à Calcutta et son désir de le voir, ne savait rien de la lettre de Malati. Il était lui aussi plongé dans ses études, avec ses tourments et ses consolations propres. De la profonde tristesse que lui causait sa visite hebdomadaire à sa mère, il s'échappait en s'intéressant au maximum de choses : au cricket par exemple, au futur et dernier match avec l'Angleterre qui se déroulerait à Madras. Récemment, avec l'aide enthousiaste de Mr Nowrojee, il avait organisé la lecture par Amit Chatterji de ses poèmes à la Société littéraire de Brahmpur. L'événement aurait lieu la première semaine de février. Peut-être Lata y assisterait-elle. Elle devait, estimait Kabir, avoir entendu parler de l'œuvre de Chatterji.

A dix-sept heures dix, le jour prévu, une intense agitation s'empara du 20 Hastings Road. Toutes les chaises à tapisserie fleurie étaient occupées. Des verres d'eau couverts de napperons en dentelle attendaient sur la table où prendraient place Mr Nowrojee, pour présenter l'orateur, et Amit pour réciter ses poèmes. Les gâteaux d'une dureté de caillou, œuvre de Mrs Nowrojee, se cachaient dans la pièce voisine. La lumière douce et tardive illuminait la peau translucide de Mr Nowrojee qui, inquiet et mélancolique, regardait son cadran solaire, se demandant pourquoi le poète n'était pas encore là. Kabir se tenait au fond de la pièce. Vêtu de blanc, car il arrivait tout juste d'un match amical entre le département d'histoire et le club de cricket des Chemins de fer de l'Inde orientale, encore tout transpirant d'avoir fait le trajet à bicyclette. La pétulante poétesse, Mrs Supriya Joshi, reniflait avec délicatesse.

Elle s'adressa à Mr Makhijani, le poète patriotique.

« Je sens toujours, Mr Makhijani, je sens toujours –

— Oui, oui, l'interrompit avec ferveur le poète, c'est très bien. Il faut sentir. Sans sentiment, d'où frapperait la Muse ?

— J'ai toujours le sentiment, continua Mrs Supriya Joshi, qu'il faut approcher la poésie dans un esprit de pureté. Une fraîcheur d'âme, une propreté de corps. Se baigner dans des sources jaillissantes –

— Se baigner – ah oui, se baigner, dit Mr Makhijani.

— Le génie est peut-être fait à quatre-vingt-dix-neuf pour cent de transpiration, mais quatre-vingt-dix-neuf pour cent de transpiration constituent la prérogative du génie. » Elle eut l'air satisfaite de sa formulation.

« Je suis désolé, dit Kabir, je viens juste de disputer un match.

— Oh, fit Mrs Supriya Joshi.

— Me permettez-vous de vous dire combien j'ai été heureux d'avoir eu la chance de vous entendre lire votre remarquable poésie il y a quelques mois. » Kabir lui offrit son plus large sourire ; elle parut transpercée. Il n'envisageait pas sans raison de faire une carrière diplomatique. L'odeur de sa sueur était soudain devenue aphrodisiaque. Ce jeune homme, se dit Mrs Supriya Joshi, est vraiment très séduisant et très courtois.

« Ah – murmura-t-elle, voici le jeune maître. » Amit venait d'entrer, en compagnie de Lata et de Pran. Mr Nowrojee l'entreprit immédiatement, lui tenant un discours inaudible.

Dans sa surprise et son bonheur de voir Lata, Kabir ne se demanda même pas pourquoi elle accompagnait Amit. Elle cherchait des yeux où s'asseoir.

Il se leva. « Il y a de la place ici », dit-il.

Elle eut un léger hoquet, prit une brève inspiration, regarda Pran, mais il lui tournait le dos. Sans un mot, elle rejoignit Kabir, se glissa entre lui et Mrs Supriya Joshi, qui en parut fort fâchée. Beaucoup trop courtois, pensa-t-elle.

18.2

Mr Nowrojee, offrant à présent un sourire soulagé et frileux à son distingué invité et à son distingué public – qui comprenait le Censeur, Mr Sorabjee, ainsi que l'éminent Pr Mishra –, ôta le napperon du verre d'Amit et du sien, prit une gorgée d'eau et déclara la séance ouverte.

Il présenta l'orateur comme « un de ceux, et non des moindres, qui ont su fusionner la vigueur de l'Occident avec une sensibilité proprement indienne », puis entreprit de régaler l'auditoire d'une série de variations sur le mot « sensible ». Après avoir évoqué les différents sens du mot, il passa à d'autres adjectifs : sensitif, sensoriel, sensuel. Mrs Supriya Joshi commença à s'agiter.

« Cet amour pour les longs discours », dit-elle à Mr Makhijani.

Sa voix sonore portait, et les joues de Mr Nowrojee, déjà rouges de l'audace qu'il lui avait fallu pour expliquer les deux derniers adjectifs, s'empourprèrent encore sous le coup de l'embarras.

« Mais je ne veux pas que mes pauvres méandres vous privent plus longtemps des talents d'Amit Chatterji », déclara-t-il d'un ton blessé, sacrifiant la brève histoire de la poésie indienne en langue anglaise qu'il avait prévu de raconter (et qui aurait culminé dans un triolet à « notre suprême poétesse Toru Dutt »). « Mr Chatterji, poursuivit-il, va vous lire une sélection de ses poèmes puis répondra aux questions sur son œuvre. »

Amit commença par exprimer son plaisir de se trouver à Brahmpur. L'invitation lui en avait été faite à l'occasion d'un match de cricket par Mr Durrani qui, remarqua-t-il, aujourd'hui encore portait ses vêtements de jeu.

Lata l'écouta stupéfaite. Amit lui ayant simplement dit, la veille à son arrivée, qu'il avait été invité par la Société littéraire, elle avait porté l'initiative au compte de Mr Nowrojee. A son interrogation muette, Kabir se contenta de hausser les épaules. Il dégageait une odeur de transpiration qui rappela à Lata le jour où elle l'avait observé à l'entraînement. Il se comportait avec une froideur appliquée ; agissait-il de même avec l'autre femme ? Eh bien, se dit-elle, à froideur, froideur et demie.

Le regard intime quoique inconscient qu'ils échangèrent n'échappa pas à Amit, lui faisant comprendre qu'ils devaient fort bien se connaître. Il perdit le fil de ses pensées, se lança dans une improvisation sur la ressemblance existant entre le cricket et la poésie. Puis il revint à ce qu'il avait eu l'intention de dire, à savoir que c'était un honneur de réciter des poèmes dans la ville associée au nom du Barsaat Mahal et à celui du poète ourdou Mast. Peut-être ne savait-on pas encore beaucoup que Mast n'était pas seulement un célèbre auteur de ghazals, mais un grand satiriste. Ce que lui auraient inspiré les récentes élections, personne ne pouvait l'affirmer, mais il aurait certainement tiré quelque chose de la façon énergique autant que sans scrupules dont elles avaient été conduites, au Purva Pradesh plus que partout ailleurs. Amit lui-même avait trouvé une source d'inspiration dans la lecture du *Brahmpur Chronicle* de ce matin. C'est ce poème qu'il allait lire en guise d'Hymne à la Victoire aux souverains élus ou en passe de l'être.

Sortant une feuille de papier de sa poche, il commença :

« Dieu de la galette, aide-nous, maintenant que c'est fini,
Non à dédaigner les petites prébendes mais à saisir les gros
                                                    [profits,
A combattre les justes et à défendre les coquins,
A exploiter les démunis, à protéger les mandarins.
De nos vilenies et de nos victimes augmente le nombre,
Puissant Seigneur, nous t'en prions, rends-nous
                                        [immondes... »

Suivaient trois autres strophes, où il était question entre autres de certaines batailles locales dont Amit avait lu le récit dans le journal – dont l'une fit sursauter Lata et Pran : celle d'un propriétaire terrien et d'un accapareur qui, après être allés ensemble à la pêche aux voix, avaient bondi chacun de leur côté comme des boules de billard.

Le public dans son ensemble goûta le poème et rit beaucoup, surtout aux références locales. Sauf Mr Makhijani.

« Il se moque de notre Constitution, il s'en moque », protesta le barde patriote.

Amit lut une douzaine d'autres poèmes, dont « L'oiseau fièvre », qui avait tant impressionné Lata et que le Pr Mishra écouta, concentré, en hochant la tête.

Plusieurs de ces textes ne figuraient pas en recueil car Amit les avait écrits tout récemment ; un autre, de facture plus ancienne, composé à l'occasion de la mort d'une de ses tantes et qu'il lisait rarement, émut particulièrement l'auditoire.

Quand les applaudissements se furent calmés, Amit se déclara prêt à répondre aux questions.

« Comment se fait-il que vous n'écriviez pas en bengali, votre langue maternelle ? » demanda un jeune homme, l'air vindicatif.

Cette question lui avait été posée – et il se l'était posée lui-même – bien des fois. A quoi il répondait que sa connaissance du bengali ne lui permettait pas de s'exprimer comme il s'exprimait en anglais. Ce n'était pas une affaire de choix. Quelqu'un qui a toute sa vie joué du sitar ne peut se transformer en joueur de sarangi parce que son idéologie ou sa conscience le lui commandent. « Par ailleurs, ajouta-t-il, nous sommes tous des accidents de l'Histoire et devons faire ce pour quoi nous sommes le plus doués sans trop nous tracasser. Même le sanskrit est arrivé en Inde de l'extérieur. »

Mrs Supriya Joshi, le chantre du vers libre, se leva.

« Pourquoi versifiez-vous en rimes ? dit-elle. Lune, dune, lune, dune ? Un poète doit être libre – libre comme un oiseau – un oiseau fièvre. » Elle se rassit en souriant.

Il aimait les rimes, expliqua Amit, il en aimait le son. Et puis cela aidait à donner de la vigueur, à fixer dans la mémoire ce qui risquait d'être trop diffus. Il ne se sentait pas plus enchaîné par ses rimes qu'un musicien par les règles du raga.

« Il n'y a que des rimes et des carillons dans ses poèmes, comme dans les sonnets de Nowrojee », murmura, peu convaincue, Mrs Supriya Joshi à Mr Makhijani.

Le Pr Mishra interrogea Amit sur ses influences : détectait-il l'ombre d'Eliot dans ses écrits ? Il cita plusieurs vers d'Amit et les compara à ceux de son poète moderne favori.

Non, dit Amit, en toute honnêteté il ne pouvait reconnaître en Eliot une de ses principales sources d'influence.

« Avez-vous déjà été amoureux d'une Anglaise ? »

Amit sursauta puis se détendit : la question émanait d'une délicieuse vieille dame assise au fond de la salle.

« Eh bien – je ne crois pas pouvoir répondre à ça en public. Quand j'ai dit que je répondrais à toutes les questions, j'aurais dû préciser : sauf si elles sont trop privées – ou trop publiques. La politique gouvernementale, par exemple. »

Un jeune étudiant, passionné, les yeux clignant d'adoration, incapable de maîtriser la nervosité de sa voix, déclara : « Des huit cent soixante-trois vers qui composent vos deux recueils publiés, trente et un font allusion à des arbres, vingt-deux comportent le mot "amour" ou "aimer", dix-huit n'utilisent que des mots d'une seule syllabe. Quelle signification cela a-t-il ? »

Amit tenta de résumer le tout en une question intelligente et parla un peu de ses thèmes. « Est-ce ce que vous espériez entendre ?

— Oh oui, dit le jeune homme, la voix vibrante.

— Croyez-vous à la vertu de la concentration ? s'enquit une universitaire.

— Eh bien, oui », dit Amit sans trop s'avancer. La dame était passablement grosse.

« Pourquoi, dans ces conditions, le bruit court-il que le roman que vous préparez – dont l'action se passe, si j'ai bien compris, au Bengale – sera très long ? Plus de mille pages ! » s'exclama-t-elle, semblant lui reprocher l'épuisement nerveux de ses futurs commentateurs.

« Je ne sais pas pourquoi il est devenu si long. Je manque de discipline. Pourtant moi aussi je déteste les livres longs : on y trouve le pire et le meilleur. S'ils sont mauvais, ils ne me coûtent que l'effort de les tenir pendant quelques minutes. Mais s'ils sont bons, je deviens un crétin misanthrope, refusant de sortir de ma chambre pendant des jours, râlant et bougonnant si l'on m'interrompt, ignorant mariages et enterrements, me mettant à dos mes meilleurs amis. Je porte encore les cicatrices de *Middlemarch* *.

— Et Proust ? » La question émanait d'une dame à l'air égaré, qui s'était mise à tricoter dès qu'Amit avait cessé de réciter ses poèmes.

Amit fut surpris de l'existence d'un lecteur de Proust à Brahmpur. Il commençait à se sentir euphorique, comme s'il avait respiré trop d'oxygène.

« Je suis sûr que j'adorerais Proust si mon esprit ressemblait aux Sundarbans : méandreux, absorbant tout, éternellement, euh, subdivisé. Mais comme ce n'est pas le cas, Proust me fait pleurer, pleurer, pleurer d'ennui. Pleurer. » Il s'arrêta et soupira. « Pleurer, pleurer, pleurer, reprit-il avec emphase. Je pleure quand je lis Proust, et je le lis très peu. »

Un silence choqué accueillit ces propos : comment pouvait-on éprouver des sentiments si violents à propos de quoi que ce soit ? Silence que finit par rompre le Pr Mishra.

« Est-il besoin de préciser que les monuments éternels de la littérature sont plutôt, disons, volumineux ? » Il sourit à Amit. « Shakespeare n'est pas seulement grand, mais encombrant, en quelque sorte.

— Seulement en quelque sorte. Il ne paraît gros qu'en volume. Et j'ai ma recette pour réduire ce volume. Vous avez peut-être remarqué que dans les classiques "Œuvres complètes", tous les textes commencent sur une page de droite. Alors ce que je fais, je prends mon canif et découpe le livre en une quarantaine de fascicules. Comme ça je peux mettre *Hamlet* ou *Timon* dans ma poche et quand je me promène, dans un cimetière par exemple, m'en faire la lecture. C'est plus facile pour l'esprit et pour les poignets. Je vous le recommande. C'est ainsi que j'ai lu *Cymbeline* dans

* Roman de George Eliot. *(N.d.T.)*

724

le train qui m'amenait ici, ce que je n'aurais jamais fait autrement. »

Kabir sourit, Lata éclata franchement de rire, Pran en demeura bouche bée, Mr Makhijani faillit s'étouffer et Mr Nowrojee donna l'impression qu'il allait s'évanouir.

Amit eut l'air très content de son effet.

Dans le silence qui suivit, un homme d'âge moyen en costume noir se leva.

« La lecture que vous venez de nous faire m'a incité à formuler une théorie. Elle se rapporte à l'âge atomique, à la place de la poésie et à l'influence du Bengale. Il s'est passé bien des choses depuis la Guerre. Je viens d'écouter pendant une heure le scintillement même de l'Inde, c'est ce que je me suis dit quand j'ai formulé ma théorie... »

Terriblement content de lui, il continua dans cette veine, ponctuant son discours de « Vous comprenez ? » auxquels Amit répondait par des hochements de tête, de plus en plus secs. Les auditeurs commencèrent à se lever, Mr Nowrojee dans sa détresse frappa un imaginaire marteau sur la table.

« Avez-vous des commentaires à faire ? conclut finalement l'homme.

— Non, merci, dit Amit. Mais j'apprécie que vous ayez bien voulu partager vos réflexions avec nous. Y a-t-il une autre question ? » demanda-t-il en insistant sur le mot.

Mais il n'y en avait plus. Le temps était venu du thé de Mrs Nowrojee et de ses célèbres petits gâteaux, providence des dentistes.

18.3

La foule aussitôt entoura Amit, l'empêchant de parler avec Lata comme il aurait aimé. Il dut dédicacer des livres, manger du gâteau, et la délicieuse vieille dame, ne s'avouant pas vaincue, revint lui demander s'il avait déjà aimé une Anglaise. « Maintenant, vous pouvez me répondre, nous sommes entre nous », dit-elle, approuvée par plusieurs autres. Mais Amit fut sauvé : Mr Nowrojee, murmurant que sa défense de la rime avait été vraiment très réconfortante pour quelqu'un qui, comme lui, était un partisan déclaré de cette forme de versification, fourra entre les doigts d'Amit le sonnet qu'il n'avait pu déclamer en début de séance. « S'il vous plaît, donnez-moi votre avis en toute honnêteté. C'est si rafraîchissant, quelqu'un d'honnête comme vous. » Amit prit la feuille de papier portant la petite écriture droite, soignée de Mr Nowrojee et lut :

Sonnet pour le chantre du Bengale

Le destin a emporté la douce Toru Dutt
A l'âge tendre de vingt-deux ans.
Le casuarina est tombé de sa butte,
Le destin a emporté la douce Toru Dutt.
Sur ses branches il n'y a plus d'ornements
Mais ses poèmes en nous tissent leurs filaments.
Le destin a emporté la douce Toru Dutt
A l'âge tendre de vingt-deux ans.

Pendant ce temps, dans un autre coin de la pièce, le Pr Mishra causait avec Pran. « Mon cher garçon, disait-il, je ne trouve pas les mots pour vous exprimer mes condoléances. La vue de vos cheveux, encore si courts, me rappelle cette vie si cruellement abrégée... »

Pran se figea.

« Vous devez prendre soin de votre santé. Ne pas vous lancer dans de nouvelles entreprises en ces temps de deuil – et, bien sûr, d'anxiété. Votre pauvre frère, votre pauvre frère – Prenez un gâteau.

— Merci, professeur.

— Donc vous êtes d'accord ? La réunion est trop proche, et vous soumettre à un entretien –

— D'accord pour quoi ?

— Pour retirer votre candidature, voyons. Ne vous en faites pas, mon cher garçon, je m'occuperai de toutes les formalités. Comme vous le savez, le comité de sélection se réunit jeudi. Nous avons eu tant de mal à fixer cette date. Je n'y suis arrivé qu'à la mi-janvier. Et maintenant, hélas –

mais vous êtes jeune, et beaucoup d'autres occasions d'avancement se présenteront – à Brahmpur ou ailleurs.

— Merci de votre intérêt, Pr Mishra, mais je me sens assez bien pour me présenter. Vous avez posé une question intéressante à propos d'Eliot. »

Le Pr Mishra en resta muet, son pâle visage reflétant la désapprobation que lui causait l'attitude si peu filiale de son interlocuteur. Puis il se reprit. « Oui, j'ai donné une conférence ici il y a quelques mois intitulée : "Eliot : Jusqu'où ?" C'est dommage que vous n'ayez pas pu y assister.

— Quand j'ai appris la nouvelle, il était trop tard. Je l'ai regretté pendant des semaines. Prenez un gâteau, Pr Mishra, votre assiette est vide. »

Pendant ce temps, Lata et Kabir parlaient.

« Ainsi, c'est toi qui l'as invité quand tu es venu à Calcutta ? dit Lata. A-t-il répondu à ton attente ?

— Oui. J'aime beaucoup sa poésie. Mais comment sais-tu que je suis allé à Calcutta ?

— J'ai mes sources. Et comment as-tu connu Amit ?

— Amit ?

— Mr Chatterji, si tu préfères. D'où le connais-tu ?

— Quelqu'un nous a présentés.

— Haresh Khanna ?

— Tu as vraiment tes sources. Peut-être pourrais-tu me dire ce que j'ai fait cet après-midi ?

— C'est facile. Tu jouais au cricket.

— C'est trop facile, dit Kabir en riant. Et hier après-midi ?

— Je ne sais pas. Je ne peux vraiment pas manger ce gâteau, ajouta-t-elle.

— Je me suis accommodé de ces gâteaux naguère, dans l'espoir de te voir. Mais tu vaux bien plus que ça. »

Trop charmant, pensa Lata, qui ne répondit pas.

« Alors, comment connais-tu Amit – je veux dire Mr Chatterji ? continua Kabir, d'une voix un peu tranchante.

— Qu'est-ce que ça signifie, Kabir ? Un interrogatoire ?

— Non.

— Alors quoi ?

— Une question courtoise, qui mériterait une réponse semblable. Veux-tu que je la retire ? »

Ce n'est pas de la courtoisie qu'il y avait dans son ton, se dit Lata, mais de la jalousie. Bien !

« Non. Maintiens-la. Il est mon beau-frère. C'est-à-dire – elle rougit – pas le mien mais celui de mon frère.

— Et j'imagine que tu as des tas d'occasions de le voir à Calcutta.

— Où veux-tu en venir, Kabir ? répliqua Lata, le mot de Calcutta agissant sur elle comme un aiguillon.

— Simplement que je l'ai observé pendant toute sa lecture, et maintenant encore, et tout ce qu'il fait semble s'adresser à toi.

— Ridicule.

— Regarde-le. »

Lata se retourna, et Amit, qui avait les yeux posés sur elle tandis qu'il s'efforçait de commenter sans trop mentir le sonnet de Mr Nowrojee, lui adressa un sourire. Elle lui sourit en retour, faiblement, puis Amit disparut derrière la masse du Pr Mishra.

« Et j'imagine que vous vous promenez ensemble ?

— Parfois –

— En lisant *Timon* dans les cimetières.

— Pas exactement.

— Et je suppose que vous ramez le matin à l'aube sur le Hooghly.

— Kabir, comment oses-tu, toi en particulier –

— Et je suppose qu'il t'écrit des lettres ?

— Et alors ? Même s'il le fait ? Mais non. C'est l'autre, Haresh, que tu as rencontré, qui m'écrit – et je lui réponds. »

Kabir devint blême. Il lui saisit la main droite et la tint serrée.

« Lâche-moi, murmura Lata. Lâche-moi immédiatement, ou je laisse tomber cette assiette.

— Vas-y. Laisse-la tomber. Nowrojee doit l'avoir héritée de sa famille.

— Je t'en prie », dit Lata, les larmes aux yeux. Il lui faisait vraiment mal, mais elle s'en voulait de cette faiblesse. « Je t'en prie, arrête – »

Il lâcha sa main.

« Ah, la vengeance de Malvolio –, dit Mr Barua en s'approchant. Pourquoi avez-vous fait pleurer Olivia ?

— Je ne l'ai pas fait pleurer. On peut toujours s'empêcher de pleurer. Tout pleur, chez elle, est purement volontaire. »

Sur quoi, il tourna les talons.

18.4

Sans un mot d'explication, Lata alla se rafraîchir le visage. Quand elle revint dans la pièce, toute trace de larmes ayant disparu, il y avait beaucoup moins de monde et Pran et Amit s'apprêtaient à partir.

Amit logeait chez Mr Maitra, le Surintendant de police à la retraite, mais il devait dîner avec Pran, Savita, Mrs Rupa Mehra, Lata, Malati et Maan.

S'il s'était réinstallé à Prem Nivas, Maan ne supportait pas d'y prendre ses repas. L'élection terminée, son père avait regagné Brahmpur – un homme furieux et malheureux qui voulait avoir son fils constamment avec lui. Qu'adviendrait-il de Maan quand la justice lui aurait signifié son véritable chef d'inculpation ? Tout s'écroulait autour de Mahesh Kapoor. Il espérait pouvoir se maintenir en politique, mais s'il ne sauvait pas son propre siège, il savait qu'il lui resterait bien peu de partisans.

N'étant plus ministre pour le moment, il n'avait pas d'autre activité dans quoi s'ensevelir. Certains jours, il recevait des visiteurs, d'autres il s'asseyait et regardait le jardin, sans rien dire. Les domestiques n'osaient pas le déranger. C'est Veena qui lui apportait son thé. Dans quelques jours, il se rendrait à Rudhia pour le dépouillement. Au soir du 6 février, il connaîtrait son sort.

Dans la tonga qui le conduisait chez Pran pour le dîner, Maan aperçut Malati Trivedi marchant sur le trottoir. Il la héla. Elle lui répondit puis, soudain, prit un air gêné.

« Qu'y a-t-il ? dit Maan. Je ne suis pas encore condamné. Et je sais que vous dînez avec nous. Montez. »

Honteuse de sa réaction, Malati accepta, et ils continuè-rent leur chemin vers l'université, fort peu loquaces pour des personnes habituellement si expansives.

Des trois Chatterji – Meenakshi, Kakoli et Dipankar – que Maan connaissait, c'est de Meenakshi qu'il gardait le souvenir le plus vivace : royale au mariage de Pran, elle avait fait d'une chambre d'hôpital un décor digne de sa présence théâtrale. Il était impatient maintenant de ren-contrer le frère, dont Lata lui avait brièvement parlé quand elle était venue lui rendre visite en prison. Amit le salua avec courtoisie et curiosité.

Maan avait triste mine et le savait. Il lui arrivait de douter d'avoir été enfermé ou, au contraire, d'être en liberté.

« On ne se voit pas beaucoup ces temps-ci, dit Lata, qui jusqu'à présent n'avait guère écouté la conversation.

— Non, effectivement », dit Maan, en riant.

Malati se rendait compte que Lata n'était pas dans son assiette. Elle attribuait cela à la présence du Poète. Après examen de ce prétendant à la main de son amie, elle en concluait qu'Amit n'était pas très impressionnant : il avait une propension aux banalités. Le Cordonnier, que s'enten-dre traiter de mesquin avait rendu si furieux (on avait raconté l'histoire à Malati), avait infiniment plus d'esprit – même s'il appartenait au genre loufoque.

Malati ne pouvait savoir qu'Amit, surtout après avoir lu ses poèmes ou en avoir composé un, aimait afficher un esprit cynique et frivole. Il ne prétendait plus à la moindre profondeur. Sans se laisser aller à des couplets à la Kuku, il se mit à clabauder sur ces politiciens qui, une fois élus, utilisaient le système à leur profit et à celui de leur famille. Mrs Rupa Mehra, qui cessait d'écouter quand la conversa-tion portait sur la politique, était allée coucher Uma.

« Mr Maitra, chez qui je loge, m'a expliqué sa conception de l'Utopie, dit Amit. Le pays ne devrait être gouverné que par des enfants uniques – célibataires – dont les parents sont morts. A tout le moins on ne devrait nommer minis-tres que des hommes sans enfants. » Personne ne lui donnant la réplique, Amit continua : « Sinon, bien entendu, on peut compter qu'ils tentent par tous les moyens de sortir leurs enfants des mauvais coups dans lesquels ils se mettent. » Sur quoi, il s'arrêta, se rendant enfin compte de ce qu'il était en train de dire. Les autres se contentant de le regarder, il se hâta d'ajouter : « Ila Kaki reconnaît que ce genre de choses existe au moins autant dans le monde universitaire – plein de – comment dit-elle – "de népotisme et d'antagonismes sordides". Tout comme dans le monde littéraire.

— Ila ? interrogea Pran.

— Oui, Ila Chattopadhyay, dit Amit, soulagé qu'on le suive sur une autre piste. Le Dr Ila Chattopadhyay.

— Celle qui écrit sur Donne ?

— Oui. Vous ne l'avez pas rencontrée à Calcutta ? Même pas chez nous ? Elle m'a raconté une histoire de scandale universitaire à propos d'un professeur qui a imposé un manuel qu'il avait lui-même rédigé sous un pseudonyme. Toute cette histoire l'excitait au plus haut point.

— N'a-t-elle pas une certaine tendance à ça ? dit Lata en souriant.

— Oh oui, opina Amit, heureux de voir Lata se mêler enfin à la conversation. Il se trouve qu'elle sera à Brahmpur dans quelques jours, comme ça vous pourrez faire sa connaissance, ajouta-t-il à l'intention de Pran. Je lui dirai de vous contacter. Vous verrez, elle est très intéressante.

— J'ai trouvé son livre sur Donne très bon. Que vient-elle faire ici ?

— Elle siège dans je ne sais quel comité, et je ne suis pas sûr, étant donné son côté farfelu, qu'elle-même se rappelle de quoi il s'agit.

— C'est vrai, reconnut Mrs Rupa Mehra, c'est une de ces femmes très intelligentes. Très moderne d'idées. Elle a conseillé à Lata de ne pas se marier.

— Est-ce que, par hasard, il s'agirait d'un comité de sélection ? osa demander Pran.

— Je pense que oui. Je ne peux pas vous l'affirmer, mais il me semble que c'est ça. Elle parlait du faible niveau de la plupart des candidats.

— Dans ce cas, je crois que je ferais mieux de ne pas la

rencontrer. Elle va probablement décider de mon destin. Je suis un de ces candidats qu'elle mentionnait. »

Dans la situation critique où se trouvait la famille à présent, la possible promotion de Pran prenait une importance accrue. Le fait même qu'il pût garder la maison, logement universitaire, risquait d'en dépendre.

« Votre destin ! Quel mot dramatique, dit Amit. J'aurais cru qu'avec le Pr Mishra dans votre manche, le Destin y réfléchirait à deux fois avant de se mal conduire avec vous. »

Savita se pencha vers lui : « Qu'avez-vous dit ? Le Pr Mishra ?

— Mais oui. Quand je lui ai appris que je dînais ici, il s'est répandu en compliments presque écœurants sur Pran.

— Tu vois, chéri, s'exclama Savita.

— Si j'étais né cancrelat, je ne me demanderais pas : "Que va décider le comité de sélection ?" "Qu'arrive-t-il à l'Inde ?" "Est-ce que le chèque est au courrier ?" "Vivrai-je assez pour voir grandir ma fille ?" Pourquoi faut-il que je m'inquiète tant pour tout cela ? »

Tout le monde, à l'exception d'Amit, jeta sur Pran des regards diversement surpris ou soucieux.

« Et moi, ce qui m'arrive, ça ne t'intéresse pas ? demanda Maan.

— Si, bien sûr. Mais je doute qu'un cancrelat s'intéresse à ce qui arrive à son frère. Ou à son père.

— Ou à sa mère, ajouta Maan, qui se leva, l'air de ne plus pouvoir en supporter davantage.

— Maan, supplia Savita, ne prends pas les choses ainsi. Pran est terriblement tendu. Il ne pensait pas à mal. Chéri, je t'en prie, ne parle pas comme ça. Ça te ressemble si peu.

— Je vais tâcher de faire attention à ce que je dis. » Pran bâilla, jeta sur sa femme un regard tendre et fatigué. « Dans ma propre maison et avec ma propre famille. »

Il regretta aussitôt cette dernière phrase. Savita réussissait à veiller à tout sans paraître contrainte, sans perdre son aisance. Elle ne l'avait jamais connu en parfaite santé. Même avant la naissance du bébé, il percevait son amour à la façon dont elle se déplaçait dans la chambre quand il dormait – à la façon dont elle cessait brusquement de chantonner. Parfois il gardait les yeux clos, bien que réveillé – juste pour le plaisir de sentir à quel point quelqu'un se préoccupait de lui. Elle avait raison : il s'était exprimé en étourdi, en personne infantile même.

Lata observait sa sœur et pensait : Savita est faite pour le mariage. Elle est heureuse d'accomplir tout ce qu'une maison et une famille requièrent, toutes les petites choses de la vie. Elle ne s'est mise au droit que parce que la santé de Pran l'y oblige. Elle aurait aimé – cette idée soudain frappa Lata – quiconque elle aurait épousé, à condition qu'il fût bon, et aussi différent fût-il de Pran.

18.5

« A quoi pensez-vous ? » demanda Amit. Il buvait son café en compagnie de Lata, à la fin du dîner, tandis que Pran et Savita raccompagnaient les autres invités à la porte, et que Mrs Rupa Mehra avait regagné sa chambre pour quelques minutes.

« Que j'ai vraiment beaucoup aimé vous entendre réciter. C'était très touchant. Et je me suis bien amusée à la session questions-réponses qui a suivi. Particulièrement l'histoire des statistiques – et celle du déchirement des bouquins. Vous devriez conseiller à Savita de traiter aussi brutalement ses livres de droit.

— Je ne savais pas que vous connaissiez le jeune Durrani.

— J'ignorais qu'il vous avait invité.

— Pour en revenir à ce que je disais : à quoi pensez-vous là, tout de suite.

— Quand ?

— A table, quand vous regardiez Savita et Pran.

— Oh –

— Alors, à quoi ?

— Je ne m'en souviens plus. »

Amit se mit à rire.

« Pourquoi riez-vous ?

— Parce que j'aime vous mettre mal à l'aise, j'imagine.

— Mais pourquoi ?

— Ou vous rendre heureuse – ou vous étonner – juste pour vous voir changer d'humeur. C'est tellement drôle. Je vous plains !

— Mais enfin pourquoi ?

— Parce que vous ne connaîtrez jamais le plaisir qu'on éprouve à être en votre compagnie.

— Arrêtez de parler ainsi. Ma peut revenir d'une minute à l'autre.

— Vous avez raison. Dans ce cas : voulez-vous m'épouser ? »

Lata laissa tomber sa tasse, qui se brisa. Elle en regarda alternativement les morceaux – heureusement elle était vide – et Amit.

« Vite ! Avant qu'ils ne viennent voir ce qui s'est passé. Dites oui. »

Lata s'était agenouillée ; elle ramassait les morceaux et les rassemblait délicatement dans la soucoupe au décor bleu et or.

Amit s'agenouilla à côté d'elle. Le visage de Lata n'était qu'à quelques centimètres du sien, mais son esprit semblait ailleurs. Il aurait voulu l'embrasser, mais quelque chose lui dit qu'il valait mieux s'en abstenir.

« C'était un bien de famille ? demanda-t-il.

— Pardon ? Oh, je suis désolée – » Elle sursauta, tirée de sa rêverie.

« Bon, je suppose que je vais devoir attendre. J'espérais que, prise ainsi par surprise, vous accepteriez.

— J'aimerais – dit Lata, posant dans la soucoupe le dernier morceau de porcelaine.

— Quoi ?

— Me réveiller un jour et découvrir que je suis mariée depuis six ans. Ou vivre une folle aventure et ne jamais me marier. Comme Malati.

— Ne dites pas ça. Ma peut arriver d'un moment à l'autre. De toute façon, je ne conseillerais pas une aventure avec Malati.

— Arrêtez de faire l'imbécile, Amit. Vous êtes si brillant,

faut-il aussi que vous soyez stupide ? Je ne vous prendrai au sérieux qu'en noir et blanc.

— Bien-portant et malade.

— Pour le pire et le meilleur, conclut Lata en riant. Surtout pour le pire, j'imagine. »

Les yeux d'Amit s'allumèrent. « Ça veut dire oui ?

— Non. Je ne veux rien dire. Et vous pas davantage, je présume. Mais pourquoi restons-nous agenouillés face à face comme des poupées japonaises ? Debout, debout. Voilà Ma, comme vous l'annonciez. »

18.6

Mrs Rupa Mehra se montra moins cassante envers Amit qu'il ne s'y attendait : Mrs Rupa Mehra commençait à changer d'avis sur Haresh.

Par peur qu'on ne s'interroge sur sa capacité de jugement, elle garda ses pensées pour elle, mais elle n'était pas douée pour la dissimulation. Si bien que, dans les jours qui suivirent le départ d'Amit, ce fut son manque d'enthousiasme, plutôt que de réelles critiques à l'égard de Haresh, qui indiqua à Lata que les choses n'étaient pas claires dans l'esprit de sa mère en ce qui concernait son ancien favori.

Qu'il eût réagi si violemment quand Lata l'avait traité de « mesquin » confondait Mrs Rupa Mehra. Lata en portait certainement sa part de responsabilité, mais Mrs Rupa Mehra ne pouvait comprendre qu'il soit parti sans la saluer, elle, qui s'était intronisée sa future belle-mère. Plusieurs jours s'étaient écoulés entre cette altercation et le retour en hâte à Brahmpur et pourtant il n'était pas venu les voir, n'avait ni écrit ni téléphoné. Eût-il simplement téléphoné que Mrs Rupa Mehra lui eût pardonné aussitôt. A présent, elle n'avait plus l'esprit au pardon.

Elle remâchait aussi certaines remarques de ses amies, quand elle leur avait dit que Haresh travaillait dans le commerce de la chaussure, des remarques telles que :

« Certes, bien sûr, les choses ont changé de nos jours », et :
« Oh ! Chère Rupa – mais tout est pour le mieux, et Praha, évidemment, est Praha... » Plus elle y repensait, plus elle en rougissait. Qui aurait pu prédire que la fille du potentiel président des Chemins de fer trouverait à se marier dans le cuir ?

« Ainsi va le Destin », se dit Mrs Rupa Mehra, réflexion suivie d'une idée que la lecture d'une annonce publicitaire dans le *Brahmpur Chronicle* du lendemain matin transforma aussitôt en acte. Le titre « Astrologue-Royal : Raj Jyotishi » surmontait la photo d'un homme d'âge moyen, la figure rondouillarde et le sourire béat, les cheveux coupés court avec une raie au milieu. Venait ensuite la légende :
« Le plus grand Astrologue, lignes de la main et tantrisme. Pandit Kanti Prasad Chaturvedi, Jyotishtirtha, Tantrikacharya, Examinateur au Bureau gouvernemental des Etudes astrologiques. Couvert de louanges et honoré de témoignages spontanés. Résultats très rapides. »

Très rapidement – soit l'après-midi même – Mrs Rupa Mehra se rendit chez l'Astrologue-Royal. Il regretta qu'elle ne connût que le lieu et la date de naissance de Haresh, pas l'heure exacte. Mais il promit de faire son possible. Il lui faudrait avoir recours à certains postulats, à certains calculs supplémentaires, et même tenir compte du facteur Uranus, guère employé dans l'astrologie indienne ; et le facteur Uranus avait son prix. Mrs Rupa Mehra paya, il lui dit de revenir dans deux jours.

L'emploi de ce procédé suscita chez Mrs Rupa Mehra un vif sentiment de culpabilité. N'avait-elle pas dit à Lata quand Mrs Mahesh Kapoor avait demandé l'horoscope de Savita : « Je ne crois pas à ces histoires d'horoscopes compatibles. Si c'était vrai, mon mari et moi... » Aujourd'hui elle pensait que, peut-être, l'erreur venait du manque de connaissance de certains astrologues, pas de la science elle-même. L'Astrologue-Royal s'était montré très persuasif. Il lui avait expliqué pourquoi son alliance en or « renforçait et concentrait le pouvoir de Jupiter » ; lui avait conseillé de porter un grenat qui contrôlait le point écliptique de Rahu et conférait la paix mentale ; il avait loué sa sagesse que lui révélaient les lignes de ses mains et son expression ; sur son bureau, tournée vers les clients, une grande photographie encadrée le montrait serrant la main du Gouverneur lui-même.

Quand ils se revirent, l'Astrologue-Royal lui dit :

« La septième maison est la Maison de l'Epouse.

— N'y a-t-il vraiment aucun problème ? Dans l'accord des deux horoscopes, je veux dire. » L'astrologue avait les yeux très perçants et portait la raie au milieu. Pour éviter ceux-ci, elle gardait le regard fixé sur celle-là.

« Certains problèmes existent certainement, admit l'Astrologue avec un sourire ambigu. J'ai examiné la totalité du tableau, prenant en considération votre fille et le Futur. C'est très problématique, devrais-je dire. Revenez ce soir chercher les détails problématiques. Je vais vous les écrire.

— Et Uranus ? Que dit Uranus ?

— L'effet ne s'est pas révélé significatif. Mais bien entendu il fallait de toute façon faire les calculs », ajouta-t-il.

18.7

« Au fait, on ne voit plus le gibier, dit son amie à Malati en franchissant la porte du conservatoire Haridas. Naturellement, si elle réapparaît je te tiens au courant.

— De quoi parles-tu ? J'espère que nous ne sommes pas en retard. » Ustad Majeed Khan était d'humeur impatiente ces temps-ci.

« Tu sais bien, la femme qu'il a rencontrée au Danube Bleu.

— Qui a rencontré qui ?

— Kabir, bien sûr. »

Malati s'arrêta et se tourna vers son amie.

« Mais tu avais dit le Renard Rouge.

— Vraiment ? C'est possible. On s'y perd entre ces deux noms. Mais quelle différence ça fait de baratiner quelqu'un à Chowk ou à Misri Mandi ?... Qu'est-ce qu'il te prend ? se récria-t-elle, car Malati lui avait saisi le bras, le visage blême.

— A quoi ressemblait cette femme ? Comment était-elle habillée ?

— Ça alors ! Toi qui prétendais ne vouloir rien savoir –

— Dis-moi. Vite.

— Eh bien, je n'y étais pas, mais cette fille, Purnima – je ne crois pas que tu la connaisses, elle est de Patna et elle fait de l'histoire –, c'est elle qui les a remarqués. Elle était assise à quelques tables d'eux, et avec ces lumières tamisées –

— Que portait-elle ? La femme, pas cette misérable fille.

— Malati, explique-moi ce qui t'arrive. Ça fait des semaines –

— Que portait-elle ? répéta Malati d'une voix désespérée.

— Un sari vert. J'espère que je ne me trompe pas de couleur cette fois-ci ou tu vas me tuer. Oui, Purnima a dit qu'elle portait un sari vert – et des tas d'émeraudes scintillantes. Et qu'elle était grande, le teint clair – et c'est tout –

— Oh qu'ai-je fait – Pauvre garçon – pauvre Kabir. Quelle terrible faute. Qu'ai-je fait, qu'ai-je fait ? »

« Malati, dit Ustad Majeed Khan, portez le tanpura avec respect, à deux mains. Vous ne transportez pas un chaton. Qu'est-ce que vous avez aujourd'hui ? »

« Qu'est-ce que tu as ? demanda Lata en voyant Malati faire irruption dans sa chambre.

— C'est avec moi qu'il était –

— Qui ?

— Kabir – l'autre jour au Renard Rouge, je veux dire au Danube Bleu. »

Un éclair de jalousie réellement vert jaillit des yeux de Lata.

« Non – je ne le crois pas. Pas toi ! »

Si véhément fut le cri que Malati craignit un instant que Lata ne se rue sur elle.

« Tu n'as pas compris, ce n'est pas ce que je voulais dire. Je voulais dire qu'il ne voyait pas une autre fille. Il n'a vu personne d'autre. On s'est trompé en m'indiquant l'endroit. J'aurais dû avoir la patience d'en écouter davantage. Lata, c'est entièrement de ma faute. J'imagine ce que tu as traversé, mais je t'en prie, ne le blâme pas lui – ni toi. »

Malati s'attendait à ce que Lata éclate en sanglots – de soulagement, de rage – mais rien ne vint. « Non, je ne le ferai pas, dit-elle. Et, Malu, ne te blâme pas toi-même.

— Si, si. Pauvre garçon – il était totalement sincère.

— Arrête, arrête. Je suis contente que Kabir ne t'ait pas menti – vraiment très contente. Mais – j'ai appris quelque chose de cette lamentable histoire – quelque chose sur moi-même – et sur la force – l'étrangeté de mes sentiments pour lui. »

Sa voix semblait venir d'ailleurs, d'un lieu situé entre l'espoir et le désespoir.

18.8

Ce qui réconfortait le Pr Mishra, furieux que Pran n'ait renoncé ni à poser sa candidature au poste de professeur ni à ses projets insensés de réforme des programmes, c'est que les choses ne se présentaient pas très bien pour son père. Tout en critiquant sévèrement les méthodes employées par les adversaires de Mahesh Kapoor, la presse pariait plutôt pour l'échec de l'ex-ministre. Le Pr Mishra s'intéressait beaucoup à la politique, et tous ses informateurs lui disaient de partir du principe que le père de Pran ne se trouverait pas en position de pouvoir venger son fils si une quelconque injustice était commise à son égard.

Qui plus est, et pour ajouter au bonheur du Pr Mishra, les résultats seraient connus au moment de la réunion du comité de sélection. Le dépouillement dans la circonscription de Mahesh Kapoor avait lieu le 6 février, le comité se réunissait le 7. Le Pr Mishra pourrait donc en toute sécurité poignarder le jeune assistant qui s'obstinait à lui mettre des bâtons dans les roues.

Dans le même temps, puisque l'un des candidats, et pas le pire, loin de là, était le neveu du Premier ministre, le Pr Mishra avancerait d'un cran dans la faveur de S.S. Sharma en donnant un coup de pouce au garçon. Ce faisant, le Pr Mishra pouvait raisonnablement espérer qu'en cas de création d'un comité gouvernemental – dans le domaine de l'éducation, mais pas uniquement – le pouvoir régnant prendrait en compte le nom de celui qui serait alors le professeur retraité O.P. Mishra.

Et si Sharma allait à Delhi, comme le lui avait intimé Nehru, à en croire la rumeur ? De l'avis du Pr Mishra, même Nehru ne réussirait pas à déloger de son fief un politicien aussi avisé que S.S. Sharma. A supposer néanmoins que Sharma prenne un poste ministériel à Delhi, eh bien, il pouvait y avoir des retombées aussi bien de Delhi que de Brahmpur.

Troisième cas de figure : Sharma partait pour Delhi et Mahesh Kapoor devenait Premier ministre du Purva Pradesh. Hypothèse horrible, mais tellement improbable. Tout s'y opposait : le scandale autour de son fils, son récent veuvage, sa perte totale de crédibilité dès qu'on saurait qu'il n'avait pas gagné son siège. Nehru l'aimait, c'est vrai ; appréciait tout particulièrement son travail sur la loi des zamindars. Mais Nehru n'était pas un dictateur, et c'était à l'Assemblée législative du Purva Pradesh d'élire son propre Premier ministre.

Il était clair désormais que le Congrès, le parti ramasse-tout, aux multiples factions, continuerait à diriger le pays et le Purva Pradesh. Il allait l'emporter par un véritable raz de marée. Certes il recueillait moins de cinquante pour cent des voix du corps électoral. Mais il avait affaire à une opposition si divisée et désorganisée que, au vu des premiers résultats, on estimait qu'il gagnerait les trois quarts des sièges au Parlement et les deux tiers dans les Assemblées locales.

L'échec personnel de Mahesh Kapoor ne représenterait

qu'une exception dans cet océan de succès. On n'a guère de sympathie pour les perdants en politique : la carrière de Mahesh Kapoor, espérait avec ferveur le Pr Mishra, serait définitivement terminée, et son rejeton amoureux de Joyce comprendrait qu'il n'avait pas plus d'avenir dans cette université que son frère dans une société civilisée.

Voyons, réfléchissait le Pr Mishra, quelque chose pouvait-il empêcher son plan de réussir ? Le comité de sélection comprenait, outre lui-même (en sa qualité de chef de département), le vice-chancelier de l'université (qui présidait) ; la personne nommée par le chancelier (en l'occurrence un professeur d'histoire à la retraite distingué mais malléable) ; deux experts venus de l'extérieur et approuvés par le Conseil académique. C'est le Pr Mishra qui les avait choisis sur une liste soumise à son examen, et le vice-chancelier avait entériné son choix sans discussion. « Vous savez ce que vous faites », lui avait-il dit. D'autant que leurs intérêts convergeaient.

Les deux experts en question, actuellement en route pour Brahmpur, étaient le Pr Jaikumar et le Dr Ila Chattopadhyay. De manières douces, enseignant à Madras, spécialiste de Shelley, le Pr Jaikumar, différent en cela de son impétueux et aventureux poète favori, croyait à la stabilité du cosmos et à la paix entre les différents départements universitaires. C'était à lui que le Pr Mishra faisait visiter les lieux quand Pran avait eu son évanouissement.

Le Dr Ila Chattopadhyay ne poserait pas de problème : elle était l'obligée du Pr Mishra. Il siégeait au comité qui, quelques années auparavant, l'avait nommée assistante d'université, et il avait pris soin, à diverses reprises, de souligner auprès d'elle le rôle éminent qu'il avait joué dans cette décision, tout en lui décernant force éloges pour son travail sur Donne. Il ne doutait pas de sa complaisance.

Il vint l'attendre en gare de Brahmpur pour l'escorter jusqu'à la maison d'hôtes de l'université et, en chemin, tenta d'orienter la conversation sur la tâche du lendemain. Mais le Dr Chattopadhyay ne parut pas disposé à discuter des mérites des différents candidats en présence. « Pourquoi ne pas attendre les entretiens ? proposa-t-elle.

— Certainement, certainement, chère Madame, j'allais

vous le suggérer moi-même. Mais l'arrière-plan – j'étais sûr que vous aimeriez en être informée – ah, nous y voici.

— Je suis épuisée. Quel horrible endroit », dit Ila Chattopadhyay en regardant autour d'elle.

Pour quelqu'un ayant déjà fréquenté ce genre de maison, celle-ci n'avait rien de particulièrement horrible, encore qu'elle eût un aspect plutôt déprimant. Elle consistait en une succession de chambres sombres donnant sur un couloir. Des nattes en fibre de noix de coco tenaient lieu de tapis, et les tables étaient trop basses pour qu'on pût y écrire. Un lit, deux chaises, un éclairage défaillant, un robinet qui, même fermé, gouttait d'abondance, une chasse d'eau pingre, même actionnée avec violence : voilà pour l'équipement. Et, comme pour compenser l'ensemble, des dentelles défraîchies pendaient partout : aux fenêtres, sur les abat-jour, au dossier des chaises.

« Mrs Mishra et moi-même serions ravis de vous avoir à dîner, murmura le Pr Mishra. Les installations culinaires ici sont, disons, au mieux suffisantes.

— J'ai déjà mangé – Ila Chattopadhyay secoua vigoureusement la tête – et je suis vraiment épuisée. Je vais prendre une aspirine et me mettre au lit aussitôt. J'assisterai à votre fichu comité, ne vous en faites pas. »

Le Pr Mishra se retira, un peu perturbé par le comportement étrange du Dr Chattopadhyay.

S'il n'avait pas craint que cela fût mal interprété, il l'aurait invitée à loger chez lui. Au lieu de quoi, il invita le Pr Jaikumar.

« C'est hextrêmement – hinfiniment aimable », dit le Pr Jaikumar.

Cette accumulation d'adverbes et d'aspirations fit tressaillir de douleur le Pr Mishra.

« Pas du tout, pas du tout, se récria-t-il. C'est sur vous que repose la future stabilité de notre département, vous devez vous sentir le bienvenu, pour le moins.

— Oui, bienvenue, bienvenue, chuchota Mrs Mishra en s'inclinant les mains jointes.

— Je suis sûr que vous avez déjà étudié les requêtes des candidats et tout le reste, dit le Pr Mishra d'un ton bonhomme.

— Oui, en effet.

— Si je peux me permettre, je voudrais vous faire part de quelques idées qui pourraient aplanir les difficultés et faciliter la tâche de chacun – une sorte d'avant-goût de la séance. Essentiellement pour gagner du temps et éviter les soucis. Je sais que vous devez prendre le train de sept heures demain soir. »

Le Pr Jaikumar garda le silence, partagé entre la courtoisie et les convenances. Prenant ce silence pour un acquiescement, le Pr Mishra continua, son discours ponctué uniquement de quelques signes de tête du Pr Jaikumar.

« Voilà – conclut le Pr Mishra.

— Merci, merci, vous m'avez été très utile. Me voici dûment averti, et armé pour affronter les entretiens. » A ce dernier mot, le Pr Mishra tiqua. « Très utile. Et maintenant, je dois faire une petite prière.

— Bien entendu, bien entendu. » Cet accès de piété déconcerta le Pr Mishra. Il espéra qu'il ne s'agissait pas d'un rite de purification.

18.9

Un peu avant onze heures le lendemain matin le comité se réunit dans le bureau bien équipé, aux boiseries sombres, du vice-chancelier. Le secrétaire de l'université était là également, mais en simple observateur. Des candidats attendaient déjà dans l'antichambre. On but du thé, grignota quelques biscuits, bavarda de choses et d'autres, puis le vice-chancelier regarda sa montre et fit un signe de tête au secrétaire : on introduisit le premier candidat.

Depuis le début de la matinée, les choses n'allaient pas aussi bien que l'aurait souhaité le Pr Mishra ; en particulier, il n'avait pas de nouvelles définitives concernant le père de Pran. Le fait que le nom du vainqueur n'avait pas été donné au bulletin d'informations de la veille au soir prouvait que, pour une raison quelconque, le dépouillement avait pris du retard. Mais pas moyen d'en savoir plus. Il avait laissé des instructions chez lui pour qu'on le prévienne dès qu'il y aurait du nouveau, par téléphone ou même en lui faisant passer un mot. Il n'y aurait rien là d'inhabituel. Le vice-chancelier lui-même, qui tirait gloire de ses multiples occupations, n'hésitait pas à interrompre des réunions pour répondre au téléphone ou signer le courrier qu'on lui apportait.

Les entretiens se poursuivirent. Le clair soleil de février qui inondait la pièce aidait à dissiper l'atmosphère humide de l'imposant bureau. Les candidats – trente hommes et deux femmes, tous assistants, étaient traités non en collègues mais en solliciteurs par le vice-chancelier ; seul le neveu du Premier ministre eut droit à un accueil déférent. De temps à autre, un coup de téléphone troublait le déroulement de la séance. Si bien que le Dr Ila Chattopadhyay finit par dire :

« Vice-chancelier, ne pourriez-vous pas laisser cet appareil décroché ? »

Air absolument médusé du vice-chancelier.

« Ma chère dame, intervint le Pr Mishra.

— Nous avons fait un long voyage pour venir ici, reprit le Dr Ila Chattopadhyay, en tout cas deux d'entre nous. Ces comités de sélection sont un devoir, pas un plaisir. Jusqu'à présent, je n'ai pas vu un candidat correct. Nous devons repartir ce soir, mais à ce rythme je ne sais pas si nous y arriverons. Je ne vois pas pourquoi nous devrions supporter ces interruptions incessantes. »

Son éclat fit son effet. Pendant l'heure qui suivit, le vice-chancelier interdit qu'on lui passe une communication.

Pendant le déjeuner, servi dans une pièce adjacente, on échangea quelques potins de métier. Le Pr Mishra pria qu'on l'excuse. Un de ses fils n'allait pas très bien, et il devait rentrer chez lui. Le Pr Jaikumar parut un peu surpris.

Une fois à la maison, le Pr Mishra téléphona à l'un de ses informateurs.

« Que se passe-t-il, Badri Nath ? Pourquoi ne m'avez-vous pas appelé ?

— A cause de George VI évidemment.

— Qu'est-ce que vous racontez ? George VI est mort. Vous n'écoutez pas les informations ?

— Justement, gloussa l'autre au bout du fil.

— Il n'y a rien à tirer de vous, Badri Nath ji. Oui, George VI est mort, les drapeaux sont en berne, et qu'est-ce que ça a à voir avec moi ?

— Ils ont arrêté le dépouillement.

— Ils ne peuvent pas faire ça !

— Si – ils le peuvent. Ils avaient commencé en retard – la jeep du chef de district était tombée en panne – et ils n'avaient donc pas fini à minuit. Et à minuit, on a suspendu le dépouillement – dans tout le pays – en signe de respect. » La cocasserie de la chose fit glousser Badri Nath de plus belle.

Le Pr Mishra, lui, ne trouva pas ça cocasse le moins du monde. L'ex-empereur-roi des Indes n'avait pas à mourir en ce moment.

« Où en étaient-ils arrivés du dépouillement ? demanda-t-il.

— C'est ce que je m'efforce de découvrir.

— Découvrez-le je vous en prie. Et donnez-moi la tendance.

— Quelle tendance ?

— Ne pouvez-vous au moins me dire qui vient devant ?

— Il n'y a ni devant ni derrière, Mishraji. Ils ne comptent pas les voix bureau de vote par bureau de vote. Ils dépouillent en premier toutes les urnes du premier candidat, et ainsi de suite.

— Oh. » Le Pr Mishra commençait à avoir mal à la tête. « Mais ne vous en faites pas – il a perdu. Croyez-moi. Toutes mes sources convergent. Je vous le garantis. »

Le Pr Mishra ne demandait qu'à le croire, pourtant un petit doute le poussa à dire : « Appelez-moi à quatre heures dans le bureau du vice-chancelier. Numéro : 623. Je dois savoir ce qui se passe avant qu'on ne commence la discussion.

— Qui aurait pensé ça ! dit Badri Nath en riant. Les Anglais gouvernent toujours notre vie. »

Le Pr Mishra raccrocha. « Où est mon déjeuner ? demanda-t-il à sa femme.

— Mais tu as dit que tu – » La mine qu'offrait son époux la dissuada de continuer « Je vais te préparer quelque chose », dit-elle.

18.10

L'entretien avec Pran se déroula comme prévu en début d'après-midi. Le vice-chancelier lui posa la question habituelle sur la pertinence de l'enseignement de l'anglais en Inde. Le Pr Jaikumar l'interrogea avec délicatesse sur *Scrutiny** et F.R. Leavis. Le Pr Mishra lui demanda des nouvelles de sa santé, discourut sur la lourde charge que constitue l'enseignement. Le vieux professeur d'histoire, nommé par le chancelier, ne dit rien.

Avec le Dr Ila Chattopadhyay, Pran se sentit tout à fait à l'aise. Elle orienta l'entretien sur le *Conte d'hiver*, une des pièces favorites de Pran, et ils partirent dans une longue discussion, évoquant les invraisemblances de l'intrigue, les difficultés qu'on avait à imaginer, et encore plus à jouer, certaines scènes, la fin si extravagante et si émouvante. Ils estimaient tous deux que la pièce devait figurer dans tous les programmes. Ils s'accordèrent avec violence, se disputèrent avec plaisir. A un moment, Ila Chattopadhyay lui reprocha carrément de dire des absurdités ; le visage tourmenté du Pr Mishra se fendit d'un sourire. A l'évidence, toutefois, elle trouvait ces absurdités stimulantes, et mettait toute son énergie à les réfuter.

L'entretien de Pran – ou plutôt sa conversation avec le Dr Chattopadhyay – dura deux fois plus que le temps qui lui était imparti. Mais, fit-elle remarquer, certains candidats avaient été remerciés au bout de cinq minutes, et elle attendait avec impatience d'en entendre un autre du calibre de Pran.

---

* Revue littéraire anglaise des années 30, à laquelle le critique Frank Raymond Leavis prit une part importante. *(N.d.T.)*

A quatre heures de l'après-midi, tous les candidats avaient défilé, et le comité s'accorda une pause pour le thé. La déférence du domestique qui servit n'alla qu'au vice-chancelier, ce qui irrita le Pr Mishra.

« Vous paraissez bien pensif, lui dit le Pr Jaikumar.

— Pensif ?

— Mais oui.

— Je me demandais pourquoi les enseignants indiens publient si peu. Regardez nos candidats : combien peuvent revendiquer une publication de valeur ? Le Dr Chattopadhyay, bien entendu, constitue une exception. Il y a des lustres de cela, chère Madame – il se tourna vers elle –, je me souviens de la forte impression que m'a faite la lecture de votre étude sur les Métaphysiques. C'était bien longtemps avant que je ne siège au comité qui –

— Nous ne sommes plus jeunes ni les uns ni les autres, l'interrompit le Dr Chattopadhyay, et aucun d'entre nous n'a publié quelque chose de valable depuis dix ans. Je me demande pourquoi. »

Tandis que le Pr Mishra digérait cette remarque, le Pr Jaikumar avança une explication qui ne lui fut pas moins douloureuse. « Notre jeune professeur d'université, dit-il, est débordé de travail quand il débute – il lui faut henseigner la prose hélémentaire et l'hanglais obligatoire. S'il est de nature consciencieuse, il ne lui reste plus de temps pour rien d'autre. Et le feu s'est héteint...

— S'il a jamais existé, ajouta le Dr Chattopadhyay.

— ... il a charge de famille, de petits hémoluments, joindre les deux bouts est un problème. Heureusement, j'ai une femme peu dépensière, ce qui m'a permis d'aller en Hangleterre, et c'est ainsi qu'est né mon hintérêt pour Shelley. »

Distrait par cette prononciation particulière des voyelles, le Pr Mishra dit : « Certes, mais je n'arrive pas à saisir pourquoi, une fois que nous avons acquis une certaine expérience et disposons de plus de loisirs –

— Alors, d'himportants comités comme celui-ci nous mobilisent. Et puis, nous en connaissons trop et n'avons plus de motivation hexpresse pour écrire. Hécrire est hen soi une découverte. L'hexplication est l'hexploration. » Le Pr Mishra frissonna intérieurement tandis que son collègue continuait. « Peut-être, avec les hannées, et la pensée qu'il connaît tout dans son domaine, notre huniversitaire se tournera-t-il vers la religion qui va au-delà du savoir – du gyaan à la bhakti. La rationalité n'a qu'une faible hempreinte sur le psychisme indien. Même le grand Shankara, Adi-Shankara, qui a dit dans son advaïta que la grande hidée, celle de Brahman – que l'on doit ramener, pour l'Homme borné, à celle d'Ishvara – qui priait-il ? Durga ! Durga ! répéta-t-il en regardant tour à tour chacun de ses collègues et, plus particulièrement, le Dr Chattopadhyay.

— Certes, certes, dit celle-ci, mais j'ai un train à prendre.

— Bon, dit le vice-chancelier, dans ces conditions, décidons-nous.

— Ça ne devrait pas nous prendre longtemps, remarqua Ila. Ce garçon mince et au teint sombre, Prem Khanna, est à cent coudées au-dessus des autres.

— Pran Kapoor, la corrigea le Pr Mishra, prononçant les syllabes avec une répugnance distinguée.

— Prem, Pran, Prem, Pran : je me trompe toujours dans ces choses-là. Parfois, je me demande ce qui est arrivé à mon cerveau. Enfin vous voyez qui je veux dire.

— Certes. » Le Pr Mishra pinça les lèvres. « Mais il se pourrait que certaines difficultés se présentent. Envisageons quelques autres possibilités – par justice pour les autres candidats.

— Quelles difficultés ? » aboya Ila Chattopadhyay, bien décidée à ne pas passer une nouvelle nuit au milieu des dentelles et du coir.

« Eh bien, il a perdu quelqu'un de très cher, récemment. Sa pauvre mère. Il ne sera pas en état d'entreprendre –

— La pensée de sa mère ne l'a certainement pas empêché de débattre avec moi cet après-midi.

— Pour dire que Shakespeare est invraisemblable. » Le Pr Mishra pinça les lèvres pour souligner le côté sacrilège d'une telle assertion.

« Pas du tout ! Il a dit que l'intrigue du *Conte d'hiver* est invraisemblable, et il a raison. Mais soyons sérieux. Cette histoire de deuil ne nous concerne pas.

— Chère madame, c'est à moi qu'incombe la tâche de diriger ce département. Je dois veiller à ce que chacun y mette du sien. Le Pr Jaikumar, j'en suis sûr, reconnaîtra avec moi que l'on ne doit laisser personne faire tanguer la barque.

— Et par conséquent s'assurer, par tous les moyens, que ceux que le capitaine juge indignes des première classe demeurent dans l'entrepont. C'est bien ça ? »

Dans la discussion qui s'ensuivit, Ila Chattopadhyay, qui avait compris que le Pr Mishra n'aimait pas Pran, découvrit que lui et le vice-chancelier avaient un candidat favori, un garçon qu'elle-même avait trouvé très ordinaire, mais envers lequel ils s'étaient montrés d'une excessive courtoisie.

Soutenu par le vice-chancelier, et avec l'accord tacite du représentant du chancelier, le Pr Mishra prit fait et cause pour ce garçon. Tolérable en qualité d'universitaire, Pran se montrait très peu coopératif dans la direction du département. Il manquait de maturité. Dans deux ans, peut-être, on reconsidérerait sa candidature. L'autre, aussi bon, constituait un bien meilleur élément. Par ailleurs, Pran soutenait des idées très étranges sur la composition des programmes, jusqu'à vouloir faire avaler Joyce – mais oui, Joyce ! Son frère était un vaurien, au centre d'un scandale qui rejaillirait sur le nom du département ; toutes ces choses pouvaient paraître, pour des gens venus de l'extérieur, étrangères à l'affaire en question, mais l'on devait respecter une certaine décence. Sans compter que Pran avait une mauvaise santé ; il arrivait en retard à ses cours. Le Pr Jaikumar pouvait en témoigner, qui l'avait vu s'évanouir en pleine classe. On racontait qu'il avait une aventure avec une étudiante. Certes, on ne pouvait s'attendre, les choses étant ce qu'elles sont, à trouver des preuves de ces assertions, mais il convenait de ne pas les rejeter totalement.

« Et je suppose qu'il boit, en plus ? dit Ila Chattopadhyay. Je ne sais pas ce qu'il se passe ici, mais il se passe quelque chose, et je ne vais certainement pas m'y associer. »

Le Pr Mishra la fixait, hors de lui. Une telle ingratitude à son égard dépassait l'imagination.

« Je crois que vous devriez vous calmer, lâcha-t-il.

— Me calmer ? Me calmer ? S'il y a une chose que je déteste, c'est la grossièreté ! » Voyant qu'elle avait marqué

749

un point, elle poursuivit : « Et s'il y a une chose que je me refuse à ne pas reconnaître, c'est la valeur. Ce jeune homme a de la valeur. Il connaît son sujet. Je suis sûre que son enseignement est très stimulant. A en juger par son dossier, par le nombre de comités auxquels il siège, d'activités extra-scolaires auxquelles il participe, je ne vois pas comment on peut lui reprocher de ne pas "y mettre du sien". Je dirais que c'est plutôt l'inverse. Il doit obtenir le poste. Le Pr Jaikumar et moi-même sommes ici pour empêcher toute – elle avait failli dire "canaillerie" – toute manœuvre irresponsable. Excusez-moi, je suis une femme stupide, mais j'ai appris que quand une chose doit être dite, il faut la dire. Si nous ne parvenons pas à une décision correcte et que vous fassiez passer votre candidat, j'exigerai que vous inscriviez dans votre rapport que les experts vous ont refusé leur accord – »

Même le Pr Jaikumar parut choqué. « Le sang-froid conduit au paradis, murmura-t-il en tamoul, mais la passion incontrôlée mène à des abîmes éternels. » On ne votait jamais sur de tels sujets, on décidait par consensus. Voter signifiait que l'affaire serait portée devant le Conseil exécutif de l'université, à charge pour lui de décider, et personne ne voulait cela. C'est sous le poids de la vengeance que la barque tanguerait. Ce serait ouvrir la voie à l'instabilité, au désordre. Aux regards que le Pr Mishra jetait à sa collègue on devinait qu'il l'aurait volontiers balancée incontinent par-dessus-bord – en espérant que l'eau serait infestée de méduses.

« Si je peux me permettre – l'interruption venait, fait très rare, du Pr Jaikumar – je ne crois pas à l'utilité d'un tel rapport. Il nous faut parvenir à une bonne décision. » D'une probité foncière, d'une réelle culture, le tête-à-tête qu'il avait eu avec son hôte la veille l'avait beaucoup troublé. Il avait décidé de ne pas soutenir en tout cas l'homme qu'on lui avait recommandé d'une façon si peu orthodoxe. « Ne pourrions-nous penser à un troisième candidat ?

— Bien sûr que non, répliqua Ila Chattopadhyay, qui bouillait à présent de se battre. Pourquoi choisir un troisième couteau, sous prétexte de compromis, alors que nous avons sous la main quelqu'un de premier rang ?

— C'est vrai, reconnut le Pr Jaikumar. Comme il est dit dans le Tirukural (il prit une seconde pour traduire) : "Une fois hétabli que cet homme peut effectuer cette tâche parce qu'il possède la compétence, et l'outil requis, il convient de confier cette tâche à cet homme." Mais il est dit également : "La sagesse consiste aussi à se conformer aux husages du monde." Il est vrai qu'à un autre hendroit on trouve – »

Le téléphone sonna. Le Pr Mishra bondit sur sa chaise. Le vice-chancelier décrocha. « Ici le vice-chancelier... Je suis désolé, je suis en réunion... oh, c'est pour vous, Pr Mishra. Vous attendiez un appel ?

— Euh, oui, j'ai demandé au médecin – allô, oui, **Mishra** à l'appareil. »

18.11

« Vieux bandit, ricana Badri Nath.

— Euh, oui, docteur, quelles nouvelles ? demanda Mishra en hindi.

— Mauvaises. »

La mâchoire de Mishra s'affaissa. Les autres s'efforçaient de parler entre eux, mais il était difficile de ne pas entendre sa partie à lui de la conversation.

« Je vois. Jusqu'à quel point ?

— Le dépouillement, effectué par ordre alphabétique, s'est arrêté après Kapoor, juste avant Khan.

— Alors comment savez-vous qui –

— Mahesh Kapoor a obtenu 15 575 voix. Ce qui n'en laisse pas assez pour que Waris Khan puisse le battre. Mahesh Kapoor est parti pour gagner. »

Le Pr Mishra porta sa main libre à son front, où de grosses gouttes de sueur commençaient à se former.

« Que voulez-vous dire ? Comment savez-vous ? Pouvez-vous parler plus lentement ? Je ne suis pas habitué à cette terminologie.

— D'accord. Demandez au vice-chancelier du papier et

un crayon. » Bien que très déçu lui-même par ces résultats, Badri Nath essayait de tirer le plus de plaisir possible de la situation.

« J'en ai là. » Mishra tira une enveloppe et un crayon de sa poche. « Allez lentement je vous prie.

— Pourquoi ne vous contentez-vous pas de ce que je vous dis ?

— Je veux savoir comment vous êtes parvenu à cette conclusion. » (Alors que ce matin même vous me disiez qu'il avait perdu, eut-il envie de rétorquer.)

Badri Nath poussa un profond soupir. « Ecoutez bien, professeur. Il y a 66 918 votants. Etant donné le fort taux d'abstention dans cette région, environ cinquante-cinq pour cent, on arrive à 37 000 voix. Je continue ? Pour les cinq premiers candidats, le dépouillement donne un total de 19 351 suffrages. Ce qui en laisse 18 700 pour les cinq autres, dont quatre – Waris excepté – devraient faire 5 000 voix : ils comprennent le socialiste, le candidat du Jan Sangh et un Indépendant plutôt populaire. Que reste-t-il donc pour Waris Khan, professeur ? Moins de 14 000 voix. Et Mahesh Kapoor en a déjà 15 575... Vraiment dommage. La visite de Chacha Nehru a tout chamboulé. Vous voulez que je répète les chiffres ?

— Non, non merci. Quand doit-on reprendre ?

— Reprendre quoi ? Le dépouillement ?

— Oui. Le traitement.

— Demain.

— Merci. Puis-je vous rappeler plus tard dans la soirée ?

— Bien entendu. Vous me trouverez au service des morts et des blessés », gloussa Badri Nath.

Le Pr Mishra se rassit lourdement.

« Pas de mauvaises nouvelles, j'espère ? demanda le Pr Jaikumar. Vos deux fils paraissaient si bien hier.

— Non, non. Chacun a sa croix à porter sur la terre. Mais nous devons accomplir notre devoir. Je suis désolé de vous avoir fait attendre. »

Il apparut que le Pr Mishra se montrait beaucoup plus clément envers Pran. Il trouva même une ou deux choses à dire en sa faveur. Ila Chattopadhyay se demanda si la perspective d'une dissension et d'un scandale l'avait obligé à s'incliner – ou si la maladie de son fils l'avait forcé à s'interroger.

A la fin de la réunion, le Pr Mishra avait récupéré en grande partie sa placidité.

« Vous oubliez vos numéros de téléphone, lui dit le Pr Jaikumar, en lui tendant l'enveloppe.

— Oh oui – Merci. »

Plus tard, alors qu'il se dépêchait de faire sa valise, le Pr Jaikumar remarqua, à sa grande stupeur, les deux fils de Mishra en train de jouer devant la maison, apparemment aussi robustes que d'habitude.

A la gare, il lui revint que les numéros de téléphone à Brahmpur étaient à trois chiffres, non à cinq. Mais il ne put résoudre ce mystère, le Pr Mishra, prétextant un rendez-vous antérieur, ne l'ayant pas accompagné.

Après quelques mots avec le vice-chancelier, Mishra avait en fait pris le chemin du domicile de Pran. Résigné à le congratuler.

« Mon cher garçon, dit-il en lui saisissant les deux mains. Il s'en est fallu de peu, de très peu. Certains candidats étaient tout à fait excellents, mais, eh bien, je crois qu'il y a entre nous une compréhension, une équation, et – je ne devrais pas vous le dire tant que l'enveloppe contenant notre choix n'a pas été ouverte par le Conseil académique – non que votre propre performance n'ait pas autant pesé sur notre décision que les humbles mots que j'ai pu prononcer en votre faveur – » Le Pr Mishra soupira. « Il y avait de l'opposition. Certains ont dit que vous étiez trop jeune, avec trop peu d'expérience. "Le crime atroce d'être jeune...", etc. Mais, toute question de valeur mise à part, en une période si triste pour votre famille, on éprouve un sentiment d'obligation, le besoin de faire quelque chose. Je ne suis pas de ceux qui chantent l'humanité en termes exagérés, mais n'est-ce pas le grand Wordsworth qui parlait de "ces petits actes de bonté et d'amour anonymes et oubliés" ?

— Je crois que oui », dit Pran, perplexe, en serrant les mains pâles et transpirantes du Pr Mishra.

Mahesh Kapoor assista, à la perception de Rudhia, au dépouillement du vote de Salimpur/Baitar. Il était arrivé en retard, mais le magistrat de district aussi, en raison d'une panne de voiture. On regroupa les urnes correspondant à chaque candidat, et on commença par l'Indépendant, le premier par ordre alphabétique, Iqbal Ahmad. Sous le regard attentif des agents électoraux de chaque candidat, les fonctionnaires chargés de l'opération renversèrent ses urnes sur plusieurs tables – le comptage pouvait débuter.

Malgré le secret exigé de tous les participants, la rumeur ne tarda pas à se répandre que le score d'Ahmad était aussi mauvais qu'on pouvait s'y attendre. Les votants n'ayant pas, en ce qui concernait l'élection générale, à faire une marque sur leur bulletin mais simplement à le glisser dans l'urne de leur choix, il n'y eut guère lieu d'annuler des bulletins. Si l'opération n'avait pas commencé avec retard, tout aurait dû être terminé avant minuit. Or il était déjà onze heures, et l'on n'avait pas fini de compter les voix du candidat du Congrès ; il faisait un score remarquable : plus de 14 000 voix, alors qu'il restait plusieurs urnes à vider.

Dans certaines, on trouvait un peu de poudre rouge et quelques pièces de monnaie. Probablement des paysans pieux qui, en voyant le bétail sacré représenté sur l'urne, avaient glissé une offrande en même temps que leur bulletin.

Tandis que le dépouillement continuait, Mahesh Kapoor se dirigea vers Waris, qui faisait grise mine, et lui dit : « Adaab arz, Waris Sahib.

— Adaab arz », répliqua Waris avec hargne. Le « Sahib » se voulait sûrement ironique.

« Tout se passe bien pour Firoz ? »

Il n'y avait pas la moindre animosité dans la question, mais Waris se sentit tout honteux, se rappelant les tracts roses.

« Pourquoi demandez-vous ça ?

— Simplement pour savoir. J'ai très peu de nouvelles, et

j'ai pensé que vous pourriez m'en donner. Je ne vois pas le Nawab Sahib. Compte-t-il venir ?

— Il n'est pas candidat. Oui, Firoz va bien.

— J'en suis heureux. » Il faillit lui faire transmettre ses meilleurs vœux, mais se ravisa et s'éloigna.

Un peu avant minuit, les résultats donnaient ceci :

1.	Iqbal Ahmad	Indépendant	608
2.	Mir Shamsher Ali	Indépendant	481
3.	Mohammad Hussain	PTP	1 533
4.	Shanti Prasad Jha	Ram Rajya Parishad	1 154
5.	Mahesh Kapoor	Congrès	15 575

A minuit, alors que s'achevait le dépouillement concernant Mahesh Kapoor, le magistrat de district déclara la suspension des opérations en signe national de respect envers le roi George VI. Le suspense était terrible, le nom de Waris Khan suivant immédiatement celui de Mahesh Kapoor, mais personne ne protesta. Le magistrat enferma séparément les bulletins décomptés et les urnes encore pleines dans le coffre et annonça que le dépouillement reprendrait le 8 février.

Les résultats cependant avaient déjà circulé ; nombreux à Brahmpur et dans la circonscription furent ceux qui en tirèrent les mêmes conclusions que l'informateur du Pr Mishra. Mahesh Kapoor lui aussi se montra optimiste. Il rentra chez lui, dans sa ferme de Rudhia, fit le tour de ses champs en compagnie de l'intendant.

Le matin du 8, il se réveilla plein de gratitude, avec le sentiment euphorisant d'avoir un poids de moins sur les épaules.

18.13

Le dépouillement reprit, une fois de plus, et lorsqu'on atteignit les 10 000 voix pour Waris, on se rendit compte qu'en fait, la lutte allait être très serrée. Dans les environs immédiats de Baitar, le taux de participation avait dépassé de beaucoup les cinquante-cinq pour cent, chiffre qui, au vu des résultats obtenus dans d'autres régions, passait déjà pour très élevé.

A 14 000, alors qu'il restait encore des urnes à vider, un grand malaise s'empara des gens du Congrès. Le magistrat de district dut menacer de suspendre à nouveau le comptage si le calme ne revenait pas.

A 15 000, le tohu-bohu fut énorme. Dans le camp du Congrès, les plus hargneux commençaient à parler de tricherie. Mahesh Kapoor leur ordonna de se taire, mais son visage trahissait son désarroi. Chez ses opposants, on jubilait. L'attente ne fut pas longue : 15 576, annonça-t-on, et le dépouillement n'était pas terminé. Waris sauta sur une table, hurla de joie. Ses camarades le hissèrent sur leurs épaules, à l'extérieur, les cris fusèrent :

« Le député de Baitar, ce doit être qui ?

— Waris Khan Sahib, ce ne peut-être que lui ! »

Dans son ravissement – son bonheur d'avoir gagné, de s'entendre appeler Sahib, d'avoir vengé le jeune Nawabzada – Waris en oubliait sa vilenie, la diffusion de tracts truqués.

Le magistrat le ramena littéralement sur terre en menaçant de l'expulser de la perception si ses partisans n'arrêtaient pas leur tapage. « Calmez-vous, calmez-vous, leur dit Waris. Maintenant que je suis député, nous verrons qui sera expulsé le premier, lui ou moi. »

Du côté de Mahesh Kapoor, plusieurs le pressaient de déposer plainte – de mettre en doute le résultat. Il était évident que, dans la zone de Baitar en tout cas, les tracts annonçant la mort de Firoz avaient eu un effet dévastateur, poussant les gens à sortir de chez eux pour aller voter en faveur de Waris. Sans illusion, amer, Mahesh Kapoor refusa : Waris avait obtenu 16 748 voix, la différence était trop importante pour justifier que l'on demande un nouveau comptage. Il se résolut à aller féliciter son adversaire. Waris accepta ses félicitations avec calme et bienveillance. Sa victoire avait balayé tout sentiment de honte.

On procéda ensuite au dépouillement des votes concernant les autres candidats, puis le magistrat de district déclara officiellement Waris Khan vainqueur. La radio annonça la nouvelle dans la soirée. Les résultats définitifs étaient les suivants :

SALIMPUR/BAITAR (District de Rudhia, Purva Pradesh)

Election de l'assemblée législative

Nombre de sièges 1
Candidats inscrits 10
Nombre d'électeurs 66 918
Nombre de bulletins validés 40 327
Taux de participation ....60,26 %

	NOM (ordre alphabétique anglais)	PARTI	VOIX	%
1.	Iqbal Ahmad	Indépendant	608	1,51
2.	Mir Shamsher Ali	Indépendant	481	1,19
3.	Mohammad Hussain	PTP	1 533	3,80
4.	Shanti Prasad Jha	Ram Rajya Parishad	1 154	2,86
5.	Mahesh Kapoor	Congrès	15 575	38,62
6.	Waris Mohammad Khan	Indépendant	16 748	41,53
7.	Mahmud Nasir	Communiste	774	1,92
8.	Madan Mohan Pandey	Indépendant	1 159	2,87
9.	Ramlal Sinha	Socialiste	696	1,73
10.	Ramratan Srivastava	Jan Sangh	1 599	3,97

Vainqueur : Waris Mohammad Khan

18.14

Au Fort de Baitar cette nuit-là, ce fut la jubilation.

Waris fit allumer un immense feu de bois, sur lequel on grilla une douzaine de moutons et une douzaine de chèvres, invita quiconque l'avait aidé ou avait voté pour lui à participer à la fête, étendit même l'invitation à ces salopards qui avaient voté contre lui. Il prit soin de ne pas servir d'alcool, mais lui-même était fin soûl quand il accueillit ses invités auxquels il tint un discours – il en avait désormais une grande pratique – sur la noblesse de la maison de Baitar, l'excellence de l'électorat, la gloire de Dieu et le prodigieux Waris.

Sur ce qu'il envisageait de faire à l'Assemblée, il garda le silence ; mais en lui-même il ne doutait pas d'apprendre à tirer les ficelles du jeu politique aussi rapidement qu'il avait maîtrisé les ruses de la compétition électorale.

L'onctueux munshi accepta toutes les dépenses, fit décorer de fleurs le porche d'entrée, salua Waris les mains jointes et les larmes aux yeux. Il avait toujours aimé Waris, toujours su la grandeur qui se dissimulait en lui, et voilà que ses prières étaient exaucées. Il tomba à ses pieds, demanda à Waris sa bénédiction, lequel Waris lui dit, bredouillant et magnanime : « D'accord, baiseur de ta sœur, je te bénis. Et maintenant debout ou je vomis sur toi. »

18.15

Assis dans son jardin de Prem Nivas, quelques jours après les résultats de l'élection, Mahesh Kapoor s'entretenait avec Abdus Salaam, son ancien secrétaire parlementaire. La lassitude marquait ses traits, assommé qu'il était par les multiples conséquences de sa défaite. Disparue l'activité qui avait donné un sens à sa vie, lui avait procuré les moyens de faire le bien. A sa blessure d'orgueil s'ajoutait l'assurance que, désormais sans pouvoir, il allait lui être difficile d'aider son fils, dont l'inculpation était proche. Disparue aussi son amitié avec le Nawab ; il n'éprouvait que honte et tristesse pour ce qui leur était arrivé, à lui et à Firoz. Enfin, chaque instant passé à Prem Nivas, surtout dans le jardin, lui rappelait sa femme.

Examinant, sur la feuille de papier qu'il tenait à la main, les différents chiffres symboles de la bataille qui venait de se dérouler, il retrouva un peu de son ancienne flamme pour en discuter avec Abdus Salaam. Si le PTP s'était dissous et avait rejoint le Congrès, à l'instar de Mahesh Kapoor lui-même, les voix qui se seraient reportées sur le

Congrès auraient permis de battre Waris. Si sa femme avait été là pour l'aider, elle lui aurait apporté, comme d'habitude, mille ou deux mille voix. Sans le tract annonçant la mort de Firoz, ou en tout cas sans sa distribution si tardive qu'on n'avait pu le réfuter, il aurait gagné. Quelles que soient les rumeurs qui circulaient sur le Nawab, il refusait de croire que son ancien ami avait avalisé cette fourberie. Elle ne pouvait venir que de Waris, Waris seul.

Cette analyse objective le ramena à la tristesse de sa situation. Il ferma les yeux et se tut.

« Waris constitue un phénomène intéressant, dit Abdus Salaam. "Je sais ce qui est moral mais n'ai pas de penchant pour ça, je sais ce qui est immoral et n'éprouve pas pourtant d'aversion pour ça" – pour reprendre la phrase de Duryodhana s'adressant à Krishna.

— Non, Waris n'est pas cette sorte d'homme. Il n'a pas le sens du mal ou de l'immoralité. Je le connais. Je me suis battu avec lui et contre lui. Il est du genre à tuer quelqu'un à propos d'une femme, d'un champ, ou à la suite d'une querelle – puis à aller se rendre en se vantant – "Je lui ai réglé son compte !" – et en s'attendant à ce que tout le monde comprenne.

— Vous resterez en politique, prédit Abdus Salaam.

— Vraiment ? » Mahesh Kapoor eut un rire bref. « J'ai même cru, après ma conversation avec Jawaharlal, que je deviendrais peut-être Premier ministre. Que d'ambitions ! Je ne suis même plus député. En ce qui vous concerne, j'espère que vous n'accepterez pas de vous laisser refiler un malheureux petit poste. Vous êtes jeune, vous avez fait de l'excellent travail, et ils voudront avoir deux ou trois musulmans au gouvernement, quel que soit le Premier ministre. Sharma ou Agarwal.

— Oui, je suppose. Mais je ne crois pas qu'Agarwal me choisirait, même une baïonnette sur la gorge.

— Ainsi Sharma va à Delhi ? » Mahesh Kapoor observa deux ou trois mainates se pavanant sur la pelouse.

« Personne ne sait. En tout cas pas moi. Chaque rumeur en suscite une autre opposée. Pourquoi n'iriez-vous pas à Delhi pour quelques jours ?

« — Je ne bougerai pas d'ici. » Abdus Salaam, se souvenant de Maan, ne répliqua pas.

« Quelles nouvelles de votre autre fils et de sa promotion ? demanda-t-il.

— Il était ici ce matin avec ma petite-fille. Je lui ai posé la question. Il m'a simplement dit que l'entretien, à son avis, s'était bien déroulé. »

Redoutant quelque manœuvre impénétrable du Pr Mishra, n'osant accorder foi à ses propos, Pran n'avait parlé à quiconque – pas même à Savita – de sa supposée sélection. Leur évitant ainsi une déception encore plus grande au cas où la nouvelle se révélerait fausse. Il aurait toutefois aimé pouvoir le dire à son père, ce qui lui aurait peut-être apporté un peu de réconfort.

« Quelque chose de bon va vous arriver, remarqua Abdus Salaam. Dieu apporte le soulagement à ceux qui souffrent. »

Le mot arabe employé par Abdus Salaam pour dire Dieu rappela à Mahesh Kapoor le rôle que la religion avait tenu dans sa bataille électorale. Ecœuré, il referma les yeux.

Abdus Salaam sembla deviner ce qu'il pensait. « Ce sont les préjugés qui ont joué en faveur de Waris, dit-il. Vous auriez eu honte de vous placer sur le terrain de la religion. Waris a peut-être agi en homme loyal au début, mais à en juger par cette histoire de tract, il est devenu mauvais.

— Ce genre de spéculation ne sert à rien. D'ailleurs "mauvais" est un mot trop fort. Il aime Firoz, c'est tout. Il a servi cette famille toute sa vie.

— Il va aimer sa nouvelle position de la même manière. Je vais bientôt l'avoir en face de moi à la Chambre. Une chose m'intéresse : je suis curieux de voir combien de temps il lui faudra pour s'affirmer contre le Nawab Sahib.

— Je ne pense pas qu'il le fera. Mais si cela était, nous n'y pourrions rien. S'il est mauvais, comme vous le dites, il est mauvais.

— Le problème n'est pas que les méchants aient des préjugés.

— Et quel est-il, alors ?

— Si seuls les méchants avaient des préjugés, l'effet n'en serait pas très important. La plupart des gens ne souhaitant pas les imiter, ces préjugés n'entraîneraient pas de grandes conséquences – sauf à des périodes exceptionnelles. Ce sont les préjugés des braves gens qui sont dangereux.

— C'est trop subtil. Blâmez donc ce qui doit être blâmé. Les incendiaires, les provocateurs, voilà les méchants.

— Mais beaucoup de ces provocateurs sont bons par ailleurs.

— Je ne discuterai pas avec vous.

— C'est pourtant ce que je veux que vous fassiez. »

Mahesh Kapoor grogna, impatienté, mais se tut.

« Le Congrès remportera soixante-dix pour cent des sièges à l'Assemblée de notre Etat. Vous ne tarderez pas à revenir à l'occasion d'une élection partielle. Je suis sûr que les gens sont surpris de ne pas vous voir déposer une demande de réexamen des résultats de Salimpur.

— Ce que pensent les gens – »

Abdus Salaam essaya une dernière fois de sortir son mentor de sa torpeur. Il se lança dans une de ces ruminations qu'il aimait tant.

« C'est intéressant d'observer à quel point, quatre ans seulement après l'Indépendance, le Congrès a changé. Tous ces gens qui se sont battus pour la liberté à présent se battent entre eux. Et de petits nouveaux font leur apparition. Supposez que je sois un criminel, par exemple, et que je n'aie pas eu trop de mal à entrer en politique, je ne dirais pas : "Je m'occupe peut-être de meurtres ou de drogue, mais la politique est sacrée." Car elle ne serait pas plus sacrée pour moi que la prostitution. »

Mahesh Kapoor continuant à se taire, il poursuivit : « Il faut de plus en plus d'argent pour se lancer dans une campagne électorale, et les politiciens devront de plus en plus avoir recours aux hommes d'affaires. Désormais corrompus eux-mêmes, ils ne pourront plus chasser la corruption de la fonction publique. Ils ne le voudront même pas. Tôt ou tard, ce sont ces politiciens corrompus qui nommeront les juges, les commissaires électoraux, les hauts fonctionnaires et les policiers – toutes nos institutions seront gangrenées. Le seul espoir – Abdus Salaam insista sur la provocation – est que le Congrès sera balayé à la prochaine consultation... »

Comme à un concert une simple fausse note peut réveiller l'auditeur apparemment endormi, la dernière phrase d'Abdus Salaam fit ouvrir les yeux à Mahesh Kapoor.

« Abdus Salaam, je ne suis pas d'humeur à discuter. Arrêtez de parler pour ne rien dire.

— Tout ce que j'ai dit est possible. Probable même.

— Le Congrès ne sera pas balayé.

— Pourquoi pas, Sahib ministre ? Nous avons recueilli moins de cinquante-cinq pour cent des suffrages. La prochaine fois, nos adversaires comprendront mieux l'arithmétique électorale, ils uniront leurs forces. Et Nehru, notre ramasseur de voix, sera mort ou à la retraite. Il ne tiendra pas encore cinq années à ce poste. Il sera usé.

— Nehru me survivra, et à vous aussi probablement.

— On parie ?

— Qu'est-ce que vous essayez de faire ? De me mettre en colère ?

— Un petit pari amical.

— Ça suffit. Laissez-moi, je vous prie.

— Très bien, Sahib ministre. Je reviendrai demain à la même heure. »

Mahesh Kapoor se contenta de regarder le jardin, sans répondre. Les premiers bourgeons apparaissaient sur le kachnar : de longues cosses vertes avec une légère touche de mauve à l'endroit où éclaterait la fleur. Des myriades de petits écureuils jouaient à se poursuivre autour de l'arbre ou dedans. Le colibri, comme d'habitude, entrait et sortait du pamplemoussier ; de quelque part, un barbican lançait son appel insistant. Mahesh Kapoor ignorait le nom anglais ou hindi des oiseaux et des fleurs qui l'entouraient ; peut-être, dans son état d'esprit actuel, n'en appréciait-il que mieux le jardin. C'était son seul refuge, sans nom, sans parole, avec le chant des oiseaux pour unique bruit – où prédominait, quand il fermait les yeux, le moins intellectuel des sens – l'odorat.

Il arrivait à sa femme, naguère, de lui demander son opinion avant de créer une nouvelle plate-bande ou de planter un nouvel arbre. « Fais ce que tu veux, lui rétorquait-il, excédé. Est-ce que je te demande ton opinion sur mes dossiers ? » Elle avait fini par y renoncer.

A la joie tranquille de Mrs Mahesh Kapoor et à la frustration de ses concurrents, pourtant plus imposants, qui ne comprenaient pas d'où lui venait sa supériorité – ni de l'argent, ni du savoir ni des graines – le jardin de Prem Nivas n'avait cessé de gagner des prix aux expositions florales annuelles. Et cette année, il se verrait couronner du Premier prix, pour la première et la dernière fois.

18.16

Sur la façade de la maison de Pran, le jasmin jaune fleurissait. A l'intérieur, Mrs Rupa Mehra marmonnait : « Une maille à l'endroit, une maille à l'envers. Où est Lata ?

— Elle est sortie acheter un livre, dit Savita.

— Quel livre ?

— Elle ne le savait pas elle-même, je pense. Un roman, probablement.

— Elle ferait mieux d'étudier pour ses examens. »

Exactement ce que disait le libraire à Lata, à peu près au même moment. Heureusement pour ses affaires, les étudiants écoutaient rarement ses conseils.

Saisissant un livre, il le tendit à Lata tout en se nettoyant l'oreille.

« J'ai assez étudié, Balwantji, dit Lata. Je suis fatiguée d'étudier. En fait, je suis fatiguée de tout, conclut-elle sur un ton théâtral.

— Vous ressemblez à Nargis, quand vous parlez comme ça.

— Je crains de n'avoir qu'un billet de cinq roupies.

— Pas de problème. Où est votre amie Malati ? Je ne la vois plus ces jours-ci.

— C'est parce qu'elle ne perd pas son temps à acheter

des romans. Elle travaille dur. Je ne la vois guère moi-même. »

Kabir entra, l'air tout joyeux, aperçut Lata, et s'arrêta net.

En un éclair, Lata revécut la scène de leur dernière rencontre – à laquelle se superposa celle de la première, dans la librairie. Ils se regardèrent, puis Lata lui dit bonjour.

« Bonjour, répliqua Kabir. Je vois que tu es de sortie. » De nouveau la coïncidence présidait à leur réunion, que gouvernerait la gêne.

« Je suis venue dans l'idée d'acheter un Wodehouse, et je me suis payé un Jane Austen.

— Viens prendre un café avec moi au Danube Bleu. » C'était un décret plutôt qu'une prière.

« Je dois rentrer. J'ai dit à Savita que je ne m'absentais qu'une heure.

— Savita peut attendre. Je voulais m'acheter un livre, mais ça aussi peut attendre.

— Quel livre ?

— Qu'est-ce que ça peut faire ? Je ne sais pas. J'allais feuilleter. Mais ni au rayon poésie, ni au rayon mathématiques.

— Eh bien, d'accord.

— Parfait. Quelle excuse donneras-tu si quelqu'un que tu connais nous voit ensemble ?

— Ça m'est égal. »

Ils longèrent Nabiganj, entrèrent au café, prirent une table, passèrent leur commande, le tout sans se parler.

C'est Lata qui rompit le silence. « Bonnes nouvelles en cricket, dit-elle.

— Excellentes. » L'Inde venait de gagner le cinquième match contre l'Angleterre, à Madras, à la stupéfaction générale.

« Tu étais sérieuse ? demanda Kabir en buvant son café.

— A propos de quoi ?

— Tu écris vraiment à cet homme ?

— Oui. Ma veut que je l'épouse. »

Kabir contempla sa tasse.

« Tu ne dis rien ? »

Il haussa les épaules.

« Tu me détestes ? Ça t'est égal qui j'épouse ?

— Ne sois pas idiote. Et je t'en prie arrête de pleurer. »
Sans que Lata en ait conscience, les larmes à nouveau
dévalaient ses joues. Elle n'essaya pas de les sécher, ni ne
détourna les yeux. Peu lui importait ce que pensaient les
serveurs, les clients, ou Kabir par la même occasion.

« On m'a parlé de deux mariages mixtes –, commença-
t-il.

— Le nôtre ne marcherait pas. Tout le monde s'y opposerait. Et je n'ai même plus confiance en moi.

— Alors pourquoi es-tu assise ici avec moi ?

— Je ne sais pas.

— Et pourquoi pleures-tu ? »

Silence.

« Mon mouchoir est sale. Si tu n'en as pas, sers-toi de ta
serviette. »

Lata se tamponna les yeux.

« Allons, mange ton gâteau, ça te fera du bien. C'est moi
l'exclu, et je ne sanglote pas à fendre ma petite âme.

— Maintenant, je dois partir. Merci. »

Kabir ne tenta pas de la retenir.

« N'oublie pas ton livre. *Mansfield Park* ? Je ne l'ai jamais
lu. Tu me diras si c'est bon. »

Lata se dirigea vers la porte. Ni l'un ni l'autre ne se
retournèrent.

18.17

Lata était si perturbée en sortant – mais quel rendez-
vous avec Kabir ne l'avait pas laissée perturbée ? songea-
t-elle – qu'elle se mit à marcher sans but. Elle se retrouva
près du grand banian. Assise sur l'énorme racine, elle se
rappela leur premier baiser, nourrit les singes, tomba dans
une profonde rêverie. La marche me tient lieu d'action, se
gourmanda-t-elle.

Le lendemain, pourtant, elle agit, et de la manière la plus décisive.

Le courrier lui apporta deux lettres. Assise sous la véranda au treillis de jasmin jaune, Lata ouvrit les deux enveloppes, à l'écriture si reconnaissable que Mrs Rupa Mehra n'aurait pas manqué, si elle avait été à la maison, d'exiger d'en connaître le contenu.

La première recelait un texte de huit lignes, tapées à la machine et non signées :

Une modeste proposition

A vous qui vouliez du noir et blanc,
Me voici écrivant une lettre
Inspiré par l'espoir qu'en la lisant
Toute ma sincérité pourra vous apparaître.

L'espace qui nous sépare aboli
Accordant nos cœurs épanouis
Tous deux prêts à nous soumettre
A l'acrostiche que je viens de commettre.

Lata éclata de rire. Le poème ne contenait que des choses banales, mais sa drôlerie lui plaisait. Qu'avait-elle dit exactement à Amit ? Qu'elle voulait du noir et blanc ou qu'elle ne croirait qu'en cela ? Et jusqu'à quel point cette « modeste proposition » était-elle sérieuse ? A la réflexion, elle la jugea sérieuse et, du coup, la trouva moins plaisante.

L'aurait-elle aimée sombre et passionnée – ou aurait-elle préféré qu'il ne l'eût jamais écrite ? La passion, d'ailleurs, correspondait-elle au style d'Amit – du moins lorsqu'il s'agissait de ses rapports avec elle ? Il semblait cacher cette part de lui-même, cette noirceur, ce pessimisme cynique qui risquaient de l'effrayer, de la faire fuir.

Pourtant, quand elle lui avait montré son propre poème, ce texte désespéré, ne lui avait-il pas dit qu'il l'aimait ? Oui, mais seulement parce qu'il s'agissait d'un écrit, avait-il laissé entendre. Qu'est-ce donc qu'un poète qui refuse les ténèbres ? Il ferait mieux de pratiquer le droit. A moins qu'il ne refuse cette mélancolie stérile qui, elle devait le reconnaître, habitait son texte ? Ce sentiment de malheur qu'Amit laissait transparaître dans ses poèmes les plus forts, il ne l'éprouvait à l'évidence qu'à des moments de grande intensité. Mais de même que les hautes montagnes ne surgissent pas d'un bloc des étendues plates, il devait exister, songeait Lata, un lien organique plus profond entre le poète de « L'oiseau fièvre » et l'Amit Chatterji qu'elle connaissait ou croyait connaître, encouragée par lui dans cette illusion.

Et que serait le mariage avec un homme comme lui ? Lata se leva et se mit à arpenter la véranda. Pouvait-elle le prendre au sérieux – lui le frère de Meenakshi et de Kuku, son ami et son guide dans Calcutta, le pourvoyeur d'ananas, le gardien de Cuddles ? Il était tout simplement Amit – le transformer en époux était absurde – rien que d'y penser, elle en riait. Puis elle se rassit, relut le poème, regarda par-dessus la haie en direction du campus, où se devinait le toit d'ardoise incliné du bâtiment des examens. Elle se rendit compte qu'elle connaissait déjà ces huit lignes par cœur – tout comme « L'oiseau fièvre » et d'autres poèmes. Sans qu'elle ait fait un effort pour les apprendre, ils étaient devenus une part d'elle-même.

18.18

La seconde lettre venait de Haresh.

> Ma très chère Lata,
> J'espère que tout va bien pour vous et votre famille. Ces dernières semaines j'ai été si surchargé de travail que je rentrais le soir épuisé, dans un tel état qu'il valait mieux que vous n'entendiez pas parler de moi. La ligne de chaussures dont je m'occupe va de mieux en mieux, et j'ai même persuadé la direction de considérer une autre de mes idées, à savoir de faire fabriquer les empeignes à l'extérieur, après quoi le tout serait assemblé ici, chez Praha. L'un dans l'autre je crois leur avoir montré qu'ils n'ont pas eu tort de m'engager, que je ne suis pas simplement quelqu'un d'imposé par Mr Khandelwal.
> J'ai quelques bonnes nouvelles à vous apprendre. Il est question de me nommer Chef de groupe très prochainement.

Ce ne serait pas trop tôt, car j'ai du mal à réduire mes dépenses. Je suis assez prodigue de nature, et ce serait bien que quelqu'un m'aide à me corriger. Ainsi se vérifierait le dicton : ça coûte moins cher de vivre à deux que seul.

J'ai téléphoné à plusieurs reprises à Meenakshi et Arun, bien que la ligne entre Prahapore et Calcutta ne fonctionne pas aussi bien qu'il le faudrait. Ils ont malheureusement été très occupés, mais ont promis de trouver le temps de venir dîner dans un avenir proche.

Ma famille à moi va bien. Mon incrédule d'oncle Umesh a été impressionné de me voir obtenir un job comme celui-là aussi vite. Ma belle-mère, une vraie mère pour moi, est elle aussi très contente. Je me souviens, la première fois que je suis allé en Angleterre, elle a dit : « Fils, les gens vont en Angleterre pour devenir médecins, ingénieurs, avocats. Pourquoi dois-tu aller si loin pour devenir cordonnier ? » J'en ai souri à l'époque, j'en ris encore quand j'y pense. Je suis heureux de ne pas leur être à charge, de ne dépendre que de moi, et de faire un travail utile dans son genre.

Vous serez contente d'apprendre que j'ai cessé de mâcher des paans. Kalpana m'a dit que votre famille trouve ça déplaisant, et, quelle que soit mon idée sur le sujet, j'ai décidé de me montrer accommodant. J'espère que tous ces efforts pour me Mehraiser vont vous impressionner.

Il y a quelque chose que je n'ai pas mentionné dans mes deux dernières lettres, et je vous suis reconnaissant de ne pas l'avoir relevé. C'est à propos de ce mot que vous avez employé, dont j'ai compris avec le recul qu'il n'avait pas le même sens pour vous que pour moi. J'ai écrit à ce propos le soir même à Kalpana parce que j'avais besoin de me soulager, et que je me sentais mal à l'aise. Elle m'a reproché ma « sensibilité de pelure d'orange » (elle jouait avec les mots même au collège), m'a dit de m'excuser sur-le-champ et de calmer mon agressivité. Je n'éprouvais pas de remords, alors je ne l'ai pas fait. Mais maintenant, les semaines ayant passé, je comprends que j'étais dans l'erreur.

Je suis un homme pratique et j'en suis fier – mais parfois je tombe sur des situations que je ne sais comment maîtriser malgré mes opinions bien arrêtées, et je découvre que ma fierté n'est pas aussi fondée que je le croyais. Par conséquent, je vous en prie, Lata, pardonnez-moi d'avoir mis fin à ce jour de Nouvel An d'une façon aussi déplaisante.

J'espère que quand nous serons mariés – je dis *quand* et non pas *si* – vous me corrigerez, avec votre adorable et tranquille sourire, chaque fois que je prendrai de travers des mots qui ne se voulaient pas méchants.

Baoji m'a interrogé sur mes projets de mariage, mais sur ce sujet je n'ai pas encore pu le rassurer. Dès que vous serez sûre, en votre âme, que je suis le mari qui vous convient, s'il vous plaît dites-le-moi. Je suis reconnaissant, chaque jour, de vous avoir rencontrée et que nous ayons pu apprendre à nous connaître de vive voix et par écrit. Mes sentiments à votre égard augmentent chaque jour, samedis et dimanches compris, contrairement à mes chaussures. Inutile de le dire, votre photo se trouve devant moi sur le bureau, et me fait penser avec tendresse à l'original.

En dehors de ce que publie la presse de Calcutta, j'ai eu quelques nouvelles de la famille Kapoor par l'intermédiaire de Kedarnath avec qui je suis en affaires, et j'éprouve pour eux tous la plus profonde compassion. Ce doit être une période terrible pour chacun. Il dit que Veena et Bhaskar sont très anxieux, mais il ne parle guère de ses propres angoisses. J'imagine aussi ce que doit éprouver Pran, entre les problèmes de son frère et la mort de sa mère. Heureusement pour Savita qu'elle a son bébé et ses études de droit, mais ça ne doit pas être facile de se concentrer sur un sujet aussi ardu que le droit. Je ne sais pas comment je pourrais me rendre utile, mais s'il y a quelque chose que je peux faire, surtout dites-le-moi. On trouve certaines choses – les derniers livres de droit, etc. – plus aisément à Calcutta qu'à Brahmpur, j'imagine.

J'espère que vous réussissez à étudier malgré tout ça. Je croise les doigts pour vous, et je suis certain, ma Lata, que vous vous en sortirez haut la main.

Mon affection à Ma, que je remercie souvent en pensée de vous avoir conduite à Kanpur, à Pran, à Savita et au bébé. Dites s'il vous plaît à Kedarnath, si vous le voyez, que je lui écrirai bientôt, probablement dans la semaine, en fonction des consultations que j'aurai eues.

Avec toute ma tendresse,
Votre HARESH.

18.19

Lata souriait tout en lisant. Il avait rayé « Cawnpore » pour écrire « Kanpur ». Arrivée à la fin, elle relut la lettre de bout en bout. Heureuse d'apprendre qu'oncle Umesh ne doutait plus de son neveu, elle imaginait que le père de Haresh ne demandait qu'à en faire autant.

Au fil des mois, son monde avait commencé à se peupler des diverses personnes que Haresh mentionnait sans arrêt. Simran, cette fois-ci, manquait à l'appel, et c'est tout juste si elle ne lui manquait pas. Avec un sursaut, Lata se rendit compte que, quels que fussent ses sentiments envers Haresh, elle n'était pas jalouse de Simran.

Qui étaient ces gens, en réalité ? Elle pensa à **Haresh** : généreux, robuste, optimiste, impatient, digne de confiance. Elle l'imagina à Prahapore, aussi solide qu'une paire de chaussures Goodyear à triple couture, clignant tendrement des yeux tandis qu'il lui écrivait et lui disait, du mieux qu'il pouvait, qu'il se sentait seul sans elle.

Mais Haresh mis à part ? Oncle Umesh, Simran, sa belle-mère, tous ces personnages qu'elle croyait connaître, se révéleraient peut-être entièrement différents de ce qu'elle imaginait. Et sa famille, ces khatris conservateurs du Vieux Delhi : pourrait-elle jamais se conduire avec eux comme elle se conduisait avec Kuku, Dipankar ou M. le juge **Chatterji** ? De quoi parlerait-elle avec les Tchèques ? Il y avait pourtant quelque chose d'aventureux à s'immerger dans un monde inconnu avec un homme en qui elle avait confiance et qu'elle avait commencé à admirer – et qui l'aimait si profondément, si posément. Elle pensa à un Haresh sans paan, souriant de son sourire si ouvert ; elle l'assit à une table, de façon à ne pas voir ses chaussures ; elle lui ébouriffa les cheveux, et – ma foi, il était presque séduisant ! Elle l'aimait bien. Peut-être, avec le temps et de la chance, parviendrait-elle à l'aimer, tout simplement

18.20

Une lettre d'Arun arriva par le courrier de l'après-midi, qui l'aida à clarifier ses pensées.

> Ma chère Lata,
> Tu ne m'en voudras pas d'user de mes prérogatives de frère aîné pour te parler d'un sujet d'une grande importance pour ton avenir et pour celui de toute la famille. Il se trouve que nous sommes une famille exceptionnellement unie, que la mort de Papa a obligée à se rapprocher encore davantage. Moi, par exemple, je n'assumerais pas les responsabilités qui

sont les miennes si Papa avait vécu. Varun ne se serait probablement pas installé chez moi et je ne me sentirais pas obligé de le conseiller sur la direction à donner à sa vie, ce dont, livré à lui-même, je le crains, il n'aurait guère tendance à se préoccuper. Pas plus que je n'aurais le sentiment d'être pour toi, façon de parler, loco parentis.

J'imagine que tu as deviné à quoi je fais allusion. Qu'il me suffise de dire que j'ai envisagé la chose sous tous les angles possibles et que mon jugement diffère totalement de celui de Ma. D'où cette lettre. Ma a trop tendance à se laisser porter par le sentiment, et elle semble avoir conçu un attachement irrationnel pour Haresh – en même temps qu'une forte antipathie – irrationnelle ou non – pour d'autres. Je lui ai connu un comportement similaire à propos de mon mariage qui, contrairement à ses conjectures, s'est révélé une union heureuse, basée sur l'affection et la confiance mutuelles. Ce qui me confère, me semble-t-il, une vision plus objective des choix qui s'offrent à toi.

Exception faite de ton engouement temporaire pour une certaine personne à Brahmpur, dont moins on parlera mieux ça vaudra, tu n'as guère l'expérience des nœuds complexes de la vie, pas plus que tu n'as eu l'occasion, sans guide, de te forger des critères de jugement. C'est dans ce contexte que j'offre mon conseil.

Je ne doute pas que Haresh ait d'excellentes qualités. Travailleur, il est arrivé par lui-même, d'une certaine façon, après des études – ou du moins un diplôme – dans l'une des meilleures écoles indiennes. Tous confirment sa compétence dans le domaine qu'il a choisi. Il a de l'assurance, et n'hésite pas à dire ce qu'il a en tête. Il convient de lui rendre ce qui lui est dû. Ceci dit, je tiens à établir clairement pourquoi je crois qu'il ne représente pas un apport convenable à notre famille :

1. Il a beau avoir appris l'anglais à St Stephen et vécu en Angleterre pendant deux ans, sa pratique de la langue anglaise laisse grandement à désirer. Ce qui n'est pas un point négligeable. C'est sur la conversation entre homme et femme que s'ancre un mariage basé sur une véritable compréhension. Ils doivent pouvoir communiquer pour se trouver, comme on dit, sur la même longueur d'onde. Haresh ne se trouve tout simplement pas sur la même longueur d'onde que toi – ni qu'aucun d'entre nous d'ailleurs. Il ne s'agit pas uniquement de son accent, qui trahit immédiatement le fait que l'anglais n'est pas sa première langue ; mais de sa façon de s'exprimer et de sa diction, de sa compréhension, parfois, de ce qui se dit. Je suis heureux de ne pas avoir été là quand tout ce fracas ridicule s'est produit à propos du mot « mesquin », mais, tu le sais, dès que Meenakshi et moi sommes rentrés, Ma nous a raconté (avec force larmes et moult détails) ce qui s'était passé. Si tu pars du principe que « Maman sait mieux », et te

fiances à cet homme, tu devras continuellement affronter ce genre de situations douloureuses et absurdes.

2. Second point, lié au premier : Haresh ne peut, et ne pourra jamais prétendre, se mouvoir dans les mêmes cercles de la société que nous. Un contremaître n'est pas un assistant sous contrat, et Praha n'est tout simplement pas Bentsen Pryce. L'odeur du cuir colle beaucoup trop au nom ; les Tchèques, ses patrons, sont des techniciens, parfois connaissant à peine l'anglais, non issus des meilleures universités anglaises. En un certain sens, en choisissant un métier plutôt qu'une profession à sa sortie de St Stephen, Haresh s'est déclassé lui-même. J'espère que tu ne m'en veux pas de parler franchement d'un sujet aussi important pour ton bonheur futur. La société compte, et la société est exigeante et cruelle ; tu te retrouveras exclue de certains cercles par le simple fait d'être Mrs Khanna.

D'autant que le milieu auquel Haresh appartient pas plus que son comportement ne permettent de contrebalancer la marque de fabrique Praha. A l'opposé, disons, de Meenakshi ou d'Amit, dont le père et le grand-père sont juges à la Haute Cour, ses parents sont de petites gens du Vieux Delhi, sans la moindre distinction, pour dire les choses crûment. C'est tout à son crédit d'occuper la position qui est la sienne ; mais, en self-made man qu'il est, il a tendance à être très content de lui – assez suffisant même. J'ai remarqué que c'est souvent le cas des gens de petite taille ; ce qui ajoute peut-être à son côté chatouilleux. Je sais que Ma voit en lui un diamant brut. Mais la taille et le polissage d'une pierre comptent. On ne sertit pas un diamant brut dans une alliance.

L'origine s'affiche, pour parler clairement. Ça se voit dans sa façon de s'habiller, dans son goût pour le tabac à priser et le paan, dans le fait que, malgré son séjour en Angleterre, il lui manque un certain charme mondain. J'ai prévenu Ma de l'importance du milieu familial, à l'époque des fiançailles de Savita, mais elle n'a pas voulu m'écouter. Le résultat, du point de vue social, est ce lien malheureux, par notre intermédiaire, entre la famille d'un repris de justice et celle d'un juge. Raison supplémentaire pour moi de penser qu'il est de mon devoir de te parler avant qu'il ne soit trop tard.

3. Le revenu familial ne te permettra pas, selon toute vraisemblance, d'envoyer tes enfants dans le genre d'école – St George ou St Sophia ou Jheel ou Mayo ou Loreto – que nos enfants – à Meenakshi et à moi – fréquenteront. Par ailleurs, même si tu pouvais te le permettre, Haresh n'a peut-être pas les mêmes idées que toi sur la façon d'élever ses enfants et la part du budget à consacrer à leur éducation. En ce qui concerne le mari de Savita, puisqu'il est universitaire, je n'ai pas d'inquiétude en ce domaine. Mais j'en ai avec Haresh, et je me dois de te le dire. Je veux que notre famille demeure unie,

je me sens responsable du maintien de cet état ; des différences dans l'éducation de nos enfants risquent de nous séparer un jour, et de te causer beaucoup de chagrin.

Je te demande de conserver ma lettre par-devers toi, d'y réfléchir longuement, comme le mérite son contenu, mais de ne la montrer à personne dans la famille. Ma la prendrait certainement en mauvaise part et Savita aussi, je suppose. Quant à celui qui fait l'objet de cette lettre, j'ajouterai qu'il nous harcèle d'invitations ; nous nous sommes montrés aimables et avons jusqu'ici évité un nouveau repas gargantuesque à Prahapore. Il ne devrait pas se prendre pour un membre de la famille tant qu'il n'en fait pas partie. Inutile de dire que le choix t'appartient et que nous accueillerons ton mari, quel qu'il soit, dans la mesure de nos moyens. Mais vouloir le bien de quelqu'un ne suffit pas si l'on ne peut parler librement, et c'est pourquoi j'ai rédigé cette lettre.

Sans ajouter d'autres nouvelles et banalités, qui peuvent attendre une autre occasion, je terminerai simplement en te disant mon affection et mes souhaits les plus chers pour ton bonheur futur. Meenakshi, qui partage entièrement mon avis, se joint à moi.

A toi,
ARUN BHAI.

Lata lut la lettre plusieurs fois, la première très lentement, en raison de l'écriture informe d'Arun ; puis, comme elle en avait l'ordre, en pesa longuement le contenu. Elle envisagea tout d'abord d'avoir une conversation cœur à cœur avec Savita, Malati ou sa mère – ou toutes les trois. Pour conclure que cela ne changerait rien et ne ferait que la plonger dans la confusion. Cette décision lui appartenait.

Elle écrivit le soir même à Haresh, acceptant avec gratitude – avec chaleur même – sa proposition maintes fois répétée de mariage.

18.21

« NON ! s'écria Malati. Non ! je ne te crois pas. As-tu posté ta lettre ?

— Oui », dit Lata.

Assises à l'ombre du Fort, sur la rive sablonneuse, elles regardaient les eaux grises et tièdes du Gange chatoyer sous le soleil.

« Tu es folle – totalement folle. Comment as-tu pu faire ça ?

— Ne sois pas comme ma mère – "Oh ma pauvre Lata, Oh ma pauvre Latta !"

— C'est ainsi qu'elle a réagi ? Je croyais qu'elle était entichée de Haresh. On peut te faire confiance pour suivre tout ce que dit Maman. Mais je ne le supporterai pas, Lata, tu ne peux pas ruiner ta vie ainsi.

— Je ne ruine pas ma vie, s'échauffa Lata. Et parfaitement, c'est comme ça qu'elle aurait réagi. Elle est montée contre Haresh, pour je ne sais quelle raison. Et Arun est contre depuis le début. En réalité, Maman n'a rien dit. Maman ne sait même rien. Tu es la première personne à l'apprendre, et tu ne devrais pas essayer de me rendre malheureuse.

— Si, si. J'espère que tu vas te sentir réellement malheureuse – les yeux verts de Malati lançaient des éclairs. Comme ça tu reprendras peut-être tes esprits et annuleras ce que tu as fait. Tu aimes Kabir, et tu dois l'épouser.

— Je ne dois rien. Tu n'as qu'à l'épouser toi-même. Non – ne le fais pas ! Je ne te le pardonnerais jamais. Je t'en prie, Malu, ne me parle pas de Kabir.

— Tu vas le regretter amèrement, je te le prédis.

— C'est mon affaire.

— Pourquoi ne m'as-tu pas consultée avant de prendre ta décision ? As-tu seulement consulté quelqu'un ?

— Oui, mes singes. »

Malati eut envie de gifler Lata pour une plaisanterie aussi stupide en un moment pareil.

« Et un livre de poésie, ajouta Lata.

— Des poèmes ! La poésie aura été ta perte. On n'a pas idée de gâcher un cerveau comme le tien à lire de la littérature anglaise.

— C'est toi la première qui m'as dit de le laisser tomber. Tu as oublié ?

— J'ai changé d'avis. Tu le sais bien. J'avais tort, terriblement tort Considère le danger que cause au monde ce genre d'attitude –

— Pourquoi crois-tu que j'abandonne ?

— Parce qu'il est musulman. »

Lata réfléchit une seconde. « Ce n'est pas pour ça. Pas uniquement pour ça. Il n'y a pas qu'une seule raison. »

Malati accueillit ce mensonge avec un reniflement de dégoût.

« Ecoute, Malati, je ne peux pas le décrire : mes sentiments pour lui sont si confus. Je ne suis pas moi-même en sa présence. Je me demande qui est cette – cette femme jalouse, obsédée, qui ne peut se sortir un homme de la tête – pourquoi devrais-je m'infliger une telle souffrance ? Je sais qu'il en sera toujours ainsi si je vis avec lui.

— Oh Lata – ne sois pas aveugle – Ça te prouve avec quelle passion tu l'aimes –

— Je ne le veux pas, cria Lata. Je ne le veux pas. Si c'est ça la passion, je n'en veux pas. Regarde ce que la passion a fait à la famille. Maan terrassé, sa mère morte, son père au désespoir. Quand j'ai cru que Kabir sortait avec quelqu'un d'autre, ce que j'ai éprouvé a suffi à me faire haïr la passion. Passionnément et à jamais.

— C'est ma faute. Dieu m'est témoin, je voudrais ne jamais t'avoir écrit cette lettre. Et tu vas souhaiter la même chose, toi aussi.

— Ce n'est pas ta faute, Malati. Et je remercie Dieu que tu l'aies fait. »

Malati regarda son amie d'un air profondément malheureux. « Tu ne te rends pas compte de ce que tu rejettes, Lata. Tu te trompes d'homme. Ne te marie pas encore. Prends le temps de te forger une nouvelle opinion. Ou reste célibataire – ce n'est pas si tragique. »

Silencieuse, Lata laissait filtrer du sable entre ses doigts.

« Et l'autre garçon ? demanda Malati. Le poète – Amit ? Comment a-t-il fait pour se mettre hors course ? »

Lata sourit : « Il ne causerait pas ma perte, comme tu dis, mais je ne me vois pas du tout sa femme. Nous nous ressemblons trop. Son humeur change et oscille sans plus de raison que la mienne. Tu imagines la vie de nos pauvres enfants ? Et quand il travaillera à un livre, je ne sais pas s'il lui restera du temps à me consacrer. Les personnes sensibles sont en général très insensibles – je devrais le savoir. En fait, il vient juste de me demander en mariage.

— Tu ne me dis jamais rien ! lui reprocha Malati.

— Tout s'est passé si soudainement, hier. » Lata pêcha dans la poche de son kameez l'acrostiche d'Amit. « Je t'ai apporté ça puisque tu aimes bien juger en connaissance de cause. »

Malati lut le poème. « J'épouserais quiconque m'écrirait une chose pareille, dit-elle.

— Eh bien, il est toujours libre, s'esclaffa Lata. Et je ne m'opposerai pas à ce mariage. Je serais folle d'épouser Amit, ajouta-t-elle en passant son bras autour des épaules de Malati. Ne serait-ce que parce que j'en ai déjà bien assez avec mon frère Arun : vivre à cinq minutes de chez lui serait de la pure folie !

— Vous pourriez habiter ailleurs.

— Oh non – Lata imaginait Amit dans sa chambre donnant sur le cytise en fleur – c'est un poète et un romancier. Il veut qu'on s'occupe de tout pour lui. Repas, eau chaude, train de maison, chien, pelouse, Muse. Et pourquoi pas ? Après tout, il a écrit "L'oiseau fièvre" ! Mais il ne pourra pas écrire s'il doit se débrouiller loin de sa famille. Dis-moi, pourquoi es-tu si montée contre Haresh ?

— Parce que je ne vois rien, rien, absolument rien de commun entre vous deux. Et il est tout à fait évident que tu ne l'aimes pas. As-tu vraiment bien réfléchi, Lata, ou as-tu pris ta décision dans une sorte de transe ? Comme lorsque tu as voulu te faire nonne ? Aimes-tu l'idée de tout partager avec cet homme ? De faire l'amour avec lui ? Est-ce qu'il t'attire ? Est-ce que tu peux t'arranger de tout ce qui t'irrite en lui – Cawnpore, paan et le reste ? Je t'en supplie, Lata, ne sois pas stupide. Et cette femme, Simran – ça ne t'ennuie pas ? Et à quoi comptes-tu t'employer après ton mariage – à tenir ta maison dans un lotissement plein de Tchèques ?

— Tu crois vraiment que j'ai pris ma décision sur un coup de tête, et que je n'ai pas envisagé ce que sera ma vie avec lui ? Eh bien, je crois qu'elle sera intéressante. Haresh est un homme pratique, énergique, il n'est pas cynique. Il fait les choses, vient en aide aux autres sans s'en vanter. Il a beaucoup aidé Veena et Kedarnath.

— Et alors ?... Il te laissera enseigner ?

— Oui.

— Tu lui as posé la question ?

— Non, mais j'en suis sûre. Je crois bien le connaître à présent. Il déteste voir quelqu'un gâcher ses talents. Et il prend très à cœur le sort des gens – le mien, celui de Maan, de Savita, de Bhaskar...

— ... qui, incidemment, n'est vivant que grâce à Kabir, ne put s'empêcher de dire Malati.

— Je ne le nie pas. » Lata poussa un profond soupir.

« Mais qu'a-t-il fait ? la pressa Malati. Qu'a-t-il fait de mal pour mériter que tu le traites comme ça ? Il t'aime, rien n'autorise à en douter. Alors, est-ce juste ?

— Je ne sais pas. Non, je suppose que ça ne l'est pas. Mais la justice n'est pas toujours ce qui régit la vie n'est-ce pas ? C'est quoi la phrase : "A traiter chaque homme selon son mérite, qui échappera au fouet ?" Mais l'inverse est également vrai. Traiter chaque homme selon son mérite mène au surmenage affectif.

— C'est vraiment une vue mesquine du monde.

— Ne me traite pas de mesquine », s'écria violemment Lata.

Malati la regarda avec stupeur.

« Ce que je veux dire, Malati, c'est que lorsque je suis avec Kabir, ou que simplement je pense à lui, je ne suis plus bonne à rien. Je ne me contrôle plus – comme un bateau à la dérive – et je ne veux pas devenir une épave.

— Tu vas donc apprendre à ne pas penser à lui ?

— Si je peux, murmura Lata.

— Qu'est-ce que tu dis ? Parle plus fort, ordonna Malati, voulant l'obliger à reprendre ses esprits.

— Si je peux.

— Comment peux-tu te tromper toi-même de cette façon ?

— Malu, je ne vais pas me disputer avec toi. Je tiens à toi autant qu'à chacun de ces hommes, et je ne varierai pas. Mais je ne vais pas défaire ce que j'ai fait. J'aime vraiment Haresh, et je –

— Quoi ? » Malati la fixa comme si elle avait affaire à une débile mentale.

« Parfaitement.

— Décidément, tu es une femme à surprises –

— Et toi, une femme incrédule. Oui je l'aime, ou du moins je le pense. Grâce à Dieu, ça n'a rien de comparable à ce que je ressens pour Kabir.

— Je ne te crois pas. C'est pure invention.

— Tu dois me croire. Je me suis attachée à lui. Je lui trouve une certaine séduction. Et il y a autre chose – j'ai le sentiment que je ne me tromperai pas avec lui – en ce qui concerne – le sexe. »

Malati en resta bouche bée.

« Et avec Kabir, ce serait le cas ?

— Avec Kabir – je ne sais pas – »

Malati ne répliqua pas. Elle hochait la tête, perdue dans ses pensées.

« Tu connais, demanda Lata, ces vers de Clough sur la séduction ?

> Il existe, à mon sens, deux sortes d'attirance humaine.
> L'une qui excite, dérange et met mal à l'aise ;
> L'autre qui –

Je ne me rappelle plus très bien, mais il parle d'un amour plus calme, moins frénétique, qui aide à grandir, "à vivre alors que je languissais" – je l'ai lu hier, il dit tout ce que je n'arrivais pas à exprimer de moi-même. Est-ce que tu comprends ?... Malati ?

— Tout ce que je comprends, c'est qu'on ne vit pas des paroles des autres. Tu jettes l'or et l'argent, et tu te persuades que tu seras aussi heureuse avec le bronze que ta littérature anglaise l'affirme. J'espère que ce sera le cas, je l'espère de tout mon cœur. Mais je suis sûre que non.

— Tu apprendras à l'aimer toi aussi. Tu ne l'as même jamais vu ! Souviens-toi, au début, tu refusais d'aimer Pran...

— J'espère que tu as raison.

— Allons, dit Lata pour l'égayer – nous sommes davantage Nala et Damyanti que Portia et Bassanio. Les pieds de

Haresh touchent le sol, il est couvert de poussière, il transpire et il a une ombre. Les deux autres sont un peu trop célestes, éthérés pour moi.

— Ainsi, tu es en paix, en paix avec toi-même – Malati chercha à la regarder dans les yeux – et tu sais exactement dans quoi tu t'engages. J'aimerais savoir, par pure curiosité : est-ce que tu vas écrire un mot à Kabir avant de t'en débarrasser ?

— Non, je ne suis pas en paix, s'écria Lata, les lèvres tremblantes. Ce n'est pas facile. Je sais à peine qui je suis – ou ce que je fais – je ne peux ni étudier, ni même penser – tout m'assaille. Je suis mal quand je suis avec lui, mal quand je ne le vois pas. Comment sais-tu ce que je dois ou ne dois pas faire ? J'espère simplement avoir le courage de m'en tenir à ma décision. »

18.22

Maan restait chez lui, à l'intérieur ou dans le jardin avec son père, allait voir Pran ou Veena. A cela se bornait son activité. Il rêvait de se rendre chez Saeeda Bai, quand il était en prison ; à présent qu'il était en liberté, cette envie avait inexplicablement disparu. Elle lui envoya un mot, auquel il ne répondit pas. Elle lui en envoya un second, plus pressant, lui reprochant sa désertion, sans davantage d'effet.

Maan n'était pas un fou de lecture, mais ces temps-ci il passait ses matinées à lire les journaux, de la première à la dernière ligne, depuis les nouvelles internationales jusqu'aux petites annonces. N'ayant plus d'inquiétude pour Firoz, il commençait à se soucier de son propre sort, de la teneur de l'inculpation qu'on lui réservait.

Après vingt jours d'hospitalisation, les médecins avaient autorisé Firoz à regagner Baitar House. Il recouvrait ses forces petit à petit. Imtiaz le soignait, Zainab restait à ses côtés, le Nawab veillait sur lui et priait pour son complet rétablissement. Car, l'esprit sombre et agité, il criait souvent dans son sommeil. Pour quiconque se tenait à son chevet, les paroles qui lui échappaient prenaient un sens pour peu qu'on les confrontât avec les rumeurs.

Le Nawab Sahib s'était tourné vers la religion, presque vingt ans auparavant, en partie par honte, au sortir de ses orgies, de ce qu'il découvrait avoir fait dans son ivresse, en partie sous l'influence de sa femme. Il avait toujours aimé l'étude et le raisonnement analytique, mais sa nature sensuelle prenait le dessus, le poussant à satisfaire ses besoins les plus pressants. Il avait changé de vie brutalement, et avait souhaité éviter à ses enfants ses péchés et son repentir. Les garçons, sachant qu'il les désapprouvait, ne buvaient jamais en sa présence. Quant à ses petits-enfants, ils ne connaissaient leur Nana-jaan que sous les traits d'un vieil homme pieux, qu'eux seuls avaient le droit de déranger dans sa bibliothèque – et qui ne se faisait guère prier pour leur raconter des histoires de fantôme. Bien que son cœur saignât pour sa fille, le Nawab ne comprenait que trop bien les infidélités de son gendre ; elles lui rappelaient les souffrances que lui-même avait infligées à sa femme. Non que Zainab souhaitât qu'il parle à son époux ; elle avait besoin de réconfort, n'attendait pas de soulagement.

A présent, le Nawab souffrait non seulement du souvenir de son passé mais de l'opinion que le monde avait de lui et – pis que tout – de l'idée que ses enfants devaient se faire de lui. Il ne savait comment interpréter le refus réitéré, par Saeeda Bai, de son aide financière. S'il n'arrivait pas à considérer Tasneem comme sa fille, ou à éprouver un semblant d'affection pour cet être qu'il n'avait jamais vu, il ne voulait pas qu'elle souffre pour autant. Ni que Saeeda Bai se sente libre de rendre public tout ce qu'elle désirait que le monde sache. Il priait Dieu de lui pardonner cette préoccupation indigne, mais n'arrivait pas à s'en délivrer.

Sortir de sa bibliothèque, pour se rendre au chevet de Firoz ou prendre les repas en commun, lui était extrêmement douloureux. Ses enfants semblaient le comprendre et continuaient à lui manifester le même respect que par le passé. Rien ne devait briser le cocon familial. Le même décorum présidait au déroulement des repas, rien ne se disait qui pût augmenter son malaise. Il ignorait tout des tracts qui avaient annoncé la mort de Firoz.

Et si j'étais mort, songeait Firoz pour sa part, en quoi cela aurait-il concerné le monde ? Ai-je jamais fait quelque chose pour qui que ce soit ? Je suis un homme sans particularités, beau et facile à oublier. Imtiaz est un homme de qualité, utile au monde. Tout ce que je léguerais serait une canne, le chagrin pour ma famille, un terrible danger pour mon ami.

Il avait demandé à voir Maan, mais personne n'avait transmis le message à Prem Nivas. Pour Imtiaz, une telle rencontre ne pouvait faire de bien ni à son frère ni à son père. Connaissant Maan comme il le connaissait, il savait qu'il avait agi sans préméditation, qu'il n'avait pas eu la moindre intention de blesser Firoz. Mais le Nawab ne voyait pas les choses de cette façon, et Imtiaz voulait lui éviter toute émotion, tout accès de haine, ou de récrimination. Les terribles événements qui avaient touché les deux familles avaient sans aucun doute hâté la mort de Mrs Mahesh Kapoor. Imtiaz protégeait donc son père, et empêchait Firoz de se tourmenter à propos de Maan ou, par le souvenir de cette nuit qu'il aurait fait revivre en le voyant, à propos de Tasneem.

Cette Tasneem qui, bien qu'étant à n'en point douter sa demi-sœur, ne signifiait rien pour lui. Zainab, pour sa part, malgré sa curiosité, comprenait que la sagesse consistait à fermer la porte à toute interprétation.

Un jour, pourtant, Firoz envoya ce simple mot à Maan : « Cher Maan, je t'en prie, viens me voir. Je me sens assez bien pour te recevoir. Firoz. » Il le remit à Ghulam Rusool, lui demandant de veiller à ce qu'il parvienne à Prem Nivas.

Quand Maan reçut le message, en fin d'après-midi, il n'hésita pas. Sans prévenir son père, assis dans le jardin à lire des papiers, il prit le chemin de Baitar House. Cet appel, c'est peut-être cela qu'il attendait avec angoisse, bien plus que la convocation du magistrat. En approchant de la grille principale, il regarda instinctivement autour de lui, se rappelant la guenon qui l'avait attaqué à cet endroit même, il n'y avait pas si longtemps. Aujourd'hui, il n'avait pas de canne.

A peine un domestique lui eut-il ouvert la porte que Murtaza Ali, le secrétaire du Nawab, lui demanda, avec une ferme courtoisie, ce qu'il venait faire ici. Il avait ordre de n'admettre personne de la famille de Mahesh Kapoor. Au lieu de lui dire d'aller se faire pendre ailleurs, ce qui aurait été sa réaction avant que son séjour en prison ne l'ait habitué à obéir aux ordres de ses inférieurs, Maan se contenta de lui montrer le mot de Firoz.

Murtaza Ali réfléchit rapidement. Imtiaz était à l'hôpital, Zainab dans le zenana, le Nawab Sahib à ses prières. Il dit à Ghulam Rusool de conduire Maan auprès de Firoz.

« Ainsi te voilà ! dit Firoz, dont le visage s'éclaira. Je me sens en prison ici. Ça fait des semaines que je demande après toi, mais le Surintendant confisque mes messages. J'espère que tu m'as apporté du whisky. »

Maan se mit à pleurer. Firoz était si pâle – comme si, vraiment, il venait de ressusciter.

« Regarde ma cicatrice. » Repoussant le drap, Firoz releva sa kurta.

« Impressionnant, dit Maan, pleurant toujours. Un mille-pattes. » Il s'approcha encore un peu plus, caressa le visage de son ami.

Ils parlèrent quelques minutes, chacun essayant d'éviter ce qui risquait de faire de la peine à l'autre, sauf si ça pouvait l'alléger.

« Tu as bonne mine, dit Maan.

— Mauvais menteur ! Je ne te prendrais pas comme client... Je n'arrive pas à me concentrer, mon esprit vagabonde. C'est très intéressant », ajouta-t-il en souriant.

Poussant un profond soupir, Maan appuya son front contre celui de Firoz. Il ne dit pas à quel point il regrettait son acte.

Finalement, il s'assit.

« Ça fait mal ? demanda-t-il.

— Oui, parfois.

— Tout le monde va bien ici ?

— Oui. Comment va – ton père ?

— Aussi bien que possible. »

Firoz ne dit pas combien il était désolé pour sa mère, secoua simplement la tête, et Maan comprit.

Au bout d'un moment, il se leva.

« Reviens, dit Firoz.

— Quand ? Demain ?

— Non – dans deux ou trois jours.

— Il faudra que tu m'envoies un nouveau message – sinon on me jettera dehors.

— Rends-moi celui d'aujourd'hui. Je le revaliderai ! »

En rentrant chez lui, Maan se rendit compte qu'ils n'avaient parlé ni de Saeeda Bai, ni de Tasneem, ni de ce qu'il avait vécu en prison ou du procès qui l'attendait. Et il en fut heureux.

18.23

Ce soir-là, le Dr Bilgrami vint trouver Maan à Prem Nivas. Il lui dit que Saeeda Bai souhaitait le voir. Maan l'accompagna.

Toujours aussi séduisante, la chanteuse n'avait pourtant pas tout à fait retrouvé sa voix. Elle reprocha à Maan de n'être pas venu lui rendre visite depuis qu'il était sorti de prison. Avait-il tellement changé ? Ou bien était-ce elle ? N'avait-il pas reçu ses messages ? Elle se désespérait de ne pas le voir, elle devenait folle sans lui. D'un geste impatient, elle renvoya le Dr Bilgrami, se tourna vers Maan, le couvant d'un regard avide et plein de pitié. Comment se portait-il ? Il paraissait si maigre. Que lui avaient-ils fait ?

« Dagh Sahib – que vous est-il arrivé ? – Que va-t-il vous arriver ?

— Je l'ignore. » Il chercha autour de lui. « Le sang ? demanda-t-il.

— Quel sang ? » Un mois s'était écoulé depuis.

La pièce embaumait l'essence de roses et l'odeur du corps de Saeeda Bai. Avec tristesse et volupté, elle se renversa sur les coussins. Mais Maan crut voir une cicatrice sur son visage, qui se transforma en celui, rougeaud, de Victoria.

Les terribles épreuves qu'il venait de vivre avaient provoqué en lui un profond revirement de sentiments. S'il avait acquis une meilleure compréhension des événements – se disant notamment que Saeeda Bai était peut-être elle aussi une victime – il ne pouvait contrôler les réactions que la vue de la chanteuse déclenchait en lui. Il la fixait, horrifié.

Je deviens comme Rasheed, songea-t-il, je vois des choses qui n'existent pas.

Il se leva, blême. « Je m'en vais, dit-il.

— Vous n'êtes pas bien.

— Si – si, ça va. »

Tout dans son attitude démentait cette protestation, et Saeeda renonça aux amers reproches qu'elle voulait lui faire. Ils n'auraient d'ailleurs servi à rien : Maan se trouvait dans un autre monde – un monde où ni son affection ni sa séduction n'avaient leur place. Elle enfouit son visage dans ses mains.

« Ça ne va pas ? s'inquiéta Maan, retrouvant comme un élan du passé. Tout est de ma faute.

— Vous ne m'aimez pas – ne me dites pas le contraire – » Elle pleura

« Aimer – Aimer ? répéta-t-il soudain furieux.

— Et même le châle que m'a donné ma mère – »

Tout cela n'avait aucun sens pour lui.

« Ne les laissez pas vous faire du mal – » Elle gardait le visage baissé, refusant pour une fois de laisser voir ses larmes. Maan détourna la tête.

18.24

Le 29 février Maan fut convoqué par le magistrat qu'il avait déjà vu. La police avait révisé son appréciation, se fondant sur l'évidence. Maan n'avait pas eu l'intention de tuer Firoz, mais avait voulu « causer des blessures corporelles suffisant, pour une nature ordinaire, à entraîner la mort ». Accusation qui le faisait tomber sous la rubrique

« tentative de meurtre » du code pénal. Satisfait, le magistrat lui signifia ses chefs d'inculpation :

« Moi, Suresh Mathur, magistrat de première classe à Brahmpur, je vous inculpe, Maan Kapoor, de ce qui suit :

D'avoir, environ le quatrième jour de janvier 1952, à Brahmpur, sain d'esprit, poignardé avec un couteau un certain Nawabzada Firoz Ali Khan de Baitar, avec telle connaissance et en telles circonstances que si, par cet acte, vous aviez causé la mort du Nawabzada Firoz Ali Khan de Baitar, vous auriez été coupable de meurtre, et que, par ledit acte, vous avez blessé ledit Nawabzada Firoz Ali Khan de Baitar, commettant ainsi un crime passible de l'article 307 du code pénal indien, et du ressort de la Cour suprême.

J'ordonne donc que vous soyez déféré devant ladite Cour pour lesdites charges. »

Le magistrat inculpa également Maan de blessure grave avec arme mortelle. Chaque crime pouvait lui valoir l'emprisonnement à vie, aucun n'autorisait la liberté conditionnelle. Maan fut donc reconduit en prison pour y attendre son procès.

18.25

Ce même 29 février, le Conseil académique confirma la nomination de Pran comme professeur au département d'anglais de l'université de Brahmpur. Mais lui et sa famille étaient plongés dans une telle détresse que cette nouvelle ne leur apporta aucun soulagement.

Obsédé de pensées sur la mort, Pran s'interrogea une fois de plus sur les propos que Ramjap Baba avait tenus à sa mère, au Pul Mela. A qui le Baba faisait-il allusion en disant que Pran devrait son poste à un décès ? Certes, sa mère était morte ; mais tout aussi certainement, ce n'était pas cela qui avait influencé le comité de sélection. Ou bien fallait-il croire le Pr Mishra quand il affirmait avoir défendu les intérêts de Pran par sympathie pour sa famille ?

Je deviens superstitieux, se dit Pran. Ce sera ensuite le tour de mon père. Or son père, heureusement pour son moral, allait devoir s'occuper, outre d'organiser la défense de Maan, d'une autre affaire.

18.26

Début mars, Mahesh Kapoor, bien que battu aux élections, fut prié de reprendre du service comme représentant du peuple. L'Assemblée législative du Purva Pradesh avait bien été élue, mais il restait encore à procéder, par suffrage indirect, à l'élection de la Chambre haute, le Conseil législatif. La Constitution interdisant que l'intersession parlementaire dure plus de six mois, l'ancien corps législatif fut convoqué en session brève. De plus, c'était l'époque du budget ; et si les convenances voulaient que le budget fût voté par la nouvelle législature, il fallait continuer à faire tourner la machine financière. On allait donc procéder à un « vote provisionnel » pour la période comprise entre avril et juillet, soit le premier tiers de la prochaine année financière, vote dont s'acquitterait la future ex-législature à laquelle appartenait Mahesh Kapoor.

Les deux Chambres se réunirent début mars pour entendre le discours du Gouverneur, le chef de l'Etat, poste largement honorifique. La discussion qui suivit le vote de remerciements au Gouverneur dégénéra en un débat bruyant et brutal sur le gouvernement du Congrès : sur sa politique et sur la façon dont il avait mené ces élections. Pour la plupart c'étaient ceux qui venaient d'être battus qui criaient le plus fort, dont on n'entendrait plus jamais la voix – en tout cas pas pendant les cinq prochaines années.

Dans son discours (écrit par le Premier ministre), le Gouverneur passa en revue les récents événements, les réalisations du gouvernement et ses projets. Le Congrès remportait les trois quarts des sièges de la Chambre basse et (en raison du système au suffrage indirect) allait détenir une confortable majorité à la Chambre haute. « Je suis sûr, dit le Gouverneur, que ce sera pour vous, comme pour moi, une cause de satisfaction de savoir que presque tous mes ministres se retrouvent dans la nouvelle assemblée. » De nombreux regards se tournèrent vers Mahesh Kapoor.

Le Gouverneur évoqua aussi un « sujet de regret » : que l'application de la loi de réforme agraire et la loi sur les zamindars « subisse un retard pour des raisons indépendantes de la volonté de mon gouvernement ». La Cour suprême n'avait effectivement pas encore statué sur la constitutionnalité ou non de la loi. « Mais, ajouta-t-il, je n'ai pas besoin de vous assurer que nous ne perdrons pas de temps à l'appliquer dès que cela sera légalement possible. »

Au cours du débat, la begum Abida Khan revint sur ces deux sujets. Il était bien connu, dit-elle dans un même souffle, que le gouvernement avait employé des méthodes malhonnêtes – y compris l'utilisation de voitures officielles pour les voyages des ministres – pour gagner les élections, ce qui n'avait pas empêché le ministre le plus associé dans l'esprit du public à la spoliation des zamindars de perdre son siège. La begum avait conservé le sien, contrairement à la plupart de ses collègues de parti.

Sa diatribe déclencha naturellement un désordre indescriptible. Même L.N. Agarwal, pourtant content de voir Mahesh Kapoor battu, condamna les méthodes déployées non par le Congrès mais par « la piétaille communaliste » dans cette compétition. Sur quoi, la begum Abida Khan cria à la tentative de meurtre et à « un complot haineux pour extirper la communauté minoritaire du sol de notre province ». Le Président de l'Assemblée dut l'empêcher de continuer dans cette veine en rappelant que, premièrement, le cas auquel il pensait qu'elle faisait allusion n'était pas encore jugé et que, deuxièmement, le sujet n'avait rien à voir avec la question de savoir si la Chambre devait voter des remerciements au Gouverneur pour son discours.

Mahesh Kapoor écouta tout cela en silence, tête penchée, sans s'émouvoir. Il était là parce que c'était son devoir, il aurait pu tout aussi bien être ailleurs. Pensant à son neveu reposant sur ce qui avait failli être son lit de mort, la begum Abida Khan en appela à grands cris à la justice de Dieu et du Président de la Chambre, afin que le boucher responsable de cette terrible blessure reçoive un châtiment exemplaire. Elle pointa un doigt théâtral vers Mahesh Kapoor puis l'éleva vers le ciel. Devant les yeux fermés de Mahesh Kapoor surgit l'image de Maan en prison ; s'il avait jamais eu le pouvoir de sauver son fils, il savait à présent que ce n'était plus le cas.

Les félicitations furent votées à l'écrasante majorité prévue. L'Assemblée discuta ensuite de diverses petites affaires, comme la démission de députés élus au Parlement de Delhi, l'ajournement de plusieurs ordonnances qu'il avait fallu promulguer pendant l'intersession, enregistra l'accord du Président ou du Gouverneur sur différents projets de loi. Les débats s'interrompirent pour quelques jours, à l'occasion de Holi, puis reprirent pour le vote du budget provisionnel qui fut acquis sans grande difficulté.

18.27

Ni à Prem Nivas, ni chez Pran on ne célébra Holi. Maan et Imtiaz, ivres de bhang, plongeant le Pr Mishra dans un baquet d'eau rose ; Savita, couverte de peinture, riant, pleurant et jurant de se venger ; Mrs Mahesh Kapoor veillant à ce que ses petites-nièces et petits-neveux de Rudhia aient leurs friandises favorites ; Saeeda Bai parée de bijoux ensorcelant les hommes de ses ghazals, sous le regard désapprobateur et fasciné des femmes, là-haut sur le balcon ; tant de scènes qui devaient paraître irréelles à ceux qui s'en souvenaient.

Pran répandit un peu de poudre rose et verte sur le front de sa fille, mais ce fut tout. Il bénit son innocence, son ignorance du mal et de la tristesse régnant dans ce monde.

Lata tenta, en vain, de se consacrer à ses études, le cœur lourd des malheurs de Maan et de sa famille autant que du souci de son futur mariage. La colère et le ravissement se bousculèrent dans l'esprit de Mrs Rupa Mehra quand elle apprit la décision de sa fille. Lata avait pris la précaution, avant de la mettre au courant, de lui transmettre les regrets et le message d'affection de Haresh. Déchirée entre l'envie de serrer sa fille sur son sein et de lui flanquer une gifle pour ne pas l'avoir consultée, Mrs Rupa Mehra fondit en larmes.

Il n'était bien entendu pas question que le mariage se déroule à Prem Nivas. Compte tenu de l'opinion d'Arun sur Haresh, Lata refusa que cela se passe à Sunny Park. Plusieurs raisons interdisaient de songer à la maison des Chatterji à Ballygunge. Ne restait que la demeure du Dr Kishen Chand Seth.

Se fût-il trouvé dans la position de Mrs Rupa Mehra, K.C. Seth eût à n'en pas douter giflé Lata. Ne l'avait-il pas fait avec sa propre fille quand il avait estimé qu'elle ne s'occupait pas convenablement d'Arun, son bébé d'un an ? Il n'avait jamais supporté l'incompétence et l'insubordination. Il refusa carrément d'offrir l'asile, et même d'assister, au mariage d'une petite-fille pour lequel il n'avait pas été consulté au préalable. Sa maison, dit-il à Mrs Rupa Mehra, n'était ni un hôtel ni un dharamshala ; qu'elle cherche ailleurs.

« Point final », ajouta-t-il.

Mrs Rupa Mehra menaça de se suicider.

« Vas-y, vas-y, fais-le, dit-il, sachant qu'elle aimait bien trop la vie, surtout quand elle avait une raison de se sentir malheureuse.

— Et je ne te reverrai jamais, sanglota-t-elle. Jamais de ma vie. Dis-moi adieu, car c'est la dernière fois que tu verras ta fille. » Sur quoi, elle se jeta dans ses bras.

Le Dr Kishen Chand Seth trébucha, faillit laisser tomber sa canne. Chaviré par l'émotion de sa fille et par le réalisme de sa menace, il se mit lui aussi à sangloter, ponctuant ses transports de violents coups de canne sur le sol. Tout s'arrangea très vite.

« J'espère que Parvati ne m'en voudra pas, renifla Mrs Rupa Mehra. Elle est si bonne – si bonne –

— Si c'est le cas, je la renie, s'écria K.C. Seth. On peut divorcer d'une femme. De ses enfants, jamais ! » Ces paroles, qu'il lui sembla avoir déjà entendues quelque part, le replongèrent dans un paroxysme de sanglots.

Quand Parvati revint de faire des courses, quelques minutes plus tard, tenant à la main une paire de chaussures roses à talon haut et disant, « Kishy chéri, regarde ce que j'ai acheté chez Lovely », son mari grimaça un faible sourire, terrifié à l'idée de lui apprendre dans quels ennuis il venait de s'engager.

18.28

Le Nawab Sahib savait que Mahesh Kapoor s'était enquis de la santé de Firoz auprès de Waris. Il savait aussi qu'il avait refusé que l'on procède à un nouveau comptage des voix. Plus tard, il apprit de son munshi que Kapoor Sahib avait même refusé de déposer une réclamation.

« Mais pourquoi voudrait-il déposer une réclamation ? Et contre qui ?

— Contre Waris », répondit le munshi, en lui tendant une poignée des fatals tracts roses.

Le Nawab en parcourut un, le visage blême de fureur. On y faisait un tel usage impie et sans vergogne de la mort qu'il s'émerveilla de ce que la colère de Dieu n'ait pas fondu sur Waris, sur lui ou sur Firoz, la cause innocente de cet outrage. Après être tombé si bas dans l'opinion générale, devait-il aussi supporter le mépris de Mahesh Kapoor ?

Firoz, par la grâce de Dieu, était hors de danger, et le fils de son ex-ami risquait de perdre sa liberté pour de nombreuses années. Quel tour étrange avait pris le destin, songeait le Nawab, et quelle piètre satisfaction retirait-il à présent du sort de Maan et du chagrin de son père – qu'il avait naguère réclamé dans ses prières.

Il avait honte de n'avoir pas assisté au chautha de Mrs Mahesh Kapoor. N'aurait-il vraiment pas pu, malgré l'état alarmant de Firoz à l'époque, trouver une heure, quitte à braver le regard des autres, pour assister au service ? Pauvre femme, qui avait dû mourir en redoutant que ni son fils ni celui du Nawab ne vivent jusqu'à l'été, et en sachant que Maan ne pouvait être auprès d'elle. Pauvre femme, si bonne et si généreuse, qui ne méritait pas une telle douleur.

Parfois, dans sa bibliothèque, la fatigue le terrassait, et il s'endormait. Ghulam Rusool venait le réveiller pour le déjeuner ou le dîner. La chaleur arrivait : d'un figuier lui parvenait le cri bref et continu du barbu. Perdu dans la contemplation religieuse et philosophique, les spéculations de l'astronomie, le monde aurait pu lui sembler petit, les biens et les ambitions, les chagrins et la culpabilité, insignifiants. Il aurait aussi pu s'absorber dans la compilation des poèmes de Mast, dont il projetait l'édition. Mais le Nawab découvrit qu'il ne pouvait pas se concentrer sur un livre ; il se retrouvait parfois fixant une page et se demandant ce qu'il avait fait depuis une heure.

Il apprit, par un article du *Brahmpur Chronicle* un matin, les propos virulents d'Abida Khan à la Chambre, et l'attitude de Mahesh Kapoor, qui n'avait pas dit un mot pour se défendre ou s'expliquer. Saisi de pitié pour son ami, il téléphona à la begum.

« Abida, quel besoin avez-vous eu de dire de telles choses ? »

Abida se mit à rire. Décidément son faible beau-frère, dévoré de scrupules, ne ferait jamais un bon combattant. « C'était ma dernière chance d'attaquer cet homme en face, dit-elle. Sans lui, votre héritage et celui de vos fils ne serait pas en si grand danger. Sans même parler d'héritage, n'en va-t-il pas de la vie de votre fils ?

— Abida, il y a une limite à tout.

— Eh bien, quand je l'atteindrai, je m'arrêterai. Sinon, je basculerai par-dessus bord. C'est mon problème.

— Abida, ayez pitié –

— Pitié ? Quelle pitié le fils de cet homme a-t-il eue pour Firoz ? Ou pour cette femme sans défense – » Abida s'interrompit. Sentant peut-être qu'elle avait atteint la limite. Elle reprit après un long silence : « D'accord, sur ce point j'accepte votre conseil. Mais j'espère que ce boucher pourrira en prison. Pendant des années », ajouta-t-elle, en pensant à la femme du Nawab, la seule lueur qui avait éclairé son existence dans le zenana.

Le Nawab savait que Maan était venu voir Firoz à deux reprises avant de retourner en prison. Murtaza Ali le lui avait dit, et il lui avait dit aussi que ces visites avaient eu lieu à la demande de Firoz. Si mon fils a pardonné à son ami, réfléchissait le Nawab, de quel droit dois-je vouloir qu'on détruise sa vie ?

Ce soir-là, il dîna seul avec Firoz. Circonstance toujours pénible, qui les forçait à se parler sans en réalité parler de quoi que ce soit. Mais ce soir-là, il en fut autrement.

« Firoz, dit-il, quelle preuve y a-t-il contre ce garçon ?

— Preuve, Abba ?

— Je veux dire, du point de vue du tribunal ?

— Il s'est confessé à la police.

— S'est-il confessé devant un magistrat ?

— Vous avez raison, reconnut Firoz, étonné qu'une telle idée de juriste fût venue à son père et non pas à lui. Mais il y a toutes les autres preuves – sa fuite, son identification, nos déclarations – la mienne et celle des autres personnes présentes. » Il observa son père avec attention, se doutant du mal que devait lui causer l'évocation, même indirecte, de ce sujet. « Quand j'ai fait ma déclaration, reprit-il, j'étais très malade ; je pouvais avoir l'esprit très confus. Peut-être l'ai-je encore – c'est moi, plutôt que vous, qui aurais dû penser à tout ceci. »

Il réfléchit un moment. « Si je suis tombé sur le couteau – que j'aie trébuché – qu'il tenait à la main, il a pu – puisqu'il était ivre – il a pu croire que c'était lui qui avait fait ça et – il a pu – il a pu –

— Les autres ?

— Oui – les autres. Ça expliquerait leurs déclarations et sa disparition. » Firoz voyait repasser toute la scène devant ses yeux, très clairement, très lentement. Seules les images de ce qui n'avait duré que quelques secondes, claires jusqu'alors, se brouillaient à présent.

« Prem Nivas a connu assez de souffrances, dit son père. Et il existe plusieurs explications possibles à un même ensemble de faits.

« — Oui, Abba », conclut simplement Firoz, sentant renaître dans son cœur quelque chose de son ancien respect pour son père.

18.29

Le procès de Maan débuta moins d'une quinzaine de jours après, sous la présidence du juge de district et de la haute Cour. Firoz fut un des premiers témoins. A la stupeur de l'avocat de l'accusation, qui lui faisait répéter tranquillement ses déclarations à la police, Firoz dit soudain :

« Et c'est alors que j'ai trébuché sur le couteau.

— Je vous demande pardon, demanda l'avocat, qu'avez-vous dit ?

— J'ai dit : j'ai trébuché et suis tombé sur le couteau qu'il tenait à la main. »

Ahurissement de l'avocat général. Qui ne pouvait ne pas tenir compte de la déposition de Firoz. Il déclara à la Cour que le témoin se retournait contre l'accusation, et demanda l'autorisation de le soumettre à un contre-interrogatoire. Sa déposition, dit-il à Firoz, contredisait ses déclarations à la police. A quoi Firoz répondit qu'il était malade à l'époque et avait la mémoire embrouillée. Les choses ne s'étaient clarifiées qu'après son rétablissement. Le procureur rappela à Firoz qu'il était lui-même avocat et assermenté, ce dont ne disconvint pas le jeune homme tout en exposant, avec un sourire, que même les avocats pouvaient avoir des troubles de mémoire. Il avait revécu cette scène plusieurs fois, il était certain maintenant d'avoir trébuché contre quelque chose – un coussin probablement – et d'être tombé sur le couteau que Maan venait d'arracher à Saeeda Bai. « Il est resté là, sans bouger. Je pense qu'il a cru m'avoir porté le coup », ajouta Firoz, bien que connaissant les limites d'une preuve basée sur le ouï-dire ou sur l'interprétation de l'état mental des autres.

Dans son box, Maan fixait son ami, ayant du mal à

793

comprendre ce qui se passait. Stupéfaction et inquiétude se lisaient tour à tour sur son visage.

Ce fut ensuite à Saeeda Bai d'être appelée comme témoin. Dissimulée sous son burqa, elle parla d'une voix sourde. Elle accepta sans se rebeller l'affirmation de l'avocat de la défense que ce qu'elle avait vu ne contredisait pas la nouvelle interprétation des événements. Bibbo fit de même. Les autres preuves – le sang de Firoz sur le châle, l'identification de Maan par l'employé de gare, les souvenirs du portier, etc. – ne portaient pas sur ce qui s'était passé durant ces deux ou trois secondes fatidiques. Si Maan n'avait pas poignardé Firoz, que celui-ci fût simplement tombé sur le couteau, il n'y avait pas lieu de se demander si l'accusé avait eu l'intention d'infliger « une blessure corporelle d'une gravité suffisante, pour une nature ordinaire, à entraîner la mort ».

Le juge ne vit pas pourquoi un homme si gravement blessé se serait laissé aller à protéger celui qui lui avait délibérément infligé cette blessure. Il n'y avait pas de preuve de collusion entre les témoins, pas de tentative de subornation par l'avocat de la défense. Le juge ne pouvait conclure qu'à la non-culpabilité.

Il acquitta Maan des deux chefs d'inculpation et ordonna sa remise en liberté immédiate.

Mahesh Kapoor serra son fils dans ses bras. Lui-même était confondu. Il se tourna vers la petite salle du tribunal, en ébullition, et vit le Nawab Sahib en train de parler avec Firoz. Un instant, leurs yeux se rencontrèrent. Ceux de Mahesh Kapoor reflétant la perplexité et la gratitude.

Le Nawab Sahib secoua la tête légèrement, comme pour nier toute responsabilité, et reprit sa conversation avec son fils.

Si Pran s'était trompé en imaginant son père tomber dans la superstition, celui-ci ne la favorisa pas moins d'une certaine façon. Fin mars, quelques jours avant Ramnavami, cédant aux sollicitations de Veena et de la vieille Mrs Tandon, il accepta que se donne une lecture des Ramcharitmanas à Prem Nivas pour la famille et quelques amis.

Il céda peut-être en souvenir de sa femme, qui le lui avait si souvent demandé par le passé et à qui il l'avait toujours refusé – ou peut-être parce qu'il était trop épuisé pour refuser quoi que ce soit à qui que ce soit. Peut-être aussi – bien qu'il eût certainement refusé d'admettre cette raison – parce qu'il souhaitait remercier cette chose bénéfique et mystérieuse qui avait sauvé son fils quand il paraissait logique qu'il fût condamné, et qui lui rendait l'espoir de retrouver l'amitié du Nawab Sahib, quand elle semblait à jamais perdue.

Des trois samdhins, Mrs Tandon fut la seule à assister à la cérémonie. Mrs Rupa Mehra se trouvait à Calcutta, courant frénétiquement les boutiques en vue du mariage. Mrs Mahesh Kapoor n'agitait plus sa petite cloche de cuivre dans l'alcôve où elle faisait ses prières.

Un matin, pendant que se poursuivait la récitation, une chouette blanche pénétra dans la pièce où se tenaient les auditeurs. La présence, en plein jour, de cet oiseau de mauvais augure alarma tout le monde, sauf Veena. La chouette blanche, véhicule de Lakshmi, était, dit-elle, un symbole de chance au Bengale. C'était peut-être un émissaire envoyé de l'autre monde pour leur apporter le bonheur et rapporter là-bas de bonnes nouvelles.

Dans sa prison, Maan avait souvent pensé à Rasheed, à sa folie et à ses illusions. Tous deux étaient des parias, même si son illusion à lui, Maan, avait été de courte durée, mais il y avait néanmoins une différence : lui avait conservé l'amour de sa famille.

Il avait requis Pran de faire parvenir de l'argent à Rasheed, non par besoin d'expiation, mais parce qu'il pensait que cela lui serait utile. Rasheed lui était apparu si maigre, si ravagé ce jour-là à Curzon Park, qu'il doutait que ce que lui envoyait son oncle et ce que lui-même gagnait pussent suffire à payer son loyer et sa nourriture. Sans compter qu'il risquait un jour de ne plus trouver de leçons particulières à donner.

Pendant sa période de liberté provisoire, Maan envoya de nouveau de l'argent à Rasheed, toujours anonymement, mais n'alla pas le voir. Il redoutait que sa visite à lui, un homme sous le coup d'une inculpation pour meurtre, ne suscite des interprétations et des conséquences imprévisibles. De toute façon, elle n'aiderait en rien Rasheed à retrouver son équilibre mental.

Définitivement libéré, Maan repensa à son ancien professeur. Ne se résolvant pas à aller le voir, il lui écrivit une première lettre, qui resta sans réponse.

Sa deuxième lettre ayant subi le même sort, Maan prit le parti de se dire que, du moins, il ne s'était pas fait rembarrer. Il se rendit à l'adresse qu'il avait : Rasheed n'y était plus. Il parla avec le propriétaire et sa femme, les sentit très réticents. Ils lui dirent qu'ils ignoraient où il était parti. Quand il demanda ce qu'étaient devenues les deux lettres qu'il avait envoyées, le propriétaire, après un regard à sa femme, alla les chercher et les lui tendit. Elles n'avaient pas été ouvertes.

Maan essaya alors de savoir à quand remontait le départ de Rasheed et n'obtint qu'une réponse vague : il y avait quelque temps déjà. L'homme et la femme semblaient fâchés, sans que Maan pût déterminer si c'était contre Rasheed ou contre lui.

Inquiet, Maan demanda à Pran de se renseigner à l'université. Un employé du bureau des inscriptions se souvint que Rasheed avait quitté l'université, disant qu'il refusait de suivre des cours alors qu'il devait participer à la campagne électorale pour le bien de son pays.

Maan écrivit alors, dans son ourdou grossier, à Baba et au père de Rasheed. Il reçut une réponse courte et somme toute chaleureuse. Baba lui dit que tous à Debaria étaient très heureux de son acquittement et assuraient son père de leur respect. Que l'Ours et le guppi le priaient de transmettre à Maan leur meilleur souvenir. Le récit de la scène qui s'était déroulée au tribunal avait tant impressionné le guppi qu'il pensait renoncer à la vocation de sa vie au profit de Maan.

Quant à Rasheed, ils n'en avaient pas de nouvelles et ignoraient où il se trouvait. La dernière fois qu'ils l'avaient vu, c'était pendant la campagne électorale, où il s'était attiré l'hostilité grandissante des gens et avait causé du tort à son parti par ses accusations délirantes et ses insultes. Depuis sa disparition, sa femme était effondrée. Meher allait bien, sauf que – Baba prenait un ton indigné – son grand-père maternel proclamait qu'elle devait venir vivre dans son village, avec sa mère et sa petite sœur.

Si Maan apprenait quelque chose sur Rasheed, ajoutait Baba, qu'il veuille bien les en informer le plus vite possible. Ils lui en seraient très reconnaissants.

18.32

Saeeda Bai avait quitté le tribunal aussitôt après sa brève déposition, mais elle eut connaissance du verdict dans la demi-heure qui suivit. Elle remercia Dieu d'avoir sauvé Maan. Elle avait suffisamment de sagesse et d'expérience pour comprendre qu'il était perdu pour elle, mais se réjouissait du fond du cœur à l'idée qu'il ne passerait pas sa jeunesse dans une cellule de prison.

C'était peut-être la première fois de sa vie que Saeeda Bai aimait sans être payée de retour. Elle ne cessait de voir le jeune homme comme il lui était apparu ce premier soir à Prem Nivas : l'ardent Dagh Sahib, plein de vitalité, de charme et de tendresse.

Parfois, ses pensées revenaient au Nawab – à sa mère, à elle-même, cette jeune mère de quinze ans qu'elle avait été. « Ne laisse pas l'abeille entrer dans le jardin – se récitait-elle – afin d'empêcher le meurtre injuste du papillon. » Pourtant les liens de cause à effet pouvaient aussi se révéler bénéfiques, puisque de sa honte et de la violence subie était née sa bien-aimée Tasneem.

Bibbo secouait sa maîtresse quand elle la surprenait ainsi le regard dans le vide. « Au moins, chantez quelque chose. Même la perruche devient muette à votre exemple.

— Reste tranquille, Bibbo. »

Et Bibbo, heureuse d'avoir suscité une réaction, poursuivit son attaque.

« Remerciez Bilgrami Sahib. Sans lui, où serions-nous toutes ? Et remerciez aussi votre plus puissant admirateur, qui nous a épargné ses attentions ces derniers temps. »

Saeeda Bai lui décocha un regard furieux. Le Raja de Marh ne s'était effacé que parce que les préparatifs de la consécration de son temple par l'installation de l'antique Shiva-linga l'occupaient énormément.

« Pauvre Miya Mitthu, murmura Bibbo, qui ne saura plus crier "Whisky" ! »

Un jour, pour stopper le bavardage inepte de Bibbo, Saeeda Bai se fit apporter son harmonium, et laissa ses doigts effleurer les touches de nacre. Mais elle ne parvint pas davantage à maîtriser ses pensées que lorsqu'elle se trouvait dans sa chambre, sous le regard de la gravure tirée du livre que lui avait offert Maan et qu'elle avait fait encadrer. Elle prit le livre, le posa sur l'harmonium, en tourna les pages une par une, s'arrêtant moins aux poèmes qu'aux illustrations. Elle tomba sur celle de la femme accablée de douleur dans le cimetière.

Je ne suis pas allée sur la tombe de ma mère depuis plus d'un mois, se dit-elle. Maintenant que je joue les amantes délaissées, je néglige mes devoirs de fille, se reprocha-t-elle, sans pourtant parvenir à secouer le poids oppressant de son amour pour Maan.

Et Tasneem ? La situation n'était-elle pas pire pour elle ? Pauvre enfant, devenue encore plus silencieuse que cette misérable perruche. Ishaq, Rasheed, Firoz – trois hommes qui avaient fait irruption dans sa vie, chacun plus impossible que le précédent, à qui elle avait donné son affection sans rien manifester, dont elle pleurait la soudaine absence sans élever la voix. Elle avait vu Firoz blessé, sa sœur presque étranglée ; elle avait probablement entendu les rumeurs, bien que son étrange silence n'en laissât rien paraître, concernant sa naissance. Que pensait-elle des hommes désormais ? Ou de Saeeda Bai, si elle croyait ce qu'elle entendait ?

Je ne peux rien faire pour elle, songeait Saeeda. Elle ne pouvait se résoudre à parler à Tasneem de choses importantes.

Les premières étoiles commençaient d'apparaître dans le ciel nocturne, mais c'est le poème de Minai annonçant l'aube que Saeeda se mit à fredonner. Il lui rappelait cette soirée insouciante dans le jardin de Prem Nivas, à laquelle tant de douleur et de chagrin avaient succédé. Les larmes emplirent sa voix, pas ses yeux. Bibbo arriva, et Tasneem aussi, attirées par ce qui était devenu si rare, et elles écoutèrent :

> *La réunion s'est terminée ; les papillons*
> *Disent adieu aux chandelles.*
> *L'heure du départ s'inscrit au ciel.*
> *Dont quelques étoiles ponctuent le fond.*
>
> *Les survivants point ne demeureront :*
> *Sous le coup d'un destin pareil.*
> *Ainsi va le monde, ainsi nous reposons,*
> *Dans la solitude et le sommeil.*

Rasheed longeait le parapet du Barsaat Mahal, affamé et confus.

Le noir, le fleuve, le mur de marbre froid.
Quelque part où l'on ne peut aller nulle part.
Ça ronge. Ils sont tous autour de moi, les vieux de Sagal.
Ni père, ni mère, ni enfant, ni femme.
Comme un bijou sur l'eau. Le parapet, le jardin sous
[lequel coule un fleuve.
Ni Satan, ni Dieu, ni Iblis, ni Gabriel.
Inépuisables, inépuisables, inépuisables, les eaux du
[Gange.
Les étoiles au-dessus, en dessous.

... certains furent saisis par le Cri, d'autres
Nous les fîmes avaler à la terre ; d'autres Nous
Les noyâmes ; Dieu ne les aurait jamais trompés,
Ils se trompèrent eux-mêmes.

Paix. Pas de prières. Plus jamais de prières.
Dormir vaut mieux que prier.
O ma créature, tu as donné ta vie trop tôt. J'ai rendu ton
[entrée au Paradis illégale.
Le printemps au Paradis.
O Dieu, O Dieu.

Plus bas sur le Gange, le décorum s'alliant à l'esprit pratique, on procédait à d'autres préparatifs.

Le Shiva-linga avait la haute taille annoncée dans les mantras des prêtres, et se tenait dans la position prévue, dans les profondeurs du Gange. Des couches de sable et de vase le recouvraient. Il fallut quelques jours avant qu'on puisse l'exposer à la vue sous les eaux boueuses, quelques jours encore pour qu'on le hisse sur la toute première marche du ghat des crémations. Il reposa là, à côté du Gange où il avait dormi pendant des siècles, d'abord sous une croûte d'argile et de sable, puis lavé à l'eau, au lait et au ghee, jusqu'à ce que sa masse granitique luise au soleil.

Les gens accoururent de loin pour le voir, l'admirer, l'adorer. Les vieilles femmes vinrent faire leur puja : chanter, psalmodier, offrir des fleurs, enduire la tête du pujari héréditaire de pâte de santal. Quel assemblage bénéfique : le linga de Shiva et le fleuve qui avait jailli de ses cheveux !

Le Raja de Marh avait convoqué historiens, ingénieurs, astrologues et prêtres, car il fallait maintenant préparer le voyage du linga, de sa remontée des marches du ghat des crémations, en passant par les ruelles surpeuplées du Vieux Brahmpur et les artères de Chowk, jusqu'à son lieu de repos final, triomphal et reconsacré : le sanctuaire du temple restauré.

Les historiens essayèrent d'obtenir des informations sur la logistique employée dans des entreprises semblables, comme, par exemple, le transfert d'Ambala à Delhi, par Firoz Shah, du pilier d'Ashoka – un pilier bouddhiste déplacé par un roi musulman, ricanait le Raja de Marh avec autant de mépris pour l'objet que pour la personne. Les ingénieurs décrétèrent qu'il faudrait deux cents hommes pour hisser sans accroc sur les marches du ghat le cylindre de pierre, de sept mètres cinquante de haut, soixante-dix centimètres de diamètre, et pesant plus de six tonnes. (Le Raja avait interdit l'usage de treuils et de poulies pour cette cérémonie unique et spectaculaire.) Après calcul du moment le plus bénéfique, les astrologues prévinrent le Raja que si la cérémonie n'avait pas lieu dans moins d'une semaine, elle ne pourrait se dérouler que quatre mois plus tard. Quant aux prêtres, tout juste nommés, du nouveau temple de Chandrachur, ils organisèrent les rites propitiatoires tout le long de la route et pour la grande fête lors de son arrivée à destination, tout près de l'endroit où il se dressait à l'époque d'Aurangzeb.

Les musulmans n'avaient pas réussi, malgré l'intervention du comité Alamgiri Masjid Hifaazat, à obtenir l'interdiction d'installer le monolithe profane derrière le mur occidental. Le titre de possession du Raja sur ce terrain, nominalement transféré à un fonds dirigé par le Linga Rakshak Samiti mais dominé par lui, était on ne peut plus légal.

Certains hindous, cependant, estimaient que le linga devait être laissé près du ghat des crémations, car c'est là que dix générations de pujaris étaient venues prier dans le chagrin et le dénuement, là qu'il rappellerait à ses adorateurs la force créatrice de Shiva Mahadeva ainsi que son pouvoir destructeur. Le pujari héréditaire, après avoir prié dans une sorte d'extase le linga redevenu visible, affirmait pour sa part qu'il avait déjà trouvé son lieu d'accueil. Cette marche large et basse sur laquelle il avait reposé, où le peuple l'avait revu et adoré – où il semblerait monter et descendre au rythme de la montée et de la descente des eaux du Gange.

Cela, ni le Raja de Marh ni le Linga Rakshak Samiti ne voulaient en entendre parler. Le pujari avait rempli sa fonction d'informateur. Le linga avait été trouvé, hissé, on le hisserait encore plus haut. On ne laisserait pas un pujari dépenaillé et extatique s'opposer à une telle entreprise.

Des barges apportèrent sur le lieu des billots de bois arrondis – quatre rouleaux qui formèrent une voie sur le ghat. Quatre cents mètres plus haut, à l'endroit où la piste, quittant les marches, tournait à droite dans un étroit chemin, on plaça d'autres bûches entre chaque rouleau, de façon à rendre la courbe plus aisée à négocier. A partir de là, il faudrait transporter le linga en diagonale, et l'on dut élaborer une manœuvre très précise pour parvenir à ce changement de position.

Au jour dit, bien avant le premier chant d'oiseau, des conques firent entendre leur appel somptueux, plaintif et enchanteur. On immergea le linga une fois encore, puis on l'enveloppa d'abord de soie et de coton, enfin de toile de jute. Le tout fut ligoté à l'aide d'énormes cordages, d'où pendirent d'autres cordes de différentes longueurs. On enfonça dans le matelassage des dizaines de milliers d'œillets d'Inde sur lesquels on répandit des pétales de roses. Accompagnés du battement aigu, hypnotisant du petit tambour, le damaru de Shiva, les prêtres entonnèrent leurs psalmodies, qui, retransmises par haut-parleur, s'élevèrent des heures durant par-dessus la clameur ondulante de la foule.

A midi, au plus fort de la chaleur, l'heure des grandes mortifications, deux cents jeunes initiés d'un grand akhara shivaïte, pieds et dos nus, placés par cinq de part et d'autre des rouleaux sur chacune des vingt marches, tirant les cordes qui leur entaillaient les épaules, commencèrent à faire bouger le linga. Les troncs de bois craquèrent, le linga roula lentement, patiemment, toujours plus haut, et de la foule caquetant, chantant, priant, s'éleva un halètement de terreur.

Abandonnant leur tâche sur le ghat des crémations, les prêtres regardèrent avec émerveillement le linga s'éloigner lentement, et les corps, laissés à eux-mêmes, continuèrent à se consumer sur les bûchers.

Seuls le pujari privé de sa pratique et un petit groupe de dévots poussèrent des cris de détresse.

Pas à pas, tiré du haut par saccades, poussé par des leviers, calé de temps à autre afin de permettre aux hommes de souffler, le linga s'éleva.

Les marches raides et irrégulières du ghat arrachaient les plantes de pieds, le soleil brûlait les dos, les hommes grimaçaient sous l'effort, haletaient de soif, mais maintenaient le rythme. Au bout d'une heure, le linga avait grimpé de deux cents mètres.

Du haut des marches, le Raja de Marh criait, rugissait des « Har har Mahadeva ! » d'enthousiasme. Vêtu d'habits de cour en soie blanche malgré la chaleur, son corps massif couvert de chapelets de perles et de perles de sueur, il tenait un grand trident d'or à la main droite.

« Plus vite ! plus vite ! » hurlait, en transe, le jeune Rajkumar. Un sourire arrogant voletait sur ses traits, les mêmes que son père. Il frappait le dos des jeunes novices, surexcité par le sang qui perlait sous les cordages.

Les hommes essayèrent d'accélérer, leurs mouvements devinrent plus désordonnés. Les cordes, glissantes de sueur et de sang, commencèrent à se détendre.

A l'endroit de la courbe, où les marches débouchaient

sur un étroit chemin, il fallait tourner le linga sur le côté. A partir de là, le Gange disparaissait de la vue.

Sur l'extérieur de la courbe, une corde céda, un homme trébucha. La saccade déséquilibra quelque peu le linga, qui bougea légèrement. Sur quoi une deuxième corde céda, puis une troisième, le linga se mit à tressauter, la panique s'empara de la troupe.

« Mettez les cales – mettez les cales !

— Tenez bon !

— Eh – attendez – ne nous tuez pas –

— Tirez-vous – tirez-vous – nous ne pouvons plus tenir –

— Descendez – descendez une marche – relâchez la tension –

— Tirez la corde –

— Lâchez les cordes – vous allez culbuter –

— Har har Mahadeva –

— Courez – sauve qui peut –

— Les cales – les cales – »

Au fur et à mesure que les cordes se rompaient, le linga s'inclinait, d'un côté puis de l'autre. Aux cris des hommes s'arc-boutant pour ne pas tomber en arrière se mêlaient les bruits plus faibles mais plus terrifiants du monolithe en train de glisser, le craquement des billots de bois sur lesquels il reposait. Au-dessous, les hommes trébuchaient et tombaient. Ceux du dessus laissèrent choir leurs cordes ensanglantées, tirèrent sur le côté leurs camarades blessés, fixèrent le regard hébété le matelassage orange aux fleurs tout écrasées. Les tambours s'arrêtèrent de battre. La foule s'égailla, hurlant de terreur, déserta les marches – tandis que, tout en bas, sur le ghat des crémations, fuyaient les prêtres et les parents des morts.

Le linga, protestant contre ces cales posées n'importe comment, sembla d'abord à peine remuer. Puis il bougea. Une cale céda. Il bougea encore, les autres cales glissèrent, et il se mit à redescendre lentement la pente qu'il avait gravie.

Il roula, le grand linga, dévala une marche, puis une autre, puis une autre, gagnant de la vitesse au fur et à mesure. Les billots de bois craquaient sous son poids, il virait de droite à gauche, mais il continuait à descendre vers le Gange, écrasant le pujari qui se tenait sur son passage les bras levés, fracassant le bûcher des crémations, plongeant enfin dans les flots, sous les marches de pierre submergées, regagnant sa couche de boue.

Le Shiva-linga reposa à nouveau dans le lit du Gange, dont les eaux bourbeuses effacèrent peu à peu les taches de sang.

Dix-neuvième partie

19.1

Très chère Kalpana,

Je t'écris à la hâte parce que Varun arrivera à Delhi vers la fin février pour l'oral d'entrée dans l'administration centrale, et que nous espérons que toi et ton père pourrez l'abriter quelques jours. C'est comme si un rêve se réalisait, bien qu'ils ne prennent qu'un candidat sur cinq. Nous ne pouvons qu'espérer et prier, ces choses-là sont totalement entre ses mains. Mais Varun a passé le premier obstacle, puisque des milliers de garçons se présentent à l'écrit et que si peu sont appelés à Delhi.

Quand la lettre convoquant Varun pour l'oral est arrivée, Arun a refusé de le croire et l'a injurié à la table du petit déjeuner, en présence d'Aparna et des domestiques qui, je crois, comprennent tout. Il a dit qu'il devait y avoir une erreur, mais c'était tout à fait exact. Je n'étais pas là, j'étais à Brahmpur, c'est le moment où Haresh et Lata nous ont appris cette si joyeuse nouvelle, mais quand Varun m'a écrit, je suis allée jusqu'à payer un appel interurbain de chez Pran pour féliciter mon fils chéri, et j'ai demandé à Varun de me donner tous les détails et les réactions, ce qu'il a pu faire parce qu'Arun et Meenakshi n'étaient pas là, ils étaient à une soirée comme d'habitude. Il avait l'air très surpris, mais je lui ai dit que dans la vie on n'obtient que ce qu'on mérite. Si D.V il nous surprendra de nouveau à l'oral. Ce sera à toi, très chère Kalpana, de veiller à ce qu'il mange bien, ne soit pas nerveux, se comporte de son mieux et s'habille à la perfection. Qu'il évite aussi les mauvaises fréquentations et l'alcool, pour lesquels, je suis désolée de le dire, il a un penchant. Je sais que tu prendras soin de lui, il a tant besoin de soutien.

Je ne te donne pas d'autres nouvelles parce que je suis pressée et que je t'ai annoncé celle concernant Lata et Haresh dans ma précédente lettre pour laquelle je n'ai reçu encore ni réponse ni félicitations, mais tu dois être occupée, je suis sûre, avec l'opération à la hanche de ton père. J'espère qu'il est maintenant complètement rétabli. Ça doit être dur pour lui, il supporte si mal la maladie, et voilà qu'il en fait lui-même l'expérience. Et tu dois aussi faire attention à toi. La santé est vraiment le bien le plus précieux.

Avec toute ma tendresse à vous deux,

A toi,
MA
(Mrs Rupa Mehra).

P.S. S'il te plaît, envoie-moi un télégramme quand l'oral sera terminé, sinon je ne pourrai pas dormir.

Tandis que la campagne plate, sèche et froide des environs de Delhi défilait derrière les vitres du train, Varun jetait des regards nerveux sur ses compagnons de voyage. Personne ne semblait réaliser l'importance que ce voyage avait pour lui. Après avoir lu le *Times of India* (édition de Delhi) de la première à la dernière page, puis de la dernière à la première – qui savait quelle question d'actualité ces rapaces d'interrogateurs imagineraient de lui poser ? –, il ne put s'empêcher de parcourir une petite annonce qui lui sauta littéralement aux yeux :

Dr Dugle. Grandement honoré pour services rendus (en Inde et Outre-mer) de la clientèle de nombreuses personnes éminentes, Rajas, Maharajas et chefs. Dr Dugle. Spécialiste indien jouissant d'une renommée internationale des maladies chroniques telles que débilité nerveuse, vieillesse prématurée, états de fatigue, manque de vigueur et de vitalité, et autres maladies aiguës semblables. Consultations dans le plus grand secret.

Varun passa la revue morose de ses innombrables incapacités sociales, intellectuelles et autres. Puis une autre annonce capta son attention :

Coiffez-vous avec les huiles crémeuses de Brylcreem.
Pourquoi des huiles crémeuses ? Brylcreem est un mélange crémeux d'huiles toniques. C'est plus facile à appliquer, plus propre à l'usage, et sa *crémosité* fournit à chaque fois la quantité exacte de tous les ingrédients Brylcreem. Brylcreem donne aux cheveux cette douceur lustrée que tant de femmes admirent.
Achetez Brylcreem aujourd'hui.

Varun se sentit encore plus malheureux, doutant que même Brylcreem réussisse à le faire admirer des femmes. Il allait se rendre ridicule à l'oral, comme dans n'importe quelle autre situation.

« Les domestiques vont arriver dans une demi-heure, murmura tendrement Kalpana Gaur en poussant Varun hors du lit.

— Oh.

— Et tu ferais bien de dormir une demi-heure dans ton propre lit, pour qu'ils ne se posent pas de questions. »

Elle lui décocha un sourire maternel, l'édredon vert pâle remonté jusqu'au cou.

« Et après tu ferais bien de t'apprêter pour le petit déjeuner et pour l'examen. C'est ton grand jour aujourd'hui.

— Ah. » Varun semblait sans voix.

« Allons, Varun, ce n'est pas le moment de jouer les muets – en tout cas pas aujourd'hui. Tu dois les impressionner et les charmer. J'ai promis à ta mère de veiller sur toi et de te survolter. Tu te sens survolté ? »

Varun rougit, sourit, rit bêtement, « he, he », se demandant comment sortir du lit avec dignité. Et il faisait si froid à Delhi, comparé à Calcutta. On gelait le matin.

« Il fait si froid, marmonna-t-il

— Tu sais quoi, j'ai souvent des sensations de brûlure dans les pieds, qui m'empêchent de dormir, mais cette nuit je n'ai rien senti. Tu as été merveilleux, Varun. Rappelle-toi, si tu paniques à l'oral, pense à cette nuit, et dis-toi : "Je suis la charpente de l'Inde." »

Varun avait l'air toujours aussi éberlué, mais pas mécontent.

« Mets ma robe de chambre », suggéra Kalpana.

Deux heures plus tard, le petit déjeuner terminé, elle l'inspecta d'un œil critique, aplatit les poches, ajusta la cravate rayée, essuya le trop-plein de Brylcreem dans les cheveux et le recoiffa.

« Mais – protesta Varun.

— Maintenant je vais m'assurer que tu arrives à l'endroit voulu en temps voulu.

— Ce n'est pas la peine –

— C'est sur le chemin de l'hôpital.

— Euh, transmets mon meilleur souvenir à ton père.

— Bien entendu.

— Kalpana ?

— Oui, Varun ?

— Qu'est devenue ta mystérieuse maladie, dont Ma nous parlait sans arrêt ? C'était plus que des sensations de brûlure, d'après elle.

— Oh, ça ? Ça a disparu tout seul le jour où mon père a dû entrer à l'hôpital. On ne pouvait pas se payer le luxe d'être malades tous les deux. »

La Commission fédérale de la fonction publique s'était installée, pour les oraux, dans un bâtiment construit à titre provisoire sur Connaught Place pendant la guerre et qui n'avait toujours pas été démantelé. Dans le taxi, Kalpana serra la main de Varun. « Ne prends pas cet air hébété. Et souviens-toi : ne dis jamais "Je ne sais pas", dis toujours : "Je crains de ne pas avoir la moindre idée". Tu es tout à fait présentable, Varun. Bien plus séduisant que ton frère. »

Entre stupeur et tendresse, Varun lui jeta un dernier regard, et sortit.

Dans la salle d'attente, il remarqua deux candidats, l'air d'Indiens du Sud, frissonnant de tous leurs membres, supportant encore moins bien que lui le temps de Delhi. La journée était particulièrement froide. L'un disait à l'autre : « On raconte que le président de la Commission peut lire en toi comme dans un livre ouvert. Il t'évalue dès que tu franchis la porte. Il découvre tous tes points faibles en quelques secondes. »

Varun sentit ses genoux trembler. Il se rendit aux toilettes, sortit une petite bouteille qu'il avait réussi à cacher sur lui, en avala deux gorgées. Ses genoux se raffermirent, il se prit à penser qu'il allait se comporter avec panache.

« Je crains de ne pas avoir la moindre idée, se répéta-t-il.

— A quel propos ? demanda l'un des autres candidats.

— Je ne sais pas. Je veux dire, je crains de ne vraiment pas pouvoir vous le dire. »

« Alors j'ai dit "Bonjour", et ils ont tous fait un signe de tête, mais le président, une sorte de bouledogue, a dit "Namasté". Sur le coup, ça m'a fait un choc, mais je l'ai surmonté.

— Et ensuite ? demanda Kalpana avec impatience.

— Ensuite il m'a dit de m'asseoir. C'était une table ovale, moi j'étais à un bout, lui le bouledogue était à l'autre, il m'a regardé comme s'il pouvait lire chacune de mes pensées avant que je l'aie formulée. Mr Chatterji – non, Mr Bannerji. Il y avait aussi un vice-chancelier et quelqu'un du ministère des Affaires étrangères, et –

— Mais comment ça a marché ? Tu crois que ça a bien marché ?

— Je ne sais pas. Ils m'ont posé une question sur la Prohibition, et j'avais bu un coup, alors naturellement j'étais nerveux –

— Tu avais quoi ?

— Oh – Varun prit un air coupable – juste une ou deux gorgées. Alors quelqu'un m'a demandé si j'aimais la boisson mondaine au goût bizarre, et j'ai dit oui. Ma gorge devenait de plus en plus sèche, et le bouledogue n'arrêtait pas de me regarder, il a reniflé légèrement et il a noté quelque chose sur un carnet. Puis il a dit : Mr Mehra, si l'on vous envoyait dans un Etat comme Bombay ou un district comme Kanpur où existe la Prohibition, vous sentiriez-vous tenu de refréner votre goût pour la boisson mondaine ? Alors j'ai dit bien sûr que oui. Alors quelqu'un sur ma droite a dit : si vous visitiez des amis à Calcutta et qu'on vous offre à boire, refuseriez-vous – en qualité de représentant d'un Etat sec ? Je les voyais me fixer, dix paires d'yeux, et soudain je me suis dit : "Je suis la charpente", qui sont tous ces gens ? et j'ai dit : Non, je n'en voyais pas la raison, en fait je boirais avec un plaisir augmenté par mon abstinence précédente – c'est exactement ce que j'ai dit. "Augmenté par mon abstinence précédente." »

Kalpana éclata de rire.

« Oui – Varun prit un air étonné – ça a marché avec eux aussi. J'ai l'impression que ce n'était pas moi qui répondais à leurs questions. Plutôt quelqu'un comme Arun, qui avait pris possession de moi. Peut-être parce que je portais sa cravate.

— Qu'est-ce qu'ils ont demandé d'autre ?

— Quelque chose à propos de trois livres que j'emporterais sur une île déserte, si je savais ce que signifient les initiales M.I.T., si je croyais qu'il y aurait une guerre avec le Pakistan – et je ne me souviens de rien, Kalpana, sauf que le bouledogue avait deux montres au poignet, l'une dessus, l'autre dessous. Je ne regardais que ça, pour ne pas le regarder lui. Grâce à Dieu, c'est fini. Ça a duré trois quarts d'heure et ça m'a pris une année de vie.

— Tu as bien dit trois quarts d'heure ? » Kalpana paraissait très excitée.

« Oui.

— Il faut que j'aille télégraphier à ta mère. Et j'ai décidé que tu dois rester encore deux jours à Delhi. Ta présence me fait beaucoup de bien

— Vraiment ? » dit Varun en rougissant.

Il se demanda si c'était au Brylcreem qu'il devait ça.

VARUN SURVOLTÉ EXAMEN TERMINÉ CROISONS LES DOIGTS PÈRE EN MEILLEURE SANTÉ TENDRESSE KALPANA.

On peut toujours faire confiance à Kalpana, se dit Mrs Rupa Mehra, tout heureuse.

19.2

A Calcutta, Mrs Rupa Mehra s'agitait comme une girouette, achetant des saris, tenant des conférences familiales, rendant visite à son futur gendre deux fois par semaine, réquisitionnant des voitures (y compris la grosse Humber blanche des Chatterji) pour faire ses courses et aller voir des amis, écrivant de longues lettres à tous ses parents, dessinant le faire-part, monopolisant le téléphone à la manière de Kakoli, et pleurant alternativement de joie à la pensée du mariage de sa fille, d'inquiétude en songeant à la nuit de noces, de chagrin en sachant que le défunt Raghubir Mehra ne serait pas là.

Elle feuilleta un exemplaire du *Mariage idéal* de Van de Velde dans une librairie – et bien que ce qu'elle en lisait lui fît monter le rouge au front, elle l'acheta sans hésiter. « C'est pour ma fille », expliqua-t-elle au vendeur, qui bâilla et hocha la tête.

Arun l'empêcha d'ajouter un dessin de rose sur le faire-part. « Ne sois pas ridicule, Ma. Que penseraient les gens en recevant tout ce ghich-pich ? Je ne m'en remettrais pas. Laisse la carte nue. » Profondément blessé que Lata eût refusé de se marier chez lui, il essayait de compenser sa perte d'autorité en organisant tous les préparatifs de la cérémonie – du moins ceux que l'on pouvait régler de Calcutta. Mais il affrontait, ce faisant, à la fois sa mère et son grand-père qui, chacun, avaient des idées bien arrêtées sur ce dont on avait besoin.

S'il n'avait pas changé d'opinion sur Haresh, Arun s'inclinait devant l'inévitable, s'efforçait de se montrer aimable. Après avoir de nouveau déjeuné au milieu des Tchèques, il avait en échange invité Haresh à Sunny Park.

Quand on lui avait posé la question de la date du mariage, Haresh avait dit, rayonnant de bonheur : « Le plus tôt sera le mieux. » En raison toutefois des examens de Lata, et du fait que les parents adoptifs de Haresh répugnaient à l'idée que la cérémonie pût avoir lieu le dernier mois, réputé néfaste, du calendrier hindou, on opta pour fin avril.

La famille de Haresh réclama également l'horoscope de Lata, afin de s'assurer que ses étoiles et ses planètes s'accordaient avec celles de son époux. Ils voulaient surtout se faire confirmer que Lata n'était pas une Manglik – une « martienne » selon certaines définitions astronomiques – car, l'eût-elle été, Haresh, non-Manglik, risquait à coup sûr en l'épousant de mourir prématurément.

Quand son futur gendre lui présenta cette requête, Mrs Rupa Mehra se fâcha tout rouge. « S'il y avait une vérité quelconque dans tous ces horoscopes, il n'y aurait pas de jeunes veuves, décréta-t-elle.

— Je suis d'accord avec vous. Eh bien je leur dirai qu'on n'a jamais fait l'horoscope de Lata. »

A quoi les parents de Haresh réagirent en demandant la date, l'heure et le lieu de naissance de Lata. Ils allaient s'occuper eux-mêmes de faire établir son horoscope.

Muni de la date et du lieu, Haresh se rendit chez un astrologue de Calcutta et lui demanda de lui indiquer une heure de naissance qui garantirait que les étoiles de Lata s'accordaient aux siennes. Sur les deux ou trois possibles, Haresh en choisit une, qu'il indiqua à son tour à ses parents. Leur propre astrologue travaillant selon les mêmes principes que celui de Haresh, ils furent rassurés.

Amit, cela va sans dire, fut déçu, moins pourtant qu'il n'aurait pu l'être. Débarrassé du souci de gérer la fortune des Chatterji, il s'adonnait entièrement à son roman, qui avançait bien et où il se passait beaucoup plus d'événements que dans sa vie. Vaguement dégoûté de lui-même, il attribua sa déception et sa tristesse à un personnage qui sortait de sa plume.

Il écrivit, en prose, un petit mot de félicitations à Lata, et s'efforça d'accepter sportivement sa défaite. Il n'aurait d'ailleurs guère pu faire autrement, attiré qu'il fut, comme ses frères et sœurs, et comme la voiture familiale, dans l'orbite de Mrs Rupa Mehra. Amit, Kuku, Dipankar et même Tapan (chaque fois que ses devoirs scolaires lui en laissaient le temps) se virent attribuer diverses tâches : dresser la liste des invités, sélectionner les cadeaux, aller récupérer les commandes dans les boutiques. Lata avait sans doute pressenti que le seul de ses trois prétendants qu'elle pourrait évincer sans perdre son amitié était Amit.

Un jour, Mrs Rupa Mehra demanda à Meenakshi de l'accompagner chez les bijoutiers afin de l'aider à choisir une alliance pour Haresh.

« Oh, Ma, dit la jeune femme, étirant son long cou, j'ai quelque chose à faire cet après-midi.

— Mais c'est demain, ta canasta.

— Eh bien – Meenakshi eut un lent sourire félin – la vie n'est pas faite que de canasta et de rummy.

— Où vas-tu ?

— Oh, un peu partout dans la ville. Chérie, ajouta-t-elle à l'adresse d'Aparna, laisse mes cheveux tranquilles. »

Sans comprendre qu'elle venait d'avoir droit à une rime à la Kakoli, Mrs Rupa Mehra se fâcha.

« Mais ce sont des bijoutiers que tu m'as recommandés. Ils me serviront beaucoup mieux si tu viens avec moi. Sinon, j'irai chez Lokkhi Babu.

— Oh, non, Ma, ne faites pas ça. Allez chez Jauhri ; mes petites poires d'or. » De l'ongle carminé de son index Meenakshi se caressa le cou, juste sous l'oreille.

« Très bien, s'écria Mrs Rupa Mehra, encore plus irritée par cette dernière remarque, Si c'est tout l'intérêt que tu portes au mariage de ta belle-sœur, va faire le joli cœur en ville. Mon Varun m'accompagnera. »

Mrs Rupa Mehra n'eut finalement pas de mal à séduire Mr Jauhri. En moins de deux minutes, il sut tout sur Bentsen Pryce, l'examen d'entrée dans la fonction publique, les témoins de Haresh. Quand il lui eut assuré qu'il pouvait fabriquer tout ce qu'elle souhaitait et le tenir à sa disposition dans trois semaines, elle commanda un collier d'or champakali (« C'est si joli avec ses gemmes creuses, et pas trop lourd pour Lata ») et une parure en kundan de Jaipur – collier et boucles d'oreilles en verre, or et émail.

En homme habitué au monde, Mr Jauhri ponctuait de commentaires et de félicitations le joyeux babil de Mrs Rupa Mehra. Quand elle mentionna son défunt époux, qui avait travaillé dans les chemins de fer, Mr Jauhri déplora le déclin du service public. Au moment de partir, tous arrangements pris, Mrs Rupa Mehra sortit son stylo MontBlanc et nota ses nom, adresse et numéro de téléphone.

Mr Jauhri sursauta en reconnaissant le patronyme et l'adresse.

« Ah, fit-il.

— Oui. Ma belle-fille a déjà eu affaire à vous.

— Mrs Mehra – n'est-ce pas la médaille de votre époux qu'elle m'a fait monter en chaîne et en boucles d'oreilles ? Très jolies – comme des petites poires ?

— Oui. » – Mrs Rupa Mehra ravala ses larmes. « Je reviendrai dans trois semaines. Je vous en prie, traitez ma commande en urgence.

— Attendez, madame, permettez-moi de vérifier sur mon carnet de commandes, je peux peut-être vous donner tout ça un peu avant. » Il disparut dans son arrière-boutique. Quand il revint, il posa sur le comptoir une petite boîte rouge et l'ouvrit.

A l'intérieur, sur un coussinet de soie blanche, brillait la médaille d'or de Raghubir Mehra.

19.4

Ce mois-là, Mrs Rupa Mehra fit deux fois l'aller-retour Calcutta-Brahmpur.

Piochant dans ses économies – elle s'efforcerait de rogner un peu sur les dépenses du mariage – elle avait racheté sur-le-champ la médaille (« Le fait est, Madame, je n'ai pas pu me résoudre à la fondre »). Pendant quelques jours, Meenakshi retrouva totalement grâce à ses yeux. Car si Meenakshi n'avait pas confié la médaille à Mr Jauhri, elle aurait été volée avec le reste des bijoux lors du cambriolage de Sunny Park, comme l'autre, celle attribuée au titre de la Physique. Meenakshi, elle aussi d'ailleurs, à son retour d'on ne savait où, parut heureuse et satisfaite, se montra charmante avec Varun et sa belle-mère, revendiqua bien vite une sorte de mérite dans l'affaire de la médaille – sans que Mrs Rupa Mehra y trouve à redire.

De retour à Brahmpur, Mrs Rupa Mehra exhiba son trophée triomphalement ; toute la famille se réjouit de cette bonne fortune.

« Tu dois redoubler d'efforts, Lata, il reste si peu de jours avant les examens – sinon tu n'obtiendras jamais les lauriers académiques de ton papa. Ni ton mariage ni quoi que ce soit d'autre ne doivent te distraire. » Là-dessus, elle plaça entre les mains de sa fille le *Mariage idéal*, soigneusement enveloppé dans du papier rouge et or, les couleurs des épousailles.

« Ce livre t'apprendra tout – sur les Hommes, dit-elle en baissant la voix. Même notre Sita et notre Savitri ont dû connaître ces expériences.

— Merci Ma », dit Lata, avec une certaine appréhension.

Embarrassée, Mrs Rupa Mehra disparut dans la pièce suivante, prétextant un coup de téléphone à son père.

Sans attendre, Lata ouvrit le paquet et, toutes études oubliées, se mit à parcourir le précis du sexologue hollandais, fascinée autant que rebutée par les conseils qu'il contenait.

De nombreux graphiques expliquaient le degré d'excitation de l'homme et de la femme dans différentes circonstances, par exemple le coïtus interruptus et ce que l'auteur appelait « la Communion idéale ». On y trouvait des vues en coupe, très coloriées et abondamment commentées, des organes sexuels. « Le mariage est une science. (H, de Balzac) », avait placé le Dr Van de Velde en épigraphe, aphorisme qu'à l'évidence il prenait très au sérieux non seulement dans ses illustrations mais dans sa taxinomie. Il divisait ce qu'il appelait avec modestie sa « Synousiologie » en types convergents et divergents, lesquels étaient subdivisés ensuite en postures, posture habituelle ou médiane, première posture d'extension, deuxième posture d'extension (en suspension), postures de flexion (favorites, selon lui, des Chinois), posture d'équitation (celle que Martial attribuait à Hector et Andromaque), posture sédentaire, antérieure-latérale, ventrale, postérieure-latérale, flexion inversée, postérieure-sédentaire. Le nombre des possibilités stupéfia Lata : elle n'en imaginait qu'une. (Même Malati n'en avait mentionné qu'une.) Elle se demanda ce que les nonnes de St Sophia auraient pensé de ce livre.

Une note en bas de page précisait :

> Des accords ont été passés pour la fabrication des Gelées (« Eugam ») du Dr Van de Velde : Lubrifiantes, Contraceptives et Fertilisantes. On peut se les procurer chez Messrs. Harman Freese, 32 Great Dover Street, Londres, S.E. 1, qui fabriquent aussi les autres préparations et pessaires (« Gamophile ») examinés dans le chapitre « Fertilité et Stérilité dans le mariage ».

Ici et là, le Dr Van de Velde citait avec approbation le poète néerlandais Cats, dont la sagesse populaire ne ressortait pas bien de la traduction.

> *Ecoute mon ami, et sache par quel bonheur :*
> *Toute beauté repose dans l'œil du spectateur.*

Malgré tout, Lata se réjouit que sa mère, par affection pour elle, eût réussi à surmonter son embarras et à lui mettre ce livre entre les mains. Il lui restait quelques semaines pour se préparer à la Vie.

Pendant le dîner, Lata ne cessa de se demander si Savita avait elle aussi reçu un *Mariage idéal* avant ses noces. On servit un pudding en gelée comme dessert et, à la stupeur de tous, Lata se mit à rire – refusant d'expliquer pourquoi.

19.5

Lata passa ses derniers examens dans un état second, non pas saisie de panique comme l'année précédente, mais avec le sentiment d'être détachée d'elle-même, de s'observer d'en haut. Sa copie remise, elle sortit de la salle et descendit s'asseoir sur le banc, à l'ombre du gul-mohur. Les mêmes fleurs orange formaient un épais tapis sous ses pieds. S'était-il réellement écoulé un an depuis qu'elle l'avait rencontré ?

Si tu l'aimes tant, peux-tu être heureuse de le quitter ?

Où était-il ? Elle ne le vit pas sur les marches, il ne s'aventura pas vers le banc.

Après la dernière épreuve, Ustad Majeed Khan donna un concert, auquel elle se rendit avec Malati. Kabir ne s'y montra pas. Depuis leur brève rencontre dans la librairie et au café, c'était comme s'il avait disparu.

Haresh lui écrivait des lettres encourageantes auxquelles elle répondait avec entrain, envahie pourtant par un sentiment de solitude de plus en plus grand.

Elle allait s'asseoir sur la racine du banian, observait le Gange, remâchant inutilement des souvenirs. Aurait-elle été heureuse avec lui ? Et lui avec elle ? Il était devenu si jaloux, tendu, violent, si différent du joueur de cricket qu'elle avait vu rire et s'entraîner naguère. Où était le chevalier blanc qui avait volé à son secours sous le gulmohur ?

Et moi ? se disait-elle. Comment aurais-je agi à sa place ? En essayant de parvenir à une bonne camaraderie ? Encore maintenant, il me semble que c'est lui qui m'a quittée – et je ne peux pas le supporter.

Dans deux semaines, je serai l'Epousée des chaussures Goodyear

Oh, Kabir, Kabir – pleura-t-elle.

Je devrais m'enfuir.

Je devrais fuir, loin de Haresh, loin de Kabir, d'Arun, de Varun, de Ma et du clan Chatterji, loin de Pran, de Maan, des hindous et des musulmans, loin des amours passionnées et des haines passionnées – là où il n'y aurait que moi, Malati, Savita et le bébé.

Nous nous assiérions sur le sable, de l'autre côté du Gange, et nous endormirions pour une année ou deux.

Les préparatifs du mariage se poursuivirent dans la fougue et dans un climat conflictuel, Mrs Rupa Mehra, Malati, le Dr Kishen Chand Seth et Arun s'efforçant chacun d'agir en maître d'œuvre.

K.C. Seth voulait absolument que Saeeda Bai vienne chanter à la cérémonie. « A qui d'autre s'adresser quand on a une Saeeda Bai à Brahmpur ? On dit que la strangulation lui a ouvert la gorge. »

Seule la certitude que tout Prem Nivas boycotterait le mariage le convainquit de renoncer. Mais il avait déjà enfourché un autre cheval de bataille : la liste des invités. Elle était beaucoup trop longue, clamait-il : tous ces gens allaient abîmer son jardin et vider ses poches.

Chacun jura qu'il limiterait sa propre liste, et chacun continua d'inviter tous ceux qu'il rencontrait, à commencer par Chand Seth : il invita la moitié du Subzipore Club, la moitié du corps médical de Brahmpur, quiconque avait un jour ou l'autre joué au bridge avec lui, se justifiant par cette explication sibylline : « Un mariage est toujours l'occasion de marquer des points. »

Arun, arrivé quelques jours plus tôt, se mit en tête d'arracher les guides à son grand-père. Mais Parvati, se rendant sans doute compte que toute cette agitation faisait le plus grand bien à son mari, mit fin à ses tentatives d'usurpation. Elle se permit même de crier après Arun devant les domestiques, sur quoi Arun battit en retraite devant cette « haridelle ».

Quand la baraat – la famille du fiancé – débarqua de Delhi, les complications et l'agitation reprirent de plus belle. La mère de Haresh insista sur les précautions qu'il convenait de prendre dans la préparation des aliments. Elle ignora heureusement que chez Pran, où elle déjeuna un jour, le cuisinier était musulman. Pour la circonstance, Mateen fut rebaptisé Matadeen.

Deux des demi-frères de Haresh et leurs épouses, ainsi que l'oncle Umesh, faisaient partie de la baraat. Avec leur très mauvais anglais, leur sens quasi inexistant de la ponctualité, ils confirmèrent les pires craintes d'Arun. Mrs Rupa Mehra, pourtant, offrit des saris aux femmes, et se lança dans des bavardages quasi ininterrompus.

Lata leur convenait.

Haresh ne fut pas autorisé à voir sa fiancée. Il habita chez Sunil Patwardhan, où tout le contingent de St Stephen débarquait le soir pour le taquiner et jouer des « Scènes de la vie d'un couple ». Le volumineux Sunil tenait le rôle de la tremblante fiancée.

Haresh rendit visite à Kedarnath, assura Veena de la tristesse que lui avait causée la nouvelle de la mort de Mrs Mahesh Kapoor et de tous les tourments qu'avait endurés la famille, eut le plaisir de dire à Kedarnath que les bottines qu'il avait commandées à Prahapore lui seraient livrées dans les tout prochains jours et qu'on lui accordait un prêt à court terme pour l'achat de fournitures.

19.7

Un autre jour, Haresh retourna à Ravidaspur, apportant à Jagat Ram des bananes pour ses enfants, la nouvelle de la commande de Praha et une invitation à son mariage.

Les fruits étaient un luxe ; il n'y avait d'ailleurs pas de marchands de fruits à Ravidaspur. Les enfants aux pieds nus acceptèrent les bananes avec méfiance et les mangèrent avec délectation, laissant tomber les peaux dans le caniveau qui bordait la maison.

La nouvelle de la commande et du prêt qui l'accompagnait fut accueillie avec soulagement mais sobriété par Jagat Ram. Haresh s'attendait à une démonstration de bonheur.

Quant à l'invitation au mariage, elle plongea Jagat Ram dans la stupeur. Bouleversé, il dut néanmoins refuser. Les deux mondes ne se mélangeaient pas. La présence d'un jatav dans la maison du Dr Kishen Chand Seth plongerait toute cette bonne société dans un tel embarras que Jagat

Ram se sentirait blessé dans sa dignité et profondément gêné lui-même. Sans compter le fait de savoir comment s'habiller et quoi offrir.

Devinant en partie ses pensées, Haresh lui dit sans préambule : « Vous n'avez pas à apporter de cadeau. Je n'ai jamais accordé d'importance à ces histoires de cadeau de mariage. Mais vous devez venir. Nous sommes collègues. Et l'invitation est valable pour votre femme aussi, si vous souhaitez l'amener. »

Malgré sa répugnance, Jagat Ram finit par céder. Les garçons s'emparèrent de l'invitation, qu'ils firent circuler de main en main.

La dernière banane engloutie, Haresh s'étonna : « Ils n'ont rien laissé pour votre fille ?

— Oh, ses cendres ont été balayées, dit tranquillement Jagat Ram.

— Quoi ? s'exclama Haresh.

— Je veux dire – la voix de Jagat Ram se cassa.

— Que s'est-il passé, au nom du ciel ?

— Elle a eu une infection. Ma femme disait que c'était sérieux, mais moi je pensais les enfants font très vite beaucoup de fièvre, et ça retombe aussi vite. Alors j'ai tardé. C'était à cause de l'argent, aussi. Les docteurs, ici, ont la main lourde avec nous.

— Votre pauvre femme –

— Elle n'a rien dit, rien dit contre moi. Je ne sais pas ce qu'elle pense. » Il se tut puis conclut sur ces deux vers :

« Ne romps pas le fil de l'amour, c'est Raheem qui le dit.
Ce qui se casse ne s'unit pas ; ne se casse pas ce qui est uni. »

Il retint un instant sa respiration et secoua simplement la tête.

En rentrant chez Sunil, Haresh trouva son père qui l'attendait avec impatience.

« Où étais-tu ? demanda-t-il. Il est presque dix heures. L'officier d'état civil va arriver chez le Dr Seth d'un instant à l'autre.

— Oh ! s'excusa Haresh. Je me dépêche de prendre une douche. »

Mrs Rupa Mehra avait insisté pour que la cérémonie civile se déroule la veille du mariage proprement dit. Elle voulait protéger sa fille de l'injustice de la loi hindoue traditionnelle ; les lois qui gouvernaient un mariage enregistré à l'état civil protégeaient beaucoup mieux les femmes.

Une formalité si brève que presque personne n'y attacha d'importance – ils ne furent qu'une douzaine à y assister – même si, une fois achevée, Haresh et Lata se retrouvèrent légalement mari et femme.

Or Lata, qui passait encore par des alternances d'optimisme serein et de terrible incertitude, se sentit soudain très calme, presque heureuse, et plus éprise de Haresh qu'auparavant. Il lui avait souri à de certains moments, comme sachant qu'elle éprouvait le besoin d'être rassurée.

19.9

Amit, Kakoli, Dipankar, Meenakshi, Tapan, Aparna, Varun et même Hans, arrivés de Calcutta le matin même, avaient assisté au mariage civil. La maison de Pran, celle du Dr Kishen Chand Seth étaient pleines à craquer ; Prem Nivas seule, privée de maîtresse, demeurait presque vide.

Chez K.C. Seth, le va-et-vient était continuel ; partant du principe pacifique – si peu dans ses habitudes – que les gens qu'il ne connaissait pas avaient forcément été invités par quelqu'un d'autre, ou s'occupaient de la décoration, le vieil homme ne brandissait presque pas sa canne. Parvati veillait d'ailleurs à ce que personne ne soit blessé.

Il faisait chaud. Dans leurs nids où ils couvaient, mainates, grives, moineaux, barbus et autres trouvaient ces humains bavards et bruyants très importuns. Rien ne poussait encore sur les plates-bandes du jardin, à l'exception de quelques fleurs de tabac, mais les arbres resplendissaient d'une frondaison blanche, mauve ou rouge, et sur les murs, le long des troncs d'arbre, les bougainvillées répandaient leur masse, orange, rouge, rose, magenta. De temps à autre, l'appel insistant d'un lointain coucou-épervier couvrait le jacassement des barbus.

Dans une pièce retirée de la maison, Lata se prêtait à la cérémonie du henné que Kuku, Meenakshi, Malati, Savita, Mrs Rupa Mehra, Veena accompagnaient des chants traditionnels, innocents ou osés, et de danses rythmées par le battement du dholak. Une vieille femme passait les bracelets de verre – de Firozabad, affirmait-elle – autour de leurs chevilles, tandis qu'une autre leur enduisait de henné, à grands traits délicats, les mains et les pieds. Lata regarda ses mains, couvertes à présent de la pâte molle formant de beaux dessins entrelacés, et se mit à pleurer.

Elle se demanda combien de temps cela mettrait à sécher. Savita prit un mouchoir et lui essuya les yeux.

La voix de Veena s'éleva alors, qui chantait l'histoire de ses mains délicates qui n'avaient pas la force de tirer l'eau du puits communal. C'était la chanson favorite de son beau-père, qui avait fait creuser un puits pour elle dans le jardin de la maison ; la chanson favorite du frère aîné de son mari, qui lui avait donné un récipient d'or pour contenir l'eau. Celle du frère cadet de son époux, qui lui avait offert une corde en soie pour tirer le seau. La chanson bien-aimée de son époux, qui avait engagé deux porteurs d'eau pour lui venir en aide. Mais la sœur et la mère de son époux, jalouses, avaient fait en secret murer le puits.

Dans une autre chanson, la jalouse belle-mère dormait à côté de la jeune mariée afin d'empêcher le mari de la rejoindre la nuit. Mrs Rupa Mehra apprécia ces histoires encore plus que d'habitude, probablement parce qu'elle ne pouvait s'imaginer dans un tel rôle.

Malati – accompagnée de sa mère, soudain débarquée à Brahmpur – chanta « Mouds les épices, toi la grosse, et nous les mangerons ».

Kakoli applaudit à tout rompre, barbouillant ainsi ses mains du henné qui n'avait pas encore séché. Sa contribution musicale consista en une variante du « Grassouillet Mr Kohli », que, profitant de l'absence de sa mère, elle chanta sur l'air d'une chanson de Tagore :

> Le grassouillet Mr Kohli
> Gravit lentement les escaliers.
> Mais la pieuse Mrs Kohli
> Le rabroue sans pitié.
>
> Le vil et humble Mr Kohli
> L'œil fixe, rêve de bonheur,
> Tandis que la sainte Mrs Kohli,
> De son pallu cache ses rondeurs.

19.10

Un peu avant le crépuscule, le lendemain, les invités commencèrent à se rassembler sur la pelouse, au son du shehnai.

Ils étaient accueillis à la grille par les hommes de la famille. Arun et Varun avaient revêtu des kurta-pyjamas blancs à broderies de chikan, Pran portait le sherwani de galuchat blanc qu'il avait mis pour son propre mariage.

Venu de Madras, le frère de Mrs Rupa Mehra était arrivé trop tard pour participer à la cérémonie des bracelets. A l'exception de quelques visages vaguement familiers, aperçus probablement au mariage de Savita, il ne connaissait personne et accueillait tout un chacun avec dignité. Son père, le Dr Kishen Chand Seth, bouillant de chaleur dans son achkan noir extrêmement ajusté, en eut bientôt assez de ces interminables salutations ; il s'emporta contre son fils, qu'il n'avait pas vu depuis une année, défit quelques boutons, et disparut aux fins de superviser les derniers préparatifs. Il avait refusé d'assister aux cérémonies funèbres de son défunt gendre sous prétexte que de rester sans bouger à écouter psalmodier les prêtres ruinerait sa santé et lui ôterait sa sérénité.

Mrs Rupa Mehra portait un sari de mousseline de soie beige à liséré d'or – cadeau de sa belle-fille, qui lui avait fait oublier l'épisode de la boîte de laque. Elle savait qu'Il n'aurait pas voulu, en ce jour des noces de leur fille cadette, qu'elle s'habille en veuve.

La famille du marié avait déjà un quart d'heure de retard. Mrs Rupa Mehra mourait de faim : heureusement pour elle, qui ne devait pas manger avant le moment où elle donnerait sa fille en mariage, les astrologues avaient fixé la cérémonie à huit heures du soir et non, par exemple, à onze heures.

« Où sont-ils ? demanda-t-elle à Maan, qui se trouvait près d'elle et regardait en direction de la grille.

— Je vous demande pardon, Ma. De qui parlez-vous ? » C'est Firoz qu'il guettait.

« De la baraat, bien sûr.

— Ah, oui, la baraat. Ils devraient arriver d'une minute à l'autre. Ne devraient-ils pas déjà être là ?

— Evidemment, bien sûr qu'ils devraient. »

On signala enfin l'approche de la baraat, tout le monde se précipita à la grille. Une grosse Chevrolet bordeaux, décorée de fleurs, apparut, faillit accrocher la Buick verte du Dr K.C. Seth, qui obstruait presque l'entrée. Haresh en sortit. Accompagné de ses parents et de ses frères, escorté, entre autres, par la meute de ses amis de collège. Arun et Varun le conduisirent jusqu'à la véranda. Lata émergea de la maison, en sari rouge et or, les yeux baissés comme il convient à une fiancée. Ils échangèrent des guirlandes. Sunil Patwardhan poussa des cris de joie, le photographe entra en action.

Ils traversèrent la pelouse, montèrent sur l'estrade ornée de roses et de tubéreuses, s'assirent face au jeune prêtre du temple Arya Samaj. Il alluma le feu, la cérémonie commença. Les parents de Haresh se tenaient à ses côtés, Mrs Rupa Mehra aux côtés de Lata, Arun et Varun derrière elle.

« Tiens-toi droit, dit Arun à Varun.

— Je me tiens droit », rétorqua, furieux, le fonctionnaire Varun Mehra. Remarquant qu'une guirlande avait glissé de l'épaule gauche de Lata, il la remit en place et jeta un regard venimeux à son frère.

Fait rare dans un mariage, les invités regardaient calmes et attentifs le prêtre accomplir les rites. Mrs Rupa Mehra sanglotait dans son livre de sanskrit, Savita n'était pas en reste, et Lata ne tarda pas à en faire autant. Quand sa mère lui prit la main, pleine de pétales de roses, et prononça les mots : « O fiancé, accepte dans ses beaux atours cette épouse nommée Lata », Haresh, poussé par le prêtre, prit cette main fermement dans la sienne et répéta les mots : « Je vous remercie et l'accepte volontiers. »

« Courage ! ajouta-t-il en anglais. J'espère que tu n'auras plus jamais à supporter ça. » Que ce fût à cette pensée, ou simplement au son de sa voix, Lata effectivement se sentit toute ragaillardie.

Tout se déroula comme il faut. Ses frères lui mirent du riz dans les mains et en jetèrent sur le feu chaque fois qu'elle et Haresh en firent le tour. On noua le pan du vêtement de l'un à celui de l'autre, on appliqua, à l'aide de l'anneau d'or que Haresh allait lui donner, le sindoor rouge vif sur la raie des cheveux de Lata. Ce rite de l'anneau étonna le prêtre (ça ne correspondait pas au rituel de l'Arya Samaj qu'il connaissait), mais il laissa faire, pour complaire à Mrs Rupa Mehra qui l'avait exigé.

Quelques enfants se disputèrent en pleurant la possession de pétales de roses ; une vieille femme essaya, sans succès, d'obtenir du prêtre qu'il cite le nom de Babé Lalu, la divinité du clan Khanna, dans sa liturgie ; le reste de la cérémonie se passa sans autre incident.

Mais quand les gens se rassemblèrent devant le feu pour réciter trois fois le mantra Gayatri, Pran vit trembler les lèvres de Maan qui, tête baissée, répétait les paroles. Pas plus que son frère aîné, il ne pouvait oublier la dernière fois que les antiques paroles avaient été récitées en sa présence, et devant un autre feu.

La soirée était douce, il y avait plus de coton et moins de soie qu'au mariage de Savita, mais les bijoux resplendissaient tout autant. Les petites poires aux oreilles de Meenakshi, le navratan de Veena, les émeraudes de Malati miroitaient sous la lune, se chuchotant des histoires sur leurs propriétaires.

On ne voyait guère de politiciens, pas d'enfants de Rudhia courant comme des fous, mais quelques cadres de la petite usine Praha de Brahmpur et des grossistes de la Halle aux chaussures.

Jagat Ram était là, sans sa femme, se tenant seul à l'écart jusqu'à ce que Kedarnath le remarque et le prie de se joindre à eux.

On le présenta à la vieille Mrs Tandon qui, incapable de dissimuler sa gêne, se recula comme s'il répandait une mauvaise odeur et le salua d'un faible namasté.

« Je dois partir, dit Jagat Ram à Kedarnath. Voulez-vous donner ceci à Haresh Sahib et à sa femme ? » Il lui tendit un objet qui ressemblait à une petite boîte à chaussures enveloppée dans du papier marron.

« Mais vous n'allez pas le féliciter ?

— C'est qu'il faut faire une longue queue. S'il vous plaît, transmettez-lui mes félicitations. »

La vieille Mrs Tandon avait rejoint les parents de Haresh et s'entretenait avec eux de Neel Darvaza, qu'elle avait visité dans son enfance. Puis elle les félicita du mariage de leur fils, réussissant à glisser toutefois que Lata aimait un peu trop la musique.

« Oh, bien, dit le père de Haresh. Nous aussi nous aimons beaucoup la musique. »

Mécontente, la vieille Mrs Tandon prit le parti de se taire.

Pendant ce temps, Malati parlait avec les musiciens, un joueur de shehnai que connaissait une de ses amies, et le joueur de tabla Motu Chand.

Motu, qui se rappelait avoir vu Malati au conservatoire de musique Haridas, lui demanda des nouvelles d'Ustad Majeed Khan et de son célèbre disciple, Ishaq, que, malheureusement, il avait rarement l'occasion de rencontrer. Malati vanta le sens musical d'Ishaq, qu'elle avait eu la chance d'apprécier à un récent concert, et lui dit qu'elle avait été frappée par l'indulgence dont l'arrogant maestro faisait preuve à l'égard du jeune homme, ne couvrant par exemple presque jamais sa voix par une de ses brillantes improvisations. Dans un monde où régnaient la jalousie et la rivalité, même entre professeur et élève, leur complémentarité était un vrai bonheur.

Le bruit commençait à courir qu'Ishaq – un an à peine après sa première performance au tanpura devant son maître – avait l'étoffe d'un très grand chanteur.

« Sans lui, soupira Motu Chand, les choses ne sont plus les mêmes, là où je travaille. » Devant l'air interrogateur de Malati, il ajouta : « Vous n'étiez pas à Prem Nivas pour Holi, l'année dernière ?

— Non – elle comprit que Motu devait être le joueur de tabla de Saeeda Bai – et cette année, bien entendu...

— Bien entendu. C'est terrible, terrible... Et maintenant avec le suicide de ce garçon, Rasheed... Il était le professeur de, hum, la sœur de Saeeda Bai, mais il s'est si mal conduit qu'elles ont dû le faire tabasser par le portier... et puis on a appris... Il n'y a que des ennuis dans le monde, que des ennuis – » Il se mit à taper sur les petits cylindres de bois disposés autour de son tabla afin de tendre les sangles et de l'accorder. Le joueur de shehnai lui adressa un petit signe de tête.

« Ce Rasheed dont vous parlez, demanda Malati soudain troublée elle-même, ce n'est pas le socialiste ? l'étudiant en histoire ? –

— Je crois que si », dit Motu, pliant et dépliant ses doigts aux bouts rembourrés ; sur quoi le tabla et le shehnai se remirent à jouer.

Maan, qui se tenait assez loin d'eux, n'avait rien entendu de la conversation. Il avait l'air triste, presque farouche.

A un moment, il se demanda où était passé le harsingar, avant de se rappeler qu'il ne se trouvait pas dans le même jardin. Firoz s'approcha, et ils restèrent côte à côte, silencieux. Quelques pétales de roses se posèrent sur eux, venus d'on ne sait où. Ils ne prirent pas la peine de les chasser. Imtiaz vint les rejoindre, bientôt suivi du Nawab Sahib et de Mahesh Kapoor.

« Au fond, tout est pour le mieux, dit Mahesh Kapoor. Si j'avais été élu, Agarwal aurait été obligé de me demander d'entrer dans son gouvernement, et je n'aurais pas pu le supporter.

— Pour le mieux ou non, dit le Nawab, les choses sont ce qu'elles sont. »

Le silence de nouveau s'installa. L'ambiance était amicale, mais ils ne savaient quoi se dire, chaque sujet paraissant interdit pour une raison ou une autre. On ne pouvait parler ni de droit ni de lois, de médecins ou d'hôpitaux, de jardins ou de musique, de projets ou de souvenirs, de politique ou de religion, d'abeilles ou de lotus.

La Cour suprême avait reconnu la constitutionnalité de la loi sur les zamindars ; le jugement, en cours de rédaction, serait publié dans quelques jours.

S.S. Sharma parti rejoindre Nehru à Delhi, les députés du Congrès du Purva Pradesh avaient élu L.N. Agarwal comme Premier ministre d'Etat. A la surprise générale, une de ses premières mesures avait été d'informer très fermement le Raja de Marh qu'il ne disposerait plus de la moindre protection, gouvernementale ou policière, au cas où l'envie le reprendrait de tenter un nouveau sauvetage du linga.

Les gens de Bénarès avaient décidé que Maan n'était plus un garçon convenable ; ils en avaient informé Mahesh Kapoor.

Tous ces sujets, et bien d'autres, hantaient les esprits de tous – ne sortaient de la bouche de personne.

Apercevant le célèbre Maan, Meenakshi et Kakoli accoururent dans un frou-frou de mousseline, que même Mahesh Kapoor, heureux de la diversion qu'elles créaient, accueillit avec plaisir. Mais avant qu'elles n'arrivent, Maan – qui venait de remarquer la vaste personne du Pr Mishra dans le voisinage – avait cru bon de disparaître.

La découverte que Firoz et Imtiaz étaient jumeaux plongea Meenakshi et Kakoli dans le ravissement.

« Si j'ai des jumeaux, déclara Kuku, je les appellerai Prabodhini et Shayani. Comme ça, l'un dormira tandis que l'autre veillera.

— C'est complètement idiot, dit Meenakshi, car c'est toi qui ne pourras jamais dormir. Sans compter qu'ils n'arriveront jamais à se connaître. Dites-moi, lequel de vous deux est l'aîné ?

— Moi, dit Imtiaz.

— Non, ce n'est pas vous.

— Je vous assure que si, Mrs Mehra. Demandez à mon père.

— Il ne saura pas. Un très gentil monsieur, qui m'a fait cadeau d'une ravissante petite boîte de laque, m'a dit un jour que, selon les Japonais, l'aîné est le bébé qui sort en dernier, car, en laissant son frère cadet émerger avant lui, il prouve sa courtoisie et sa maturité.

— Mrs Mehra, dit Firoz en riant, jamais je ne pourrai vous remercier assez.

— Oh, je vous en prie, appelez-moi Meenakshi. C'est une charmante idée, non ? Désormais, si j'ai des jumeaux, je les appellerai Etah et Etawah ! Ou Kumbh et Karan. Ou Bentsen et Pryce. Quelque chose d'inoubliable. Etawah Mehra – n'est-ce pas délicieusement exotique ! Où est passée Aparna ? Dites-moi, qui sont ces deux étrangers, qui parlent avec Arun et Hans ? » Elle étira son cou, tendit une main délicatement peinte au henné que prolongeaient des doigts aux ongles rouge ripolin.

« Ils travaillent chez Praha, ici à Brahmpur, dit Mahesh Kapoor.

— Quelle horreur ! s'exclama Kakoli. Ils sont probablement en train de parler de l'invasion de la Tchécoslovaquie par les Allemands. A moins que ce ne soit par les commu-

nistes ? Je m'en vais de ce pas les séparer. Ou du moins
écouter ce qu'ils racontent. Je m'ennuie tellement. Il ne se
passe jamais rien à Brahmpur. Viens, Meenakshi. Et nous
n'avons même pas encore félicité Ma et Luts. Non pas
qu'elles le méritent. Quelle idiotie de ne pas avoir épousé
Amit. Je suis sûre qu'il ne se mariera jamais, et il deviendra
aussi grognon que Cuddles. Evidemment, ils peuvent
encore vivre une folle passion », ajouta-t-elle, pleine
d'espoir.

Un éclair de peau, et les Chatterji au dos nu s'étaient
envolées.

19.13

« Elle n'a pas épousé celui qu'il fallait, dit Malati à sa
mère, et ça me fend le cœur.

— Malati, chacun commet ses propres erreurs. Es-tu si
sûre que ce soit une erreur ?

— Oui, oui, je le sais ! Et elle ne s'en apercevra que trop
tôt. » Elle était décidée à obtenir de Lata qu'elle envoie un
mot à Kabir. Haresh, que hantait l'ombre de Simran, ne s'y
opposerait sûrement pas.

« Malati, au lieu de te mêler du mariage des autres, tu
ferais bien de t'occuper du tien. Que sont devenus les cinq
garçons dont tu avais connu le père à Nainital ? »

Malati n'écoutait pas, l'œil attiré par Varun qui, un peu
plus loin, décochait à Kalpana Gaur des sourires éperdus.

« Tu aimerais me voir épouser un fonctionnaire ?
demanda-t-elle à sa mère. Le plus gentil, le plus faible, le
plus adorable idiot que j'aie jamais rencontré ?

— Je veux que tu épouses un homme de caractère,
quelqu'un comme ton père. Que tu ne pourras pas dominer. Et c'est aussi ce que tu veux. »

Mrs Rupa Mehra, elle aussi, observait, effarée, son fils et
Kalpana Gaur. Ce n'est pas possible ! Ce n'est pas possible !
se disait-elle. Kalpana, qu'elle considérait comme sa fille :

comment avait-elle pu fondre sur ce pauvre Varun ? Peut-être que j'imagine des choses ? Mais Varun était si dénué de malice – ou plutôt si maladroit quand il tentait de faire le malin – qu'on ne pouvait se méprendre sur les symptômes de sa passion.

Comment et quand cela avait-il pu se produire ?

« Oui, oui, merci, merci », dit-elle impatiemment à quelqu'un qui la félicitait.

Par quels moyens empêcher un tel désastre ? Kalpana avait des années de plus que Varun, et même si Mrs Rupa Mehra la considérait comme sa fille, elle n'avait pas l'intention de la prendre pour bru.

Or voilà que Malati (« cette fille qui ne sait faire que des dégâts ») s'approchait de Varun et plongeait, longuement, longuement, ses yeux d'un vert incomparable dans les siens. La mâchoire légèrement pendante, Varun paraissait bégayer.

Laissant Lata et Haresh se débrouiller tout seuls, Mrs Rupa Mehra fonça sur Varun.

« Bonjour, Ma, dit Kalpana Gaur. Toutes mes félicitations. Quel merveilleux mariage. Et j'ai le sentiment d'y être pour quelque chose.

— Oui, reconnut Mrs Rupa Mehra sèchement.

— Bonjour, Ma, dit Malati. Moi aussi, toutes mes félicitations. » Ne recevant pas de réponse, elle ajouta, sans y penser : « Ces gulab-jamuns sont délicieux. Vous devez y goûter. »

Cette mention de sucreries interdites accrut la colère de Mrs Rupa Mehra. Elle jeta des regards furibonds sur les objets du délit.

« Que se passe-t-il Malati ? Tu n'as pas l'air dans ton assiette – tu as tellement virevolté partout, ça ne m'étonne pas – quant à toi, Kalpana, rester debout comme ça dans cette foule, ce n'est pas bon pour tes brûlures ; va t'asseoir sur le banc, là-bas, il y fait bien plus frais. J'ai un mot à dire à Varun, qui ne remplit pas ses devoirs d'hôte. » Et elle tira son fils à part.

« Toi aussi tu épouseras quelqu'un que j'aurai choisi, lui déclara-t-elle.

— Mais, Ma – Ma – Varun dansait d'un pied sur l'autre.

— Une fille convenable, voilà ce que je veux pour toi. Ce que ton Papa a toujours voulu. Une fille convenable, et pas d'exceptions. »

Tandis que Varun tentait de deviner ce que sous-entendait cette dernière phrase, Arun se joignit à eux, accompagné d'Aparna qui tenait d'une main la main de son père, de l'autre un cornet de glace.

« Il n'y a pas de pistache, Daadi, annonça-t-elle d'une voix déçue.

— Ne t'inquiète pas, mon amour, dit Mrs Rupa Mehra, on t'achètera plein de glace à la pistache, demain.

— Au zoo.

— Oui, au zoo », dit sa grand-mère étourdiment. Puis, se ravisant : « Mon amour, il fait trop chaud pour aller au zoo.

— Mais tu as promis.

— Vraiment, mon trésor ? Quand ?

— Maintenant ! maintenant !

— Ton Papa t'y emmènera.

— Ton Varun Chacha te conduira, dit Arun.

— Et tante Kalpana viendra avec nous, dit Varun.

— Non, dit Mrs Rupa Mehra. Demain, je dois parler avec elle du bon vieux temps et d'autres choses.

— Et Lata Bua, elle ne peut pas venir avec nous ? demanda Aparna.

— Non, parce qu'elle part demain pour Calcutta, avec Haresh Phupha, expliqua Varun.

— Parce qu'ils sont mariés ?

— Parce qu'ils sont mariés.

— Ah. Alors Bhaskar viendra avec nous, et Tapan Dada.

— Rien ne les en empêche. Mais Tapan prétend que tout ce qu'il veut faire, c'est lire des bandes dessinées et dormir.

— Et le Bébé Mademoiselle.

— Uma est trop petite pour aimer le zoo, dit Varun. Les serpents risquent de l'effrayer. Ils pourraient même la gober. » Il émit un rire sinistre, à la joie d'Aparna, en se frottant l'estomac.

Uma, au même moment, faisait le bonheur et l'admiration des tantes de Savita, tout heureuses que, malgré leurs prédictions, elle ne fût pas devenue « aussi noire que son père ». Remarques proférées à portée d'oreille de Pran, qui se contenta de rire. Sur la couleur de Haresh, elles ne tarissaient pas d'éloges ; certaines qu'elle compenserait l'imperfection du teint de Lata.

C'est ainsi que les lois de Mendel fournirent un sujet d'occupation aux tantes de Lucknow, de Kanpur, de Bénarès et de Madras.

« Il y a une forte probabilité pour que le bébé de Lata naisse noir, intervint Pran. Les choses s'équilibrent à l'intérieur d'une même famille.

— Chhi, chhi, comment pouvez-vous dire ça ? s'indigna Mrs Kakkar.

— Pran n'a que des histoires de bébé en tête », dit Savita. Pran grimaça un sourire – plutôt infantile, songea Savita.

Un beau matin, récemment, pendant le petit déjeuner, il avait reçu un coup de téléphone dont il était revenu avec un sourire épanoui. Parvati, à ce qu'il semblait, était enceinte. Mrs Rupa Mehra avait sursauté d'horreur.

De se rappeler qu'on était un 1er avril n'avait pas apaisé sa rancœur. « Comment peux-tu plaisanter avec des choses aussi tristes ? » avait-elle protesté. Dans l'esprit de Pran, mieux valait prendre la vie du bon côté, d'autant qu'il ne trouvait pas si triste l'idée que Parvati et Kishy pussent avoir un enfant. Chacun dominant l'autre, un bébé rétablirait l'équilibre.

« Qu'y a-t-il de mal à avoir des bébés en tête ? dit Pran à l'assemblée des tantes. Veena est enceinte, ce dont Bhaskar et Kedarnath semblent très contents. C'est une bonne nouvelle dans une triste année. Uma également aura besoin d'un frère ou d'une sœur, tôt ou tard. Mon nouveau salaire devrait me le permettre.

— Très juste, opinèrent les tantes. Tant qu'il n'y a pas au moins trois enfants, on ne peut pas parler de famille.

— Avec pertes et profits, bien entendu », dit Savita. Inchangée malgré l'étude du droit, elle était aussi douce et jolie que jamais dans son sari bleu et argent.

« Oui, chérie, avec pertes et profits, confirma Pran.

— Toutes nos félicitations, Dr Kapoor », dit derrière lui une voix singulièrement peu audible.

Pran se retrouva la proie de trois lions littéraires : Mr Barua, Mr Nowrojee et Sunil Patwardhan.

« Oh merci, mais ça fait un an et demi que je suis marié. »

Un sourire réfrigéré flotta sur le visage de Mr Nowrojee.

« Je voulais dire, félicitations pour votre promotion si – si richement méritée. Et cela faisait aussi des mois que je voulais vous dire combien j'avais apprécié votre *Nuit des rois*. Mais vous avez disparu si vite le soir de la conférence de Chatterji. Je l'ai aperçu ici ce soir. Je lui ai envoyé une liasse de villanelles il y a un mois, mais n'ai pas encore reçu de réponse ; croyez-vous que je puisse le lui rappeler ?

— C'était Mr Barua le metteur en scène, cette année. Moi, c'est *Jules César* que j'avais monté l'année précédente.

— Mais bien sûr, bien sûr, quoique, parfois, avec Shakespeare on ne sait jamais, comme je le disais à E.M. Forster en – quand était-ce – 1913 ? –

— Ainsi, espèce de salaud, tu as réussi à mettre Joyce au programme, le coupa Sunil Patwardhan. Une abominable décision, abominable. J'en parlais justement avec le Pr Mishra. Il semblait très abattu.

— Tiens-toi à tes mathématiques, Sunil.

— C'est ce que j'ai l'intention de faire. Avez-vous lu ce que dit Joyce sur le son des battes de cricket ? demanda-t-il à Mrs Barua et Nowrojee : "Pick, pack, pock, puck : comme des gouttes d'eau débordant d'une fontaine sur un bol plein." Et ça c'était le jeune Joyce. Voulez-vous une imitation de l'éveil de Finnegan ?

— Non, dit Pran. Epargne-nous cette joie. »

Les invités se pressaient autour des tables dressées au bout du jardin, se saluaient, félicitaient les jeunes mariés et leur famille. Cadeaux, enveloppes contenant de l'argent, s'accumulaient près de la balancelle décorée où ils se tenaient tous les deux.

« Je ne sais pas qui je suis, dit Kalpana Gaur. Je ne sais pas à quel groupe j'appartiens : celui du marié ou celui de la mariée.

— C'est évidemment un problème, confirma Haresh. Un sérieux problème. Le premier problème de notre vie de couple. »

Tandis que Haresh riait et plaisantait avec ses amis, Lata ne parlait guère. Voyant approcher Mr Sahgal, son oncle de Lucknow, elle saisit la main de son mari et la serra.

« Qu'y a-t-il ? demanda Haresh.

— Rien.

— Mais – »

Mr Sahgal lui tendait la main. « Je veux vous féliciter, dit-il. J'ai vu dès le début que vous deux alliez vous marier – c'était inévitable – c'est une union que le père de Lata aurait approuvée. C'est une très, très bonne fille. » Lata avait fermé les yeux. Il la dévisagea, insistant sur les lèvres peintes, puis, avec un léger ricanement, tourna les talons.

Un peu plus loin, le Dr Durrani, tout en mangeant un kulfi d'un air absorbé, parlait avec Pran, Kedarnath, Veena et Bhaskar. « Si, euh, intéressant, comme je le disais à votre fils, cette insistance sur le nombre sept... sept, hum, pas, et sept, euh, sept, cercles autour du feu. Sept euh, notes dans une gamme, parlant en termes de module bien entendu, et sept jours dans, euh, la semaine. » Il parut soudain se souvenir de quelque chose, fronça ses épais sourcils : « Je dois m'excuser, c'est jeudi, voyez-vous, et mon fils, euh, mon fils aîné, n'a pas pu venir. Il doit aller, euh, euh, quelque part – »

Mrs Rupa Mehra avait considéré l'invitation des Durrani comme une redoutable erreur – irrattrapable une fois lancée. « Venez, je vous en prie, avec votre famille bien entendu », avait dit K.C. Seth à l'occasion d'une partie de bridge.

Amit, lui, était la proie de deux dames d'âge respectable, dont l'une portait un rubis en pendentif, étoile scintillante sur sa poitrine.

« Cet homme nous a dit que vous êtes le fils du juge Chatterji.

— C'est exact.

— Nous avons bien connu votre père à Darjeeling. Il y venait chaque année pour les vacances de Puja.

— Il y va encore quand il le peut.

— Oui, mais nous, nous n'y sommes plus. Rappelez-nous à son souvenir. Maintenant, dites-moi, c'est vous l'intelligent ?

— Oui, c'est moi », avoua Amit.

La dame étincelante gloussa de rire.

« Je l'ai su quand vous n'étiez pas plus haut que ça. Vous étiez déjà très intelligent, ça ne m'étonne pas que vous ayez écrit tous ces livres. »

Ne voulant pas être en reste, l'autre dame affirma qu'elle l'avait connu quand il n'était encore qu'une bosse dans le ventre de sa mère.

« Mais une bosse très futée, sans aucun doute.

— Tstt, tstt », dit la dame.

Une certaine agitation régnait à la grille. Apprenant que se donnait une réception de mariage, une bande de cinq hermaphrodites était accourue, et ils chantaient, dansaient et réclamaient de l'argent. Si osés étaient leurs gestes que nombre d'invités se détournaient, choqués, tandis que Sunil Patwardhan entraînait ses amis pour jouir du spectacle. Brandissant sa canne, le Dr Kishen Chand Seth s'efforçait de les chasser, ce qui lui valait des remarques égrillardes à propos de lui et de son bâton. Ils ne s'en iraient que contre de l'argent. K.C. Seth leur offrit vingt roupies, à quoi le chef rétorqua qu'il ne lui cirerait même pas ses chaussures pour ce tarif. Le Dr Seth eut beau sauter, crier, rien n'y fit : ils repartirent avec cinquante roupies.

« C'est du chantage, hurla K.C., du pur chantage. »

Il en avait assez de ce mariage et de tous ces gens. Il

rentra dans la maison pour se rafraîchir, s'allongea et ne tarda pas à s'endormir.

Mrs Rupa Mehra avait rompu son jeûne, mais ne prenait pas à s'alimenter le plaisir habituel, trop occupée à accepter les félicitations, présenter les gens les uns aux autres, surveiller Lata et Haresh, garder un œil sur Varun, vérifier l'approvisionnement du buffet. Ce qui ne l'empêchait pas d'être heureuse à en pleurer, heureuse de voir Pran s'entretenir avec le Pr Mishra, le Nawab Sahib avec Mahesh Kapoor, Firoz et Maan rire ensemble.

« Des tas et des tas de félicitations, Mrs Mehra, dit Sunil Patwardhan.

— Merci, Sunil. Je suis contente que vous soyez venu. Vous n'auriez pas aperçu mon père, par hasard ?

— Non, pas depuis l'altercation à la grille... Mrs Mehra, j'ai un petit problème... Haresh a oublié ses boutons de manchette chez moi, et il m'a dit de les déposer dans la chambre où il dormira ce soir. » Sunil extirpa les objets de sa poche. « Si vous vouliez bien me dire où je dois les porter – »

Mais Mrs Rupa Mehra ne se laissa pas avoir. Avertie des farces et plaisanteries dont Sunil était coutumier, elle n'allait pas le laisser troubler la nuit de noces, le Mariage Idéal, de sa fille.

« Donnez-les-moi. Je les lui remettrai. » C'est ainsi que Haresh s'enrichit, et Sunil s'appauvrit, d'une paire de boutons de manchette en onyx noir.

19.15

Kabir n'avait pu se résoudre à assister au mariage. Mais bien qu'on fût jeudi, il n'était pas non plus allé voir sa mère. Il avait choisi de marcher le long du Gange : passant devant le banian, dépassant le dhobi-ghat, les sables du Pul Mela sous le Fort, longeant les rives de la vieille ville, suivant le cours des eaux sombres jusqu'au Barsaat Mahal.

Il s'assit à l'ombre d'un mur, la tête enfouie dans ses bras.

Au bout d'une heure, il se leva, grimpa le long escalier, franchit le parapet, recommença à marcher. Il finit par atteindre une usine dont les murs, descendant jusqu'au Gange, lui barraient le passage. Il était trop fatigué, de toute façon.

Les festivités doivent être terminées, se dit-il.

Il héla un batelier et se fit reconduire à l'université, vers la maison de son père.

19.16

Le lendemain matin, en prenant son petit déjeuner, Haresh décida de profiter de son passage à Brahmpur pour visiter l'usine Praha locale.

« Mais tu ne peux pas me laisser comme ça », dit Lata, stupéfaite, en reposant sa tasse de thé. Ils étaient à une petite table, dans la chambre nuptiale, dans la maison du grand-père.

« Non, je ne peux pas. Pourquoi ne viendrais-tu pas avec moi ? Je crois que ça t'intéresserait.

— Je pense que j'irai chez Savita.

— Qu'est-ce que c'est que cette boîte à chaussures ? »

Haresh l'ouvrit : elle renfermait un petit chat de bois sculpté, au sourire entendu.

Lata l'examina avec plaisir.

« Ça vient d'un cordonnier que je dois voir tout à l'heure, dit Haresh.

— Il me plaît. »

Haresh l'embrassa et s'en alla.

Lata s'approcha de la fenêtre, regarda la bougainvillée, perplexe. Quelle étrange façon de commencer une vie de couple, songeait-elle. Puis, à la réflexion, elle se dit que ce n'était pas plus mal, qu'elle préférait commencer cette nouvelle vie autrement qu'en déambulant avec Haresh dans les rues de Brahmpur – l'université, les ghats, le Barsaat Mahal.

La famille de Haresh repartit le jour même pour Delhi, tandis qu'Arun, Varun et les autres regagnaient Calcutta. Le départ de Lata et de Haresh était prévu pour le lendemain. Surchargé de travail, Haresh ne pouvait s'accorder immédiatement de lune de miel, mais il promit de le faire bientôt. Il entourait Lata de mille attentions, encore plus prévenant que pendant le voyage de Kanpur à Lucknow. Lata sourit, lui dit d'arrêter de s'occuper d'elle, mais ne s'en réjouit pas moins.

Sa mère, ainsi que Pran et Savita, les accompagnèrent à la gare. Chaleur et bruit y régnaient comme d'habitude. Mrs Rupa Mehra s'épongea le front puis les yeux avec son mouchoir imbibé d'eau de Cologne. Debout sur le quai, entre ses deux filles et leurs maris, elle se demanda si elle pourrait supporter de ne plus les avoir toutes les deux près d'elle. Un instant, elle eut la tentation de partir avec Lata et Haresh ; y renonça, heureusement.

Elle s'assura qu'ils auraient de quoi manger pendant le voyage ; elle avait apporté des provisions, au cas où ils n'y auraient pas pensé, y compris une grande boîte en carton marquée : *Shiv Market : Confiseries extra*, et une bouteille Thermos remplie de café glacé.

Elle serra Haresh dans ses bras, pressa Lata contre son cœur, comme si elle ne devait jamais la revoir. En fait, elle avait prévu de retourner à Calcutta le 20 juin – date d'anniversaire d'une de ses chères amies – et de se rendre à Prahapore le jour même. Ravie à l'idée de disposer désormais d'un foyer d'accueil supplémentaire.

Quand le train s'ébranla, Lata se pencha à la vitre et fit de grands signes. Haresh paraissait détendu, heureux, et elle découvrit que cela la rendait heureuse également. Quelques larmes lui vinrent aux yeux à la pensée de sa mère, elle jeta un bref regard à Haresh, puis s'absorba dans la contemplation du paysage. Dans quelques minutes, ils se trouveraient en pleine campagne.

Plus tard, à l'occasion d'un arrêt dans une petite gare, elle aperçut une troupe de singes. Se rendant compte qu'elle les observait, et anticipant une âme sympathisante, ils s'approchèrent de la fenêtre. Haresh dormait. Cette faculté qu'il avait de dormir pendant dix ou vingt minutes, chaque fois qu'il le pouvait ou le voulait, l'étonnait beaucoup.

Elle lança quelques biscuits aux singes : ils se rassemblèrent, jacassant, insistant. Elle regarda ses mains peintes au henné, prit un musammi qu'elle débarrassa soigneusement de sa peau verte, le distribua morceau par morceau. Les singes les gobaient aussitôt. Le sifflet annonçant le départ venait de retentir quand elle remarqua un vieux singe, assis tout seul à l'extrémité du quai.

Il la contemplait, sérieux et sans rien exiger.

Le train commençant à rouler, Lata chercha en toute hâte un autre musammi et le lui lança. Le vieux singe s'en approcha, mais ses compagnons se mirent eux aussi à courir vers le fruit ; et avant qu'elle n'ait pu voir qui l'avait emporté, le train avait quitté la gare.

GLOSSAIRE

Achkan : redingote à la Nehru.

Adaab : salutation courtoise.

Adharma : impiété, immoralité.

Adi Shankara : le « Shankara originel », c'est-à-dire le théologien Shankara (VIIIe siècle), fondateur de l'advaïta-vedanta.

Advaïta (vedanta) : système hindou d'ontologie non dualiste.

Akbar : souverain moghol (1556-1605) réputé pour sa tolérance religieuse.

Alaap : prélude d'une pièce musicale.

Aliph : première lettre de l'alphabet arabe.

Almirah : armoire.

Alu paratha : crêpe farcie aux pommes de terre.

Alu tikki : petite crêpe de pommes de terre épicées.

Amaltas : le *laburnum indien*.

Ammaji : mère.

Amrit : nectar.

Andhi : tempête.

Angarkha : long manteau porté par les hommes.

Anna : le seizième d'une roupie.

Annakutam : fête hindoue célébrée le lendemain de Diwali en offrant des monceaux de nourriture à Vishnou.

Apa : papa.

Arati : cérémonie concluant le culte hindou de l'image divine et consistant à agiter devant celle-ci la flamme d'une lampe allumée.

Arjuna : héros du *Mahabharata* qui reçoit dans l'épisode de la *Bhagavad-Gita* l'enseignement du divin Krishna.

Arya Samaj : secte hindoue réformée fondée au XIXᵉ siècle.

Ashok : arbre (« Jonesia ashoha »).

Ashoka : grand empereur (269-232 av. J.-C.) qui, converti au bouddhisme, en propagea les principes humanitaires.

Ayah : nounou.

Azaan : appel à la prière (islam).

Babu : terme de respect pour un aîné, père.

Bakr-Id : fête musulmane commémorant le sacrifice d'Abraham.

Ballishtah : mesure de longueur (une main).

Baloutche : habitant du Baluchistan (province du Nord-Ouest, Pakistan).

Bandar-log : le peuple des singes (Kipling).

Bania : caste marchande.

Bankim Babu : Bankim Chatterjee (1838-1894), écrivain et nationaliste bengali.

Barfi : sucrerie au lait condensé.

Barsaat Mahal : le palais des pluies.

Behayaa-besharam : impudique.

Bela : sorte de jasmin.

Bhabbi : épouse du frère aîné.

Bhadon : mois lunaire hindou (août-septembre).

Bhadralok : « gens de bien » (castes supérieures au Bengale).

Bhai : frère.

Bhai duj : le deuxième jour de la quinzaine claire du mois de kartik quand les sœurs honorent leurs frères.

Bhajan : chant de dévotion.

Bhakti : dévotion.

Bhang : préparation à base de chanvre indien.

Bharat : frère du dieu Rama, héros du *Ramayana*.

Bharatnatyam : style de danse classique.

Bigha : mesure (à peine un arpent).

Bilkul : tout à fait (à la forme négative : pas du tout).

Bindi : marque peinte sur le front de forme ronde.

Biradari : fraternité, communauté.

Biryani : préparation à base de riz, de viande et d'épices.

Biri : cigarette faite d'une feuille de tabac.

Brahma : l'Etre suprême.

Brahman : l'absolu impersonnel (symbolisé par Om).

Brahmo : membre du Brahmo Samaj, secte hindoue réformée fondée au XIXe siècle au Bengale.

Brinjal : aubergine.

Bua : tante paternelle.

Burra : vieux.

Burqa : long voile porté par les femmes musulmanes.

Burré Sahib : terme de respect pour un aîné.

Chamar : caste de travailleurs du cuir.

Champa : fleur du *Michelia Campaca* (frangipanier).

Champakali : collier de petits pendentifs en forme de boutons de champa.

Chana-jor-garam : pois chiches grillés.

Chanderi : ville du Bundelkhand (Inde centrale) célèbre pour ses cotonnades.

Chané ki daal : soupe de pois chiches cassés.

Chapati : galette de pain sans levain cuite à sec dans une poêle.

Chappals : sandales.

Charpoy : lit de sangle ou de cordes.

Chaturmaas : période de quatre mois (entre juin-juillet et octobre-novembre).

Chaupar : damier en croix fabriqué en tissu.

Chautha : cérémonie funèbre hindoue célébrée dans les quatre jours qui suivent le décès.

Chholé : ragoût de pois chiches.

Chhoté Sahib : terme de respect pour un cadet.

Chikan : broderie typique de Lucknow.

Choli : corsage très court porté avec le sari.

Chowk : place ou avenue centrale.

Chugal-khor : calomniateur, diffamateur.

Chugthai : célèbre poétesse.

Chunni : voir Dupatta.

Chyavanprash : tonique, fortifiant.

Daal : soupe de pois ou de lentilles cassés.

Daadi : grand-mère paternelle.

Dacoït : bandit, brigand.

Dada : grand-père paternel.

Dadra : grand-mère maternelle.

Dalal : courtisan-coquetterie.

Damaru : petit tambour de Shiva.

Darshan : vision sanctificatrice.

Devanagari : écriture la plus usuelle du sanskrit, de l'hindi et du marathi.

Dhanteras : fête hindoue en l'honneur de Lakshmi célébrée le treizième jour de la quinzaine sombre du mois de kartik.

Dharamshala : auberge pour pèlerins.

Dhobi : blanchisseur.

Dhobi-ghat : berge aux blanchisseurs.

Dholak : sorte de tambour.

Dhoti : vêtement masculin (pièce de tissu drapée autour des hanches).

Didi : sœur aînée.

Divali : fête hindoue des lumières en l'honneur de Lakshmi célébrée à la nouvelle lune du mois de kartik.

Dupatta : voile porté par les femmes sur les épaules.

Durbar : cour royale, audience royale.

Durga : la parèdre de Shiva.

Dussehra : fête marquant la victoire du dieu Rama sur le démon Ravana, célébrée le dixième jour de la quinzaine claire du mois de jeth.

Ekadashi : onzième jour des quinzaines claire et sombre de chaque mois lunaire hindou.

Farishta : ange.

Fatiha : le premier chapitre du Coran (lu aux mourants).

Gajak : sucrerie à base de sésame.

Ganesh : le dieu à tête d'éléphant, fils de Shiva et Parvati.

Ganga Dussehra : fête régionale du Bengale.

Ghazal : poème chanté.

Ghat : berge, quai, escalier menant à l'eau.

Ghee : beurre clarifié.

Ghich-pich : (être) les uns sur les autres.

Gopala : nom de Krishna enfant.

Gopi : bouvière, compagne d'adolescence de Krishna.

Guava : goyave.

Gul-mohur : flamboyant.

Gulab-jamun : boulette de fromage blanc frite dans le ghee et trempée dans un sirop de sucre.

Gulam : esclave (valet du jeu de cartes).

Gunda-gardi : vandalisme.

Guppi : bavardage.

Gurudeb : le Maître (pour désigner Tagore).

Gurudwara : temple sikh.

Gyaan : connaissance métaphysique.

Haafiz : gardien, protecteur.

Hanuman : le dieu singe héros du *Ramayana*, dévot de Rama et de Sita.

Hanuman Jayanti : anniversaire de Hanuman.

Haramzada : bâtard.

Hari : nom de Vishnou (Hare au vocatif).

Haveli : hôtel particulier.

Hemangini : prénom féminin (en sanskrit : « celle qui a un corps d'or »).

Hilsa : alose (poisson de rivière).

Hoi polloi : menu fretin.

Holi : festival du printemps célébré à la pleine lune du mois de phalgun.

Houkah : narguilé.

Huzoor : Votre Seigneurie.

Imambara : mausolée où l'on commémore les morts d'Ali et de ses fils Hassan et Hussein pendant le mois musulman de moharram.

Isha upanishad : une des plus anciennes upanishads du *Veda*.

Ishvara : Dieu personnel.

Jagré : sucre de canne non raffiné.

Jai Hind : vive l'Inde !

Jalebi : beignet de farine trempé dans un sirop de sucre.

Jamjar : pot d'argile poreuse (pour conserver l'eau fraîche).

Jamun : *Eugenia Jambolana*.

Janamashtami : anniversaire de Krishna, le huitième jour de la quinzaine sombre du mois de bhadon.

Jatav : caste de cordonnier.

Jawahar et lal : joyau et rubis, « lal » signifie aussi chéri ; jeu de mots sur le prénom de Nehru, Jawaharlal.

Jaymala : guirlande de victoire.

Jeth : mois lunaire hindou (mai-juin).

Jeth purnima : pleine lune du mois de jeth.

Jijaji : beau-frère : mari de la sœur aînée.

Jindabad : vive !

Juchanda : potion-décoction d'herbes médicinales.

Juti : sandalette.

Kabak : perdrix.

Kabir : poète de basse caste (tisserand) qui, musulman d'origine, s'est assimilé à l'hindouisme (1440-1518).

Kachauri : beignet fourré de lentilles ou de légumes.

Kachnar : *Bauhinia Variegata*.

Kafir : infidèle (pour l'islam).

Kahar : bon sang !

Kailash : montagne sacrée sur laquelle vivent Shiva et Parvati.

Kayal : khôl. Fard à paupières.

Kalari : troquet où l'on sert des boissons alcoolisées.

Kalawant : artiste.

Kamini : séduisante, ensorcelante.

Kanungo : officier du cadastre.

Karela : sorte de courgette très amère.

Karhi : soupe à base de farine de pois chiches et de petit-lait.

Karma-yogi : Personne qui cherche à obtenir son salut par le travail.

Kartik : mois lunaire hindou (octobre-novembre).

Kartik purnima : pleine lune du mois de kartik.

Kathak : style de danse classique.

Kayasth : nom d'une caste de scribes et d'administrateurs.

Khas : herbe *(Andropogon Muraticum)*.

Khatauni : livre de comptes ou répertoire.

Khatri : nom d'une caste marchande.

Khatri-patri : mot à écho qui semble propre à l'auteur.

Kheer : riz au lait sucré et épicé.

Khwani : désir ou demande.

Khyaal : style de musique de l'Inde du Nord.

Ki jai : vive !

Kirtan : chant de dévotion.

Kotwal : chef d'un poste de police.

Kotwali : poste de police.

Krishna : divinité hindoue, avatar de Vishnou.

Kulfi : glace à base de lait sucré.

Kumbhakaran : frère du démon Ravana, héros du *Ramayana*.

Kundan : or pur.

Kurmi : nom d'une caste d'agriculteurs.

Kurta-pyjama : tunique et pantalon.

Kutti : être fâché, se séparer.

Laddu : boulette sucrée.

Lakh : cent mille.

Lakshman : frère du dieu Rama, héros du *Ramayana*.

Lakshmi : épouse de Vishnou.

Lathi : bâton.

Lassi : boisson au yaourt (salée ou sucrée).

Lila : pièce de théâtre sacré mettant en scène les divinités.

Linga-Shiva : symbole phallique utilisé dans le culte du dieu Shiva.

Lobongolata : pâtisserie à la farine et au lait condensé parfumée au clou de girofle.

Lota : petit pot en cuivre.

Lovely wale aa gaye : ceux de « Lovely » sont arrivés.

Luchi : petit puri (préparation bengali).

Lungi : vêtement masculin, pièce de tissu drapée autour des hanches.

Madhumalati : jasmin.

Mahabharata : geste en sanskrit composée quelques siè-cles avant l'ère chrétienne et racontant la guerre entre deux groupes de cousins, les Pandava et les Kaurava.

Mahant : supérieur de monastère.

Mahasabha : parti nationaliste hindou fondé dans les années vingt.

Mahua : *Bassia Latifolia.*

Mali : le jardinier.

Manu : le premier homme, célèbre législateur hindou.

Maulana : titre donné aux lettrés musulmans.

Mangal-sutra : collier de mariage porté par les femmes.

Marathi : habitant de l'Etat du Maharashtra (Inde cen-trale).

Mardana : côté de la maison réservé aux hommes.

Marsiya : longue élégie.

Marwari : caste de commerçants originaires du Rajas-than.

Masala : épices

Matthri : petit gâteau salé frit.

Maulvi : instructeur religieux musulman.

Maund : environ 40 kilos.

Maya-vadi : « qui parle de maya » (façon péjorative de désigner un tenant de l'advaïta-vedanta).

Miya-mitthu : personne aimable.

Moharram : premier mois de l'année musulmane (celui de la commémoration du meurtre de Hussein).

Morha : fauteuil en rotin.

Munshi : l'intendant.

Musammi : sorte d'orange.

Naan : pain cuit au four.

Naga : ascètes guerriers qui vont nus.

Nahi : non.

Nakhra : faire des manières, flirter.

Nala et Damayanti : héros et héroïne d'un épisode du *Mahabharata* (thème de la fidélité conjugale).

Namaaz : prière musulmane.

Namasté : salutation.

Nana : grand-père paternel.

Nana-jaan : nourrice.

Nanak : le fondateur du sikhisme (1469-1539).

Navratan : neuf joyaux (perle, rubis, topaze, diamant, émeraude, lapis-lazuli, corail, saphir et *gomeda*).

Nawab : gouverneur, prince (nabab).

Nawabzada : fils d'un nabab.

Neem : margousier.

Neta-log : les chefs.

Nimbu pani : citronnade.

Om : son symbolisant le brahman.

O.B.E. : Order for British Empire.

Paan : noix de bétel écrasée enveloppée dans une feuille.

Pakora : beignet de farine de pois chiches fourré aux légumes.

Pallu : (pan du sari).

Panchayat : conseil, tribunal.

Pandava : nom de famille des cinq frères héros du *Mahabharata*.

Panditji : titre de respect pour un brahmane lettré.

Pani : eau.

Pao : 250 grammes.

Paratha : galette de pain cuite à la poêle.

Parikrama : circumambulation.

Pathan : peuple d'Afghanistan et du nord du Pakistan.

Peri : fée.

Phalgun : mois lunaire hindou (février-mars).

Phirni : riz pilé cuit au lait sucré.

Phulka : galette de pain cuite à sec et qu'on a laissée gonfler.

Pitthu : partenaire au jeu, partisan.

Prasad : offrande consacrée.

Phupha : mari de la sœur du père.

Puja : rite d'hommage aux divinités.

Pujari : prêtre.

Pukka Sahib : un vrai gentleman.

Purana khidmatgar : le vieux serviteur.

Purdah : voile, réclusion (des femmes) chez les musulmans.

Puri : galette de pain frite dans du ghee.

Pushpa : fleur (prénom féminin).

Rabindrasangeet : recueil des chants de Tagore.

Raga : mode musical servant de base et de cadre à l'improvisation.

Rai Bahadur : titre de haut rang (période de l'Empire britannique).

Raj : royaume, l'Empire britannique en Inde.

Rajkumar : prince.

Rajput : noble.

Ramjap : répétition du nom du dieu Rama.

Rama : divinité hindoue, avatar de Vishnou, principal héros du *Ramayana*.

Ramalila : « mystère » évoquant la vie de Rama.

Ramayana : la geste de Rama et de son épouse Sita composée en sanskrit au début de l'ère chrétienne par Valmiki.

Ramcharitmanas : version hindi du *Ramayana* composée au XVIe siècle par le poète Tulsidas. Le « Sundar kanda » est le premier chapitre de ce texte.

Rani : reine.

Rasagulla : boulette de fromage blanc trempée dans un sirop de sucre.

Rasmalai : sucrerie au lait concentré.

Ravana : ennemi de Rama dont il enlève l'épouse Sita dans le *Ramayana*.

Rishi : grand sage.

Rishikesh : ville du nord de l'Inde située sur le Gange et associée au renoncement au monde.

Roti : galette de pain sans levain cuite au four.

Rozi : quotidien.

Saakshi bhaava : attitude du témoin.

Sadhak : personne se consacrant à une discipline spirituelle.

Sadhika : féminin de sadhak.

Sadhu : ascète.

Sakhi : amie de cœur du couple divin Radha et Krishna.

Sayyed : descendants du prophète, classe supérieure des musulmans indiens.

Sooz : lamentation.

Sal : *Shorea Robusta*.

Sala : le frère de l'épouse (utilisé comme terme d'insulte).

Salwaar-kameez : pantalon bouffant et tunique portés par les femmes.

Samdhin : mère d'un fils (ou bru).

Samosa : petit pâté frit de forme triangulaire et fourré aux légumes.

Sandesh : sucrerie au lait condensé.

Sankirtan : chant de dévotion.

Sannyaas : renoncement au monde.

Sarangi : sorte de violon.

Saraswati : déesse de la connaissance.

Sardarni : féminin de sardar, titre donné aux sikhs.

Sat-chit-ananda : formule qui s'applique à l'absolu (existence-conscience-félicité).

Savitri : nom d'une prière védique adressée à Savitar (le Soleil), prénom féminin.

Seer : environ un kilo.

Sola : sorte de jonc *(Aeschynomene Aspera)*.

Shakti : énergie divine.

Shamiana : grande tente, vélum.

Shantiniketan : « havre de paix », université fondée par Tagore.

Sharifa : anone.

Shatrugan : frère du dieu Rama, héros du *Ramayana*.

Shehnai : sorte de hautbois.

Sherwani : long manteau serré.

Shloka : verset.

Shraadh : cérémonie avec festin à la mémoire d'un mort, onze ou treize jours après le décès.

Shravan : mois lunaire hindou (juillet-août).

Sindhi : habitant du Sind, province de l'ouest du Pakistan.

Sindoor : vermillon (que les femmes mariées appliquent dans la raie de leurs cheveux).

Sita : épouse du dieu Rama, héroïne du *Ramayana*.

Sitam-zareef : tyrannie perpétuelle (à propos d'une personne).

Snaan : bain.

Snaatak : étudiant brahmane qui a pris le bain rituel marquant la fin de ses études.

Soz : stance d'une élégie.

Supari : ingrédient du paan.

Swahas : exclamation accompagnant une oblation dans le rituel védique.

Swaroop : représentation divine. Par extension, acteur jouant le rôle d'un dieu.

Tabla : instrument à percussion se composant de deux petits tambours.

Tahiri : plat de riz avec des légumes.

Tanpura : instrument à cordes tenant lieu de bourdon lors de l'exécution d'un raga.

Tazia : châsses de Hasan et de Hussein, fils d'Ali, portées en procession pendant le mois de moharram (islam).

Tehsil : district.

Tehsildar : chef de district.

Thakur : seigneur.

Taan : le ton, ou la mélodie.

Taluqdar : propriétaire terrien.

Thali : plateau servant à prendre le repas.

Thandai : boisson rafraîchissante à base de graines pilées et d'épices.

Théka : un des tambours du tabla, celui qui se joue avec la main gauche.

Thumri : style de chant à deux voix.

Tika : point tracé sur le front.

Tinda : plante grimpante dont le fruit est une sorte de cornichon.

Tirukural : livre de maximes rédigé en tamoul classique.

Toba : Dieu m'en garde !

Tonga : voiture à cheval.

Tonga-wallah : conducteur de voiture à cheval.

Tota : perroquet.

Tulsi : le basilic sacré.

Vacances de Puja : période fériée associée au culte de Durga (Durga-puja) en automne.

Vakil : avocat.

Valmiki (les) : d'après Valmiki, l'auteur du *Ramayana*, réputé avoir été de basse extraction.

Vanaspati ghee : margarine.

Veena : instrument à cordes et prénom féminin.

Vibhuti : cendre de bouse de vache symbolisant la puissance du dieu Shiva et associée à son culte.

Vishnou : un des grands dieux du panthéon hindou.

Waqf : expert, personne informée.

Wallah : suffixe marquant l'appartenance (voir tonga-wallah) ou l'emploi.

Yajurveda : le *Veda* des formules (utilisées dans le sacrifice védique), l'un des quatre *Vedas*.

Zaal : contrefaçon.

Zamindar : propriétaire terrien.

Zari : brocart.

Zenana : partie de la maison réservée aux femmes chez les musulmans.

Table

Du même auteur :

LE LAC DU CIEL : du Sin-K'iang au Tibet, Grasset, 1996.
QUATUOR, Grasset, 2000.
DEUX VIES, Albin Michel, 2007.

Achevé d'imprimer en février 2008, en France sur Presse Offset par
Maury-Imprimeur - 45330 Malesherbes
N° d'imprimeur : 134929 - N° d'éditeur : 97476
Dépôt légal 1ʳᵉ publication : septembre 1997
Édition 04 - février 2008
LIBRAIRIE GÉNÉRALE FRANÇAISE - 31, rue de Fleurus -75278 Paris Cedex 06

31/4328/6